90° long. O.
85°
80°
75°
Tampa
GOLFE DU
MEXIQUE
Palm Beach
Fort Lauderdale
BAHAMAS
Grande
Bahama
25° lat. N
Miami
Cap Sable
Eleuthera
Florida Keys
Andros
Nassau
Key West
Détroit de Floride
Cat
Tropique du Cancer
La Havane
Détroit du Yucatan
Archipel de Camaguey
Mérida
Cancun
CUBA
Chichen Itza
Tulum
Ile de la Jeunesse
(Ile des Pins)
Ile de
Cozumel
Camagüey
MEXIQUE
Holguin
Yucatan
Guantanamo
GRANDES
Iles Caïmans
(R-U)
Georgetown
Jérémie
BELIZE
Belmopan
JAMAÏQUE
Kingston
Iles de Bahia
GUAT.
HONDURAS
Patuca
Cap Gracias a Dios
Tegucigalpa
MER DES
EL SALVADOR
NICARAGUA
(MER DES
Lac de Managua
Rio Grande
Managua
Bluefields
Lac de Nicaragua
Santa -Marta
Barranquilla
10°
COSTA-
RICA
Cartagena
San José
Limòn
Zone du Canal
(É-U)
Porto Bello
Colón
Panama
PANAMA
Cauca
Magdalena
OCÉAN
PACIFIQUE
Medellin
200 km
85°
80°

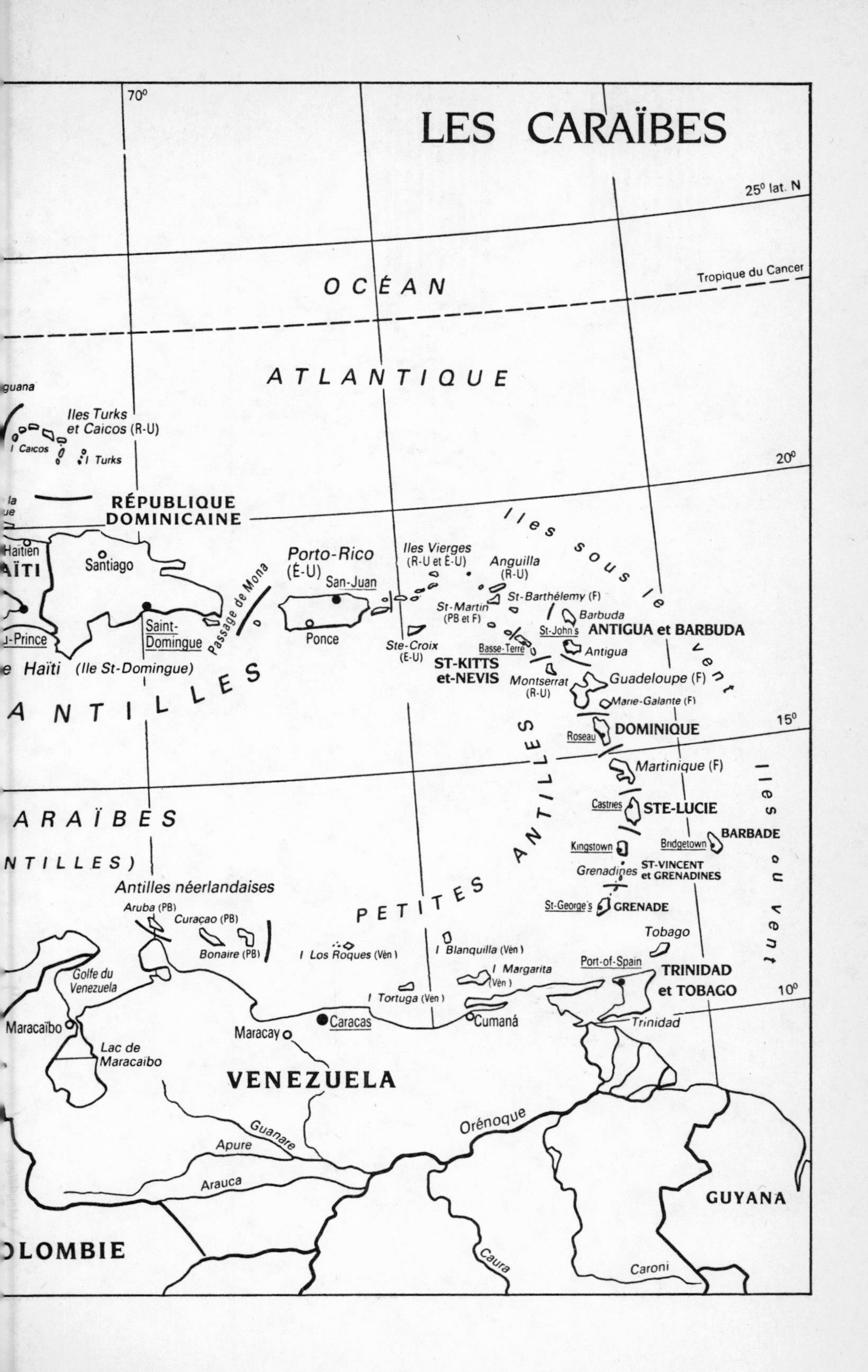

LES CARAÏBES
70°
25° lat. N
OCÉAN
Tropique du Cancer
ATLANTIQUE
Iles Turks
et Caicos (R-U)
I Caicos
I Turks
20°
RÉPUBLIQUE
DOMINICAINE
Iles sous le vent
Santiago
Porto-Rico
(É-U)
San-Juan
Ponce
Iles Vierges
(R-U et É-U)
Anguilla
(R-U)
St-Barthélemy (F)
St-Martin
(PB et F)
Barbuda
St-John's
ANTIGUA et BARBUDA
Antigua
Basse-Terre
Ste-Croix
(E-U)
ST-KITTS
et-NEVIS
Montserrat
(R-U)
Guadeloupe (F)
Marie-Galante (F)
Passage de Mona
Saint-
Domingue
Haïti (Ile St-Domingue)
ANTILLES
15°
Roseau
DOMINIQUE
Martinique (F)
Castries
STE-LUCIE
Iles au vent
BARBADE
Bridgetown
Kingstown
Grenadines
ST-VINCENT
et GRENADINES
St-George's
GRENADE
PETITES ANTILLES
CARAÏBES
Antilles néerlandaises
Aruba (PB)
Curaçao (PB)
Bonaire (PB)
I Los Roques (Vén)
I Blanquilla (Vén)
I Margarita
(Vén)
I Tortuga (Vén)
Tobago
Port-of-Spain
TRINIDAD
et TOBAGO
10°
Golfe du
Venezuela
Maracaïbo
Lac de
Maracaïbo
Caracas
Maracay
Cumaná
Trinidad
VENEZUELA
Orénoque
Guanare
Apure
Arauca
GUYANA
Caura
Caroni
COLOMBIE

CARAÏBES

LA JAMAÏQUE

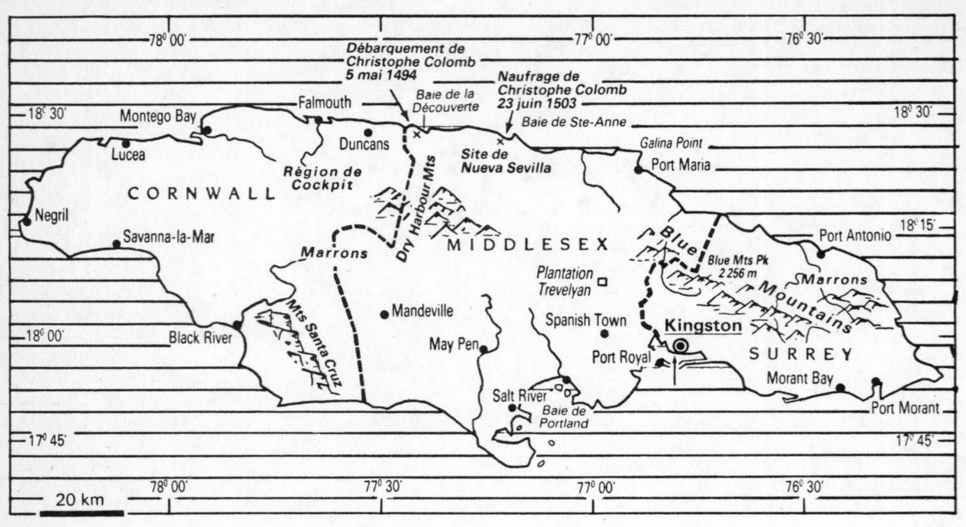

SAINT-DOMINGUE

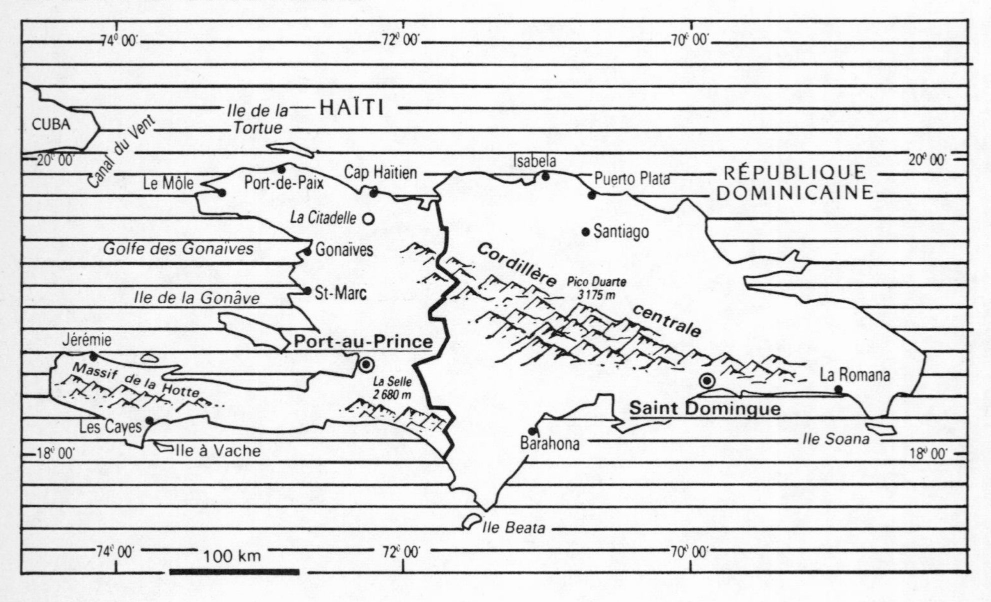

LA GUADELOUPE

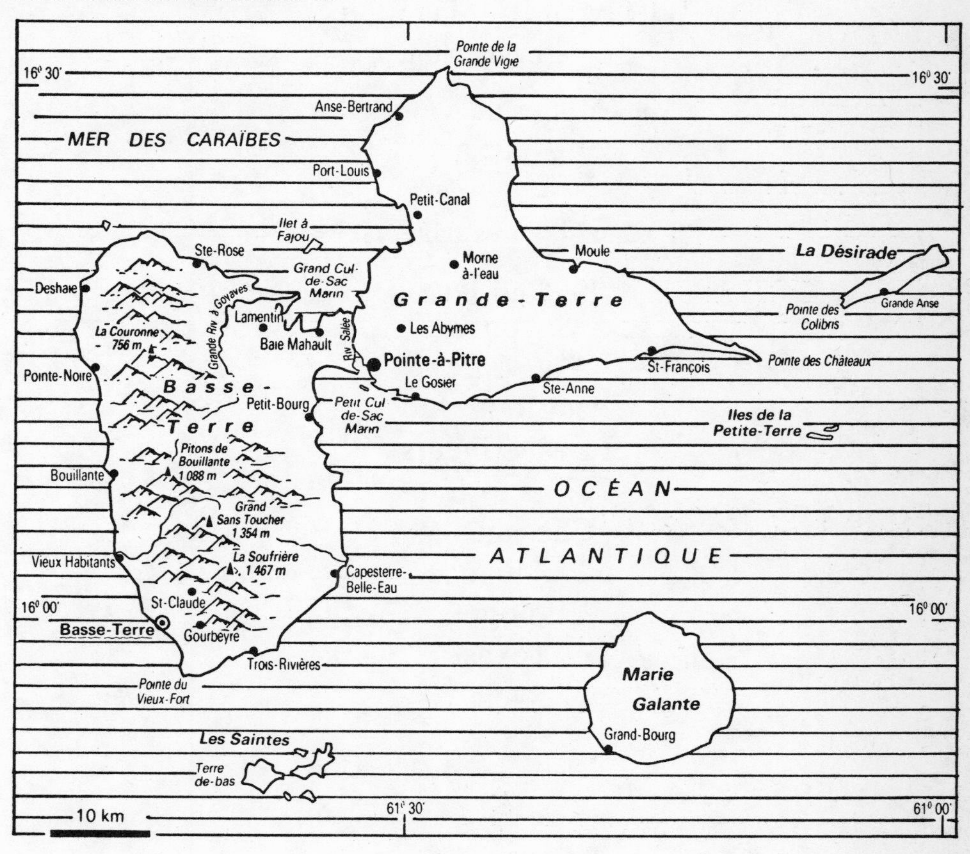

DU MÊME AUTEUR

chez le même éditeur

La Course aux étoiles

Alaska

Chez d'autres éditeurs

Retour au paradis

Sayonara

La Source

Pacifique Sud

Les Dériveurs

Colorado Saga

Chesapeake

L'Alliance

Pologne

Texas

James A. Michener

CARAÏBES

PRESSES DE LA CITÉ

Titre original :
Caribbean

Traduit de l'américain
par Françoise et Guy Casaril

Données de catalogage avant publication (Canada)

Michener, James A. (James Albert), 1907-
Caraïbes
Traduction de : Caribbean.
ISBN 2-89111-457-4
I. Titre
PS3525.I19C3814 1990 813'.54 C90-096463-4

Maquette de la couverture : France Lafond

Éditeur original : Randon House Inc., New York

2016, rue Saint-Hubert,
Montréal, H2L 3Z5

Dépôt légal :
4e trimestre 1990

ISBN 2-89111-457-4

Ce livre est dédié à l'aimable mémoire
d'ALEC WAUGH
qui m'a dit, alors que nous travaillions ensemble
à Hawaii, en 1959 :
« Un jour, il faudra que tu fasses un livre sur mes Caraïbes. »

Faits et fiction

Chapitre 1. *Les crotons.* Les Arawaks ont été envahis par les belliqueux Caraïbes à peu près vers l'époque indiquée.

Chapitre 2. *Les Mayas.* Tulúm, Cozumel, Chichen Itzá et Palenque sont des sites historiques présentés avec fidélité. Tous les personnages sont imaginaires.

Chapitre 3. *Christophe Colomb.* Cristóbal Colón, le roi Ferdinand, Francisco de Bobadilla et l'héroïque Diego Méndez sont des personnages historiques ; tous les autres sont imaginaires. Colomb a été soumis à de pénibles enquêtes et est revenu en Espagne prisonnier.

Chapitre 4. *Le lac espagnol.* Sir John Hawkins et sir Francis Drake sont historiques, ainsi que le vice-roi Martín Enriquez, leur adversaire espagnol à San Juan de Ulúa. Tous les autres personnages espagnols sont imaginaires. Les exploits de Drake sont évoqués avec fidélité.

Chapitre 5. *La Barbade.* Lord Francis Willoughby, sir George Ayscue et le prince Rupert sont historiques ; tous les autres ont été inventés. Les divers événements sont historiques et fidèlement relatés.

Chapitre 6. *Les boucaniers.* Henry Morgan et ses différents raids sont historiques et décrits selon des récits réels. Tous les autres personnages sont imaginaires. La circumnavigation de l'Amérique du Sud a eu lieu, mais avec de vrais boucaniers qui ont suivi le même itinéraire et mis à peu près le même temps.

Chapitre 7. *Les Intérêts du Sucre.* L'amiral Edward Vernon, le général Thomas Wrentworth et le héros espagnol don Blas de Lezo sont historiques, et leur affrontement à Carthagène est décrit de façon exacte. Le portrait des grandes familles de planteurs Beckford et Dawkins est fidèle. William Pitt (l'Aîné) est historique, de même que la réglementation danoise pour le châtiment des esclaves. Tous les autres personnages appartiennent à la fiction.

Chapitre 8. *Nelson.* Horatio Nelson, l'amiral sir Edward Hughes et Mrs. Nisbet sont historiques. Tous les autres sont imaginaires, mais tout ce qui est dit sur Nelson et sa recherche fébrile d'une épouse riche se fonde sur des faits.

Chapitre 9. *La Guadeloupe.* Victor Hugues a existé. Toutes les sources concordent sur son comportement pendant la Révolution française, en France et dans les îles, mais divergent en ce qui concerne sa jeunesse. Certains nient qu'il ait été coiffeur à Haïti. Tous les autres personnages sont imaginaires, mais les sinistres événements de la Guadeloupe sont historiques et Hugues mourut dans la peau d'un réactionnaire.

Chapitre 10. *Haïti.* Le général noir Toussaint Louverture, le général de Napoléon Charles Leclerc, et son épouse Pauline Bonaparte, le général anglais Thomas Maitland et le leader noir vaudou Boukman sont historiques, de même que le malheureux bataillon polonais. Tous les autres personnages sont imaginaires mais les divers incidents de la guerre et la victoire définitive des noirs sont relatés de façon exacte.

Chapitre 11. *La loi martiale à la Jamaïque.* Seuls les deux propriétaires de plantations, Jason Pembroke et Oliver Croome, sont imaginaires. Le gouverneur Edward John Eyre et tous les autres personnages sont historiques, notamment les participants au débat de Londres : Tennyson et Carlyle parmi les défenseurs d'Eyre, Mill contre lui. Leurs prises de position sont exposées fidèlement. Les actes odieux de Hobbs et Ramsay au cours de la loi martiale sont historiques, y compris leur suicide. Les opinions méprisables de Carlyle se trouvent dans ses écrits.

Chapitre 12. *Lettres d'introduction.* L'île d'All Saints elle-même est entièrement imaginaire, c'est le portrait composite de plusieurs endroits réels. Tous les personnages sont imaginaires, mais le champion de cricket sir Benny Castain a été inspiré par quatre athlètes noirs réels.

Chapitre 13. *L'étudiant de Trinidad.* Les événements et les personnages sont imaginaires, mais les deux universités, celle des Indes occidentales et celle de Miami, sont fidèlement présentées. Les événements relatifs au mariage frauduleux ont été vérifiés auprès des services de l'Immigration et sont une pratique courante.

Chapitre 14. *Le rasta.* Tous les événements et les personnages sont imaginaires, mais les caractéristiques du rastafarian et de sa religion se fondent sur une étude précise et des interviews.

Chapitre 15. *Cuba.* Fidel Castro est historique. Tous les autres personnages sont imaginaires mais aucun n'est exagéré. Les indications sur la vie à Miami et à La Havane sont authentiques, mais l'entrevue avec Castro se fonde sur des récits divers.

Chapitre 16. *La croisière.* Thérèse Vaval est entièrement imaginaire de même que son bateau la *Galante,* la croisière qu'elle fait et les personnages qu'elle rencontre. Mais une bonne dizaine de bateaux semblables quittent Miami ou San Juan chaque semaine pour se rendre d'île en île selon des itinéraires semblables — sauf qu'ils ne se rendent pas à Trinidad. Les situations que découvre Thérèse sont faciles à vérifier et ses conclusions sont partagées par la plupart.

1

Une haie de crotons

La Dominique, 1310

Le personnage principal de ce récit est la mer des Caraïbes, ou mer des Antilles, l'un des espaces maritimes les plus séduisants du monde, une perle rare parmi les océans, limitée par les îles qui forment un collier de pierres précieuses au nord et à l'est. Au sud et à l'ouest, elle est fermée par des masses continentales, mais ce sont les îles qui lui confèrent son charme unique. Au nord se trouvent les trois principales : Porto Rico, Hispaniola (Haïti et la république Dominicaine) et Cuba la grande. A l'est, de minuscules îles paradisiaques saupoudrent artistiquement les vagues bleues : Antigua, la Guadeloupe, la Martinique, Trinidad et la lointaine Barbade — entre autres. En Amérique du Sud, le Venezuela et la Colombie, ainsi que le Panama, en Amérique centrale, constituent la bordure méridionale. On néglige souvent la frange occidentale mais elle comprend à la fois les républiques d'Amérique centrale — Costa Rica, Nicaragua, Honduras — et la péninsule mystérieuse du Yucatán où les anciens Mayas connurent tout leur éclat.

La mer des Caraïbes, environ trois mille kilomètres de large de la Barbade au Yucatán, ne baigne ni les Bahamas ni la Floride, mais abrite presque en son centre une île qui, avec sa turbulente histoire, a joué à plusieurs reprises un rôle plus déterminant que les autres : la Jamaïque.

Dans les siècles qui ont suivi sa découverte par Christophe Colomb en 1492, la mer des Antilles a été dominée par les pays européens, fascinés par sa richesse, son charme tentateur et son importance stratégique pour la maîtrise des mers. L'Espagne, les Pays-Bas, la Grande-Bretagne, la France et à de brefs intervalles le Danemark et la Suède se sont trouvés mêlés aux affaires des Caraïbes, et l'on a souvent l'impression que le destin de la région a moins été déterminé par les actes de ses habitants que par les intrigues européennes. Inversement, et ce fut un facteur crucial dans l'histoire du monde, les destinées de l'Europe se sont fréquemment jouées au cours des batailles navales décisives que se livrèrent aux Antilles les flottes de guerre de l'Espagne, de la Hollande, de l'Angleterre et de la France.

Mais il ne faut jamais perdre de vue le trait le plus marquant de cette mer et de ses îles : les occupants majoritaires de la région sont aujourd'hui les descendants des esclaves noirs, déportés d'Afrique en si grand nombre qu'avec le temps ils ont submergé par leur masse l'ensemble des autres groupes ethniques. Beaucoup d'îles sont devenues des républiques noires avec des noirs à tous les postes clés : gouverneur général, Premier ministre ou chef de la police.

Au XIXe siècle, l'arrivée massive d'hindous et de musulmans originaires de l'Inde a enrichi d'influences uniques certaines îles et régions et a ajouté à leur pittoresque. Et dans les décennies récentes, des hommes d'affaires originaires du Canada et des Etats-Unis sont venus investir leur intelligence et leur argent afin de transformer ces îles en havres touristiques et en centres financiers internationaux.

On qualifie souvent la mer des Caraïbes de « Méditerranée de l'Amérique ». C'est une erreur. Au sens strictement géographique la comparaison paraît valable : deux mers intérieures de taille à peu près identique (Méditerranée : 2 481 000 kilomètres carrés, mer des Caraïbes : 2 487 000) qui ont joué un rôle historique important. Mais les similitudes s'arrêtent là. Les terres qui bordent la Méditerranée ont donné naissance à de nombreuses civilisations remarquables et aux trois grandes religions occidentales, alors que la seule grande civilisation indigène dans la région des Caraïbes fut celle des Mayas du Yucatán — déjà mourante, d'ailleurs, à l'arrivée des explorateurs d'Europe.

Mais ce que les Caraïbes ont offert, et sans barguigner, c'est une mer d'une céleste beauté, un groupe d'îles sans pareilles et une diversité rare d'habitants. Quant à la variété d'intérêts et de passions, elle n'a jamais fait défaut. En premier lieu, les Caraïbes sont le théâtre d'une des plus violentes manifestations de la nature : les hurricanes, les cyclones qui naissent mystérieusement au large des côtes de l'Afrique et traversent l'Atlantique Sud sans perdre de leur violence. Chaque été une série de ces monstres s'élance sur les îles, manquant parfois complètement les terres, mais souvent capables de tout dévaster, d'aplatir les palmiers, d'éventrer les maisons, de tuer des milliers d'hommes et de femmes. Les hurricanes ne s'écartent pas d'un « couloir » déterminé : ils frappent rarement Trinidad ou Cartagena, au sud, et ne remontent presque jamais dans le nord jusqu'aux Bermudes ; mais la Barbade et la Jamaïque peuvent s'attendre à un passage au moins une fois tous les dix ans, et certaines petites îles ont été ravagées avec une plus grande fréquence. Les plages ensoleillées de sable blanc aux eaux bleues cristallines expriment la gloire des Caraïbes ; les hurricanes sont leur enfer.

Mais si magnifique que soit la mer, l'histoire des entreprises humaines doit se concentrer sur les îles éparses. Nous n'aurons ni le temps ni l'espace de traiter de toutes les îles, car chacune mériterait un livre, mais nous en visiterons en détail plus d'une douzaine et nous observerons au passage des civilisations très diverses, dominées par une multiplicité d'anciennes métropoles inspiratrices : l'Espagne, la Hollande, l'Angleterre, la France, le Danemark, les États-Unis, ainsi que des sociétés sans relations avec l'Europe : Arawaks, Caraïbes, Mayas, Africains, Orientaux de l'Inde. En fait une tapisserie d'une incroyable richesse.

L'histoire commence en l'an 1310 sur une île que l'on appellerait plus tard la Dominique — au milieu de l'arc oriental.

Tiwanee se douta que les ennuis n'allaient pas tarder dès qu'elle apprit l'arrivée d'inconnus de l'autre côté de l'île. Elle tenait cette nouvelle troublante de l'homme le plus sérieux du village arawak — son compagnon Bakamu. Au cours d'un de ses incessants vagabondages, il avait aperçu les trois canots du haut d'une colline où il creusait le terrier d'un agouti. Ces canots étaient beaucoup plus grands que ceux dont on se servait normalement dans l'île, et les gens de plus grande taille, avec une peau plus sombre.

Il oublia sa chasse à l'agouti qui s'était enfoncé plus bas que d'habitude, et retraversa l'île en courant, sous les branches des grands arbres qui recouvraient les collines. Il cria à sa femme :

— Ils sont venus.

Ces paroles résumaient tout un monde de mystère et d'appréhension, car aucun étranger n'était jamais venu dans l'île, et Bakamu n'avait aucun moyen concevable de savoir que des hommes viendraient, ou même qu'il en existait ailleurs. Mais Bakamu n'était pas un homme ordinaire, comme son nom l'indiquait — Bakamu signifiait *il a contre-attaqué* —, nom tout à fait mérité car, dans sa jeunesse, alors qu'il portait encore son nom de naissance, Marabul, il avait creusé un énorme tronc pour se faire un solide canot et avait courageusement pagayé vers d'autres îles jamais vues. Vers le nord, il avait traversé la haute mer jusqu'à l'île qu'on appellerait Guadeloupe des siècles après sa mort, et vers le sud il avait visité la Martinique, découvrant ainsi que sa petite île se trouvait entre deux plus grandes, qui paraissaient inhabitées.

Il avait souvent médité sur ce mystère : pourquoi sa petite île contenait-elle des gens alors que ses voisines plus vastes n'en avaient point ? Il n'avait pas trouvé de réponse et n'en avait parlé à personne. Il avait gardé le silence même après avoir pris Tiwanee comme compagne pour vivre avec lui dans l'abri qu'il avait spécialement construit. « Elle est d'une grande sagesse, se disait-il, et un jour je lui en parlerai. » Mais Bakamu s'était laissé surprendre par la découverte des connaissances rares accumulées par Tiwanee, la meilleure de toutes les femmes : elle savait quand planter le manioc et la patate douce, comment cultiver le maïs, et où trouver dans la forêt les pommes-étoiles, les goyaves et surtout les riches noix de cajou. Quand son homme rapportait au logis un iguane, ce qui arrivait une ou deux fois par an, elle savait préparer d'abord un joyeux festin, puis faire sécher le reste de la viande, mis de côté pour plus tard.

Tout le village respectait les compétences de Tiwanee. En fait, ils formaient l'un des plus beaux couples du côté du couchant : un homme de constitution robuste, un peu lourde, et une petite oiselle brune bondissante qui furetait partout. Comme Bakamu faisait preuve d'une habileté exceptionnelle dans toutes les activités physiques qu'il entreprenait — course, saut, nage, jeux —, il forçait le respect de ses pairs et, en public, ses paroles avaient toujours du poids. Mais chacun savait qu'à la maison il écoutait sa femme et lui obéissait. Quant à Tiwanee, les hommes ne la trouvaient pas belle, mais dès qu'elle parlait ou souriait, l'incroyable animation de son petit visage mutin attirait toujours l'attention. Quand ils marchaient ensemble le long de la plage ou dans le village, elle s'enveloppait dans son vêtement de couleur vive ; lui, ne portait qu'un pagne brun. Elle restait invariablement devant lui, comme si ses yeux, toujours en mouvement, et sa curiosité naturelle la désignaient pour le rôle d'éclaireur. Mais où qu'ils soient et quoi qu'ils fassent, ils riaient beaucoup et tout le monde voyait bien qu'ils formaient un couple heureux.

Il était facile de déterminer où Bakamu et sa femme vivaient. Leur hutte ronde construite en piquets de bois, clayonnages et torchis ressemblait à toutes les autres, regroupées en cercles de bon voisinage, mais la parcelle de terre sur laquelle elle s'élevait était entourée par une haie remarquable, éblouissante quand la lumière du soleil s'y réfléchissait.

Lorsqu'elle l'avait plantée, Tiwanee n'avait utilisé que des crotons, plante tropicale dont les larges feuilles offrent une époustouflante diversité de couleurs : des rouges, des jaunes, des bleus, du violet, du marron foncé et quatre ou cinq autres teintes, toutes piquetées d'or irisé. Certaines plantes, sans raison discernable, avaient toutes leurs feuilles de la même nuance, d'autres présentaient les variations les plus folles et parfois, comme pour prouver sa versatilité, la même plante produisait une couleur vive sur le haut de chaque feuille et une couleur beaucoup plus sombre à la partie inférieure.

Une haie de crotons était source perpétuelle de joie et de surprise, car chacune des plantes poussait à profusion et n'obéissait à aucune des lois raisonnables auxquelles se soumettent les arbustes ordinaires. Si Tiwanee avait utilisé pour sa haie l'une des splendides fleurs rouges qu'on trouvait dans son village — ces plantes que l'on appellerait plus tard poinsettia, anthurium ou hibiscus — elle en aurait eu une quantité bien connue, car ces arbustes à fleurs poussaient jusqu'à une hauteur déterminée, savaient se conduire, et restaient à leur place, sans doute gouvernés par un esprit bienveillant : « Vous avez été conçus pour être ainsi et vous demeurerez ainsi, pour la joie des regards humains. »

Mais le croton était un hors-la-loi. Sans cesse Tiwanee taillait sa haie et un beau matin elle découvrait que deux de ses plantes s'étaient élancées comme des oiseaux de mer s'élevant de la baie pour planer dans le ciel. Elles poussaient comme de petits arbres têtus et grandissaient hors de proportion : il fallait les éliminer sinon elles auraient gâché sa haie. Ou encore, dans une partie de sa plantation de crotons d'une même couleur, jaune par exemple, tous magnifiques, surgissait ainsi de nulle part une pousse qui devenait violet foncé et détonnait dans son massif.

Personne ne pouvait contraindre un buisson de crotons à se tenir tranquille. Et le plus irritant était encore de voir une plante particulièrement belle, par exemple une combinaison de quatre couleurs, cesser de pousser vers le haut pour s'étendre et proliférer latéralement, tandis que ses feuilles devenaient de plus en plus merveilleuses à mesure que sa forme dégénérait.

Un soir où Tiwanee, assise avec son mari dans le crépuscule, contemplait sa haie splendide mais rebelle, elle dit à Bakamu :

— Le croton est la plante qui ressemble le plus aux gens. Il peut être n'importe quoi, petit ou grand, d'une couleur ou d'une autre, claire ou foncée. On ne peut pas le forcer à obéir, car il vit selon ses propres règles, mais si on le laisse libre, il devient fantastique. Regarde donc !

Ils admirèrent ensemble une splendide longueur de haie où toutes les plantes étaient de même taille et de même couleur, d'un rouge éblouissant — toutes sauf celle du milieu qui gâchait le reste : d'un violet criard, elle était deux fois plus haute que les autres et bien décidée à grandir encore.

— Sais-tu qui elle me rappelle ? dit Tiwanee. Toi. Tu vas toujours ton propre chemin.

Elle avait raison de penser que Bakamu agissait selon ses propres règles, et quand il partagea enfin avec elle ce qu'il savait des deux autres îles qu'il avait découvertes, elle lui lança sèchement :

— Tu aurais dû me le dire plus tôt. Tu n'entends donc pas la raison ? Si nous sommes ici, ne doit-il pas y avoir quelqu'un d'autre là-bas ?

Elle avait très sérieusement envie de repartir avec lui inspecter un peu mieux ces terres, mais c'était évidemment impossible car si une femme, n'importe laquelle, touchait le canot spécial de Bakamu, qui avait la forme des organes sexuels masculins, Bakamu croyait qu'elle détruirait la magie de l'embarcation. Quant à monter dans le canot pour une traversée, si Tiwanee le tentait, l'exploration se terminerait à coup sûr en désastre.

Mais cela n'empêcha pas l'esprit agile de la jeune femme de voyager encore plus loin que Bakamu.

— Te rappelles-tu les légendes ? raisonna-t-elle. Elles affirment que nous venons d'une grande eau vers le sud, par là-bas, et qu'à notre arrivée ici nous nous sommes d'abord installés sur le côté du levant, où les vagues sont intolérables. Il nous est arrivé là-bas tous les malheurs possibles jusqu'à ce que nous contournions la côte avec nos canots, vers le côté du couchant. Ensuite la prospérité est venue.

Bakamu acquiesça, car telle était la vérité acceptée par son peuple, et sa propre expérience confirmait les histoires anciennes. Lorsqu'il avait commencé ses explorations en canot, il avait fait le tour de l'île à la rame et à la voile, et du côté du levant, il n'avait rencontré que des ennuis, des vagues destructrices et des falaises hostiles. Sagement, il avait conclu que cet océan, appelé plus tard Atlantique, participait à une forme de magie beaucoup plus puissante que l'autre mer, celle qui porterait le nom de mer des Caraïbes ou des Antilles.

— Aucune protection là-bas. Des vagues sauvages. Des eaux plus sombres aussi.

Puis il avait ajouté le fait qui condamnait vraiment le côté du levant :

— Pas de poisson.

Le côté du couchant lui suffisait bien.

On l'admirait beaucoup dans son village, et dans les autres villages de la côte du couchant, à cause de ses talents prodigieux de pêcheur initié aux secrets des profondeurs marines. Il restait des heures dans son canot, sa longue foène prête, à attendre la remontée des poissons des fonds, et en général il prévoyait exactement l'endroit où ils surgiraient. Il lui arrivait de pagayer loin vers l'ouest à la poursuite d'un énorme lamantin égaré dans ces eaux, et il restait avec le grand animal marin même quand il perdait les côtes de vue, car il savait que s'il parvenait à ramener à terre cette énorme bête, tous les villages de la côte du couchant auraient assez de viande pour des festins fabuleux.

Un jour où Bakamu chassait ainsi la lourde créature presque aussi grosse qu'une petite baleine, un des orages furieux qui ravageaient l'île de temps en temps — les hurricanes toujours redoutés — se déchaîna soudain et pendant trois journées infernales les vagues devinrent si tumultueuses que même le lamantin dut chercher refuge, tandis que le canot de Bakamu roulait et tanguait dans les creux caverneux. Bakamu rangea sa rame et se prosterna à plat ventre dans le fond de son canot pour rendre grâces au Grand Esprit qui lui avait ordonné : « Que ton canot soit plus robuste que les autres contre les tempêtes. » Mais malgré cela, en voyant les vagues colossales, il crut plusieurs fois sa dernière heure venue. Il ne poussa aucun cri de désespoir et ne trembla pas de peur. Le visage contre le bois, il s'accrocha solidement au canot qu'il avait construit et murmura :

— L'homme vient, il s'en va. En mer comme sur terre.

Puis il songea à sa femme, seule dans leur hutte et il s'inquiéta pour elle, parce qu'au cours d'un ouragan en mer, les hommes meurent vite par la destruction soudaine de leur canot ; sur terre, en revanche, la mort est plus lente et plus douloureuse : les maisons s'éventrent et les grands arbres qui tombent bloquent souvent les gens au sol et les y retiennent jusqu'à ce qu'ils meurent.

Tandis que ces pensées troublaient Bakamu en mer, Tiwanee attendait dans leur hutte. Protégée par sa haie de crotons elle se demandait, terrifiée, ce qu'il advenait de son homme. Quand l'ouragan s'apaisa, elle s'avança comme les autres femmes du village vers la mer vide mais encore agitée, et conclut :

— Oïmé ! Le grand pêcheur, le grand explorateur est mort.

Et les villageois, après avoir enterré ceux qui avaient rencontré la mort sur terre, aidèrent Tiwanee à organiser une cérémonie funèbre pour Bakamu, trépassé en mer.

Deux jours après la grande tempête, deux gamins qui jouaient sur la côte repérèrent un canot qui se rapprochait. Ils poussèrent des cris et tout le monde se précipita au bord de l'eau pour cette vision stupéfiante : Bakamu ramenait son canot au milieu des vagues, avec en remorque le corps du lamantin dont il avait retrouvé la piste à la fin de l'ouragan. Alors, dans un élan de joie, un Ancien s'écria :

— Il a contre-attaqué ! *Bakamu !*

Et le nom Bakamu fut pour lui le plus grand des honneurs.

Ce jour-là, comme ils parlaient des inconnus dans les grands canots, Bakamu rappela à Tiwanee à quel point la côte du levant était désolée.

— Aussi mauvaise que le racontent nos légendes ? demanda la jeune femme, songeuse.

— Pire.

— Mais si nos ancêtres l'ont trouvée inhospitalière, ces nouveaux venus ne désireront-ils pas s'en aller ?

— Peut-être.

— Et ne feront-ils pas comme notre peuple ? Ne viendront-ils pas ici, du meilleur côté ?

— C'est possible.

À ces mots, elle se lança dans le genre d'interrogatoire serré auquel elle se livrait quand son esprit soupçonneux éprouvait le besoin d'en savoir plus long sur un sujet.

— Tu dis qu'ils ont le visage plus sombre que nous ?

— Oui.

— Et que leurs femmes décampaient comme des animaux effarouchés ?

— Oui.

En poursuivant ainsi, son visage inquisiteur tout près de celui de son mari, Tiwanee découvrit deux faits que Bakamu commenta avec plus de détails, car il avait grande envie lui aussi de comprendre les nouveaux venus et de percer leurs intentions à jour.

— Leur chef, plus grand et plus rude que les autres, portait une massue énorme qu'il brandissait souvent au-dessus de sa tête, pour faire reculer tout le monde. Une fois, je l'ai vu dans une telle colère qu'il en a frappé un homme. Il l'a étalé.

— Il l'a tué ?

— Je crois. Les autres l'ont emporté.

Suivit un silence pesant, car Bakamu hésitait à partager avec sa compagne un doute effrayant qu'il osait à peine s'avouer à lui-même.

— Tiwanee, il faut que je te dise... Peu de temps après, les hommes qui avaient emporté le mort sont revenus avec de gros morceaux de viande. Pas de l'agouti, pas du lamantin. Ils ont placé la viande dans un pot et ils l'ont apprêtée pour un festin.

Tiwanee écouta ces paroles terrifiantes, retint sa respiration un instant puis demanda à mi-voix :

— Tu crois qu'ils ont mangé leur propre frère ?

Comme Bakamu gardait le silence, elle poussa un long gémissement et s'écria :

— Voici venu le temps des malheurs !

Une terreur indicible les accabla.

Les questions de Tiwanee étaient si judicieuses et les révélations obtenues si concluantes, que la jeune femme se lança l'après-midi même dans les préparatifs prudents qui lui permettraient de protéger sa famille et elle-même contre les nouveaux venus aux instincts brutaux, lorsqu'ils franchiraient la montagne — car elle était certaine que cela se produirait un jour.

Bientôt la phrase « quand ils franchiront la montagne » domina toutes ses pensées. Elle la prononça lorsqu'elle coupa des branches pour masquer les accès naturels de leur hutte. Elle la répéta quand elle demanda à Bakamu d'aller lui chercher dans la forêt une branche de bois très dur.

— Que vas-tu en faire ? demanda-t-il.

Abasourdi, il la regarda tailler dans la branche un morceau de la longueur du bras, puis l'amincir d'un côté en une pointe fine qu'elle durcit dans les braises de son feu de cuisine. Dans le feu, la pointe fine brûla, mais elle tailla le bout qui restait en une nouvelle pointe plus dure — et posséda dès lors un poignard court durci au feu, mortel.

Bakamu s'étonna beaucoup de la voir agir ainsi. Les Arawaks de cette île, et des autres, constituaient l'un des peuples les plus pacifiques du monde. Ils n'avaient aucun mot équivalent à guerre parce qu'ils n'en avaient nul besoin. Ils élevaient leurs enfants dans une profusion d'amour. Ils vénéraient leurs vieillards et leur facilitaient le voyage à travers les années en leur apportant du maïs et en ramassant pour eux des racines de taro ; parfois même, ils partageaient avec eux un petit lapin succulent, s'ils parvenaient à le surprendre en train de se dorer au soleil près de son terrier. Ils vivaient en harmonie avec leur petit univers, se complaisaient dans l'abondance et la beauté de leur île, et acceptaient les hurricanes, lorsqu'ils survenaient, comme un rappel de la toute-puissance de la nature en face de l'homme.

En fait, c'était le coucher du soleil qui réglait principalement leur vie. A la fin de chaque longue journée ils avaient l'habitude de s'asseoir le long de la grève dans le crépuscule pour regarder l'orbe splendide du soleil plonger rapidement vers les vagues lointaines; puis les mères assuraient à leurs enfants :

— Il reviendra.

Quand le soleil disparaissait, les Arawaks se retiraient en paix dans leurs petites habitations circulaires, pour prendre le repas du soir.

Tiwanee, mère d'une fillette pleine de vie, appelée Iorotto, du nom de l'oiseau-mouche, était consciente de sa responsabilité spéciale : protéger et cultiver la beauté que promettait l'enfant. Les Arawaks, comme plusieurs autres tribus dans le monde, jugeaient le visage humain plus beau quand le front partait brusquement en arrière à partir des arcades sourcilières. Un front qui montait droit à partir du nez était tenu pour vulgaire et même choquant. Donc, chaque soir, en un patient effort pour rendre Iorotto plus belle, sa mère attachait contre son front une large planche plate qui repoussait lentement la partie frontale du crâne vers l'arrière, jusqu'à l'inclinaison désirée. La fillette dormait toujours avec ce carcan, car parmi les Arawaks la beauté était à la fois estimée et convoitée.

Tandis que le soleil se couchait et que la petite Iorotto s'endormait paisiblement, les étrangers de la côte du levant poursuivaient leur installation. C'étaient des Indiens Caraïbes qui avaient quitté les grands fleuves de ce qui serait appelé plus tard l'Amérique du Sud pour venir dans le nord. Quel contraste avec les pacifiques Arawaks ! Ils glorifiaient la guerre et organisaient leur société uniquement en fonction de cette activité. Peuple farouche et redoutable, c'étaient des cannibales qui combattaient tous les étrangers non seulement pour les soumettre mais pour les manger.

Exactement comme Tiwanee l'avait prédit, à peine étaient-ils installés sur le côté atlantique de l'île que leur chef, un certain Karuku, homme violent de vingt-cinq ans dont les cheveux noirs mal coupés lui retombaient sur les yeux, décida que son clan devait traverser l'île : il était sûr de trouver là-bas un climat plus clément, avec de la nourriture et des poissons en abondance. Cette décision s'imposait de toute manière : la côte du levant, inhabitée, n'offrait aucun objectif pour les opérations de guerre dans lesquelles il excellait. Il avait hâte de lancer ses guerriers contre des peuples, surtout de faire des prisonniers. À cela s'ajoutait une motivation personnelle très forte : au cours de la traversée des jungles de l'Orénoque vers le nord, sa femme était morte, et comme toutes les femmes des trois canots se trouvaient déjà prises, il restait sans épouse et en était mécontent. Supposant que l'autre côté de l'île devait être plus hospitalier et peut-être habité, il ordonna à ses guerriers caraïbes de préparer des expéditions de reconnaissance dans les montagnes à la recherche de villages où il pourrait capturer une femme.

La tactique du vol des femmes constituait un élément important de la culture caraïbe, et on le pratiquait depuis des centaines d'années : les guerriers mangeaient les hommes qu'ils capturaient au combat et castraient les jeunes garçons pour les engraisser comme des chapons en vue de festins ultérieurs; mais ils ne mangeaient pas les femmes, elles étaient trop précieuses pour la reproduction — elles mettraient au monde de futurs guerriers.

Ainsi donc, avec plusieurs objectifs en tête, Karuku le Caraïbe tirait-il des plans pour conquérir ce qu'il pourrait trouver sur l'île, et l'issue de la bataille ne faisait aucun doute pour lui. Ce serait l'extermination des autres.

Au même moment, dans de nombreux coins du monde, avaient sans doute lieu des expéditions semblables par leur conception et leurs objectifs : des groupes d'êtres humains, estimant impossible de coexister avec d'autres hommes, de couleur ou de religion différente, décidaient que leur extermination était la seule solution possible. Cette conviction continuerait de déchirer le monde pendant les huit siècles suivants — et probablement encore longtemps après.

Karuku était un ennemi impressionnant. Au cours de razzias sur les rives de l'Orénoque, il avait démontré ses talents pour la guerre, et, s'il avait quitté ce paisible fleuve, c'était avant tout pour trouver une nouvelle région qu'il puisse dominer. Il n'était pas seulement expert au combat corps à corps, qu'il livrait en brisant avec son énorme massue de guerre tous les crânes qui se trouvaient sur son chemin, mais il possédait aussi un sens pénétrant de la tactique et de la stratégie, enseignées par son père et son grand-père, redoutables guerriers en leur temps.

La culture des Caraïbes était brutalité pure, guerre et pas grand-chose d'autre. Ils légueraient au monde des mots imprégnés de violence et de terreur : *cannibale, hurricane,* le *canot* de guerre, le *cigare* viril, le *barbecue* sur lequel ils faisaient rôtir leurs captifs. Lorsqu'ils paradaient, ils avaient des tambours de guerre, mais seulement quelques chants martiaux, et aucune chanson d'amour. Leurs habitudes alimentaires, totalement primitives, ignoraient les raffinements conçus par les Arawaks et d'autres tribus ; les Caraïbes mangeaient en saisissant avec leurs doigts sales des bouts de viande en vrac dans un plat commun. Les hommes se jetaient sur leur pitance invariablement avant les femmes, à qui ils abandonnaient les restes. Leurs canots, lourds et grossiers, n'avaient pas la ligne élégante créée par d'autres pour voler sur l'eau. Même leurs ornements personnels demeuraient toujours d'inspiration guerrière, et c'étaient les hommes, jamais les femmes, qui se paraient des ossements blanchis de leurs victimes.

Mais comme les Spartiates de la Grèce antique, qui passaient eux aussi pour des brutes comparés aux Athéniens plus cultivés, les Caraïbes faisaient fort bien ce qu'ils décidaient de faire, et semaient la terreur partout où ils passaient. Ils croyaient qu'en mangeant leurs ennemis les plus puissants, ils héritaient de leur vaillance, et qu'en prenant leurs femmes les plus belles et les plus saines, ils augmentaient la vitalité de leur propre groupe ; sur ce dernier point, bien entendu, ils ne se trompaient pas. Ils formaient un peuple hybride, constamment renforcé par du sang frais et ils bénéficiaient de la force brutale qui naît souvent de ce genre d'hybridation.

Quand Karuku et trois de ses compagnons quittèrent un beau matin la côte du levant pour explorer leur nouvelle île, ils procédèrent furtivement mais sans perdre de temps. Après avoir arpenté les forêts pendant quelques heures sans trouver le moindre signe de population, ils se mirent à gravir les hautes montagnes du centre de l'île. La nuit les surprit avant qu'ils ne voient quoi que ce soit mais cela ne les découragea nullement car ils avaient l'habitude de dormir dehors ; et quant à la nourriture, ils avaient emporté des morceaux de poisson et de viande ; ils les mangeraient avec parcimonie car ils ne pouvaient guère prévoir les rencontres qu'ils risquaient de faire avant leur retour auprès de leur peuple.

L'après-midi du deuxième jour, ils tombèrent sur un spectacle qui les ravit : une clairière dans la forêt. Ils en conclurent qu'elle avait été créée délibérément par des êtres humains, car il y poussait des pieds de manioc soigneusement alignés — remarquable source de nourriture.

— Il y en a ! s'écria Karuku.

Le ton de ses paroles n'exprimait pas la joie de la découverte d'autres humains sur l'île, mais une jubilation sinistre : bientôt son groupe allait livrer combat pour la possession d'une nouvelle terre.

Pendant le reste de la journée les espions se déplacèrent avec précaution, toujours vers l'ouest, jusqu'à une hauteur d'où ils pourraient observer le village qu'ils cherchaient. Et ils le virent dans les rayons du soleil couchant : un groupe de huttes bien faites, à occuper quand leurs propriétaires actuels en seraient dépossédés, des canots déjà construits, des champs tout proches où poussait de quoi manger. Mais il y avait aussi la mer calme, tellement plus amène que l'océan sauvage de l'est, et quand le soleil se coucha ce premier soir, les Caraïbes comprirent qu'ils étaient tombés sur un paradis beaucoup plus désirable que leurs anciennes terres de l'Orénoque et tout ce qu'ils avaient pu voir au cours de leur traversée vers le nord.

— Repartons, dit Karuku. Rassemblons nos hommes et revenons prendre ce village.

Tout en prononçant ces ordres, il baissa les yeux vers la hutte entourée de crotons multicolores, et se dit : « Celle-là est pour moi. » À grands pas décidés, comme impatient de se lancer à l'assaut du village endormi, il ramena ses hommes vers le côté sombre de l'île.

À cause de leurs précieuses compétences, Bakamu et sa femme jouissaient d'un statut spécial dans leur village. La force et l'habileté de Bakamu sortaient de l'ordinaire, et quant à Tiwanee elle était la gardienne d'un secret qui comptait pour beaucoup dans les succès de la tribu.

Elle maîtrisait en effet les techniques du manioc, base de l'alimentation de son peuple, un des aliments les plus remarquables du monde. Comme la pomme de terre, l'igname et la betterave, le manioc produit une excroissance bulbeuse sous la surface de la terre. Une fois déraciné... et râpé, il fournit un aliment semblable à la pomme de terre, appétissant à la vue et à l'odorat. Mais à ce stade, il contient entre ses fibres un suc épais qui constitue un poison mortel. La culture du manioc exige que l'on extraie la totalité de ce jus avant de pouvoir transformer le résidu en une excellente farine nutritive, base d'un pain délicieux.

Longtemps avant la naissance de Tiwanee les Anciens avaient cherché une solution au problème de l'extraction des sucs empoisonnés du manioc pour exorciser leur pouvoir mortel. Une femme intelligente de la tribu avait trouvé la réponse. Un jour, tapie dans la jungle, elle avait vu un boa constrictor saisir dans ses mâchoires caverneuses un rongeur qui hurlait. Le serpent avait avalé lentement l'animal qui continuait de se débattre. Ensuite la jeune Arawak avait vu le grand reptile digérer son énorme bouchée en resserrant puis détendant alternativement les muscles puissants de son ventre jusqu'à ce que tous les os soient brisés. L'absorption pouvait alors commencer.

— Avec l'aide de ce puissant serpent, s'écria la femme, je pourrais extraire le poison de mon manioc.

Cette idée commença à la hanter, elle la rumina pendant des semaines et des mois. Ne pourrait-elle pas fabriquer un serpent ? Elle trouva enfin une solution : « Je vais ramasser les meilleures feuilles de palmier, les plus fortes, et avec les lianes les plus fines, je tresserai un long serpent étroit dont les flancs se serreront et se détendront comme ça et comme ça, pour chasser les poisons. »

Elle le fit. Son imitation de serpent, appelée *matapi*, longue de plus de trois mètres, très mince et très solide, avala dans sa mâchoire insatiable tout le manioc qu'elle avait gratté ce jour-là avec ses voisines. Puis le génie de la jeune Arawak se manifesta. Quand elle eut pressuré le serpent à la main pendant un certain temps, elle découvrit deux faits : le système fonctionnait, car le jus empoisonné était effectivement expulsé, mais c'était un travail monstrueusement pénible. « Je deviendrais folle à pressurer comme ça toute la journée ! »

Elle construisit donc un appareil qui lui permit d'appliquer au serpent une pression suffisante pour extraire le jus empoisonné avec une facilité relative. Tout d'abord, elle fixa le haut de son serpent de trois mètres à une poutre placée à quatre mètres au-dessus d'elle. Puis, en utilisant un tas de pierres comme point d'appui, elle transforma une longue planche en balançoire d'enfant, avec deux fillettes d'un côté et une grosse femme debout de l'autre. À la balançoire, elle fixa la queue de son serpent, et elle installa un grand bol de bois au-dessous pour recueillir le liquide. Quand la femme appuyait de tout son poids de son côté de la planche, la tension exercée sur les flancs tissés du serpent expulsait les poisons. Ensuite, la femme s'avançait vers le centre du fléau, et les deux fillettes pouvaient faire descendre leur côté : le serpent se détendait. Et ainsi de suite...

À la fin de la partie de balançoire, le contenu desséché du serpent tressé était prêt à cuire. Cette farine de manioc s'appelait cassave. On en faisait des sortes de galettes semblables à du pain — et les Arawaks s'en régalaient.

Dans son village, Tiwanee était l'une des femmes responsables du traitement du manioc, et la curiosité toujours en éveil de son esprit lui permit d'introduire une audacieuse innovation dans cette tâche banale. Au cours des siècles précédant sa naissance on avait jeté le liquide nocif expulsé du serpent tressé, puisqu'il était inutile et dangereux. Mais un jour où par inadvertance elle avait laissé le liquide en plein soleil dans un bol d'argile, elle remarqua que la chaleur intense avait provoqué un changement de couleur. Le poison, devenu d'un riche brun doré, paraissait si alléchant que la jeune femme dit à son époux :

— Une chose, qui a l'air si bonne, devrait avoir également bon goût.

— Tiwanee ! cria-t-il. Ne fais pas de sottise !

Mais, malgré les prières de Bakamu, elle trempa le doigt dans la substance et le porta avec précaution à sa bouche. Comme elle s'y attendait, la première impression gustative fut rassurante : salée, forte, avec un arrière-goût qui vous invitait à recommencer — ce que Tiwanee fit, sans danger apparent. Dans les jours qui suivirent elle continua de goûter son breuvage et le trouva chaque fois meilleur. Enfin, sans prévenir son mari de sa décision téméraire, elle avala une si généreuse quantité de la nouvelle substance que, s'il s'était agi du poison du premier jour, elle serait certainement morte. Elle ne mourut point. En fait elle se sentit extrêmement bien et, au bout de deux jours sans réactions contraires, elle annonça à Bakamu :

— C'est sans danger, et c'est bon.

Bientôt toutes les femmes du village mirent des pots de l'ancien liquide empoisonné à mijoter dans un coin de leur feu, et ajoutèrent au bouillon des bouts de légumes, de poisson, et même de viande d'agouti les rares fois où quelqu'un attrapait un de ces succulents petits animaux. Quand on ajoutait au mélange des piments forts, on obtenait un bon ragoût savoureux et nourrissant — grâce à Tiwanee. Et par acclamation du peuple, elle devint une sorte de prophète de la communauté, sans entrer en concurrence avec le vieux chaman qui apaisait les esprits, mais en tant que protectrice du foyer où hommes et femmes étaient nourris et revigorés.

Quand cet honneur lui fut conféré, elle se sentit une autre femme. Elle parut remarquablement plus sage, comme si des pouvoirs latents depuis longtemps avaient soudain pris forme et place. Comme si des connaissances accumulées en silence s'étaient mystérieusement épanouies pour produire un fruit neuf, totalement inattendu qui la fit reconnaître comme un chef pour les autres villageois. Dans l'ensemble du monde connu ce miracle s'est souvent produit : un homme ou une femme ordinaires sont désignés à un poste, et, en remplissant leur office, ils deviennent mystérieusement capables de remplir les devoirs de leur charge, si bien qu'au bout du compte, une personne qui aurait pu demeurer très ordinaire se transforme en génie.

Quand elle eut subi cette métamorphose, Tiwanee trouva peu de plaisir à sa situation. Elle était ravie que son village bénéficie de sa sagesse, mais elle se rendait compte que sa position lui imposait de nouvelles responsabilités, et elle continuait de ruminer la menace qui pesait sur son peuple depuis que des étrangers s'étaient installés sur la côte opposée de l'île.

Un de ses devoirs en tant que chef du village consistait à fixer la date de plantation du manioc. Mais comme c'était une affaire d'extrême importance pour le village, une question de vie ou de mort, la décision ne dépendait pas que de Tiwanee. Elle en partageait la responsabilité avec le vieux chaman dont les conseils avaient toujours valu au village la faveur des esprits de l'autre monde. Heureusement, Tiwanee et le vieillard collaboraient fort bien : il s'occupait de tout ce qui touchait à l'autre monde, et elle se souciait du soleil, des pluies et de la venue de l'été dans ce monde-ci. A eux deux, ils parvenaient à faire mûrir le manioc juste quand on en avait le plus besoin. S'ils n'avaient pas pu s'entendre, leur peuple en aurait souffert, et ils le savaient.

Un jour propice, avant l'arrivée des grosses chaleurs — qu'accompagnait la menace de hurricanes — les deux protecteurs du village convinrent qu'il était temps de planter le manioc. Le chaman proclama :

— La plantation peut commencer !

Aussitôt Bakamu prit la direction de tout. Il s'élança sur la grève en criant :

— Partie de ballon ! Pour célébrer le manioc !

Chacun se dirigea au plus vite vers le terrain de jeux tout plat, aux limites définies par de grosses pierres aplanies d'un côté, plantées comme un mur grossier au pourtour d'un champ rectangulaire où l'on avait nettement marqué, à chaque bout, des lignes de but. Curieusement, ces terrains de ballon des anciens Arawaks et de leurs cousins les Mayas, plus à l'ouest, avaient à peu près la taille des stades que les Européens et les Américains adopteraient des siècles plus tard pour jouer au football, au rugby et à la crosse. Entre quatre-vingts et cent mètres de long, sur une trentaine de mètres de large. Comme si un système de mesure intérieur au corps humain avait crié, à travers les siècles : « Quand d'autres hommes le poursuivent, un homme peut courir telle et telle distance, mais pas davantage. » Et les terrains de tous les sports de ce genre se sont dûment conformés à ces indications.

Le terrain du village de Bakamu était situé en un site splendide, parallèle à la côte, et orienté de telle manière qu'aucune équipe ne pouvait être avantagée par les changements de position du soleil. C'était une belle pelouse verte, à l'herbe rase, protégée du côté de l'est par des montagnes revêtues de pourpre. Il avait vu des parties d'un enthousiasme étonnant, et des performances remarquables — des parties qui vivaient dans le souvenir, et les meilleures s'étaient souvent produites dans des circonstances semblables, quand le village entier venait célébrer un grand moment du cycle de la vie humaine. Dans ce village, en tout cas, le grand jeu de ballon déchaînait la bonne humeur et les acclamations. Tout le monde célébrait la victoire, même les vaincus, conscients d'avoir subi la défaite pour une cause joyeuse.

Le jeu exigeait une grosse balle de caoutchouc, mais les îles n'avaient pas d'hévéas et hormis les tentatives d'exploration de Bakamu au nord et au sud, on n'avait entendu parler d'aucune communication avec l'extérieur. Les arbres à caoutchouc poussaient seulement dans les jungles des masses continentales lointaines, et pourtant des ballons de caoutchouc, accessoires indispensables du sport quasi religieux de la région, existaient jusque dans les îles les plus reculées. Les Arawaks, conscients de l'importance de ces ballons dans leur vie, veillaient sans doute sur eux comme sur des trésors nationaux. Le village de Bakamu avait disposé d'une série de ces balles, et chacune était arrivée au moment où la précédente était sur le point d'expirer. Elles se trouvaient en tout temps sous la protection du chaman, car il s'agissait d'un trésor beaucoup plus précieux que sa valeur intrinsèque : elles constituaient presque l'âme du village, puisque sans elles, les parties effrénées ne pourraient avoir lieu, et que sans ces jeux les plants de manioc mourraient, et le peuple à leur suite.

Dans le village de Bakamu la partie se jouait entre deux équipes de quatre hommes. Dans d'autres villages aux terrains un peu plus vastes, il y avait jusqu'à six joueurs mais sur ce terrain modeste quatre semblait normal. Chaque équipe avait un but à défendre, mais chaque équipier était libre de courir sur le terrain entier, du moment qu'il était toujours prêt à revenir à toute vitesse défendre son but. L'objectif du jeu consistait à lancer la balle de l'autre côté de la ligne du but adverse, et chaque fois que le jeu se rapprochait d'une des lignes de but, les cris des spectateurs le long des touches devenaient plus intenses.

On n'avait pas le droit de se servir de ses mains. Si un joueur touchait la balle, on le renvoyait sur la touche, car il fallait frapper la balle avec l'épaule ou la hanche. On n'avait même pas le droit d'utiliser les coudes, la tête ou le talon. Malgré ces contraintes, les joueurs devenaient fort habiles à se faire des passes. Les stratégies du jeu exigeaient qu'ils plongent au sol pour faire obstruction aux adversaires en bloquant la balle ; chacun portait donc des protections de coude et de genou, toujours sur les articulations du côté droit. Mais le capitaine de chaque équipe disposait d'un accessoire de jeu encore plus remarquable : un énorme anneau de pierre, avec une ouverture juste assez grande pour qu'il s'y glisse en l'enfilant par les pieds et en le remontant jusqu'à la taille, par-dessus les hanches qui le calaient. Comme l'objet pesait une douzaine de kilos, il conférait au capitaine une puissance exceptionnelle, quand celui-ci frappait le ballon directement avec l'anneau ou bien avec ses hanches lestées.

Au moment de la mise en jeu, les deux capitaines, leur cercle de pierre à la taille, se plaçaient évidemment en position de gardiens de but et relançaient d'un coup fantastique, dans la direction opposée, toute balle qui venait vers eux.

Ce jour-là, d'une importance particulière, les spectateurs garnirent les plates-formes derrière les deux buts et s'alignèrent dans les espaces entre les grosses pierres dressées. Des fleurs décoraient les alentours du terrain, et des gamins avec des tambours faisaient un joyeux tintamarre. En attendant le début de la partie, des femmes chantèrent et des hommes dansèrent sur des rythmes nobles pour apaiser les esprits qui présidaient à la croissance du manioc. Quand la passion fut à son comble, un vieil homme qui servait d'arbitre souffla dans un instrument fabriqué avec un grand coquillage de mer. Le public évacua le terrain et le jeu commença.

L'arbitre donna le coup d'envoi en lançant le ballon de caoutchouc entre deux joueurs adverses au milieu du terrain. Les deux hommes réagirent avec un tel brio que le jeu démarra en trombe. L'un frappa la balle de la hanche, l'autre la repoussa de l'épaule. Les échanges s'animèrent et les deux gardiens de but eurent plus d'une occasion de la renvoyer au milieu du terrain quand elle menaçait leur ligne, mais les moments les plus passionnants survenaient quand un joueur audacieux, au milieu du terrain, se jetait sur la terre dure et dérapait sur ses protections pour relancer d'un coup d'épaule ou de hanche le ballon qui roulait. À ces instants, la foule rugissait.

La partie avança, et l'on crut bientôt que l'équipe de Bakamu allait perdre, car pour chaque tentative de but de son équipe sur la ligne adverse, les adversaires tiraient trois ou quatre fois contre la ligne de Bakamu. Mais il était si agile qu'il repoussait les balles quand la situation semblait le plus désespérée et son équipe restait donc en jeu.

Puis, soudain, il reçut une balle ennemie sur la hanche et la renvoya avec sa grosse ceinture de pierre vers la surface plate d'une des grandes pierres dressées. La balle rebondit de telle manière qu'il se trouva au bon endroit pour la relancer de même sur une autre pierre. Bakamu parvint à faire ricocher ainsi la balle de pierre en pierre cinq fois de suite en évitant tous les adversaires. Il avait gagné assez de terrain : d'un coup puissant de son anneau de pierre, il marqua enfin le point.

C'était un exploit prodigieux : le galop d'un seul homme à travers l'équipe adverse grâce à l'utilisation judicieuse du rebond sur les pierres levées, comme sur les bandes d'un jeu de billard. Peu de jeunes gens dans le monde auraient été capables d'effectuer, ce jour-là, la même combinaison d'agilité, d'adresse, de précision et d'endurance. A la suite de ce tour de force, la foule explosa en vivats et le vieux chaman descendit sur le terrain pour féliciter l'athlète.

— Cette année, le manioc poussera.

Dans les temps anciens, la coutume des Arawaks voulait qu'en ces instants de triomphe, le capitaine de l'équipe perdante, le gardien du but adverse avec sa lourde ceinture de pierre à la taille, soit décapité. On répandait son sang sur le terrain de jeu pour s'assurer que l'herbe y resterait verte jusqu'à la prochaine partie rituelle. Mais après plusieurs siècles de ces sacrifices barbares, les Arawaks à l'esprit toujours pratique s'étaient dit : « N'est-il pas ridicule et sans bénéfice de tuer à chaque saison notre joueur numéro deux ? » D'ailleurs l'herbe à l'entour du terrain de jeu poussait aussi verte sans qu'on l'arrosse de sang humain, et l'on décida de mettre fin aux décapitations. Désormais, le capitaine vaincu subit la douleur de perdre une partie importante mais non sa tête, et tout le monde au village se félicita de la nouvelle règle, car elle était incontestablement plus raisonnable, ne serait-ce que parce qu'elle conservait de bons joueurs pour les parties à venir.

Cependant, l'année où l'on mit fin au sacrifice des fins de partie, le chaman du village jugea nécessaire de réagir. C'était un homme puissant qui prenait à cœur le bien-être de sa communauté. On l'avait plus ou moins forcé à approuver la cessation des décapitations après les jeux, mais il tint absolument à ce que ce rituel sanglant continue la veille du solstice d'hiver — le jour inquiétant où le soleil descend si bas vers le sud que le monde peut craindre de ne jamais le voir remonter vers le nord avec ses bienfaits.

— Nous devons sacrifier quelque chose de précieux au soleil pour l'inciter à revenir. C'est obligatoire.

Mais l'arrière-arrière-grand-mère de Tiwanee, en cette génération-là, savait raisonner de façon convaincante.

— Certains prétendent que nous devons décapiter des gens pour résoudre deux importants problèmes, expliqua-t-elle. Pour assurer la croissance du manioc et pour assurer le retour du soleil. Parfois, il est vrai que le manioc pousse mal ; et le sacrifice permet donc peut-être de faire la différence. Mais pas une seule fois le soleil n'a oublié de revenir, et donc le sacrifice n'est peut-être pas nécessaire. Mais n'avons-nous pas démontré que le manioc peut pousser avec ou sans sacrifice ? Même si l'on sacrifie, il n'y a pas de manioc s'il n'y a pas de pluie... Alors pourquoi sacrifier des hommes sachant que le soleil reviendra de toute manière ?

Elle triompha, et le chaman indigné prédit qu'elle mourrait dans l'année où l'on cesserait les sacrifices au soleil — elle vécut soixante ans de plus.

Et donc cette année-là, le jour glorieux de la partie de ballon en l'honneur du manioc s'acheva de façon presque parfaite. Après l'exploit de Bakamu — cinq rebonds contre les pierres verticales et le sixième coup au but — on joua deux autres parties, et le camp de Bakamu gagna par deux buts à un. Suivit un festin, pour lequel Tiwanee surveilla la distribution de gâteaux de cassave et de petits bols de son ragoût poivré préparé avec ce qui était jadis du poison. Puis l'on dansa, les jeunes firent l'amour et l'on chanta très avant dans la nuit. Ces gens extrêmement pratiques, qui avaient éliminé les sacrifices humains depuis fort longtemps, adoraient les plaisirs de la vie — tout en vénérant les merveilleux mystères qui accompagnent le coucher d'un soleil rouge sang, la fin d'une belle partie et la tendre tombée de la nuit qui apporte ses propres splendeurs, comme la lune d'or qui s'élevait pour illuminer la plage, la mer et les montagnes aux aguets.

Le jour de la partie, il y avait un spectateur de plus. Dissimulé dans les hauteurs dominant le village, il observait avec un étonnement croissant tout ce qui se déroulait dans la plaine côtière. C'était Karuku le Caraïbe et ce que ses yeux sombres et menaçants enregistraient le stupéfiait littéralement : des adultes qui jouaient au ballon ! Pas un seul soldat en vue. Aucune barrière pour protéger les accès au village. Tout le monde semblait assister au jeu mais il n'y avait aucune arme, d'aucune sorte. Les joueurs avaient l'air forts mais même eux ne portaient aucune arme visible. Impossible !

Il ne parvenait pas à comprendre que des hommes en âge de combattre ne soient pas constamment prêts à le faire. Ni qu'un village disposant d'avantages si manifestes n'ait pris aucune mesure pour se protéger d'éventuels envahisseurs. Quel genre de peuple était-ce donc ? Pas d'armée ? Pas d'armes ? Pas de défenses ? Mais quelle idée se faisaient-ils donc de la vie ?... Puis il parvint à la seule conclusion qui le concernait : « Bien menés, mes hommes pourront capturer ce village et tout ce qu'il contient sans perdre une goutte de sang. » Aussitôt, il compta, sur les doigts de sa main gauche, le butin sans protection qui l'attendait : des femmes pour la reproduction ; des enfants à engraisser ; des hommes à dévorer. Et quand le soleil se coucha sur la scène pacifique et même accueillante, il ébaucha un sourire sinistre et commença à se demander comment préparer ses hommes à la tâche qui les attendait — tâche d'une extrême simplicité à première vue.

A son retour dans le village temporaire et mal construit de la côte atlantique, au nord des falaises, Karuku partagea avec son peuple le résultat de ses reconnaissances. Il esquissa à grands traits l'habile plan d'attaque en trois phases qu'il appliquerait contre le village sans méfiance.

— J'entrerai avec mes hommes du côté nord et je ferai du bruit. Mais ensuite, c'est toi, Narwet, qui lanceras une grande attaque au centre. Ils seront déconcertés et se mettront à courir en tous sens. A ce moment-là, Ukalé, venu du sud, conduira l'assaut principal. J'attendrai le moment où ils fuiront vers moi, puis je bondirai sans m'arrêter et je les tuerai de l'arrière.

Il fit répéter la manœuvre trois fois, organisa les signaux et précisa que ses hommes devaient foncer vers le centre du village, quelles que soient les mesures de défense que prendraient les Arawaks à la dernière minute.

— Si un seul homme de notre camp se replie, il est mort. Même s'ils allument des incendies pour nous ralentir, nous traversons le feu en courant. Tous !

Et la fureur avec laquelle il parlait indiquait bien qu'il s'incluait lui-même dans cet ordre.

Au cours de la troisième répétition, il tenait à la main droite le bâton de commandement : un long gourdin en bois gris-vert dans lequel on avait incrusté avec une colle végétale extrêmement résistante des éclats de cailloux et de coquillages. De quelque côté que tombât la massue, elle déchirait la peau et instillait dans la blessure le poison de manioc avec lequel on avait enduit les arêtes coupantes. C'était un instrument redoutable et, pour les Caraïbes, un trésor qui les définissait. En effet, ils n'avaient apporté de l'Orénoque, dans leurs canots, ni divinités du foyer ni trésors représentant leur tribu, mais uniquement cette effrayante massue de guerre perfectionnée en un splendide outil à tuer. Elle symbolisait la différence entre les deux peuples. Les Arawaks prisaient la coquille dorée de la conque parce qu'ils en tiraient leurs outils et les ornements de leurs femmes, et les Caraïbes à cause des pointes mortelles qu'elle fournissait à leurs massues ; les Arawaks avaient adopté le liquide du manioc pour épicer leur nourriture, les Caraïbes comme poison mortel contre leurs ennemis ; les Arawaks avaient pour totem le ballon de caoutchouc, les Caraïbes cette massue meurtrière. Mais plus important encore : les Arawaks avaient progressé sur la voie de la civilisation jusqu'à un niveau où ils respectaient, défendaient et adoraient les femmes, alors que les Caraïbes les traitaient seulement comme des bêtes de somme et des reproductrices de nouveaux guerriers. La lutte imminente entre ces deux groupes si différents s'annonçait inégale, car à court terme c'est toujours la violence qui triomphe. Il faut plus longtemps pour assurer la victoire de la concorde.

Cette première bataille devait être le prélude de bien d'autres combats qui déchireraient les îles de cette belle mer. Dans les confins occidentaux, des guerriers brutaux venus du centre du Mexique écraseraient les civilisations plus aimables des Mayas. Des explorateurs surgis d'Espagne décimeraient les Indiens pacifiques qu'ils découvriraient. A la Barbade, dans l'est, des Anglais pilleraient de paisibles navires marchands et passeraient leurs équipages au fil de l'épée. Et dans une île après l'autre, les propriétaires blancs traiteraient leurs esclaves noirs avec une barbarie révoltante. L'assaut des Caraïbes guerriers contre les Arawaks pacifiques ne serait que le premier maillon d'une chaîne de violence qui continue encore.

Le jour de l'attaque, les Caraïbes suivirent le plan prévu. Le premier groupe commandé par Karuku surgit au nord en poussant des cris violents, ce qui attira dans cette direction les Arawaks affolés, désireux de protéger leur village. Au moment où ils s'élancèrent vers le nord, le deuxième groupe de Caraïbes attaqua au centre avec des clameurs plus vives, et tout devint confusion.

Ensuite le troisième contingent surgit du sud en brandissant des massues et en poussant des cris de guerre. La défense du village s'effondra. Mais la victoire de Karuku n'allait pas être aussi incontestée qu'il l'avait espéré, car dans les dernières minutes de l'attaque, le colosse qu'il avait observé avec admiration au cours de la partie de ballon, celui qui portait une ceinture de pierre autour de la taille, réunit les jeunes hommes qui formaient son équipe et fila avec eux, et plusieurs membres de l'autre équipe, sur le terrain où ils avaient si bien joué. Là, avec des bâtons et des massues improvisées, ils se défendirent avec l'acharnement de bons athlètes.

Animés par la détermination farouche de Bakamu et encouragés par ses cris, ils se battirent si bien qu'ils repoussèrent un premier groupe d'assaillants — ce qui mit Karuku en fureur. Il ordonna à quatre de ses hommes de se saisir de Bakamu et de l'immobiliser. Quand ce fut fait, au plus grand risque des attaquants qui sentirent passer la puissance des Arawaks, Karuku s'élança et cracha au visage du prisonnier dont les bras étaient retenus en arrière. Puis il brandit sa massue mortelle au-dessus de sa tête et l'abattit avec une violence inouïe sur le crâne de Bakamu, qui mourut dans l'instant.

Ensuite, selon le rituel de bataille des Caraïbes, Karuku demanda des branches d'arbre. On lui en apporta. Il les posa sur la poitrine du héros mort et s'écria :

— C'est lui le plus brave. C'est lui que nous mangerons.

Aussitôt, il ordonna à ses guerriers de faire défiler devant lui le groupe entier des Arawaks prisonniers. Il s'assit au coin du terrain de jeu et prononça ses jugements.

— Ces trois garçons, à castrer et à engraisser. Ces quatre fillettes, trop jeunes pour servir à quoi que ce soit, tuez-les. Ces vieilles femmes, pas bonnes. Tuez-les. Ces femmes, là, oui, gardez-les.

Puis ses yeux se posèrent sur Tiwanee, très pâle, qui pleurait le massacre de son mari. Elle lui parut d'autant plus désirable et il cria :

— Celle-ci est pour moi !

On la poussa de côté.

Il continua ainsi. Ses hommes reçurent l'ordre de tuer tous les vieux, hommes et femmes, ainsi que les fillettes très jeunes qui exigeraient des années de soins avant de pouvoir reproduire. Toutes les jeunes femmes étaient épargnées pour ses hommes. Quant à la plupart des hommes arawaks, ils furent abattus aussitôt, sur le terrain de jeu qu'ils avaient animé de leur présence, mais l'on en garda seize parmi les plus beaux pour d'ultérieurs festins. Les jeunes garçons étaient également castrés sans délai.

Tiwanee, forcée à s'asseoir aux côtés de Karuku, assista avec une horreur croissante à l'exécution des ordres du chef. Mais, incapable de supporter la vue de la strangulation à laquelle était soumise sa jolie fille dont le front s'inclinait déjà vers l'arrière, elle commença à perdre conscience. A cet instant, elle sentit sous sa mince tunique le poignard de bois durci au feu qu'elle avait dissimulé là au début de l'attaque. « Jamais je ne leur permettrai d'abuser de moi, se dit-elle tandis que le massacre continuait. Ou bien ils me tueront, ou bien je me tuerai. »

En ces minutes où le chagrin l'avait entraînée au bord de la folie, un enchaînement de circonstances se produisit, qui lui éclaira soudain l'esprit et lui permit de saisir non seulement l'horreur de ce jour-là mais d'imaginer l'avenir impitoyable de cette nouvelle société barbare.

La première chose qui se produisit fut une profanation ; Karuku s'avança en triomphe au milieu du terrain de jeu et cria :

— Abattez ces pierres ridicules !

Des Caraïbes basanés arrachèrent les pierres levées qui définissaient le terrain où s'étaient jouées tant de belles parties animées.

— C'est là que s'entraîneront les guerriers, cria-t-il.

Et Tiwanee pleura la destruction d'un lieu où tant de bonnes choses s'étaient passées : des jeunes hommes avaient fait la preuve de leur valeur sans faire de mal à autrui ; des affrontements s'étaient produits, où tout le monde était vainqueur ; et voici que l'endroit se transformait en terrain de la mort. Tiwanee éprouva soudain une étrange insensibilité, comme si le monde était devenu fou. Puis quand le soleil rouge sang annonça sa descente à l'ouest, Karuku agita sa massue meurtrière et les soldats caraïbes entassèrent au milieu du terrain de grosses brassées de bois, qui formeraient un brasier rugissant quand on les enflammerait.

Sur ces entrefaites, Karuku vit une chose qui l'irrita énormément : le ballon de caoutchouc avec lequel jouaient les Arawaks.

— Détruisez ce jouet de gamins ! cria-t-il avec mépris. Ce village est maintenant occupé par des hommes !

Les guerriers caraïbes fendirent le précieux ballon en deux, puis en quatre, et jetèrent les morceaux sur le feu qui pétillait déjà. Des flammes jaillirent du caoutchouc, de la fumée noire s'éleva du bûcher, et le ballon mystérieusement apparu sur l'île disparut à jamais.

Mais à certains égards, la troisième dégradation s'avéra plus révélatrice : non seulement elle détruisait une grande beauté, mais elle annonçait la nature même du monde nouveau. Lorsque Karuku s'adjugea la hutte occupée naguère par Bakamu et Tiwanee, plusieurs de ses hommes, de leur propre chef, se mirent à abattre la haie de crotons.

— Laissez-les ! protesta Karuku lui-même.

Mais un de ses lieutenants lui fit observer :

— Des adversaires pourraient se cacher dans ces buissons pour monter une embuscade contre toi.

Reconnaissant la sagesse de ce conseil, Karuku ordonna de nettoyer les abords de sa demeure, et l'on coupa les crotons à la racine.

Tandis que sa haie disparaissait ainsi, Tiwanee comprit soudain que le tyran Karuku n'avait pas agi ainsi parce qu'il était fort, mais parce qu'il avait peur, et elle ressentit du mépris pour lui. « Malgré ses grands pouvoirs, se dit-elle, il n'a pas découvert le courage. Ce sont des démons qui le guident. Il n'agit pas en héros, mais en lâche. » Raillant la puissance effrénée de Karaku, elle murmura :

— Il lui faut se méfier de ses propres hommes ! Il a peur des ombres ! Mais Bakamu, qui vivait en liberté, n'avait peur de rien.

Elle regarda disparaître la haie qu'elle avait soignée avec tant d'amour, et dans sa douleur sourde elle parla à ses plantes, en une sorte de transe, certaine qu'elles revivraient :

« Pousse, croton, jusqu'au plus haut des cieux. Indiscipliné, déterminé à rester libre. Rouge, jaune, bleu, d'un violet foncé ou d'un vert joyeux. Éclaboussé d'or et tout chatoyant. Ne laisse aucun homme te dominer, reste libre. Accroche-toi à tes racines. Ne t'avoue jamais vaincu ! Pousse ! »

En prononçant cet adieu au croton, elle s'aperçut que les trois événéments affreux qui avaient soulevé en elle une violente répulsion n'avaient pas impliqué mort d'homme mais l'assassinat d'idées de bonté. Et après la destruction de choses aussi grandes et belles, elle se sentit tellement indignée qu'elle se prépara à combattre même les esprits de l'enfer pour résister à l'ordre nouveau.

Les cérémonies du festin de victoire commencèrent. Quatre femmes spécialement désignées pour honorer les héros abattus au combat soulevèrent avec révérence le cadavre de Bakamu et le portèrent devant les flammes, où elles reprirent les branches posées en travers de sa poitrine. Elles les remirent à Karuku, qui les accepta et les rapporta solennellement au bûcher. Il les lança dans les flammes comme offrandes votives. Puis, les bras levés, il tournoya sur place en criant :

— Victoire ! Victoire ! Notre nouveau pays !

Le feu crépita, la chair humaine rôtit et la fête commença. Mais

Karuku n'eut pas le privilège d'en jouir. En effet, quand elle vit les flammes s'élancer, Tiwanee poussa un soupir de résignation tragique, comme si elle ne pouvait en supporter davantage après la journée qu'elle venait de vivre. Aussitôt, son ancien courage se ranima et elle cria :

— Je ne peux subir ces horreurs plus longtemps !

Des plis de sa tunique elle sortit le poignard durci au feu, dans l'intention de se tuer plutôt que de se soumettre à la barbarie qui régnait à présent dans son village. Mais ses yeux tombèrent sur Karuku qui ricanait avec les vainqueurs. Mortellement offensée, elle s'élança avec une violence qu'elle n'avait jamais ressentie, échappa à ses gardiens, se jeta sur le chef caraïbe et plongea le poignard au milieu de son dos, jusqu'au cœur.

2

Mort d'un empire

Cozumel, 1489

Le 9 juillet de l'an 1489 selon le calendrier chrétien — journée notée 11.13.8.15.6. dans le système beaucoup plus précis des Mayas —, sur l'île reculée de Cozumel, aux confins occidentaux de la mer des Caraïbes, la veuve du Grand Prêtre qui desservait le temple local de la Fertilité se trouvait confrontée à une crise grave. Elle avait trente-sept ans.

Elle s'appelait **Ix Zubin** — le premier des deux noms signifiait femelle — et passait pour admirablement qualifiée pour ce qui s'annonçait. De santé robuste, mais haute comme trois pommes (guère plus d'un mètre cinquante) elle ressemblait vraiment à trois sphères superposées : les hanches, la poitrine et une tête ronde toute brune. Ses cheveux très noirs touchaient ses sourcils en une frange bien droite, ce qui lui donnait en permanence un air renfrogné, sauf que son visage pouvait soudain s'épanouir en un sourire généreux, chaleureux, comme si à la moindre bonne nouvelle elle se sentait bien dans tout le corps. Mais ses yeux vifs, pénétrants, restaient impérieux : sans cesse braqués ici et là, ils exigeaient de savoir tout ce qui se passait autour d'elle, car c'était une femme d'une intelligence exceptionnelle.

La crise provenait de la situation désolante dans laquelle se trouvaient son île et son peuple. Cozumel était une belle île, mais toute petite et située à l'extrême limite de cet empire maya autrefois formidable, qui s'étendait sur la partie méridionale de ce qu'on appellerait plus tard le Mexique. La capitale du fragment d'empire qui existait encore, Mayapán, était trop loin dans l'ouest et trop absorbée par ses propres affaires chancelantes pour perdre du temps ou de l'argent avec Cozumel.

Abandonnés à eux-mêmes, les îliens étaient devenus de plus en plus pessimistes :

— Comme tout s'écroule sur le continent, les femmes enceintes ne viennent plus en foule assister à nos services. Or l'entretien du temple coûte cher. Le monde a changé, et des centres anciens comme celui-ci ne servent plus à rien de bien utile.

Le bruit courut qu'aucun nouveau Grand Prêtre ne serait nommé. Les bâtiments seraient abandonnés aux vents salés qui soufflaient de la mer. Mais certains décelaient un autre problème :

— Les bateliers sont devenus paresseux. Ils ne se donnent plus la peine de transporter les voyageurs du continent.

Un cynique résuma la situation ainsi :

— On nous a oubliés. Il ne vient plus assez de pèlerins pour nous permettre de survivre. La désolation est sur nous.

Si ces rumeurs étaient justes, Ix Zubin subirait une double perte : non seulement elle aimait le rituel qui assurait la naissance d'enfants forts, mais elle avait conçu un plan qui permettrait peut-être à son fils Bolon de devenir Grand Prêtre un jour. Sa religion et sa famille se trouvaient donc menacées toutes les deux.

Mais ce petit paquet d'énergie n'était pas une femme ordinaire. A cause de sa situation très particulière à Cozumel du vivant de son grand-père et de son mari, elle s'était convaincue depuis trois ans que Bolon serait la personne idéale pour hériter de la prêtrise. Si le père de l'enfant avait vécu quatre ans de plus, Bolon aurait eu vingt ans et Ix Zubin serait sans doute parvenue par ses manœuvres à lui obtenir la charge de Grand Prêtre. Du même coup, elle aurait assuré l'avenir du temple et de ses précieuses annales. La mort prématurée de son époux avait mis une fin tragique à ce plan.

La position unique dont elle jouissait dans la société de Cozumel avait débuté quand son grand-père Cimi Xoc, sage plein de noblesse qui connaissait les astres comme des frères, l'un des Grands Prêtres les plus brillants, célèbre même auprès du gouvernement de Mayapán pour sa maîtrise du calendrier et du mouvement régulier des étoiles, s'était rendu compte que son unique fils, le père d'Ix Zubin, ne serait jamais capable de maîtriser les complexités de l'astronomie maya dont dépendait le bien-être du monde. Accablé par les insuffisances de son fils, il trouva une certaine consolation dans le fait que sa petite-fille, l'étonnante Ix Zubin, possédait le don particulier, accordé seulement à une minorité dans chaque génération, de comprendre presque instinctivement les mystères des nombres et des calendriers, du mouvement de la lune et des errances des planètes.

Elle avait cinq ans seulement le jour où son grand-père s'était écrié, ravi :

— Cette enfant possède une grande sagesse !

Il avait commencé par autoriser Ix Zubin à l'aider quand il relevait les mouvements de la brillante étoile du matin et du soir, nommée depuis longtemps Vénus par les savants d'une autre partie du monde. Et l'enfant comprit la planète si bien qu'elle aurait pu s'appeler elle-même Vénus, n'eût été son absence de beauté physique.

— Grand-père ! Quand elle se cache entre étoile du matin et étoile du soir, elle est comme les femmes qui se cachent pour mettre au monde des enfants.

Dès ce jour-là, elle sentit les relations profondes existant entre la planète et le temple de la Fertilité de Cozumel, dont les destinées se trouvaient entre les mains des membres mâles de sa famille.

Cette intuition lui valut une éducation sans précédent, car normalement, dans la culture maya, les femmes ne bénéficiaient d'aucun contact avec les connaissances sacrées qui permettaient à la civilisation de progresser. On leur dissimulait les mystères de l'astronomie ; on ne leur permettait jamais de participer aux rites propitiatoires sacrés qui assuraient la bienveillance des dieux ; et il y avait dans chaque temple quantité d'endroits secrets où les femmes n'étaient jamais admises. Cent règles de conduite avaient vu le jour pour les maintenir soumises.

Ainsi donc, quand Cimi Xoc décida d'enseigner à son génie de petite-fille les mystères des mathématiques, ce fut une décision d'une fantastique importance, car elle faisait voler en éclats l'ancienne croyance selon laquelle aucune femme ne devait être initiée à ces questions sacrées. Mais, comme tous les gardiens de connaissances précieuses, Cimi Xoc estimait que la sagesse accumulée en lui au cours de toute une vie devait être conservée pour les générations suivantes : c'était le seul moyen d'établir un pont entre passé, présent et futur.

Ix Zubin avait hérité un respect passionné pour l'histoire de son peuple et elle n'avait pas ménagé ses efforts pour instiller à son fils des égards pour ses ancêtres.

— Notre peuple est le plus sage, lui disait-elle. D'autres sont meilleurs que nous à la guerre, c'est certain, puisque des étrangers venus de l'ouest nous ont envahis et ont installé leurs dieux à la place des nôtres, mais pour tout le reste, nous sommes les meilleurs.

Ses commentaires sur l'histoire faisaient immanquablement allusion à une migration de l'ouest, parfois à des relations avec le sud, et à des influences intermittentes venues du nord; mais jamais elle ne parlait de l'est, où roulait la grande mer.

Et pourtant, les Mayas devaient être connus là-bas. Les ornements de jade vert qu'adoraient les femmes arawaks et caraïbes, les ballons de caoutchouc tellement appréciés par leurs hommes, provenaient forcément des pays mayas, car il n'y avait dans les petites îles de la mer des Caraïbes ni arbres à caoutchouc ni gisements de jade. De même pour la coutume de poser de lourdes planches sur le front des enfants en bas âge, surtout les petites filles, pour l'incliner vers l'arrière à partir du nez. Comment ces choses-là étaient-elles parvenues à ces lointains bouts de terre épars dans la mer? Ni Ix Zubin, ni son grand-père érudit, ni tout autre chroniqueur de l'histoire maya n'aurait su le dire.

A d'autres égards, les connaissances des Mayas étaient prodigieuses, tant par leur précision que par leur étendue. Deux mille ans avant que Cimi Xoc en refasse les calculs, des astronomes mayas, toujours en quête de mesures plus précises, avaient déterminé que l'année ne durait pas 365 jours mais 364, 24. Les Européens, qui n'étaient pas parvenus à des calculs aussi précis, continuèrent de suivre un calendrier dont l'erreur augmentait chaque année. Ce fut seulement en 1582, presque deux siècles après la mort de Cimi Xoc, que les astronomes d'Europe rattrapèrent les Mayas. Ils savaient déjà que le voyage de Vénus à travers les cieux exigeait exactement 583,92 jours.

Les faits de base du même ordre étaient consignés depuis des siècles en des tableaux inscrits sur des feuilles semblables à des papyrus, jalousement gardées par les prêtres, qui continuaient de collectionner les données et de les améliorer avec plus de détails. Mais Cimi Xoc et ses pairs avaient réussi un tour de force intellectuel qui stupéfierait les civilisations ultérieures : ils étaient capables de prédire les éclipses du soleil. La première fois où le vieillard montra les tables à sa petite-fille, il lui montra par pur hasard une date située cinq cents ans plus tard, et cette date indiquait que le dimanche 29 mars 1987 aurait lieu une éclipse totale de soleil. A l'étonnement d'Ix Zubin, la table de prédictions de son grand-père continuait pendant deux cents ans au-delà.

Longtemps avant la naissance du Christ, les Mayas avaient mis au point un système de numérotation à facteurs multiples qui leur permettait de calculer avec l'exactitude la plus élégante des dates remontant à dix mille ans et plus dans le passé, et plongeant de même dans l'avenir. Dans leur système à cinq facteurs, le premier chiffre représentait un très grand nombre, le deuxième un nombre nettement plus petit, le troisième une fraction comparable à une année, le quatrième le nombre d'unités de l'ordre du mois, et le cinquième le nombre de jours.

Quand des savants européens percèrent le secret du calendrier maya au début de notre xxe siècle, ils découvrirent que chaque jour de la semaine pouvait être précisé pour n'importe quelle date en remontant trois mille ans dans le passé et en continuant très loin dans l'avenir. Chaque groupe de cinq nombres désignait un jour précis dans un certain mois d'une année donnée. Mais plus important encore, il formait un lien vivant avec les ancêtres.

Ces données étaient conservées de façon surprenante. Devant certains temples et bâtiments publics, on dressait des groupes de stèles, piliers de pierre carrés d'un mètre vingt de côté, parfois de la taille de trois hommes mais souvent plus petits. Sur chacune des faces hautes et étroites qui s'offraient ainsi, des sculpteurs d'une habileté rare sculptaient des signes complexes — visages de dieux, personnages officiels en costumes d'apparat, animaux et symboles occultes — pour rappeler aux fidèles que des pouvoirs mystérieux influencent la vie quotidienne. Mais pour Cimi Xoc et sa petite-fille, le segment le plus précieux de chaque stèle était l'inscription des dates de la période. Ix Zubin n'oublierait jamais le premier jour où son grand-père, rompant avec la coutume, l'avait conduite à la ville proche de Coba, sur le continent, où il lui avait montré le magnifique champ de stèles qui résumait l'histoire fabuleuse de ce site. Et elle n'était encore qu'une simple fillette !

— Celle-ci évoque des événements qui se sont produits il y a plus de mille ans, dit-il avec révérence. Un prêtre de notre lignée a aidé ce souverain (il montra le roi qui régnait en ces temps lointains) à consolider sa puissance. Tu peux voir les esclaves qui s'agenouillent devant lui.

Ensuite, il lui montra des symboles qui dataient les événements de la stèle : vendredi 9 mai 755 — autrement dit : 9.16.4.1.17.7 Imix, 14 Tzec — et ce fut par cette date clairement définie que commença sa découverte du système numérique maya. Très vite, elle fut capable de lire d'autres stèles, une qui relatait des événements de novembre 939, et une autre plus récente, de février 1188.

Après ce début simple — la lecture des siècles de Coba, qu'Ix Zubin accomplit sans peine — Cimi Xoc lui enseigna les systèmes compliqués que le père de l'enfant aurait dû maîtriser pour pouvoir effectuer les calculs du temple. Progressivement, Ix Zubin commença à exécuter ces calculs et put aborder l'astronomie peu de temps après, à la surprise de tous. Ensuite ce furent les calculs de Vénus, puis les formules pour prédire les éclipses.

— Très peu de domaines dans l'art de la prêtrise nous sont plus utiles et font plus d'effet sur les gens ordinaires, y compris nos souverains, que notre capacité de les mettre en garde : « Le mois prochain, le soleil disparaîtra, et si vous ne nous aidez pas à bâtir une autre salle dans le temple, il ne réapparaîtra pas et nous mourrons tous. » La menace est utile, parce qu'au moment où le soleil disparaît vraiment comme nous l'avons prédit, tout le monde nous écoute, même les souverains. Et le temple est achevé.

Pendant quinze années, de 1474 jusqu'aux premiers mois de 1489, Ix Zubin resta dans l'ombre. Elle exécutait les calculs sacrés exigés par son père dans l'exercice de ses devoirs, et les rapports qu'il fit furent fort appréciés par leur exactitude, ce qui lui valut dans l'île l'excellente réputation d'un homme à écouter. A eux deux, ils formaient une excellente équipe familiale — le Grand Prêtre qui se présentait devant les masses, et la petite fille à l'esprit vif qui manipulait ses nombres magiques dans l'ombre. Leur rôle à Cozumel ne leur valut que des honneurs et quand Ix Zubin épousa un jeune prêtre du temple, elle l'aida à se préparer pour le jour où il occuperait à son tour la place du Grand Prêtre.

En ces premières années où elle prit conscience des grands changements qui menaçaient d'engloutir l'empire maya, Ix Zubin était à l'insu de tous, dans son île isolée, l'une des astronomes les plus efficaces du monde, beaucoup plus compétente que les astronomes d'Europe et d'Asie à l'époque. Sa connaissance subtile du passage de la Terre de saison en saison et du mouvement des étoiles dans le ciel demeurait sans égale; sa maîtrise des nombres et du calcul du temps n'avait d'équivalent en aucun pays.

C'étaient des années de bonheur. Elle se disait souvent que son père, son mari et elle formaient le trio le plus heureux de Cozumel. Quand son fils Bolon vint au monde, la vie lui parut pleinement accomplie. Par la suite, quand son père mourut et que son mari hérita des honneurs extérieurs de la prêtrise suprême, Ix Zubin continua de fournir les calculs astronomiques nécessaires. Mais elle s'efforçait aussi d'améliorer ses connaissances, et elle assimilait en secret les résultats d'autres expériences effectuées dans d'autres parties de l'empire maya. Puis vint le temps où son mari et elle-même comprirent qu'elle devait transmettre à leur fils la tradition qu'elle avait accumulée, et dans cette perspective plus scientifique que maternelle, elle se mit à enseigner ses mystères à Bolon.

Il avait quatorze ans à l'époque, et Ix Zubin découvrit vite qu'il n'avait aucune des intuitions dont elle-même avait fait preuve à cinq ans, car dès ce jeune âge elle était un de ces enfants miraculeux, nés en harmonie avec l'univers et ses mouvements secrets. Or ce genre de savoir, aucune mère ne saurait le communiquer automatiquement à son fils; de tels génies surgissent à intervalles irréguliers et rien ne peut expliquer leur venue. Mais si elle ne pouvait doter Bolon de son pouvoir occulte, du moins ferait-elle de lui un mathématicien solide, capable d'utiliser les tables compilées par ses prédécesseurs au cours de trente siècles.

L'enfant apprit donc les secrets des manipulations de la prêtrise et son père reconnut que Bolon possédait toutes les qualifications pour lui succéder comme Grand Prêtre du temple de Cozumel. Il commença aussitôt à lui enseigner les aspects pratiques de ce rôle :

— Ta mère t'a appris à lire les principes sur lesquels repose notre temple. Il est ancien, puissant et digne du respect des femmes qui s'y rendent en pèlerinage. Mais pour le protéger tu dois prendre garde à tout changement de pouvoir parmi ceux qui gouvernent, car notre existence dépend de leur bon plaisir.

Pour la première fois l'enfant entendit les deux noms puissants qui résumaient l'essentiel de l'histoire maya : Palenque et Chichén Itzá.

— Il y a très longtemps, dans un lieu que je n'ai jamais vu, loin dans l'ouest, à Palenque (d'un geste vague il indiqua la direction du coucher du soleil), les prêtres savants et les détenteurs du pouvoir ont découvert les secrets qui en ont fait la ville la plus glorieuse de notre peuple. Beaucoup, beaucoup plus tard, des étrangers hostiles venus de vallées lointaines dans l'ouest * ont envahi nos terres pacifiques et nous ont imposé une nouvelle religion, très cruelle, qu'ils ont instaurée à Chichén Itzá et plus tard dans la grande Mayapán.

A ces mots, Ix Zubin interrompit son mari pour présenter une remarque fort troublante :

— Ce fut seulement après l'arrivée de ces affreux étrangers avec leurs dieux assoiffés de sang que notre peuple a effectué des sacrifices humains. Chac Mool, leur dieu de la Pluie, est insatiable. Il exige le sacrifice de nombreux esclaves et, ce qui est pis, il faut lui donner aussi nos jeunes. Dans les temps anciens, nos dieux mayas indulgents nous aidaient à cultiver nos champs, à donner naissance à des fils robustes et à maintenir la paix dans les foyers. Jamais nous n'offrions des êtres humains en sacrifice à une statue de pierre...

— Zubin ! Non ! s'écria son mari, affolé. N'élève jamais la voix contre les sacrifices. Je t'ai prévenue cent fois.

Puis, se tournant vers son fils, il ajouta :

— Oublie ce que vient de dire ta mère. Si les prêtres qui célèbrent ces sacrifices l'entendaient...

Il marqua un temps, comme pour donner plus de poids à la menace.

— Débarrasse ton esprit de cette idée-là, ou tu ne survivras pas assez longtemps pour devenir prêtre.

Mais quand Ix Zubin se retrouva seule avec son fils, elle lui chuchota :

— Mon grand-père, le plus sage de tous les hommes et le seul de cette île qui soit allé à Palenque, me l'a affirmé sans ambiguïté : « Avant l'arrivée des barbares de l'ouest, la fleur de notre jeunesse n'était pas sacrifiée. Et sans cette contribution sanglante, le soleil revenait tout de même chaque matin et amorçait son voyage vers le nord au moment fixé chaque année. » Mais de nouveaux souverains imposent de nouvelles règles, et les gens sensés s'y soumettent.

Par la question qu'il posa aussitôt, Bolon laissa entendre qu'il ne deviendrait pas un fidèle fervent de la religion adoptée, venue de l'ouest s'imposer à Chichén Itzá.

— Notre temple existait-il avant l'arrivée de la nouvelle religion ? demanda-t-il.

— Oui.

La mère et le fils n'abordèrent plus jamais le sujet, mais Ix Zubin n'avait pas oublié le jour où elle avait posé la même question à son grand-père et obtenu la même réponse, en un seul mot : « Oui. »

Dans les deux mois qui suivirent la mort de son père le Grand Prêtre, le jeune Bolon, âgé de seize ans, et sa mère Ix Zubin se trouvèrent

* De Tula au centre du Mexique pendant les années 920-1205.

confrontés à des problèmes difficiles. En effet, les chefs de Cozumel, sans instructions de Mayapán concernant le temple de la Fertilité, résolurent de le fermer. Dans l'immédiat, ils en furent empêchés par l'afflux incessant de femmes du continent venues chercher auprès des dieux l'assurance qu'elles mettraient des enfants au monde. Les chefs décidèrent d'attendre que des mesures soient prises pour endiguer ce flot ; et concentrèrent leur attention sur une grande cérémonie rituelle projetée pour mettre fin au culte dans le temple.

L'objectif de l'opération était double : détrôner les anciens dieux du peuple maya et confirmer aux yeux de tous les nouveaux dieux de la religion récente. Pour y parvenir avec la plus grande efficacité, les autorités civiles décrétèrent que l'on présenterait une offrande à Chac Mool, le puissant Dieu de la Pluie, dont la bienveillance assurait la juste quantité de précipitations pendant la saison des cultures. Quand elle apprit cette décision, Ix Zubin en fut indignée, car il n'existait dans le panthéon aucune divinité qu'elle détestât davantage que Chac Mool. Non sans raison, elle jugeait que ses rites barbares profanaient le beau temple dont les hommes de sa famille avaient protégé et développé la valeur.

Chac Mool, par son aspect comme par sa fonction, était l'un des dieux les plus laids que les conquérants étrangers de l'ouest avaient imposés aux Mayas. Divinité venue de terres étranges, il exigeait des sacrifices étranges. Il était apparu sous forme de centaines de statues massives d'un bout à l'autre du pays maya. C'était un guerrier farouche représenté allongé sur le dos, le buste relevé par ses coudes, les genoux fléchis et les pieds posés solidement sur le sol. Dans cette attitude peu naturelle, son ventre cambré offrait un vaste espace plat dans lequel était sculptée une grande coupelle, que maintenaient en place les deux mains de pierre de l'idole. De toute évidence, le réceptacle présenté ainsi attendait les dons des femmes qui venaient implorer l'assistance des dieux, et les jours de fête il se garnissait de fleurs, de morceaux de jade et même de pièces d'or — forme de culte à laquelle Ix Zubin ne voyait aucune objection.

Mais les autorités civiles, et non les prêtres, ordonnaient que, certains jours de fête, la statue sauvage de Chac Mool allongé sur le dos dans sa position inconfortable reçoive des offrandes plus conséquentes que des bouts de jade. Dès que cette décision était rendue publique, les esclaves mâles de Cozumel et tous les jeunes gens de l'île se mettaient à trembler, car ils savaient que la coupelle vide appuyée sur le ventre du dieu désirait maintenant un cœur d'homme, arraché à un corps vivant. Rien d'autre ne le satisferait.

Quand elle apprit qu'une fête de la Pluie serait célébrée incessamment, Ix Zubin conduisit discrètement son fils dans le temple en veillant à ne pénétrer dans aucun endroit interdit aux femmes, et l'accompagna jusqu'à la statue.

— Regarde ! chuchota-t-elle. As-tu jamais vu un visage plus terrifiant ?

Avec son intuition coutumière, elle avait perçu la nature odieuse de la divinité. Outre son attitude bizarre, elle avait sa tête de pierre tournée de quatre-vingt-dix degrés sur la gauche, et son visage de guerrier, surmonté par un gros casque de pierre qui recouvrait ses cheveux, n'exprimait que de la malveillance. Des excroissances dépassaient de ses oreilles et les coins de sa bouche formaient une grimace féroce adressée à qui osait s'avancer.

C'était une représentation violente, dénaturée, du corps humain mais Ix Zubin reconnaissait qu'elle ne manquait pas de puissance : l'image d'un dieu vindicatif exigeant ses sacrifices. Partout où on le voyait dans le pays, il était identifiable car son attitude bizarre demeurait invariable, sauf que, parfois, son affreux visage de pierre était tourné vers la droite au lieu de la gauche. Chac Mool était une divinité conçue pour inspirer de la terreur à tous ceux qui le voyaient, et tel avait été le propos de ceux qui l'avaient imposé au peuple.

— Il attend un cœur humain, chuchota Ix Zubin. Jamais ce temple n'a été conçu pour un sacrifice de ce genre. Chac Mool est un imposteur.

— Quand est-il arrivé ?

— Du vivant de mon grand-père. Ils ont placé deux Chac Mool dans l'île, mais pas dans notre temple. Les sacrifices sont devenus fréquents. En général, des esclaves, mais ils ont également réclamé nos propres enfants. Et Grand-Père s'est élevé contre cette pratique.

— Que s'est-il passé ? demanda Bolon sans quitter Chac Mool des yeux.

— Une chose que Grand-Père ne pouvait pas prévoir. A l'occasion d'une sécheresse exceptionnelle, ils ont décidé de faire venir un autre Chac Mool. Dans notre temple. Et malgré les protestations de mon grand-père, cette statue bestiale a été apportée ici et installée comme tu peux voir, dit-elle en regardant elle aussi l'implacable visage de pierre. Le jour de sa mise en place, par cinquante hommes qui poussaient cet énorme bloc, les autres prêtres se sont emparés soudain de Grand-Père, l'ont traîné jusqu'à cet autel de pierre, là-bas, l'ont fait basculer à la renverse puis, avec une dague d'obsidienne, lui ont ouvert la poitrine comme ça...

D'un index qui tremblait, elle marqua la trace des couteaux sur la poitrine de son fils. Et d'une voix que le souvenir de sa douleur étranglait, elle ajouta :

— Le prêtre qui tenait le couteau l'a lâché, il a plongé la main dans la plaie béante, il a cherché à tâtons le cœur qui battait encore, il l'a arraché au corps de Grand-Père, et l'a lancé là-dedans.

Le doigt tendu vers la coupelle de pierre que tenait la statue, laide à tous égards, Ix Zubin frissonna. Elle entraîna son fils vers la sortie du temple, sous le regard mauvais de la divinité barbare.

Ix Zubin passa le mois précédant le sacrifice prévu à ajouter deux pages aux annales sur papyrus de Cozumel. Elle y résuma les réalisations de son valeureux grand-père et les actes moins éclatants de son père. Sous les yeux de Bolon qui vérifiait l'exactitude des symboles écrits, elle ajouta les dates précises pendant lesquelles chacun des deux hommes avait exercé le pouvoir, et quand elle eut terminé, la mère et le fils regardèrent les rouleaux avec fierté.

— Cela restera à jamais, dit-elle. Tes ancêtres étaient des hommes à ne pas oublier... Et tu seras comme eux, ajouta-t-elle en serrant la main de Bolon. Pour nous guider au cours des jours d'orage qui s'annoncent.

A peine avait-elle fait cette prédiction que les nuages commencèrent à s'amonceler. Trois robustes messagers des autorités de l'île vinrent confisquer les rouleaux.

— Ils doivent rester entre les mains des responsables.

Pour la première fois depuis des siècles, les rouleaux quittèrent les limites du temple.

— Pourquoi ? lança Ix Zubin aux messagers qui repartaient.

L'un d'eux lui répondit :

— Ils croient que tout ce qu'a fait votre grand-père était mauvais. Et ils veulent fermer ce qu'ils appellent « son temple ».

Outrée par cette profanation des rouleaux sacrés, Ix Zubin erra pendant deux jours dans sa belle île en saluant les femmes enceintes qui débarquaient de leur canot après leur long voyage. Du haut d'une colline, elle parcourut des yeux la mer infinie qui venait lécher le rivage oriental, puis son regard se posa sur le bel agencement des cinq bâtiments constituant le sanctuaire, avec ses allées de cailloux blancs, ses grands arbres et ses parterres de fleurs. Un décor plein de noblesse et qui réjouissait le cœur. Elle n'était pas prête à l'abandonner à des hommes méprisables qui manquaient de pénétration et de jugement. Sa décision était prise.

Elle regagna son logement, situé à l'arrière du temple principal, et annonça à son fils :

— Nous devons partir sans délai pour présenter notre requête en personne à Mayapán.

L'évolution récente de la situation dans l'île avait révolté Bolon, et il était trop conscient de ce qui se préparait pour demander à sa mère la raison de sa hâte. Il ne s'attendait pourtant pas à ces paroles :

— Nous nous lançons dans une mission d'une importance extrême. Pour toi... Pour moi... Pour Cozumel. Tu vas sauver notre temple et en devenir le Grand Prêtre, tu dois donc comprendre la gloire de notre acte. Tu dois prendre conscience de ce que nous étions avant et de ce que nous pouvons redevenir.

Mais Ix Zubin se trouva aussitôt confrontée à un problème insurmontable, car, selon la coutume maya, il était impensable qu'une femme seule, accompagnée seulement par un gamin de seize ans, entreprenne un voyage de quelque conséquence. Quant à envisager des protestations auprès du pouvoir central de Mayapán, déjà en perte de vitesse, c'était purement et simplement absurde. Il fallait absolument qu'elle trouve un homme plus âgé qu'elle pour prendre la tête de l'expédition. Sans doute passait-elle pour la femme la plus capable de tout le Yucatán, mais la tradition lui imposait, si elle devait voyager, de prendre un homme pour guide.

Elle passa les deux jours suivants à discuter de la situation avec Bolon. Chaque candidat éventuel fut évalué puis rejeté.

— Il a trop peur. S'il tombe sur un renard, il criera au secours.

— Trop bête. Jamais il ne pourra expliquer notre situation.

— Trop soumis aux autorités, quelles qu'elles soient.

Agacée par son incapacité à découvrir un homme de confiance, Ix Zubin se tut et leva les yeux. Ils étaient assis sous un arbre proche du temple, et ils virent se diriger vers eux, parmi les fleurs, la réponse à leurs besoins : Ah Nic, l'oncle d'Ix Zubin (Ah indiquait le masculin comme Ix, le féminin). C'était un prêtre mineur du temple de Cozumel, sans autre intérêt dans la vie que son amour des fleurs et sa tendresse soucieuse pour les orphelins. Il marchait d'un air emprunté et souriait même quand tout allait mal. Il se faisait souvent rembarrer par les autres, mais on le tolérait en raison de sa gentillesse. Le départ d'Ah Nic ne provoquerait aucun commentaire, et Ix Zubin l'appela :

— Oncle ! Je vous en prie, j'ai besoin de votre aide.

Elle esquissa son projet de protestation auprès des autorités de Mayapán.

— Si vous tenez à perdre votre temps dans cette capitale sans pouvoir réel, je vous accompagnerai. Mais d'abord, je pense que nous devrions montrer à votre fils un véritable monument : Chichén Itzá.

Au nom de cette ville jadis prospère, Ix Zubin se rembrunit. On croyait en effet dans sa famille qu'au moment où les envahisseurs étrangers venus de l'ouest avaient instauré leur nouvelle religion là-bas, ils avaient détruit les monuments qui constituaient la grandeur du peuple maya.

— C'est un endroit barbare, dit-elle.

Mais son oncle demeura ferme

— Ses dieux sont cruels, mais ses temples sublimes.

Ces paroles touchèrent une corde sensible et Ix Zubin se tourna vers son fils.

— Quand j'avais ton âge, mon grand-père m'a emmenée en voyage à Chichén Itzá, et lorsque j'ai vu le puits profond où ils jettent les petites filles pour apaiser leurs dieux, j'ai été terrifiée.

— Alors pourquoi y revenir ? demanda Bolon.

— J'ai vu aussi de la grandeur. Et je me souviens encore des nobles temples et des belles cours alors que les dieux atroces ont cessé de hanter mes rêves depuis des années. Il faut que tu voies Chichén Itzá, Bolon, pour pouvoir prendre conscience de ce qu'est la vraie grandeur.

Et au cœur de la nuit, sans une lumière pour les guider de peur d'attirer l'attention, les trois voyageurs réunirent les vêtements et les provisions nécessaires : les bonnes tuniques de coton tissées et cousues par Ix Zubin, une paire supplémentaire de sandales de peau dure, les couvertures de pluie en jonc tissé, serré et renforcé par des lianes souples ; et surtout les trois sortes de monnaie dont ils auraient besoin pour acheter de quoi se nourrir en chemin : du jade, de l'or et des grains de cacao.

Ix Zubin prit dans différentes cachettes les morceaux de jade qu'elle avait mis de côté au cours des années ; certains appartenaient au temple et non à elle-même, mais elle justifia ce qui revenait à un vol en expliquant à Bolon :

— Ton père et moi avons travaillé pour ce jade. C'est donc honnête.

Bolon avait accumulé une richesse d'un ordre radicalement différent, et qui était incontestablement à lui. Il étala devant sa mère ses précieux grains de cacao, qui valaient chacun un repas. Les Mayas les utilisaient comme monnaie et c'est probablement le système monétaire le plus intéressant qui ait jamais été utilisé dans le monde, car après avoir servi d'argent un an ou deux, les grains tombaient enfin entre les mains d'un homme déjà assez riche pour se permettre de les moudre : les espèces devenaient alors le délicieux chocolat dont les Mayas étaient friands. Bolon avait accumulé un sac de grains de cacao en effectuant de petits travaux pour des familles importantes, et il assura à sa mère :

— Cela suffira pour l'aller et le retour.

Quant à Ah Nic, à la vive surprise d'Ix Zubin et de son fils, il apporta un petit pécule de pièces d'or prélevées au fil des ans sur les offrandes du temple. Et au milieu de la nuit, ils partirent.

Les propriétaires du grand canot qu'ils utiliseraient pour la première étape importante de leur voyage n'étaient guère contents de s'aventurer ainsi vers le sud dans le noir, mais comme ils avaient déjà effectué la traversée deux fois ils savaient que le désastre n'était pas inévitable, et quand Bolon sortit de son sac quatre grains de cacao, ils mirent le canot à la mer et prirent leurs rames.

Dans le silence de la nuit, tandis que les eaux aimables de la mer des Caraïbes clapotaient le long des flancs du canot, Ix Zubin révéla son plan aux rameurs :

— Il y a quelque chose d'important à voir à Tulúm.

Et elle expliqua qu'ils continueraient vers le sud jusqu'à Tulúm, puis gagneraient Chichén Itzá avant de se rendre à Mayapán.

Bolon n'écoutait plus, car le raisonnement de sa mère était si chargé de mystère qu'il ne pouvait pas le suivre. Son attention était concentrée sur la mer musicale et mystérieuse, étrange étendue d'eau sur laquelle il s'aventurait pour la première fois. Il était captivé.

— Pourquoi ne construisons-nous pas des canots vraiment grands pour explorer cette vaste mer ?

Ah Nic lui donna la réponse dont les Mayas s'étaient contentés pendant des millénaires : il expliqua à Bolon combien les Mayas avaient jugé téméraire, de nombreuses générations plus tôt, de quitter la terre qu'ils connaissaient bien pour faire le bond audacieux au-dessus de l'eau jusqu'à Cozumel — même pas vingt kilomètres, avec la terre visible à tout instant.

— C'était un acte de bravoure, et de nombreux membres de cette première génération sont morts convaincus qu'une catastrophe les accablerait parce qu'ils avaient rompu avec la tradition en traversant l'eau jusqu'à une île.

Ah Nic adorait donner ce genre d'explication.

— N'éprouveriez-vous pas la même crainte s'il s'agissait de partir sur l'autre eau, là-bas ?

Par sa question même, Bolon révélait qu'il jugeait sûres les eaux qu'ils traversaient, parce que la terre demeurait en tout temps visible dans la nuit étoilée, alors que « l'autre eau » serait terrifiante au-delà de toute expression, une fois perdue de vue la terre rassurante.

Sa mère confirma cette peur.

— La première fois que Grand-Père m'a emmenée à Tulúm, dans un canot comme celui-ci, avec quatre rameurs, j'étais certaine que la fin du monde était venue. Et je peux te le dire ! quel soulagement quand nous avons remis le pied sur la terre ferme.

Elle sourit au souvenir de ses craintes et ajouta :

— Quant à m'aventurer par là-bas, je serais terrifiée.

— Moi aussi, renchérit Ah Nic.

De leur point de départ, à Cozumel, jusqu'à Tulúm il n'y avait guère qu'une soixantaine de kilomètres. Mais ils avançaient lentement dans les hautes vagues et ils ne parvinrent aux abords du temple que le deuxième jour à l'aube. Les deux marins halèrent leur canot sur la grève et les passagers purent voir, à une quinzaine de mètres au-dessus d'eux, les contours sinistres d'une tour forteresse différente de tout ce qui existait à Cozumel. Dominant la grève de toute sa hauteur, elle lançait à d'éventuels assaillants : « Gardez-vous d'attaquer la ville que je défends, car nous sommes imprenables ! »

Les trois voyageurs prirent congé de leurs marins et grimpèrent la forte pente jusqu'à la ville, où l'impression de défensive augmenta. De nouveau, Bolon se trouva en face d'une chose qu'il n'avait pas vue auparavant : le quartier central, composé de forts et de temples, était entièrement entouré par un énorme mur de pierre ininterrompu, de la hauteur d'un homme et d'une épaisseur incroyable. Cette enceinte contenait plusieurs portes, et quand ils franchirent la plus proche du débarcadère, les pèlerins virent une série impressionnante de temples alignés le long d'une rue principale orientée d'est en ouest. L'ensemble créait une forte impression d'ordre, avec les demeures des citoyens ordinaires dispersées à l'extérieur des murailles.

Mais à peine avaient-ils visité un seul temple qu'Ix Zubin exprima son dégoût, car les édifices avaient été construits sans soin et sans art.

— Ils sont aussi vulgaires et barbares que notre Chac Mool.

Tulúm avait été bâtie à l'époque où la gloire des Mayas commençait déjà à pâlir. Les architectes se contentaient alors de matériaux grossiers, sans se donner la peine d'arriver à un beau fini. Les façades, laides par elles-mêmes, n'étaient pas orientées en de nobles perspectives. Quelques fenêtres s'ouvraient sur la mer des Caraïbes, mais elles étaient très petites comme si les prêtres, à l'intérieur, avaient peur d'affronter les flots effrayants. Sans doute préféraient-ils les bois et la brousse qui les attaquaient de l'ouest, car ils les connaissaient mieux. Le temple principal n'avait qu'un seul but utile : il offrait un lieu de pèlerinage à ceux qui n'avaient pas les moyens d'aller jusqu'à Cozumel ou Chichén Itzá, mais les hommes qui assuraient les services étaient aussi frustes que leur bâtiment. L'ornement le plus précieux du temple n'était autre qu'un Chac Mool particulièrement hideux dont le corps allongé était si contorsionné et tordu qu'il paraissait à peine humain. Son rictus bestial terrifiait. Presque rien d'autre n'éveillait l'esprit, et Ix Zubin se montra très dure quand elle aida son fils à forger son jugement sur ce qu'il découvrait.

— C'est n'importe quoi. Aucune beauté. Aucune spiritualité. Aucun sentiment de majesté n'a inspiré ces architectes et ces sculpteurs. En fait, aucune raison ne justifie l'existence de ces temples, sauf peut-être le service qu'ils rendent à une population qui n'aurait pas les moyens d'aller jusqu'à un vrai sanctuaire.

Son fils, qui connaissait seulement les temples de Cozumel, ne partageait pas cette opinion.

— Tulúm est deux fois plus grand que ce que nous avons. J'aime bien son orientation vers la mer. Et le temple est très haut sur la falaise, beaucoup plus haut que chez nous.

Ce raisonnement superficiel agaça Ix Zubin.

— La taille n'est pas un bon critère, Bolon. Regarde donc le Chac Mool! Si horrible que soit le nôtre, comparé à celui-ci il reste une œuvre d'art, bien sculptée, bien finie, avec des sandales et une coiffure bien rendues. C'est une vraie statue. Et si l'on tolère Chac Mool, ce qui n'est pas mon cas, on peut considérer que le nôtre est efficace. Mais celui-ci!

Elle se moqua de ses nombreux défauts.

— Et le plus irritant, Bolon, conclut-elle, c'est qu'il ne remplit même pas son propos.

— Quel propos?

— Susciter une impression de frayeur... un sentiment de puissance mystique.

— Quand je vois cette coupe de pierre posée sur son ventre et que j'imagine ce qu'elle va recevoir, j'éprouve de la crainte mystique, répondit le jeune homme.

Ix Zubin ne voulut rien entendre.

— Bolon, regarde cette chose hideuse. Elle ne fait que choquer.

Et elle précisa le principe qui avait guidé son grand-père avant elle même dans tous les actes qu'ils réalisaient pour leur île :

— Chaque fois que tu accomplis un acte, fais-en d'abord l'essentiel, mais ajoute ensuite une chose qui rendra l'acte plus important qu'il ne le serait sans cela. Je déteste notre Chac Mool, tu le sais, mais j'adore que le sculpteur ait pris la peine de réaliser des sandales si parfaites, un casque aussi beau. Que ce principe soit ton guide quand tu deviendras Grand Prêtre de notre temple.

Tandis qu'ils se préparaient à quitter Tulúm pour le voyage à Chichén Itzá, Ix Zubin eut l'occasion d'étudier son fils. Plus elle l'observait au seuil de l'âge d'homme, plus elle était enchantée. « Regarde-le ! se disait-elle, à quelques pas derrière lui. Quel beau corps, et quelle vivacité d'esprit !... » Avec une satisfaction maternelle, elle constatait que les innombrables nuits où elle avait fixé des planches contre son front avaient porté leur fruit : son visage penchait en arrière en une ligne droite parfaite depuis le bout de son nez jusqu'à la racine de ses cheveux, comme devait être une tête maya. Aucun os frontal ne venait briser cette pente exemplaire, et avec un profil aussi idéal son fils serait jugé l'un des plus beaux jeunes de n'importe quelle communauté. Elle ne pouvait comprendre pourquoi certaines mères — et elle aurait pu en nommer plus d'une dans les meilleures familles de Cozumel — ne se donnaient pas la peine de former la tête de leurs fils comme il convient, car il suffisait de patience pour appliquer la pression nécessaire toutes les nuits pendant les six premières années.

Une piste aventureuse, mal entretenue, conduisait du temple de Tulúm à l'ensemble de grands bâtiments de Chichén Itzá. Elle ne méritait pas le nom de route mais on pouvait y croiser de temps à autre quelque personnage important dans une chaise recouverte comme une tente avec des nattes tissées, et portée sur les épaules de quatre esclaves. Bolon, en voyant un de ces équipages filer sur la piste, avec à l'arrière une escorte au pas de course, lança à sa mère :

— J'aimerais bien voyager ainsi !

Mais Ix Zubin le réprimanda.

— Quelle ambition élevée ! Monter sur le dos des autres !

Le jeune homme rougit de sa présomption.

L'étroit sentier recevait assez d'ombre des arbres bas pour protéger les voyageurs du soleil aveuglant, mais avec l'humidité intense, ils transpiraient constamment. La plupart du temps, la robe de coton d'Ix Zubin était trempée ; de même que le pagne de Bolon, qui voyageait torse nu. Chaque fois qu'ils rencontraient un petit village dans une clairière, ils avaient hâte de profiter des maigres rafraîchissements que leur offrait l'endroit. Prudente, et seulement après avoir compté avec soin les grains de cacao de Bolon, Ix Zubin décidait de risquer un petit bout de jade ou un fragment d'or d'Ah Nic pour payer la nourriture dont ils avaient besoin. Mais elle préférait de beaucoup que son fils trouve de quoi manger dans la nature, sans qu'elle ait à entamer leur trésor : un singe abattu d'un coup de lance et rôti, un dindon attrapé au filet, des pousses succulentes d'arbres et de plantes, un poisson capturé par Ah Nic dans un ruisseau bourbeux, des racines de valeur nutritive reconnue, et même de tendres feuilles d'arbustes, qu'ils choisissaient avec soin. La nuit, ils dormaient sous des arbres, en utilisant comme lits des feuilles et leurs vêtements de rechange.

Lorsqu'ils sortirent des terrains boisés, ils virent s'étendre à perte de vue les grandes plaines du Yucatán qu'interrompent seulement, ici et là, quelques bouquets d'arbres rabougris. Le soleil tapait si fort qu'ils crurent s'évanouir. Mais la chance ne les abandonna pas : un jour où ils tombèrent épuisés sous un arbre qui leur offrait une ombre maigre, un groupe de pèlerins venus d'une autre partie de la forêt se joignit à eux. Ces hommes et ces femmes avaient emporté des nattes légères qu'ils fixaient deux par deux sur des branches fourchues pour former une protection agréable au-dessus de leur tête. Comme ils avaient emporté des nattes en surnombre dans l'intention de les revendre, ils en prêtèrent à Ix Zubin et à ses compagnons.

Les inconnus, qui ne s'intéressaient nullement à Chichén Itzá, se séparèrent des pèlerins longtemps avant d'arriver au site ancien, et Ah Nic, désespéré par la perte de sa natte, fit un caprice de gamin.

— Je veux garder la mienne !

Ix Zubin offrit aux commerçants un petit bout de jade pour les trois nattes et le marché fut conclu.

— Je suis contente que nous soyons seuls, dit Ix Zubin après le départ des inconnus, parce que ce sont des moments importants.

Bolon lui demanda de s'expliquer :

— Quand on voyage, il ne faut pas seulement regarder mais réfléchir.

Assise à l'ombre des nattes achetées l'instant plus tôt, elle évoqua pour son fils les splendeurs de leur peuple. Elle remarqua, enchantée, qu'il suivait avec soin chacune de ses paroles, et ce soir-là, quand ils s'allongèrent, elle se dit : « Il est en train de devenir prêtre. Si assez de temps lui est accordé, il réussira. »

Le lendemain, la discussion continua.

— L'homme qui deviendra Grand Prêtre de notre temple — et je suis certaine que ce sera toi — devra intervenir pour la défense des anciennes croyances. Il devra connaître les grandes traditions de notre peuple, sinon il ne sera pas en mesure de remplir sa mission.

Elle raconta comment elle avait découvert la grandeur de la vie maya :

— Quand mon grand-père s'est aperçu qu'à cinq ans je pouvais effectuer des calculs et assimiler les mystères des nombres mieux que la plupart des hommes de vingt ans désireux de devenir prêtres, il m'a dit : « Cozumel n'est pas assez grand pour tes rêves. » Il a interrompu tout ce qu'il faisait pour traverser l'eau jusqu'à la grande terre et me conduire à Tulúm par les sentiers de la jungle. Là, il m'a montré à quel point ce temple était lamentable, puis il m'a conduite par les pistes sombres que nous avons suivies, jusqu'à l'endroit où nous nous trouvons à présent. Et il m'a dit : « Tu vas voir bientôt la splendeur de notre peuple. » Je lui ai demandé pourquoi nous avions fait tout ce chemin, et il m'a répondu : « Tant que tu n'auras pas vu ce qu'est la grandeur, tu ne pourras jamais y parvenir dans ta propre vie. Quand tu étudies les papyrus de notre temple, je voudrais que tu les lises non pas comme une chose isolée, mais un facteur parmi des milliers, qui se trouvent dans cent temples dispersés dans ce vaste pays. Chacun confirme tous les autres. C'est pour cela que nous allons à Chichén Itzá. » Et c'est pour cela, Bolon, que nous sommes ici, des années plus tard.

Ils s'avancèrent alors vers le vaste ensemble de bâtiments, désormais vides puisque le pouvoir central des Mayas était passé à Mayapán. Ix Zubin revit les temples qu'elle se rappelait si bien — associés à des souvenirs terrifiants — et ils lui parurent encore plus impressionnants car des lianes les avaient capturés et les enfermaient dans leurs tentacules. En face de ce mystère de la terre qui réclamait les temples, elle devint une autre femme, une prêtresse de par sa volonté même, inspirée par les souvenirs de ses rêves et de ses cauchemars. Elle redevint l'enfant d'une intelligence éblouissante, la jeune femme aventureuse qui avait sauvegardé les souvenirs de son peuple maya. Sa première visite à Chichén Itzá l'avait éveillée à la terreur et aux splendeurs de la vie maya, et maintenant elle était impatiente de transmettre à son fils une passion égale. Cette résolution prise, elle passa devant le Chac Mool à grands pas et plongea Bolon dans la grandeur des ruines de Chichén Itzá.

L'immensité des bâtiments et leur beauté architecturale, leur variété, frappèrent aussitôt Bolon et il remarqua la manière dont chacun s'associait aux autres pour offrir de vastes espaces ouverts pour les rassemblements et des terrains pour le jeu au ballon de caoutchouc. Il y avait également de mystérieux puits profonds appelés *cenotes,* dans lesquels — après l'arrivée des étrangers avec leur nouvelle religion — on jetait des jeunes vierges après leur avoir tranché la gorge, pour apaiser les dieux. Bien que les envahisseurs de l'ouest fussent parvenus en ces lieux au moins cinq cents ans auparavant, Ix Zubin continuait de les considérer comme des étrangers à cause des coutumes religieuses cruelles qu'ils avaient imposées.

Mais c'était une épreuve d'un ordre différent qu'elle désirait faire subir à son fils. Elle se pencha au-dessus d'un des *cenotes* et dit à Bolon :

— Chaque fois que la ville se trouvait confrontée à une crise exigeant une intervention immédiate des dieux, les prêtres conduisaient ici, à l'aube, douze jeunes vierges nues qu'ils poussaient l'une après l'autre dans l'eau profonde. A midi, ils revenaient avec de longues gaules pour repêcher toutes les fillettes qui avaient survécu, et celles-ci étaient censées apporter des instructions spécifiques des dieux.

— Mais si aucune ne survivait ?

— Cela voulait dire que la ville avait de gros ennuis.

— Moi, je crois que c'étaient les douze petites qui avaient des ennuis ! lança Ah Nic.

Aussitôt sa nièce lui reprocha de plaisanter avec une tradition religieuse, si horrible qu'elle soit.

Bolon remarqua deux choses dont il se souviendrait sans doute longtemps : les nobles pyramides qui tombaient en ruine mais que couronnaient encore des temples élevés ; et l'extrême qualité artistique des Chac Mool qui, avec leurs coupes béantes sur le ventre, semblaient mieux sculptés que ceux qu'il avait vus à Cozumel et entrevus à Tulúm.

Sa mère attira son attention sur autre chose :

— Regarde comment ces temples ont été construits, la perfection de leurs pierres, la façon magique dont elles s'associent.

Et comme il examinait ces détails, elle ajouta avec une ferveur presque mystique :

— Ces temples ont été construits par des hommes qui parlaient avec les dieux, qui avaient bénéficié d'une vision d'un monde plus parfait.

Un peu plus tard, ils admirèrent tous les trois le panorama de quatre temples, à la destination précise, dont les façades semblaient entrelacées. Ix Zubin prit soudain la main de Bolon et s'écria :

— En dépit des horreurs dont j'ai été témoin ici, si je n'avais jamais vu les splendeurs de Chichén Itzá, je serais morte aveugle.

Et elle continua de décrire ces merveilles en une litanie ininterrompue.

Ils restèrent trois jours au milieu des temples en ruine, mais ne firent qu'effleurer les richesses du site. Dès que Bolon croyait avoir épuisé ce qu'il désirait inspecter, il tombait sur quelque chose de nouveau. Par exemple un terrain de jeu, beaucoup plus petit que le stade officiel qu'il avait visité en premier, et remarquablement placé entre de grands bâtiments qui semblaient le protéger et les deux stèles de ses lignes de but. Un vrai bijou, sans doute un terrain d'entraînement, et Bolon s'élança au milieu de l'aire de jeu et se mit à sauter en tous sens comme s'il se livrait à une partie acharnée. Bientôt il se mit à crier à d'imaginaires compagnons de jeu. Sa mère, qui l'observait depuis l'un des buts ornés de belles sculptures, songea aussitôt : « Il a recueilli l'esprit. Il est prêt à devenir prêtre. » Le soir venu, ils campèrent près du petit terrain et elle lui dit :

— Tu vas devenir un prêtre, peut-être aussi important que Grand-Père, mais à ta manière. Le problème à présent c'est : « Es-tu prêt à devenir un homme ? » Partons à Mayapán, nous verrons comment tu te battras contre les pouvoirs.

Ils se couchèrent, le ventre creux, mais satisfaits car les richesses des temples les avaient rassasiés.

Le lendemain Bolon se leva tôt, impatient de reprendre la route et de mettre sa volonté à l'épreuve face aux autorités de la ville. Mais avant même de quitter Chichén Itzá, ils furent surpris par l'arrivée d'un groupe au temple : onze personnes au visage sombre, manifestement découragées et sans chef. Bolon s'avança pour les interroger et l'un d'eux répondit d'un ton morne :

— Nous sommes de Mayapán.

— C'est là que nous allons ! s'écria le jeune homme.

Tous voulurent parler en même temps.

— Gardez-vous-en bien !

— Aucune raison d'y aller !

— Nous en venons et c'est la confusion la plus complète.

Ix Zubin voulut aussitôt savoir ce qui s'était passé. Un homme à la barbe noire, au bord des larmes, lui raconta :

— Quand nos chefs ont vu que le pouvoir leur échappait, que la grande Mayapán tombait en poussière, ils se sont affolés et ont fait le contraire de ce qu'il aurait fallu. D'abord des lois stupides, puis ils ont décapité les citoyens qui désobéissaient à ces lois, enfin des émeutes partout. Des incendies. Les maisons brûlent, les temples aussi. La fin du monde.

Les autres confirmèrent ce récit aux trois voyageurs de Cozumel.

— Oui, Mayapán était en difficulté depuis de nombreuses années. Quand vint le chaos, de nouveaux envahisseurs surgirent du sud avec de nouveaux dieux et de nouvelles lois. Beaucoup de belles promesses...

L'homme qui avait prononcé ces paroles haussa les épaules. Sa femme attira leur fille contre elle et termina sa pensée :

— Des promesses... Et maintenant, qui sait ?

L'homme à la barbe les prévint :

— N'essayez pas d'y aller, vous risqueriez votre vie et votre raison.

— Mais vous-même, où allez-vous ? lança Ah Nic.

Un vieillard aux cheveux blancs lui donna une longue réponse évasive, ponctuée de lamentations :

— Pauvre de moi ! Quand les cieux tombent en tempête, le sage se blottit près de la terre pour que l'éclair ne puisse le frapper.

— Bon conseil ! répondit Ix Zubin d'un ton d'impatience. Mais où trouverez-vous cette terre protectrice ?

Elle se souciait avant tout de la sécurité de son fils, mais le vieil homme, après d'autres exclamations de douleur, se lança encore dans de vagues considérations :

— Dans un moment pareil nous recherchons la consolation... le courage... la sagesse de ceux qui nous ont précédés.

Une femme que ce genre de phrases creuses agaçait offrit une réponse nette :

— Nous allons à Palenque, le premier endroit où les dieux nous ont pris sous leur protection.

En entendant ce nom presque sacré, Ix Zubin et son oncle restèrent sans voix, car ce site ancien occupait une place de choix dans leur esprit, et cette occasion soudaine de le visiter était alléchante.

Ix Zubin, sans même consulter ses deux compagnons, abandonna tout projet de visiter la moribonde Mayapán.

— Pouvons-nous vous accompagner ? s'écria-t-elle.

— Oui, pouvons-nous venir ? insista Bolon sans laisser à quiconque le temps de répondre.

Le vieillard verbeux sourit et déclara avec condescendance :

— Cela fera de nombreuses journées de voyage à l'ouest et au sud. Une femme comme vous ne pourra pas...

Ix Zubin lui coupa effrontément la parole.

— Je suis la petite-fille de Cimi Xoc.

Quand il entendit ce nom prestigieux, l'homme à la barbe sombre tendit les deux mains pour saluer Ix Zubin. Puis il se mit à poser des questions précises dont les réponses confirmeraient ou infirmeraient la filiation de la jeune femme avec l'astronome vénéré. Elle donna les réponses satisfaisantes et révéla même qu'elle possédait certaines connaissances sur les secrets des planètes et sur la façon dont les Mayas se gouvernaient dans les temps anciens.

L'homme qui l'interrogeait, fort prudent, ne voulait pas s'embarrasser de compagnons de voyage sans résistance ou détermination. Avant de donner sa réponse définitive il leva l'index vers le ciel où la lune sur son déclin demeurait visible en pleine lumière du jour.

— Palenque est loin, dit-il. Avant que nous y parvenions, la lune reviendra au point où elle est aujourd'hui. Avant que nous puissions revenir, elle sera passée ici deux fois.

Ix Zubin se tourna vers ses deux hommes pour les interroger du regard. Se jugeaient-ils assez forts pour continuer jusqu'à Palenque ? Ah Nic, qu'elle questionna d'abord, exprima les réticences auxquelles la jeune femme s'attendait. Elle entendit les gens de Mayapán murmurer contre l'admission d'Ah Nic dans leur groupe. Cela la désespéra, car elle imaginait déjà des animosités capables de s'envenimer et de détruire le groupe. Elle mit alors son oncle au défi :

— Vous êtes un prêtre du temple de la Fertilité de Cozumel. Ces femmes de Mayapán auraient parcouru des distances énormes pour recevoir votre bénédiction. Vous êtes la conscience de notre peuple, le gardien de ce qui est bien. Prenez votre courage à deux mains et assumez l'autorité que vous confère votre rang.

Les paroles d'Ix Zubin eurent un double effet. Les femmes du groupe, conscientes de tout ce qu'elles devaient aux rites de Cozumel et aux prêtres qui les célébraient, se mirent à chuchoter entre elles ; Ah Nic lui-même reconnut le bien-fondé des paroles de sa nièce. Rassemblant son énergie, il prit une attitude digne et déclara d'une voix égale :

— Je suis votre prêtre, et j'ai le devoir de veiller sur vous. Vous arriverez tous sains et saufs au lieu saint de Palenque. Bien entendu, Bolon et moi supporterons sans peine les rigueurs du voyage. Quant à Ix Zubin, elle est plus forte de cœur que n'importe lequel d'entre nous. Partons.

Le long voyage vers Palenque commença.

La spontanéité avec laquelle le vieil Ah Nic avait pris le commandement fit beaucoup d'effet sur les hommes de Mayapán, mais ils voulurent obtenir d'autres assurances.

— Ce sera peut-être le dernier voyage que nous ferons tous. Nous devons donc être certains. Pour aller d'ici à Palenque, il faut traverser la jungle, des marécages, des rivières qui entrent brusquement en crue... Des jours sans voir le soleil... Un million d'insectes, de serpents... Peu de villages.

Le porte-parole du groupe dévisagea les trois pèlerins et demanda :

— Pourrez-vous affronter cela ?

— Oui, répondit Ah Nic sans fléchir.

Puis se posa la question cruciale :

— Il nous faudra acheter beaucoup de choses en chemin... chaque fois qu'une occasion se présentera. Avez-vous ce qu'il faut ?

Bolon allait leur répondre, mais Ah Nic posa la main sur l'épaule du jeune homme, sourit aux gens de Mayapán et les rassura.

— Absolument.

Tout le monde approuva sa réticence à révéler le montant exact de leurs richesses.

— Dans ce cas, nous pouvons partir.

Le groupe de quatorze personnes commença la marche de trente-trois jours jusqu'à Palenque.

Ce fut un voyage magique. Plus tôt qu'Ix Zubin ne s'y attendait, la route étroite, rarement utilisée et seulement par les pèlerins les plus intrépides, plongea dans une jungle dense où les branches supérieures d'arbres gigantesques s'entrelaçaient pour former un dais qui cachait le soleil et le ciel. Les voyageurs se déplaçaient dans un crépuscule perpétuel, au milieu de lianes parasites de la grosseur du mollet qui tombaient des arbres ainsi que des serpents. Il fallait écarter la végétation à chaque pas, dans l'air épais les corps luisaient de transpiration, de toute part les oiseaux criaient. L'oncle Ah Nic s'avéra fort précieux : amoureux passionné de la nature, il connaissait les feuilles et les racines comestibles ; il pouvait indiquer dans quelle direction les chasseurs de Mayapán devaient s'engager pour attraper les animaux dont la viande allait nourrir le groupe, et il savait quels arbres dissimulaient probablement les rayons de miel que Bolon pourrait recueillir. Dès que le jeune homme lançait : « Des abeilles ! » Ah Nic se précipitait pour allumer les feux qui enfumaient les insectes, et permettaient aux hommes de s'emparer de leur miel. C'était également Ah Nic qui répartissait les provisions entre les cuisinières et leur donnait des instructions pour la préparation des mets. Il devint l'intendant et le cerveau de l'expédition.

Bolon s'étonnait qu'une route essentielle, desservant un endroit aussi important que Palenque, se réduisît à une piste épuisante à travers la jungle. Mais Ix Zubin savait que ce contact avec le pouvoir que possède la jungle de suffoquer le pays constituait une excellente préparation pour ce que le jeune homme découvrirait probablement à Palenque, si le site était resté comme son grand-père le lui avait décrit. Elle estimait que la ville ancienne n'offrirait rien de comparable à ce que Bolon avait déjà vu sur les terres sèches de Chichén Itzá.

Il y avait, bien entendu, quelques petits villages dans des clairières. Les pèlerins y trouvaient de l'eau et de quoi manger mais ils paraissaient très pauvres et Bolon demanda à l'homme aux cheveux blancs :

— Comment Chichén pouvait-il être si grandiose et ces endroits si misérables ?

Le vieillard répondit d'un ton chagrin :

— Les hommes et les lieux connaissent la grandeur pendant un certain temps, puis vient le déclin.

— Pourquoi faites-vous ce long voyage ?

— Pour revoir une dernière fois avant de mourir la splendeur qu'a connue jadis notre peuple, et pour pleurer sa fin.

L'homme se montra si patient avec Bolon que celui-ci resta près de lui pour discuter au sujet des temples, et il eut l'occasion de lui expliquer, non sans fierté, le rôle important que sa famille jouait au temple de la Fertilité de Cozumel. Le vieillard écouta avec attention, intrigué notamment par les allusions insistantes de Bolon aux connaissances de sa mère : secrets d'astronomie, manipulation de nombres. Jamais il n'avait rencontré une seule femme versée dans ces matières. Quand Ix Zubin avait prétendu qu'elle était férue d'astronomie, il avait supposé qu'elle savait où se trouvaient les constellations dans le ciel. Davantage ? Impossible. Mais découvrant qu'elle était vraiment compétente, il rechercha sa compagnie.

Ils eurent ensemble de longues conversations, et les dons de cette femme émerveillèrent l'homme de Mayapán. Un jour où ils tombèrent sur un petit temple en ruine, il la conduisit devant une stèle brisée dont le tiers inférieur demeurait en place et il lui demanda de déchiffrer les glyphes et les sculptures. Elle le fit sans difficulté et ses paroles ressuscitèrent des événements morts depuis longtemps. Ils avaient tellement passionné autrefois la population dont dépendait ce temple que les prêtres avaient gravé cette stèle pour les commémorer.

— Je me demande ce que nous aurait raconté la partie manquante ? rêva l'homme.

Mais même Ix Zubin n'était pas assez versée dans l'histoire de son peuple pour la reconstituer.

Pendant les longues journées où rien ne se passait hormis la marche monotone au milieu de la jungle, Ix Zubin et son fils étaient animés par des intérêts différents. Le jeune homme partait avec les autres chasseurs à la recherche de nourriture et Ix Zubin parlait avec les deux femmes qui accompagnaient leurs maris depuis Mayapán. L'une d'elles intéressait particulièrement la mère de Bolon. Cette femme au caractère fort avait une fille âgée de quatorze ans répondant au nom d'Ix Bacal, particulièrement belle selon les normes mayas, car sa mère l'avait fort bien entraînée à loucher.

— Quand elle avait quatre jours, j'ai suspendu une plume à un brin d'herbe juste devant ses yeux; elle l'a regardée fixement pendant des jours et des jours et ses yeux ont commencé à se croiser de façon charmante. Quand elle a grandi, j'ai demandé à son père de nous trouver un coquillage brillant, et je l'ai accroché de façon que la lumière du soleil se reflète dans les yeux d'Ix Bacal; cela a contribué également à orienter son regard vers le nez, comme toutes les mères le souhaitent. Enfin, quand elle a marché, je me suis mise devant elle et j'ai avancé mon doigt, comme ça, depuis ici jusqu'au bout de son nez. Avec le temps, ses yeux se sont bloqués merveilleusement, comme vous les voyez aujourd'hui.

La mère elle-même s'excusa de son regard presque droit.

— Mes parents ne se sont pas donné tout ce mal, et vous pouvez voir que mes yeux louchent à peine. Et ils ne sont pas du tout bloqués. Les yeux baladeurs valent des ennuis aux femmes. Les yeux bloqués vers l'intérieur confèrent l'illumination de l'âme, et vous pouvez voir qu'Ix Bacal a ces yeux-là.

Et les deux femmes mayas, assises dans la jungle, se félicitèrent mutuellement de leur sollicitude maternelle, dont les preuves étaient manifestes : le beau front penché de Bolon et les adorables yeux strabiques d'Ix Bacal.

A la consternation d'Ix Zubin, son fils n'accordait aucune attention à la belle jeune fille, et comme il approchait de ses dix-sept ans, elle commença à se demander s'il s'intéresserait à l'autre sexe un jour. Un prêtre sans femme à la tête d'un temple de la Fertilité serait en effet inacceptable, voire ridicule.

Aux deux tiers de leur route vers Palenque, sous la lune des tropiques qui vérifiait leur avancée chaque nuit, les voyageurs tombèrent sur une clairière occupée par des hommes laids et sales qui incisaient un bosquet d'hévéas sauvages pour en recueillir la sève précieuse dont ils connaissaient maintes utilisations. Bolon s'aperçut que le noir sur leurs mains et leur visage ne provenait pas de poussière ordinaire mais de la suie qui s'accumulait quand ils chauffaient la sève à feu doux pour la concentrer et la transformer en caoutchouc — le caoutchouc des ballons avec lesquels il jouait.

Le jeune homme remarqua aussi que les voyageurs de Mayapán traitaient ces ouvriers avec beaucoup de déférence, mais même cet hommage à leur pouvoir n'empêcha pas les hommes de se jeter sur Ix Zubin, car ils n'avaient pas vu de femme depuis des jours et des jours. Ah Nic poussa des cris de protestation et Bolon s'élança pour défendre sa mère. Mais l'agression des hommes n'était qu'une ruse : ce qu'ils désiraient vraiment, c'était la fillette de quatorze ans, Ix Bacal. Ils essayèrent de l'entraîner. Quand Bolon entendit les cris qu'elle poussait, il sauta sur les agresseurs, aidé de deux autres voyageurs, et réussit à les repousser pendant qu'Ah Nic les frappait à coups de canne. Ix Zubin et l'homme à la barbe noire se hâtèrent de rassembler les pèlerins et de fuir le secteur des malveillants ramasseurs de caoutchouc, qui leur lancèrent des insultes.

De nouveau en sécurité sous le dais de la jungle, Bolon se trouva pris au piège d'un problème mental intéressant : « Qu'auraient donc fait ces hommes affreux à Ix Bacal s'ils avaient pu s'emparer d'elle ? » Et il regarda la jeune fille d'un œil différent. Plus de longues conversations avec le vieillard, plus de consultations avec sa mère. En bondissant spontanément à la défense d'abord de sa mère puis de la jeune fille, il avait sans le savoir franchi le pas subtil qui sépare l'enfance de l'âge adulte — et Ix Zubin en fut enchantée. Elle savait qu'en fin de compte l'efficacité de son fils en tant que prêtre dans leur temple dépendrait en partie du genre de jeune femme qu'il aurait pour compagne. Son célèbre grand-père avait bénéficié de l'aide discrète d'une bonne épouse, et elle-même avait joué un rôle inestimable auprès de son mari. Il fallait espérer que Bolon trouverait une femme digne de lui.

Elle s'intéressa donc autant que son fils à la jeune Ix Bacal. Physiquement, c'était déjà une très jolie jeune fille et elle promettait de devenir une femme encore plus belle. Mais quand Ix Zubin essaya d'engager la conversation, elle s'aperçut vite que l'enfant était ignorante et ne s'intéressait à aucun aspect de la vie maya, même pas à son éventuel rôle de mère. C'était une jolie tête vide, et pour un jeune homme aussi prometteur que Bolon, cela ne suffisait pas.

Comme Ix Zubin était une femme sage — une astronome qui ne comprenait pas seulement le ciel mais le cœur humain — elle se dit qu'il valait mieux ne s'opposer en aucune manière à Ix Bacal, car Bolon avait atteint l'âge où l'on doit prendre les décisions soi-même. Quand elle s'aperçut que son fils entraînait la jeune fille dans des coins sombres de la forêt, elle eut le bon sens de les laisser seuls. Mais elle continua de se demander comment elle pourrait, à leur retour à Cozumel, aider son fils à trouver une épouse digne de lui.

Après de nombreuses journées, les pèlerins parvinrent aux abords du centre religieux et politique, jadis florissant, de Palenque. Ah Nic et Ix Zubin, conscients de la déception que les autres membres du groupe allaient éprouver, essayèrent d'amortir le choc. Ix Zubin resta près de son fils, mais ce fut sans effet, car en regardant Palenque, il ne put voir que des arbres, dans une jungle si luxuriante que rien n'était visible à plus de six pas dans tous les sens.

— Où est Palenque ? demanda-t-il, contrarié.

Un si long voyage pour si peu de chose !

— Grimpe sur cet arbre, lui dit sa mère, et regarde autour de toi.

— Je ne vois encore rien ! cria-t-il d'en haut.

— Bolon, regarde les monticules.

Il s'aperçut alors que la forêt était parsemée d'endroits où les arbres poussaient plus haut, comme s'ils cachaient quelque chose au-dessous.

— On dirait les vagues de la mer de Tulúm, cria-t-il.

C'était vrai. Il y avait au-dessous de lui de grands temples, un grand nombre de stèles révélatrices ainsi que de beaux palais, mais rien n'était visible car les êtres humains avaient quitté la région depuis presque mille ans, laissant la jungle libre de s'emparer des lieux. Elle l'avait fait.

Palenque, tel que Bolon le vit du haut de son arbre en cette journée d'octobre 1489, n'était qu'un vaste ensemble de monticules enfouis sous une mer d'arbres, de racines tordues et de lianes rampantes. Pas le moindre vestige de la grandeur qui caractérisait autrefois ce site. Il rejoignit les autres pèlerins qui attendaient au milieu de la jungle. Du pied d'un des bâtiments engloutis, c'était à peine si l'on pouvait en apercevoir un autre. Tant de gloire passée et il n'en restait qu'un arrière-goût de deuil.

Puis l'homme à la barbe noire prit la parole, d'une voix hésitante, pour expliquer ce qui s'était produit.

— Il y a des milliers de lunes, c'était un endroit d'une extraordinaire noblesse, mais ce temps est passé. Ses habitants ont perdu leur enthousiasme. Son message de fierté s'est transporté dans d'autres centres et Palenque a péri... Vous vous demandez donc : « Pourquoi sommes-nous venus ici ? » Pour nous rappeler nos origines, et pour découvrir notre passé. Oui, pour nous découvrir.

Il précisa que des années auparavant, lors d'un précédent pèlerinage, il avait choisi un des monticules avec ses compagnons et ils avaient arraché les arbres et les lianes entrelacées pour révéler les trésors dissimulés au-dessous. Ce matin-là, leur groupe ferait de même. Il désigna deux hommes et Bolon.

— Choisissez le monticule, dit-il, et nous verrons ce qu'il cache.

Les trois élus errèrent pendant plusieurs heures entre les monticules qui recouvraient les monuments. Ils allaient choisir une butte imposante qui semblait dissimuler quelque chose d'important, mais l'homme à la barbe noire les mit en garde :

— Pas trop gros, sinon il y aurait trop à creuser avant de parvenir aux murs.

Ils se rabattirent donc sur un monticule de petite taille et de forme bien nette.

Le matin venu, ils se lancèrent dans leur passionnante entreprise, mais à peine travaillèrent-ils une heure qu'ils s'aperçurent de l'immensité de la tâche. Nettoyer le monticule entier exigerait une lune d'efforts. Ils pourraient cependant, comme d'autres avant eux, dégager un tunnel de taille suffisante pour leur permettre d'examiner une partie de ce qui était enfoui dessous. C'est à cette tâche limitée qu'ils s'appliquèrent.

Le deuxième jour, Bolon, qui arrachait les racines accrochées à quelque objet invisible, parvint à dégager à la force du poignet le dernier paquet de végétation.

— Nous y sommes ! cria-t-il.

Les autres se précipitèrent derrière lui. Ils élargirent le passage, pour pouvoir avancer, la tête baissée, jusqu'à ce petit reste de la grandeur de Palenque. Quand une surface plus importante du temple enseveli fut nettoyée, tous purent admirer l'art merveilleux caractéristique de l'architecture maya à son zénith.

— Regardez ! s'écria l'homme à la barbe, les yeux brillants d'émerveillement. Regardez comme chaque pierre s'ajuste exactement avec la suivante, de chaque côté. Et ces surfaces polies. Ah, si nous pouvions découvrir une stèle sculptée, nous verrions des merveilles.

Cette perspective enthousiasma Bolon et les deux autres hommes qui creusaient. Ils arpentèrent les décombres en piochant et en déblayant jusqu'à ce qu'ils découvrent non pas une stèle traditionnelle mais un pan de mur sculpté. Quand il fut nettoyé, les pèlerins eurent la révélation annoncée par l'homme à la barbe : une sculpture d'un travail si parfait que le corps de chef ancien semblait jaillir du mur pour reprendre le commandement.

— Pourquoi portaient-ils toujours ces fantastiques ornements sur la tête ? demanda Bolon en examinant la surprenante couronne composée de serpents, de feuilles et de fleurs, avec la tête d'un jaguar ricanant, aux dents découvertes.

— Nos ancêtres savaient que l'homme a des limites, répondit l'homme à la barbe, comme s'il avait vécu à cette époque-là. Ils ont donc adopté une coiffure qui les grandissait et qui leur conférait toute sorte de pouvoirs mystiques.

Il sourit, puis ajouta :

— Et cela faisait beaucoup d'effet sur les gens ordinaires, faciles à effrayer.

Il se tourna vers les autres et leur demanda :

— Vous imaginez-vous en train de comparaître devant le juge, avec ces serpents et ces dents de jaguar braqués vers vous ? Vous avoueriez que vous avez fait quelque chose de mal...

Le bas-relief était grandeur nature et la coiffure devait avoir presque un mètre de haut.

Ils n'avaient dégagé qu'un angle du petit temple, mais Bolon et un autre homme décidèrent de continuer un peu. Ils tombèrent sur l'entrée bloquée d'un sanctuaire intérieur. Ils forcèrent l'ouverture et apportèrent des torches. Ah Nic les conduisit à l'intérieur, où ils furent témoins du véritable miracle de Palenque : dans la pénombre inquiétante, protégé de l'agression des racines par les épaisses murailles extérieures, s'élevait un mur intérieur d'environ deux mètres de haut sur quatre mètres de long, recouvert entièrement par des glyphes, des inscriptions et des personnages merveilleusement représentés, certains sculptés, certains peints, sans doute l'exposé d'un acte d'héroïsme datant d'un passé lointain.

Et cette œuvre d'art imposante constituait un message venu du cœur même de la civilisation maya, un message composé avant l'arrivée de la nouvelle religion venue de l'ouest. La taille même et la magnificence du monument stupéfièrent Ix Zubin, mais quand son fils lui demanda le sens de ce message, elle dut avouer que ni elle, ni Ah Nic, ni aucun être contemporain n'était capable de lire l'inscription ancienne. Quelle tentation et quelle torture, car il s'agissait manifestement d'un message précis sur des événements importants que les auteurs avaient voulu transmettre à la postérité.

— C'est rageant ! grommela Ix Zubin. Aucun de nous ne peut le comprendre *.

Malgré sa déception, elle se jugea satisfaite quand elle put résoudre l'énigme de la date — l'équivalent du jeudi 14 juin 512 ap. J.-C.

Tandis qu'elle faisait ses calculs, Bolon hypnotisé par les sculptures splendides dans leur pureté de blancs grisés, avec juste une touche

* Au cours de l'été 1959, quand j'ai vu ce mur découvert depuis peu, ses glyphes étaient encore indéchiffrables, car la « pierre de Rosette » qui permettrait de révéler les secrets de l'écriture maya n'avait pas encore été découverte. Récemment cependant, des érudits de plusieurs pays, avec l'aide d'ordinateurs, ont commencé à faire des traductions.

discrète de couleur ici et là, essayait de comprendre comment elles avaient été réalisées.

— Qu'est-ce que c'est ? demanda-t-il aux autres.

De l'index il cogna ce qu'il prenait pour de la pierre, mais d'une espèce qu'il n'avait jamais rencontrée. Ah Nic connaissait la réponse.

— Les collines près d'ici fournissent une roche remarquable, facile à écraser, facile à mêler à du sable, des cailloux et de la chaux, avec juste ce qu'il faut d'eau. Cela forme un plâtre, ni solide ni liquide, qui se travaille aisément. Pendant qu'il sèche, on peut le sculpter, mais quand il a durci...

Il ramassa un caillou par terre et le lança de toutes ses forces sur les arabesques qui couraient le long du mur sculpté. Le caillou se brisa mais le motif resta sans une égratignure.

— Nous l'appelons *stuc,* dit Ah Nic, et c'est lui qui explique la beauté de Palenque.

Quand Bolon inspecta cette petite salle du trésor, il put voir que les murs, le plafond, les décorations et les statues étaient tous en stuc. Il s'en alla à regret en regardant par-dessus son épaule tandis que la dernière torche s'éteignait. La première statue qu'il avait admirée était réalisée de la même façon : au centre un pilier, recouvert de stuc que l'artiste avait sculpté en images fantastiques pendant le durcissement.

Puis vint le moment de songer au retour. Ah Nic conduisit le groupe à travers la jungle marécageuse jusqu'à un monticule massif et très haut que recouvrait une véritable forêt.

— Si le petit coin d'un temple aussi minuscule nous a révélé de telles merveilles, pouvez-vous imaginer quelle grandeur verra le jour quand de vastes tertres comme celui-ci seront dégagés ?

Il laissa sa voix se perdre en un chuchotement :

— Et comme nous l'avons vu, il y a une foule de monticules, de temples cachés autour de nous.

Dans le silence qui suivit, Bolon comprit pourquoi sa mère tenait tant à ce pèlerinage : parce que la connaissance du passé donne aux hommes le courage d'affronter l'avenir.

Quand Ix Zubin ramena son fils, devenu un homme au plein sens du terme, au point du continent d'où ils rejoindraient leur île de Cozumel, la confusion régnait. On n'y trouvait aucun des marins habituels, ni aucun de leurs grands canots, mais, à la place, un groupe de petites embarcations improvisées, entre les mains d'hommes qui ne connaissaient pas grand-chose à la navigation. Lorsque les trois voyageurs jetèrent leur dévolu sur l'une d'elles, malgré leur peu de foi en ses qualités, le jeune homme qui la manœuvrait leur raconta une lamentable histoire.

— Très mauvais, cette année. Personne à Mayapán pour donner des ordres. Personne à Cozumel pour faire respecter les règles.

— Que s'est-il passé ? demanda Ah Nic, sentant qu'il serait mal venu qu'une femme pose des questions politiques.

— Beaucoup d'incendies à Cozumel, répondit le triste jeune homme en les pilotant maladroitement vers leur île. Et de nombreux vieux bâtiments ont disparu dans la lutte contre le feu.

Aucun des trois n'osa demander ce qu'il était advenu du temple de la Fertilité mais le jeune homme poursuivit de lui-même :

— Plus un seul pèlerin ne vient dans nos temples. Trop de problèmes à Mayapán. Plus de grands canots pour le transport.

Il s'arrêta, observa Ah Nic un instant car il ne voulait pas l'offenser, puis ajouta d'une voix hésitante :

— Peut-être que les gens... ne croient plus aux prêtres.

Quand ils accostèrent, sans tenir compte des gens qui désireraient sans doute les interroger sur leur absence de plus de six mois, ils se dirigèrent vers leur temple. Partout où leurs yeux se posaient ce n'étaient que dégradations et décombres. Puis Bolon, qui courait en avant-garde, s'arrêta brusquement, pétrifié : le temple de la Fertilité dont il aurait dû hériter avait été sauvagement détruit, ses murailles abattues, le groupe de bâtiments auxiliaires incendiés. Même son infâme Chac Mool avait été emporté en un site mieux exposé, où l'on pourrait mettre en scène de façon plus spectaculaire les sacrifices humains.

Mais ce qui écœura Ix Zubin au-delà de toute consolation possible, ce fut la destruction par le feu des papyrus précieux où son grand-père avait noté ses calculs sur la planète Vénus, ainsi que ses prédictions d'éclipses pour les siècles à venir. Cette sauvagerie la mit en rage mais elle ne confia pas ses sentiments à Bolon de peur qu'il réagisse violemment, comme au moment où les ramasseurs de caoutchouc l'avaient agressée. Elle le mit cependant en garde :

— Nous sommes peut-être la cause indirecte de la destruction de notre temple... Le fait que nous soyons partis en pèlerinage sans permission... Méfie-toi, mon fils. Ils nous réservent peut-être d'autres châtiments. Attention.

Et elle surveilla tout ce qu'il faisait, en essayant de le tenir à l'écart des officiels dans l'espoir de le protéger.

Mais presque aussitôt un événement sans précédent détourna l'attention des autorités : l'arrivée d'un canot d'une grandeur et d'une conception sans équivalent. Les rameurs précisèrent par gestes qu'ils venaient d'un grand pays loin dans l'est, possédant de hautes montagnes et de beaux fleuves *. Les légendes de Cozumel signalaient effectivement l'existence dans l'est d'une immense île occupée par des sauvages d'une espèce totalement différente. Les Mayas des temps anciens avaient parfois troqué avec ces mystérieurs îliens des ballons de caoutchouc et des morceaux de jade vert contre des objets plus grossiers. Bolon supposa donc que ces rameurs appartenaient au peuple plusieurs fois cité par ses ancêtres.

De toute évidence, ils avaient traversé la mer sur laquelle il s'était interrogé en haut des tours de Tulúm. Il se mêla donc au groupe de jeunes curieux qui essayaient de converser avec les inconnus. Ceux-ci ne connaissaient pas un seul mot parlé à Cozumel, mais comme tous les négociants ils savaient faire comprendre leurs besoins et montrer ce qu'ils offraient en échange.

Bolon expliqua aux autorités :

— Ils sont comme les voyageurs dont parlent nos légendes. Ils ne veulent de nous que deux choses : des morceaux de jade et des balles de caoutchouc pour leurs jeux.

— Qu'ont-ils à nous offrir ?

* Cuba.

— De belles nattes, les meilleures que j'aie vues, répondit Bolon avec un enthousiasme qui trahissait son intérêt pour les étrangers et le mystère de leur apparition soudaine. De gros coquillages sculptés avec art. Des rames de bateau dans un nouveau bois très dur.

Les hommes grossiers qui gouvernaient Cozumel grommelèrent.

— Nous n'avons pas besoin de rames.

Bolon protesta, bien à tort, en faisant observer qu'un jour prochain les hommes de Cozumel auraient peut-être envie de se risquer sur la mer que les étrangers venaient de traverser sans difficulté apparente.

— Non ! s'exclamèrent les nouveaux despotes. La mer n'est pas pour nous. Nous sommes un peuple de la terre.

Mais Bolon n'était pas du tout de cet avis, car il était tombé sous le charme de la mer qui déferlait avec tant de majesté sur la côté orientale de son île. Il commença à réfléchir à l'importance de cette mer : « Si ces hommes ont pu venir chez nous dans leur grand canot, d'autres arriveront peut-être avec des embarcations encore plus grandes. » Enflammé par ces pensées, il se mit à marcher des heures durant le long du rivage, les yeux tournés vers l'est comme s'il espérait entrevoir les terres dont il supposait l'existence invisible au-delà de l'horizon. Plusieurs fois, en des instants privilégiés de ses réflexions, il commença à comprendre certains secrets de la mer. Des éclairs frappaient soudain son imagination : « N'est-il pas possible que l'avenir de Cozumel se trouve non pas à l'ouest, du côté du continent où tout paraît s'écrouler, mais plutôt quelque part sur cette mer inconnue de l'est, où tout semble pur et neuf ? » Au terme d'une de ces visions, il s'avança dans les vagues et s'écria :

— Eaux du monde, je vous embrasse.

A cet instant sa décision fut prise.

Il rechercha de plus en plus la compagnie des rameurs du canot, à qui il apporta plusieurs morceaux de jade des réserves de sa mère, et des balles de caoutchouc que lui donnèrent des amis. Il les troquait contre des nattes et des coquillages gravés. Bien entendu, il ne gardait pas ces objets pour lui, car il comptait bien partir avec ces hommes quand ils quitteraient Cozumel : s'il les accompagnait dans leur pays, à quoi bon emporter des articles fabriqués là-bas ? Sa générosité allait lui coûter très cher, car certains de ses amis le dénoncèrent aux autorités :

— Bolon fait commerce avec les étrangers en dépit de vos instructions, et il envisage même de s'en aller avec eux.

C'est deux accusations étaient vraies. Emerveillé par sa visite à Palenque, Bolon était rentré à Cozumel avec le désir de recréer la grandeur perdue de la ville ensevelie. Il avait trouvé son temple détruit, ses espoirs de devenir Grand Prêtre réduits à néant et il s'orientait donc vers d'autres projets capables de canaliser son énergie. Apporter la conception maya de la vie dans de nouvelles contrées ne manquait pas d'attrait. Et un matin, sans même étudier de près ce qu'impliquerait une émigration de ce genre, il descendit précipitamment à l'endroit où le canot chargeait son fret et proposa aux rameurs :

— J'aimerais partir avec vous.

Ils lui répondirent qu'il serait le bienvenu.

Ce soir-là, après le coucher du soleil, sans s'être rendu compte que les autorités de Cozumel surveillaient tous ses faits et gestes, il avoua à sa mère :

— J'ai réfléchi. Ici tout est perdu. Il vaut mieux que je parte avec les étrangers, le matin où ils s'en iront.

Pendant un moment, Ix Zubin demeura sans voix. Depuis leur départ de Palenque elle s'inquiétait de l'avenir de son fils. Elle avait décelé plusieurs signes de mauvais augure — comme sa fréquentation assidue des nouveaux venus — et d'autres facteurs plutôt rassurants : sa plus grande maturité, son désir de discuter de sujets importants avec elle. En fait, ce qui l'avait le plus troublée c'étaient les fréquentes promenades de Bolon sur le rivage, car elle le sentait épris de la mer. Se rappelant l'effet que la mer lui avait fait pendant leur traversée jusqu'à Tulúm, elle l'avait mis en garde : « Bolon, ne tombe pas amoureux de l'inconnu. Garde tes pieds au sec. »

Ce soir-là, essayant désespérément de déterminer si son fils avait réellement quitté l'enfance pour l'âge d'homme, elle essaya de lui faire partager ses doutes.

— A Tulúm, tu m'as dit que tu préférais la ville à Cozumel parce qu'elle était plus grande. Tu te souviens de cette sottise ? Et aussi, quand ce personnage officiel nous a dépassés sur la route dans son palanquin, tu as exprimé l'ambition de voyager ainsi quand tu serais plus grand. Ridicule. Et sur le terrain de ballon de Chichén Itzá, tu n'étais qu'un gamin jouant avec des rêves.

Elle se tut un instant, puis reprit d'une voix rassurante :

— Mais quand tu cherchais les abeilles sur la piste, tu étais plus efficace que les autres hommes. Pour chasser les ramasseurs de caoutchouc, tu t'es avéré le plus fort. Et avec l'adorable Ix Bacal aux yeux louches tu t'es conduit comme un jeune homme fier et bien élevé. Enfin, au cours des explorations de Palenque, tu as vraiment montré la voie : tu as découvert des trésors... et compris le sens de ta découverte.

Pendant quelques instants, elle se balança d'avant en arrière, puis elle se tourna pour prendre son fils dans ses bras.

— Je t'ai emmené de Cozumel encore enfant. J'ai ramené un homme.

Elle lui prit les mains et murmura :

— Tu vas donc partir avec les étrangers dans leur canot. C'est le genre de décision que seul un homme adulte est en droit de prendre. Ma foi, tu es un homme, à présent. Réfléchis bien, mon fils.

Elle porta les mains de Bolon à ses lèvres et les embrassa en guise de bénédiction.

Se rendant compte qu'il allait peut-être quitter Ix Zubin pour toujours, il garda le silence, accablé, incapable de trouver un mot. Incapable d'exprimer tout l'amour qu'il ressentait pour sa mère, il lança une observation tout à fait sans rapport :

— C'est difficile quand le monde change... quand l'ancien meurt mais qu'on ne peut pas encore voir le nouveau.

Dans les heures qui suivirent, ces deux êtres de valeur, clairement conscients de la désintégration du monde autour d'eux que rien de meilleur ne semblait devoir remplacer, demeurèrent immobiles dans les ténèbres allégées seulement par les étoiles qu'ils avaient étudiées avec tant d'attention. Ce fut leur veillée funèbre de Palenque, de Chichén Itzá et même de l'immense Mayapán qui avait rempli une fonction utile, au cours de ses grandes heures. Oui, c'étaient de grandes villes motivées par des ambitions méritoires, mais elles avaient disparu, ou étaient en train de disparaître. Cozumel aussi était condamnée, aussi fatalement blessée que Tulúm. Bientôt, il n'y aurait plus aucun besoin d'astronomes, de mathématiciens ou d'hommes sachant fabriquer et utiliser le stuc.

— Partout la jungle revendiquera la terre, dit Ix Zubin.

Mais elle refusait de se lamenter. Elle redressa ses petites épaules comme pour s'armer d'une résolution nouvelle.

— À mondes nouveaux, nouvelles tâches, dit-elle.

Mais elle ne parvenait pas à imaginer à quoi pourraient servir dans l'ordre nouveau des personnes possédant sa formation ou celle de Bolon.

La longue nuit s'acheva de façon étrange, mère et fils assis en silence : Bolon, désolé parce qu'il ne parvenait pas à sonder son avenir ; Ix Zubin, encore plus angoissée car elle voyait bien qu'avec la destruction des annales du temple, son passé également se trouvait perdu *. Tous les deux étaient convaincus que le présent continuerait d'être sinistre.

Quelques jours plus tard, Bolon dut prendre sa décision cruciale, car les nouveaux venus l'avertirent :

— Demain matin, nous repartons dans notre île.

Au saut du lit, il mangea nerveusement, embrassa sa mère et descendit d'un pas hésitant vers l'endroit où le canot était amarré — sans savoir encore s'il sauterait à bord pour la grande aventure ou se contenterait de saluer le départ de ses nouveaux amis. Lorsqu'il parvint au bord de l'eau, les hommes lui crièrent :

— Holà ! Holà !

Du geste ils l'invitèrent à se joindre à eux, mais au dernier moment, Bolon recula et les laissa partir seuls.

Ix Zubin, qui l'observait de loin, éprouva une bouffée de joie : il allait rester auprès d'elle. Mais son euphorie ne dura guère car elle se posa aussitôt la question qui la hanterait jusqu'à la fin de ses jours : « N'aurais-je pas dû l'encourager, et même le pousser à quitter ces lieux condamnés pour découvrir une vie meilleure ? » Ses craintes d'avoir mal agi s'apaisèrent momentanément quand elle vit son fils remonter de la mer d'un pas décidé. Il s'aperçut qu'elle l'observait et se dirigea vers elle.

— Ma vie est ici, lui déclara-t-il d'une voix pure de toute irrésolution. Pour t'aider à reconstruire notre temple. Pour sauver cette île d'une erreur terrible.

Il s'éloigna pour prendre les premières mesures relatives à ce projet. Elle le suivit et son cœur chantait : « Il est devenu l'homme dont nous aurons besoin. »

Mais comme ils arrivaient près de leur logis, sept gardes se jetèrent sur Bolon, de peur qu'il essaie de s'enfuir vers le canot qui s'éloignait. Ils lui bloquèrent les bras, le dépouillèrent de ses vêtements et lui enjoignirent d'une voix sonore :

— Tu as été désigné... Le prochain sacrifice à Chac Mool aura lieu dans trois jours.

Ils le conduisirent aussitôt à la cage d'osier où l'on emprisonnait les futurs sacrifiés jusqu'à la cérémonie.

* Les craintes d'Ix Zubin étaient justifiées, car le 12 juillet 1562 le fort bien intentionné Diego de Landa, quatrième évêque du Yucatán, dans son désir de protéger le catholicisme de l'hérésie maya, rassembla toutes les copies connues de rouleaux semblables à ceux qu'Ix Zubin et son grand-père Cimi Xoc avaient recueillis, et les fit brûler en un grand feu de joie. Dans tout le pays maya trois rouleaux seulement survécurent, et ce sont eux qui nous ont révélé l'histoire de cette grande civilisation.

Saisie de panique, Ix Zubin tenta d'arracher son fils à cette fin terrible, mais en vain : les despotes avaient réuni contre elle-même des accusations si graves que ses appels à la grâce furent ignorés. N'était-elle pas partie en pèlerinage sans autorisation ? N'avait-elle pas encouragé son fils à entrer en relation avec les étrangers ? Surtout, n'avait-elle pas conservé en sa possession des pages de papyrus contenant des calculs mystiques qui n'auraient jamais dû tomber entre les mains d'une femme ? Si la tradition avait permis que l'on sacrifie des femmes au dieu de la Pluie, elle aurait sans doute proposé aux autorités de remplacer son fils dans la cage. Mais non, elle dut souffrir seule la douleur et l'indignation.

Dans son logis solitaire, elle réfléchit à l'horreur de la situation et au rôle qu'elle avait joué : « Je me suis donné tant de peine à élever un fils vertueux... J'ai appliqué les planches pour donner une noble allure à sa tête... Je lui ai enseigné le rituel de notre temple... Je lui ai appris les mystères des étoiles... J'ai fait de lui un homme responsable... Je l'ai encouragé quand il a rencontré cette charmante jeune fille. Qu'aurais-je pu faire de plus ? »

Elle connaissait la réponse : « J'aurais pu exiger qu'il s'enfuie de cette île maudite avec les hommes du grand canot. Il savait que sa destinée se trouvait sur la mer de l'est, mais je me suis interposée. » Survint ensuite le plus affreux de tous les reproches : « J'ai contribué à sa perte au moment même où il devenait un homme complet. » Avec l'œil de l'esprit, elle revit l'instant où il remontait de la plage — sa dernière vision de son fils, le corps cuivré par le soleil, l'esprit et le courage forgés aux feux des traditions. Désespérée, elle s'écria :

— C'était le meilleur homme de cette île et j'ai contribué à le détruire.

Puis elle maudit les dieux.

Bolon, enfermé dans la cage, n'éprouvait ni rage ni crainte. Ses découvertes récentes dans les villes sublimes et sacrées de Chichén Itzá et de Palenque lui avaient conféré une nouvelle compréhension du monde. Il savait désormais que les civilisations s'épanouissent puis s'éteignent, et qu'il avait eu la malchance de naître à une époque où les anciennes valeurs périssaient, s'effaçaient dans l'oubli. Il était content que sa mère eût renoncé à son premier projet de voyage à Mayapán, car la visite de cette ville moribonde ne lui aurait rien apporté, hormis du désespoir. Palenque, en revanche, avait été comme une flamme dans la nuit sombre : son séjour là-bas avait projeté de beaux reflets sur des ombres qui seraient restées complètement obscures sans cela. Quelle fierté, pour lui, d'être l'héritier des bâtisseurs de Palenque !

Il se rappela aussitôt son courage soudain quand il avait repoussé les ramasseurs de caoutchouc. Cet acte lui avait fait prendre conscience, à l'âge de dix-sept ans, de l'existence du monde des femmes, avec ses mystères particuliers ; la vie était donc deux fois plus complexe et intéressante qu'il ne l'avait perçue auparavant. Cette pensée provoqua des pointes de regret ; il n'avait pas envie de mourir sans avoir exploré ces autres pistes ; il ne voulait pas disparaître avant de connaître les terres d'où étaient venus les étrangers de l'est.

Surtout, il était maya, profondément endoctriné dans la tradition de son peuple, et il croyait sincèrement que s'il se conduisait sans dignité lors de son exécution, il ferait honte à sa mère et provoquerait une sécheresse accablante dans son île. Il n'en était pas question. Il se blottit donc dans un coin de sa cage, chassa toute frayeur et attendit l'instant où on le traînerait à l'autel de pierre près duquel Chac Mool attendait, avec sa coupelle de pierre posée sur son ventre.

Au moment prévu, les gardes s'avancèrent vers la cage, l'ouvrirent et emmenèrent Bolon. Cela ne leur demanda aucun effort car le jeune homme se trouvait dans un état hypnotique. En chemin, il regarda les ruines de son temple mais elles ne signifiaient plus rien pour lui. Il regarda le Chac Mool qui attendait, mais les traits haïssables du dieu ne le terrifiaient plus. Il regarda enfin sa mère en larmes, mais il se trouvait dans une transe si totale, qu'il fut incapable ne serait-ce que de lui adresser un geste d'adieu.

Puis les gardes le jetèrent brutalement sur le grand autel de pierre, le visage tourné vers le ciel. Quatre jeunes acolytes se précipitèrent pour lui maintenir les bras et les jambes, et le tirer en arrière de sorte que sa poitrine bombe vers le haut. Bolon vit alors le Grand Prêtre, en robe couverte de symboles occultes peints d'or et de sang, la tête couronnée par un formidable couvre-chef de soixante centimètres de haut grouillant de serpents et de jaguars... Il le vit soulever le couteau d'obsidienne, le plonger dans le côté gauche de sa cage thoracique, tirer très fort sur le côté, puis — alors que Bolon vivait encore — plonger la main à l'intérieur, saisir le cœur battant et le placer avec déférence sur la coupelle de Chac Mool.

Le jour même de la mort de Bolon sur l'île de Cozumel, un conseil d'une certaine importance se réunissait dans la ville espagnole de Séville : le roi Ferdinand et la reine Isabelle écoutèrent attentivement ce jour-là un groupe de trois savants érudits citer six raisons pour lesquelles le navigateur italien Cristoforo Colombo, devenu depuis peu le solliciteur espagnol Cristóbal Colón — Christophe Colomb —, se fourvoyait radicalement avec sa théorie ridicule : atteindre l'Asie en naviguant vers l'ouest depuis un port du sud de l'Espagne !

> *Tout d'abord, nous savons déjà que l'océan Occidental est infini. Ensuite, comme la traversée qu'il propose exigerait au moins trois ans, il lui serait impossible d'y aller et d'en revenir. Troisième point : s'il atteignait les Antipodes de l'autre côté du globe, comment pourrait-il remonter la pente ? Quatrièmement, saint Augustin a clairement dit : « Il ne peut pas y avoir d'Antipodes parce qu'il n'y a aucune terre là-dessous. » Cinquièmement, des cinq zones entre lesquelles se divise la terre, les Anciens nous ont assuré que trois seulement sont habitables. Enfin et surtout, puisque tant de siècles se sont écoulés depuis la Création, est-il raisonnable de croire que des terres restent encore à découvrir ?*

Toutes les personnes présentes acclamèrent le raisonnement irréfutable des sages, puis Colón s'avança, et tel un bouledogue endurci qui refuse de rendre un os coincé dans sa mâchoire, il grogna :

— Je sais que l'Asie se trouve où je dis qu'elle est. Je sais que je peux l'atteindre en partant vers l'ouest. Et avant de mourir, avec l'aide de Dieu, je m'y rendrai.

Les courtisans ricanèrent. Le couple royal, incrédule, regarda le marin étranger et secoua la tête. Les sages se félicitèrent d'avoir évité à l'Espagne une erreur aussi grossière. Mais Colón quitta la cour plus déterminé que jamais à lancer la grande aventure en laquelle il avait une foi absolue.

3

Christophe Colomb

Hispaniola, 1509

Au printemps de 1509, les courtisans de l'entourage du roi d'Espagne en sa résidence de Ségovie, juste au nord de Madrid, attendaient impatiemment l'arrivée d'un cavalier vêtu d'une longue cape dont on espérait la venue depuis plusieurs heures. Quand il entra à grand bruit dans la cour pavée, ils se précipitèrent pour l'aider à descendre de cheval, mais il bondit avec élégance, sans tenir compte des offres d'assistance.

— Comment osez-vous faire attendre le roi ? s'écrièrent-ils.

— Des gitans qui campaient sous un pont, répliqua-t-il sèchement. Ils y ont mis le feu en faisant cuire leurs viandes volées.

— Le roi vous a réclamé trois fois.

— Et je n'étais pas là pour répondre ? lança-t-il.

Il enleva sa cape, qu'il jeta en travers de sa selle, puis épousseta ses vêtements. Sa brusquerie momentanée se mua en un gracieux sourire.

— Il comprendra, murmura-t-il en se dirigeant vers l'entrée du palais.

C'était un homme de grande taille, l'œil gauche couvert d'un petit carré de brocart rouge et or, une très ancienne balafre en travers de sa joue hâlée. Âgé de quarante-sept ans, Hernán Ocampo avait participé aux guerres victorieuses que l'Espagne venait de mener pour expulser les Maures. Ce long service aux armées était exceptionnel, car dans sa jeunesse il avait reçu une formation juridique et non militaire. Il avait ensuite abandonné le métier des armes pour revenir à sa profession où sa compétence lui avait valu de devenir *licenciado,* établi à Séville. Il avait rencontré là et épousé une petite-fille du duc d'Albe. Il avait si bien aidé Ferdinand d'Aragon à consolider son pouvoir chancelant, que celui-ci, au bout du compte, avait coiffé la couronne d'Espagne. Comme Ocampo avait également contribué à la conclusion de ce coup du maître qu'était le mariage de Ferdinand avec Isabelle de Castille, il avait de bonnes raisons de croire que le souverain lui pardonnerait son retard. Mais quand on l'introduisit en présence de Ferdinand, il trouva le beau monarque, son aîné d'un an mais beaucoup plus corpulent, de fort méchante humeur :

— J'avais besoin de vous, Ocampo. Vous devez accomplir une mission importante pour moi.

Ocampo s'inclina avec l'élégance d'un courtisan assidu, et agita la main gauche en direction du roi.

— Comme toujours, Majesté.

Son attitude et son ton familier, sa façon d'éviter le mot roi, sans doute déplacé entre deux hommes ayant longtemps œuvré ensemble, semblaient exprimer ce que chacun savait : « N'ai-je pas perdu cet œil et reçu cette balafre pour votre gloire ? »

Ferdinand hocha légèrement la tête en reconnaissance de cette amitié, mais son irritation et son impatience ne diminuèrent pas pour autant. Il prit Ocampo par l'épaule d'un geste brusque, l'entraîna vers un siège couvert de broderies d'or et de pourpre, et le fit asseoir à ses côtés.

— Ce sont ces maudits héritiers de Colón. Ils me rendent fou avec leurs pétitions et leurs revendications tapageuses.

— Encore ? Je croyais l'affaire réglée depuis longtemps.

— Non. Depuis que leur père est mort, il y a trois ans, ils n'ont cessé de me harceler. Comme Colón a découvert le Nouveau Monde pour Isabelle et pour moi, ils prétendent que je leur dois, en tant qu'héritiers de leur père, d'énormes sommes d'or. Plus que le Trésor ne possède !

— Je suis juriste, Majesté, mais je ne m'empoisonne jamais avec ces affaires d'héritage. Ce sont des batailles que les honnêtes gens perdent toujours.

— Je suis seul juge de ce que je dois faire, Ocampo. Mais vous devez partir pour Española * pour vérifier la façon dont Cristóbal Colón s'est acquitté de ses devoirs en mon nom.

Ocampo s'écarta du roi, posa son pouce gauche sous son menton et se mit à caresser sa joue droite avec l'index de la même main, son bon œil fermé. Dans cette attitude, qu'il prenait souvent lorsqu'il essayait de retarder une décision, il donnait vraiment l'impression d'un homme plongé dans de profondes pensées. Le roi, qui s'en aperçut, lui accorda le temps de la réflexion. Quand Ocampo parla enfin, sa réponse surprit le monarque.

— Mais n'avez-vous pas envoyé un enquêteur là-bas il y a huit ou dix ans pour faire la chose même que vous me demandez aujourd'hui ?

La sagacité de cette réponse plut au roi, et il se détendit. Il donna à Ocampo une claque sur le genou.

— Vous avez bonne mémoire. Oui, il y a neuf ans j'ai envoyé Francisco de Bobadilla à Hispaniola vérifier les faits et gestes de Colón. Et je lui ai accordé cinq pouvoirs extraordinaires.

— N'a-t-il pas fait du bon travail ?

— C'est toute la question. Isabelle et moi avons accepté son rapport et cru que cela mettait un terme à l'affaire. Mais aujourd'hui, les héritiers de Colón prétendent que Bobadilla avait des préjugés contre leur parent et n'a pas dit la vérité. Si c'est le cas, leurs revendications risquent d'être justifiées.

— Quel genre d'homme était Bobadilla ?

En guise de réponse, le roi se leva, prit Ocampo par le bras et sortit avec lui dans le jardin du palais. Au milieu des fleurs printanières, sous les arbres en bourgeons, il esquissa le portrait de son ancien agent secret :

* Ou Hispaniola, selon l'orthographe généralement adoptée. Plus tard, le tiers occidental de l'île devint Haïti, l'autre partie la république Dominicaine.

— Aussi différent de vous, Ocampo, que l'on puisse imaginer. Vous êtes grand, il était gros à la limite du ridicule. Vous avez un esprit prudent, modéré alors qu'il passait pour impétueux. Vous portez les balafres d'honorables services rendus à votre pays, alors qu'une souris pouvait le terrifier et le son du canon le rendre fou.

— Pourquoi avez-vous confié à un homme de cette espèce une mission aussi importante ?

— Il avait la faveur d'Isabelle, et je ne pouvais rien lui refuser.

Ces paroles produisirent un résultat stupéfiant. Le roi, qui longeait une rangée de cyprès hauts et minces pareils à ceux qui bordaient le cimetière où l'on avait célébré les rites funéraires de la grande Isabelle, ne put retenir ses larmes. Il se retourna vers Ocampo, serra son ami dans ses bras et gémit.

— Depuis sa mort, Ocampo, tout est désolé. C'était la meilleure reine du monde. Personne n'a servi son pays avec autant de grâce...

Il s'arrêta brusquement, puis poursuivit d'une voix très différente :

— A bien des égards, elle était plus brillante que moi. Elle était calme et solide, pareille à une prairie parsemée de fleurs sous un violent orage.

Leur promenade à travers champs les avait conduits à un endroit d'où ils pouvaient voir le célèbre aqueduc romain de Ségovie, et ce monument remarquable, qui alimentait encore la ville en eau presque mille cinq cents ans après sa construction, leur rappela l'empire, le gouvernement et les choses sublimes qu'ils avaient eux-mêmes contribué à créer en Espagne. Ils s'assirent sur un banc de bois.

— Nous avons unifié ce pays, dit le roi. Personne ne croyait que ce serait possible, avec toutes les principautés qui ne cessaient de guerroyer. Mais nous avons triomphé.

— Ce que j'ai toujours admiré en vous, Majesté, c'est votre empressement à prendre des décisions audacieuses. A entreprendre de vastes projets dont d'autres, plus timorés, se seraient détournés.

— Comme chasser les musulmans d'Espagne et d'Europe.

— Mais aussi expulser les juifs.

— C'était une mesure extrême, avoua le roi. Mais n'oubliez pas que nous leur avons donné une chance équitable. S'ils se convertissaient à notre religion, ils avaient le droit de rester. Sinon...

Il hésita, menaçant, puis prit entre ses doigts une médaille d'or suspendue sur sa poitrine par une chaîne d'argent.

— Je suis aussi fier de cette médaille que de tout ce que je possède au monde. Le pape me l'a donnée quand il m'a conféré le titre d'El Católico. Il m'a dit que j'étais le premier catholique du monde, parce que je m'efforce de rendre tous mes royaumes — la Castille, l'Aragon, la Sicile — aussi catholiques que moi.

Les deux amis étaient particulièrement fiers du rôle qu'ils avaient joué dans la mise en place de la Sainte Inquisition pour défendre l'Église. Son objectif, selon les directives précisées par Ferdinand lors de l'institution de ce « Saint Office », était d'extirper l'hérésie partout où elle se trouvait dans le monde.

— Les prêtres ont accompli une œuvre splendide, Ocampo, et quand vous arriverez à Hispaniola, il vous faudra harceler les infidèles — athées, païens, juifs... Écrasez-les !

Avant qu'Ocampo ait eu le temps d'affirmer sa détermination de soutenir la vraie foi dans le Nouveau Monde, comme il l'avait fait dans l'Ancien, les deux hommes se levèrent pour accueillir une sémillante

Française, Germaine de Foix, nièce du roi de France et seconde épouse de Ferdinand. Le roi parut enchanté de la voir. Elle conduisit les hommes dans un salon où les attendait un repas savoureux — viande, fromage, galette de pain et vin fort d'Espagne — puis elle les laissa seuls.

— S'est-elle bien adaptée à l'Espagne ? demanda Ocampo.

— Oh oui, répondit le roi d'un ton léger. Au-delà même de nos espérances. Et grâce à elle, notre amitié avec la France s'est renforcée.

Il marqua un temps, se tourna vers la porte pour s'assurer que la reine n'était plus à portée de voix, puis ajouta :

— Mais aucune comparaison avec Isabelle.

Ocampo sentit que ce grand homme, qui avait accompli de si grandes choses en Europe, allait de nouveau éclater en larmes. Il voulut se détourner, mais Ferdinand, se ressaisissant aussitôt, prit son ami par le bras et le força à le regarder dans les yeux.

— Je vous en prie, mon fidèle ami, découvrez la vérité sur Colón.

— Je le ferai. C'est une promesse. Mais avant mon départ ne pouvons-nous pas reconnaître que Colón a fait les grandes choses qu'il avait promises ? N'a-t-il pas découvert de nouvelles terres d'une valeur énorme ? N'a-t-il pas accompli avec succès trois autres voyages, en 1493, 1498 et 1502, pour démontrer à tous qu'il était facile de traverser l'océan ?

— Nous savons ce qu'il a fait en mer. Je veux savoir ce qu'il a fait à terre.

— En quelle terre ? Si nous croyons ses récits, il a accosté à bien des endroits, peut-être en Chine, au Japon, en Inde, mais à n'en pas douter dans les îles qu'il a nommées Cuba, Puerto Rico, Jamaica...

— Nous nous intéressons seulement à Hispaniola. C'est là qu'il a été notre vice-roi, et c'est de là qu'ont été lancées les accusations contre lui.

Au moment où le roi prit congé d'Ocampo et le confia à la grâce de Dieu, il lui déclara avec chaleur :

— Réglez cette affaire pour moi, Hernán, et nous vous accorderons n'importe quelle position dans le royaume, avec le titre de votre choix.

Ils se donnèrent l'accolade.

Quand la vigie cria « Terre ! » le capitaine hésita un instant, pour s'assurer qu'il s'agissait bien d'Hispaniola, puis il fit appeler son passager de marque.

— Voici votre île, lui dit-il.

Pendant l'heure qui suivit, Hernán Ocampo demeura campé à la proue du bateau à observer le miracle d'une île qui s'élevait lentement de la mer. Le capitaine, remarquant la façon dont le borgne scrutait l'horizon, lança au marin qui tenait la barre :

— Il se prend pour Colón, à son arrivée pour régner sur cette île et cette mer.

— Pourquoi porte-t-il ce bandeau ?

— Il a perdu son œil contre les Maures.

— Je sais. Mais pourquoi rouge et or ?

— Je me le suis demandé.

— Posez-lui la question.

— On ne pose pas ce genre de question à ce genre d'homme.

— Moi, je le ferai.
— Eh bien, donne-moi la barre. Parce que j'aimerais bien savoir.
Le jeune marin se dirigea vers Ocampo, toussota pour signaler sa présence, puis demanda avec déférence :
— Excellence, puis-je vous poser une question ?
— Je ne suis pas une « Excellence », mais un *licenciado* comme un autre.
— Pourquoi votre bandeau, sur l'œil, mêle le rouge et l'or ?
Ocampo ne s'en offensa pas, au contraire. Il sourit au marin.
— Ne devines-tu pas ?
— Je suis complètement perdu.
— Quand une armée se bat, il lui faut un drapeau que tous puissent reconnaître, un signal désignant notre camp. N'as-tu jamais vu le drapeau que nous utilisions en Espagne contre les Maures ? Un drapeau rouge et or, sang et lumière, deux couleurs magnifiques, ne trouves-tu pas ?
— Oh, oui !
— Alors, quand j'ai perdu mon œil au siège de Grenade, j'ai juré de proclamer les couleurs de l'Espagne jusqu'à ma mort. Voilà tout.
Sur ces mots, il reprit son examen de la terre qui l'attendait.
Hispaniola était une grande île au profil montagneux, et quand elle apparut plus clairement, Ocampo remarqua ses nombreuses plages de sable blanc.
— Voici votre ville, Santo Domingo, lui cria le capitaine.
Et Ocampo aperçut la première colonie au Nouveau Monde, capitale non seulement de cette île mais de toutes les possessions de l'Espagne dans les terres découvertes par Colón. Il regarda longtemps la ville surgie des flots : ce n'était encore qu'un ramassis de maisons de bois, que dominait un seul bâtiment de pierre à un étage, manifestement important.
— À qui appartient-il ? demanda-t-il au capitaine.
— À un nommé Pimentel, le lieutenant-gouverneur. Un homme de grande famille. Le maître des lieux, on dirait.
Une flottille de canots pilotés par des Indiens s'élança bientôt du rivage, et Ocampo remarqua leur apparence sauvage — fronts bas, cheveux très bruns, peau sombre, vêtus d'un simple pagne — mais aussi leurs regards vifs et leur évident désir de pratiquer leur commerce primitif avec le navire. Il leva ensuite les yeux au-dessus de leurs pagaies qu'agitaient des mains agiles, et il étudia la ville elle-même.
Il calcula qu'à première vue elle abritait environ neuf cents personnes, dans un chapelet de maisons grossières établies le long de la plage, avec une sorte de place centrale dont le côté nord était occupé par une église de bois au clocher fièrement couronné par une croix robuste. À tous égards, jugea-t-il, c'était un de ces solides villages espagnols comme il en avait si souvent vu sur les plateaux du sud de Madrid. Cette apparence réconfortante le rassura : dans une ville pareille, il ne se sentirait pas étranger.
Dès que les badauds alignés le long du rivage pour accueillir le bateau virent Ocampo descendre à terre dans sa tenue austère, le chapeau de cavalier incliné sur sa tête, le bandeau rouge et or brillant au soleil, impérial dans chacun de ses gestes ils comprirent qu'une force importante venait d'arriver parmi eux pour accomplir une mission de conséquence. Ceux qui volaient le roi commencèrent à

trembler, craignant d'être découverts, mais à l'instant suivant un changement soudain dans l'attitude du nouveau venu les étonna. Il sourit aux badauds silencieux, s'inclina comme pour leur faire honneur et détendit même sa démarche rigide, car il désirait leur signifier dès le premier abord : « J'arrive parmi vous en ami. »

Aussitôt, il fit un geste en direction du bateau et deux secrétaires en descendirent, deux jeunes gens d'une vingtaine d'années chargés de brassées de papiers. À peine avaient-ils touché terre qu'ils se mirent à la recherche d'un bâtiment convenable pour le réquisitionner et en faire leur quartier général. Très vite, ils jetèrent leur dévolu sur la maison de pierre à un étage, occupée selon les dires du capitaine par le nommé Pimentel. Mais quand ils voulurent inspecter les lieux, le propriétaire devinant leurs intentions les avertit froidement :

— Ce bâtiment ne saurait convenir. La famille de ma femme en occupe plus de la moitié et nos enfants courent partout.

Ocampo rejoignit ses secrétaires

— Que se passe-t-il ici ?

Sans laisser aux deux hommes le temps de l'expliquer, le propriétaire s'avança pour se présenter :

— Alejandro Pimentel y Fraganza, représentant du roi.

Ocampo s'inclina, car les deux noms s'étaient distingués dans l'histoire de l'Espagne.

— Je suis Hernán Ocampo, de Séville, envoyé personnel du roi et désireux de trouver une résidence qui me permette d'accomplir la mission dont Sa Majesté m'a chargé.

Chacun savait désormais qu'il ne pourrait traiter l'autre à la légère. Pimentel, homme austère d'une soixantaine d'années, s'inclina avec raideur et assura au nouveau venu :

— Je ferai tout ce qui est en mon pouvoir pour vous assister, mais comme je l'ai expliqué à vos hommes, cette maison ne peut vous convenir. La famille de ma femme...

Sa réplique fut interrompue par l'apparition sur le seuil de la Señora Pimentel, femme charmante d'une trentaine d'années accompagnée par une dame plus âgée, sans doute sa duègne avant le mariage et devenue sa confidente, car elle accourait près de sa maîtresse dès qu'apparaissaient des inconnus.

— Je suis en train d'expliquer à l'envoyé du roi que votre famille occupe une grande partie de notre maison, et que...

Sa femme parla doucement, mais avec le désir manifeste de régler le problème :

— La maison Escobar, sur la place, en face de la mer, n'est presque jamais utilisée.

Elle partit à côté de son mari, sa duègne à deux pas derrière elle selon la tradition, et montra à Ocampo une demeure de bois, simple mais commode, avec deux grandes fenêtres, l'une donnant sur la mer, l'autre sur le centre même de la place, en face de l'église, que les habitants de Santo Domingo appelaient déjà « notre cathédrale ».

Ocampo et ses hommes vérifièrent que la maison convenait à leur mission et se trouvait disponible, puis les deux secrétaires passèrent à l'action. Ils réquisitionnèrent des meubles au nom du roi, et ordonnèrent aux marins de débarquer et de mettre en place les affaires qu'Ocampo avait apportées de Séville. Le principal objet était un imposant fauteuil de chêne avec un dossier abondamment sculpté et deux accoudoirs massifs. Toute personne qui l'occupait paraissait distante et redoutable.

— Placez-le de façon que je reste dans l'ombre, contre le mur, ordonna Ocampo. Et mettez la chaise de la personne que j'interrogerai face à la lumière violente qui tombe de la fenêtre. Vos deux tables peuvent aller où vous jugerez bon, pour votre commodité.

Mais quand les quatre sièges furent en place, il vérifia l'effet produit, modifia légèrement leurs positions, puis demanda une scie.

On chercha un peu partout dans la ville, puis la scie arriva, et Ocampo révéla sa stratégie.

— Coupez un peu de bois aux pieds de devant de la chaise des témoins. Je veux être détendu et à l'aise, adossé à mon grand fauteuil, mais qu'ils restent nerveux et qu'ils glissent vers l'avant de leur petit siège.

Au cours de ces premières journées, les habitants de l'île observèrent le nouveau venu dans un silence respectueux. Ils avaient du mal à préciser son caractère.

— Regardez ! De haute taille et raide comme n'importe quel grand d'Espagne, l'œil perçant et la barbe en pointe du gentilhomme, mais il n'a pas reçu cette balafre et perdu son œil en jouant aux cartes dans un jardin. Quand on s'avance pour lui parler, il vous sourit avec aménité.

L'un des secrétaires, entendant des commentaires de ce genre, prévint les discoureurs.

— Doux comme une colombe, tenace comme un vautour.

Cet épigramme fit le tour de la ville.

Avant la fin de la semaine, Ocampo et ses hommes purent entendre une série de témoignages sur le comportement à terre et les résultats obtenus par l'amiral de la mer Océane, feu Cristóbal Colón, né Cristoforo Colombo.

Ocampo reçut les dépositions comme elles venaient, sans essayer d'établir un ordre chronologique ; il désirait entendre le flot naturel des plaintes, avec toutes les contradictions, les mensonges et les accusations vérifiables, telles qu'elles se présenteraient. Mais chaque soir, quand les deux secrétaires posaient leurs plumes, ils classaient leurs pages selon une succession logique, et ce fut dans cet ordre qu'Ocampo soumit son rapport au roi.

La déclaration liminaire de ce document définitif fut tirée de la déposition d'un certain Vicente Céspedes, marin plutôt fruste de trente-neuf ans, originaire du célèbre port de mer de Sanlúcar de Barrameda, à l'embouchure du Guadalquivir, d'où faisaient voile régulièrement les galions de Séville.

— Si l'on vous a parlé de moi, grogna-t-il d'un ton querelleur, et je suis certain qu'on l'a fait parce que j'en connais qui voudraient me faire taire, vous savez déjà que je ne pense pas grand bien de l'amiral, vu qu'il m'a volé de l'argent.

— S'il s'agit de la retenue sur votre solde, nous sommes déjà au courant.

— Pas du tout. Il s'agit de ce qui s'est passé le jeudi 11 octobre 1492.

En entendant cette date célèbre, Ocampo se raidit, car il n'avait pas oublié la recommandation du roi : « Nous savons ce qu'il a fait en mer. Je veux savoir ce qu'il a fait à terre. » Il regarda sévèrement le marin de son œil unique et lui dit :

— Je vous ai prévenu. Nous nous intéressons uniquement à ce qui s'est passé à Hispaniola.

— J'y viens, j'y viens. Si vous voulez m'écouter et faire excuse de mon franc-parler, parce que je ne sais ni lire ni écrire, ni causer comme un gentilhomme.

Voyant qu'il ne parviendrait pas à endiguer ce torrent, Ocampo se résigna.

— Je vous en prie.

— Cet après-midi-là, le capitaine-général fit monter tous les matelots sur le gaillard d'arrière. Très nerveux qu'il était. Et il a dit : « Qu'est-ce que j'ai promis hier quand vous avez failli vous mutiner ? » Un homme à côté de moi a crié : « Que si l'on ne voit pas la terre dans trois jours, on rentrera chez nous en Espagne. » Il a dit : « La promesse tient toujours », et nous avons applaudi. Mais ensuite, sa mâchoire s'est raidie, il est devenu comme fou et il nous a lancé : « Je suis certain, je le jure sur la tombe de ma mère, que l'Asie se trouve là, devant nous. C'est forcé. » J'ai chuchoté au type à côté de moi : « Il essaie de s'en convaincre. » Mais le capitaine-général nous a rappelé : « Qu'a promis la reine à notre départ de Palos, au premier homme qui annoncerait la terre ? » Et c'est moi qui ai répondu, parce que j'en avais salement envie, de cette prime : « Dix mille maravédis * par an pendant toute la vie. » Et il a répondu : « Exact. Et j'ajoute aujourd'hui un pourpoint de soie pour cet heureux homme. » Alors j'ai senti cette soie qui faisait l'amour à mon dos.

Il marqua un temps, le regard perdu.

— Bon, et voilà-t-il pas qu'un vent frais se met à souffler de l'est et nous pousse gentiment vers les côtes de Chine ? Colón nous avait convaincus et nous pensions tous qu'avant la fin des trois jours, au lieu de rebrousser chemin, nous verrions la Chine. Moi, j'étais certain de l'apercevoir le premier, parce que je l'avais trop souvent rêvé.

— Pourquoi étiez-vous aussi sûr qu'il y avait des terres ?

— J'avais étudié la mer tous les jours. Je voyais bien à l'aspect de l'eau, à sa consistance peut-être, que nous étions entrés dans la nouvelle région. Les grandes vagues avaient disparu et la mer calme ressemblait à certaines pierres précieuses que portent les femmes.

— Et votre rêve s'est réalisé ?

— Et comment ! Un peu avant minuit, j'ai repéré une lumière sur ce qui devait être une côte, et j'ai crié : « Terre, droit devant ! » Puis je me suis préparé à endosser mon pourpoint de soie et à empocher les maravédis de ma rente. Mais devinerez-vous ce qui s'est passé, Excellence ?

— Je ne suis pas « Excellence ». Que s'est-il passé ?

— Le capitaine-général Colón a refusé d'honorer ma découverte et de me verser mes primes. Et savez-vous ce qu'il a fait de bien pire ? Le lendemain matin il a crié soudain « Terre, terre ! » et il a gardé pour lui-même les maravédis et le pourpoint de soie.

— Quel est le rapport avec Hispaniola ? demanda Ocampo, en se gardant de montrer trop d'impatience, car il avait appris depuis longtemps que les témoignages les plus erratiques produisent parfois de fort précieuses perles de vérité.

— J'y viens, et quand vous m'entendrez, vous serez obligé d'avouer que ce n'est guère en l'honneur de Colón. Le 5 décembre, après avoir exploré au sud et à l'ouest près de l'île que le capitaine-général a

* Environ cinq cents francs actuels, mais cela représentait le luxe pour un marin de l'époque.

appelée plus tard Cuba, nos trois caravelles ont accosté pour la première fois sur cette île-ci.

Avec un salut ironique à l'adresse d'Ocampo, il ajouta :

— Me voici donc maintenant sur cette île d'Hispaniola, où vous me vouliez.

Ocampo, fermant les yeux sur la familiarité du marin, se contenta de hocher la tête.

— Poursuivez.

— Un côté sinistre, rien pour nous tenter. Plusieurs marins lancèrent : « Est-ce bien la Chine de Marco Polo ? » et le capitaine-général, furieux, cessa de nous adresser la parole. Donc nous commençâmes à contourner cette île la veille de Noël, un lundi je crois que c'était, car j'étais de quart et on se souvient de ces choses-là. Nous sommes arrivés dans une jolie baie de la côte nord de cette même île où nous nous trouvons présentement, et tout était tranquille, et les hommes qui n'étaient pas de quart — nous étions quarante en tout en comptant les officiers — se mirent à fredonner des chants de Noël. A minuit, à la fin de mon quart, je me suis endormi pour rêver des Noëls que j'avais connus en Espagne.

Il se frotta le nez.

— Où était le général Colón ? Endormi à poings fermés. Le second ? Le lieutenant ? Tous endormis. Et c'est alors que la *Santa Maria* lentement et sans bruit a dérivé sur un banc de sable. Les matelots se mirent à courir en tous sens sur le pont, mais avant qu'ils parviennent à dégager la quille, de grosses vagues déferlant du nord-ouest la chassèrent encore plus haut sur la langue de terre. Horrible. Colón aurait dû avoir honte de lui-même parce qu'une heure avant le lever du jour, tout le monde a compris que notre bateau était complètement perdu et nous sommes montés à bord de la petite *Niña,* qui ne pouvait pas se permettre de nous loger puisque son équipage normal de vingt-deux hommes occupait déjà toute la place disponible.

— Ensuite ?

— Le capitaine-général a dit : « Nous arracherons le bordage de la *Santa Maria* et nous construirons la première ville espagnole en Chine », parce qu'il était certain que nous étions là-bas. Nous avons construit deux cabanes puis Colón et le prêtre — ou l'homme qui passait pour tel — ont célébré une messe et consacré l'endroit à La Navidad, en souvenir du jour de Noël où nous avions accosté. Et quand vint le moment de retourner en Espagne avec la *Niña et la Pinta,* Colón comprit que les vingt-deux matelots de chaque caravelle, plus les quarante que nous étions, ne pourraient pas faire la traversée. Il a donc désigné une vingtaine d'hommes pour occuper la nouvelle ville, et j'étais du nombre. Ensuite il a filé pour sauver sa propre peau.

Dès que ces paroles furent prononcées, Ocampo sut qu'elles étaient fausses, car des témoignages antérieurs avaient établi sans conteste que tous les marins abandonnés à La Navidad en janvier 1493 avaient péri : pas un seul survivant. Vicente Céspedes n'était donc qu'un menteur parmi tant d'autres, qui avait une dent contre Colón.

Ocampo se pencha en avant et lui demanda d'un ton rogue :

— Pourquoi êtes-vous venu me raconter ces histoires ? Vous ne savez donc pas que tous les hommes de La Navidad sont morts ?

Céspedes faillit glisser de sa chaise en pente. Avec une impatience presque enfantine de se justifier, il s'écria :

— Ce fut un miracle, Excellence. Jamais je n'ai été capable de comprendre pourquoi, mais au moment où la *Niña* appareillait, un des hommes à bord, un de mes amis de Cadix, a crié : « Céspedes ! Je préfère rester... pour voir les belles indigènes. » Et nous avons fait échange. Il est mort et moi non.

Cette réponse naïve du marin intéressa énormément Ocampo, car elle concernait directement la façon dont Colón concevait sa responsabilité à l'égard de ses hommes.

— Quelles mesures avaient été prises pour protéger la vie des hommes qui restaient ?

— Presque aucune, bon Dieu !

À peine Céspedes eut-il prononcé ces mots qu'il se recula avec un regard craintif à l'adresse d'Ocampo. Il se souvenait que certaines autorités considéraient le moindre juron comme un blasphème grave, punissable en Nouvelle-Espagne par un passage entre les mains de l'Inquisition. Ocampo, ancien soldat, n'était pas ceux-là. Céspedes avala sa salive et poursuivit.

— En toute honnêteté, Colón n'aurait pas pu leur donner grand-chose. Quand nous avons fait voile, aucune bonne maison n'était encore construite, nous n'avons pas pu leur laisser beaucoup de poudre pour les quelques armes dont nous pouvions nous passer, ni beaucoup de plomb pour des balles, et rien à manger.

— Rien ?

— Peut-être un demi-baril de farine et des restes de porc salé.

Céspedes secoua la tête, puis ajouta d'un ton léger :

— Mais mon ami de Cadix, celui qui a échangé sa place avec moi parce qu'il désirait rester, a dit : « Nous pouvons pêcher, chasser du gibier et compter sur l'aide des indigènes. »

— Il y avait des indigènes ?

— Beaucoup. Et comme nous avions de bonnes relations avec eux, nous avons supposé que les hommes bénéficieraient de leur assistance.

— Mais le général Colón a-t-il laissé ses hommes dans un endroit organisé ? Je veux dire : y avait-il des chemins, des latrines et des endroits pour dormir ?...

— Oh, oui ! C'était un début de village. Après tout, il avait même un nom : La Navidad.

— Mais pas de vraies maisons ? Pas de femmes ?

Céspedes ne put retenir un rire nerveux.

— Les hommes y pensaient beaucoup. Un an et peut-être même deux sans femmes... Mon ami de Cadix a dit : « Peut-être prendrons-nous parmi les indigènes les femmes dont nous aurons besoin. »

— À votre départ, les autres matelots et vous-même, pensiez-vous que ceux que vous laissiez survivraient ?

— Oui ! J'ai même prêté à mon ami un bon coutelas. « Je reviendrai le chercher », lui ai-je promis. Mais je vous l'ai dit. Il est mort et moi pas.

Il baissa la tête, porta les mains à ses lèvres, puis regarda fixement Ocampo et chuchota :

— Les indigènes les ont tous tués. Mais j'ai beau détester Colón, je ne crois pas qu'on puisse lui reprocher ça.

— Comment êtes-vous revenu à Hispaniola ?

— Au deuxième voyage, avec Colón, en 1493. Il était devenu amiral. Il ne m'aimait pas, parce que je lui rappelais qu'il m'avait volé ma prime, mais il savait que je suis un bon marin. Et quelle différence entre les deux voyages ! La première fois, trois petits bateaux, un petit nombre d'hommes, une destination inconnue dans des eaux où nous avancions comme à tâtons. Mais la deuxième, sans parler des galions et des équipages, l'océan était devenu notre ami. Et dès que nous avons franchi la chaîne d'îles qui protège l'accès oriental de cette mer intérieure, nous avons reconnu la beauté de ce que les hommes ont commencé d'appeler « notre lac espagnol ». Nous nous sentions déjà chez nous, surtout quand nous avons repéré cette île que nous connaissions déjà. Nos cœurs battirent plus vite à la perspective d'un retour triomphal. Mais à notre arrivée à La Navidad, plus rien... Des maisons abattues... Des squelettes à l'endroit où les indigènes avaient attaqué. J'ai trouvé un corps qui aurait pu être mon ami, la tête tranchée. Je l'ai enterré avec une prière : « Tu as donné ta vie pour moi. Je vivrai sur cette île et j'en ferai un endroit convenable en ton honneur. » Et me voici.

Une importante question restait en suspens, et Céspedes la posa.

— Messire, donnerez-vous aux marins comme moi l'argent que l'amiral nous a volé ?

— Vous prétendez encore qu'il vous a volé ?

— Pas seulement moi, mais tous les malheureux qui sont morts à La Navidad.

Ocampo, furieux de le voir répéter ces rumeurs, le fusilla du regard, et le marin termina d'une voix faible :

— Peut-être se disait-il que leur argent serait plus en sécurité ainsi. Et puis, qu'auraient-ils pu en faire dans un endroit comme La Navidad ?

Un vieux marin, une veuve et un fils abandonné vinrent tour à tour raconter que des hommes avaient seulement reçu une partie de leurs gages ou même rien du tout, alors qu'il existait manifestement des fonds disponibles à cet effet.

Un résident du nom d'Alonso Peraza, dont les manières et les paroles prouvaient qu'il avait profité de l'éducation donnée par son prêtre à Salamanque, présenta une explication partiale de cette ladrerie de Colón.

— L'amiral était fou pour tout ce qui touchait à l'argent. Il prétendait que le roi et la reine refusaient de lui payer ce qu'ils avaient promis. Il assurait qu'ils lui devaient un dixième, un huitième et un tiers.

— Que signifient ces termes ? Je ne les ai jamais entendus.

— Quand Colón rentra de son premier voyage, du temps s'écoula avant qu'on ne le considère comme un grand héros. Ensuite le roi Ferdinand et la reine Isabelle acceptèrent, par un document écrit sur parchemin et scellé par-devant notaires, une proposition absurde de Colón : il recevrait à perpétuité le dixième de la richesse engendrée par les terres nouvelles qu'il avait découvertes.

— Dans ce parchemin, le mot *perpétuité* avait-il le sens que j'imagine ?

— Oui. La durée de la vie de Colón et ses héritiers par la suite.

— Une fortune, hein ?

— Aucun bateau ne serait assez grand pour la rapporter au pays, répondit Peraza.

Il expliqua ensuite que le huitième représentait la fraction de richesse qui serait engendrée au cours des voyages maritimes par les échanges de produits avec les habitants des différents lieux, quels qu'ils puissent être.

— Parfaitement logique, expliqua Peraza. Mais Colón eut beaucoup de mal à toucher sa part, parce que les comptes se sont avérés trop complexes.

— Et que reste-t-il ? demanda Ocampo, ironique. Le tiers de quelque chose doit être substantiel.

Peraza éclata d'un rire fort peu respectueux.

— Colón réclamait sérieusement le droit de lever un impôt de ce montant sur toutes les transactions commerciales effectuées aux Indes. Oui, un tiers de tout.

Ocampo s'adossa à son fauteuil et regarda ses doigts fins tout en faisant un petit calcul : « La somme des trois profits — le dixième, le huitième et le tiers — aurait représenté plus de la moitié de la richesse totale engendrée dans l'ensemble du Nouveau Monde. Il serait devenu l'homme le plus riche de la chrétienté, et aucun roi ne pouvait permettre une chose pareille. » Il se pencha en avant.

— Vous dites qu'il réclamait tout cela ?

— Oui, et ses héritiers continuent de présenter ces revendications ridicules. Ils veulent devenir plus riches que le roi.

L'attention d'Ocampo se concentra alors sur l'une des accusations les plus graves formulées contre l'amiral. Le témoin qui aborda le sujet était un simple matelot, un certain Salvador Soriano, embarqué jadis sur la célèbre *Niña* et revenu à Santo Domingo vivre la fin de ses jours.

— C'est un miracle que je sois ici pour répondre à vos questions, Excellence.

— Je ne suis pas vraiment une Excellence, vous savez. Que désirez-vous m'apprendre ?

— Nous l'appelions « Colón le Tueur », parce qu'une fois nommé vice-roi sur cette île, la passion de faire pendre des hommes s'est emparée de lui. Il y avait des gibets partout... Six... Huit, et tous portant fruit, comme on dit : avec des hommes qui dansaient sans que leurs orteils touchent le sol. Et les pendaisons auraient continué si l'envoyé extraordinaire Bobadilla n'avait pas eu le courage d'y mettre un terme.

— Sur quelles accusations ? Mutinerie ?

— N'importe quoi. Tout ce qui l'indisposait sur le moment. Dissimuler de l'or aux percepteurs désignés. Dire du mal de l'amiral ou d'un membre de sa famille. Il ne cessait d'aller et venir d'Espagne pour ramener des cousins, et ils étaient sacrés, ici... Deux hommes ont été pendus pour avoir utilisé un bateau de pêche sans autorisation.

— Cela paraît incroyable, dit Ocampo.

L'homme allait le surprendre davantage, car il affirma d'un ton catégorique :

— J'ai été condamné à la pendaison moi-même, avec mon neveu Bartolomeo. Et pourquoi ? Pour avoir mangé des fruits réservés à un autre usage, puis avoir discuté avec l'un des hommes de Colón quand il nous a pris sur le fait. Mutinerie ! Oui, il a appelé ça de la mutinerie et il nous a fait conduire à la potence.

— Je vois que vous êtes encore de ce monde. L'amiral vous a-t-il gracié ?

— Pas lui. Il a pendu une vingtaine d'entre nous. Il avait un caractère odieux.

— Mais qui vous a sauvé ?

— Bobadilla. On peut dire qu'il a sauvé l'île entière. Parce qu'au train où allait Colón, une révolution aurait éclaté, pas de doute.

C'était la quatrième fois qu'Ocampo entendait prononcer le nom de Bobadilla, la première fois par le roi en personne. Il décida donc de se faire une idée plus claire du personnage. En effet, dans quelque direction qu'il se tournât, il se trouvait confronté à cet homme fuyant qui avait apparemment joué un rôle majeur dans la vie de Colón. Il réserva un après-midi entier pour interroger ses secrétaires.

— Que savons-nous au juste de ce Bobadilla ? Le roi m'a appris plusieurs choses. Bobadilla était le choix de la reine Isabelle, non le sien. Il appartenait à une famille éminente, était exagérément gros et se conduisait en lâche.

— Pas très sympathique, remarqua un des secrétaires.

— Mais très intelligent. Et le plus important : il est arrivé dans cette île pour redresser les fautes de Colón, armé de cinq lettres différentes qui lui accordaient des pouvoirs dépassant de beaucoup l'étendue de ma propre mission. De fait, le roi m'a dit : « Comme Bobadilla a abusé de ses cinq lettres, je ne vous en donne qu'une. »

— Vous voulez dire que vous n'avez pas obtenu le pouvoir d'arrêter un homme ? De le contraindre à témoigner ? De lui appliquer la question si nécessaire ?

— Je ne possède aucun de ces pouvoirs, et je ne les désire pas.

Et il acheva la réunion sur un ordre :

— Consacrons toute notre attention à apprendre le plus de choses possible sur Bobadilla, car si nous le comprenons bien, nous comprendrons sans doute mieux Colón.

Deux jours plus tard, le premier secrétaire lui signala :

— J'ai trouvé un homme dont Bobadilla a sauvé la vie.

— Faites-le venir, demanda Ecampo.

Quelques minutes plus tard, un certain Elpidio Diaz, marin de Huelva, s'assit inconfortablement sur la chaise penchée, prêt à déposer.

— Bobadilla était un gentilhomme, un vrai seigneur. Il savait gouverner. Quand il débarqua du bateau qui l'amenait d'Espagne, la première chose qu'il vit dans l'île, ce fut moi et mon cousin, sur le point d'être pendus, la corde prête et tout. Et il a crié d'une voix forte — croyez-moi, j'entends encore ses paroles : « Libérez ces hommes ! » Les sbires de Colón étaient furieux. Ils ont refusé d'obéir. Et je me suis dit : « C'est fichu. » Mais Bobadilla leur montra alors des papiers, et ces papiers prouvaient que le roi l'envoyait à Hispaniola pour mettre fin au désordre. Et les pendaisons ont été annulées.

— Les pendaisons, dites-vous ? Au pluriel ?

— Il y avait une vingtaine de condamnés comme moi, prêts à être pendus dans une région de l'île ou une autre. Dans la petite ville de Xaraguá, loin dans l'ouest, seize prisonniers étaient détenus dans un puits profond. Tous condamnés à être pendus. C'est Bobadilla qui les a sauvés : « Faites sortir ces hommes de là. Libérez-les. »

— Vous le tenez en haute estime ?

— Très haute. C'était un homme d'ordre et de bon sens.

Ocampo commença à se faire une opinion plus équitable d'un homme que ni le roi ni lui n'aimaient. Peut-être s'était-il montré lâche au combat, mais il n'avait pas eu peur de s'attaquer aux pires désordres. Il avait fait preuve de jugement, sans la moindre cruauté. Et il était honnête, autant qu'on puisse voir. Mais la liste des aspects positifs s'arrêtait là, car les témoignages le présentaient sans cesse comme un fonctionnaire obèse, glouton, imbu de sa personne, qui utilisait ses cinq lettres royales de manière abusive, à la façon d'un chat qui joue avec une souris entre ses griffes.

Les partisans de Colón, et ils étaient nombreux (en particulier ceux qui devaient leur place à l'amiral), écorchaient Bobadilla sans pitié, le traitaient de rancunier impitoyable qui prenait plaisir à rabaisser le grand explorateur, mais des citoyens plus raisonnables assurèrent à Ocampo que Bobadilla avait accompli une œuvre méritoire avec beaucoup d'humanité. Il était presque impossible de discerner qui détenait la vérité. Et les enquêtes sur Colón et Bobadilla se poursuivirent.

En fin d'après-midi, quand cessaient les interrogatoires, Ocampo aimait quitter son bureau pour une promenade vespérale le long du beau front de mer de Santo Domingo. Il préférait marcher trois pas en avant, ses deux secrétaires à la traîne. De cette manière, les trois Espagnols de la métropole formaient un élégant trio : Ocampo devant, grand et raide avec son bandeau bien visible sur l'œil et sa cicatrice qui attestait sa valeur, les deux scribes vêtus de noir suivant en bon ordre... Ils se comportaient à tous égards comme des grands d'Espagne des siècles précédents.

Lorsqu'il rencontrait une personne de connaissance, Ocampo s'inclinait élégamment et s'enquérait de sa santé. Ses secrétaires remarquèrent que c'était toujours lui qui saluait le premier, et ils l'interrogèrent.

— Un soldat porte toujours sa dignité dans son cœur. Il peut se permettre de se montrer généreux envers les autres, surtout s'ils n'ont aucune dignité eux-mêmes.

— Mais vous êtes *licenciado*, protesta le plus âgé des secrétaires.

— Quand un Espagnol a porté les armes, il demeure soldat pour toujours, répliqua Ocampo.

Au cours de ses promenades il apprit bien des choses sur cette capitale tropicale, pas encore âgée de vingt ans, car dans son port accostaient tous les bateaux traversant la mer des Caraïbes ou se dirigeant vers les îles comme Puerto, Rico ou Cuba, en cours de colonisation. Quand il regardait ces vaisseaux audacieux, il se disait que l'Espagne était manifestement destinée à régner sur cette mer intérieure, mais il s'intéressait aussi aux indigènes, que l'on appelait Indiens, nom proposé par Colón quand il avait fini par reconnaître qu'il n'était pas arrivé en Chine.

— Dans ce cas, ce doit être l'Inde, avait-il affirmé dans son obstination.

Et les indigènes, descendants des Arawaks primitifs qui avaient échappé à l'anéantissement par les Caraïbes, avaient reçu un nom totalement injustifié et faux.

Parfois, au cours de sa promenade du soir, il rencontrait Alejandro Pimentel y Fraganza, le lieutenant-gouverneur, et ces deux hommes fiers, aussi soupçonneux l'un que l'autre des pouvoirs cachés que le roi leur avait peut-être octroyés, s'inclinaient cérémonieusement, ne prononçaient pas un mot et passaient leur chemin. De toute évidence, Pimentel craignait qu'Ocampo soit arrivé dans l'île pour enquêter sur sa propre conduite. Un jour, Ocampo déclara à ses hommes :

— Je suis hautement soulagé que nous nous entendions bien avec ce personnage. Je suis certain qu'il nous soupçonne, mais il me plaît beaucoup.

Deux fois, quand les promeneurs croisèrent Pimentel, ils virent avec plaisir que sa jeune épouse l'accompagnait. Mais elle était si sévèrement gardée par sa duègne qu'ils n'eurent aucune occasion de lui parler.

De temps à autre ces déambulations crépusculaires portaient des fruits inattendus, car des inconnus s'avançaient vers Ocampo et chuchotaient des remarques furtives sur des questions qu'il pourrait poser. Conséquence plus importante, les femmes de Santo Domingo s'accoutumèrent à voir l'homme qu'elles supposaient austère s'avancer vers elle avec un sourire gracieux et saluer en gentilhomme. Et quand la ville se fut habituée à lui, il surprit certains habitants, notamment les membres de bonnes familles qui se conformaient aux strictes règles de l'étiquette espagnole, en invitant plusieurs femmes à déposer devant lui — comme si le moment était enfin venu de les écouter un peu. Elles le gratifièrent de ces intuitions exceptionnelles qui éclairent souvent des problèmes essentiels. Par exemple, lorsqu'il interrogea la señora Bermudez, il l'écouta patiemment définir la lignée distinguée dont elle était issue. Une noblesse beaucoup plus élevée que celle de son mari, prétendait-elle, et Ocampo apprit plusieurs faits intéressants : Francisco de Bobadilla était exactement l'homme de sa mission, car il appartenait à une lignée ancienne, avait servi le roi à de nombreux postes d'honneur, et pouvait se vanter d'être *caballero* dans l'ordre militaire de Calatrava — il n'en existe pas de plus haut. Un homme excellent, connaissant les manières du monde, tout à fait capable de percer à jour les effronteries de rustres comme Colón et les insupportables membres de la famille de l'amiral établis dans l'île, qui songeaient seulement à s'enrichir sur le dos des autres.

Ocampo se sentit contraint de corriger cette déposition partiale, de crainte qu'elle ne glisse telle quelle dans le rapport final.

— Voyons, señora Bermudez, il ne saurait y avoir sept Colón ici, car il n'y en avait pas tant que cela en Espagne. Son frère Bartolomé, son frère Diego, son propre fils Diego et peut-être un des fils de son frère. En le comptant lui-même, cela ne fait que cinq. Et il n'est pas inhabituel que le chef d'une famille espagnole trouve des places dans son entourage pour cinq des siens.

Mais une fois lancée, la señora Bermudez n'était pas de celles que l'on peut facilement arrêter.

— Votre compte est juste pour ce qui concerne l'amiral, mais vous oubliez la famille de sa femme, les cousins des épouses de ses frères, et les autres parents. Sept ? lança-t-elle en élevant la voix. Comptez plutôt la douzaine.

Puis elle se montra conciliante.

— Mais Colón a vraiment découvert cette île... Et toutes les autres. C'est lui seul qui a empêché ses bateaux de rebrousser chemin. Lui seul qui a persévéré.

Au moment où elle se levait pour sortir du bureau d'Ocampo, elle se figea un instant, se rassit, et se mit à parler comme si son interrogatoire venait juste de commencer.

— L'ennui avec Colón et sa kyrielle de parents, qui s'emplissaient les poches de l'argent qui aurait dû nous revenir... l'ennui, c'est qu'il était italien. Pas du tout espagnol. Et penser qu'il gouvernait de bons Espagnols comme mon mari et moi, tous de grande famille, était intolérable. Oui, c'était simplement intolérable !

Une femme de caractère très différent fournit à Ocampo son renseignement le plus précieux au sujet de Colón : au moment où lui-même se préparait à quitter Séville pour prendre ses fonctions à Hispaniola, un noble seigneur était venu en secret lui remettre une bouteille de parfum distillé par des savants arabes qui travaillaient à Venise. Ce parfum était si précieux que le grand d'Espagne avait supplié Ocampo : « Protégez-le de votre vie, don Hernán, et quand vous serez à Hispaniola remettez-le en privé à la señora Pimentel. Son départ m'a brisé le cœur. »

Cette raison occulte justifiait l'intérêt particulier d'Ocampo pour ses rencontres avec les Pimentel lors de ses promenades du soir. Dans sa solitude, il avait passé de nombreuses heures à se demander quel genre de femme était la jeune señora. Du peu de renseignements qu'il possédait, après avoir observé sa dignité tranquille et sa réserve manifeste, il avait conclu qu'elle était une de ces femmes de caractère qui se garderait de parler à son mari de la présence d'un admirateur à Séville. Il décida de suivre l'avis du gentilhomme en question, et de ne remettre le parfum que dans le secret le plus strict.

Il envoya donc un de ses secrétaires à la maison Pimentel pour informer la señora qu'il aimerait l'interroger au sujet du Grand Amiral, et à l'heure prévue elle apparut, escortée comme toujours de sa duègne. Sans exprimer la moindre irritation, Ocampo se mit à interroger la señora Pimentel sur Colón, en s'arrangeant pour passer devant la duègne et lui boucher la vue. Il glissa à la señora la fiole de parfum, puis retourna à son fauteuil et la regarda dans les yeux pendant un instant.

— A Séville, dit-il sans changer de ton, j'ai rencontré plus d'une personne qui se souvient de vous — et de votre mari — avec plaisir.

Et il prit rendez-vous pour l'interroger plus longuement un autre jour.

Lors de la visite suivante, avec la duègne toujours présente comme un faucon, Ocampo remarqua que la señora Pimentel avait déposé sur son visage ou dans son cou une ou deux gouttes du parfum rare, car son arôme se répandit dans le bureau d'une façon fort agréable. Elle parla aussitôt du Grand Amiral et ses conclusions pénétrantes contenaient plus de bon sens que celles de tous les autres témoins :

— Dès le jour de mon arrivée ici, Cristóbal Colón m'a fascinée. Il pendait alors les hommes par douzaines et je l'ai considéré comme un monstre. Ensuite j'ai appris les erreurs qu'il avait commises dans les deux premières villes qu'il avait fondées : La Navidad et Isabela — une ville perdue, condamnée, sur la côte nord, loin de la première — et je me suis vraiment démandé pourquoi Leurs Majestés toléraient cet homme. Mon mari et moi y sommes allés, juste avant l'abandon de la ville. Une traversée très pénible. Les eaux lisses comme du verre ici, dans notre mer, mais d'une violence inexprimable dès que l'on arrive sur l'océan. Un endroit désolant, indigne du nom de notre grande reine. Pas de port convenable pour nos bateaux. Pas une seule maison de pierre. On avait abattu la forêt pour créer des champs mais personne ne les cultivait, et j'ai appris que les derniers habitants avaient failli mourir de faim parce que les Indiens refusaient de leur apporter des vivres. Oui, Colón sous son plus mauvais jour, incapable de fonder un village et de le faire prospérer.

« Je l'ai très peu connu à l'époque, poursuivit-elle. Ses plus mauvais moments, pourrait-on dire. Je le considérais alors principalement comme un aventurier italien plutôt rustaud. Mais ensuite, il commença à prendre ses repas avec nous. Bien que mon mari fût un représentant personnel du roi, nous habitions alors, comme tous les autres, dans une simple cabane. Mais Colón l'animait aussitôt par sa vitalité extraordinaire, son imagination, sa curiosité permanente à l'affût du nouveau, du défi... J'en suis venue à l'admirer. C'était un génie, difficile peut-être mais parvenu au bord même du monde connu. Quand on l'écoutait, on était témoin de la grandeur en action. Oui, sa puissance volcanique m'émerveillait.

Elle marqua un temps, avant de reprendre :

— Mais nous pouvions également voir ses faiblesses, mon mari et moi. Et elles étaient monstrueuses, presque rédhibitoires. Il allait rarement jusqu'au bout de ce qu'il entreprenait. Il était incapable de gouverner pour la simple raison qu'il ne parvenait pas à maintenir son attention sur les nécessités du présent... Il regardait toujours vers l'avenir. Il se montrait parfois brutal et arbitraire au point de pendre toute personne qui n'était pas de son avis, et il se montrait à coup sûr avare, méchant, fourbe et mesquin, même dans ses rapports avec ses propres hommes. Son plus grand défaut ? C'était son népotisme et son favoritisme insensé.

Elle ne permit aucune interruption.

— Mais tout bien pesé, conclut-elle, Colón demeure l'homme qui nous a donné ce Nouveau Monde, et nous n'en verrons probablement jamais de plus beau.

Sur ces paroles elle fit signe à sa duègne qu'elle désirait partir, mais quand elle sortit de la pièce son parfum demeura dans l'air comme un souvenir de fleurs. Sur le seuil elle se retourna pour dire à Ocampo :

— J'ai été contente d'apprendre que vous étiez passé par Séville.

Puis elle s'en fut.

Ocampo avait supposé qu'il ne reverrait plus la señora Pimentel. Quelle fut donc sa surprise, peu de temps après, quand un de ses secrétaires entra dans la salle des interrogatoires pour lui annoncer une visite inattendue.

— Une femme désire vous voir. Je crois que c'est celle qui accompagne toujours la señora Pimentel.

Et la duègne fit son entrée avec force courbettes et excuses.

— Excellence, le lieutenant-gouverneur Pimentel et son épouse sollicitent l'honneur de votre présence au dîner demain soir, et ils s'excusent de l'heure tardive de cette invitation.

Ocampo accepta avec une précipitation inconsidérée, mais le lendemain soir, au moment de partir pour la maison de pierre des Pimentel, il s'arrêta sur le pas de sa porte et réfléchit à ce qu'il allait faire. Sa méfiance révèle fort bien la façon dont l'Espagne coloniale était gouvernée : « Peut-être est-il imprudent que je me rende dans cette maison tout seul. Pimentel a peut-être découvert le parfum et supposé qu'il vient de moi. Il a pu en conclure que je suis amoureux de sa femme. Ou bien les raisons de ma présence à Hispaniola l'ont rendu soupçonneux. Dans un cas comme dans l'autre, il songe peut-être à se débarrasser de moi, et il vaut donc mieux que je n'aille pas là-bas seul. » Il fit venir ses secrétaires et leur demanda de former l'habituel trio de parade. Ils se rendirent ainsi chez les Pimentel, où Ocampo annonça le plus naturellement du monde :

— Bien entendu, je suis venu accompagné de mes hommes.

— Ils pourront dîner avec le reste de la famille, lui répondit-on.

Et l'on ne revit plus de la soirée les deux secrétaires.

La maison que la señora avait modestement décrite comme « guère plus qu'une cabane » était devenue une résidence coloniale aussi belle que les meilleures demeures d'une ville provinciale d'Espagne. Une construction solide de pierres bien jointoyées ; le parquet de la pièce principale en bois dur des Tropiques, parfaitement ciré ; le sol des autres pièces carrelé avec des faïences importées de Séville. L'ensemble de la maison reflétait la dignité tranquille d'une résidence de gentilhomme espagnol. Les Pimentel avaient fait venir beaucoup de choses de la métropole — ainsi que des menuisiers et des tailleurs de pierre — mais on ne voyait aucun étalage outrancier de tissus somptueux ou de métaux précieux. Au contraire, les pièces semblaient insuffisamment meublées, bien qu'Ocampo pût se féliciter de voir que le meilleur de l'Espagne soit parvenu dans cette capitale du Nouveau Monde.

— Cette maison durera toujours, prédit-il.

— Il le faut, répondit Pimentel. L'Espagne doit enfoncer des racines profondes dans notre Nouveau Monde, parce que d'autres pays jaloux vont bientôt apparaître sur cette mer bienheureuse, pour nous arracher ces îles. Ou du moins, essayer.

Le dîner fut sans défaut, avec quatre serviteurs différents qui survenaient de temps à autre pour servir.

— Des cousins de ma femme, dit Pimentel spontanément.

Mais Ocampo remarqua qu'au moins l'un d'eux était indien et que les autres semblaient d'origine paysanne.

Comme la señora Pimentel ne prenait aucune part à la conversation, Ocampo s'étonna de sa présence à table, mais quand l'on présenta le vin capiteux de Cadix à la fin du repas, le lieutenant-gouverneur lança :

— Nous avons tardé si longtemps à vous inviter dans notre modeste demeure parce que, sincèrement, nous ne connaissions pas la véritable raison de votre arrivée dans notre île. Maintenant, nous sommes bien fondés de croire que vous avez dit la vérité dès le début. Vous êtes venu enquêter sur feu Cristóbal Colón, et non sur nous.

Ocampo, désireux de trouver une plaisanterie pour détendre l'atmosphère après cet aveu. se trouvait justement devant l'unique décoration importante de la pièce, un grand coffre bardé de fer, probablement importé de Tolède. Il regarda l'habile travail du métal et les deux grosses serrures complexes, et il dit :

— L'Espagne est aussi solidement ancrée dans cette mer si spéciale, que ce coffre est protégé contre le vol.

Les Pimentel acquiescèrent, sans regarder le coffre. Et ainsi s'acheva ce dîner remarquable avec cette famille éminente, sans qu'un seul mot ait été prononcé sur Colón ou Bobadilla — ce dont Ocampo se réjouit.

— J'en ai déjà trop entendu sur ces deux adversaires, et j'apprécie le répit de cette soirée. Merci.

Sur le chemin du retour à son logement, il dit à ses secrétaires :

— Il est temps que nous limitions nos convocations à des personnes âgées et de bon jugement qui pourront nous dire la vérité sur Colón dans son rôle d'administrateur, car n'oublions pas qu'il est resté un certain nombre d'années le vice-roi tout-puissant des possessions espagnoles dans cette partie du monde.

Le premier témoin convoqué par Ocampo fut Gonsalvo Pérez. Ce vieillard avait occupé un poste élevé sous le vice-roi Colón et possédait le don d'aborder les problèmes avec la sagacité qui vient parfois avec l'âge. Bel homme, les rides profondes de son visage témoignaient d'une maturité de caractère et d'une attitude détachée, amusée, envers la vie. En effet, chaque fois qu'il souriait d'un de ses actes mal avisés qu'il se sentait contraint d'avouer, tout son visage s'éclairait et ses rides mettaient en valeur des yeux pétillants qui avaient vu beaucoup d'absurdité dans le monde, et presque tout compris.

Il fit un signe de tête aux deux secrétaires et se détendit sur la chaise des témoins.

— Il me semble, dit-il, qu'on devrait juger un vice-roi en fonction de sa réussite dans les domaines qui constituent la base même du rôle de tout vice-roi, quel qu'il soit. A-t-il colonisé les nouvelles terres placées sous son contrôle ? A-t-il protégé les biens du roi ? Était-il juste à l'égard de ses sujets ? Quand il est parti, la situation était-elle meilleure qu'à son arrivée ?

— Ce sont les questions mêmes auxquelles j'essaie de trouver des réponses.

— Réglons d'abord les points cruciaux. Colón était-il honnête en ce qui concerne les fonds du roi ? Scrupuleusement, et j'étais bien placé pour le savoir. Jamais il n'a détourné le moindre sou pour son propre usage, pas un maravédi, et il n'aurait permis à aucun d'entre nous de le faire. Donc sur ce point fondamental, vous pouvez déjà clore votre enquête.

— Deuxième question essentielle : a-t-il laissé le pays dans une situation meilleure ou pire qu'à sa prise de commandement ?

— Ni l'un ni l'autre. Notre île ne s'était pas dégradée, mais elle n'avait pas non plus progressé comme elle l'aurait pu. Seulement la faute n'en incombe pas à Colón. Elle en incombe à l'Espagne.

— Vous voulez dire... au roi ?

— Non, à l'Espagne. Au caractère espagnol. A l'arrogance innée des Espagnols, surtout des grands.

— Je ne vous suis pas du tout.

— Nous aurions dû faire venir dans cette île, il y a douze ans, des charpentiers, des tisserands ou des constructeurs de bateaux, ainsi qu'une quinzaine ou une vingtaine d'hommes dans la force de l'âge capables de diriger des entreprises, des magasins, des boulangeries, des quincailleries, des hommes capables de *faire* des choses.

Il insista lourdement sur ce mot, puis ajouta avec un soupçon de regret :

— À la place nous avons amené des fils de familles riches, des jeunes qui n'avaient rien fait de constructif un seul jour de leur vie, et que Colón n'a pu en aucune manière mettre au pas. Il leur a donné le bon exemple. Il a travaillé, croyez-moi. J'ai travaillé — à ses comptes, parce que je connaissais les chiffres et savais écrire. Et son frère

Bartolomé a travaillé aussi parce qu'il avait une position à défendre. Mais la vaste majorité des petits messieurs ne faisaient rien. Ils avaient traversé l'Atlantique pour se battre, ramasser de l'or à pleins seaux dans les rivières et rentrer chez eux riches.

— Continuez.

— C'est cela qui explique le premier des grands échecs de Colón comme vice-roi. Il ne pouvait pas, avec le genre d'hommes dont il disposait, créer des villes. Aucune n'a duré. Quand il a découvert que La Navidad avait été détruite pendant son absence, il a fondé une deuxième colonie, qu'il a appelée Isabela par amour pour la reine qui avait lancé sa carrière. Ce fut un désastre, un site d'une tristesse infinie et je pense que vous devriez inclure dans votre rapport un récit de ce qui s'y est passé, car je l'ai appris de la bouche même d'un de mes cousins, qui s'y trouvait.

Il interrompit ses commentaires pour relater cette histoire vraie :

> *Il s'appelait Girolamo, c'était le fils de mon oncle, et il m'a dit qu'à son passage sur les ruines d'Isabela il y a deux ans, alors qu'il suivait la rue vide en regardant les bâtiments abandonnés, il est tombé au coin d'une maison sur deux caballeros — épées, longues capes, chapeaux à plumes — manifestement de bonne noblesse. Surpris de trouver encore des habitants de marque, mon cousin s'avança vers eux et leur lança d'une voix amicale : « Messieurs, comment allez-vous ? » Sans un mot, ils lui rendirent son salut en portant la main à leur chapeau. Mais quand ils ôtèrent leur chapeau à plume, leur tête vint avec, elle aussi, et pendant un instant ils restèrent sans tête. Puis deux soupirs déchirants émanèrent des têtes comme si le fardeau de vivre à Isabela avait été trop lourd, et avant que mon cousin puisse les interroger, ils disparurent, il n'a jamais su comment.*

— Très intéressant, répondit Ocampo. Mais si Colón a échoué en ses deux premières tentatives de colonisation, il a manifestement réussi ici, à Santo Domingo.

— Erreur. Il a mis la colonie sur la bonne voie, le côté sud de chaque île est toujours meilleur, mais le véritable progrès n'est survenu qu'après l'arrivée de Bobabilla avec les pleins pouvoirs que le roi lui avait accordés.

— Vous voulez dire qu'il a dépouillé Colón de son autorité ?

— Et il n'était que temps. À présent, la croissance de la ville est assurée. Bobadilla s'est également occupé de sa protection, et en le reconnaissant ce n'est pas une petite concession que je fais, parce que j'ai toujours été un homme de Colón. Jamais Bobadilla ne m'a plu, en particulier quand j'ai vu la façon dont il traitait l'amiral.

Ocampo l'interrompit :

— Vous venez de dire une chose intéressante : « J'ai toujours été un homme de Colón. » Comptez-vous parmi ceux qui ont bénéficié du faible de l'amiral pour le népotisme ?

Pérez lui adressa un sourire charmant et tendit les deux mains les paumes vers le haut comme pour implorer *mea culpa*, puis il avoua :

— J'en suis un exemple parfait. En effet, le frère de ma femme, un vrai bon à rien, a épousé une sœur...

Il éclata d'un rire ironique et conclut :

— C'est une trop longue histoire, et sans grand intérêt. Mais vous avez raison. Colón savait que nous lui en voulions, nous les Espagnols, d'être un parvenu italien. Il se sentait donc obligé de s'entourer d'hommes totalement loyaux, et comment y parvenir mieux qu'en confiant les postes clés à des parents... ou à des parents de parents, comme dans mon cas ?

Il haussa les épaules.

— Dans le cas des Pérez, il a connu un échec total : le frère de ma femme. Et un homme compétent, dur au labeur, qui l'a aidé à gouverner au mieux ; le mari de ma femme.

— On m'a dit que vous étiez exceptionnel, répondit Ocampo en s'inclinant légèrement. Mais parlez-moi des autres critères d'un bon vice-roi.

— A-t-il agrandi le domaine du roi ? Absolument. A-t-il soumis les indigènes rebelles et imposé l'ordre où régnait le chaos ? C'est certain. Et plus important encore, à mon sens, il s'est toujours attaché à les attirer au christianisme. Oui, il ne cessait jamais d'y songer, et il m'a souvent rappelé : « Pérez, la reine Isabelle m'a supplié personnellement de m'assurer que les indigènes devenaient chrétiens, et je l'ai fait. »

— Donc, si j'en crois votre témoignage, le Grand Amiral a réussi pour ce qui comptait, mais non dans certains aspects mineurs.

— Exactement ce que je désirais vous faire entendre.

Le plus surprenant des témoignages, Ocampo le reçut lors d'une soirée à la résidence du gouverneur. Une invitée à la voix rauque et à l'œil brillant l'entraîna à l'écart dans une antichambre où personne ne pouvait l'entendre et lui confia :

— Je me demande si vous ne passez pas à côté du point le plus important, Excellence.

— Je ne suis pas une Excellence, madame. Un simple juriste scrupuleux qui essaie de faire de son mieux.

— En ce qui me concerne, toute personne qui vient avec les pouvoirs que vous tenez du roi est une Excellence. Mais je veux vous rappeler une chose que d'autres n'aborderont sans doute pas par pure délicatesse. Vous saviez que Cristóbal Colón était juif ?

Ocampo l'ignorait, et cette accusation l'offensa, mais la femme continua ses confidences de sa voix râpeuse :

— Oui, incontestablement juif. Un *converso*. Il s'est converti au christianisme pour la galerie, mais il a continué de pratiquer ses rites juifs, et si nous le signalions à l'Inquisition, il serait condamné au bûcher.

— Madame, il ne m'est pas possible de croire qu'un homme si aimablement accueilli à la cour...

— La cour ! Elle est infestée de juifs, et il faudrait en brûler plus d'un.

Désireux de découvrir comment cette femme avait percé le secret du judaïsme de Colón, il lui posa plusieurs questions, mais elle se réfugia derrière sa première justification :

— Tout le monde est au courant de ce secret honteux.

Plus tard, quand il posa des questions dans la ville, Ocampo apprit que seule cette femme et quelques autres mécontents avaient fait allusion au judaïsme supposé de Colón. Et se rappelant à quel point le roi était déterminé à extirper la religion judaïque partout où elle se manifestait dans ses domaines, il conclut que cette accusation contre Colón était dénuée de tout fondement.

À cet égard, Ocampo partageait l'attitude de la plupart des gentilshommes espagnols raisonnables et cultivés de son temps : il respectait les juifs qui, reconnaissant la supériorité du christianisme, s'étaient convertis à cette foi, et il les accueillait sans réserve au sein de la vie espagnole ; il avait accordé son amitié plus d'une fois à des convertis depuis la grande expulsion des juifs, en 1492. Mais il ne pouvait pas supporter les marranes, les juifs qui se convertissaient publiquement mais continuaient ensuite à pratiquer leurs rites odieux en secret ; impardonnables et irrécupérables, ils méritaient le traitement très dur infligé par l'Inquisition. Ocampo avait assisté à plusieurs grands autodafés publics à Séville, et il y avait vu la main de Dieu.

Il fut donc enchanté que de nombreux habitants de l'île le rassurent : on pouvait reprocher bien des choses à Cristóbal Colón, et surtout que ses frères et lui soient des Italiens, mais il n'était pas juif par-dessus le marché. Aussi donna-t-il à ses secrétaires des instructions précises :

— Nous ne dirons rien dans notre rapport des rumeurs scandaleuses selon lesquelles l'amiral aurait été un juif pratiquant en secret, et donc méritant les attentions de l'Inquisition.

Aucune note sur ce sujet délicat ne fut transcrite.

Mais un autre sujet concernant Colón impliquait une question morale du même ordre, fort grave. Ocampo ne s'y attendait nullement. Un visiteur insolite se présenta un jour à son bureau sans se faire annoncer. C'était un jeune prêtre de vingt-six ans, le père Gaspar, visiblement nerveux, avec des cheveux raides, un teint malsain et des mains qui ne cessaient de s'agiter. La gaucherie de son attitude trahissait le fait qu'il se sentait en dehors de son champ de responsabilités. Mais il était venu, et il s'était assis sur la chaise des témoins avec l'intention visible d'y rester jusqu'à ce qu'il en ait terminé.

— Avec votre permission, Excellence.

Comme toujours, Ocampo déclina ce titre.

— Je suis comme vous, mon père, je travaille dans les vignes du Seigneur...

Cela rassura quelque peu le jeune prêtre, qui se lança aussitôt.

— Messire, chacun sait à présent ce que vous faites, et ce que j'ai à rapporter est important pour l'achèvement de votre portrait du Grand Amiral.

— C'est bien dit, mon père. Votre mot est juste : j'essaie de peindre un portrait du vice-roi au moment où il remplissait cette charge importante dans cette île... Quels coups de brosse ai-je donc oubliés ? ajouta-t-il en se penchant en avant.

— Les indigènes.

— Vous voulez dire les Indiens ? demanda Ocampo.

— Les Indiens, si vous voulez, Excellence.

— C'est sans importance, répondit Ocampo en s'adossant de nouveau.

— Mais dans l'Église, nous considérons que c'est une mission essentielle, poursuivit le prêtre. Surtout que la reine Isabelle, de mémoire sacrée, s'y intéressait particulièrement. De toutes les activités espagnoles dans notre Nouveau Monde, la conversion des Indiens au christianisme constitue...

— Il n'existe pas de plus haute mission sur terre, mon père, coupa Ocampo. Mais pourquoi abordez-vous ce sujet ?
— Parce que l'amiral n'a pas essayé de convertir les Indiens.
— Ce n'est pas exact, et j'espère que vous retirerez cette accusation. Tout le monde m'a parlé de la piété de Colón et de son assiduité à amener des âmes indiennes au Christ. Les témoignages sont unanimes.
— Sûrement pas parmi les membres de l'Eglise, répondit le jeune homme d'un ton obstiné.
Et comme Ocampo commençait à le réprimander de nouveau, le prêtre le stupéfia en lui coupant la parole.
— Laissez-moi terminer ma déposition, je vous prie.
Le *licenciado*, comprenant à retardement qu'il avait sur les bras une situation plutôt difficile, s'inclina vers le jeune homme comme si ce dernier portait une barrette de cardinal.
— Continuez, je vous prie.
— Je disais que Colón était censé convertir les Indiens mais qu'à la place il les a massacrés.
— C'est une affirmation effroyable.
— Je me suis permis de vous apporter des chiffres, que personne d'autre n'oserait même discuter.
Le jeune prêtre déplia un mouchoir de soie noué aux quatre coins et on sortit un résumé préparé avec soin de ce qu'il était arrivé aux Indiens Taïnos * après l'arrivée de Colón en 1492. Et il se mit à citer les chiffres affolants.
— En 1492, cette île avait apparemment trois cent mille Taïnos.
— Comment peut-on établir un fait de ce genre ?
— Les registres de l'Église. Nos prêtres sont allés partout. Quatre ans plus tard, en 1496, la population — et nous sommes certains de ce chiffre, parce qu'à mes débuts dans la prêtrise, j'ai contribué à les réunir — la population était tombée d'un tiers : deux cent mille.
— *Tombée ?* Que voulez-vous dire *tombée ?*
— Je parle d'un massacre insensé et insensible.
Ces mots résonnèrent dans le silence de la pièce comme l'explosion d'un sac de poudre noire, et Ocampo en fut roussi. Dès cet instant, l'entrevue prit des dimensions entièrement différentes, avec le jeune père Gaspar dans le rôle de l'accusateur et Ocampo dans celui de défenseur du Grand Amiral.
Le *licenciado* toussa, se déplaça inconfortablement sur son fauteuil et demanda :
— Qu'entendez-vous au juste par *massacre insensé et insensible.*
— Des meurtres inutiles et barbares, répondit le prêtre sans se laisser démonter.
— Mais il fallait bien protéger nos frontières, lança Ocampo. L'amiral avait pleinement raison de défendre les terres du roi.
— Appartenaient-elles au roi ? demanda le père Gaspar avec une naïveté presque enfantine. Les Taïnos les occupaient depuis des siècles.
Question difficile, et Ocampo le savait, mais il avait une doctrine solide et rassurante sur laquelle se rabattre :
— Le pape a décrété que tous les sauvages qui ne connaissent pas

* Le nom de Taïno désignait, dans plusieurs grandes îles des Antilles occidentales, les pacifiques Arawaks qui y avaient cherché refuge après l'arrivée des Caraïbes dans les petites Antilles orientales vers le début du XIIIe siècle.

Dieu ni le salut par Jésus-Christ devaient être civilisés par nous et ramenés au sein protecteur et sacré de l'Église.

— Oui. C'est la raison de ma présence ici. Et de celle des autres prêtres. Et nous ne ménageons pas nos peines pour leur apporter ce salut.

— Il en était de même pour l'amiral. Tout le monde l'affirme.

— Pas ceux d'entre nous qui s'occupent des conversations authentiques.

— Que voulez-vous dire par là ?

— La conversion des âmes. A porter la lumière dans tous les lieux sombres, pour que même les Indiens puissent connaître l'amour de Jésus-Christ.

— N'est-ce pas à cela que nous travaillons tous ? N'est-ce pas la mission de l'Espagne dans le Nouveau Monde ?

Le père Gaspar, qui allait avoir vingt-sept ans dans l'année, se permit de sourire de cette version idéalisée des objectifs espagnols.

— Je préfère dire que notre mission dans le Nouveau Monde est quadruple : trouver des terres nouvelles, les conquérir, découvrir de l'or et évangéliser les sauvages — dans cet ordre même. Les cent mille Indiens disparus au cours de ces quatre premières années violentes ont été massacrés sans nécessité sur les ordres de l'amiral Colón.

Profondément troublé, le *licenciado* Ocampo se leva de son siège surchargé de sculptures, fit quelques pas dans la pièce puis revint se camper en face du prêtre.

— Je ne peux accepter l'expression *sans nécessité.* Colon a certainement châtié les Indiens pour leur propre bien.

Il s'arrêta brusquement, prenant conscience de l'absurdité de ses paroles. En homme de bon sens, il modifia son argument.

— Je veux dire : les sauvages ne menaçaient-ils pas nos établissements ?

Le père Gaspar éclata d'un rire nerveux.

— Excellence, votre bateau ne s'est-il pas arrêté à la Dominique en venant ici ? Les marins ne vous ont-ils pas raconté comment les farouches Indiens Caraïbes de l'île, tous cannibales, ont tué l'un après l'autre tous les Espagnols qui tentaient de débarquer ? Voilà ce que signifie le mot *sauvage.* Nos Taïnos ne sont pas du tout ainsi. Ils ont fui les Caraïbes. Ce sont les hommes les plus doux des îles. Et jamais Colón n'a eu le moindre prétexte pour les détruire.

— Attendez une minute, mon père. Ici même, pendant des jours, j'ai entendu raconter que vos Indiens si doux ont tué jusqu'au dernier les hommes que Colòn avait laissés à La Navidad en 1493. Et je sais aussi qu'ils ont abattu un grand nombre de nos hommes à Isabela au cours de ces mauvaises années, vers 1496. Ne me racontez pas que vos bien-aimés Indiens sont doux et...

A la stupéfaction d'Ocampo, le jeune prêtre le coupa de nouveau sans cérémonie pour exposer un argument qu'il jugeait si important qu'il ne pouvait pas attendre.

— Qu'avions-nous fait ? Volé leur nourriture, pour commencer. Et ensuite leurs femmes.

Et Ocampo se rappela la phrase surprenante du marin Céspedes rapportant les paroles de son ami de Cadix : « Nous prendrons aux indigènes les femmes dont nous aurons besoin. »

— Jamais des Espagnols qui se respectent n'auraient fait une chose pareille, dit-il cependant.

— Permettez-moi d'en revenir à mes chiffres, lança le jeune prêtre passionné. L'an dernier, 1508, nous avons effectué un autre recensement, cette fois très exact. Il ne reste plus que soixante-dix-huit mille Taïnos. De trois cent mille il y a seulement quelques années. Au train où nous allons, il en restera probablement à peine mille *.

— Je ne peux pas accepter ces chiffres, dit Ocampo.

Soudain le père Gaspar se fit d'une humilité extrême.

— Excellence, pardonnez-moi. Je me suis montré très grossier et j'en ai honte. Mais vous préparez un document important et la vérité doit être absolument respectée.

— Merci, mon père. Mais je prierai pour que votre déclaration soit fausse.

— Avec votre permission, Excellence, j'aimerais vous faire part des détails d'un incident que je crois typique. J'ai servi de chapelain à une troupe partie en expédition de cette capitale, et j'ai été témoin de ses actes.

— Faites.

Le *licenciado*, très calme, se pencha en avant pour écouter encore ce que ce jeune prêtre ardent avait à dire car ce qu'il avait entendu jusque-là lui avait paru fort troublant mais aussi curieusement convaincant.

> *Pendant l'été 1503, mes supérieurs m'ont ordonné de me présenter au gouverneur Nicolás de Ovando, qui se trouvait à la veille de lancer une expédition nombreuse pour soumettre les Taïnos à la pointe occidentale d'Hispaniola. Nous avons effectué de nombreuses journées de marche avant d'atteindre cette partie reculée et dangereuse de notre royaume, mais à notre arrivée nous nous sommes mis à châtier systématiquement tous les caciques — ou souverains indigènes — qui avaient refusé jusque-là d'obéir aux ordres lancés par notre gouverneur, ledit Ovando.*
>
> *Dans chaque cas, avant le début des massacres, j'ai supplié le gouverneur de me permettre de parler aux Taïnos, car j'étais certain de pouvoir dissiper leurs craintes, de leur expliquer les nouvelles lois, et de les apaiser comme je l'avais fait si souvent déjà. Mais toujours le gouverneur m'a répondu : « Ils ont désobéi à mes ordonnances, il faut les punir. »*
>
> *Donc, sans même déclarer la guerre ou la faire, nous avons ravagé toute la province de Xaraguá, brûlé les villages et abattu les habitants. Au total nous avons tué quatre-vingt-trois caciques et quand je dis tué, je suis au-dessous de la vérité. Nous les avons passés à la roue, étranglés lentement, écartelés et brûlés vifs. Quand nous désirions faire étalage de notre bienveillance, nous les pendions rapidement et proprement. Outre les caciques importants, nous avons dû massacrer quarante mille personnes.*
>
> *Parmi les caciques, il y avait une fort belle femme-chef, Anacaona, âgée d'à peine trente ans à mon sens, avec de longs cheveux splendides qui flottaient sur son corps sans autre*

* L'estimation du père Gaspar était trop généreuse. Au recensement général de 1548, on ne trouva que 490 Arawaks, et dans certaines îles occidentales, l'extinction totale était achevée longtemps avant cette date.

vêtement. Quand elle a raillé le gouverneur et refusé de se soumettre à ses ordres futurs, Ovando, fou de rage, a ordonné qu'elle soit brûlée vive. Mais pendant qu'il s'occupait d'autre chose, j'ai donné l'ordre à trois soldats de l'étrangler vite en la faisant souffrir le moins possible. Et quand elle a senti leurs mains autour de son cou, elle m'a souri. C'est moi qui ai pleuré, pas elle.

Le *licenciado* avait écouté ce récit avec une attention soutenue. Il convoqua sur-le-champ des responsables locaux, qu'il interrogea en présence du père Gaspar.

— Y a-t-il eu une expédition contre la province de Xaraguá ?

— Oui.

— Avec le gouverneur Ovando à sa tête ?

— Oui.

— Combien de caciques abattus ?

— Un grand nombre.

— Une belle femme cacique a-t-elle été brûlée vive ?

— Tel était l'ordre. Mais le bon prêtre m'a demandé, avec deux autres, de l'étrangler, et nous l'avons fait.

Ocampo garda le silence pendant un long moment, le menton appuyé sur la pointe de ses doigts joints comme s'il essayait de se représenter ce qui s'était passé. Puis il toussa et se pencha en avant.

— Dites-moi, père Gaspar, êtes-vous de ceux qui considèrent que les noirs et les Indiens ont une âme ?

— Oui.

— Comment justifiez-vous cette opinion ?

— Tous les hommes qui vivent sont humains, tous égaux devant l'amour de Dieu et la charité de Jésus.

— Même des Indiens sauvages qui ne connaissent ni Dieu ni Jésus ?

— Jésus nous a ordonné de leur enseigner la vérité, de leur montrer la lumière, pour qu'ils sachent...

— Dans ce cas, vous estimez que les blancs ont tort de réduire les noirs et les Indiens à l'esclavage ?

— Oui. Mieux vaudrait qu'ils les traitent en frères.

— Vous condamnez donc notre roi et notre reine ?

— Oui.

— Mais si, en rendant ces sauvages nos esclaves, nous parvenons à les faire entrer dans le troupeau de notre bon pasteur Jésus, n'est-ce pas une voie légitime vers leur salut ?

Le père Gaspar étudia pendant un instant ce dilemme surprenant, puis concéda :

— Si c'est bien l'*unique* voie de salut, oui, on peut justifier cette attitude. Mais pour moi, dès que le noir ou l'Indien deviennent chrétiens, il faudrait les libérer de la servitude.

— Mais revenons à ma première question. Vous croyez vraiment que les Indiens et les noirs ont une âme comme vous et moi ?

— Oui. Sinon, comment pourraient-ils voir la lumière du christianisme. Avec leurs yeux ? leurs oreilles ? leurs ventres ? Jésus ne peut être perçu que par l'âme.

Cela mit Ocampo en difficulté, mais il demanda cependant d'une voix hésitante :

— Vous savez, je suppose, que de nombreux docteurs en théologie fort érudits nient que les sauvages ont une âme ?

— Oui. Seulement je ne peux pas croire que l'Indien ignorant debout sous cet arbre, là-bas, n'a pas d'âme, mais que s'il vient ici écouter ma prédication et accepte le baptême, je lui en conférerai une. Comment le ferai-je ? Elle serait dans l'eau que je verse sur sa tête ? Je ne le pense pas.

— Au début de notre entretien, vous vous êtes montré très dur pour Colón.

— Il a perdu de vue sa mission essentielle. Il s'est présenté aux Indiens en tueur et non en sauveur.

— Et vous demeurez dur pour lui... après notre tour d'horizon ?

Le jeune prêtre acquiesça, refusant de céder d'un iota. Ocampo se leva, visiblement agité, arpenta son bureau puis s'arrêta près d'une fenêtre qui donnait sur la rue animée. Ses yeux se posèrent par hasard sur un spectacle peu commun et fort surprenant : un grand noir, très beau, la peau en sueur luisante sous le soleil, marchait à quelques pas derrière son maître. Cet esclave était venu à Hispaniola sur un navire marchand espagnol, après avoir été acheté dans un port portugais de la côté africaine, car à l'époque seuls les Portugais se livraient à ce trafic. De son poste d'observation, Ocampo eut soudain la vision de ce qui allait advenir : l'époque turbulente où les rues de la ville et les routes de l'île seraient peuplées par ces noirs et leurs femmes. Cette perspective le fascina et le troubla à la fois.

Sincèrement perplexe, il demanda au père Gaspar de venir à ses côtés, puis il lui montra le noir.

— Père, croyez-vous pour de bon que celui-là, le grand noir... a réellement une âme comme vous et moi ?

— Oui, répondit le prêtre.

Puis le don de prophétie le visita, car il avait ruminé ces questions depuis le jour où l'amiral Colón avait commencé à massacrer les Taïnos parce qu'ils ne se conformaient pas à l'idée qu'il se faisait d'une population soumise. Et il prédit :

— L'histoire de cette île, et de toutes les îles conquises par l'Espagne dans cette mer splendide, tournera autour de la reconnaissance, lente, et certainement à regret, du fait que ce grand gars tout noir, là-bas, a lui aussi une âme.

Ocampo, nullement convaincu par le jeune prêtre, consacra ensuite son attention à la partie la plus difficile de son enquête, la question de la grande indignité que son éminent prédécesseur en tant qu'envoyé extraordinaire, Francisco de Bobadilla, avait fait peser sur l'amiral Colón. Au début de son étude scrupuleuse, il avait eu la même impression que Bobadilla — n'avait-il pas été chargé d'à peu près la même mission ? — mais la tâche de Bobadilla avait dû être beaucoup plus difficile. Ocampo le comprit et se mit au travail avec diligence. Les secrétaires rapportèrent brièvement les dépositions des premiers témoins.

Melchior Sánchez, personnage déplaisant et ennemi avoué de Colón : à son avis, Bobadilla était arrivé trois ans trop tard, avait magnifiquement épongé le désordre, et avait traité Colón en toute justice, voire avec miséricorde. Sánchez estimait que Bobadilla aurait eu trente raisons de pendre l'amiral. Mais Ocampo découvrit que

Colón avait pendu à juste raison le fils aîné de Sánchez pour vol avec récidive — et le témoignage perdit tout son sens.

Alvaro Abarbanel, sérieux négociant de produits importés d'Espagne, dont Colón avait facilité le commerce en transportant de la marchandise dans des bateaux du gouvernement, déclara brièvement et sèchement :

— On aurait dû fouetter publiquement Bobadilla pour la façon dont il a traité le grand homme. L'amiral aurait dû l'abattre, et j'ai failli le faire moi-même.

Et ainsi des autres, les uns pour et les autres contre. Après avoir entendu seize témoins, neuf en faveur de Bobadilla et sept du parti de Colón, Ocampo déclara à ses secrétaires :

— Nous ferions mieux de recueillir des déclarations rationnelles sur ce qui s'est passé, et non des opinions chargées d'animosité.

Un personnage officiel qui avait servi chacun des deux gouverneurs de l'île, un certain Paolo Carvajal, de bonne famille et de meilleure réputation, exposa les faits :

— Francisco de Bobadilla est arrivé ici le 23 août 1500 avec une série de documents royaux qui lui conféraient les pleins pouvoirs. Mais, détail important, personne parmi nous ne connaissait l'étendue de ces pouvoirs, et Bobadilla s'est conduit, je dois dire, admirablement. Aucun général, aucun maître stratège, n'a jamais fait mieux.

« En premier lieu, expliqua-t-il, il nous a tous réunis, et il a fait lire par le notaire ce que l'on pourrait appeler un ordre de mission classique, lui donnant droit d'enquête sur la situation en général. Des hommes visitent souvent les territoires espagnols avec des lettres de ce genre, ici et en métropole. Donc nous en avons fait peu de cas, et nous l'avons aidé dans ses inspections de routine, qui ne visaient pas du tout l'amiral. En fait, Colón montra son dégoût pour toute l'affaire en quittant la ville au milieu de l'enquête. « Je m'en vais pourchasser des Taïnos », lança-t-il avec une insolence qui enragea Bobadilla.

— Comment a-t-il réagi ?

— Bobadilla ? Sans le moindre esprit de vengeance. Mais il a réuni de nouveau la population pour lui lire sa deuxième lettre. Je m'en souviens, j'étais debout à ses côtés pendant que les gens se rassemblaient sur la place devant l'église, les trois cents habitants, tous. Le gros bonhomme est monté sur les marches de l'église, qui tenait à peine debout car nous n'avions même pas encore de clocher à l'époque, et, d'une voix forte qui nous surprit, il lut des phrases qui nous surprirent davantage — et elles venaient de Ferdinand et d'Isabelle : « Nous nommons par les présentes gouverneur d'Hispaniola notre bon et fidèle serviteur Francisco de Bobadilla. »

— Eh bien ?

— Cela provoqua une tempête. Les frères de Colón, arrogants, refusèrent d'obéir. C'étaient des Italiens, n'oubliez pas. Comme toujours, Bobadilla se montra patient, mais le lendemain il fit lire par le notaire sa troisième lettre, qui lui accordait le pouvoir sur toutes les institutions militaires de l'île, et en vertu de cet édit il se mit à rassembler les pouvoirs autour de lui. Mais ce fut la lecture de la quatrième lettre, le jour suivant, qui lui conféra le pouvoir de juguler les trois Colón. J'entends encore la voix du notaire, car son message me touchait personnellement : « Notre loyal et fidèle ami Francisco de Bobadilla aura le pouvoir de payer tous les loyaux sujets dont les gages dus avaient été placés sous séquestre. » Vous comprenez ce que cela signifiait ? Des hommes comme moi pourrions recevoir, en les réclamant à Bobadilla, toutes les sommes que le Grand Amiral nous avait retenues. Bien entendu, nous prîmes aussitôt le parti de Bobadilla, et quand Colón revint enfin en ville, nous étions tous contre lui.

— Et la cinquième lettre ?

— Ce fut le coup le plus fracassant, Bobadilla n'en révéla le contenu qu'après s'être assuré de notre appui. La lettre lui accordait le pouvoir sans réserve d'effectuer tous les changements désirables dans l'administration et d'arrêter qui il jugerait bon. Avant que l'écho de ces paroles s'estompe dans l'air des Tropiques, la police de Bobadilla se saisit des trois frères Colón, les jeta en prison, et leur fit subir l'indignité des fers, poignets et chevilles offerts tandis que le forgeron entravait leurs membres avec des lourdes chaînes.

— Comme des criminels de droit commun ? lança le *licenciado*. Comme des voleurs, des contrebandiers ou des assassins ?

— Exactement.

— Pas l'amiral ?

— Surtout l'amiral. C'est dans cette condition que l'on traîna les trois hommes sans cérémonie sur les quais, on les jeta dans la cale d'un petit bateau, et on les envoya se faire juger en Espagne.

Sur ces mots, Carvajal s'arrêta, regarda Ocampo, et fit une déclaration cruelle et révélatrice.

— C'est moi que Bobadilla désigna pour escorter les Colón en Espagne et les remettre aux autorités compétentes. De mon propre chef, dès que le bateau quitta l'ombre d'Hispaniola, j'ai conduit mon forgeron dans la cale où le Grand Amiral était affalé sur des planches nues, et j'ai dit : « Amiral, il est inconvenant qu'un homme de votre dignité, un vice-roi, demeure sous les fers pendant une si longue traversée. Pedro va briser vos chaînes et vous les remettra juste avant notre arrivée à Séville. » Mais Colón se releva, non sans difficulté, et me répondit : « Ces fers m'ont été imposés par le roi et la reine, et je les porterai jusqu'à ce qu'ils donnent personnellement l'ordre de les ôter. » Il refusa que Pedro y touche. Puis il se laissa retomber par terre. Ses chaînes cliquetèrent et des larmes me montèrent aux yeux. Il s'en aperçut et me dit : « Vous faites bien de pleurer, don Paolo, car vous avez devant vous l'homme dont le courage seul a donné à l'Espagne tout le Japon et la Chine, une richesse incommensurable jusqu'à la fin des temps. Et quelle est sa récompense ? » Il leva ses bras enchaînés et cria : « Ces fers ! Cette indignité ! »

Carvajal marqua un temps avant de poursuivre :

— Je lui ai souvent rendu visite au cours de ce long voyage et avec le temps, je me suis habitué à le voir dans cet état de servitude car il portait les fers comme une marque d'honneur. J'en suis venu à éprouver un respect immense pour ce héros combattant. Mais une chose continue de m'intriguer...

Ocampo, très ému par ce portrait d'un héros obstiné en lutte contre le monde, s'écria :

— Don Paolo, vous parlez de lui comme si vous l'aimiez.

Carvajal réfléchit avant de répondre, et choisit bien ses mots :

— Aimer n'est pas le mot qu'on emploierait pour lui, car il n'était pas aimable.

Il s'arrêta, puis reprit d'un ton léger comme s'il se lançait dans une conversation totalement différente.

— Un jour à midi, quand je lui ai apporté son bol de soupe, il l'a repoussé et m'a dit d'un ton presque suppliant, comme anxieux de me convaincre, moi qui n'avais pas besoin de l'être : « Ils n'ont jamais compris, Carvajal. Ils ne m'ont pas envoyé comme vice-roi en Sicile, civilisée depuis mille ans avec des routes et des hommes capables de raisonner. Non ! Ils m'ont envoyé où nul homme n'était jamais allé avant moi. » J'ai protesté : « Il y avait déjà les Indiens, voyons. » Il m'a lancé sèchement : « Je parle de chrétiens. »

A la fin de ce récit révélateur, Ocampo et Carvajal gardèrent le silence, les yeux fixés sur le sol comme s'ils avaient peur de se regarder et de reconnaître l'injustice terrible commise à l'égard de Cristóbal Colón, découvreur de mondes nouveaux, de nouvelles perspectives et de nouvelles idées. Au bout d'un moment, Ocampo prit la parole :

— Étrange destin qui ne cesse de se jouer de nous. Hier soir, pendant que je préparais les dernières pages de mon rapport, j'étais hanté par ce qu'il est arrivé à Bobadilla au moment où il terminait le sien, en 1500. Un document volumineux étayé par des liasses de preuves et de témoignages individuels. On m'a dit qu'il avait fallu trois hommes pour porter le dossier entier sur le bateau à destination d'Espagne. Mais à peine le bateau avait-il quitté le port qu'il coula, entraînant Bobadilla et tous ses papiers au fond de la mer. Ce fut sans doute le jugement de Dieu sur cette lamentable affaire.

Avant de quitter Hispaniola avec son rapport remarquablement équitable sur la conduite et l'inconduite du Grand Amiral, Ocampo eut deux entretiens de plus, tous les deux par hasard, tous les deux essentiels. Le premier interlocuteur était un simple marin illettré qui se fit accompagner d'un prêtre sachant lire, qu'Ocampo n'avait jamais vu.

— J'ai appris que des gens vous ont dit du mal de l'amiral, lui dit le matelot, et j'ai eu peur que vous ne preniez cela pour argent comptant. J'ai tenu à ce que vous entendiez la vérité vraie. Colón était un marin, un point c'est tout. Et il n'y en a jamais eu de meilleur. J'étais à son bord pendant deux voyages, mais celui que je n'oublierai jamais, ni aucun de nous, c'est le dernier, le quatrième.

— Personne ne m'en a parlé, avoua le *licenciado* en se penchant en avant comme il faisait toujours quand il s'attendait à une déclaration d'un intérêt exceptionnel.

— Une traversée décevante. Rien de nouveau dans les petites îles. Puis quand nous sommes parvenus aux côtes de l'Asie *, nous avons trouvé de l'or, mais à peine de quoi justifier le voyage, et nous avons perdu beaucoup d'hommes dans les combats.

Suivit un récit monotone d'expéditions dénuées de sens et de déceptions répétées. Ocampo, dont l'intérêt faiblissait, commença à s'agiter sur son fauteuil, pressé de trouver un moyen de congédier le marin importun. Puis le récit prit feu et à la lueur de ses flammes le *licenciado* vit soudain le spectre de l'amiral, tel qu'il était.

— Pendant le retour vers cette île, avec peu de chose à montrer pour compenser nos ennuis, nous fûmes saisis par de violentes tempêtes qui semblaient incapables de se calmer un jour, et cela mit à rude épreuve

* En fait en Amérique centrale, notamment au Nicaragua et au Honduras actuels.

nos deux vieux bateaux qui craquaient de partout. Les bordages disjoints laissaient passer d'énormes vagues. Seuls les efforts les plus diligents de l'amiral nous maintinrent à flot et ensemble, et ce fut dans cette condition lamentable que nous accostâmes tant bien que mal sur la côte nord de la Jamaïque, découverte par nous-mêmes quelques années plus tôt au cours de son deuxième voyage, mais encore habitée uniquement par des Indiens. Nous avons échoué les deux bateaux et construit au-dessus d'eux une sorte de toit pour nous protéger du soleil et des orages. Une situation affreuse, car nous n'avions désormais aucun moyen de naviguer, les bateaux n'étant pas réparables. Bien entendu, personne à Hispaniola ne pouvait savoir que nous étions naufragés, ni où nous nous trouvions. Chaque matin au réveil quelqu'un se lamentait : « Comment nous tirerons-nous de là ? » et nous ne pouvions imaginer aucun moyen. Pour tout vous dire, Excellence, j'ai bien cru que nous péririons là-bas et que nul ne connaîtrait jamais les circonstances de notre mort, car aucun bateau ne viendrait à la Jamaïque.

— Comment avez-vous été sauvés ? demanda Ocampo.

— Uniquement grâce au courage de l'amiral. Jamais il n'a baissé les bras. Chaque jour il nous assurait : « Nous nous en sortirons. » Et quand la faim s'est mise à nous torturer, il nous a promis : « Nous trouverons de quoi manger. » Il nous a appris à confectionner des nasses pour attraper des poissons et il a goûté lui-même des fruits inconnus pour déterminer lesquels nous pourrions manger sans risque. Infatigable, il nous incitait à construire des huttes plus solides.

— Des huttes ! Combien de jours êtes-vous restés bloqués à la Jamaïque ?

Le marin, ébahi, regarda son interrogateur avec des yeux ronds.

— Des jours ? Excellence, dites plutôt des mois. De juin d'une année à mars de la suivante. Excellence, nous étions au bout du monde. Personne ne pouvait savoir où nous nous trouvions. À Hispaniola, on nous croyait morts et plus d'un a dû dire : « Bon débarras », parce que l'amiral se montrait parfois difficile, surtout avec ces jeunes nobles qui...

Il se frotta le nez avec l'index droit, puis se pencha vers Ocampo.

— Excellence, nous étions tous comme morts. Et les derniers mois ont été l'enfer.

— Comment cela ?

Le marin hésita, ne sachant trop comment faire comprendre le terrible isolement et la perte de tout espoir. Puis il se racla la gorge.

— Si jamais vous avez des ennuis, vous n'aurez pas besoin d'un ami plus fidèle que Diego Méndez.

Il prononça ce nom avec tant de déférence qu'Ocampo ne put s'empêcher de lui demander :

— Et qui est ce Diego Méndez ?

— Notre sauveur.

— Racontez-moi.

Le marin ne répondit pas directement, car il avait d'importantes choses à dire sur Méndez et ne voulait pas se laisser détourner de son sujet.

— La plupart des jeunes nobles embarqués avec nous étaient des porcs, surtout quand ils transmettaient des ordres à des gens comme moi. Mais Méndez m'a dit une fois : « Il faut calfater ces fuites, alors calfatons-les. » Et aux plus mauvais jours, quand nous avons failli sombrer, il s'est mis aux pompes aussi longtemps que n'importe lequel d'entre nous.

Ocampo inclina la tête par respect pour ce jeune noble inconnu, dont la conduite semblait exemplaire, et ce que déclara ensuite le marin démontra qu'elle l'était vraiment.

— Méndez était sans peur. Aucun d'entre nous n'avait trouvé un moyen de s'en aller, mais Méndez construisit un canot. Vous n'auriez pas traversé une rivière avec. Mais il nous a dit : « Je vais partir à Hispaniola et je ramènerai un bateau pour vous sauver. » Et il l'a fait avec sa petite coque de noix. Les tempêtes, les vagues, la malchance lors de sa première tentative, la menace des Indiens, mais Méndez a continué de ramer avec son petit canot.

Le marin s'interrompit pour se signer puis reprit :

— Avec l'aide de Dieu, il nous a sauvés après neuf mois à la Jamaïque où nous avons cru mourir, à l'insu de tous et pleurés par personne.

De nouveau il s'arrêta, cette fois pour s'essuyer les yeux, et il conclut :

— Le Grand Amiral, sauvé d'une tombe sans trace par l'héroïsme d'un seul homme. Parce que Méndez a ramé jusqu'à cette île, a trouvé un bateau et est reparti à la Jamaïque. Quand il a accosté, l'amiral Colón l'a embrassé, et nous l'avons embrassé nous aussi. Tous.

Dans le silence qui suivit, Ocampo ne regarda pas le marin dont l'émotion le bouleversait, mais le prêtre qui l'accompagnait.

— Et quelle est la raison de votre venue, mon père ?

— Pendant que le Grand Amiral se trouvait bloqué à la Jamaïque, convaincu qu'il mourrait sans pouvoir rendre compte de son dernier voyage, il a écrit une très longue lettre au roi et à la reine pour leur raconter ses aventures et passer en revue les grands moments de la fin de sa vie. C'est le genre de testament qu'un homme de qualité rêve d'écrire avant sa mort pour que ses enfants connaissent les grandes lignes de sa carrière. Un document vraiment remarquable.

— Comment le savez-vous ? demanda Ocampo.

— À son retour de la Jamaïque dans cette île, répondit le prêtre, Colón a laissé une copie de cette lettre signée et datée du 7 juillet 1503. Je me suis dit qu'avant de rédiger votre rapport vous aviez intérêt à savoir ce que Colón, au seuil de la mort, pensait de lui-même. Quand tout le monde aura oublié le grand tapage sur telle ou telle de ses erreurs, c'est ce Cristóbal Colón-là qui survivra.

Le prêtre prit son souffle, puis commença par faire, dans sa propre version, le récit d'un affront incroyable lancé à Colón par le gouverneur de Santo Domingo, port dont il avait été naguère le vice-roi.

— Comme s'annonçait un de ces orages que nous appelons *hurricano,* Colón envoya un message à terre. « Laissez-moi entrer dans votre port et y jeter l'ancre », demandait-il en ajoutant ce conseil : « N'envoyez pas en Espagne la flotte qui paraît sur le point d'appareiller. » On ne tint aucun compte de ces suggestions, probablement parce que le vice-roi provisoire craignait de perdre sa sinécure si Colón débarquait. Résultat ? Écoutez le rapport du Grand Amiral sur ce hurricane.

Le document que le prêtre lut comptait de nombreuses pages et il sauta de longs paragraphes, mais les paroles de certains passages retentirent dans le bureau d'Ocampo comme l'écho de belles cloches de bronze.

La tempête fit rage pendant la nuit entière, tous les bateaux furent séparés et chaque homme, amené à la dernière extrémité, sans aucun espoir sauf une mort certaine, chacun d'eux jugea la perte des autres comme assurée. Existe-t-il sur terre un homme, sans même excepter Job, qui n'aurait été proche de mourir de désespoir dans la situation où je me trouvais, empêché d'accoster ou de relâcher dans le port qu'avec l'aide de Dieu j'avais donné à l'Espagne...

La détresse de mon fils me brisa l'âme, d'autant plus que je songeais à son âge tendre, car il avait seulement treize ans et déjà supporté tant de longues épreuves. Mais Notre Seigneur lui accorda tellement de forces que je le vis encourager les autres et s'affairer comme s'il naviguait depuis quatre-vingts ans.

Mon frère se trouvait aussi sur le bateau, en fort mauvais état et très exposé au danger. Ma peine à son sujet était plus grande encore parce que je l'avais emmené contre son gré. En vingt années de service, d'efforts et de danger, je n'ai point accumulé de richesses, et aujourd'hui je ne possède pas en Espagne un toit que je puisse dire mien. S'il me faut manger ou dormir, je n'ai nulle part où aller, hormis quelque auberge ou taverne, et la plupart du temps je manque de ce qu'il faut pour payer la note...

Laissons les habitués de la médisance et de la calomnie se demander, assis dans la sécurité de leurs foyers : « Pourquoi n'as-tu pas fait ceci ou cela dans telles et telles circonstances ? » J'aimerais les voir, à présent, embarqués dans cette traversée. Sincèrement, je crois qu'un autre voyage, d'une autre espèce, les attend, si l'on peut faire tant soit peu confiance à notre Sainte Foi...

*Quand j'ai découvert les Indes, j'ai dit qu'elles constituaient le fief le plus riche du monde. Je vous ai parlé d'or, de perles et de pierres précieuses, d'épices et du commerce que l'on pourrait effectuer avec ces contrées. Mais parce que ces richesses ne sont pas arrivées sur-le-champ, on m'a insulté. À présent, ce châtiment me retient de raconter autre chose que ce que les indigènes disent. Mais dans le pays de Veragua *, j'ai vu davantage de signes d'or les deux premiers jours qu'à Hispaniola en quatre ans, et j'ai vu aussi que les terres de cette contrée ne sauraient être plus belles ni mieux cultivées...*

Pendant sept ans, je suis resté à votre cour royale, et tous ceux à qui l'on parlait de mon entreprise la qualifiaient de ridicule. Mais à présent il n'est pas un seul homme, y compris les tailleurs, qui n'implore de vous la permission de partir à la découverte. Il existe de bonnes raisons de croire qu'ils font la traversée uniquement pour piller, et les licences qu'ils obtiennent constituent une souillure à mon honneur et portent tort à l'entreprise elle-même...

En entendant ces déclarations sur des tailleurs qui imploraient des licences pour partir « explorer », Ocampo claqua des doigts et s'écria :

* La côte caraïbe du Panamá actuel.

— Il a raison. Je les ai vus. Une vingtaine de bons à rien incapables de piloter un bateau ni de construire un hangar, tous persuadés qu'à leur arrivée là-bas, ils pourraient suivre les traces de Colón.

Le prêtre attendit un instant avant de lire les dernières lignes, dignes jusque dans les supplications, de ce document remarquable écrit au bord de la tombe.

> *J'avais vingt-huit ans lorsque je me suis mis au service de Vos Altesses, et aujourd'hui pas un seul cheveu de ma tête n a gardé sa couleur; mon corps est meurtri et tout ce qu'il me restait, ainsi qu'à mes frères, m'a été enlevé et vendu, même la cape que je porte — pour mon plus grand déshonneur. J'espère que ce fut fait à l'insu de Vos Majestés...*
>
> *Je suis ruiné. Jusqu'ici j'ai pleuré pour d'autres. Que le Ciel me prenne à présent en pitié, et que la terre pleure. En ce qui regarde les choses temporelles, je ne possède même pas une* blanca * *pour offrir des prières, et ici, dans les Indes, je suis incapable de suivre les formes prescrites de la religion. Solitaire dans mes difficultés, malade et attendant chaque jour la mort, entouré par des millions de sauvages hostiles et cruels, je crains que mon âme ne soit oubliée si elle est séparée de mon corps sur cette terre étrangère. Pleurez pour moi, passant, s'il vous reste de la charité et l'amour de la vérité et de la justice...*
>
> *Je n'ai pas entrepris ce voyage afin d'obtenir pour moi de l'honneur ou de la fortune; tout espoir de ce genre était mort. Je me suis présenté à Vos Altesses en toute honnêteté de cœur, et par zèle pour votre cause. Je vous supplie humblement de sanctionner gracieusement, s'il plaît à Dieu de me sauver de ce lieu, mon pèlerinage à Rome et aux autres lieux saints* **...

Sur ce cri du fond du cœur, le prêtre se tut, et le silence se prolongea, car ses mots évoquaient si clairement l'esprit tourmenté de Cristóbal Colón que la présence du Grand Amiral sembla planer dans la pièce. Puis Ocampo ne put retenir un rire discret :

— Extraordinaire, vraiment ! Regardez-le, réduit à la misère, naufragé, à deux doigts de la mort, mais de quoi se soucie-t-il d'abord ? De son frère et de son fils. Vraiment Colón jusqu'au bout.

Il tendit brusquement la main vers la lettre et lut à haute voix l'allusion au pèlerinage.

— Encore lui. Il n'est pas encore rentré d'un voyage désastreux qu'il en projette déjà un autre.

Il se pencha en arrière et regarda le ciel.

— Je crois vraiment le voir. Lui, ses deux frères, ses deux fils, ses six ou sept neveux, en pèlerinage dans l'Europe entière et en Terre sainte, se plaignant toujours de tout.

Il rendit la lettre et remercia le prêtre et le marin.

* Le tiers d'un sou.

** Ces paragraphes sont extraits du célèbre document, très long, connu sous le nom de *Lettera Rarissima.*

La veille de son départ d'Hispaniola, ses documents étaient en ordre et ses conclusions sur le Grand Amiral méticuleusement rédigées. Mais dans la soirée il reçut une autre visite : celle de la señora Pimentel, qu'il accueillit avec empressement.

— Quelle manière élégante de terminer mon long séjour ! Vous me faites honneur. Mais si je suis bon juge, vous désirez me confier une révélation de la dernière minute.

— Oui. Je devine que votre rapport, et l'avenir des nombreux ayants droit de Colón qui revendiquent la fortune qu'il a pu laisser et ses titres, dépendront beaucoup de ce que vous direz de Bobadilla. Je crois donc que vous devez connaître deux autres faits. Quand Colón est arrivé ici, en 1502, au début de son dernier voyage, il s'est présenté avec ses quatre petits bateaux au large de notre mouillage, là-bas, et Bobadilla, désireux d'empêcher Colón de descendre à terre pour contester son autorité, lui a refusé l'accès de notre port.

« Mon mari, qui est un homme droit, a protesté aussitôt, continua-t-elle. « Excellence, a-t-il dit, un orage menace, et s'il se transforme en hurricane, il faut autoriser ses bateaux à entrer. » Mais le vice-roi se montra intraitable et le pauvre Colón fut contraint de rester au large. La nuit même, comme mon époux l'avait annoncé, un ouragan d'une violence extrême a éclaté. Avez-vous déjà vu un de nos hurricanes ? Ils sont terrifiants... Et que croyez-vous qu'il se passa ? Une flotte importante qui partait en Espagne sur l'ordre de Bobadilla fut disloquée par la tempête — trente vaisseaux mis en péril et treize perdus avec cinq cents marins et toutes leurs cargaisons.

— Qu'est-il arrivé aux quatre petits bateaux de Colón ? demanda Ocampo.

— En grand navigateur qu'il était, il a manœuvré ses bateaux de main de maître, au cœur de la tourmente, et les a tous sauvés. Mais même après cette belle démonstration, Bobadilla lui a refusé l'entrée du port, et Colón a donc pris le large pour son dernier voyage d'exploration. Il n'a rien trouvé, et il a fini sur la plage de la Jamaïque, sans or, sans bateaux, sans espoir, sans mission à venir, avec la mort qui ne l'a pas quitté des yeux pendant presque une année.

Ocampo, étonné par la sagacité et le jugement avisé de la jeune femme, sollicita son assistance pour deux questions troublantes. Reconnaissante de l'hommage ainsi rendu à ses qualités, la señora accepta.

— Les petits messieurs de la noblesse espagnole l'ont-ils accusé parce qu'il était italien ?

— Oui, quelques idiots présomptueux, répondit-elle avec vigueur. Mais c'était ridicule, car il n'était plus vraiment italien. Un pur Espagnol en tout. Autant que nous sachions, jamais il n'a écrit un seul mot en italien, parce que l'espagnol était sa seule langue, l'Espagne sa seule patrie, et des hommes de qualité comme mon mari ont été fiers de servir sous ses ordres.

— Était-il juif ?

— Pas que je sache.

— Peut-être était-il un *converso* rénégat, qui craignait le bûcher ?

— Quand il a vécu avec nous, après son sauvetage du naufrage de la Jamaïque, il allait à la messe chaque jour pour rendre grâces.

Elle ne désirait rien dire d'autre, mais quand le *licenciado* lui eut offert une dernière tasse de café, provenant de grains ramassés et torréfiés dans l'île, elle dit :

— C'était un grand homme, un vrai.

Puis, au moment de prendre congé, sur le pas de la porte, elle ajouta :

— Il faut vraiment corriger une de vos méprises. Vous vous êtes laissé complètement induire en erreur sur Bobadilla. Ce que l'on vous a raconté, c'est la légende populaire. Ce n'était pas un noble. Il n'a jamais appartenu à l'ordre militaire de Calatrava. Ce Bobadilla-là était un autre, du même nom, mort en 1496, quatre ans avant l'arrivée ici de notre Bobadilla.

— De toute manière, répondit Ocampo, il est assez satisfaisant, dans le genre macabre, de savoir que votre Bobadilla s'est noyé ici même, dans le port qu'il avait interdit à l'amiral pendant ce hurricane.

— Une autre légende locale. Le bateau a coulé, nous nous en souvenons tous, mais Bobadilla n'était pas à son bord.

— Où était-il ?

— Déjà en Espagne. Un de mes cousins l'a vu à Séville, bien vivant et attendant une nouvelle mission du roi.

La señora Pimentel sortit et Ocampo la regarda suivre les quais de son pas tranquille, jusque chez elle.

— Telle est l'âme de l'Espagne, murmura-t-il à ses secrétaires. Une femme apporte le meilleur de notre pays, dans ces colonies. Sa maison, vous l'avez vu, constitue un phare de civilisation dans cette mer.

A peine avait-il fini de parler que ses secrétaires éclatèrent de rire. Visiblement irrité, il leur demanda ce qu'ils trouvaient de si amusant dans ses réflexions. Le plus âgé répondit :

— Le soir où vous avez dîné avec Pimentel et la señora dans la grande salle, nous avons bavardé avec ses gens dans la cuisine. Nous avons appris — des sous-entendus, aucune accusation bien sûr — que ses finances ne supporteraient pas une vérification. Sa belle maison a été apparemment construite uniquement avec l'argent du roi. Les maçons étaient censés travailler pour le gouvernement, pas pour lui. Il utilise les bateaux du roi pour transporter ses marchandises et quand nous avons posé quelques questions discrètes, nous nous sommes aperçus qu'il devait être complètement corrompu.

Ces faits scandalisèrent Ocampo, d'autant plus qu'il aurait dû les découvrir lui-même. Or, avant qu'il puisse réagir, le deuxième secrétaire frappa un coup encore plus violent.

— Pimentel est un voleur, mais les membres de la famille de sa femme valent encore moins. De véritables bandits et elle les encourage.

Ocampo resta sans voix. La révélation la plus grave allait suivre :

— Il paraît que le grand coffre toujours fermé à clé que vous avez vu dans la salle est plein d'argent appartenant au roi. Trois hommes différents ont vu la señora Pimentel y placer de l'argent qu'ils lui donnaient pour obtenir le droit de faire des affaires dans l'île. Il doit contenir une fortune, et nous pensons que vous devriez le signaler au roi.

— Pourquoi ne m'en avez-vous pas parlé plus tôt ? lança Ocampo, furieux.

— Nous voulions en être certains.

— Et vous l'êtes ?
— Oui. Nous l'avons écrit ici.
Ocampo accepta leurs documents, il en étudia un puis refusa les deux.
— Brûlez-les, ordonna-t-il.
Quand ils eurent allumé du feu sur le carrelage pour détruire les accusations, il leur expliqua :
— Je suis un soldat. Je n'ai reçu du roi qu'une seule mission : enquêter sur Colón. Nous l'avons fait en toute honnêteté, vous et moi. Il ne nous reste plus qu'à remettre notre rapport en Espagne.
— En laissant les Pimentel libres de continuer leurs abus ?
— Si ce ne sont eux qui volent, ce seront d'autres.
Il partit à grands pas, et pour la première fois parcourut les rues tout seul, sans son escorte.
Il se dirigea vers la mer, et le premier bâtiment qu'il vit fut la maison des Pimentel. Il rit de lui-même : « J'ai vu le coffre d'argent mais oublié de m'enquérir de ce qu'il contenait. »
Ocampo marcha pendant plusieurs heures en réfléchissant aux faits confus qu'il avait découverts. Quel jugement apporter en toute droiture ? Colón, Bobadilla, Pimentel. Des hommes d'honneur, comme il se doit de la part de nobles espagnols ; mais aussi des crapules et des voleurs, comme les nobles espagnols ont souvent tendance à le devenir. Colón a mérité ses honneurs, pas un homme sur terre n'était plus honorable que lui, et le roi devrait laisser ses héritiers bénéficier de leur dû, dans la limite du raisonnable. Bobadilla, s'il vit encore, n'a guère fait de mal en se prétendant chevalier. Quant à Pimentel et tout son argent, il deviendra marquis, ou mieux.
Il éprouva cette espèce de déception ressentie par le soldat tout simple dont l'honnêteté n'a jamais été mise à l'épreuve que sur le champ de bataille, où un homme ou bien accomplit son devoir avec courage, ou bien l'esquive dans la lâcheté. Les complexités et les nuances de la vie politique lui paraissaient vraiment rebutantes. Il regarda fixement la mer et s'écria :
— Cette ville, dans mon dos. Tout y est à vendre, en proie aux voleurs... Ou déjà volé. Comme j'aimerais partir en mer avec le roi Ferdinand, vers les côtes de Sicile pour livrer une honnête bataille. Un ami ici, un ennemi en face.
Puis il se demanda soudain : « Ferdinand peut me donner sa confiance ; mais moi, puis-je lui accorder la mienne ? »
Il s'avança vers l'eau et continua quelques pas au risque d'abîmer ses chaussures en cuir de Cordoue, puis il se tourna vers l'ouest, vers l'île de la Jamaïque : « Dans tous ces témoignages, le seul homme à qui je pourrais faire confiance, je ne l'ai même pas vu : le nommé Diego Méndez qui a traversé cette mer à la rame pour sauver Colón et ses hommes. » Il secoua la tête, désolé, puis s'écria avec regret :
— Espagne ! Espagne ! Ne peux-tu donc engendrer un millier d'hommes comme celui-là ?
Quand Ocampo se fut calmé, il se sentit prêt à retourner à son logement, mais au bout de quelques pas il ne put résister à l'envie de contempler une dernière fois cette mer splendide qui porterait bientôt le nom de mer des Antilles, et il crut voir ce que réservaient les siècles à venir : les hommes d'Espagne qui s'installeraient dans ces îles répéteraient à perpétuité le comportement de Colón et de Pimentel —

vols, exploitation abusive des indigènes, attribution de postes généreusement payés par le roi aux membres de la famille, et toujours le souci de soi-même et de sa parentèle, jamais une vision saine de l'intérêt général. « Oui, nous avons établi un désolant précédent à Hispaniola. »

4

Le lac espagnol

1567-1597

Au cours des dernières années du XVIe siècle, de 1567 à 1597, deux marins légendaires, un Espagnol et un Anglais, se livrèrent un duel incessant d'un bout à l'autre de la mer des Caraïbes. Ils se battirent à l'extrême occident, à Nombre de Dios, et au-delà de ses confins septentrionaux, à Vera Cruz, au Mexique. Ils se battirent sur l'isthme, non loin de Panamá, dans de petits ports d'Amérique du Sud et dans l'immense port de San Juan, à Porto Rico. Mais le plus souvent, ils s'affrontèrent à Cartagena *, la cité fortifiée devenue au début du siècle la capitale de l'empire espagnol aux Antilles. Par leur origine, leur formation, leur religion, leurs manières et leur allure personnelle, ces deux hommes différaient ostensiblement, mais par leur héroïsme personnel et leur détermination à défendre leur honneur, ils étaient identiques.

L'Espagnol était un aristocrate de grande taille, mince et sans barbe, le visage austère et les joues creuses comme se plaisait à peindre le Greco dans ses portraits de nobles espagnols et de prélats. En général, il portait une fine lame de Tolède à l'élégant pommeau filigrané, instrument mortel qu'il était toujours prêt à brandir pour la défense du roi Philippe et de son Église catholique.

L'Anglais, trapu et musclé, sans noble ascendance, armateur et capitaine d'un petit navire marchand avec lequel il commerçait dans les ports de France et des Pays-Bas en guerre, s'attachait au contraire à protéger les intérêts de la reine Élisabeth et de sa nouvelle religion protestante. Les hommes sous ses ordres disaient : « C'est un paquet de nerfs. »

L'Espagnol portait un nom insolent et sonore : Diego Ledesma Paredes y Guzman Orvantes. S'il avait été anglais, il se serait simplement appelé James Ledesma, point final. Mais les formes espagnoles avaient une élégance qui leur conférait plus d'attraits. Les divers noms évoquaient des souvenirs pour tout Espagnol qui les entendait. Par exemple, du côté paternel, les Ledesma avaient toujours brillamment défendu le roi, et avoir Ledesma parmi ses noms

* Cartagena (en français Carthagène), port de Colombie. *Cartagena de Indias*, fondée en 1533 par Pedro de Heredia, devint un grand port colonial où la flotte de Terre Ferme, venue de Cadix, faisait escale chaque année.

constituait un honneur. La branche mâle était également issue de la famille Paredes, du nord de l'Espagne, et sa contribution à la défaite finale des Maures en 1492 s'était avérée héroïque; le nom méritait d'être conservé.

La lettre *y* indiquait que les noms à sa suite appartenaient au côté maternel de la famille. Et dans le cas de don Diego, les Guzman étaient aussi éminents que les ancêtres paternels, tandis que les Orvantes, au moins dans la petite région d'où ils venaient, étaient considérés comme la famille la plus distinguée des quatre, en raison de leur bravoure au moment de l'expulsion des Maures d'Espagne. Pour rendre les choses plus complexes, il avait fallu, à sa naissance, honorer des membres importants de la famille en donnant leur prénom à l'enfant. Son nom complet était donc devenu : Juan Tomas Diego Sebastian Leondro Ledesma Paredes y Guzman Orvantes. Mais cela ne gênait personne, car on l'appelait seulement don Diego, en omettant les autres noms, si chargés d'honneur qu'ils fussent.

Don Diego, excessivement fier de la renommée ancienne de sa famille, voyait dans ses trois filles non mariées — Juana, Maria et Isabela — une occasion d'ajouter à cette gloire s'il parvenait à trouver pour elles des époux acceptables. Jamais il ne perdait de vue son obligation essentielle : accroître le pouvoir détenu par sa famille. Jeune officier de marine d'une audace exceptionnelle, il avait acquis une réputation enviable en défendant contre des pirates les flottes espagnoles qui transportaient l'or du Pérou et l'argent de Panamá à travers la mer des Antilles, avant de gagner Séville dans le sud de l'Espagne. Sa témérité et ses succès lui avaient permis de s'élever rapidement au rang de capitaine et en 1556, à l'âge de vingt-quatre ans seulement, il avait été nommé gouverneur de Carthagène. Le jour même de sa prise de pouvoir il avait proclamé l'ordre qui caractériserait sa longue carrière à ce poste : « La mer des Antilles est un lac espagnol dont tous les intrus seront chassés. » Et pour que se réalise cette orgueilleuse formule, il avait commencé par rendre sa ville de Carthagène si imprenable qu'aucun ennemi n'oserait l'attaquer.

La nature l'assista dans cet effort, car elle avait créé un site facile à défendre : Carthagène s'élevait au milieu d'une île étrange qui s'étendait sur une douzaine de kilomètres le long de la côte d'Amérique du Sud, avec une côte splendide, droite et régulière tandis que l'autre ressemblait à un poulpe avec de nombreuses péninsules pareilles à des bras et des jambes, de vastes marais impénétrables et des falaises inaccessibles. Une île dessinée par la nature en un moment de folie. Envahir Carthagène était quasiment impossible. Bien entendu, quand un adversaire venait à Carthagène depuis la mer des Antilles, il trouvait un accès apparemment facile et prometteur, car à la pointe méridionale de l'île-pieuvre attendait une large et belle entrée dans le port desservant la ville. On l'appelait Boca Grande, la Grande Bouche. Mais sa séduction était trompeuse, car il y avait très peu de fond. Pis, pour décourager tout ennemi, Don Diego avait ordonné de saborder des bateaux au milieu de la passe, avec pour conséquence que même pas une barque à rame étrangère ne pouvait pénétrer.

Si l'ennemi continuait sa route vers le sud, il tombait au bout de quelques milles sur Boca Chica, la Petite Bouche, entrée profonde mais traîtresse en raison de son étroitesse extrême et de certaines îles formant obstacle. Et si un capitaine de bateau résolu parvenait à se frayer un chemin, il se trouvait alors perdu dans la première de quatre baies distinctes : la grande du sud, qui conduisait à la centrale de taille moyenne, prélude à la petite du nord débouchant sur le minuscule port au-dessus duquel s'élevaient les remparts de la ville. Carthagène était imprenable.

A la fin de l'été 1566, le roi Philippe d'Espagne envoya à Carthagène le genre d'ambassadeur chargé d'enquête qui avait tourmenté Colón à Hispaniola quatre-vingts ans plus tôt. Mais, à la différence de Bobadilla, cet homme ne découvrit aucune malversation au terme de ses recherches. Son rapport pénétrant indiquait cependant des faiblesses, qui risquaient de provoquer des difficultés dans les années à venir.

> *Don Diego est un homme brave et honnête qui sert admirablement Votre Majesté. Il protège vos vaisseaux chargés de trésors. Il repousse les pirates. Il ne vole pas. Et le mot lâcheté est inconnu de lui. Vous auriez tout intérêt à avoir davantage de gouverneurs comme lui.*
>
> *Je n'ai découvert que deux points faibles. Don Diego est si fier de sa belle allure qu'il s'est mis en tête de se faire appeler amiral, bien qu'il n'ait aucun droit à ce rang. Mais comme il mène ses bateaux au combat avec plus de détermination qu'aucun des authentiques amiraux de Votre Majesté, je recommande que l'on ferme les yeux sur cette présomption.*
>
> *Son autre faiblesse est plus inquiétante. N'ayant que des filles, il est désolé que le nom de Ledesma soit en passe de se perdre, aussi attire-t-il à Carthagène tout homme qui porte ce nom et lui confère-t-il automatiquement un poste d'autorité, qu'il soit capable ou non. Je crains que si Votre Majesté le laisse longtemps gouverneur, tous les postes importants de la ville soient occupés par des Ledesma.*
>
> *Mon jugement définitif sur cet homme, je le tiens d'un de ses jeunes collaborateurs : « Don Diego est un noble austère qui adore passer pour chef de guerre, et que Dieu vienne en aide au pirate anglais qui s'aventure sur son lac, car aussitôt il se déchaîne, étendards flottant au vent, pour détruire l'insolent envahisseur. » Je l'ai entendu se vanter : « Ma ville de Carthagène ne peut être envahie par aucune puissance sur terre. » Je suis également de cet avis.*

Et pourtant, au moment même où le roi Philippe lisait cette déclaration rassurante, un marin tenace de la froide côte orientale de l'Angleterre, âgé de vingt-trois ans et capitaine d'un seul petit bateau, jurait avec une fureur aveugle : « Je combattrai le roi d'Espagne jusqu'à ma mort, et je lui ferai payer le prix de chaque esclave que les hidalgos m'ont volés. Quand j'en aurai terminé, Carthagène sera en ruine. »

Le marin qui lançait cette fanfaronnade n'était ni grand ni agressif : à peine plus d'un mètre soixante mais solidement bâti, avec une tête ronde comme un boulet de canon et un menton en galoche déjà recouvert par une barbe taillée assez ras. Trait dominant, deux yeux bleus perçants capables de lancer des flammes. Des marins beaucoup plus âgés avaient appris à l'éviter si quelque querelle menaçait, car il finissait toujours pas imposer sa loi. Jeune homme difficile mais capable, il n'était pas simplement prêt à repartir aux Caraïbes, il en mourait d'envie. Et ses raisons étaient multiples, liées à la religion et aux esclaves.

Il s'appelait Francis Drake. Son père, marin à la retraite, avait élevé onze autres enfants dont il était l'aîné, et à son retour à terre dans un village du Devon proche de Plymouth, il était devenu pasteur protestant. En cette période troublée, l'Angleterre essayait encore de décider si elle suivrait l'ancienne religion catholique ou la nouvelle religion protestante, et le dimanche de Pentecôte 1549, les catholiques du Devon se révoltèrent contre la nouvelle foi qu'on leur imposait. Le révérend Drake et sa famille faillirent y perdre la vie, et jamais le jeune Francis ne devait oublier la terreur qu'il avait ressentie cette nuit-là.

Craignant de retourner à leur ancienne demeure, les quatorze Drake décampèrent dans une base navale proche de l'embouchure de la Tamise, où la famille vécut misérablement dans la coque d'un bateau abandonné. Une fois de plus, on leur fit payer cher leur protestantisme, car la reine Marie monta alors sur le trône, déterminée à ramener toute l'Angleterre au catholicisme; des amis de la famille qui résistèrent aux ordres de Marie Stuart furent pendus, et les Drake eux-mêmes n'échappèrent que de justesse à l'exécution. Après ce deuxième contact malencontreux avec le catholicisme, le jeune Francis conçut la haine intense qui orienterait toute son existence.

Vers la fin de 1567, il souffrait intensément d'une raison de plus de mépriser les Espagnols — la chose horrible qu'ils avaient faite à son ami Christopher Weed. Brûlant de le venger, il partit aussitôt à Plymouth consulter un des plus grands capitaines d'Angleterre, John Hawkins — qu'il appelait « oncle », bien que nul ne sache quelle relation de sang pouvait bien les unir. On disait qu'ils étaient parents et cela suffisait.

Hawkins, marin remarquable, un des plus grands que le monde ait connu, était capable de conduire ses vaisseaux n'importe où, au milieu des tempêtes et des actions de l'ennemi puis de les ramener à bon port, toujours avec profit, à une époque où les boussoles n'étaient pas sûres, où l'on ne connaissait aucun moyen de déterminer la longitude, où il n'existait aucun canon puissant, aucun médicament sûr, aucun des avantages que les capitaines, plus tard, tiendraient pour acquis.

Âgé de trente-cinq ans et de taille moyenne, il avait une tête petite, des yeux d'un gris d'acier qui ne cillaient pas, une grosse moustache et une petite barbe pour paraître plus imposant. Il avait honte de ses oreilles trop grandes, et il possédait une détermination de bouledogue qui ne s'accompagnait jamais de vantardise ni de pose. C'était un homme au sens fort de ce mot, et il inspirait à tous ceux qui servaient sous ses ordres une loyauté voisine du fanatisme. Naviguer avec John Hawkins était, pour un marin au long cours, une sorte de couronnement.

Curieusement, il n'était pas batailleur par nature; il se considérait comme un marchand, un navigateur toujours disposé à éviter un combat en mer. Lorsqu'il cabotait d'une île espagnole à la suivante en essayant de placer ses esclaves, les autorités qu'il rencontrait n'avaient aucune raison de le craindre, car chacun savait qu'il ne saccageait ni n'incendiait jamais les villes.

Ce jour-là, assis en face de Francis Drake dans le bâtiment dominant la baie de Plymouth qui servait de quartier général de la marine, il songeait déjà à calmer une fois de plus l'énergie impétueuse de son neveu, mais avant même qu'il puisse prononcer des paroles de mise en garde, la fureur bouillonnante de Drake explosa :

— Oncle, il faut que je vous accompagne dans votre prochain voyage aux Caraïbes. Maintenant plus que jamais.

Hawkins posa une main apaisante sur le genou de Drake.

— Un désir effréné de vengeance n'est jamais un bon principe d'action, Francis. J'ai presque peur de t'emmener.

— Mais j'ai des raisons, oncle. Les Espagnols...

Une haine forcenée brûlait dans ce mot.

— Faut-il que je te le rappelle ? Si tu m'accompagnes, ce sera pour vendre nos esclaves aux Espagnols, et non pour les combattre.

— Je ferai commerce avec eux, d'accord... mais à la pointe d'un canon... le mien.

— J'aimerais bien t'emmener. J'aurai besoin d'hommes de ta trempe quand nous arriverons sur la côte des Esclaves. Des pirates, des aventuriers portugais essaient de nous voler nos noirs, le rebut du monde attaque toujours les bateaux anglais.

— C'est le genre d'action que je cherche, lança Drake, ravi.

Mais son oncle le reprit de nouveau.

— Combattre les pirates en Afrique, oui. Combattre nos pacifiques clients espagnols des Caraïbes, non.

— Nos pacifiques clients espagnols ! Laissez-moi vous parler un peu de ces pacifiques clients espagnols. Au début de l'année, à Río Hacha...

Drake cracha ce nom espagnol comme un objet dégoûtant.

— ... le gouverneur m'a attiré à terre avec mes quatre-vingt-dix esclaves qu'il proposait d'acheter, mais au moment de me payer, il a sifflé ses soldats. Ils m'ont reconduit de force à mon bateau et le gouverneur a gardé mes esclaves. Sans verser un sou.

— Ce sont des choses qui arrivent, Francis. Des fonctionnaires corrompus m'ont souvent volé des esclaves. Mais ceux qu'il me reste, je les vends aux fonctionnaires honnêtes à des prix plus élevés. Dans ta bataille avec les hidalgos, tu es rentré ici en vainqueur, non ?

Drake bondit de son siège.

— Oncle ! Quarante de ces esclaves étaient à moi, non à la reine. Je les avais payés en Afrique de mes deniers. Ces hidalgos m'ont volé mes bénéfices, mes bénéfices personnels. Et j'ai juré de les récupérer.

Hawkins, de moins en moins patient, lança sèchement :

— Ne fais pas l'idiot. Ne laisse jamais des idées de vengeance t'empêcher de faire un bon profit.

— Vous ne comprenez pas, s'écria Drake.

D'un coup de sifflet, il fit venir un jeune marin de dix-neuf ans.

— Raconte au capitaine Hawkins ce qui est arrivé à Christopher Weed.

Et il se tourna vers son oncle pour demander :

— Vous vous souvenez du jeune Weed ? le fils de Timothy Weed, le prédicateur de la Flotte.

— Je le connais.

— Vous le connaissiez ! dit Drake d'une voix d'acier. Raconte à mon oncle ce qui est arrivé à mon ami Weed, répéta-t-il au marin.

— Nous avions quitté Plymouth pour négocier nos marchandises contre celles de Venise. Mais au large de la côte d'Espagne notre petit bateau a été capturé et on nous a jetés en prison. Ils ont annoncé qu'étant anglais nous étions hérétiques et devions être punis.

— Ensuite ? insista Drake, les yeux brillants.

— La moitié de l'équipage a renié. Ils ont dit qu'ils avaient toujours été de bons catholiques et qu'ils le demeuraient. On les a fouettés pour avoir osé naviguer dans les eaux espagnoles puis on les a relâchés. L'autre moitié, dont j'étais, a refusé de renier et on nous a condamnés aux galères. Les uns six ans... ou bien dix ans... à perpétuité.

— Et toi ? Combien d'années ?

— Dix. Mais des pirates ont attaqué notre galère et je me suis enfui.

— Dieu veillait sur toi. Mais qu'est-il advenu de Christopher Weed et des deux autres ?

— Les Espagnols ont appris, je ne sais comment, qu'ils étaient fils de pasteurs protestants...

— Tu l'es aussi, coupa Hawkins.

— Oui, répondit le jeune marin, mais personne ne l'a révélé aux Espagnols.

— Raconte ce qui est arrivé aux trois fils de pasteur, dit Drake, les mains tellement crispées qu'on ne voyait plus de sang sous sa peau pâle.

— On nous a tous conduits, les condamnés à la chiourme et même ceux qui seraient libérés, sur la grand-place de Séville. Devant la cathédrale et la belle tour — je ne les oublierai jamais — on avait planté des poteaux dans le sol et dressé des bûchers autour. Weed et ses deux camarades ont été ligotés aux poteaux, puis brûlés vifs. Un de nos hommes, derrière moi, a crié : « Pour l'amour du Christ, tuez-les d'une balle ! » mais ils les ont laissés brûler. Pour que cela serve de leçon à tous.

— Tu peux partir, lui dit Drake d'une voix nouée.

Quand les deux capitaines furent de nouveau seuls, Hawkins lança d'un ton rogue :

— Francis, quand je vois brûler tant de haine dans tes yeux, je n'ai aucun désir de t'emmener.

Puis il soupira, et dit à regret :

— Mais je pense que, pour diverses raisons, j'y serai contraint. Les bateaux que je vais commander appartiennent à la reine, et il faut bien les protéger. Les deux tiers des esclaves que nous capturerons lui appartiendront, ainsi que les deux tiers de tous nos profits. Cette expédition est celle de la reine et elle m'a ordonné d'emmener seulement des hommes de grande confiance, car elle ne peut pas se permettre de perdre la fortune que cette aventure peut lui apporter. Elle a désespérément besoin d'argent.

— Pourquoi ?

La réponse d'Hawkins, ami fidèle de la reine, révéla la situation curieuse dans laquelle se trouvait alors l'Europe.

— Tu te souviens que notre reine Marie, de mémoire sacrée (à ces mots il se signa), a pris pour époux le roi Philippe d'Espagne. Bien que Marie soit morte, Philippe veut encore être roi d'Angleterre. Il supplie Élisabeth de l'épouser... et de ramener l'Angleterre au catholicisme. Elle a besoin d'argent pour le repousser, de chaque sou que nous gagnerons pour elle avec notre cargaison d'esclaves.

Il s'arrêta, ébaucha un sourire espiègle puis lança :

— Vois-tu l'humour de la situation, Francis ? Nous allons toi et moi voler le roi d'Espagne pour donner à la reine les moyens de le combattre... avec son propre argent.

— Et si nous retournons à Río Hacha, aurai-je votre permission de bombarder le misérable qui a volé mes esclaves ?

— Non ! Mais je veux te montrer tout de suite pourquoi j'ai besoin de toi.

Les deux hommes quittèrent la capitainerie et se rendirent à un mouillage où Drake vit pour la première fois le grand navire que la reine Élisabeth venait d'acheter de ses deniers personnels comme vaisseau amiral pour ses expéditions de traite des esclaves : le *Jesus of Lübeck*. Un bateau à remplir de joie le cœur de n'importe quel marin, et surtout de ceux qui se trouveraient à son bord au jour du combat. Construit en Allemagne trente ans auparavant, il avait été conçu dès le départ comme un puissant bâtiment de guerre.

— Regarde-le bien ! s'écria Hawkins à Drake dont les yeux s'agrandirent. Plus de sept cents tonneaux de jauge, et quatre mâts deux fois plus gros que tous ceux que tu as pu voir. Et ce long beaupré ! Ces grandes tours pareilles à des forteresses qui s'élèvent vers le ciel, à l'avant et à l'arrière ! Et les pavillons !

Huit drapeaux anglais battaient dans la mâture et il y en avait dix autres au niveau du pont, mais Drake remarquait déjà d'autres aspects :

— Regardez ces canons monstrueux et la quantité des petits... L'espace au-dessous pour loger soldats et matelots... Le pont dégagé pour la résistance à l'épée si nous avons à repousser un abordage. C'est un bateau qui invite à livrer de belles batailles, et j'espère que nous en serons dignes.

Il déclara ensuite à Hawkins qu'embarquer sur ce bâtiment serait pour lui un honneur, mais son oncle secoua la tête.

— Non, Francis, tu ne seras pas à bord du *Jesus*.

Le visage de Drake se rembrunit.

— Je veux t'avoir toujours par bâbord, continua Hawkins, sur ton propre bateau, comme capitaine.

Et il montra un beau petit bateau de guerre, le *Judith*, sur lequel Drake, après l'avoir acheté, naviguerait vers la gloire — et vers la honte.

— Dès le début, je savais que je serais obligé de t'emmener, dit Hawkins en posant le bras sur les épaules de Drake. La reine a tellement envie que son nouveau jouet de luxe soit bien protégé qu'elle m'a donné l'ordre : « Engagez votre neveu Drake, on me dit que c'est un vrai batailleur. Il naviguera à votre coude pour défendre mon acquisition. » Tu prendras donc la mer sur son ordre et selon mon désir.

Il en fut ainsi.

Dans les semaines qui suivirent. Drake s'occupa de visiter les magasins de fournitures de Plymouth pour commander tout ce qui serait nécessaire à la longue traversée. Une liste d'achats, écrite de sa main, trahit le niveau sommaire de son éducation et ses libertés en matière d'orthographe : *vi pynazzes, bysket, beare, bieff, chiese, rieze, vyneger, sweete oyle, hannars (6 pinnaces, biscuit, beer, beef, cheese, rice, vinegar, sweet oil, hammers).* Mais outre ces six pinasses, biscuit, bière, bœuf, fromage, riz, vinaigre, huile douce et marteaux, la liste comportait de la « mitraille de fonte et diverses autres munitions », car Drake tenait à ce que sa *Judith* soit prête au combat.

Le 2 octobre 1567, Hawkins prit la tête de sa petite flottille et mit le cap vers la côte de l'Afrique. Il y embarquerait cinq cents esclaves qu'il conduirait au cœur des Caraïbes où il les colporterait d'île en île. Hawkins et Drake se trouvaient donc associés pour tout, mais une énorme différence les séparait : Hawkins, avec la prudence de son âge, désirait la paix ; Drake, le jeune impétueux, ne songeait qu'à se venger des Espagnols partout où il en rencontrerait, quelles que soient les circonstances.

Au printemps 1568, au moment où Hawkins mettait le cap à l'ouest après avoir quitté la côte africaine, les cales de son vaisseau pleines à craquer d'esclaves, le gouverneur Ledesma de Carthagène écoutait un rapport affreux du capitaine d'un petit navire marchand de Séville.

— Estimée Excellence, quand j'ai quitté l'Espagne j'ai reçu l'ordre d'entrer aux Indes * par l'itinéraire d'extrême sud, pour rendre compte de la situation dans notre île de Trinidad. Comme vous le savez, puisqu'elle se trouve dans votre territoire, il n'y a eu là-bas aucune colonisation espagnole sérieuse, et je n'ai rien décelé de nouveau : Trinidad était vide et sûre.

« Mais au bout de sept lieues de mer vers l'ouest le long de la côte de l'Amérique, continua le marin, nous sommes arrivés à nos grandes salines de Cumaná, et j'ai eu une chance énorme de me trouver assez au large avec mon équipage, car une horde d'une douzaine de bateaux, que j'ai pris d'après leur construction pour des rénégats hollandais, avait déposé des bandes de voleurs sur nos gisements de sel et nous dépouillait d'une fortune.

À l'annonce de cette nouvelle désolante, don Diego ne trahit aucune rage. Maîtrisant ses émotions, il demanda d'une voix calme :

— Et qu'avez-vous fait en voyant ces voleurs hollandais ?

Le capitaine répondit en toute sincérité :

— J'ai fui, ravi que mon bateau soit rapide et les leurs trop lents.

— Vous avez sagement agi, répondit don Diego avec une égale franchise. Deux bateaux hollandais auraient suffi à vous détruire si leurs équipages étaient déterminés à voler le sel. Et vous dites qu'ils étaient au moins une douzaine ?

Le capitaine acquiesça.

— Nous devons lever notre verre au succès de votre traversée, répondit don Diego. Et à votre prudence.

L'insouciance apparente avec laquelle Ledesma accueillait ce rapport d'incursions hollandaises sur les salines dissimulait la frayeur considérable provoquée par cette nouvelle, et, dès le départ du capitaine, don Diego, le visage écarlate, se précipita auprès de son épouse.

— Ma chère amie, accompagnez-moi sur les remparts. Je veux que personne ne nous entende.

Ils allèrent se promener un moment en haut de la muraille défensive qui protégeait le centre de leur ville.

* Appellation des îles des Caraïbes qui subsiste dans la dénomination anglaise *West Indies, les Indes occidentales.*

— Une mauvaise nouvelle. Les Hollandais ont encore accosté à nos salines.

— À Cumaná ?

— Oui. Et cette fois ils sont venus en force.

— Comment le savez-vous ?

— Un capitaine qui vient d'arriver de Séville les a vus en train de nous voler. Et s'il m'a averti, il en parlera certainement au roi. Philippe s'attendra à ce que j'intervienne... Pour chasser ces pillards.

— Cumaná me paraît bien loin d'ici.

— Oui. Raison de plus pour en chasser les Hollandais.

Tout en marchant, ils parlèrent de cet endroit précieux, si important pour le commerce de l'Espagne.

— Une longue bande de terre d'est en ouest coupe une baie peu profonde. Cela se produit souvent le long des côtes de mers calmes. Vous souvenez-vous de la belle langue que nous avons vue quand nous avons longé la côte sud de la Jamaïque ?

Doña Leonora inclina la tête.

— Le golfe de Cumaná est un peu pareil, mais encore moins profond. Chaque été, quand le soleil est haut, l'eau s'évapore et laisse d'énormes dépôts de sel. Il y a tellement de sel à Cumaná qu'on peut le ramasser à la pelle.

— Mais n'avons-nous pas une garnison de soldats pour protéger la saline ?

— Il fait si chaud que personne ne peut rester à Cumaná bien longtemps. La chaleur que renvoie la couche blanche de sel est incroyable, sans équivalent, et l'air salé ronge les narines et entrave la respiration. Les hommes travaillent avec des chaussures à très larges semelles plates pour ne pas briser la croûte des dépôts de sel sur lesquels ils marchent. Et le reflet du soleil sur la surface d'un blanc intense s'avère impitoyable. Une saison à Cumaná est une saison en enfer. Mais les capitaines hollandais qui s'aventurent sur les salines bénéficient d'un avantage exceptionnel. Aux Pays Bas, les juges disent aux criminels : « La mort ou les salines de Cumaná », et le sel est ramassé par ces condamnés aux travaux forcés. Ils chargent les bateaux et l'on trouve des harengs salés de Hollande dans presque toute l'Europe.

Puis Ledesma prit sa décision et la révéla à sa femme.

— Il faut que je conduise une flotte là-bas avant que le roi m'en donne l'ordre.

— Ne pouvez-vous envoyer l'un de vos capitaines ? demanda-t-elle.

— Je suppose... Peut-être. Mais, ne vaudrait-il pas mieux que... Pour les apparences...

Il hésita, parce qu'avec trois filles non mariées et deux neveux à l'avenir limité, il était confronté à ce que l'on pourrait appeler « le problème espagnol » : « Comment défendre et développer les intérêts de ma famille ? »

Dans la société espagnole, un homme comme don Diego se reconnaissait de formidables obligations imposées par quatre entités : Dieu, l'Église de Dieu, le roi, et sa famille — mais dans l'ordre inverse s'il était un Espagnol prudent. On pouvait discuter de l'importance relative des devoirs dus à Dieu, à l'Église et au roi, mais tout homme raisonnable convenait volontiers que la famille passait en premier. Et celle de don Diego se montrait fort exigeante. Ses trois filles avaient besoin de maris fortunés et importants, et les deux neveux de sa femme méritaient de bons postes. Ensuite, il y avait ses trois frères, sans titres mais dotés d'un appétit vorace pour les bonnes choses. Plus l'impensable cohorte des cousins de doña Leonora. S'il jouait ses cartes avec assez d'habileté pour conserver sa charge de gouverneur quinze ou vingt ans de plus, il aurait une assez bonne chance de placer toute sa parentèle à des postes avantageux. Et aucun homme ne pouvait se décharger de ses obligations de famille de façon plus honorable.

Il était donc souhaitable qu'il dirige en personne cette campagne contre les pirates hollandais, car cela lui permettrait de manigancer deux promotions pour les neveux de sa femme, et de provoquer la reconnaissance d'un jeune capitaine des troupes issu d'une excellente famille de Saragosse, sur lequel doña Leonora avait jeté son dévolu comme futur époux de son aînée Juana. Si, au cours de l'action, don Diego pouvait trouver une occasion d'avancement pour le jeune homme, il le recommanderait ensuite dans son rapport au roi et le mariage deviendrait réalisable. Faire débuter les neveux très jeunes dans la marine aurait pour avantage de justifier ultérieurement une promotion comme commandant d'un des précieux galions qui partaient à chaque printemps de Carthagène pour La Havane et Séville. En fait, plus don Diego songeait à cette expédition aux salines, et plus elle lui paraissait intéressante. Avec une flèche bien ajustée, un homme peut tuer une enfilade de colombes.

Ce fut donc pour ces raisons personnelles, outre le désir de donner un bon coup sur la tête aux insupportables renégats hollandais, que le gouverneur Ledesma rassembla à la fin de février 1568 une flotte de sept bateaux bien pourvus en armes et en hommes, et fit voile vers la lointaine Cumaná, ville où la plupart des gouverneurs ne passaient jamais, même s'ils y envoyaient parfois des troupes pour surveiller les précieuses salines. En tant qu'amiral (improvisé) de la flotte, il se trouvait à bord du bateau le plus grand, armé des canons les plus gros. Après plusieurs jours de navigation vers le nord-est pour éviter la péninsule qui protège Maracaibo, il ordonna de mettre le cap plein est pour la longue traversée vers Cumaná. Et il nomma ses neveux responsables de la flotte respectivement sur bâbord et tribord.

Ces nominations étaient choquantes. Et l'un des capitaines, qui dut renoncer à son poste, grommela :

— Ces jeunes crétins n'ont même pas vingt-cinq ans et ne connaissent rien à la mer.

Un autre vieux loup de mer, plus réaliste, lui répliqua :

— D'accord, mais n'oublie pas que ce sont les neveux de sa femme. Et ça compte, non ?

Content d'avoir pris deux décisions judicieuses, don Diego s'occupa ensuite du jeune noble qui faisait la cour à Juana Ledesma. Il créa à son intention un poste entièrement nouveau : vice-régent de l'amiral. Personne ne savait ce que ce titre impliquait mais il suscita dans le cœur du jeune homme un sentiment de profonde gratitude à l'égard de don Diego et toute sa famille. Un des vieux capitaines demanda :

— Quels sont les devoirs du vice-régent ?

— Il transmettra mes ordres à mes vice-amiraux, répondit don Diego sans hésitation.

Quand il s'endormit ce soir-là, avec trois autres membres de sa famille bien pourvus, il n'éprouva pas la moindre honte d'avoir abusé de sa position de façon si patente. En vérité, les héros défunts qui lui avaient transmis des noms si distingués avaient probablement obtenu leurs places éminentes dans l'histoire en veillant de la même manière à la promotion de leurs fils, neveux et cousins, car c'était la façon d'agir en Espagne.

Vers la fin de mars, la flotte s'avança vers Cumaná par l'ouest, et trouva à l'embouchure de la lagune un groupe de trois gros navires marchands hollandais, tous protégés par de l'artillerie lourde. Sans un instant d'hésitation don Diego attaqua, et quarante minutes plus tard la bataille de Cumaná, comme l'appelleraient les chroniqueurs espagnols dans leurs relations enthousiastes, était terminée, avec un bateau ennemi coulé, un autre en flammes sur un récif, et le troisième arraisonné comme prise de guerre.

Conscient, même dans le feu de la bataille, d'être un gentilhomme espagnol lié par les règles de l'honneur, don Diego ordonna à son interprète de crier en hollandais aux survivants :

— Vous pouvez garder le bateau qu'il vous reste et vous rendre au port de votre choix. Mais nous abattrons vos mâts pour que vous ne puissiez pas nous faire la course pendant la nuit.

Alors ses hommes, voyant les Hollandais vaincus monter à bord du bâtiment indemne plus robuste que le leur, protestèrent aussitôt :

— Pourquoi leur faire cadeau de ce beau bateau, alors que nous devons nous contenter de celui-ci, qui ne vaut rien ?

Et l'amiral rappela les charpentiers sur le point de détruire les mâts.

— Arrêtez. Ne touchez pas à la mâture.

Sans même réfléchir un instant, il ordonna à ses hommes d'abattre le mât de son vaisseau amiral, qu'il remit aux Hollandais.

Son équipage monta à bord de la prise et tous les Hollandais s'entassèrent dans le vieux baquet qui fuyait.

— Comment s'appelle ce bateau ?

Les mots *Stadhouder Mauritz* avaient été joliment sculptés dans le chêne de la poupe. Tandis que les Hollandais discutaient de la direction qu'ils prendraient, une horde de papillons jaune clair à la recherche de la terre aperçut le bateau capturé et se posa sur ses agrès, qu'ils revêtirent d'or.

— C'est un présage ! s'écria don Diego.

Avant la tombée de la nuit les charpentiers avaient préparé une planche portant le nouveau nom du bâtiment : *Mariposa* (Papillon). On la chevilla en place, et chaque membre de l'équipage reçut une bouteille de bière hollandaise saisie, avec laquelle il porta un toast à l'amiral lorsque celui-ci vida sa bouteille sur le nouveau nom en criant :

— Nous te baptisons *Mariposa !*

Ce soir-là, tout émoustillé par sa victoire, don Diego ordonna à son secrétaire de composer une lettre pour informer le roi Philippe de la capture du navire hollandais, puis il ajouta de sa propre main : « Sans la bravoure exceptionnelle et le jugement militaire pénétrant du vice-régent et des deux vice-amiraux, cette victoire sur trois énormes vaisseaux hollandais n'aurait pas été possible. Ils se sont battus sur les ponts de l'ennemi, et méritent félicitations et promotion. »

Pendant la traversée de retour, au cours d'une de ces périodes de beau temps où la mer des Antilles roule sous la houle longue et douce qui l'a rendue célèbre, don Diego dit à son futur gendre :

— Quel beau bateau nous avons pris ! Quand il roule de bâbord à tribord, il revient toujours à sa position droite et y reste longtemps. Il ne balance pas sans cesse d'un bord à l'autre comme un Français ivre.

Et il montra une autre qualité, encore plus importante :

— Regardez la structure. Il est bordé à clins avec ses lisses qui se superposent pour augmenter sa force. Pas comme la plupart de nos bateaux espagnols, bordés à franc-bord, avec les planches mises bout à bout, susceptibles de se détacher dans une tempête.

Autre caractéristique que l'on trouvait rarement dans les bateaux espagnols, et qui lui plut beaucoup :

— Sa coque est à double bordage. Oui, ajouta-t-il en claquant la langue, en nous emparant de ce bateau-là, nous n'avons pas perdu au change.

Ledesma termina dans la même euphorie sa longue traversée vers l'ouest, puis mit le cap au sud. En vue de la pointe occidentale de l'île de Carthagène, quand il aperçut sur les falaises au-dessus de lui la ville sûre et forte qu'il commandait, il eut envie de tirer sept salves pour informer les habitants de sa victoire.

La défaite des Hollandais et la capture du beau bateau lui montaient à la tête ; mais, en dépit de sa jeunesse, son futur gendre, le vice-régent, se révéla alors plus perspicace. Il demanda la permission de parler à l'amiral, et quand don Diego la lui accorda solennellement, le jeune homme lui demanda :

— Savez-vous, Excellence, que mon grand-oncle était gouverneur du Pérou ?

— Bien entendu, c'est une des raisons pour lesquelles doña Leonora et moi sommes si fiers de vous admettre dans notre famille. Don Pedro, un des meilleurs.

— Alors vous savez aussi ce qui lui est arrivé ?

Le sourire amène de don Diego se rembrunit.

— Terriblement injuste. Des ennemis ont lancé contre lui de viles accusations. Des rapports au roi entachés de partialité...

— Et il a été pendu.

Le silence se fit dans la cabine, puis don Diego demanda :

— Pourquoi me rappelez-vous cette triste affaire ?

— Parce que vous ne devez pas vous vanter de votre victoire de Cumaná. Ni dans votre rapport au roi ni dans vos commentaires ici, à Carthagène.

— Mais quel serait le risque... ? Si je le faisais... ce dont je n'ai certainement pas l'intention.

— L'envie. L'envie qu'éprouveront vos ennemis, ici et en Espagne.

Rassemblant tout son courage, le jeune homme poursuivit :

— Vous m'avez nommé à un poste élevé. Ainsi que vos deux neveux. Et avant notre départ, vous aviez fait de même pour deux de vos frères. Les langues vont s'agiter. Des espions, à bord de ce bateau même, se mettront à manigancer des rapports secrets au roi.

Don Diego comprit aussitôt la justesse de cet avertissement, et l'apprécia sans réserve. Tout gouverneur espagnol responsable d'un territoire éloigné de la métropole courait le risque constant de se voir rappelé en Espagne pour réfuter les accusations les plus insidieuses. La nature même de sa charge ne permettait pas d'éviter cet écueil, car il jouissait d'une autorité colossale et gérait des richesses dépassant l'imagination même des hommes les plus rapaces, sans recevoir de rémunération personnelle, ou presque. Les rois d'Espagne, toujours sans le sou, s'emparaient de chaque pièce d'or ou d'argent produite par leurs colonies, mais refusaient de payer un salaire décent à leurs intendants. On *s'attendait* à ce que les vice-rois et les gouverneurs espagnols volent, et s'enrichissent en dix ou quinze ans, et on supposait qu'ils rentreraient alors en Espagne avec une fortune assez vaste pour qu'elle leur dure, ainsi qu'à leur volumineuse famille, jusqu'à la fin de leurs jours.

Mais en même temps, les rois soupçonneux encourageaient une horde permanente d'espions à signaler les écarts de conduite de leurs vice-rois et de leurs gouverneurs. Le résultat : après dix ou douze ans à l'un de ces postes, les hauts fonctionnaires royaux — par exemple Colón — étaient à peu près certains de recevoir la visite d'une *audiencia* officielle dont les membres passeraient peut-être deux ans à enquêter sur leur comportement et à inviter leurs ennemis à témoigner en secret contre eux. A maintes reprises, un grand commis qui avait joui de pouvoirs extraordinaires dans une contrée lointaine comme le Mexique, Panamá ou le Pérou avait terminé son illustre carrière dans les fers au fond de la cale d'un bateau jusqu'en Espagne, puis dans une geôle où il languissait des années. Les malchanceux étaient pendus.

Don Diego passa mentalement en revue la liste lugubre des grands conquistadores de l'Espagne qui avaient connu des fins amères : « Cristobal Colón ? Aux fers. Cortez du Mexique ? Aux fers. Nuñez de Balboa, un de nos meilleurs ? Décapité. Le grand Pizarro du Pérou ? Abattu par des subalternes jaloux. »

Don Diego et son futur gendre — le premier, un des rares gouverneurs qui limitait ses vols à un niveau raisonnable, l'autre, héritier d'une excellente famille et destiné à devenir gouverneur lui-même —, venaient de toucher du doigt les raisons fondamentales pour lesquelles les terres espagnoles du Nouveau Monde ne réussiraient pas, au cours des quatre siècles à venir, à établir un système simple et responsable de gouvernement, démocratique ou non, dans lequel des hommes honnêtes pourraient gouverner sans voler et dilapider les richesses de leurs pays.

Cette tradition fatale était déjà codifiée sous le gouvernorat de Diego Ledesma à Carthagène : fournir un assez bon gouvernement dans l'immédiat, voler autant que le permettent la décence et l'envie des autres, et, comme la situation est précaire, placer tous les parents et alliés possibles à des postes bien rémunérés pour que chacun puisse accumuler de son côté une fortune. Cela fait, même si vous étiez rappelé à la métropole en disgrâce, les membres de votre famille demeuraient à des positions de pouvoir, et pouvaient au bout de quelques années rentrer sans tapage en Espagne comblés de richesses et de titres, pour devenir les nouveaux vice-rois et gouverneurs, ou se marier dans des familles haut placées et trouver de nouvelles occasions de voler de nouvelles fortunes.

Ce système provoquait des balancements pendulaires si violents que la tête vous tournait sans cesse — et pendant ce temps les fabuleuses ressources du Nouveau Monde étaient dilapidées. Avec beaucoup moins de richesses naturelles, la France et l'Angleterre établiraient des formes de bon gouvernement plus durables que l'Espagne avec des possessions plus importantes. Le jour de 1568 où don Diego rentra à son port en triomphe, le Nouveau Monde appartenait déjà à l'Espagne depuis plus de trois quarts de siècle (depuis 1492), alors que la France et l'Angleterre allaient se lancer dans l'occupation de territoires seulement un demi-siècle plus tard, dans les années 1620 et 1630. Mais les semences de la faiblesse espagnole avaient déjà germé.

Cependant, aucun de ces deux hommes avisés ne percevait les méfaits durables qu'engendrait leur philosophie. Tout d'abord, s'il était connu et admis que leur gouverneur s'appropriait une partie des fonds publics, les fonctionnaires du niveau inférieur se sentaient justifiés d'agir de même, quoique à un degré plus modeste. Ceux du niveau juste au-dessous étaient invités à tenter leur chance, puis ainsi de suite jusqu'au bas de l'échelle. Tous tendaient la main, et tous les niveaux du gouvernement fonctionnaient par le vol et la prévarication. Ensuite, habitude aussi destructrice, si des milliers d'hommes comme don Diego et son gendre retournaient chaque année en Europe avec leur butin, ils laissaient les colonies américaines de plus en plus appauvries.

Vers la même époque, un poète de Carthagène résuma ces règles de conduite en six vers satiriques :

Mon Espagne contre tous les autres pays.
Sa religion contre toutes les autres religions.
Ma partie de l'Espagne contre toutes les autres parties.
Ma colonie contre leur colonie.
Ma grande famille contre toutes les autres grandes familles.
Et ma femme et mes enfants, contre la femme et les enfants de mon frère.

En tant que l'un des plus sympathiques pratiquants de cet art d'autodéfense personnelle et familiale, le gouverneur de Carthagène consacrait les neuf dixièmes de son énergie à trouver des postes pour sa famille et de l'or pour lui, et le dernier dixième à défendre ses Antilles contre les envahisseurs. Mais sa victoire contre les Hollandais démontrait que s'il se mettait en colère, il ne manquait pas de courage. Car dans la société espagnole, on pardonnait souvent la prévarication, jamais la lâcheté.

Le jour où John Hawkins et Francis Drake chargèrent le *Jesus of Lübeck* avec le plus grand nombre possible d'esclaves, un autre don Diego, don Diego de Guzman, espion espagnol à la cour de la reine Elisabeth, rédigea une note codée qu'il fit apporter aussitôt sur les quais de la Tamise, où un bateau rapide attendait d'appareiller à destination de l'Espagne. Au palais de l'Escorial, monstrueuse accumulation de pierre sombre non loin de Madrid, les secrétaires du roi Philippe se hâtèrent de copier les ordres que Sa Majesté venait de lancer dans sa rage froide, de sorte que six heures après la réception de la nouvelle par le roi, un cavalier galopait déjà vers Sanlúcar de Barrameda, près de l'embouchure du Guadalquivir. De là, trois petits bateaux firent voile à la marée suivante vers l'île d'Hispaniola, où l'on remit les messages au gouverneur de Santo Domingo. Aussitôt, il envoya un essaim de petites frégates côtières rapides transmettre la nouvelle aux sept capitales des Antilles. Et le 3 février 1568, quand

Hawkins quitta l'Afrique, ses îles de destination dans la mer des Caraïbes étaient sur le point de recevoir la nouvelle de son arrivée.

Une des frégates d'Hispaniola accosta au port bien protégé de Carthagène, et le messager s'élança aussitôt au palais du gouvernement.

— Excellence, je vous apporte un message de mauvais augure. John Hawkins va arriver, et Guzman, à Londres, a appris de source très sûre, dans l'entourage même de la reine, qu'il compte se rendre à Porto Rico, à Río Hacha et à Carthagène, avec la permission d'accoster et de détruire nos places fortes si nous nous opposons à lui.

Don Diego écouta, acquiesça plusieurs fois et attendit pour répondre d'avoir lu lui-même les instructions. D'une voix mesurée, qui ne trahissait aucune peur, il commenta :

— On peut traiter avec les Anglais. Ils ne sont pas comme ces pirates français qui massacrent et brûlent tout sans poser de questions, ni les Hollandais toujours en quête de pillage.

Mais le messager troubla cette tranquillité en révélant un renseignement spécial, transmis de bouche à oreille.

— Hawkins commande un vaisseau très puissant, le *Jesus of Lübeck*, qui appartient personnellement à la reine.

Le nom du célèbre navire de guerre resta en suspens dans l'air. L'amiral Ledesma, marin bien informé, se représentait très bien cette terreur des mers. La perspective de se trouver face au *Jesus* et à ses nombreux canons, sur des bateaux espagnols plus petits et moins bien armés, n'était guère réjouissante, mais ce qui porta à son comble l'inquiétude du gouverneur, ce fut le renseignement que le messager avait gardé pour la fin :

— Hawkins sera accompagné d'un deuxième grand navire de guerre, le *Minion*, impossible à couler, et de cinq bâtiments plus petits : l'*Hirondelle*, de cent tonneaux ; la *Judith*, de cinquante tonneaux ; l'*Angel*, de trente-trois tonneaux...

Et à la fin de la liste il ajouta :

— La *Judith* sera commandée par le jeune Francis Drake, parent du capitaine Hawkins, sur lequel Hawkins compte tout particulièrement si l'on en vient au combat.

À ce nom Ledesma se contracta, car il avait appris les menaces lancées par Drake quand les Espagnols de Río Hacha lui avaient volé ses quarante esclaves l'année précédente : « Quand je reviendrai dans ces eaux, j'exigerai le paiement de mes esclaves et j'incendierai Carthagène. »

Cet après-midi-là, Ledesma lança une série d'instructions pour le renforcement des défenses de sa capitale. Dans les jours qui suivirent, on saborda trois vaisseaux de plus en travers de Boca Grande pour la rendre infranchissable, et l'on mit en batterie des canons supplémentaires pour protéger l'entrée de Boca Chica. Chaque promontoire que la flotte de Hawkins devrait dépasser pour menacer le petit port intérieur reçut un complément d'artillerie, et l'on exerça les troupes à repousser les assaillants anglais s'ils tentaient l'escalade des remparts.

— Carthagène ne sera pas prise, annonça Ledesma quand ces mesures furent exécutées.

Quelques semaines plus tard, un petit bateau arriva de Río Hacha avec l'effarante nouvelle : non seulement Hawkins venait d'arriver dans la mer des Antilles, mais il avait emmené son impitoyable neveu, Drake le matamore.

— Excellence, mes trois hommes et moi avons échappé par miracle aux canons anglais. C'est la pure vérité, je vous assure, et mes hommes en sont témoins. Le 5 juin, le capitaine Hawkins avec une flotte de sept bateaux anglais, plus quelques français ramassés en chemin, a dépassé les salines de Cumaná sans s'arrêter, mais a vendu quelques esclaves à l'île de Margarita et à Curaçao, et de là il a envoyé en avant-garde deux de ses plus petits bateaux, l'*Angel* et la *Judith*, ce dernier aux ordres du capitaine Francis Drake, pour ouvrir la voie à son grand vaisseau le *Jésus of Lübeck*.

Le marin expliqua :

— Cette mission revenait naturellement à Drake puisqu'il s'est rendu à Río Hacha l'an dernier, comme vous vous en souvenez sans doute. À peine arrivé il a lancé les hostilités en capturant le bateau des dépêches d'Hispaniola. Et il a fait prisonniers les représentants de Sa Majesté, ce qui ne s'était jamais vu. Ensuite il a tiré deux coups de canon sur la ville, pas au-dessus des toits, comme sont censés le faire les Anglais quand ils veulent faire leur commerce, mais juste sur la maison occupée par le grand ennemi du capitaine, le trésorier Miguel de Castellanos, qui lui a pris ses esclaves l'an passé. Et j'ai honte de le dire, mais une des bordées de Drake a éventré la maison du trésorier et l'aurait tué s'il avait été en train de dîner.

— Qu'a fait Castellanos ? demanda Ledesma.

— Pendant cinq jours, il a dû supporter la vue de ces deux petits bateaux dans son port. Impossible de les déloger mais il a pu empêcher Drake de débarquer avec ses soldats.

— Vous voulez dire que l'assaut de Río Hacha s'est terminé de cette manière ? À jeu égal ? Cela ne me paraît pas du tout dans le caractère de Drake.

— Oh non ! Le sixième jour, le capitaine Hawkins est arrivé dans le port avec son grand *Jesus of Lübeck.* Tout a changé. D'abord Hawkins, selon son habitude de ne jamais mettre l'Espagne en colère, a rendu le bateau des dépêches et ses passagers comme garantie de ses intentions pacifiques. Ensuite, pour prouver qu'il ne s'en laisserait pas conter, il a fait débarquer sur le rivage deux cents hommes armés. Mais comme vous le savez, le trésorier avait décidé depuis longtemps que si jamais les Anglais revenaient, il s'opposerait à eux envers et contre tout. C'est ce qu'il a fait, ou plutôt essayé de faire.

— Il a livré bataille ?

— Deux Anglais sont morts, mais ils ont attaqué avec une telle ardeur que les troupes de Castellanos ont prit la fuite, et Hawkins s'est retrouvé en possession d'une ville ne contenant ni femmes, ni or, ni argent, ni perles ou objets de valeur. Hawkins accorda au trésorier inflexible trois jours pour ramener la population et le trésor. Castellanos refusa. Hawkins menaça d'incendier la ville. « Plutôt que vous céder, répondit l'Espagnol héroïquement, je mettrai le feu à toutes les îles des Indes. » Drake, entendant cette vaine envolée, commença à mettre le feu aux maisons, mais Hawkins l'arrêta en disant : « Il doit y avoir un meilleur moyen. »

— Qu'a-t-il fait ?

— Il a attendu cinq jours, patiemment, puis un esclave évadé a montré aux Anglais où se trouvait le trésor. Hawkins a obtenu tout ce qu'il désirait.

— Tout ce qu'il désirait ? Que voulez-vous dire ?

— Il nous a vendu deux cent cinquante esclaves à des prix

équitables. Il nous a fait verser de l'argent en plus pour les familles des deux soldats anglais abattus. Ensuite il nous a demandé de faire venir les femmes des maisons que Francis Drake avait incendiées, et lorsqu'elles se présentèrent, fatiguées et sales après les journées passées dans la jungle avec notre trésor, il a dit : « Les Anglais ne font pas la guerre contre des femmes. Je vous donne à chacune quatre esclaves pour compenser votre perte. » Il a remis ainsi soixante esclaves de plus, sans paiement.

— Quelle générosité ! lança le gouverneur, ironique. Mais il a conservé notre trésor, n'est-ce pas ?

— Oui. Tout.

— Comment a réagi le capitaine Drake à ces décisions de Hawkins ? demanda Ledesma.

— Il s'est mordu la langue et il a obéi, voilà ce qu'il a fait. Mais j'étais sur le rivage quand il a embarqué, et il m'a lancé entre ses dents : « Quand je serai capitaine de ma flotte, si je reviens, je mettrai le feu à chaque maison de cette maudite ville. »

Le gouverneur réfléchit un instant à l'humiliation subie par une de ses villes, à la lourde perte du trésor et à la conduite surprenante des Espagnols.

— Notre trésorier s'est bien conduit, semble-t-il.

Le messager acquiesça.

— Mais nos soldats sur le champ de bataille... Quelle honte !

— Excellence, avec le *Jesus of Lübeck* dans le port, assisté par six autres navires anglais et deux français, tous les canons braqués sur la côte... C'était terrifiant.

Il fut sur le point d'ajouter . « Vous vous en rendrez compte vous-même dans quelques jours, quand Hawkins et Drake entreront dans votre port », mais il se ravisa et annonça simplement :

— Quand les bateaux anglais sont repartis, Drake a crié, de la passerelle de la *Judith :* « A Carthagène ! »

Le 1er août 1568, la flotte anglaise parvint en vue de Carthagène. Hawkins désirait seulement vendre les cinquante esclaves qu'il lui restait au prix courant, et échanger des marchandises ordinaires contre les provisions et les perles que les Espagnols proposeraient ; mais Drake espérait envahir la ville et ne la rendre que contre rançon. Les Anglais avaient à leurs bords une horde de marins, mais seulement trois cent soixante-dix soldats entraînés au combat, alors que, sur sa colline, le gouverneur Ledesma disposait de cinq cents fantassins espagnols, de deux compagnies de cavaliers très expérimentés et d'au moins six mille Indiens entraînés et armés. Donc, quand le capitaine Drake envoya un messager avec un drapeau de trêve pour informer Ledesma des conditions dans lesquelles les Anglais se proposaient de négocier avec Carthagène, le gouverneur refusa même d'ouvrir la lettre et conseilla au messager de signaler à Drake que personne à Carthagène ne se souciait le moins du monde de ce que feraient ou ne feraient pas les Anglais : plus tôt ils fileraient, mieux ce serait.

Quand il apprit cette réponse insultante, Drake se rapprocha autant qu'il put et ordonna à ses canons de mitrailler la ville, mais comme il n'était pas assez près, les boulets de canon roulèrent dans les rues sans faire aucun mal. Ledesma railla l'impuissance du matamore anglais, et fit signe à son artillerie lourde de riposter, non par un salut, mais pour de bon. Mais lui aussi manqua son but.

Hawkins, désolé de voir la situation s'annoncer si mal, débarqua sur les îles désertes du sud de la ville où il ne trouva que de grands fûts de vin. Il ordonna à ses hommes de ne pas y toucher :

— Nous ne sommes ni des pirates ni des voleurs.

Sur quoi Ledesma déclara qu'ils pouvaient librement disposer du vin, car il était de si mauvaise qualité qu'il n'y avait que les Anglais pour le boire.

En réalité il s'agissait d'excellents vins d'Espagne et les Anglais s'en délectèrent — seul Drake refusa d'y toucher. Hawkins se rendit vite compte qu'il lui faudrait quitter Carthagène sans rien obtenir, et il ordonna à ses hommes de déposer à côté des fûts vides à peu près la même valeur en bons produits anglais, « pour bien montrer que nous nous conduisons en gentilshommes ». Mais lorsque les bateaux sortirent du grand bassin du sud, Drake entendit les Espagnols des forts de garde rire de leur départ, et ses hommes durent l'empêcher de tirer quelques boulets avant de battre en retraite.

Ledesma et Drake venaient de s'affronter deux fois sans même se voir. Le rude petit Anglais ne manquait pas de hardiesse, mais l'austère Espagnol, résolu, ne se laissait pas intimider facilement. Son courage et celui de son agent à Río Hacha avaient permis aux Espagnols de tenir Drake en échec, mais les deux adversaires savaient que la rencontre suivante serait sanglante et décisive. Bien entendu, ni l'un ni l'autre ne pouvait deviner où elle se produirait. Ledesma avertit ses hommes :

— Drake reviendra, nous pouvons en être certains.

Et Drake déclara à ses marins.

— Un jour, j'humilierai cet arrogant Espagnol.

Maintenant que des vaisseaux anglais sillonnaient la mer des Antilles dans l'impunité et faisaient commerce où et comment ils le souhaitaient, ces eaux ne pouvaient plus passer pour un lac espagnol. Elles étaient devenues une grande voie publique. Mais don Diego, chargé de les conserver à l'Espagne, croyait que s'il parvenait à entraîner Drake et Hawkins dans une bataille navale décisive, la puissance anglaise serait du même coup brisée. Il consacra de longues heures à mettre au point cette stratégie et fut ravi le jour où une frégate de dépêches, envoyée de Séville via Hispaniola, apporta les ordres suivants :

> *Au gouverneur Ledesma Paredes y Guzman Orvantes, salut. Une flotte importante de mes vaisseaux, vingt au total, quittera Séville à destination de San Juan de Ulúa pour charger la cargaison d'automne d'argent du Mexique. Étant donné la présence signalée du capitaine Hawkins dans la mer des Antilles, prenez la mer avec la plus grande flotte possible pour assurer l'arrivée de ma flotte à Ulúa, l'embarquement de notre argent en ce lieu, puis le départ sans dommage de nos bateaux pour La Havane, puis l'Espagne. J'ai appris que vous vous étiez accordé le titre d'amiral. Vous n'auriez pas dû le faire. Mais en raison de votre bravoure à Cumaná et de votre bon comportement à Carthagène, je convertis votre titre de courtoisie en nomination permanente. Le roi Philippe II, de sa main, à Madrid.*

L'amiral Ledesma rassembla aussitôt neuf vaisseaux, avec la *Mariposa* à leur tête, et quitta Carthagène en hissant les voiles pour prendre le bon vent qui le conduirait, espérait-il, à Ulúa avant Hawkins et Drake, si telle était vraiment leur destination secrète. De nouveau, ses deux neveux Amadór furent chargés de bâbord et tribord, et son gendre de fraîche date resta à ses côtés sur la robuste *Mariposa* avec le titre de vice-régent et un rôle toujours aussi mal défini. Avec ces collaborateurs de confiance, Ledesma était certain d'écraser les pirates anglais s'ils s'aventuraient sur son lac.

Au cours de la traversée vers le nord jusqu'au Mexique, le nouvel amiral de plein droit réunit ses capitaines et invita un officier qui connaissait Ulúa à expliquer ce que la flotte allait trouver à son arrivée dans ce port d'une importance vitale.

L'île d'Ulúa, située à un demi-mille environ de la continentale Vera Cruz, servait de protection à cette ville où l'on amassait les richesses des mines d'argent du Mexique en attendant que les galions du roi arrivent de Séville pour les embarquer. Constituée de roches dures, défendue du côté du large par de grands récifs, Ulúa était également célèbre pour ses grottes qui servaient de prison pour les marins ou les mineurs mutinés.

Quel moment d'enthousiasme, quand l'amiral Ledesma s'aperçut qu'il avait battu Hawkins de vitesse et conduit ses vaisseaux dans le vaste port d'Ulúa avant lui !

— Voici le grand port, absolument imprenable. Là-bas le récif protecteur. De l'autre côté, les entrepôts de Vera Cruz, garnis de lingots d'argent et aussi d'or. Et juste en face, les six navires d'Espagne, basés ici en permanence pour chasser les pirates qui auraient envie d'attaquer.

Avec les neuf bâtiments de Carthagène sous les ordres de Ledesma, le port contenait à présent quinze vaisseaux de guerre, mais les mouillages étaient si généreux que le port paraissait presque vide. De toute manière, les innombrables canons installés à terre restaient braqués sur la baie en cas d'ennuis imprévus. Ulúa était invincible, et l'amiral Ledesma, officier du rang le plus élevé sur les lieux, prendrait le commandement de l'ensemble des défenses jusqu'à l'arrivée des vaisseaux de Séville, avec leurs cales vides.

Quelques minutes après que la *Mariposa* eut jeté l'ancre, don Diego descendit dans une chaloupe pour se rendre au fort, et tout en gravissant l'escalier de pierre, il se mit à lancer des ordres :

— Ces canons doivent être pointés en permanence vers l'entrée du port, au cas où Hawkins ou Drake tenteraient de s'infiltrer. Et je veux des artilleurs vingt-quatre heures sur vingt-quatre, toujours prêts à tirer.

Il fit le tour des installations à terre, presque deux kilomètres de tranchées et de structures protectrices pour les canons dissimulés, et donna des instructions identiques. Plus tard, quand il passa en revue les trois compagnies formant la garnison permanente de Vera Cruz, il les chargea de missions précises :

— La première compagnie sera prête en tout temps à courir protéger les canons le long du rivage. La deuxième se précipitera vers le fort. Et celle-ci défendra l'entrée de Vera Cruz.

Ce soir-là, Ledesma s'endormit satisfait : commandant en chef des défenses de San Juan de Uluá, il avait fait tout ce qui était en son pouvoir pour protége le mouillage. Quand il reçut la surprenante nouvelle qu'une autre flotte espagnole arriverait bientôt de Nombre de Dios, riche comptoir du côté des Antilles de l'isthme de Panamá, avec un autre trésor en provenance du Pérou, il fut au comble de l'allégresse.

— A son arrivée, ce port sera le plus riche du monde, se vanta-t-il auprès de ses subordonnés. Et le mieux défendu.

Le lendemain, un navire espagnol désemparé entra non sans mal dans le port, porteur d'une nouvelle rassurante : un effroyable ouragan s'était déchaîné dans le sud. Tout le monde supposa que si Hawkins et ses bateaux anglais avaient essuyé cette tempête, ils avaient dû couler ou s'enfuir en Angleterre réparer leurs dégâts.

Ledesma tomba donc de très haut quand, deux jours plus tard, une vigie cria :

— Vaisseaux en vue !

Et le premier bâtiment qui entra dans le port n'était autre que le célèbre *Jesus of Lübeck*, sauf qu'un de ses châteaux manquait. Il s'avançait, en triste état quoique toujours fort redoutable, suivi par le robuste *Minion* et cinq bâtiments plus petits. Les bateaux anglais se trouvèrent aussitôt si étroitement mêlés aux navires espagnols qu'aucune batterie de la côte n'osa tirer de peur de couler les bâtiments de son camp. Même la *Mariposa* de Ledesma se trouva paralysée par les canons puissants du *Jesus of Lübeck* pointés droit sur elle à une distance de quelques dizaines de mètres. Hawkins et Drake, sans coup férir, avaient occupé le port de San Juan de Ulúa, et Ledesma ne pouvait plus rien faire pour les en chasser.

Quand il vit, depuis son quartier général du fort, l'impudent *Jesus* avancer avec arrogance dans son mouillage avec l'insolente *Judith* à ses côtés, don Diego fut saisi d'une si vive colère qu'il faillit en perdre la raison. Ses scrupules naturels, dictés par le sens de l'honneur caractéristique des gentilshommes au combat, en furent du même coup gommés. Son unique objectif devint « Mort aux envahisseurs anglais », mais ignorant par quelle tactique les détruire, il fut contraint de jouer la seule carte à sa disposition jusqu'à ce que les possibilités deviennent plus claires.

Tout d'abord, faisant preuve d'un courage indéniable, il se fit conduire à la rame à bord du *Jesus* et monta à bord. Le bateau tenait bien la mer bien qu'il lui manquât son énorme château de poupe. Comme il se doit, on l'escorta en grande pompe dans la cabine de Hawkins, où il trouva le grand capitaine anglais vêtu comme pour assister au lever du roi à la cour : escarpins à boucle d'argent, culotte de la meilleure toile grise, chemise de soie à volants, pourpoint de brocart, foulard également de soie et chapeau à cocarde.

— Nous nous rencontrons enfin, dit Hawkins aimablement.

Il fit signe à son hôte de s'installer dans un fauteuil capitonné. Aussitôt Ledesma voulut savoir pourquoi les Anglais avaient osé entrer dans un port d'une si grande importance pour l'Espagne, et Hawkins répondit franchement :

— Des orages nous y ont poussés.

— Un orage plus grand vous en chassera, répliqua Ledesma.

Puis, soit par ruse soit par sottise, et sans arrière-pensée, il ajouta :

— Parce que dans très peu de temps, une puissante flotte de vingt vaisseaux armés arrivera d'Espagne pour ramener l'argent du Mexique à Séville. Elle vous détruira en quelques minutes... si vous êtes encore ici.

— Les bateaux anglais peuvent transporter de l'argent aussi facilement que les espagnols, répondit Hawkins.

— A condition de pouvoir s'en emparer, répliqua Ledesma, ironique.

Cet affrontement verbal fut interrompu par l'arrivée inopinée du premier lieutenant de Hawkins, marin trapu mais solide, avec une tête en boulet de canon et une barbe courte. Dès qu'il le vit, don Diego jaillit de son fauteuil.

— Vous êtes Drake.

Pour la première fois les deux adversaires se trouvèrent face à face. Ils s'inclinèrent en galants gentilshommes et chacun attendit que l'autre prenne la parole. Drake rompit le silence :

— Vos gens m'ont volé quarante esclaves à Río Hacha.

Ledesma sourit.

— Mais nous vous avons donné du vin gratuit à Carthagène, quand vous n'avez pas pu entrer dans notre ville.

Sans révéler combien cette insulte le mettait en rage, Drake répondit :

— Cette fois, nous n'avons pas essayé d'entrer de force. Mais la prochaine fois, prenez garde.

Hawkins rompit la tension en disant doucement :

— C'était de l'excellent vin que vous nous avez cédé à Carthagène, don Diego. Mais vous vous rappelez sans doute que nous l'avons payé.

Et les trois hommes éclatèrent enfin d'un bon rire, dans cet esprit de camaraderie qui unit souvent les hommes de la mer. Encouragé par cette attitude, Ledesma demanda, de marin à marin :

— Comment avez-vous perdu votre château arrière ?

— Dans un hurricane ces maudits bateaux, trop lourds dans leurs parties hautes, roulent dangereusement. Nous avons dû abattre la superstructure pour éviter de sombrer... Quand je serai responsable de la construction de bateaux, ajouta-t-il, plus de ces tours à l'arrière et à l'avant. Des navires bas et rapides. Votre *Mariposa*, là-bas, est davantage à mon goût.

— C'était un bateau hollandais, dit Ledesma. Ces gens savent construire. Votre *Jesus* est allemand. Lourd de partout.

Ensuite, Hawkins énonça les conditions raisonnables auxquelles Drake et lui quitteraient Uluá.

— Il me reste cinquante esclaves à vendre, et il faut que vous me les achetiez. Puis vous me vendrez au juste prix des provisions pour permettre à mes sept bâtiments de regagner l'Angleterre. Enfin vous devez ordonner à vos artilleurs du fort de nous laisser librement sortir d'ici, et tout ira bien.

Doucement, presque en un murmure, Ledesma lança, d'un ton sardonique :

— Et les dizaines d'artilleurs sur la grève, où vous ne pouvez les voir ? Je suppose que je dois leur donner le même ordre ?... Comme mes hommes ont dû vous le dire à Rió Hacha, et comme je l'ai dit moi-même à Carthagène, mon roi a interdit tout commerce avec des Anglais. Nous avons besoin de toutes les provisions que nous possédons pour la flotte royale qui va arriver. Et vous devez comprendre, capitaine Hawkins, qu'en dépit de toute votre bravoure, jamais nos artilleurs ne laisseront sortir votre *Jesus* de ce port. Vous dites qu'il appartient à votre reine ? Eh bien, Elisabeth ne le reverra plus.

Dans le silence qui suivit ces paroles, les trois marins s'inclinèrent, puis Ledesma descendit du bateau.

Dès son retour au fort, l'Espagnol commença à tendre ses pièges. Il envoya secrètement cent soldats basés à terre sur des positions dominant les bateaux à l'ancre. Et quand ce fut fait, il fit venir cent soldats de plus dans l'île pour renforcer le fort. Il choisit l'un des grands vaisseaux espagnols déjà dans le port et ordonna à son capitaine :

— Transformez-le discrètement en brûlot.

— Vous voulez que je le fasse brûler ? demanda l'homme stupéfait.

— Nous ne pouvons faire autrement. Et il doit être garni à ras bord de matières inflammables pour pouvoir brûler jusqu'à la ligne de flottaison en moins d'une heure.

Puis il tint de longues réunions avec ses deux neveux et le vice-régent, en vue de déterminer le plan le plus efficace pour attaquer les vaisseaux anglais le moment venu. A la fin des conciliabules, chaque jeune capitaine savait exactement quel rôle il devrait jouer.

Mais juste au moment où se déclenchait ce plan bien conçu, une flotte de treize énormes bateaux espagnols arriva du sud, avec à son bord non seulement une importante cargaison d'or et d'argent du dépôt de Nombre de Dios, mais le nouveau vice-roi du Mexique, Martín Enriquez, personnage fourbe toujours prêt à prendre le commandement dans une situation complexe — raison pour laquelle le roi l'avait nommé au Mexique où l'on avait besoin de ses talents.

Enriquez se trouva dans une situation fort délicate. Trois flottes se disputaient le port d'Ulúa : quinze vaisseaux de guerre espagnols à l'intérieur, sous l'amiral Ledesma ; treize autres grands bâtiments espagnols à l'extérieur ; et les sept navires anglais de John Hawkins qui bloquaient l'entrée et la sortie. Il fallait des nerfs d'acier dans cette impasse, mais les trois commandants en avaient.

Hawkins amorça les manœuvres en envoyant sa chaloupe au vice-roi Enriquez avec une invitation officielle à dîner. Quand l'Espagnol entra dans la cabine de l'Anglais, il fut stupéfait de trouver Hawkins vêtu de son habituel costume impeccable.

— Honorable vice-roi, lança l'Anglais d'un ton brusque, ordonnez aux hommes de l'amiral Ledesma, à terre, de satisfaire à mes demandes, et je repartirai en paix... sans un coup de canon.

— Voyons, c'est ridicule, répliqua le vice-roi, presque avec mépris. Vous n'êtes pas en position d'exiger quoi que ce soit.

Hawkins ne cilla pas.

— Excellence, vos treize vaisseaux transportent un trésor et de nombreuses vies humaines, dont aucune n'est aussi précieuse que la vôtre mais qui ont toutes une valeur pour le roi Philippe. Vos bateaux se trouvent sans protection hors du port. S'il éclate une tempête comme celle qui a détruit mon château de poupe, vos bateaux seront réduits en miettes sur les rochers que nous voyons d'ici. Vous savez que vous vous trouvez en danger mortel, et vous devez faire quelque chose.

Calmement, le vice-roi se mit à compter à haute voix.

— Un, deux, trois...

A soixante, il déplaça son fauteuil mais continua :

— Soixante et un, soixante-deux...

Jusqu'à cent. Puis il se tourna de nouveau, face à la langue de terre, et le compte s'éleva à plus de cent trente.

— Voilà combien de canons espagnols sont pointés en ce moment sur vous, amiral Hawkins.

— Capitaine Hawkins, corrigea l'Anglais. Je résisterai aux canons, la plupart sont trop éloignés pour m'atteindre, je bloquerai l'entrée de ce port et je regarderai la tempête qui s'annonce mettre vos bateaux en pièces.

De toute évidence, ils ne parviendraient à aucun accord ce jour-là, et le vice-roi retourna furieux à sa flotte, mais en fin d'après-midi, il demanda à ses marins de le conduire discrètement au fort pour une entrevue avec l'amiral Ledesma. Le plan qu'il proposa choqua tellement don Diego que celui-ci l'écouta abasourdi, puis resta quelques instants sans répondre.

— J'ai fait venir un jeune officier d'une bravoure et d'une habileté hors du commun. Il attend derrière la porte. Vous le joindrez au groupe de négociation que vous allez envoyer à Hawkins pour parlementer, et au milieu de la réunion...

Il fit entrer son jeune assassin dans la pièce. L'homme montra à Ledesma un stylet empoisonné dissimulé dans la manche gauche de son pourpoint de telle sorte que personne ne pourrait le trouver. D'un geste de la main droite, si rapide que Ledesma ne put le suivre, le stylet dégagé se trouva la pointe contre son cœur.

— Et Hawkins est mort, s'écria l'assassin.

— Les autres membres du groupe le protègeront, expliqua Enriquez, et nos barques s'élanceront à leur secours lorsqu'ils plongeront dans la baie.

Le souffle court, don Diego réfléchit au complot, et se souvint que dans cette même pièce, quelques jours plus tôt, il avait lancé dans sa colère : « J'adopterai n'importe quel stratagème pour détruire ce pirate. » Mais celui qu'on lui proposait à présent n'était pas compatible avec son sens de l'honneur. En bon gentilhomme, il le repoussa :

— Un assassinat ? Sous un drapeau de trêve ? Un drapeau présenté par un Ledesma ? Oh, non !

Sans élever la voix, toujours onctueuse, le vice-roi lui fit observer :

— Le roi m'a envoyé protéger son empire, son or et ses bateaux. Pouvez-vous imaginer ce qu'il ferait si j'avais à lui dire que vous m'avez empêché de mettre fin aux jours de ce pirate Hawkins ?... Saisissez-vous de lui ! cria-t-il soudain, en faisant signe à ses hommes d'immobiliser Ledesma. Abattez-le s'il essaie de s'opposer à nous en quelque manière.

Maintenu dans un coin de la pièce, Ledesma entendit le jeune assassin demander :

— Si je n'ai qu'une seule chance, lequel des deux pirates ?

Après un instant d'hésitation, l'amiral répondit :

— Drake. C'est notre perpétuel ennemi. Avec Hawkins nous savons manœuvrer.

— Ce sera donc Drake, lança le tueur, confiant.

Ledesma se débattit contre ses gardes.

— Non ! réglons son sort de façon honorable... Au combat.

Mais on le réduisit au silence.

Le jeune officier, se faisant passer pour un membre du groupe de négociation de l'amiral, monta à bord du *Jesus of Lübeck* sous la protection d'un drapeau blanc et participa aux discussions avec

Hawkins. Ce dernier, l'esprit toujours en éveil, avait remarqué qu'au moment des présentations, le jeune inconnu arrogant n'avait prêté aucune attention à lui, mais qu'à l'arrivée de Drake, l'Espagnol, soudain tendu, n'avait cessé de se rapprocher. Aussi quand le jeune homme, au cri de « *Muerte!* » brandit son stylet empoisonné et sauta sur Drake, Hawkins était-il prêt à lui saisir le bras avant qu'il ne frappe.

Le visage livide, Hawkins décida :

— Ils sont venus vers nous sous un drapeau de trêve. Qu'ils repartent sous le même drapeau pour la honte perpétuelle de ceux qui les ont envoyés.

Les commandants des trois flottes, Ledesma, Enriquez et Hawkins, comprirent que ce serait désormais un duel à mort. Plus de négociations, plus de plaisanteries entre marins, plus de courtoisie de gentilshommes : des canons et des navires qui manœuvraient pour leur vie. L'après-midi du 23 septembre 1568, Ledesma et Enriquez déclenchèrent un furieux tir de barrage qui coula trois vaisseaux anglais — la *Grace of God,* la *Swallow* et l'*Angel,* tandis que les neveux de Ledesma bravaient les mousquets anglais pour monter à bord du brûlot, y mettre le feu et hisser les voiles pour qu'il dérive directement sur le *Jesus of Lübeck.* Tel un volcan en colère, le brûlot percuta le *Jesus* et dans les minutes qui suivirent, les bois secs des superstructures endommagées s'enflammèrent.

Bientôt, le grand vaisseau, le plus beau fleuron de la marine de la reine, prit feu de toute part en un incendie incontrôlable, jusqu'à la ligne de flottaison. Il aurait pu cependant se dégager du port si l'amiral Ledesma de nouveau à bord de la *Mariposa* n'avait attaqué le bâtiment en feu. Les boulets de ses canons éventrèrent le bordage. N'ayant plus la moindre chance de sauver son bateau amiral, Hawkins cria à ses marins loyaux : « Sauve qui peut! » Entassés le long du bastingage de ce navire historique, les matelots se jetèrent sur le pont d'un bateau anglais venu le long de son bord. Le dernier qui sauta, cria :

— Capitaine Hawkins! Sautez!

Le bateau de sauvetage fit une embardée. Hawkins s'élança du *Jesus,* atteignit de justesse le pont de l'autre bateau mais faillit retomber à l'eau. Des marins se précipitèrent et le rattrapèrent au moment où il basculait à la renverse.

A la lumière sinistre des flammes, les rares Anglais survivants qui parvinrent à se réfugier sur leurs deux bateaux encore à flot, le gros *Minion,* commandé maintenant par Hawkins, et la petite *Judith* aux ordres de Drake, regardèrent, saisis de rage impuissante, la *Mariposa* continuer de bombarder le *Jesus,* le plus noble des vaisseaux qui se fût aventuré à ce jour dans la mer des Caraïbes. Il brûla jusqu'à ce que tous ses bois disparaissent en fumée. Puis, presque comme pour lancer un dernier soupir de désespoir, les flammes sifflèrent au ras de la mer et les restes de la coque sombrèrent sous les vagues.

Ce qui se passa ensuite demeure un mystère pour les marins anglais et une honte indélébile sur l'histoire de la marine anglaise, car Francis Drake, commandant de la petite *Judith* en parfait état de naviguer, avec un équipage au complet et suffisamment de vivres, prit le sauve-qui-peut de Hawkins au pied de la lettre et s'enfuit. John Hawkins resta sans protection sur son navire plus gros, dangereusement surpeuplé de marins et sans un minimum de provisions. Dans l'argot de l'époque, le futur héros de la marine anglaise, l'égal de Nelson, « tira de long » en laissant son oncle à la merci des Espagnols.

Sous le commandement compétent de Drake, la *Judith* effectua une traversée sans histoire jusqu'à Plymouth, où elle arriva sans une égratignure le 20 janvier 1569, avec la douloureuse nouvelle de la défaite de San Juan de Ulúa et de la perte du capitaine Hawkins et de tous les autres bateaux. La désolation fut profonde, car l'Angleterre ne pouvait guère se permettre une défaite aussi totale, ni la mort d'un capitaine comme Hawkins et d'un si grand nombre de marins. La reine Elisabeth, qui subissait encore les pressions sans relâche de l'Espagne, n'avait ni bateaux ni marins à gaspiller.

Puis cinq jours plus tard, le 25 janvier, un guetteur sur un cap non loin de Plymouth repéra un bateau anglais en perdition, se déplaçant à peine sur l'eau, essayant sans succès d'atteindre la terre. Le guetteur alerta aussitôt la ville de Plymouth et l'on envoya des bateaux de sauvetage pour intercepter le *Minion,* dont l'équipage était dans un état si lamentable que personne ne pouvait plus manœuvrer les drisses. Lorsque le vieux bateau, témoin de plus de vingt batailles, entra enfin tant bien que mal au port, John Hawkins, sans même citer le nom de son neveu, fit son rapport sur la défaite d'Ulúa et conclut par la condamnation amère qui retentit encore dans la marine anglaise quand on parle de Drake : « Ainsi avec seulement le *Minion* et la *Judith* (petite barque de cinquante tonneaux) nous nous sommes enfuis, laquelle barque, la même nuit, nous a abandonnés à notre grand malheur. »

Des cent hommes qui avaient quitté Ulúa à bord du *Minion* en cette nuit de feu, seuls quinze survécurent à l'horrible traversée sans vivres jusqu'à Plymouth, alors que dans la *Judith* de Drake, bien approvisionnée, tout le monde arriva à bon port. Des cinquante esclaves que Hawkins avait emmenés à Ulúa, la moitié se noyèrent, car ils étaient enchaînés dans la cale du *Jesus* et ils coulèrent avec le bateau tandis que les marins blancs se sauvaient en sautant. Les vingt-cinq autres parvinrent en Angleterre dans les bateaux survivants et furent vendus avec un bénéfice considérable à des propriétaires du Devon.

Quand l'amiral Ledesma ramena ses sept bateaux à leur port d'attache de Carthagène, il annonça à tort que Drake et Hawkins avaient péri au cours de la fantastique victoire espagnole de Vera Cruz : la mer des Antilles était redevenue un lac espagnol. Il adressa même au roi une dépêche pleine d'arrogance :

> *Impériale Majesté, avec la mort des deux principaux pirates anglais, Hawkins et Drake, vos Antilles ne sont plus visitées que par des bateaux espagnols, et vos flottes du Trésor navigueront de Nombre de Dios à La Havane puis à Séville sans craindre d'attaque.*

Il tomba de haut quand le roi lui répondit aigrement qu'apparemment il fallait craindre les fantômes d'hommes aussi audacieux que Hawkins et Drake, puisque « nos espions les ont vus à Plymouth, Medway et Londres ». Plus tard, Carthagène apprit que Drake avait été aperçu dans la mer des Antilles, mais comme il n'accosta nulle part, n'attaqua aucun établissement espagnol et n'inquiéta aucun autre bateau, ces rumeurs furent démenties.

En 1571, les mêmes bruits coururent, mais si Drake croisa réellement sur sa mer favorite, il ne se conduisit pas de façon caractéristique car il n'attaqua aucun comptoir, aucun navire espagnol. Ce comportement discret eut un curieux effet au foyer de Ledesma, dont les trois filles avaient mis au monde plusieurs petits enfants. Chaque fois que leurs jeux devenaient trop violents, leurs gouvernantes les rappelaient à l'ordre en lançant :

— Si vous n'êtes pas sages, El Draque vous emportera dans son grand bateau noir.

Et Ledesma remarqua que même les adultes faisaient allusion à El Draque dans les conversations banales : « À moins qu'El Draque ne vienne... » ou : « Je crois que la saison d'El Draque est passée. »

Cette période vague, où l'on ne savait trop s'il était encore en vie ou définitivement mort, troubla don Diego, qui se surprit à dire à son vice-régent :

— Je regrette presque qu'il ne soit pas vivant. Pour l'affronter une fois de plus. Et le chasser de notre mer sans retour.

Puis, en juin 1572, le roi envoya à Ledesma des renseignements qui provoquèrent un regain de passion.

> *Ce 24 mai, le capitaine Francis Drake, bien vivant et escorté par son frère John, a quitté Plymouth avec le navire de guerre* Pasha, *quatre-vingts tonneaux comme vaisseau amiral, et le* Swan, *trente tonneaux, comme vice-amiral. Des bruits qui courent actuellement à Londres prétendent qu'il a l'intention de traverser l'isthme et d'incendier Panamá, espérant ainsi s'emparer de notre argent en provenance du Pérou et de notre or du Mexique. Pour y parvenir, Drake emmène un équipage de soixante-treize hommes, dont un seul âgé de plus de trente ans.*
>
> *Vous vous rendrez donc sur-le-champ à La Ciudad de Panamá pour assurer le transit de notre or et de notre argent à notre port d'embarquement de Nombre de Dios.*

Les bateaux de Drake n'étaient pas gros, mais extraordinairement robustes et ils devaient offrir davantage d'espace utile qu'il ne paraissait car le roi ajouta un post-scriptum sur un détail qui l'avait manifestement frappé :

> *Un marin anglais, soumis à la question, a avoué que le capitaine Drake avait construit, sur la côte de Plymouth, trois pinasses complètes d'une certaine taille et numéroté chaque planche ; puis il les avait démontées et rangées dans la cale du vaisseau amiral, pour pouvoir les remonter en parvenant à sa destination. Faites attention.*

Les renseignements du roi étaient exacts dans les moindres détails. Après une traversée rapide de seulement cinq semaines, les deux petits bâtiments atteignirent la Dominique, et entrèrent aussitôt dans la mer des Caraïbes, qu'ils traversèrent sans retard jusqu'à ses lointaines côtes occidentales, non loin de leur objectif : la ville de Nombre de Dios. Leur intention était de s'emparer de l'or et de l'argent du roi Philippe, qui attendaient les vaisseaux de Séville.

Mais un autre marin habile avait tiré des plans. Dès qu'il avait reçu la directive du roi, l'amiral Ledesma était passé à l'action ; en ces circonstances le fait d'avoir des membres de sa famille à des postes importants s'avérait fort précieux, car lorsqu'il lançait des ordres à ses nombreux parents il était certain qu'ils seraient suivis. À son gendre le vice-régent, il ordonna simplement :

— Partez vite à Nombre de Dios et que tout soit prêt en cas d'alerte.

À ses deux neveux Amadór, il dit :

— Vous plongerez dans la jungle pour construire des obstacles et bloquer la route entre Panamá et Nombre.

À un frère fidèle :

— Allez à Río Hacha diriger la défense de la place. Drake risque de s'y arrêter pour assouvir sa vengeance.

À un autre frère et à trois cousins, il confia la défense de Carthagène, tandis que lui-même, conformément aux instructions du roi, se rendait aussitôt à Panamá où il prit le commandement général du système de défense. Quand Drake atteindrait les confins occidentaux de la mer des Caraïbes, son objectif supposé, il ne trouverait pas moins de seize membres de la famille du gouverneur Ledesma bien décidés à défendre les intérêts espagnols.

Le 12 juillet 1572, Drake était prêt à frapper. Dans un port sûr à peu de distance de Nombre de Dios, nom à jamais associé à sa gloire, il débarqua les planches et les poutres de la cale du *Pasha* et remonta les trois pinasses construites à Plymouth. Le soir venu, il réunit à terre un conseil des hommes qui allaient tenter la grande aventure. L'un des jeunes marins — tout juste un enfant, en fait — demanda d'une voix tremblante :

— Comment saurons-nous quoi faire à notre arrivée à Nombre ?

Et Drake demanda doucement au gamin :

— Que crois-tu que j'ai fait, les deux derniers étés, dans la mer des Caraïbes ? Perdu mon temps ?

Avec le bout d'un bâton, il dessina sur le sable blanc où reposaient les trois pinasses un plan de la ville au trésor, qu'il avait espionnée au cours de ses deux voyages secrets.

— Nous avançons à la rame jusqu'ici, sans nous soucier des gros bateaux autour de nous... Ils seront endormis. Nous accosterons ici et nous irons directement, le plus vite possible, à la maison du gouverneur, là. Nous nous emparerons des lingots d'argent... et ferons le gouverneur prisonnier. Ensuite nous foncerons ici, au Trésor, solidement construit et gardé, qui contient ce que nous cherchons vraiment : de grandes quantités d'or et de pierres précieuses.

— Et ensuite ? demanda une petite voix.

Sans même regarder qui avait parlé, Drake enchaîna :

— Ensuite, nous chargerons notre trésor à bord de nos pinasses et reviendrons ici, sous la protection des gros canons du *Pasha* et du *Swan*.

Il s'arrêta, rit de toutes ses dents, puis ajouta :

— Nous ramerons très vite.

L'entreprise, comme toutes celles de Drake, fut parfaitement bien préparée et menée avec détermination. En fait, au cours des premières phases de l'assaut contre Nombre de Dios, on eut l'impression que les

Espagnols jouaient des rôles que Drake leur avait fait répéter. Les marins des grands bateaux gardant le port dormaient. Sur la place de la ville les gens s'écartèrent pour laisser passer les pirates anglais. Et le premier acte de la tragédie se déroula sans anicroche car dans la demeure du gouverneur les hommes de Drake trouvèrent plus d'un million de pesos de lingots d'argent, attendant l'embarquement.

Mais ils trouvèrent aussi une chose sur laquelle ils ne comptaient pas. Dans la chambre au-dessus de la fortune dormait le vaillant vice-régent de l'amiral Ledesma. Réveillé par le bruit au-dessous de lui, il sauta du lit, ceignit son épée, saisit deux pistolets et descendit calmement l'escalier en demandant d'une voix égale :

— Que se passe-t-il par ici ?

Puis il reconnut Drake, qu'il avait rencontré pendant les événements d'Ulúa.

— Ah, capitaine Drake ! Vous avez survécu à la grande défaite de Vera Cruz ?

— Je survis toujours, répondit Drake en pointant un pistolet droit sur le jeune homme.

Le vice-régent ne trahit aucune peur et garda ses deux pistolets braqués sur le cœur de l'Anglais. L'affrontement semblait à jeu égal, et chaque homme se comportait avec une courtoisie extrême.

— Je suis venu réclamer le paiement des esclaves que vos hommes m'ont volés à Río Hacha, dit Drake en montrant les lingots d'argent entassés.

— Le roi serait très fâché si vous touchiez à cet argent, lança le vice-régent.

— Que chacun emporte autant de lingots qu'il pourra, ordonna Drake à ses hommes. Puis nous partirons au Trésor où de vraies richesses nous attendent.

Tous se jetèrent sur les lingots avec une telle passion qu'ils laissèrent le vice-régent leur filer entre les doigts.

— Laissez tomber ce butin de misère ! leur cria Drake, irrité. Allons capturer le Trésor.

Mais quand les Anglais essayèrent de rejoindre leurs compagnons sur la place, le vice-régent qui avait pris de l'avance se mit à crier : « Feu à volonté ! Feu à volonté ! » Une balle blessa Drake à la cuisse gauche et le sang jaillit à flots. Drake l'arrêta en enfonçant la main dans sa poche et en appuyant la toile contre la blessure.

Ce fut ainsi qu'il parvint au Trésor, où un autre groupe de ses hommes tentait de faire sauter les portes. Déjà le vice-régent avait rallié des troupes et lançait une contre-attaque, qui aurait peut-être anéanti le petit détachement anglais ; mais un marin remarqua que Drake saignait abondamment de la jambe et le pressa d'abandonner le plan.

Drake hésita, furieux d'être si proche d'une fortune incalculable sans pouvoir s'en emparer. Quatre de ses soldats l'emportèrent de force avant l'attaque des Espagnols et le déposèrent en sécurité dans une des pinasses.

À la stupéfaction des Espagnols de Nombre de Dios, les Anglais, plus arrogants que jamais, battirent en retraite lentement dans une île au milieu de la baie, où ils établirent leur quartier général, d'un air de dire : « Délogez-nous si vous pouvez. »

Les Espagnols envoyèrent alors un de leurs petits bateaux dans l'île, avec le drapeau blanc. Le vice-régent descendit à terre et s'adressa à

Drake comme s'ils étaient deux diplomates en mission officielle à la cour.

— Et quand partirez-vous, capitaine ? demanda l'Espagnol.

— Pas avant d'avoir capturé l'or et les pierres précieuses de votre Trésor, répondit Drake.

Sans changer de ton, l'Espagnol l'avertit :

— Vous aurez longtemps à attendre, je le crains, car si vous avancez dans cette direction, nos canons vous détruiront.

— Seule une balle m'a empêché de piller votre Trésor hier. Un coup de chance.

— Les balles de nos hommes ont toujours de la chance, répliqua l'Espagnol, avant d'ajouter, comme pour frotter la plaie de Drake au gros sel : Je suis, vous vous en souvenez peut-être, le gendre de don Diego, gouverneur de Carthagène. Il m'a envoyé ici pour vous tenir en échec, ce que j'ai fait. Il saura que si vous aviez emporté l'argent dont vous vous étiez déjà emparé dans ma maison, vous auriez eu dix millions de pesos au bas mot, et si vous aviez forcé notre Trésor, c'est cent millions que vous auriez détournés.

Drake ne cilla pas, et le vice-régent reprit :

— C'est la quatrième fois que le gouverneur Ledesma et moi-même vous tenons en échec. Pourquoi ne retournez-vous pas en Angleterre ? Laissez-nous donc tranquilles.

Sans la moindre rancœur, Drake lui répondit :

— Je suivrai votre conseil et repartirai bientôt, mais votre beau-père et vous serez étonnés de ce que feront mes hommes avant notre départ.

La visite s'acheva dans une telle atmosphère d'amabilité apparente, qu'un des marins anglais présents murmura :

— On aurait cru entendre deux cousins.

Et quand le vice-régent toucha terre, il déclara aux gens qui l'attendaient :

— Une rencontre splendide. Jamais je n'ai été traité avec plus de civilité de toute ma vie.

Ce que fit Drake pour préparer sa revanche stupéfia ses propres hommes autant que les Espagnols. Il quitta Nombre de Dios en laissant le Trésor intact, regagna ses deux vaisseaux et avec les trois petites pinasses en remorque il traversa jusqu'à Carthagène, tira quelques coups de canon insolents par-dessus les murs de la ville, puis s'avança témérairement dans Boca Chica où il s'empara de plusieurs vaisseaux marchands qui transportaient justement les provisions dont il avait besoin.

Puis dans un geste audacieux sans équivalent à l'époque, il saborda son petit navire anglais, trop faible pour qu'il le conserve, et assura à ses hommes :

— Nous en trouverons un meilleur.

Et c'est ce qu'il fit. Il captura un beau navire marchand espagnol qui devint aussitôt le vice-amiral de l'incroyable exploit qu'il allait tenter.

Après quelques derniers boulets d'adieux à Carthagène, dont les habitants poussèrent des soupirs de soulagement en le voyant partir, il s'esquiva juste à temps pour éviter une rencontre avec une flotte espagnole puissante qui arrivait d'Espagne avec des centaines de soldats bien armés. Dégagé de ce péril, il mit le cap à l'ouest vers l'isthme de Panamá, où il révéla à ses hommes émerveillés ses projets restés secrets jusque-là.

— Nous traverserons l'isthme jusqu'à la ville de Panamá, nous intercepterons le train de mules chargées d'or et d'argent et chaque homme gagnera une fortune.

Pour cette attaque audacieuse contre une ville de plusieurs milliers d'habitants, il disposait de soixante-neuf jeunes hommes et gamins.

L'isthme était un endroit horrible à traverser, envahi de vapeurs mortelles, d'animaux inconnus, de serpents dangereux, d'eaux putrides, avec des Indiens comptant parmi les plus intraitables du Nouveau Monde, armés de flèches empoisonnées. Ils formaient une race à part, distincte des Caraïbes de l'est, des Arawaks d'Hispaniola, des Incas du Pérou, des Aztèques du Mexique. Extrêmement redoutables, ils avaient fait de leur isthme l'un des endroits les plus dangereux du monde connu. Mais c'était le seul lien entre les mines d'argent du Pérou et le port sûr de Nombre de Dios. Pour les Espagnols, une ligne de vie — et Drake se proposait maintenant de la trancher.

Mais depuis qu'il avait recueilli ses derniers renseignements sur Panamá, quelques mois auparavant, un changement important s'était produit : le gouverneur Ledesma de Carthagène était venu prendre sous sa responsabilité personnelle les trésors accumulés à Panamá et leur transport par train de mulets jusqu'à Nombre de Dios, où son gendre les attendait.

Il avait pris toutes les mesures souhaitables. Son neveu avait construit des forts le long de la piste à travers la jungle, et avait entraîné les muletiers et les soldats d'escorte à des manœuvres pour repousser tout assaut des Anglais. Le train de mules que conduirait le gouverneur Ledesma serait peut-être attaqué, mais sûrement pas par surprise.

La nuit du 14 février 1573, Drake, après s'être frayé un chemin à travers des jungles inconnues pour éviter les barrages qui gardaient la piste normale, dissimula son contingent lamentablement réduit aux abords d'un petit village de la jungle, à quelques kilomètres seulement de Panamá. Tous les hommes étaient vêtus de blanc pour éviter la confusion dans le combat de nuit qui allait se dérouler. Les ordres étaient stricts :

— Pas un homme ne bouge avant que le train de mules nous ait largement dépassé. Pour qu'au moment de l'attaque, ils ne puissent pas se replier vers Panamá. Il faut les contraindre au combat. Et n'oubliez pas : si nous réussissons, la fortune pour tous !

Son plan audacieux aurait fonctionné sans une décision intuitive du gouverneur Ledesma à la tête du cortège, dressé de toute sa taille, silencieux et résolu.

Quelques minutes avant de s'engager dans la jungle, il lui vint une idée brillante :

— Commandant, faites passer en tête six de nos mules de réserve sans rien sur le dos, avec trois péons déguisés en soldats.

La colonne s'arrêta pour permettre ce changement, et quand il vit les mules servant de leurre, une deuxième initiative judicieuse lui vint :

— Mettez-leur des grelots autour du cou.

Bientôt, les six mules firent autant de bruit que soixante.

Le nom de l'Anglais qu'elles abusèrent, Robert Pike, a été frappé d'infamie dans les annales de la marine anglaise. Il entendit s'avancer les mules carillonnantes, précédées par des soldats sur le qui-vive. Impatient de jouer au héros, Pike bondit au moment où les mules

arrivaient à sa hauteur et se jeta sur les trois péons en criant à tue-tête :
— Pour saint Georges et l'Angleterre !
Ledesma entendit ce cri étrange, entendit les mules tourner bride en désordre, puis un coup de feu, tiré soit par Pike, soit par un des péons terrifiés. Trois secondes plus tard, il lança son ordre :
— Demi-tour ! Fuyez !
Et dans les ténèbres de la jungle panaméenne, l'action intempestive de Robert Pike et la décision judicieuse du gouverneur Ledesma privèrent le capitaine Francis Drake de plus de quinze millions de pesos.
Il ne pouvait plus rien faire. Le temps qu'il regroupe ses hommes, Ledesma et son train de mules galopaient vers Panamá, et des cavaliers rapides éperonnaient leurs bêtes pour mobiliser dans la ville une force si nombreuse et si bien entraînée qu'elle aurait anéanti les Anglais si ceux-ci avaient pris le risque d'une poursuite. Désespéré de ce nouvel échec imposé par Ledesma et ses hommes, Drake se trouva contraint de battre en retraite à travers la jungle étouffante jusqu'au refuge de ses bateaux qui attendaient.
Puis, au fond de la douleur cuisante de l'échec, il s'avéra un des hommes les plus remarquables de son temps. Il n'avait pas encore réalisé les exploits qui le rendraient immortels — la circumnavigation du globe, le raid sur Cadix et l'humiliation de l'Armada espagnole — et ce qu'il fit alors dans ce coin perdu du monde avec sa poignée d'hommes semble d'autant plus incroyable.
Tout d'abord, il retourna à Nombre de Dios, sans l'insolence de sa première visite mais en rampant dans la jungle comme une bête. Puis, si près de la ville que ses hommes pouvaient entendre les habitants travailler, il tendit une embuscade au train de mules suivant qui venait de Panamá, et s'empara d'une petite fortune. Mais il fallait à présent qu'il ramène ses hommes aux bateaux, à travers des kilomètres de jungle sans pistes, au milieu des serpents, des marécages et des insectes, sans parler de la faim. Et quand il arriva à ses bateaux — le *Pasha* et celui qu'il avait capturé aux Espagnols — il découvrit qu'ils n'étaient pas en assez bon état pour le ramener à Plymouth avec son trésor. Avec une arrogance incroyable, il retourna à Carthagène où une grande flotte espagnole se trouvait dans le minuscule port intérieur. À peu près sûr qu'aucun des grands bateaux ne pourrait manœuvrer assez vite, il entra directement dans le large port du sud, négocia le détroit de Boca Chica à pleines voiles, repéra le vaisseau dont il avait besoin, le prit à l'abordage, en chassa les marins et repartit insolemment de Carthagène avec un beau navire neuf à la place de ses deux vieux rafiots avariés. Il tira une dernière salve à la ville qui avait tourmenté ses rêves et répéta le serment proféré des années plus tôt à Río Hacha :
— Carthagène, je reviendrai.
Puis il fit voile vers l'Angleterre et les grandes aventures qui l'attendaient.
Mais quand Diego Ledesma Paredes y Guzman Orvantes rentra à Carthagène, il put prétendre à la plus grande victoire car il rendit compte à son roi :

En suivant les instructions sagement précisées par Votre Majesté, nous avons été en mesure de tenir le capitaine

Francis Drake en échec sur toute la ligne. Il n'a volé aucun or à Nombre de Dios. Il n'est pas parvenu à Panamá. Il ne s'est pas emparé du train de mules richement chargé que j'avais organisé. Et il a échoué trois fois sous les murs de Carthagène. En outre, nous l'avons contraint à abandonner son Pasha *et son* Swan, *ce qui l'a obligé à fuir dans les premiers misérables bateaux qui lui sont tombés sous la main.*

L'amiral Ledesma n'était pas obligé de dire à son roi toute la vérité — que Drake avait coulé lui-même le *Swan* parce que sa petitesse le limitait, et qu'en un geste d'une élégance extrême, il avait donné son *Pasha* à un groupe d'Espagnols qu'il avait faits prisonniers. Il n'expliqua pas non plus que « les premiers misérables bateaux qui lui sont tombés sous la main » étaient en réalité deux des plus beaux galions de Sa Majesté Philippe.

Mais Ledesma n'oublia pas, en revanche, de faire remarquer dans sa lettre que ces victoires sur Drake n'auraient pu être obtenues sans les exploits remarquables de plusieurs membres de la famille Ledesma. Les instructions, que le roi envoya peu après à Carthagène, contenaient les promotions de sept d'entre eux.

Puis ce furent les années où les eaux se partagent, où, dans la vie de grandes nations, certaines continuent leur ascension tandis que d'autres déclinent. Au début, personne ne s'aperçoit que le renversement de la puissance est amorcé, car les signes sont si discrets que seul un génie inspiré pourrait en déceler l'importance. Dans une petite ville des Pays-Bas, six hommes osent enfin s'opposer au gouverneur espagnol et sont exécutés. Dans les lointaines Célèbes, un sultan acquiert un pouvoir inattendu et décide de faire commerce avec n'importe quel bateau européen qui se présente sur ses domaines. Dans une petite ville allemande, un homme conçoit un moyen de fondre les caractères, de les assembler et les livres s'impriment plus vite sur sa presse...

Au cours des années 1580, l'Espagne et l'Angleterre se trouvaient impliquées dans ce déplacement de la puissance, car dans les pièces sombres et lugubres de l'Escorial le roi Philippe II, lentement, patiemment, concevait et mettait au point une énorme opération qu'il appelait simplement l' « Entreprise ». Il entendait, grâce à elle, régler une fois pour toutes sa rivalité de plusieurs décennies avec sa belle-sœur la reine Élisabeth.

Mais la reine ne resta pas bras croisés en attendant les coups de son ennemi. Sous la direction inspirée de John Hawkins, elle était en train de réunir une flotte de petits bateaux rapides d'une conception radicalement nouvelle, et elle allait rassembler les grands héros de l'Angleterre pour les commander : Howard, Frobisher, Hawkins et surtout Drake. Tout pays d'Europe qui possédait des espions en Espagne ou en Angleterre savait qu'un fabuleux affrontement entre ces deux nations, entre Philippe et Élisabeth, était imminent.

Le gouverneur Ledesma, en sécurité à l'intérieur de sa capitale fortifiée de Carthagène, était informé sur les événements cruciaux qui devaient déterminer le destin de l'Europe par deux sources : des rapports d'Espagne l'avisant de dangers éventuels l'avertissaient de dangers réels ou transmettaient simplement les commérages de l'empire ; mais il accueillait aussi des voyageurs en route pour telle ou telle possession espagnole et souvent ces hommes et ces femmes lui communiquaient sur la situation des aperçus pénétrants dont même le roi à Madrid n'aurait pas bénéficié, ou qu'il n'aurait pas écouté si on lui en avait fait part.

Au début de janvier 1578, une des frégates rapides du roi Philippe arriva à Carthagène avec une série d'instructions assez confuses, à transmettre à toutes les villes des Antilles.

> *Nous savons plusieurs choses de façon certaine, d'autres demeurent obscures. Le 15 novembre 1577, le capitaine Francis Drake a quitté Plymouth avec cinq vaisseaux, dont le* Pelican *de cent tonneaux comme amiral, et l'*Elizabeth *de quatre-vingts tonneaux comme vice-amiral. Les autres ne sont pas précisément connus, mais entre ses cinq bâtiments, il n'a pas dû embarquer plus de cent soixante hommes, marins compris.*
>
> *Nous n'avons pas pu déterminer sa destination et sa mission. Nos hommes à Plymouth ont capturé un de ses marins et l'ont fait passer à Cadix, mais les tortures prolongées n'ont rien révélé, et ses geôliers croient qu'aucun marin n'avait été mis au fait de la destination. Étant donné la taille de cette flotte et le soin avec lequel elle a été réunie, nous devons supposer qu'elle se dirige vers un objectif important dans votre région. Hispaniola ? Porto Rico ? Cuba ? Carthagène ? Panamá ? Soyez sur vos gardes.*

L'échelonnement des réactions fut identique dans tous les sites mentionnés. Premier mois : vive appréhension. Deuxième mois : soulagement, car « si Drake est dans les Antilles, il n'attaque pas notre ville ». Troisième mois, perplexité totale, et tout le monde se demanda : « Où donc est passé El Draque ? »

Presque un an s'écoula avant que des renseignements venus d'Espagne ne dévoilent enfin leur mystère.

> *Nous savons de source sûre que le capitaine Francis Drake a conduit sa flotte dans l'océan Pacifique, mais en franchissant le détroit de Magellan, il a apparemment perdu tous ses bateaux sauf un, son amiral nommé à l'origine* Pelican *mais rebaptisé* Golden Hind.
>
> *Drake a provoqué des troubles considérables le long des côtes du Chili et du Pérou mais a épargné apparemment Panamá. Personne ne sait où il se rendra ensuite, mais plusieurs de nos loyaux serviteurs qu'il a faits prisonniers puis relâchés, ont déclaré que pendant leur séjour en son pouvoir, il parlait beaucoup et librement de pousser vers le nord à la recherche du « passage perdu », ou carrément à l'ouest vers la Chine et les îles des Épices, ou bien de rebrousser chemin par Magellan pour une attaque décisive contre les Antilles. Prenez garde.*

Mais au début de 1579 arriva à Carthagène, de Panamá, sur un des bateaux d'or de Nombre de Dios, une certaine señora Cristobal, belle-sœur du célèbre armateur San Juan de Anton, négociant et agent du gouvernement à Lima, au Pérou. Elle était fort bavarde. Amie de l'épouse de don Diego, elle fut évidemment reçue à la résidence des Ledesma, et pendant tout son séjour elle ne cessa d'évoquer les grands événements de la côte ouest de l'Amérique du Sud, et signala plusieurs incidents manifestement ignorés du roi Philippe.

— Des contradictions ! Des contradictions ! Vous, amiral Ledesma, vous savez mieux que quiconque quel monstre cruel est El Draque. Il incendie et assassine, et l'on menace les enfants espagnols de sa venue pour mieux les faire obéir. On raconte mille histoires, le soir, sur ses prétendus méfaits. Mais je peux tout vous dire, moi, et je sais de quoi je parle : j'y étais et j'ai rencontré des dizaines de personnes qui ont eu affaire à lui. Ni au Chili ni au Pérou il n'a brûlé quoi que ce soit ni abattu personne. Deux cents marins et marchands attesteront qu'après avoir capturé leurs bateaux, en haute mer ou assoupis dans quelque port caché, il leur a rendu leurs bâtiments après les avoir délestés de leurs objets précieux, mais en leur laissant toutes les provisions nécessaires pour rentrer chez eux. Bien entendu, il a parfois abattu les mâts. Et une fois, il a enveloppé leur chaîne d'ancre avec toutes leurs voiles et lancé le tout au fond de l'océan, de crainte qu'ils ne le pourchassent ou ne le devancent pour alerter d'autres de sa venue. Il sème la terreur, pas de doute, mais ce n'est pas une brute sauvage comme les Français, et il respecte les lois de la mer.

Sur l'invitation de don Diego, elle relata ensuite sa version de ce qui s'était produit à Santiago du Chili.

— Tous les rapports officiels sur ce qui s'est passé là-bas sont entachés de mensonges. Au moment où l'on s'y attendait le moins, Drake et son *Golden Hind* sont arrivés à Valparaíso, le port voisin de Santiago. En quelques minutes, il s'est emparé de la place, ce qui n'est pas surprenant car à la seule vue de l'étrange bateau anglais, tout le monde dans la ville, et je dis bien tout le monde car j'ai parlé avec quantité de ces gens par la suite, s'est enfui dans les collines. Valparaíso a été complètement pillée mais pas incendiée, et aucune vie n'a été perdue. Mais ce que l'on n'a jamais dit jusqu'ici, c'est qu'à Valparaíso et dans les villages sur la route de Santiago, Drake a pris une fortune en valeurs de toute sorte. Un marin anglais a dit à mon beau-frère, qui s'est trouvé prisonnier à bord du bateau de Drake : « Nous avons capturé un tel butin à Valparaíso que nous aurions pu rebrousser chemin aussitôt et rentrer chez nous fort riches, tous jusqu'au dernier. » Pour plaisanter, Drake a laissé San Juan descendre dans la cale du *Golden Hind* et voir de ses yeux les grands ballots de richesses volées dans ce port. Mon beau-frère a dit que c'était fantastique, « assez pour orner douze cathédrales », selon son expression. Et n'oubliez pas, Valparaíso ne fut qu'un de ses nombreux arrêts le long de la côte. Dieu seul sait ce qu'il a pu voler dans d'autres villes dont je n'ai pas entendu parler.

L'amiral Ledesma, penché en avant dans son fauteuil, semblait hypnotisé par les paroles de son invitée. Il ne se lassait jamais d'écouter les hauts faits de son ennemi mortel.

— Dites-moi, que s'est-il passé quand Drake a capturé le vaisseau de votre famille, le *Cacafuego ?*

Au nom de ce bateau célèbre, la señora Cristobal leva les bras au ciel et s'écria :

— Il s'appelait en réalité, mais vous le savez mieux que moi, *Señora* *de la Concepción*, un nom sonore, plein de piété et de grâce. C'était un noble bateau, et il l'est encore, car après l'avoir capturé, Drake l'a rendu à mon beau-frère. On le considérait, et on le considère encore, comme la gloire du Pacifique. Aucun n'était plus grand, ni plus magnifique. J'ai fait plusieurs traversées à son bord de Lima à Panamá et retour. Ma cabine était mieux équipée que ma chambre à la maison. Le nom sous lequel il est vulgairement connu, *Cacafuego* *, est une telle gêne que j'ai même honte de le prononcer. Qui sait pourquoi il a reçu ce nom infâme ? Pas moi, en tout cas. Notre beau bateau, souillé de façon si horrible ! Mais c'est ainsi qu'on l'appelle, et ainsi que Drake l'a appelé quand il l'a poursuivi pendant cinq jours alors qu'il naviguait vers Panamá, chargé de richesses...

À ces mots la señora Cristobal s'effondra. Cela ne dura pas : elle renifla un peu dans son mouchoir puis reprit son récit :

— Une partie importante de ce que ce maudit Drake a volé sur le *Cacafuego*... Vous savez qu'il lui a fallu trois journées entières pour transborder les choses de notre bateau sur le sien ?... Je dis notre bateau parce qu'il nous appartient pour une bonne part, à mon mari et moi. Nos marins m'ont dit... Parce que comme vous le savez sans doute, Drake les a laissés libres de ramener le *Cacafuego* à Panamá après l'avoir délesté de sa cargaison... Un marin m'a dit qu'au moment où le *Golden Hind* s'est écarté pour reprendre son exploration vers le passage du Nord-Ouest, il était si lourdement chargé de trésors volés qu'il roulait dangereusement bas sur l'eau. Un des marins de Drake a même lancé : « Si nous réussissons à ramener ce baquet percé à Plymouth, nous pourrons tous nous acheter des domaines dans le Devon. » Le fabuleux trésor serait partagé par moins de cent trente hommes. Cent trente seulement sur le bateau de Drake, et penser qu'ils ont pris d'assaut tous nos ports de mer, capturé un si grand nombre de nos bateaux, confisqué une telle quantité de nos richesses !

Elle se ressaisit complètement puis continua :

— Savez-vous, don Diego, qu'aussitôt après avoir capturé le *Cacafuego*, Drake a donné à son propriétaire, mon beau-frère, une belle cabine à bord du *Golden Hind* ? Et son équipage a reçu l'ordre d'accorder à San Juan le même traitement qu'à lui-même. Plus tard il l'a autorisé à revenir dans ses quartiers plus spacieux du *Cacafuego*, où les deux hommes ont conversé agréablement tous les soirs. Les rapports ont-ils précisé tout ça ? Et au moment où les deux bateaux se sont séparés, Drake a donné à chaque marin du *Cacafuego* un présent, qu'il a eu la délicatesse de choisir parmi le butin de Valparaíso et non dans celui de notre bateau. Certains cadeaux avaient de la valeur : des outils par exemple et d'autres choses que les hommes apprécient. À San Juan, il a offert trois beaux bijoux pour sa femme, et mon beau-frère lui a dit : « J'ai une belle-sœur, propriétaire pour une part de ce bateau, qui adore les jolies choses. » Drake m'a envoyé ces deux broches d'émeraude, venant aussi de Valparaíso.

Le monologue intarissable de la señora Cristobal eut sur don Diego des effets contradictoires. D'un côté il se sentit soulagé que Drake exerce sa puissance démoniaque dans d'autres régions de l'empire

* *Cacafuego* signifie Feu de merde.

espagnol. (« À présent, ces gouverneurs apprécieront ce que nous avons dû subir. Peut-être reconnaîtront-ils la valeur qu'il fallait avoir pour le tenir en échec. ») Mais aussi, non sans perversité, il éprouva une étrange frustration : Drake lançait ses raids audacieux et ses pillages gigantesques dans un nouveau secteur, et il était privé d'une bonne occasion de damer le pion au plus grand des corsaires anglais. (« Dans notre océan, jamais nous ne lui aurions laissé voler un *Cacafuego.* ») Comme si Drake et lui étaient destinés à un duel aux Antilles... Changer soudain la règle du jeu manquait de loyauté. Parfois, pris dans ces passions, il s'imaginait avec Drake dans le rôle de chevaliers du Moyen Âge entrant en lice, l'un comme héros désigné d'un grand roi, et l'autre comme champion d'une belle reine. Hélas ces rêves s'effondraient, dès qu'il se souvenait de la réalité : Philippe était un roi à l'esprit mesquin et Élisabeth d'une laideur épique.

En apprenant de Madrid que Drake avait réussi son voyage autour du monde, don Diego fut émerveillé.

— Cela montre bien qu'il est aussi obstiné que je le signalais dans mes dépêches, dit-il à des membres de son gouvernement.

Et en lui-même, il ajouta : « Je dois être le seul homme au monde qui ait vaincu Drake quatre fois. »

Il fut encore plus ravi en 1581 quand arrivèrent aux Antilles des gravures d'Europe représentant la reine Élisabeth en grande collerette de dentelle autour du cou, debout sur le pont du *Golden Hind* pour armer chevalier le capitaine Francis Drake agenouillé devant elle. Cet acte retentissant lançait un pied de nez au roi d'Espagne : « Regarde, Philippe, semblait dire la reine, l'honneur que je fais à ton principal ennemi ! » Drake et Ledesma se trouvaient désormais sur le même plan : l'un chevalier d'Angleterre, l'autre amiral d'Espagne.

Mais don Diego ne parut guère content en entendant les petits-enfants de sa famille chanter dans les jardins de Carthagène la nouvelle comptine en l'honneur de la promotion de Drake :

Cet homme fera
Trembler les océans
Quand il nous prendra
Notre lac espagnol...

À ces mots, l'un des enfants criait : « Quel homme ? » et les autres répondaient à tue-tête, tous en chœur : « Sir Francis Drake ! »

Puis, à la fin d'août 1585, les frégates du roi Philippe sillonnèrent de nouveau la mer des Caraïbes avec des dépêches de mauvais augure.

> *L'amiral Drake, à la tête de vingt et un bateaux, dont neuf de plus de deux cents tonneaux, y compris deux appartenant à la reine, assisté par des marins de premier ordre comme Frobisher, Fenner et Knollys, prépare une grande expédition. Nous ne savons pas laquelle. Mais d'après ce que nos espions nous ont appris sur l'approvisionnement des bateaux, nous avons déduit qu'ils se dirigeraient probablement vers vos mers et vos capitales.*

Cette conjecture se confirma, et fin janvier 1586, un jeune officier espagnol apporta à Carthagène une nouvelle incroyable. Sa voix tremblait lorsqu'il la révéla à don Diego, au palais du gouvernement.

— Le Jour de l'An, la flotte de Drake s'est présentée, toujours avec la même arrogance, dans notre port de Santo Domingo, à Hispaniola. Cette fois tout s'est passé autrement, parce qu'il n'a pas débarqué une poignée de marins aventureux, mais une véritable armée bardée de fer. J'ai honte d'avouer qu'une fois de plus nos troupes, après un bref coup d'œil à ces redoutables Anglais, ont tiré une salve de leurs mousquets, d'ailleurs en l'air pour la plupart, puis se sont enfuies. Les responsables de la ville avaient déjà pris le large quelques heures plus tôt. À la tombée de la nuit, Santo Domingo se trouvait entièrement entre les mains de Drake, qui descendit à terre le 3 janvier pour réclamer la ville et tout ce qui s'y trouvait.

Cette nouvelle affolante, concernant une ville où il s'était souvent rendu et dont il connaissait personnellement le gouverneur, bouleversa l'amiral Ledesma : « Ce n'est plus le misérable village de maisons de bois, de cabanes de feuillages qu'ont connu Colón et Ocampo au début du siècle, mais une ville de pierre de taille, avec de vastes avenues. Si Drake a pu s'en emparer que va-t-il faire ici, à Carthagène ? » Les lèvres sèches, il demanda au messager :

— Vous dites qu'après un seul jour de combat...

— Une seule matinée, Excellence.

— Et Drake s'est emparé de tout : les bâtiments, les maisons, les églises ?

— Tout. Il s'est montré particulièrement rapace pour les églises. Il a emporté tout ce qui avait de la valeur et s'est mis en rage en apprenant que les prêtres avaient camouflé les pierres précieuses et autres trésors dans les forêts des environs.

— Mais pourquoi ? Je connais cet homme. Ce n'est pas son genre.

Ledesma ne songeait guère à protéger la réputation de Drake, il essayait simplement de fermer les yeux sur la réalité : si Drake avait changé ainsi, il représentait un danger beaucoup plus grave que dans le passé. Et le messager bégayant confirma bien cette idée :

— À un groupe d'officiers de l'armée en train de négocier avec lui, il envoya sa réponse entre les mains d'un petit enfant noir. Un de nos officiers s'écria avec mépris : « Je n'accepte pas les messages des nègres », et dans sa rage il transperça l'enfant d'un coup de son épée. La blessure était mortelle, mais l'enfant eut le temps de se traîner jusqu'à Drake, où il transmit la réponse de l'officier et mourut.

— Et que fit Drake ?

— Sur l'impulsion du moment, il a fait sortir d'une cellule pleine de prisonniers espagnols deux de nos moines et il les a pendus aussitôt. Puis il a envoyé un autre prisonnier déclarer aux officiers que s'ils ne lui livraient pas l'homme qui avait abattu l'enfant noir, il pendrait deux autres moines matin et soir.

— Vous l'avez livré ? demanda Ledesma.

— Oui. Mais Drake a refusé de le pendre. Il nous a renvoyé le coupable avec l'ordre : « Pendez-le ! » Nous l'avons fait.

— Mais pourquoi cette agressivité soudaine contre notre Église ? s'étonna Ledesma.

Le jeune officier lui répondit :

— J'ai entendu Drake prétendre : « Votre Inquisition brûle vifs tous les marins anglais qui lui tombent entre les mains, s'ils ne renient pas la nouvelle foi d'Angleterre. Beaucoup de mes hommes sont morts ainsi. »

— Qu'a-t-il fait de Santo Domingo, s'il n'y avait pas de trésors dans les églises, ni de rançon à prendre ?
— Il a dit qu'il attendrait trois jours, et comme les gens qui s'étaient enfuis ne sont pas revenus avec l'argent, il s'est mis à incendier la ville. Un quartier par jour. Quand un bâtiment de pierre refusait de prendre feu, il le détruisait en abattant les murs.
— Comment vous êtes-vous échappé ?
— Nous avions toujours nos frégates cachées dans des estuaires, loin de la ville.
— Et Santo Domingo est détruite ?
— Non. Au bout de trois semaines, même Drake s'est lassé. Les incendies avaient cessé avant mon départ. La moitié de la ville est restée intacte.
— Allez vous reposer. Demain, il faut que vous partiez le plus vite possible à Nombre de Dios. Pour les avertir. Il faut qu'ils se préparent.

L'après-midi du 9 février 1586, l'amiral sir Francis Drake conduisit habilement ses vingt et un vaisseaux sous les murs occidentaux de Carthagène et disparut vers le sud comme s'il n'avait pas vu la ville ni entendu les coups dérisoires tirés dans sa direction depuis les forts. Mais au moment même où le gouverneur Ledesma et ses chefs militaires se félicitaient d'avoir échappé au redoutable El Draque, celui-ci vira de bord et entra dans Boca Chica dont il avait déjà forcé l'accès. Sans ralentir, il pénétra dans la grande baie du sud, où il jeta l'ancre dans des eaux qu'il connaissait bien, exactement comme s'il se trouvait chez lui, à Plymouth. Bientôt ses vingt compagnons furent ancrés à côté de lui : le grand siège de Carthagène débutait.

Le gouverneur Ledesma demanda à son entourage :
— Sera-t-il capable de pénétrer de force dans la ville ?
On lui assura que la seule digue donnant accès à la ville était trop étroite pour permettre le débarquement de soldats, surtout du fait que les canons des murailles seraient pointés vers eux.
— Nous sommes en sécurité, répétèrent les capitaines, et comme nous avons des provisions en suffisance et des puits profonds à l'intérieur des murailles, Drake ne peut rien contre nous.

Ils se trompaient. Drake mit ses troupes sous les ordres du général énergique qui s'était emparé si facilement de Santo Domingo, puis déplaça des bateaux d'abord dans la spacieuse baie moyenne puis dans la baie du nord, plus resserrée, où il put débarquer quelques fantassins pour une attaque de flanc sur la digue. Puis, avec une audace extrême, il fit avancer plusieurs de ses plus gros bateaux dans la baie intérieure, qui donnait directement sur les abords de la ville.

Jamais auparavant Carthagène n'avait été attaquée par un si grand nombre de soldats commandés avec une aussi grande compétence. Avant même que les généraux de Ledesma puissent déplacer leurs troupes vers des positions plus favorables, les hommes de Drake fondaient sur eux. Le combat fut d'une violence inattendue, parce que, Ledesma à la tête de la ville, il n'était pas question de reddition pusillanime comme à Santo Domingo. Des soldats anglais tombèrent par dizaines. Ledesma et ses trois gendres rallièrent leurs troupes de toutes parts et l'issue de la bataille parut incertaine : d'abord en faveur des Anglais, puis des Espagnols.

Mais en fin de compte, la puissance de feu supérieure de Drake fit la différence et les hommes de Ledesma durent se replier vers la place centrale. Là, sous les ordres de don Diego en personne, ils se battirent avec une bravoure extraordinaire. Mais les Anglais avaient senti l'odeur du sang, surtout celui de leurs propres morts, et avec une fureur sans précédent ils balayèrent littéralement les Espagnols, mètre par mètre, jusqu'à ce que la bataille envahisse la place du marché. Là, les Espagnols, y compris les quinze hommes du clan Ledesma qui portaient les armes ce jour-là, furent contraints de se rendre.

Très tôt le lendemain matin, Drake conduisit tous ses bateaux dans le port exigu de la baie intérieure, position qui permit à ses canonniers de tenir la ville sous leur feu. Et ce fut seulement après cette manœuvre qu'il descendit à terre pour savourer la capture de Carthagène, réputée imprenable. Il se fit indiquer la maison du gouverneur, où il se proposait de dicter les conditions de la reddition, et en arrivant devant la belle résidence de Ledesma, en face de la cathédrale, il fut accueilli par les seize hommes de la famille qui lui avait valu tant d'ennuis.

— Amiral Ledesma, dit-il en un excellent castillan que lui avaient appris ses prisonniers espagnols pendant son voyage autour du monde, vos hommes se sont battus avec une bravoure admirable.

Avant que Ledesma puisse répondre, le général Carleill, à la tête des troupes anglaises, ajouta :

— Pas seulement ses soldats, Drake. Il était le premier.

Drake salua.

Les simples négociations de la reddition durèrent cinq semaines. Ledesma s'était montré acharné dans la bataille, mais ce fut un lion enflammé quand il résolut de tenir tête aux conquérants anglais, si raisonnables que fussent leurs exigences. Sans l'appui de soldats, sans le secours d'une flotte, même pas soutenu par les dignitaires de son Église qui s'étaient tous enfuis avec leurs fortunes dans les collines du continent, don Diego, très calme, ne pouvait compter que sur les conseils avisés d'une poignée de membres de sa famille et la fidélité à toute épreuve de son peuple conquis.

Drake entama les négociations par une requête directe, ainsi qu'il l'avait fait avec succès pour la plupart des villes espagnoles capturées :

— Je partirai sans combat, aucune maison n'aura une seule porte brisée, en échange d'une modeste rançon, disons un million de ducats *, que vos hommes chargeront à bord de mes bateaux.

Don Diego répondit calmement :

— Mais, amiral, vous voyez bien qu'il n'y a absolument pas d'argent dans la ville. Rien.

Drake répliqua sans élever la voix :

— Vous devez déjà savoir ce qui s'est passé récemment à Santo Domingo quand la rançon n'a pas été payée. J'incendierai chaque jour un quartier de votre ville jusqu'à ce que Carthagène soit réduite en cendres. À compter de demain.

* Un ducat valait 5 shillings 6 pence. Drake demandait donc 275 000 livres sterling, ce qui, en valeur actuelle, ne représenterait pas moins de 13 millions de dollars, plus de 8 milliards de centimes.

Toujours sur le même ton, don Diego demanda :

— Amiral, voulez-vous passer dans l'histoire comme le Tamerlan de l'Ouest, le fléau haï à tout jamais des Indes occidentales ?

Au cours des quatre premières semaines désespérées où chaque Espagnol que consultait Ledesma, y compris certains membres de sa famille, lui conseillait d'accepter les exigences de Drake dans les limites de la raison, l'amiral espagnol résista aux pressions considérables de l'Anglais, tout en parvenant à le convaincre de ne pas incendier la ville. Au cours des dernières phases de la négociation, il ne fut plus soutenu que par ses trois gendres, dont les épouses cachées dans les collines envoyaient des messages dans la ville : « Mon époux, ne cède pas ! » Fort de cet appui réconfortant, Ledesma persista.

Ce furent les quatre semaines les plus étranges de l'histoire de Carthagène, parce que Drake et Ledesma partageaient le même toit, la demeure du gouverneur, et chaque soir ils invitaient des notables restés dans la ville à de somptueux dîners pendant lesquels Drake et le gouverneur rivalisaient de courtoisie envers leurs invités. Drake parlait espagnol et Ledesma anglais, et ils discutaient de sujets de première importance pour leurs deux pays et pour les Antilles en général. Chacun autour de la table était libre d'exprimer ses convictions et de les défendre.

Un soir, la conversation s'orienta vers la religion, et don Diego dit

— Comme les choses auraient été simples si votre reine catholique Marie avait vécu plus longtemps en Angleterre, avec notre Philippe pour mari, et une grande religion unissant nos deux pays. Alliés, nous aurions pu mettre fin à cette abominable apostasie des Pays-Bas, balayer le luthérianisme d'Allemagne et vivre en bonne entente avec nos cousins de France et d'Italie. Une seule nation, une seule foi.

— Je crains que les différences ne soient devenues trop importantes en Europe, répondit Drake, mais il ajouta aussitôt : Au cours de mon voyage autour du monde et dans toutes mes traversées, je dis les prières chaque soir et célèbre le service du dimanche avec mon chapelain protestant, qui m'accompagne partout. Mais jamais je n'ai exigé de mes marins qu'ils assistent à mon culte s'ils partagent la foi de la reine Marie et du roi Philippe. Et chaque fois que nous avons capturé un prêtre, nous l'avons invité à dire des prières pour nos marins qui désiraient l'entendre.

Cela encouragea Ledesma à présenter une proposition intéressante, qu'il avait souvent envisagée :

— Ne vaudrait-il pas mieux pour tous que les nations s'entendent pour laisser les pays de Antilles entre les mains de l'Espagne et de la religion catholique, comme Colón les a voulues lorsqu'il les a découvertes, et inviter Anglais, Français et Hollandais à faire leurs affaires librement partout ailleurs ?

— Ne tremblez-vous pas un peu en faisant cette suggestion, demanda Drake, alors que vous êtes ici entièrement en mon pouvoir, ainsi que votre ville ?

— Absolument pas, répondit Ledesma. Peut-être réduirez-vous ma ville en cendres, mais vous ne me ferez aucun mal.

Drake éclata de rire :

— Même après cet assassin que vous avez envoyé me tuer avec une dague cachée, à Ulúa ?

— Nous devions vous tuer pour prendre vos bateaux, vous n'avez pas besoin de me tuer pour prendre ma ville, répondit don Diego.

Puis, à la surprise des invités, y compris celle de Drake, don Diego demanda :

— Sir Francis, ne pourrions-nous pas faire un tour sur les remparts, tout seuls ?

— Non, dit Drake. Vous avez essayé de me tuer une fois, vous recommencerez.

Humilié par cette réponse d'un adversaire méfiant, Ledesma voulut s'excuser, mais Drake l'arrêta.

— Je viendrai avec vous si dix soldats, cinq espagnols et cinq anglais, nous accompagnent, les uns pour vous protéger de moi, les autres pour l'inverse.

Et les deux adversaires en de si nombreux combats sortirent ensemble dans la nuit étoilée — un Espagnol rigide et impérial au visage de faucon, toujours rasé de près, et le petit Anglais nerveux, toujours agité avec sa barbe soigneusement taillée.

Ce fut Drake qui prononça les premières paroles, en posant les yeux sur les quatre baies de Carthagène et leur stupéfiante collection d'îles protectrices.

— Don Diego, vous avez un des meilleurs mouillages du monde.

Mais Ledesma se sentit contraint d'aborder des sujets plus graves, qu'il devait tirer au clair.

— Vous savez, Drake, ce n'est pas moi qui vous ai envoyé cet assassin.

— Je n'en ai jamais douté, répondit l'Anglais. Vous n'auriez pas pu le faire.

— Comment l'avez-vous su ?

— A la façon dont vous vous étiez conduit au cours de nos affrontements précédents... Et parce que mes hommes ont interrogé cet infâme vaurien avant de le renvoyer. Il nous a avoué qu'on avait réduit vos protestations au silence en vous mettant aux arrêts.

Les deux hommes se promenèrent sur les diverses parties des remparts inachevés de Ledesma, mais toujours ils s'arrêtaient à un endroit dominant la mer des Caraïbes, noble étendue d'eaux tantôt paisible, tantôt balayée de cyclones. Chacun des deux amiraux s'en jugeait responsable.

— Nous livrons nos batailles sur une mer splendide, don Diego.

— Parfois j'ai l'impression que notre belle mer du Nord * a été faite pour les batailles : un lac espagnol protégé de tous côtés par des îles ou des grandes masses continentales.

Les soldats d'escorte avaient sous les yeux deux hommes curieusement assortis, chacun le meilleur de sa race, chacun touché par la grandeur. Mais si les soldats avaient entendu les répliques suivantes entre ces deux géants de la mer du Nord, ils auraient été stupéfaits, car Ledesma s'était mis à chanter une comptine à l'Anglais.

— Mes petites-filles... Bonté divine, ce sont en réalité mes *arrière*-petites-filles... la chantent en votre honneur et à mon désespoir :

* A cette époque la mer des Antilles, mer des Caraïbes pour les Anglais, était pour les Espagnols la mer du Nord, opposée à la mer du Sud — l'océan Pacifique.

Cet homme fera
Trembler les océans
Quand il nous prendra
Notre lac espagnol...
Sir Francis Drake.

— Je la ferai traduire en anglais et graver sur ma tombe, dit Drake.
Les deux hommes rejoignirent leurs invités.

Au début de la cinquième semaine de ce duel entre gentilshommes, un plan se dégagea, qui ne satisfaisait pleinement aucun des deux camps. Don Diego, après avoir consulté ses gendres, concéda qu'il pourrait accumuler non pas un million de ducats pour la rançon, mais environ cent mille. Drake riposta :

— Il m'en faut davantage si vous voulez que je ne touche pas au monastère, et davantage encore pour m'empêcher de piller vos églises.

Chacun de ses capitaines de bateau et le général de ses troupes formula d'autres exigences mineures si bien qu'au bout du compte Ledesma dut donner beaucoup plus qu'il l'escomptait, tandis que Drake devait se contenter de beaucoup moins.

Ce fut donc une paix honorable, acceptée à contrecœur par chaque camp mais applaudie par tous les Espagnols qui se cachaient dans les bois et par les marins anglais impatients de rentrer chez eux réclamer leur part du butin réduit. Drake chargea ses bateaux pendant les derniers jours de mars et par une belle matinée lumineuse leva l'ancre et sortit de Boca Chica. Le gouverneur Ledesma, profondément soulagé de le voir partir, car il était le seul, avec Drake, à savoir à quel point la négociation s'était révélée difficile, ordonna à la forteresse de tirer une salve d'adieu, ce qui fut fait au milieu des vivats et des félicitations de la population de Carthagène. Le courage de don Diego avait sauvé leur ville.

Puis, à l'horreur de tous, la flotte de Drake vira de bord dans la lumière du matin, et retourna directement par la Boca Chica et dans la baie du nord, d'où elle pouvait si elle le désirait recommencer à bombarder la ville.

— Dieu de miséricorde, pria don Diego, ne me faites pas une chose pareille.

Cette fois, les exigences de Drake furent très simples.

— Ce gros bâtiment français que nous avons capturé. Il fuit de partout. J'ai besoin de vos hommes pour m'aider à transborder le contenu de ses cales.

— Oui, oui ! s'écria don Diego.

Il désigna ses gendres pour superviser le travail, et pendant les huit jours que prit ce dur labeur — car la prise française était chargée à ras bord de richesses capturées à bord de bateaux espagnols et dans des villes antillaises — Drake, Ledesma, les généraux des deux camps et le clergé revenu des cachettes dans les collines se rencontèrent à la demeure du gouverneur pour d'aimables conversations, arrosées du bon vin que les prêtres avaient dissimulé aux envahisseurs.

Au cours d'un de ces dîners, Ledesma présenta ses trois filles, et dit à Drake :

— Ce sont elles qui vous ont vaincu. Chaque soir elles m'envoyaient des billets des collines : « Père, ne cède jamais. »

Drake leur baisa la main et avoua :

— Savez-vous quelle est l'ombre de ma vie? J'ai été marié et je n'ai pas de fils... même pas de filles.

Ce furent les dernières paroles qu'il prononça à Carthagène, mais lorsqu'il retourna à son bateau pour préparer le vrai départ le matin suivant, Ledesma, du haut des remparts, le suivit des yeux et murmura entre ses dents :

— Je sais quel genre d'homme tu es, Francis Drake. Tu reviendras, j'en suis sûr. Et ce jour-là, je creuserai moi-même ta tombe.

Pendant les diverses périodes de paix, ces deux adversaires, si différents à tous égards, se ressemblaient de façon surprenante par la façon dont ils orientaient leur énergie bouillonnante quand aucune bataille navale ne les sollicitait. Leurs actes étaient si identiques qu'on les aurait pris pour jumeaux.

Drake était maire de Plymouth, Ledesma gouverneur de Carthagène. Drake, de sa propre initiative, organisa l'approvisionnement en eau de sa ville, et Ledesma entoura la sienne d'une énorme muraille de protection. Drake siégea au Parlement, Ledesma au Conseil des Indes. Drake dépensa beaucoup d'énergie à trouver une héritière comme seconde épouse, Ledesma dut dénicher de riches maris à ses petites-filles. Drake ne cessa de bombarder le gouvernement de notes et d'avis sur la façon dont l'Angleterre pourrait obtenir le contrôle de la mer des Caraïbes, tandis que Ledesma conseillait le roi Philippe sur les mesures qui permettraient de rendre cette mer plus complètement espagnole.

Mais comme ils demeuraient tous les deux de formidables marins, chacun lut avec une attention intense le rapport d'un espion français à Londres, qui circula jusque dans des ports lointains de l'empire espagnol comme Carthagène, et tomba entre les mains d'espions anglais qui en envoyèrent une copie à Drake.

> *Tous les responsables de Londres croient que le roi Philippe d'Espagne réunit une vaste concentration de bateaux, de marins et d'armes dans les ports de son pays pour lancer une grande attaque sur l'Angleterre dans les derniers mois de 1587. La reine Elisabeth, une fois capturée, sera traînée à Rome pour y être brûlée vive sur une place publique déjà désignée. Philippe essaiera de devenir roi d'Angleterre et les sectateurs de Luther seront exterminés. Des mesures pour faire échec au plan de Philippe ont été prises dans toute l'Angleterre.*

Don Diego trouva tous les éléments de ce remarquable rapport parfaitement ridicules. Aux membres de sa famille, il expliqua :

— L'Espagne n'a pas assez de bateaux pour une entreprise pareille. Jamais on ne brûlera une reine comme un vulgaire criminel. Et Philippe a bien assez de difficultés à régner sur l'Espagne, les Pays-Bas et une partie de l'Autriche.

Mais moins d'une semaine après qu'il eut prononcé ce jugement, le courrier de Santo Domingo (ce qu'il en restait après le passage de Drake) apporta un document officiel de Madrid qui mettait les choses au point.

> *Dans les cercles de la cour d'Espagne, on l'appelle l'* « *Entreprise* » *et elle consiste en trois parties qui seront lancées conjointement vers la fin de 1587. Une énorme flotte de*

plusieurs centaines de vaisseaux quittera l'Espagne à destination des côtes anglaises. Une très nombreuse armée de soldats espagnols sera rassemblée aux Pays-Bas pour débarquer en Angleterre. Quand Elisabeth sera prise, on se débarrassera d'elle, Philippe montera sur le trône et le luthérianisme sera extirpé.

Comme ces plans sont déjà connus en Angleterre, un secret extrême n'est pas exigé, mais en abordant ces sujets, désignez-les seulement par l' « Entreprise », en laissant tout le monde dans le vague sur sa nature réelle.

Avant même que don Diego ait le temps de se réjouir par avance de la prochaine humiliation de l'Angleterre, Madrid envoya une dépêche qui corrigeait les dates. Comme de nombreuses communications du roi Philippe, elle disait beaucoup mais expliquait très peu.

L' « Entreprise » a dû être retardée. Elle n'aura pas lieu en 1587 mais en 1588.

Les gouverneurs des Antilles essayèrent de deviner quel genre de désastre masquait l'expression obscure « a dû être retardée », et don Diego eut le pressentiment que Drake n'était pas étranger à l'affaire. Ses soupçons se confirmèrent le jour où un homme responsable, parfaitement maître de lui, arriva d'Espagne avec une nouvelle choquante :

— Je m'appelle Roque Ortega, Excellence. Je suis le fils de votre cousine Eugenia. La fortune ne lui a pas souri, comme vous le savez sans doute. Le capitaine qu'elle a épousé a perdu son bateau et sa vie. Une seule bonne chose, la maison de mon père se trouvait à Sanlúcar de Barrameda, à l'embouchure du Guadalquivir, et j'ai tout appris sur les bateaux.

Ortega, entre trente et quarante ans, avait si belle allure et se montrait si intéressant que doña Leonora resta dans la salle de réception, contrairement à ses habitudes quand son mari avait des invités politiques ou militaires.

— Qu'est-ce qui vous amène dans notre ville ?

— Le désespoir et l'espérance, répondit-il avant d'ajouter : Le désespoir, parce que j'étais capitaine d'un des vaisseaux du roi pendant le désastre de Cadix...

— Quel désastre ? lança don Diego, en se retenant de bondir.

Le capitaine Ortega révéla l'ampleur de cette affaire tragique.

— En février de cette année, le roi a commencé de rassembler dans divers ports les vaisseaux destinées à l' « Entreprise » et... Vous êtes au courant de l' « Entreprise » ? demanda-t-il en s'interrogeant brusquement.

Les deux Ledesma acquiescèrent.

— Je reçus l'ordre de conduire mon *Infanta Luisa* à Cadix, où je l'ai amarrée entre deux bâtiments de guerre. Pendant tout le mois de mars, d'autres bateaux importants n'ont cessé d'arriver, et le 1er avril nous formions une flotte de soixante-six bateaux, si je ne me trompe. Des hollandais, des français, des turcs et des anglais, tous capturés pendant les mois précédents, plus nos vaisseaux de guerre fortement armés. De quoi envahir l'Angleterre. Nous avions le droit de nous appeler *armada.*

— Que s'est-il passé ?
— Le 19 avril en fin d'après-midi, date que je préférerais oublier, vingt-cinq gros bateaux de plus, que je ne pus reconnaître sur-le-champ, s'engagèrent hardiment dans le port. Mais quand un pilote sortit pour leur souhaiter la bienvenue, il découvrit horrifié qu'ils étaient anglais ! Oui, l'amiral Drake venait d'entrer dans notre port le mieux défendu.
— Qu'avez-vous fait ? demanda doña Leonora en se rapprochant pour ne perdre aucun détail.
— Comme les autres capitaines, j'ai essayé de rompre les amarres de mon *Infanta* pour lui permettre de combattre efficacement, mais avant même que mes hommes aient détaché un seul cordage, un vaisseau anglais fonça sur moi, éperonna ma poupe et celles des gros bâtiments de guerre autour de moi, puis tira des boulets de canon sous la ligne de flottaison. Nous avons coulé par le fond sans même tirer une salve. Quelle humilitation !
Manifestement écœuré, Ortega dit :
— J'ai perdu mon bateau avant le début de la bataille.
Pendant quelques instants il se tut et secoua la tête, ce qui offrit à doña Leonora l'occasion d'étudier ses traits virils et la façon dont son visage mince semblait annoncer sans forfanterie : « Je suis prêt à relever n'importe quel défi. » Mais il ajouta ensuite des détails encore plus enrageants :
— La nuit tomba et les bateaux de Drake firent des ravages au milieu des nôtres qu'ils éventraient, saccageaient, incendiaient, et nous ne pouvions rien pour l'en empêcher. Les batteries de la côte, dont nous dépendions pour notre défense, ne pouvaient pas tirer sur ses bateaux sans toucher les nôtres. Au matin, la baie de Cadix était jonchée de bâtiments coulés, tous les nôtres, et de cadavres de marins espagnols.
Ortega s'arrêta, regarda le gouverneur Ledesma et dit, en tendant les mains vers lui :
— Pas un seul de nos bateaux à l'ancre n'a pu manœuvrer pour lui livrer bataille. Tous ceux qui ont essayé, il les a coulés. La nuit est tombée mais non l'obscurité, car les flammes de nos bâtiments en feu ont éclairé le carnage. A l'aube, Drake a achevé ceux qui flottaient encore tant bien que mal, et d'autres bons marins espagnols ont eu le port pour tombeau.
Le souvenir de ces pertes fantastiques était si douloureux que, pendant un instant, Ortega demeura incapable de parler. Quand il se reprit, il résuma la tragédie en quelques mots :
— Le matin du 19 avril nous étions la flotte la plus puissante d'Europe. A minuit le même jour, elle était pour ainsi dire anéantie.
Don Diego, marin comme Ortega, n'éprouva aucune gêne à demander :
— Combien de bâtiments avons-nous perdu ?
— Tellement que l' « Entreprise » ne peut pas avoir lieu.
Dans le silence qui suivit, doña Leonora murmura :
— C'est manifestement un désastre. Mais parlez-nous maintenant de votre espérance.
— Quand je suis arrivé à la maison, après Cadix, ma mère a pleuré : « Comme ton père, tu as perdu ton bateau ; encore heureux que tu aies conservé la vie. » Comprenant que mon avenir était limité en Espagne, elle m'a dit : « Tu as un oncle gouverneur à Carthagène. Pourquoi

n'irais-tu pas tenter ta chance là-bas ? » Et me voici. Mon espérance, c'est vous.

A cet aveu sincère, doña Leonora regarda son mari et leva les sourcils en un geste secret qui signifiait : « Pourquoi pas ? » Il hocha légèrement la tête en guise d'encouragement, et elle prit la parole :

— Capitaine Ortega, il faut rester avec nous jusqu'à ce que vous trouviez un logement.

Il ne se livra à aucune démonstration d'humilité affectée.

— Ce serait très généreux, dit-il, mais un capitaine sans bateau à peu de chose à offrir en retour.

Dans les jours qui suivirent, doña Leonora vit d'un œil approbateur que son mari et Ortega s'entendaient à merveille, car c'étaient tous deux des hommes d'action, qui avaient besoin de peu de mots pour se comprendre. Souvent, le soir, ils se promenaient ensemble sur les remparts, les yeux posés sur le port verrouillé par les terres.

— Cadix était un peu ainsi, non ?

Ortega situa alors les bateaux espagnols entre les îles, puis montra le mouvement tournant de Drake pour faire le plus de ravages.

— Mon bateau... Je n'ai même pas pu le déplacer de son mouillage.

— La perte d'un bateau comme le vôtre n'est pas vraiment un drame, dit don Diego. Pour vous, oui. Pour le roi, non. Ce qui fait vraiment mal, c'est le bruit qui court : le rusé John Hawkins est en train de construire vingt autres bateaux pour nous résister. Des hommes comme Drake calculeront des moyens de se protéger quand nous frapperons. Davantage de bateaux anglais, davantage de marins anglais.

Ortega ajouta :

— Et davantage de munitions quand commenceront les combats.

— Je suis un marin qui s'est battu à maintes reprises contre Drake, conclut don Diego, il m'est arrivé de gagner et de perdre, je sais à quel point il peut se montrer tenace.

Ils regardèrent la mer en silence puis don Diego demanda :

— Repartiriez-vous le combattre ?

— A la nage, pour avoir cette chance, répondit Ortega.

Mais d'autres affaires importantes pour Carthagène vinrent s'imposer et l' « Entreprise » fut momentanément oubliée. Don Diego était constamment à l'affût du moyens d'améliorer les destinées de sa famille, mais son épouse se montrait tout aussi résolue. Sa campagne débuta un soir au dîner. Elle demanda carrément :

— Capitaine Ortega, êtes-vous marié ?

— Je l'ai été. Ma femme est morte.

Et l'on en resta là.

La señora Ledesma avait dans l'île d'Hispaniola une cousine de son âge dont la fille avait un nom charmant, Béatrice, mais un visage qui l'était moins. Depuis le sac de Santo Domingo, la capitale d'Hispaniola, par El Draque, la vie sociale ordinaire s'était interrompue et la pauvre Béatrice avait des chances plus minces que jamais de dénicher un mari. Doña Leonora décida de lui venir en aide.

Aussi vite que la frégate des dépêches put aller à Santo Domingo et en revenir, elle déposa sur les quais de Carthagène une jeune femme de vingt-deux ans, encore sous le coup d'un affreux mal de mer après une traversée mouvementée. Elle n'avait qu'un but : se pelotonner dans un lit dès son arrivée chez sa cousine, et s'apitoyer sur son propre sort. Mais Leonora ne voulut rien entendre, car il était important que le capitaine Ortega voie Béatrice tout de suite et sous son meilleur jour. Leonora fit donc venir deux de ses filles mariées dans la chambre où Béatrice espérait se reposer, et, devant la pauvre malade, les trois dames Ledesma étudièrent le problème.

— D'abord allez chercher des sels, dit Leonora.

On en apporta, on les plaça sous le nez de Béatrice et les deux jeunes femmes firent le tri de ses vêtements. Ce qu'elles virent les déçut profondément.

— Vous n'avez donc rien de convenable ? Absolument rien ?

Béatrice éclata en sanglots, mais Leonora lui lança :

— Ma petite, tout votre avenir est en jeu. On ne rencontre pas un homme comme le capitaine Ortega tous les matins.

Et avec ses deux filles, elle accomplit un miracle sur sa cousine désespérée.

Elle emprunta une des plus belles robes de Juana et fit monter de l'office une couturière pour la pincer à la taille. Maria, la cadette, donna une paire de chaussures et une adorable mantille de couleur fauve pour poser sur ses épaules. Ensuite, elles la firent entrer de force dans la robe.

— Je ne peux pas respirer ! gémit-elle.

— Il faudra t'en passer. Jusqu'à ce que tu l'aies rencontré.

Quand la transformation fut terminée, les cheveux coiffés de façon charmante et des fards appliqués sur sa peau pâle, Béatrice devint ce qu'elle avait toujours été sans le savoir : une jolie jeune Espagnole, certainement pas éblouissante par sa beauté mais adorable dans sa vulnérabilité, le charme de son maintien, et le frémissement de ses lèvres tandis qu'elle se répétait : « Je ne vais pas être malade... Je ne vais pas être malade. »

Vraiment, quand doña Leonora et ses filles la firent entrer dans le salon où le capitaine Ortega attendait, Béatrice était la plus belle du groupe car son visage blême, parfaitement poudré, lui donnait l'air d'une princesse de conte de fées. Ortega fut séduit d'emblée, mais il dut attendre pour la faire danser car plusieurs autres cavaliers le devancèrent.

La cour progressa à un rythme rassurant, orchestrée par doña Leonora, et sa cousine se serait vite mariée si des nouvelles importantes n'étaient parvenues à Carthagène en janvier 1588.

> *Amiral Ledesma, salutations ! L'« Entreprise » reprend. Réunissez tous les bâtiments lourds disponibles, avec leurs équipages et leurs équipements. Vous gagnerez Lisbonne, où vous vous joindrez au convoi responsable de l'intendance des troupes du duc de Parme, que vous transporterez des Pays-Bas à travers la Manche pour leur invasion de l'Angleterre.*

Pour des marins comme Ledesma et Ortega, ce message apportait à la fois joie et déception. La joie d'avoir une nouvelle chance de se battre contre Hawkins et Drake, la déception de voir leurs bateaux chargés non de l'armée d'invasion, mais seulement de provisions pour les soldats espagnols qui attendaient déjà aux Pays-Bas.

— Bien entendu, se rassura Ledesma, dès que nous aurons livré les provisions, nous transporterons les hommes et les débarquerons en Angleterre. Nous participerons donc à plus d'un combat.

Malgré son agacement de ne pas participer à la flotte de combat, il dit à sa femme :

— N'est-ce pas magnifique, pour un homme de mon âge, de se retrouver sur le pont de son bateau ? Il faut une main sûre pour manœuvrer la *Mariposa* et j'en suis bien capable.

Elle le trouvait bien trop âgé pour ce genre d'aventures, et elle fut vraiment désolée d'apprendre que le capitaine Ortega partirait aussi. Elle comprit que cela mettait fin à tout espoir de mariage immédiat pour sa cousine Béatrice, mais ce n'était pas la première fois qu'elle se trouvait devant ce genre de déception, et elle avait remarqué que tout se terminait en général fort bien si l'on mesurait le temps à l'année et non au jour le jour.

Béatrice et elle se consolèrent donc en se disant que leurs hommes participeraient à la grande aventure dans un bateau aussi robuste que la *Mariposa*. Ils leur avaient assuré : « Ce bâtiment-là nous portera là-bas et nous ramènera. » Après des adieux éplorés, l'étrange assortiment de bateaux leva l'ancre et se dirigea vers la mer des Antilles. Ils tirèrent des salves à la sortie de Boca Chica, puis quand ils glissèrent sous les remparts de Carthagène.

Les mois de tension commencèrent. Comme le roi Philippe avait réquisitionné tous les vaisseaux disponibles pour sa vaste Armada, la flotte d'invasion la plus puissante qui eût été rassemblée, aucun n'était en mesure d'apporter des nouvelles aux possessions espagnoles des Antilles. Les citoyens de Carthagène restèrent dans l'ignorance tandis que leur métropole livrait ses grandes batailles pour la domination du monde connu.

Doña Leonora et ses filles fréquentaient assidûment leur prêtre, qui ne prêchait qu'un seul message aux habitants de la ville fortifiée :

— Puisque nos hommes se battent pour la vraie religion de Dieu, jamais Il ne permettra à des hérétiques de vaincre.

Et ces paroles réconfortaient beaucoup doña Leonora.

Mais les mois passèrent sans nouvelles, et elle fit observer à sa filles :

— Si les nouvelles étaient bonnes, le roi aurait sûrement détaché au moins un petit bateau pour nous les transmettre. Pas de bateaux ? Pas de nouvelles ? Désastre.

Peu à peu, la plupart des gens parvinrent à cette conclusion naturelle, et même les assurances du prêtre commencèrent à sonner creux. Plus d'un chuchota :

— Et qui se soucie d'une victoire ? L'important, c'est que nos bateaux reviennent... Nos fils et nos maris auraient-ils disparu dans ces mers glacées ?

Puis un beau matin une vigie cria la joyeuse nouvelle :

— La *Mariposa* à l'horizon !

Tous coururent sur les remparts pour voir le vieux bateau robuste s'avancer du nord comme au terme d'un voyage de routine à Cuba. Il glissa parallèlement à la ville puis continua vers Boca Chica et l'accès du port. Des badauds jurèrent qu'ils avaient reconnu tel ou tel homme à bord et le bruit courut que l'amiral Ledesma faisait partie des revenants, mais d'autres nièrent que l'on ait pu reconnaître qui que ce fût à cette distance.

Ce furent les quatre-vingt-dix minutes les plus douloureuses : le vaisseau hollandais fatigué s'éloigna vers le sud avant de virer de bord puis disparut derrière les forts de Boca Chica. Quand il réapparut dans la baie intérieure tout le monde s'aperçut qu'il était en excellent état :

— Il a ses mâts. Pas de trous dans ses flancs.

Puis son image grossit dans la baie et les hommes à bord devinrent reconnaissables. Presque aussitôt un cri de triomphe s'éleva :

— Ledesma ! Ledesma !

Les cheveux blancs du gouverneur étaient nettement visibles. Mais comme le bateau ne lançait aucune salve de triomphe, doña Leonora murmura :

— Ça ne s'est pas bien passé.

La *Mariposa* se rapprocha et l'Espagnole vit une chose qui lui remua le cœur. Don Diego, après avoir ramené son bateau de la guerre avec au moins une partie de son équipage, était tellement reconnaissant au Dieu de miséricorde qui l'avait guidé au cours des batailles terribles dans la Manche contre son ancien adversaire Drake qu'il se laissa tomber sur le pont au moment où le navire toucha le quai et baisa les planches. Il était manifestement en proie à la plus vive des émotions, mais sa femme remarqua aussi qu'il était trop faible pour se relever sans l'aide du capitaine Ortega, et elle se dit : « Le vieil homme a subi une terrible défaite. » Son cœur déborda aussitôt d'amour pour lui.

Mais elle le vit bientôt se raidir contre le bras d'Ortega ; il devint aussi rigide que dans le passé et tira ses épaules en arrière comme pour affronter un ennemi de plus. Il descendit à terre et leva les bras pour faire taire les vivats qu'auraient mérités seulement des soldats victorieux. Il se dirigea vers l'endroit où l'attendaient les gouverneurs par intérim de la ville, qui avaient protégé Carthagène en son absence, il s'inclina gravement devant eux et annonça d'une voix claire :

— L'Espagne a subi une terrible défaite. Faites sonner le glas.

Toute la journée les cloches de la ville sonnèrent les notes lentes et lugubres du deuil.

Dans l'après-midi, tandis que les cloches continuaient leur glas, Ledesma eut le courage de réunir les notables de la ville et, d'une voix nouée, il raconta avec Ortega la rencontre des gros vaisseaux lents de l'Invincible Armada avec les bateaux plus petits, plus rapides et plus maniables des Anglais.

— Tout a commencé par une monstrueuse humiliation, dit Ledesma.

— On ne nous a pas autorisés à nous armer en vaisseaux de combat, confirma Ortega. Nous n'avons même pas pu emporter des armes pour nos hommes. A notre arrivé en Espagne pour prendre place dans la flotte, on nous a envoyés à l'arrière.

Il avait trop honte pour révéler ce qui s'était passé ensuite, mais Ledesma n'hésita pas.

— Dans les cales de notre bateau, à la place des armes et des munitions que nous escomptions, que croyez-vous que l'on nous fit embarquer ? Du foin. Et dans les espaces où nous aurions pu loger canons et boulets, qu'avions-nous ? Des chevaux.

Il baissa les yeux vers le sol, puis ajouta à mi-voix :

— Vous vous rappelez notre départ d'ici ? Les pavois, les salves, les hommes prêts à mourir pour la gloire de Dieu et du roi Philippe... Et l'on nous a demandé de nourrir des chevaux !

— Mais vous les avez remis aux troupes ? demanda un conseiller.

— Nous n'avons jamais trouvé les troupes, dit Ortega. Elles devaient attendre avec Parme, le grand général, quelque part aux Pays-Bas. Parme n'est jamais arrivé.

— Vous n'avez pas envahi l'Angleterre ? demandèrent plusieurs voix.

Avec une amertume qui couvait depuis des mois, Ledesma répondit :

— Jamais nous ne nous sommes approchés de ses côtes. Ni même de ses bateaux.

— Mais la grande bataille ? Notre flotte contre la leur ?

Ledesma laissa son capitaine s'expliquer :

— Nous sommes entrés dans la Manche, en formation splendide. Chacun de nos capitaines savait exactement ce qu'il devait faire.

— Ensuite ? Dans la bataille ?

— Nous n'avons jamais livré bataille. Les Anglais ont refusé de nous attaquer de face, comme ils étaient censés le faire. Nous les aurions détruits. À la place ils se sont jetés sur nous de l'arrière... en envoyant des brûlots au milieu de nos bateaux pour nous disloquer.

Les notables, atterrés par ce qu'ils apprenaient, se tournèrent vers Ledesma en quête d'une explication.

— Le capitaine dit la vérité. Nous n'avons pas eu de bataille. Nous avons traversé la Manche en essayant de repousser les moustiques qui nous harcelaient et nous n'avons jamais effectué la liaison avec nos troupes de terre. Nous avons continué de naviguer et nous nous sommes bientôt retrouvés si loin de l'Angleterre que leurs bateaux ont cessé de nous pourchasser. Nous avions fui.

— Mais votre duel avec Drake ? Vous nous aviez dit avant de partir... Vous brûliez de le combattre.

— Nous n'avons jamais vu Drake, ni d'ailleurs Hawkins. Ils fondaient sur nous puis se repliaient comme des étoiles filantes la nuit.

— Ils étaient là, précisa Ortega. On pouvait le voir à la façon dont les Anglais se battaient. Mais nous ne les avons jamais vus.

— Votre flotte n'a tout de même pas fui ? demanda un des notables de la ville.

Ledesma le confirma :

— Nous avons perdu quelques bateaux, mais la plupart se sont enfuis.

— Notre amiral a reçu les honneurs pour ce qu'il a accompli, ajouta Ortega. Il a commencé la campagne d'invasion à la tête de vingt-trois galions et il en a ramené vingt en sécurité à travers les combats, les attaques aux brûlots et les bombardements sévères dont Drake et ses pareils nous ont accablés. Carthagène peut être fière de son gouverneur.

— Mais les chevaux ? demanda un homme qui possédait un domaine en dehors des murs.

Ledesma se détourna, refusant de répondre, et invita Ortega à le faire.

— Puisque nous n'avions pas trouvé la cavalerie, à laquelle ils étaient destinés, nous avons décidé de les ramener en Espagne, mais nous avons reçu l'ordre d'alléger tous les bateaux pour contourner l'Irlande.

— Et les chevaux ?

— Nous les avons jetés par-dessus bord. En pleine nuit.

— Ont-ils pu nager jusqu'à terre ? demanda le planteur.

— Personne ne le sait, répondit Ledesma.

Les notables s'agitèrent sur leurs sièges, désireux d'en apprendre davantage sur les combats.

— Mais si vous avez fui dans la mer d'Irlande pour revenir par l'autre côté de l'île, la plupart de vos bateaux ont dû rentrer en Espagne, et la défaite n'est donc pas aussi lourde que vous nous l'avez annoncé.

Doña Leonora, qui écoutait sans en perdre un seul mot cet étrange récit haché, vit les épaules de son mari s'affaisser et son visage pâlir.

— C'est trop pour un seul jour, mes amis. Nous sommes revenus, et six autres bateaux de Carthagène arriveront bientôt, je pense. Nous parlerons plus tard.

Sans un mot de plus, il les laissa avec Ortega qui continua la désolante histoire — en évitant lui aussi le sujet du retour des bateaux en Espagne.

Doña Leonora accompagna son époux dans sa chambre. Il semblait épuisé, non pas par la traversée du retour, car il aimait sa vieille *Mariposa,* l'un des plus robustes bâtiments à flot, mais par la honte de devoir relater publiquement les humiliations et les désastres subis par la petite flotte de Carthagène placée sous ses ordres. Doña Leonora ne posa que deux questions, car à la réaction de l'amiral elle comprit qu'elle devait se taire et le laisser dormir.

— Vos autres bateaux transportaient des chevaux eux aussi ?

Il poussa un simple grognement.

— Si vous avez sauvé vingt de vos bateaux dans la bataille, combien en avez-vous ramené en Espagne ?

Il tourna le visage vers le mur pour bien montrer qu'il se refusait à toute conversation. Comme plus d'un vaillant guerrier à travers les siècles, il était à son retour chez lui incapable d'expliquer à sa femme ce qui s'était passé.

Mais, le lendemain, prêt à parler franchement, avec l'aide d'Ortega, des catastrophes auxquelles il avait été mêlé, il rencontra de nouveau les notables de sa ville :

— Nous avions à notre tête un parfait imbécile, le duc de Medina Sidonia, un homme qui détestait la mer, qui avait de violentes nausées dès que son bateau roulait et qui avait averti le roi : « Je n'entends rien aux batailles navales, et je m'en sortirai très mal. » C'est ce qui s'est passé. Les Anglais se sont montrés plus malins que lui à chaque changement de marée.

— Était-il lâche ?

— Les Espagnols ne connaissent pas la lâcheté. Mais ils peuvent se montrer stupides.

— Mais enfin, continuaient de demander les hommes, vous avez conduit cette immense flotte vers l'Angleterre et n'avez jamais livré bataille ?

— Pas dans le style d'autrefois, non. Des grands bateaux face à face ? Non. On aurait dit plutôt des chiens bien dressés qui tourmentaient un taureau jusqu'à ce qu'il s'effondre.

— Et vous n'avez jamais vu Drake ni son bateau ?

Très lentement, Ledesma répondit :

— Je n'ai... jamais vu... Drake.

Mais Ortega précisa ce qu'il avait laissé entendre la veille.

— Mais nous savions qu'il était là.

Une voix demanda comment.

— Par les résultats.
— Mais dites-nous... Qu'est-il arrivé à la flotte quand elle a contourné l'Irlande ?
Ledesma se raidit et se tourna vers son capitaine.
— Ortega, qu'est-il arrivé à notre raison en Irlande ? Pourquoi avons-nous tout abandonné ?
Cette question hanterait les historiens de la mer pendant les cinq siècles suivants, et aucune réponse rationnelle ne serait proposée. Mais Ortega, l'un des rares capitaines qui avait ramené son bateau sain et sauf après le désastre, connaissait certains faits de base.
— Nous n'avions pas de cartes marines justes. Elles ne nous indiquaient pas jusqu'où l'Irlande s'enfonçait dans l'Atlantique. Nos vaisseaux ont tourné trop tôt vers le sud et sont tombés sur des promontoires qu'ils ne s'attendaient pas à trouver là. Repoussés par des vents violents venant de l'ouest ils n'ont pas pu virer de bord pour échapper à ces terribles rochers.
Une fois le récit commencé, Ledesma, toujours prêt en tant que commandant d'une opération à endosser sa part de reproches quand l'affaire tournait mal, continua d'une voix ferme :
— Nous aurions dû rentrer sans problème dans nos ports espagnols. Aucun bateau anglais ne nous harcelait. Mais nous avons perdu vingt-six des plus gros bâtiments de l'Armada... Toute une marine... Et pas un seul coulé à la suite d'une action de l'ennemi. Dans les tempêtes violentes de l'Atlantique Nord, nos bateaux se sont éventrés. Dans les ténèbres sinistres, ils s'éperonnaient et sombraient. Mais la plupart en fuyant devant les vents furieux du début de l'hiver, se sont écrasés sur les impitoyables promontoires de l'ouest de l'Irlande. La moitié de l'équipage se noyait, l'autre moitié se retrouvait sur une côte inhospitalière...
Il secoua la tête, accablé par l'ampleur du désastre auquel il avait échappé en raison de sa maîtrise supérieure de la mer. Puis il fit signe à Ortega de continuer.
— Dites-leur ce qui est arrivé quand nos marins naufragés ont eu la chance de gagner la terre.
Le capitaine révéla une histoire incroyable.
— Lorsque nous avons quitté l'Espagne pour revenir ici ce n'était que des rumeurs, mais j'ai interrogé trois de nos marins qui venaient d'échapper aux terreurs de l'Irlande, et ils racontaient de telles horreurs que leur récit a fait aussitôt le tour de la flotte. Apparemment, chaque fois qu'un Espagnol parvenait à terre, il se passait l'une des trois choses suivantes. Certains étaient dépouillés de leurs vêtements par les paysans irlandais enragés et tués sur place. Ceux qui survivaient tombaient entre les mains de la petite noblesse irlandaise qui cherchait les faveurs des Anglais : ils étaient massacrés ou livrés aux Anglais. Et ceux qui se rendaient honorablement à des officiers anglais étaient assassinés l'un après l'autre et en public, pour l'exemple.
Plus tard, quand ces bruits furent confirmés, on calcula que six mille des meilleurs fils de l'Espagne s'étaient réfugiés sur des plages irlandaises après la perte de leurs bateaux. Tous sauf sept cents avaient été massacrés.
Ledesma regarda ses concitoyens de Carthagène et leur dit :
— Les jeunes gens courageux qui ont quitté cette ville avec moi... si

vaillants... si indestructibles. Nous leur avons fait traverser un enfer comme peu d'hommes en ont connu, c'était une troupe unie...

Ses mains se crispèrent et il frappa le vide de ses poings.

— Nous les avions sauvés de tout ce que Drake avait lancé sur nous. Et puis... Et puis les perdre ainsi aux mains d'assassins anglais en Irlande ! Mon Dieu... Oh ! mon Dieu !

Les notables virent les muscles de son cou se raidir.

— Oui, les Anglais ont massacré nos hommes sans vergogne, mais nous serons vengés. Je suis certain qu'avant ma mort El Draque reviendra dans ces eaux. C'est forcé... Et ce jour-là, si Dieu m'en accorde la force, je me battrai de nouveau contre lui et je le pourchasserai jusqu'à sa tombe.

Et désormais Ledesma éprouva pour les Anglais qui avaient assassiné ses marins la même haine de sang que celle que Francis Drake avait toujours ressentie pour les Espagnols qui condamnaient ses hommes au bûcher. Ni d'un côté ni de l'autre, cette hostilité passionnée ne pourrait s'apaiser.

La tragédie qui avait accablé l'amiral Ledesma au cours des vains affrontements de l'Europe était si déchirante, qu'afin d'oublier il banda le reste de son énergie pour des préoccupations plus humaines. Chaque jour, il arpentait sa ville, à l'affût de projets urgents à réaliser :

— Je veux terminer les remparts pour protéger la ville entière. Nous avons besoin de meilleurs puits... D'un fort pour protéger Boca Chica...

Un jour où il inspectait une section des murs, il s'arrêta soudain et se tourna vers Ortega.

— Je vous ai observé attentivement, Roque.

C'était la première fois, en cette année de chaos, qu'il appelait son cousin autrement que capitaine.

— J'ai constaté que vous êtes un homme d'honneur. Nous n'aurions pas ramené la *Mariposa* avec un capitaine moins compétent.

Ortega inclina la tête.

— Et je me fais vieux, continua Ledesma. Soixante et un ans cette année. Très vieux. Je m'en aperçois. Et sans un fils pour prolonger mon nom. Pourquoi ne deviendriez-vous pas Roque Ledesma, avec l'ambition de prendre ma place quand je ne serai plus ?

Ortega inclina de nouveau la tête, la gorge nouée.

Puis une idée traversa l'esprit de l'amiral.

— Écoutez, vous avez déjà le droit de vous appeler Ortega y Ledesma. Changez ce nom en Roque Ledesma y Ledesma, et laissez les gens se demander s'il ne cache pas un inceste.

Il rit de sa plaisanterie, mais Ortega ne répondit pas, et l'amiral laissa sa proposition en suspens.

On apprit bientôt que le capitaine veuf se préoccupait d'une affaire très sérieuse, suggérée par Doña Leonora qui avait relancé sa campagne décisive pour trouver un digne époux à la señorita Béatrice, sa nièce d'Hispaniola.

— Diego, accordez au capitaine Ortega une semaine de repos, demanda-t-elle.

Et pendant ces journées de détente, elle s'arrangea pour que

Béatrice reste toujours sous les yeux d'Ortega. Les deux premiers jours, il demeura accablé par les défaites espagnoles, mais le troisième il commença à remarquer le charme de Béatrice. Comme la jeune fille semblait trop timide pour lui laisser entendre qu'elle l'appréciait aussi, doña Leonora jugea qu'il était de son devoir d'intervenir.

— Capitaine Ortega, lança-t-elle hardiment, vous savez sûrement que Béatrice s'est entichée de vous... de vos manières viriles et tout.

Il toussa modestement.

— C'est une jeune personne adorable, vraiment. Pendant que vous étiez à la guerre, j'ai pu me rendre compte qu'elle ferait une parfaite épouse.

Comme Ortega hésitait, elle ajouta :

— Vous n'êtes plus de première jeunesse, Roque...

En l'appelant ainsi par son prénom, elle lui rappela que l'amiral avait fait de même lorsqu'il avait évoqué le changement de nom, et il crut voir soudain les fragments brisés de sa vie — sa mère devenue pauvre, la perte de sa femme, la défaite en Angleterre, l'incertitude du Nouveau Monde — qui se ressoudaient soudain autour des Ledesma de Carthagène. Il épouserait leur nièce, adopterait leur nom, et entrerait dans la vaste parenté qu'ils avaient établie dans cette ville riche et célèbre.

D'une voix basse, il balbutia :

— Doña Leonora, aurais-je votre permission de demander à votre mari la main de la señorita Béatrice ?

Elle réagit en ouvrant la bouche et haussant les sourcils comme si cette idée ne lui avait jamais traversé l'esprit et la surprenait.

— Je crois qu'il écouterait.

Elle s'éloigna, satisfaite d'avoir réglé les problèmes d'un autre membre de sa nombreuse famille.

Mais quand le vice-régent, devenu un des notables les plus influents, apprit la proposition de donner à Ortega un autre nom, il souleva de sérieuses objections.

— Don Diego, avez-vous perdu la raison ? Les gens murmurent déjà : « Cette ville n'est plus Carthagène, c'est Carta-Ledesma. » Effectuer ce changement de nom serait leur lancer votre népotisme au visage.

Don Diego promit de réfléchir à ce risque, mais ce soir-là, en se promenant sur ses remparts, il se dit : « Le but permanent auquel tend un homme est d'utiliser les membres de sa famille pour tisser un réseau d'influence et de stabilité. Regarde Drake. Dans l'ombre, parce que la célébrité demeure passagère. Regarde ce qui est arrivé à Cortez. La faveur d'un roi est un roseau trop fragile pour qu'on s'y appuie. Mais quand on a les maris de ses filles à des postes de pouvoir, quand on veille à ce que les fils de sa sœur soient nantis de bons revenus, la permanence est assurée. On peut compter là-dessus. Qu'a dit Drake la veille de son départ ? Il regrettait de ne pas avoir de fils. Je n'en ai pas moi non plus, mais je vais en obtenir un : Roque Ledesma y Ledesma, un beau nom, et que ceux à qui cela déplaira s'en aillent au diable ! »

Et le changement de nom eut lieu.

Les sept ans qui suivirent le désastre de l'Invincible Armada furent fort calmes aux Antilles, avant tout parce que Drake les laissa tranquilles. Sans le corsaire anglais à affronter, l'endroit semblait sans importance. Des trains de mules traversaient l'isthme, de Panamá à Nombre de Dios, et transbordaient leurs trésors dans des bateaux que la flottille de Carthagène escortait à La Havane d'où partaient les flottes chargées de lingots à destination de Séville. Au cours de ces années, pas un seul bateau ne se perdit.

Le bruit courut que Drake avait pris pour seconde épouse une héritière de bonne famille et avait été élu au Parlement pour représenter Plymouth. Il lui arriva d'y prendre la parole sur des questions navales et militaires. Arraché à sa retraite pour diriger une attaque sur la côte nord-ouest de l'Espagne et du Portugal, il fit un tel gâchis au cours de cette expédition, qu'on le contraignit à une vraie retraite, que tout le monde supposa permanente. Après cela, les Antilles n'entendirent plus parler de lui et tout le monde le crut mort, ainsi que son compagnon plus âgé Hawkins, devenu sir John.

Puis, à la fin de février 1596, parvint la nouvelle revigorante que don Diego attendait depuis tant d'années. Elle n'émanait pas du roi Philippe à l'Escorial, mais l'un de ses ministres, à Madrid.

> *Des espions de confiance nous informent que le 25 janvier de cette année, l'infâme hérétique Élisabeth d'Angleterre a chargé ses deux chevaliers, Drake et Hawkins, de conduire une flotte de vingt-sept vaisseaux de guerre à l'assaut de nos cités des Indes occidentales. Le roi Philippe est vieux et malade. Offrez-lui les têtes de ces deux pirates avant sa mort.*

La plupart des gouverneurs espagnols connurent un moment d'angoisse en apprenant l'arrivée de Drake et de Hawkins, mais pas don Diego, ravi de voir ses deux ennemis mortels entrer en même temps dans ses eaux de prédilection.

— Dieu me témoigne sa bonté, dit-il aux hommes de sa famille.

Puis il rassembla toute son équipe pour tenir tête à ce dernier défi des chiens de mer anglais.

Les cartes étalées sur la table, les Ledesma mirent au point leur stratégie, inspirée par don Diego qui semblait posséder un sixième sens pour deviner ce que la reine Élisabeth ordonnerait à ses amiraux, et les mesures pratiques que ceux-ci prendraient pour y parvenir. Dans leurs plans, les hommes citaient invariablement Drake en premier et Hawkins en second, car ils savaient que l'oncle âgé se trouvait maintenant sous les ordres du neveu, plus jeune et plus audacieux. Don Diego ne pensait même qu'à Drake. Il ordonna à son vice-régent :

— Comme vous l'avez déjà battu à Nombre de Dios, repartez là-bas et faites de même.

Le jeune homme se rebiffa.

— Je me demande si Drake se souciera d'une si petite ville.

— Drake est Drake, lança don Diego. Il sera attiré là-bas comme le requin par l'odeur d'un cadavre en sang. Il voudra prendre sa revanche.

Convaincu que Drake ferait une autre tentative contre Panamá, don Diego chargea ses deux autres gendres de construire une douzaine d'obstacles le long de la piste de la jungle que les Anglais seraient tentés de suivre, et d'empoisonner toutes les sources disponibles. Puis il se tourna vers son plus récent espoir, Roque Ledesma. Il étudia les cartes de la mer des Antilles avec cet excellent marin.

— Il ne viendra pas d'Hispaniola, puisqu'il l'a détruite la deuxième fois. D'où viendra-t-il ?

Après de nombreuses réflexions, les deux complices décidèrent que Drake envahirait Porto Rico dont la riche capitale, San Juan, pouvait offrir le genre de trésor qu'il avait capturé la fois précédente à Santo Domingo.

— Nous irons là-bas tous les deux, Roque, pour lui compliquer la vie.

— Vous ne tenez jamais compte de Hawkins dans vos calculs, observa un de ses neveux.

— Hawkins est comme moi, répondit Ledesma. Prévisible. Nous le combattrons quand nous le trouverons. Mais avec Drake, il faut toujours faire des conjectures, il a un cerveau d'oiseau-mouche : ses ailes ne cessent jamais de battre.

Au bout du compte, il prit une décision arbitraire : aux frères Amadór, ses partisans loyaux depuis plusieurs décennies, il ordonna :

— Partez à Río Hacha. Il ira certainement là-bas à un moment ou à un autre au cours de ses pillages.

Les frères firent remarquer que Río était devenu un endroit désolé avec trop peu d'attraits pour attirer la cupidité d'un corsaire.

— Il se souvient encore qu'il y a subi sa première défaite, répliqua don Diego. Il y retournera.

Ensuite, Roque exprima la plus forte objection contre le principe de dispersion des forces appliqué par Ledesma.

— Vous allez laisser Carthagène sans défense.

— Il n'y reviendra pas. Il a déjà conquis la ville une fois, il n'éprouvera pas le besoin de recommencer. Porto Rico est un nouvel objectif. Tous les autres sont des défaites à venger.

— Dans ce cas, pourquoi ne reviendrait-il pas à San Juan de Ulúa, sa plus grande défaite ?

C'était une question pertinente, que le vieux guerrier soupesa longuement. Au bout du compte il donna la réponse d'un vieillard fatigué.

— S'il va à Ulúa, et avec Hawkins, il faudra que... Ma foi, ce sera au Mexique de se défendre... Notre mission, ajouta-t-il apès un temps de réflexion, consiste à protéger les Antilles, et c'est déjà beaucoup.

Le printemps passa sans nouvelles notables sur les déplacements de Drake, mais au milieu d'avril une information d'un genre complètement différent parvint à Carthagène. Elle venait de San Juan de Porto Rico et méritait l'épithète « important » à tous égards :

> *Le 9 avril s'est réfugié dans le port de cette ville le grand galion du roi* Begoña, *vaisseau amiral de la flotte du Trésor. Démâté au cours d'une violente tempête, chargé de trois cents âmes et de plus de deux millions de pesos en or et en argent, il n'a aucune possibilité de reprendre sa traversée vers la métropole mais se trouve en sécurité dans notre refuge. Sa cargaison de lingots a été dissimulée de façon satisfaisante à terre où elle restera jusqu'à ce que nous apprenions les projets de sir Francis Drake. Entre-temps, d'autres villes devraient envoyer à Porto Rico toutes les forces dont elles peuvent se*

passer pour protéger ce grand trésor dont le roi a un besoin si pressant pour ses entreprises.

Pour don Diego, ce furent des heures d'angoisse. Il eut envie de se précipiter à Porto Rico pour contribuer à la défense du grand trésor, et il se félicita d'avoir calculé des mois plus tôt que Drake se rendrait là-bas. Mais il ne comptait opérer aucun mouvement avant de savoir de source sûre que la flotte de Drake avait bien quitté son port d'attache. Au cours de la troisième semaine de septembre, le bruit courut d'île en île et sur la Terre Ferme : « Drake a pris la mer ! » Mais peu après arriva la nouvelle surprenante que Drake et Hawkins s'étaient arrêtés en chemin pour un siège sans succès à la Grande Canarie.

— Ah ! Ah ! s'écria don Diego aussitôt. S'il arrive par les Canaries, c'est qu'il mettra le cap sur Porto Rico.

Le lendemain, il envoya les dix-neuf membres de sa famille aux postes prévus.

Quand don Diego arriva à San Juan avec la *Mariposa* et vit les chenaux et le port dans lesquels il livrerait ce qui serait sans doute son dernier grand duel avec les intrépides Anglais, une pensée décourageante le frappa : « Mon Dieu ! Nous sommes tous de vieux bonshommes, et nous nous bagarrons comme des gamins ! » Drake avait eu cinquante-deux ans cet été-là, Hawkins soixante-trois et lui-même soixante-sept. « Mais nous restons les meilleurs sur les océans... »

À son entrée dans le port, il constata le bien-fondé des rapports. Le *Begoña,* démâté par une tempête sauvage des Antilles, n'avait aucune chance de faire route vers l'Espagne. Les marins de l'escorte crièrent :

— Nous avons déposé les deux millions dans la forteresse. Drake ne s'en emparera jamais.

Plusieurs surprises l'attendaient à terre. Tout d'abord, le commandant de la place lui déclara :

— Nous avons décidé que nous n'aurions aucune chance contre ces deux-là au cours d'une bataille en haute mer. Tous les bateaux dans le port !

Cette restriction déplut à l'amiral mais il dut s'y soumettre et, à son corps défendant, il amarra son rude vaisseau à l'intérieur. Quand le dernier bâtiment de sa flotte fut à l'abri du port, le commandant le stupéfia encore plus en annonçant :

— Demain, nous refermerons le port en sabordant ce qu'il reste du *Begoña* en plein milieu, avec quatre bateaux plus petits de chaque côté.

Ledesma et le capitaine de l'énorme galion protestèrent mais cela n'arrêta nullement le commandant.

Puisque la petite flotte de don Diego se trouvait emprisonnée, incapable de ressortir tout comme Drake serait incapable d'entrer, il demanda aux autorités locales :

— Que comptez-vous que je fasse ?

— Vous aiderez à installer à terre des batteries supplémentaires, lui ordonna-t-on sèchement.

Roque et lui désarmèrent donc les bateaux bloqués et placèrent leurs canons à des endroits stratégiques, sur des collines dominant les accès au port.

Les Espagnols se hâtaient de préparer leurs défenses, mais ils comptaient bien sur trois ou quatre semaines de répit. Ce ne fut pas le cas. Deux extraordinaires coups de chance leur conférèrent cependant un avantage. Au moment où la flotte anglaise pénétra dans la mer des Caraïbes, deux de ses bateaux restèrent à la traîne et des frégates espagnoles en maraude en capturèrent un. L'on apprit ainsi que Drake et Hawkins arriveraient bientôt à Porto Rico. Armés de ce renseignement précieux, les patrouilleurs filèrent à San Juan et crièrent la nouvelle dès leur arrivée. Quand les bateaux anglais apparurent, tous les canons espagnols étaient prêts à leur tirer droit dessus.

L'autre événement, dont les Espagnols ne pouvaient avoir conscience pendant l'action, était une violente dispute entre les deux amiraux anglais dès la sortie du port de Plymouth au mois d'août. Hawkins, plus âgé et plus prudent, voulait traverser l'Atlantique à toutes voiles pour frapper Porto Rico avant que ses défenses soient renforcées. Mais Drake avait insisté pour livrer en chemin une série de batailles infructueuses qui avaient fait perdre des semaines.

Et maintenant, à la veille d'une bataille pour laquelle chaque seconde serait importante, Drake exigeait une autre escale inutile aux îles Vierges, même pas à un jour de voile de Porto Rico. Hawkins protesta avec véhémence, ne réussit pas, une fois de plus, à convaincre son impulsif associé, et comprenant que leur dernière aventure dans les Caraïbes était condamnée à l'échec à cause de l'intransigeance de Drake, il se retira dans sa cabine, tourna son corps épuisé vers le mur et mourut.

Après les obsèques de Hawkins dans la mer splendide où il avait acquis sa renommée, Drake arriva trop tard à San Juan, où les puissantes défenses terrestres organisées par les généraux espagnols le repoussèrent facilement. Jamais il ne put tenter de se frayer un chemin dans le port de San Juan. Jamais il n'apprit même où les deux millions du *Begoña* avaient été cachés.

Mis en rage par le refus des Espagnols de se battre contre lui en pleine mer, il essaya de débarquer un détachement à terre, mais ne parvint qu'à perdre beaucoup d'hommes. Piaffant ainsi qu'un animal blessé, Drake se comporta exactement comme don Diego l'avait prédit. Dans sa fureur aveugle il traversa la mer des Caraïbes vers le sud pour déverser sa rage sur la ville sans défense de Río Hacha, où il ne trouva pas une seule pièce d'or mais qui lui fit perdre dix-neuf jours au terme desquels, dans une fureur presque démoniaque, il incendia tout pour se venger du vol de ses esclaves trente ans auparavant. De là, il se jeta sur Santa Maria, autre endroit sans défense où il ne trouva aucun trésor. De nouveau, il mit la ville à sac.

Ledesma, apprenant à son retour à Carthagène le comportement irrationnel de Drake, ne s'arrêta que le temps de rassembler autour de la *Mariposa* une petite flotte sûre avec laquelle il résolut de harceler Drake jusqu'à sa mort. Le dernier soir avant d'appareiller pour l'affrontement décisif, à Nombre de Dios, il se promena sur les remparts avec Leonora, sa belle épouse aux cheveux blancs.

— En un sens, il me fait pitié, lui dit-il. Il se consume de rage comme un taureau blessé, et il attaque tout ce qui bouge, que cela fasse partie ou non de son dessein.

— Faites attention, le prévint doña Leonora. Les taureaux blessés sont les plus dangereux.

— Drake a toujours été dangereux, répondit-il en rentrant. Blessé ou non. Mais maintenant, nous le tenons.

Le matin suivant, Ledesma leva l'ancre à la tête de toute sa famille pour la poursuite finale. Comme il l'avait prédit, Drake ne se soucia pas de Carthagène cette fois. Don Diego et Roque, soulagés, le suivirent à distance respectueuse vers la petite ville qui occupait une place de marque dans son imagination : Nombre de Dios. Il n'y trouva littéralement rien, en dehors d'un ramassis de baraques en train de pourrir, abandonnées depuis longtemps pour la plupart : le point de chute des trains du trésor venant de Panamá avait été installé à vingt-cinq kilomètres seulement vers l'ouest, sur un mouillage plus favorable appelé Porto Bello. Furibond de ne trouver aucun trésor à Nombre de Dios, il incendia les ruines. Le vice-régent, qui observait l'action avec l'amiral depuis un promontoire sûr, lança soudain :

— Ce n'est pas notre ville qu'il brûle. C'est la sienne.

Aveuglé par une rage de plus en plus démente, Drake se jeta sur la nouvelle ville de Porto Bello, n'y trouva aucun trésor et l'incendia aussi, comme s'il se sentait personnellement insulté du fait qu'elle ait supplanté Nombre de Dios. Puis, dans un acte d'irresponsabilité choquante, il envoya un petit contingent de soldats lourdement armés sur la redoutable piste de la jungle, pour piller Panamá et éventuellement détruire la ville : soixante hommes contre six mille. Les Anglais luttèrent sans espoir contre les marécages, les moustiques et les barrages successifs construits par les autres gendres de don Diego, où des Indiens les attendaient avec des flèches empoisonnées. Puis, non sans raison, ils se révoltèrent, crièrent à leurs officiers : « Nous refusons de subir tout ça » et rentrèrent à leurs bateaux les mains vides.

Drake, écœuré par cette chaîne ininterrompue de désastres, conçut l'idée folle d'envahir les riches cités qu'il croyait trouver dans les montagnes du Nicaragua. Mais un Espagnol capturé à bord d'un petit caboteur le convainquit que ces « villes d'or » n'existaient pas et que les villages de ces hautes terres n'avaient pas quatre sous à se faire voler. Il abandonna donc cette opération. À la place il revint à Nombre de Dios, comme séduit par la même fascination mystérieuse qui l'avait attiré des années plus tôt. Dans son désespoir, suivi par les bateaux de don Diego qui gardaient sa trace comme autant de charognards, il calcula quelle action grandiose il pourrait entreprendre pour humilier le roi Philippe — capturer un immense trésor comme à Valparaíso ? détruire La Havane comme jadis Santo Domingo ? — mais il se contenta de se retourner, dépité et contrit, contre la flotte de don Diego, pareil à une grande baleine tourmentée par une kyrielle d'ennemis qu'elle n'arrive pas à atteindre.

Il terminait ses jours comme don Diego l'avait prédit, « en piaffant de tous côtés mais sans aboutir à rien ». Puis les fièvres redoutables de Nombre de Dios attaquèrent son bateau et provoquèrent la mort d'un grand nombre de ses robustes marins anglais avant qu'ils aient pu porter un seul coup significatif contre le roi Philippe : Drake maudit alors la malchance qui semblait le poursuivre. Puis un soir la fièvre, toujours à l'affût dans ces régions malsaines pour tuer avec la même impartialité les Espagnols qui transportaient l'or à travers l'isthme et les Anglais qui tentaient de les en dépouiller, frappa Drake avec une fureur maligne. Quand il leva les yeux, impuissant, vers ses compagnons, ils lurent de la terreur dans son regard.

— Cela se terminera-t-il ainsi ? demanda-t-il faiblement.

Le lendemain, il était mort. Pour protéger son corps des Espagnols en maraude, qui risquaient de le profaner dans la violence de leur haine, ils enveloppèrent son cadavre dans de la toile à voile, lestèrent ses épaules et ses jambes avec du plomb, et le lancèrent dans les eaux de la mer des Caraïbes qui résonneraient toujours des échos de sa grandeur.

Don Diego, dont la ténacité avait pourchassé Hawkins et Drake jusqu'à la mort, n'eut pas l'occasion de se réjouir longtemps de sa victoire, car à son retour à Carthagène pour réunir sa famille dispersée, il trouva une petite flotte dans le vaste mouillage. Il craignit un instant qu'un détachement des forces de Drake se soit glissé là pour tourmenter sa capitale fortifiée, mais dès qu'il se rapprocha il reconnut des vaisseaux espagnols. Dès son arrivée chez lui, il apprit que des hommes étaient venus pour le harceler, comme lui-même avait harcelé Drake. Et ils venaient d'Espagne, pas d'Angleterre.

Il s'agissait d'une *audiencia* de trois hommes, envoyée par le roi Philippe, pour évaluer les nombreuses accusations accumulées contre lui, trente et une au total — allant du vol patent de fonds appartenant au roi à des soupçons d'hérésie, car on l'avait entendu dire après une bataille : « Que Drake prie son Dieu à sa manière, je le prierai à la mienne. » L'un des griefs les plus révélateurs contre lui était « d'avoir placé dix-neuf membres de sa famille à des postes où ils pouvaient voler d'énormes sommes appartenant au roi, son acte le plus arrogant étant de persuader un excellent capitaine de Cadix, du nom de Roque Ortega, de prendre le nom de Roque Ledesma y Ledesma pour ajouter du lustre au nom de la famille. »

Dans les quatre mois qui suivirent la mort de Drake, alors que les Ledesma auraient dû se réjouir comme tous les autres Espagnols des Antilles, le chef de leur famille tentait de répondre aux accusations, certaines si graves qu'elles pouvaient entraîner la mort si elles se révélaient fondées, la plupart si bénignes qu'un magistrat les aurait écartées en une matinée. Mais en fin de compte, le sévère et inflexible président de la commission persuada ses deux assesseurs de se joindre à lui pour reconnaître don Diego coupable de tous les chefs d'accusation. Sur quoi le sauveur de Carthagène fut mis aux fers et renvoyé en Espagne pour être jugé par les tribunaux de Philippe, réputés pour leur habitude de ne jamais déclarer innocents les fonctionnaires coloniaux accusés.

Son dernier soir à terre, il supplia ses geôliers de lui permettre une dernière promenade sur les remparts qui dominaient le lac espagnol qu'il avait défendu avec tant de valeur, mais ils refusèrent, de crainte que les habitants de la ville ne se rassemblent pour défendre leur héros et s'emparent de lui. À la place, il resta enchaîné dans la vaste salle où il avait reçu les gouverneurs de la Nouvelle-Espagne, les amiraux au retour de leurs victoires, la femme haute en couleur qui lui avait raconté les héroïques exploits de Drake au Chili et au Pérou, et Drake lui-même lorsqu'ils s'étaient affrontés pour le salut de la ville.

Quand sa femme, loyale au cours de tant de décennies, vint s'asseoir près de lui et glissa des chiffons frais entre les fers et sa peau pour soulager la douleur, il lui dit :

— Peut-être Dieu me rappelle-t-il : « Hawkins, Drake et toi étiez des frères d'armes. Il est temps que tu les rejoignes. » Je suis prêt.

En cette extrémité, don Diego pouvait encore se féliciter d'une chose : il pouvait regarder sa nombreuse famille et se dire qu'ils étaient bien en place. Ils possédaient les postes, le pouvoir et le trésor qui leur permettrait de gouverner Carthagène longtemps après son départ. En homme d'honneur, il avait accompli son devoir envers son Dieu, son roi et sa famille. Fort de cette assurance, il n'aurait dû éprouver aucune honte de retourner en Espagne dans les fers. Mais il connut un instant de ressentiment ardent quand, pour cette traversée de retour, on le traîna à bord de son propre bateau, la *Mariposa,* et on le jeta à fond de cale.

— Je me suis battu contre ce bateau, je l'ai capturé, je l'ai conduit au combat contre le *Jesus of Lübeck* et j'ai résisté à Drake avec l'Armada.

Il leva ses mains enchaînées pour cacher son visage et l'humiliation qu'il ressentait.

Mais il n'atteignit pas l'Espagne, car au moment où la *Mariposa* s'engagea dans le célèbre passage du Vent entre Cuba et Hispaniola, une violente tempête s'éleva. Quand le désastre parut imminent, il cria de la cale :

— Prévenez le capitaine ! Dites-lui que je sais comment manœuvrer ce bateau pendant une tempête !

Le roulis augmenta, puis une voix lui répondit :

— Le capitaine dit que vous devez rester aux fers, par ordre du roi.

Et don Diego demeura dans la cale. Il sentit son bateau commettre erreur sur erreur puis sombrer, désemparé, au fond de la mer des Antilles.

5

Grandes tempêtes en Petite Angleterre

La Barbade, 1649

Parce que l'île de Barbados — la Barbade —, d'une beauté céleste, se trouve très à l'est du chapelet d'îles qui marque la limite de la mer des Caraïbes, et très au sud des courants océaniques que suivaient naturellement les bateaux partis d'Europe et d'Afrique, Christophe Colomb ne découvrit l'île à aucun de ses voyages, de 1492 à 1502, et elle resta inconnue pendant plusieurs décennies. Quelques Arawaks s'y réfugièrent quand les redoutables Caraïbes ravagèrent leurs îles, mais ils s'étaient apparemment éteints longtemps avant l'arrivée des blancs.

Ce fut très tard, en 1625, que l'île en attente, déserte mais au sol d'une extrême richesse, fut remarquée par un Anglais de passage. Deux années de plus s'écoulèrent avant le lancement d'une colonisation systématique. Comme ce paradis avait attendu longtemps l'arrivée des blancs, plus d'un en vint à croire que la meilleure des Antilles avait été gardée pour la fin. Située à plusieurs centaines de milles nautiques à l'est, elle ne fait pas réellement partie de la mer des Caraïbes, mais elle n'en est pas moins considérée comme l'un des fleurons de l'archipel.

Comme jadis les Arawaks sur Dominique, les colons anglais évitèrent les vagues et les tempêtes violentes du côté au vent, ou atlantique, et s'installèrent de préférence sur la côte chaude et accueillante de l'ouest, en face de couchers de soleil splendides. Le long des côtes d'une baie petite et pas trop bien protégée, un ramassis de maisons frustes prit forme, puis s'appela Bridgetown et mérita vite sa réputation d'un des sites les plus civilisés des Caraïbes : une plage incurvée, jalonnée de palmiers oscillant au vent, de petites rues propres bordées de maisons blanches basses bâties dans le style hollandais, une population industrieuse, une petite église surmontée par un minuscule clocher et, en toile de fond, un rideau de collines basses d'un vert brillant après la pluie. Même en ces jeunes années, c'était un village qui vous faisait chaud au cœur la première fois que vous l'aperceviez de la mer : « Voici un endroit où une famille peut être heureuse. »

Au début des années 1630, un petit groupe d'audacieux émigrants d'Angleterre cultivaient les champs derrière la ville pour faire pousser des récoltes capables de les nourrir et aussi pour exporter l'excédent en échange de ce dont ils avaient besoin : vêtements, médicaments, livres, etc. La culture des trois produits marchands désirés par les importateurs anglais — coton, tabac et indigo pour teindre les tissus — imposait un labeur si pénible que les premiers colons mirent très vite au point un système qui leur permettait de surveiller tranquillement leurs plantations pendant que d'autres faisaient le travail. Ils firent venir des jeunes hommes sans le sou, principalement d'Écosse, avec des contrats de cinq ans au terme desquels ces jeunes gens recevaient une petite somme en espèces et le titre de propriété de deux hectares à choisir parmi les terres disponibles.

Dans le premier groupe de « travailleurs sous contrat », comme on les appela légalement, se trouvait un jeune gars costaud du nord de l'Angleterre, nommé John Tatum, dont le plus riche planteur de tabac de la Barbade, Thomas Oldmixon, avait payé le passage de Bristol comme le voulait la coutume. Les deux hommes ne s'entendirent jamais. Oldmixon, tout rond et jovial, avait une voix tonnante, un visage rougeaud et l'habitude de taper dans le dos de ses égaux en les régalant d'histoires qu'il jugeait désopilantes mais dont son public ne percevait presque jamais l'humour ; avec ses inférieurs — et il avait classé Tatum dans cette catégorie — il se montrait brusque et souvent insultant.

Au cours des cinq années que Tatum devait lui donner — sans salaire, dans une chambre humide, sans même les vêtements de travail que les autres maîtres fournissaient à leurs serviteurs — Oldmixon se lança dans l'achat de nouveaux champs et donc Tatum dut abattre des arbres, arracher des souches et défricher des terres neuves. C'était un travail si pénible, si mal payé en retour, que Tatum conçut une violente haine pour Oldmixon. Et un Anglais de Bridgetown, qui traitait avec plus d'humanité ses travailleurs sous contrat, prédit un jour : « Avant que Tatum finisse son temps, nous serons sûrement les témoins d'un meurtre chez Oldmixon. »

Mais l'année suivante, quand s'acheva la servitude de Tatum et qu'il eut choisi deux hectares splendides à l'est de Bridgetown, il se produisit un de ces accidents banals qui modifient l'histoire des îles. Un bateau anglais à destination de la Barbade, avec une nouvelle cargaison de travailleurs blancs sous contrat, rencontra par hasard un vaisseau portugais dont l'équipage allait vendre des esclaves noirs d'île en île, exactement comme en Europe les femmes des paysans colportaient de porte en porte les légumes cultivés par leurs maris.

Les Anglais, toujours à l'affût de quelques sous à gagner honnêtement, attaquèrent le négrier portugais, gagnèrent la bataille navale et se retrouvèrent avec une cargaison d'esclaves sur les bras. Le premier port qui s'offrait était Bridgetown à la Barbade, et le bateau y débarqua non seulement les travailleurs sous contrat à destination de l'île, mais huit noirs d'Afrique. On organisa des enchères sur le parvis de l'église, en plein centre-ville. Thomas Oldmixon acheta trois des esclaves et John Tatum, son ancien « sous contrat », affranchi de fraîche date, dépensa le premier argent qu'il ait jamais possédé à la Barbade pour en acquérir un. Les deux hommes avaient compris dès le premier coup d'œil sur ces noirs puissants qu'il y avait de l'argent à gagner grâce à leur travail. Ce fut ainsi que l'esclavage débuta sur cette île de paix.

En ces années, Bridgetown devenait un endroit de plus en plus agréable à vivre : les maisons hollandaises, toutes blanches, avaient à présent des toits de tuiles rouges importées clandestinement d'Espagne ; on créait toujours de nouvelles rues, certaines avec des parcs entre les maisons ; on installa des bancs d'acajou dans l'église ; et une veuve ouvrit même une petite boutique qui vendait des produits « importés » de tous les coins de l'Europe. L'architecture hollandaise et la contrebande s'expliquaient facilement, et tout le monde à Bridgetown en profitait : les colons s'étaient adressés aux Hollandais du jour où des marchands anglais rapaces, à l'affût de chaque sou qu'ils pouvaient extraire de leurs colonies, avaient persuadé leur Parlement de voter des lois obligeant les colons à traiter seulement avec des firmes anglaises — et aux prix que ces firmes décidaient de fixer. Ces mêmes lois mercantilistes absurdes commençaient déjà à soulever des protestations dans d'autres colonies, comme le Massachusetts et la Virginie. Tout commerce lucratif avec les fournisseurs de France, Hollande, Italie et Espagne était interdit, ainsi que les échanges entre les colonies elles-mêmes ; un marchand de la Barbade n'avait pas le droit de négocier directement avec une manufacture du Massachusetts, ce qui ne laissait pas d'écœurer des hommes en place comme Oldmixon, ou des débutants ambitieux comme Tatum. Pour aggraver les choses, les firmes anglaises n'assuraient pas la livraison régulière de leurs produits hors de prix, ce qui provoquait chez les colons une double amertume.

La solution était simple. Les navires marchands hollandais, commandés par des capitaines pleins d'audace et compétents sur le plan commercial, ne tinrent aucun compte des lois anglaises et naviguèrent où il leur plaisait ; ils devinrent remarquablement efficaces à esquiver les patrouilles anglaises et lancèrent des opérations de contrebande sur une vaste échelle. La Barbade survécut pour deux raisons : des autorités anglaises raisonnables et, avec leur complicité, des semi-pirates hollandais capables. Chaque fois que les colons de Bridgetown voyaient se glisser discrètement dans le port le bateau hollandais *Stadhouder,* sous les ordres du capitaine Piet Brongersma, prince des contrebandiers, ils savaient qu'il apportait les produits dont ils avaient besoin et ils applaudissaient son arrivée — ils allaient même jusqu'à poster des sentinelles sur les promontoires pour le prévenir au cas où un vaisseau de guerre anglais surgirait à l'improviste. Dans ce cas, tous les Hollandais du bateau de Brongersma passaient aussitôt à l'action, levaient l'ancre et hissaient les voiles. Quelques minutes plus tard, le rapide *Stadhouder* était en sécurité en pleine mer avant l'arrivée du bateau anglais.

De cette manière tranquille, sans coups de feu, sans honnêtes hommes emprisonnés, sans amertume de part et d'autre, la vie continua : Thomas Oldmixon réunit d'autres champs à son domaine chaque année ; pour ses deux hectares, John Tatum fit venir d'Angleterre une robuste paysanne, qui lui donna une fille, Nell, et deux fils, Isaac plutôt austère et Will plutôt dissipé ; des gouverneurs vinrent d'Angleterre, certains très malins, d'autres lamentables, comme dans toutes les colonies ; et le nombre des esclaves augmenta à cause des nombreux bébés engendrés par ceux qui se trouvaient déjà dans l'île, et surtout parce que les contrebandiers hollandais ne cessaient de livrer d'autres esclaves d'Afrique.

Deux facteurs nouveaux commencèrent à inquiéter les sages, à la

Barbade comme en Angleterre : avec l'appauvrissement progressif du sol, il devint de plus en plus difficile chaque année de cultiver les produits de base et notamment le tabac, particulièrement destructeur. À Londres, des négociants en liaison avec la Barbade remarquèrent, fort inquiets, que chaque année le tabac de l'île devenait inférieur en qualité à celui des colonies concurrentes comme la Virginie et la Caroline. Quant au coton de la Barbade, il n'était même pas question de le comparer à celui des champs, beaucoup plus faciles à cultiver, de la Georgie. En 1645, quand Oldmixon vit le peu d'argent que lui remettaient ses agents de Londres pour la vente de son tabac et de son coton, il dit à ses amis planteurs :

— Nous avançons à reculons. Pis chaque année. Il faut trouver un nouveau produit, sinon nous coulerons par le fond.

Tous convinrent que la Barbade devait trouver une nouvelle culture pour prolonger sa prospérité mais l'optimisme continuait de régner, et nul ne l'exprima mieux qu'Oldmixon un jour où il se rendit au port accueillir un nouveau colon venu de l'ancienne chasse gardée de sir Francis Drake, le Devon. Il fit visiter au nouveau venu les rues propres de Bridgetown et, en montrant les maisons hollandaises à toits rouges, récita son habituelle litanie :

— Avez-vous vu une île meilleure que la nôtre? Une ville plus belle? Ici on respire la paix et l'aisance. Regardez les petites églises à nos carrefours. Mon ami, c'est la Petite Angleterre, et certains d'entre nous croient qu'elle vaut mieux que la grande.

On se rappela cette phrase, et avec le temps elle devint le symbole reconnu de la Barbade : « Petite Angleterre à jamais loyale à la mère patrie. »

Il y eut une mauvaise passe en 1636 quand les autorités voulurent clarifier un sujet qui suscitait une certaine inquiétude. A l'époque, la nature même de l'esclavage n'avait pas été nettement définie : ni l'esclave ni le maître ne savaient au juste combien de temps la servitude devait durer. Plusieurs Anglais généreux décidèrent que c'était seulement pour une période limitée et certains allèrent jusqu'à prétendre que tout enfant né d'esclaves dans l'île devrait être libre de naissance.

Les autorités mirent aussitôt un frein à cette hérésie : on promulgua une ordonnance établissant que les esclaves, qu'ils soient indiens de la région ou africains, le resteraient pour la vie, ainsi que leur progéniture. Seuls quelques esclaves apprirent l'existence de cette nouvelle loi, surtout des serviteurs de maison, et cela ne provoqua donc pas de protestation générale dans l'île, mais ceux qui l'apprirent et en comprirent la portée se révoltèrent contre l'idée que leur servitude n'aurait jamais de fin.

Progressivement, cette poignée de dissidents contamina un grand nombre de noirs de l'île, et, en 1649, un vague sentiment de malaise s'était répandu dans toute la communauté sans que les maîtres blancs aient pris conscience du changement. En quelques années la composition raciale de l'île s'était modifiée de façon radicale. Au moment de la loi de 1636, sur une population totale de six mille habitants la Barbade avait une minorité d'esclaves et une forte majorité de travailleurs blancs sous contrat. Mais en 1649, il y avait trente mille esclaves dans l'île, contre presque le même nombre de blancs qu'avant. Les esclaves jugèrent donc qu'ils avaient une chance de l'emporter.

Parmi eux se trouvait un des esclaves de Tatum, un Yoruba

intelligent appelé dans son pays d'origine Naxee et par son propriétaire barbadien, formé par des classiques, Hamilcar. En Afrique et à la Barbade, il avait fait preuve d'une nette capacité pour le commandement, et s'il avait été un blanc d'Europe émigré dans une colonie comme le Massachusetts, il aurait assurément joué là un rôle important dans le développement politique. A la Barbade, parce qu'il était noir, il n'avait aucune possibilité d'exercer ses talents. Au désespoir, il se mit à organiser en secret une rébellion contre les privations irrationnelles dont il souffrait.

C'était un homme robuste, de grande taille, aux yeux brillants et à la voix impérieuse. Il se montra si convaincant qu'il réunit aussitôt une douzaine de partisans ; chacun d'eux enrôla quatre ou cinq autres en qui il avait confiance et la nuit vint où il révéla son plan macabre.

De toute évidence, les cinquante et quelques noirs ne se réunirent jamais, car dès les premiers jours de l'esclavage les règlements de l'île avaient interdit aux esclaves de plantations différentes de se rassembler ; il ne pouvait y avoir aucun complot de minuit à la Barbade. Le message fut transmis dans l'anglais des esclaves des plantations, car les partisans venaient de plusieurs régions d'Afrique où l'on parlait des langues différentes.

— Dans trois soirs, le soleil se couche, on attend deux heures, puis chaque homme tue tous les hommes blancs dans les trois maisons les plus proches. Ensuite nous nous dispersons dans toute l'île.

Ce n'était pas un plan sans défaut, mais si les esclaves pervenaient à neutraliser les principales familles blanches de Bridgetown, ils auraient une grande chance de s'emparer de l'île. Et à cause de la subtilité avec laquelle Hamilcar avait organisé l'échange d'informations et de stratégies, trois nuits avant la terrible rébellion aucun blanc n'avait conscience du danger.

La première nuit après avoir lancé l'opération, Hamilcar ne put dormir car il se représentait quantité de choses qui pourraient mal tourner ; mais la deuxième nuit, fatigué par les réunions précipitées avec ses principaux lieutenants, il dormit facilement, certain que son plan fonctionnerait. Le lendemain matin à son lever, il était prêt à exécuter le massacre.

Du côté est de Bridgetown, assez loin de la mer, se trouvait une fermette occupée par les deux fils de John Tatum, l'ancien travailleur sous contrat de Thomas Oldmixon. Le père était mort jeune, épuisé par ses efforts pour défricher les nombreuses terres d'Oldmixon puis les siennes, mais il laissait à sa veuve sa ferme et quatre hectares — deux qu'il avait reçus de droit au terme de son contrat et deux autres acquis avec sa première épargne, car il aimait la terre et enseignait cet amour à ses fils. Sa veuve s'était éteinte peu après, et les garçons, le prudent Isaac et l'indépendant Will, avaient hérité de la petite propriété. Le premier avait épousé une femme qui ne cessait de lui répéter :

— Cette ferme est trop petite pour trois. Ton frère devrait chercher du travail ailleurs.

Mais Will ne semblait nullement pressé de partir.

Leur plantation exiguë n'offrait de travail que pour trois esclaves, mais Isaac était tellement ambitieux qu'il ne comptait pas rester longtemps un « petit planteur ».

— Bientôt le nom de Tatum sera important dans cette île, disait-il à Clarissa, sa femme, et à son frère.

Le seul chemin vers la gloire était à ses yeux : « Davantage de terres chaque année, davantage d'esclaves tous les six mois, et cette famille se serrera la ceinture pour économiser tant qu'elle n'aura pas atteint ce but. »

Will, gamin indiscipliné de quatorze ans, avait déjà un caractère imprévisible; son sourire permanent, enjôleur, trahissait le fait qu'il pourrait fort bien devenir chenapan. Les deux Tatum ne se ressemblaient guère physiquement. Isaac avait une taille anormalement petite, désavantage qu'il essayait de compenser en prenant des poses viriles, en mettant de fausses semelles dans ses chaussures et en s'appliquant à ronchonner pour rendre sa voix plus grave. Il avait des cheveux clairs, couleur sable, et des yeux très mobiles, comme s'il calculait toujours sa meilleure chance. Pour se projeter dans l'âge d'homme le plus vite possible, il s'était marié jeune, avec une femme plus âgée que lui de deux ans et deux fois plus ambitieuse. À tous les deux, Clarissa et Isaac formaient un couple redoutable.

Les deux frères, si différents d'allure et de tempérament, s'entendaient bien pour le travail, car Will aidait les ambitions de son frère d'une manière originale : il traitait les trois esclaves Tatum avec une telle générosité qu'ils accomplissaient le travail de six. Quand il y avait un travail pénible à achever très vite, il sautait à leur côté pour les aider, ce que son frère ne faisait jamais.

— Les maîtres ont leur place, pontifiait Isaac, et les esclaves la leur. Il faut conserver les distances.

Les deux noirs travaillaient dans les champs tandis que la femme, Naomi, servait de servante et d'aide-cuisinière à Clarissa. Pendant sa jeunesse sur les bords de la Volta, en Côte de l'Or, Naomi avait connu une existence joyeuse et libre — jusqu'à sa capture par les négriers portugais. Elle s'était sauvagement révoltée quand on l'avait déposée sur la côté de la Barbade, et son premier maître avait tellement abusé d'elle qu'elle avait failli se tuer de désespoir. Elle avait adopté le plus jeune frère comme un fils et lui faisait dans la cuisine des sermons sur la façon dont devait se conduire un jeune homme. De lui, elle reçut des leçons de lecture, ce qui contribua peut-être à la tragédie sur le point de s'abattre sur la Barbade.

Depuis les premiers jours de l'esclavage, les notables de l'île avaient prévu que s'ils éduquaient leurs esclaves, cela engendrerait tôt ou tard de l'insubordination ou même pis. Ils avaient donc interdit l'alphabétisation des noirs et banni absolument tout enseignement du christianisme : jamais aucun noir n'était admis dans une église. Naomi le savait et les leçons interdites que lui donnait Will lui faisaient d'autant plus plaisir. Bientôt elle s'aperçut qu'il était comme elle : un esprit rebelle. Elle se sentit d'autant plus responsable de lui, et quand il eut quatorze ans, elle s'enorgueillit de ses progrès, de sa virilité et de sa promptitude à s'insurger contre quiconque outrepassait ses droits.

— Ce Will, dit-elle aux deux esclaves hommes, vaut au moins six comme son frère.

Le soir précédant le massacre des blancs, Naomi éprouva les affres du regret, car elle ne parvenait pas à imaginer son beau jeune homme avec la gorge tranchée. Elle chercha Will et lui murmura :

— Demain, n'allez pas dans les champs.
Il lui demanda pourquoi.
— Et ne restez pas dans la maison, ajouta-t-elle.
Puis, troublée d'avoir parlé ainsi, elle lui dit :
— Promettez-moi sur le sang : n'en parlez à personne.
Will Tatum était trop intelligent pour ne pas se demander ce que signifiait réellement le message crypté de Naomi. Il se coucha, et l'affreuse éventualité devint claire. Il réveilla son frère pour en discuter et ils comprirent aussitôt ce que Naomi savait mais qu'elle avait eu peur d'avouer. Ils prévinrent sur-le-champ les familles blanches voisines, puis partirent au galop vers les plantations des environs.
Quand les deux Tatum parvinrent aux abords de Bridgetown pour répandre la nouvelle, Isaac prit d'abord vers l'est et la plantation d'Henry Saltonstall, planteur respecté mais non des plus riches, et Will se dirigea vers le nord pour avertir Thomas Oldmixon, le plus puissant des planteurs, sur l'une des plantations les plus vastes. Mais à peine les deux cavaliers s'étaient-ils séparés qu'Isaac revint sur ses pas et cria :
— Will ! C'est moi qui vais chez Oldmixon.
Sans s'arrêter ils changèrent de direction. Comme toujours, Isaac avait calculé son avantage. Il croyait qu'il obtiendrait quelque faveur s'il sauvait la vie du grand homme.
En arrivant au magnifique domaine d'Oldmixon, dans la partie nord de l'île, une demeure à colonnade au bout d'une allée bordée de grands arbres, il se mit à crier :
— Monsieur ! Monsieur !
Presque aussitôt une lumière apparut.
— Qui êtes-vous ? lança le vieil Oldmixon sur le pas de sa porte en vêtements de nuit, tenue complète avec bonnet de nuit à pompon.
Isaac révéla son nom de famille, et le maître au visage épanoui grogna :
— Alors c'est toi le fils de John Tatum ? Ton père ne m'a jamais plu. Il resquillait sur le travail qu'il me devait.
Il allait tourner le dos au jeune homme, mais son respect des convenances se manifesta tout de même.
— J'ai apprécié la façon dont tu as pris les choses en main à la mort de ton père, Tatum. Un peu plus de terres chaque année, hein ? C'est comme ça que j'ai commencé.
Puis il remarqua la nervosité extrême d'Isaac.
— Pourquoi as-tu galopé de Bridgetown à ici ? Il y a le feu ou quoi ?
— Pire.
Pour tirer le meilleur parti de cette occasion d'aider le grand homme, il murmura :
— Il vaut mieux entrer dans la maison.
Et quand il eut enfin obtenu toute l'attention d'Oldmixon, Isaac lui lança la nouvelle :
— Une révolte d'esclaves, monsieur.
Oldmixon, quoique sexagénaire, montra qu'il était capable d'agir vite quand la situation l'exigeait. Il saisit d'abord ses deux pistolets puis cria d'une voix hachée :
— Par Dieu, Tatum, il faut filer ! Oui, filer vite, ma parole.
Il s'élança vers la porte en chemise de nuit, puis s'arrêta brusquement pour pousser un cri :

— Rebecca ! Ne me laisse pas me ridiculiser ainsi !
À Tatum, il ajouta d'un ton d'excuse :
— Un homme ne peut pas partir à la chasse en bonnet de nuit.
Pendant qu'Isaac attendait, le gros planteur, avec l'aide de son épouse, enfila sa culotte de coton, ses bottes de cuir à larges rabats, son tricot de corps et son pourpoint de brocart, puis il posa sur la tête le symbole de sa position et de son honneur : un grand chapeau à larges bords avec le côté gauche relevé, qui arborait une belle plume de dindon. Ainsi paré de son uniforme, il courut vers son cheval, monta facilement sur son dos, et descendit l'allée au galop en criant par-dessus son épaule :
— À la guerre, Tatum. À la guerre.
Will Tatum parcourut une bien plus courte distance, à l'est de Bridgetown, pour gagner l'importante plantation d'Henry Saltonstall, quadragénaire de grande taille, raide et imberbe, encore en vêtement de travail car il lisait à la chandelle.
— Qu'y a-t-il, jeune homme ?
— Je suis Will Tatum, des environs de la ville.
— Ah oui. Et qu'est-ce qui t'amène si tard ?
— Nous ferions bien de rentrer, monsieur.
Dès que les deux hommes furent seuls, Will dit calmement :
— Une révolte d'esclaves, monsieur.
À ces mots effrayants, redoutés plus que tout par chaque blanc des Caraïbes, Saltonstall s'appuya contre l'angle de son bureau, se força au calme et demanda :
— Comment peux-tu en être sûr ?
Will le lui expliqua. Le planteur prit son long fusil, en donna deux autres à porter au gamin, puis dit à mi-voix :
— Il faut que je prévienne ma femme. Attends-moi dehors.
Il revint quelques minutes plus tard, monta à cheval et s'écria :
— Nous devons prévenir les planteurs de l'ouest.
Et ils s'en allèrent répandre l'inquiétante nouvelle.
Comme très souvent dans le passé, quand un esclave bien intentionné avertissait les maîtres, les rebelles noirs furent matés. Dans ce cas précis dix-huit meneurs, y compris Hamilcar et l'autre esclave mâle de Tatum, furent pendus. Les rapports rédigés à l'époque puis réimprimés sans fin plus tard indiquèrent simplement : « Hamilcar, l'esclave Tatum et dix-sept de ses complices criminels ont été pendus. » Ces hommes courageux, dont certains avaient détenu le pouvoir en Afrique, moururent sans même que leur nom soit noté, mais leurs cadavres à la peau sombre se balancèrent longtemps dans le vent en guise d'avertissement.
À la suite de bavardages inconsidérés des responsables blancs qui ordonnèrent et contrôlèrent les pendaisons, le bruit courut que la jeune esclave de Tatum, Naomi, avait trahi les conjurés. Aussitôt aucun esclave survivant ne put la supporter et un soir en rentrant du travail, les frères Tatum remarquèrent quelque chose d'anormal du côté de la petite case de l'esclave. Ils s'avancèrent : Naomi avait la gorge tranchée. Les autorités préférèrent ne poser aucune question et ce fut de cette façon rapide et sanglante que se termina la première grande révolte d'esclaves de la Barbade. Ainsi fut définitivement établi le principe que les esclaves étaient de simples biens mobiliers sans autres droits que le bon plaisir de maîtres plus ou moins bienveillants. À la suite des pendaisons et du meurtre, les Tatum se

retrouvèrent sans personne pour cultiver leurs champs et le rêve d'Isaac d'acquérir davantage de terres pour réunir une grande plantation partit en fumée. Le fait qu'il ait prévenu toute l'île de la tragédie imminente n'émut nullement ses voisins, car à la Barbade il y avait trois classes distinctes et seulement trois : les blancs propriétaires de grandes plantations, les blancs propriétaires de petites plantations ou de rien du tout, et les esclaves noirs. Jamais aucun membre du premier groupe n'encourageait un membre du deuxième à grimper l'échelle.

Sans esclaves, les frères Tatum durent travailler leur plantation eux-mêmes. Trait remarquable, Clarissa retroussa ses manches comme si elle était un troisième homme. Sans jamais se plaindre, elle tint la maison propre et les deux hommes bien nourris et bien habillés. Si les circonstances l'exigeaient, elle se portait volontaire pour les aider dans les champs de tabac et de coton, mais elle ne permit pas à son mari de croire un seul instant qu'elle continuerait ainsi indéfiniment :

— Quand le bateau arrivera-t-il ? demandait-elle chaque jour. Nous avons assez économisé pour acheter trois ou quatre bons esclaves, et il faudra le faire.

— Quand le bateau arrivera, promit son mari, je serai le premier à saluer le négrier.

Et il entendit Clarissa répéter dans ses prières, qu'elle disait soir et matin :

— Je T'en prie, Seigneur, envoie-nous un bateau.

Mais l'Angleterre traversait des années de troubles. Les bateaux de Londres ou de Bristol à destination de la Barbade se faisaient de plus en plus rares. Aucun nouvel esclave n'arriva.

Plus d'un se mit à prier pour le retour du bon vieux temps où tout ce dont les îliens avaient besoin, des aiguilles aux médicaments, arrivait à la Barbade dans ces bateaux, qui ramenaient ensuite en Angleterre les balles de coton, le tabac, l'indigo et depuis quelques années les fûts d'une nouvelle récolte expérimentale : le sucre. Mais si loyaux que fussent les îliens à leur mère patrie, ils demeuraient également attentifs à leurs intérêts commerciaux personnels. Quand aucun bateau anglais ne venait, même des patriotes à tout crin comme Thomas Oldmixon oubliaient les lois interdisant de commercer avec des navires d'une autre nationalité. Ils accueillaient notamment à bras ouverts le brave capitaine Brongersma et son *Stadhouder*.

— Hum ! grommela Oldmixon quand on lui fit observer qu'il devait attendre les vaisseaux anglais, seuls autorisés. Si nous attendons ces lambins, nous crèverons de faim. Et ils n'apporteront pas les esclaves dont nous avons besoin, c'est sûr. Que Dieu bénisse les Hollandais !

Par une fraîche matinée du début de mars 1649, Will Tatum, levé à cinq heures, parcourut la mer du regard et aperçut la silhouette sombre d'un voilier dont il crut reconnaître la ligne. Le ciel s'éclaircit, le bateau se rapprocha de la côte. Will bondit soudain, poussa un cri et s'élança dans les rues en criant :

— Le *Stadhouder* arrive !

Tous les marchands qui espéraient renouveler leur stock se précipitèrent vers la baie.

Quand Will rapporta la nouvelle à la maison, Clarissa interrompit les préparatifs du petit déjeuner, s'essuya les mains dans son tablier et releva son visage pour dire une prière :

— Dieu, faites qu'il y ait sur ce bateau ce dont nous avons besoin.
Mais son mari, toujours en quête des faveurs de Thomas Oldmixon, sella son cheval et galopa vers le nord pour informer le grand planteur de l'arrivée du bateau hollandais, presque certainement avec une cargaison d'esclaves.

Il trouva Oldmixon déjà levé, en train de surveiller ses esclaves dans le champ de canne à sucre dont il avait fait l'essai cette année-là. Tatum se précipita vers lui, impatient de lui révéler la bonne nouvelle, mais Oldmixon le devança.

— Content de te voir, Isaac. J'avais envie de te parler.

Tatum essaya de l'interrompre mais le gros bonhomme poursuivit néanmoins :

— Si tu es aussi malin que je le crois, tu abandonneras tes cultures actuelles pour passer au sucre. Le sucre a un avenir brillant. Oui, brillant, je te le dis.

Isaac, sans même écouter, lança enfin :

— Monsieur ! Formidable ! Mon frère Will a aperçu le *Stadhouder* dans la baie. Il apporte des esclaves.

À ces mots, Oldmixon devint un autre homme, car les esclaves avaient joué un rôle majeur dans sa vie. Il avait été un des premiers planteurs à les utiliser en grand nombre, et sa réputation de premier notable de l'île tenait à une solution ingénieuse qu'il avait conçue pour un problème irritant. Un pasteur avait signalé l'affaire dans une lettre à son frère, resté en Angleterre.

> *Comme je te l'ai appris dans ma dernière lettre, des bruits regrettables qui courent parmi nos esclaves m'ont beaucoup préoccupé. Fatigués de travailler dans nos champs et convaincus qu'ils ne reverraient jamais leur pays d'origine, ils ont commencé à chuchoter entre eux : « Si tu te suicides, tu appauvris ton propriétaire et ton esprit retourne en Afrique. » Et de jeunes esclaves en pleine santé ont commencé de se tuer les uns après les autres, au détriment de leur maître, qui les avait achetés de ses deniers et qui avait donc droit à leur travail.*
>
> *Des planteurs m'ont demandé de parler à leurs esclaves, de leur expliquer que c'était une croyance fausse. Mais je n'ai abouti à rien et les suicides ont continué. Sur ces entrefaites, Thomas Oldmixon, un notable de l'île, a perdu de cette manière un bel Achanti qui lui avait coûté onze livres. « Ça suffit ! s'écria-t-il. Il faut arrêter cette pratique honteuse ! » Et il a mis au point un remède simple. Il s'est rendu sur la tombe de l'esclave, il a fait déterrer le corps, puis il a tranché la tête, l'a apportée aux logements de ses esclaves et l'a plantée sur un grand piquet.*
>
> *« Regardez ! a-t-il crié à ses Africains. César n'est pas retourné en Afrique. Comment serait-ce possible, sans tête ? Et vous n'y retournerez pas non plus, alors cessez ces histoires stupides de suicide. » Nous n'avons plus déploré de suicides et depuis ce jour-là, Oldmixon a été reconnu comme un homme de bon sens.*

Quand Tatum lui apprit qu'un négrier venait d'arriver, Oldmixon s'écria :

— Épatant ! Mais il faut arriver là-bas avant le début de la vente.

Sa plume de dindon volant au vent, il éperonna son cheval et les deux hommes partirent à Bridgetown au galop.

À mi-chemin, les chevaux passèrent au canter et Isaac jugea le moment bien venu de révéler à Oldmixon ses problèmes personnels.

— Clarissa et moi avons perdu nos trois esclaves au moment de la révolte. De mauvais bougres et nous ne les regrettons pas. Mais nous avons économisé tout ce que nous avons pu gratter et nous nous trouvons dans une situation délicate, que nous ne savons pas résoudre.

— Laquelle ? demanda Oldmixon en se tournant sur sa selle.

— Je suis partagé entre deux choses : dépenser notre argent sur des esclaves... ou sur d'autres terres.

Oldmixon mit si longtemps à répondre que Tatum se demanda si le gros bonhomme l'avait entendu. Puis le planteur le surprit par une réponse d'une sincérité remarquable.

— Jeune ami, je crois que vous préparez le terrain pour me demander de l'argent. Je ne prête jamais. Trop de complications. Il faudra donc vous décider vous-même sur la façon d'investir vos fonds. Je suis ravi d'apprendre que vous en avez. Vous devez être économe.

Pour dissimuler sa déception, Isaac répondit :

— C'est mon épouse qui s'occupe de l'argent, et elle est économe, je peux vous l'assurer.

— Excellent. Plus j'en apprends sur vous, Tatum, plus vous me plaisez. Votre père n'était pas vraiment un mauvais gars. Seulement paresseux. Voilà donc ce que je vous propose. Je vais passer au sucre pour les trois quarts de mes champs. J'ai tout intérêt à ce que d'autres fassent comme moi, plantent de la canne et fabriquent du sucre. Cela nous permettrait de réunir nos récoltes et de tout envoyer en Angleterre en même temps.

— Mais le sucre n'exige-t-il pas des esclaves... de toute nécessité ?

— Oui, et voilà ce que vous allez faire : achetez autant de terres que vos fonds le permettent, empruntez en vous servant de ces terres comme nantissement et achetez-en davantage, puis plantez tout en sucre.

— Comment cultiverai-je la canne sans esclaves ?

— Vous ne pourrez pas. Mais je vais vous en acheter sept. Je garderai le titre à mon nom jusqu'à ce que vous me remboursiez avec le produit de votre première récolte. Vous les logez, vous les nourrissez et vous les utilisez dans vos champs comme s'ils étaient à vous.

Isaac baissa la tête, presque en arrière, car cette offre dépassait même ses espérances les plus extravagantes. Puis il lança à Oldmixon un regard en biais et vit le gros bonhomme hocher la tête puis faire un clin d'œil comme pour dire : « C'est une promesse. »

— Jamais je n'espérais une aide aussi importante, s'écria Tatum.

— Non, corrigea Oldmixon. C'est vous qui allez m'aider si nous parvenons à lancer le sucre à la Barbade.

Sur ces paroles, il lança un coup d'œil par-dessus l'épaule de Tatum et s'écria d'une voix rageuse :

— Tiens, voilà Saltonstall avec ses maudites bêtes !

Isaac se retourna. La vision qu'il eut sous les yeux ne cessait jamais de le stupéfier. Henry Saltonstall, immense et austère, arrivait de sa plantation perché sur un énorme chameau derrière lequel s'avançaient en bon ordre six animaux de la même espèce, chargés des produits du domaine Saltonstall. Le *Stadhouder* du capitaine Brongersma transporterait les caisses jusqu'aux marchés d'Europe. La caravane était vraiment spectaculaire et les enfants lançaient des vivats en courant derrière les animaux aux pieds énormes, qui convenaient si bien aux gros travaux des plantations.

Mais Oldmixon et Tatum s'intéressaient moins aux chameaux qu'à l'affaire la plus importante pour eux : la vente aux enchères des quarante-sept esclaves que le capitaine Piet Brongersma ramenait d'Afrique dans les cages de sa cale. Le capitaine n'était pas descendu à terre pour organiser la vente, mais son second, un Hollandais compétent qui parlait anglais, était prêt à ouvrir les enchères quand il vit s'avancer Oldmixon. Il s'inclina très bas et demanda au planteur, s'inspirant d'une ancienne expérience :

— Désirez-vous acheter tout le lot, monsieur Oldmixon ?

Des petits planteurs, qui espéraient bien acheter quelques esclaves, protestèrent.

— Absolument pas, répondit Oldmixon. Mon ami Tatum a besoin de sept esclaves, et moi de quinze. Il en restera assez pour les autres, non ?

Il fit un geste large vers la foule, qui l'acclama.

Oldmixon, frappé par l'habileté avec laquelle le jeune Tatum choisissait ses sept esclaves, s'écria :

— Vous vous y connaissez en esclaves, jeune homme.

— Je sais reconnaître les hommes et les femmes capables de travailler dur, répondit Isaac.

— Choisissez mes quinze, lui demanda Oldmixon.

Avec le même soin compétent, Isaac passa au milieu des esclaves effrayés et essaya de choisir pour Oldmixon quinze d'entre eux aussi bons que les siens.

Puis vint le moment le plus choquant de cette belle journée de mars. Une chaloupe amena le capitaine Brongersma à terre. Dès qu'il en descendit, il s'avança d'un air grave. Sa grosse tête en boulet de canon et son menton carré lui donnaient un air menaçant. Au lieu de saluer son ami de longue date, le jeune Will Tatum, il se dirigea directement et sans un mot vers Thomas Oldmixon, à qui il était certain de pouvoir faire confiance. Sans le saluer à sa manière habituelle, il se pencha vers lui et murmura, avec un fort accent hollandais :

— Réunissez les autres notables dans l'entrepôt.

Quand ce fut fait il annonça, comme s'il informait chacun d'eux du décès d'un frère :

— Le 30 janvier dernier, les hommes de Cromwell ont décapité votre roi Charles.

— Non ! Par le ciel ! Ce n'est pas possible ! cria Oldmixon en saisissant Brongersma par son pourpoint.

Et les autres planteurs importants qu'Oldmixon avait invités à le suivre dans l'entrepôt déclarèrent avec lui qu'aucun Anglais loyal, même un pleutre comme Oliver Cromwell, n'oserait frapper son roi, à plus forte raison le décapiter.

— Quelle preuve avez-vous ? cria un planteur.

— Aucune, dut avouer Brongersma. J'étais déjà dans la Manche... Aucune chance d'acheter une gazette ou une affiche.

— Alors comment savez-vous ? Vous n'étiez même pas à terre, demanda Oldmixon.

— Un bateau anglais m'a parlé. Il m'a appris la nouvelle au porte-voix, répondit le Hollandais.

Les autres se mirent à le harceler, mais malgré l'absence de preuves tangibles, il ne démordit pas de sa certitude.

— Le 30 janvier dernier, les hommes de Cromwell ont décapité votre roi. C'est le chaos partout.

Puis Henry Saltonstall se joignit au groupe bien qu'il n'eût pas été invité.

— Vous étiez occupé à décharger vos chameaux, lui dit Oldmixon en guise d'excuses.

Saltonstall s'aperçut aussitôt, au visage de ses amis, qu'une chose affreuse s'était passée. Il demanda carrément :

— Qu'y a-t-il ? La guerre contre les Pays-Bas ?

— C'est du passé, répondit Brongersma. Votre roi Charles a été décapité.

Saltonstall, réputé pour sa sagesse pénétrante, répondit aussitôt :

— Il fallait s'y attendre.

Les autres planteurs de l'entrepôt le dévisagèrent avec horreur, et leur réaction annonçait déjà les jours de colère qui allaient accabler la Barbade.

Les quelques journées qui suivirent furent les plus belles de la vie de Will Tatum. Maintenant que son frère possédait sept esclaves, le jeune Will pouvait s'esquiver des champs pour passer le temps à bord du *Stadhouder*, le plus souvent dans la cabine du capitaine Brongersma, car le Hollandais non seulement aimait parler avec le jeune homme mais le jugeait utile comme source de renseignements sur ce qui se passait à la Barbade.

En retour, Brongersma offrait des renseignements passionnants :

— Notre cale est pleine de sel. Nous l'avons ramassé après avoir livré bataille près des grandes salines de Cumaná, en Terre Ferme espagnole.

— C'est quoi la Terre Ferme ?

— Les côtes de la mer des Caraïbes — des Antilles comme disent les Espagnols — en Amérique centrale et du Sud.

— Pourquoi avez-vous dû vous battre pour le sel ?

— Les Espagnols ne veulent pas nous laisser l'emporter. Ils disent qu'il leur appartient.

— Alors pourquoi le prenez-vous ?

— Pour saler nos harengs. Et sais-tu ce qu'est un hareng pour un Hollandais ? La même chose qu'un shilling pour un Anglais.

— Vous vous êtes souvent battu contre les Espagnols ?

Brongersma réfléchit quelques instants avant de répondre à cette question délicate.

— Je suppose que tu es en âge de l'apprendre, Will. Nous gagnons notre vie de trois manières. En prenant de force le sel de Cumaná, en faisant la contrebande à la Barbade et dans les autres îles anglaises, mais surtout en poursuivant les bateaux espagnols pour les aborder et nous emparer de leurs trésors.

— Vous êtes donc des pirates ?

— Ce mot ne nous plaît guère. Nous sommes des corsaires légaux, pourrait-on dire, des flibustiers possédant des lettres de marque qui nous accordent le droit d'attaquer tout vaisseau espagnol que nous rencontrons, où que ce soit.

— Les Espagnols ne contre-attaquent jamais ? demanda Will.

Brongersma éclata de rire.

— S'ils ne contre-attaquent jamais ! Regarde cette cicatrice à mon poignet : elle me vient d'un beau bateau espagnol chargé à La Havane de l'argent du Potosí, à destination de Séville. Il faisait partie d'une grande flotte, protégée par quatre vaisseaux de ligne, mais nous l'avons isolé du groupe, pris à l'abordage et nous aurions gagné une fortune si...

— Que s'est-il passé ? demanda Will assis tout au bord de son siège.

Le Hollandais continua d'égrener les souvenirs de cette triste journée :

— Un de leurs bateaux de guerre nous a aperçus, a compris ce que nous faisions, a rebroussé chemin en donnant du canon, et sans un peu de chance nous n'aurions pas pu sauver notre peau.

— Les Espagnols sont de bons combattants ?

— Ne crois jamais les vantardises anglaises, selon lesquelles un seul Anglais vaut plus que trois Espagnols. Un hidalgo de Séville bien armé, avec une bonne lame de Tolède, vaut n'importe quel combattant, sur n'importe quel bateau... Frans ! cria le capitaine, montre ta figure.

Un grand Hollandais entra dans la cabine, une balafre à peine cicatrisée au milieu de la mâchoire droite.

— C'est notre meilleure lame. On ne fait pas mieux, dit le capitaine. Mais un Espagnol avec son épée de Tolède l'aurait sans aucun doute tué si un de nos hommes n'avait pas abattu l'Espagnol d'une balle.

La fois suivante où Will monta à bord, Brongersma lui dit :

— Je regrette de ne pas avoir un fils comme toi.

— Vous m'auriez emmené en mer avec vous ? demanda Will. Combattre les Espagnols ?

— Oh... C'est une question difficile, petit. En tant que père, je serais de l'avis de ta mère : tu devrais rester à Amsterdam pour apprendre tes lettres et tout. Mais en tant que capitaine du *Stadhouder*, j'aimerais t'avoir à mes côtés quand nous attaquerions les Espagnols, car un Hollandais ne peut rien faire de plus noble en ce monde que livrer une bataille navale à ces porcs.

— Pourquoi les appelez-vous ainsi ?

Le capitaine devint soudain sérieux dans la cabine surchauffée, et parla avec une intensité que Will ne soupçonnait pas.

— Mon grand-père, et avant lui son grand-père ont été pendus par des Espagnols qui gouvernaient les Pays-Bas. Aucun homme comme moi ne peut oublier une chose pareille.

— Pourquoi les a-t-on pendus ?

— Ils étaient protestants... partisans de Luther. Mais le duc d'Albe... le duc de Parme... étaient des catholiques convaincus, et la querelle entre les deux religions ne pouvait se régler que par des pendaisons, des pendaisons sans fin.

Il baissa les yeux et dit à mi-voix :

— Si tu naviguais avec moi comme mon fils, nous aurions huit ou neuf bateaux espagnols à incendier avant que ma rage ne se calme.

Le dernier jour qu'ils passèrent ensemble, Brongersma parut d'humeur plus détendue.

— C'était une escale profitable, petit. Nous avions acheté nos esclaves neuf livres aux Portugais, nous les avons revendus trente livres. Nous avions acheté six chameaux de plus pour M. Saltonstall, à onze livres chacun, nous les avons revendus trente-trois livres. Nous repartons aux Pays-Bas avec un ballast de sel pur et sur le pont des fûts de votre sucre brun, ce qui nous rapportera une fortune.

Il tapa sa pipe contre sa main gauche et ajouta :

— Par une journée comme celle-ci, avec une mer calme à l'horizon, la perspective d'un retour rapide au pays et toujours l'occasion d'attraper un Espagnol chargé d'or ou d'argent...

Il marqua un temps, ne sachant comment terminer sa phrase, puis conclut à mi-voix :

— Un homme pourrait continuer de naviguer toujours... toujours, jusqu'à la tombée de la dernière nuit.

— Vous aimez naviguer, n'est-ce pas ?

— Je piloterai le *Stadhouder* jusqu'à ce que les vers transforment son ventre en passoire et que mon propre ventre soit prêt à retomber en poussière.

— Pourquoi vous mettez-vous en colère quand on vous traite de pirate ? N'en êtes-vous pas un ?

— Il y a une différence, répondit Brongersma. Je suis un honorable capitaine hollandais qui combat les Espagnols. Si tu me traitais de pirate, cela me ferait de la peine.

Le lendemain à l'aube, quand Will parcourut la mer du regard, le *Stadhouder* avait disparu.

Pendant les onze jours qui suivirent, les hommes et les femmes de la Barbade n'eurent aucun renseignement digne de foi sur le destin de leur roi, seulement les rumeurs apportées par le capitaine Brongersma. Puis un navire marchand arriva de Bristol avec la confirmation, noir sur blanc. Le roi Charles Ier, bien-aimé des royalistes de l'île, avait réellement subi la décapitation à Whitehall, des mains d'un bourreau ordinaire qui exécutait à la hache les criminels de droit commun.

Le choc fut profond et, dans les journées de tension qui suivirent, les îliens se divisèrent en deux camps qui se disputèrent le droit de gouverner. A la Barbade comme en Angleterre, chaque camp adopta un nom : les conservateurs décidèrent de s'appeler Cavaliers, ce qui impliquait une bonne souche, de la fortune et une incontestable loyauté envers le roi, et les libéraux s'attribuèrent le nom de Têtes-Rondes, expression qui indiquait leur situation d'hommes résolus et de bon sens au milieu de l'échelle sociale, doués pour les affaires, et marquant une préférence pour un gouvernement parlementaire.

L'origine de ces deux noms n'est pas sans intérêt. Les Cavaliers tenaient le leur des extravagants officiers de cavalerie vêtus de couleurs vives et portant perruque, ceux-là mêmes qui avaient vaillamment défendu leur roi ; et le nom de Têtes-Rondes venait de la préférence de ceux-ci pour une coupe de cheveux sévère qui donnait à leur tête une allure de citrouille ronde et laide, comparée aux boucles très élaborées de leurs adversaires.

Un contemporain qui connaissait bien des partisans des deux camps les définit ainsi : « Les Cavaliers comprennent la petite noblesse, le clergé de l'Église anglicane et les paysans loyaux. Vos Têtes-Rondes sont surtout des hommes de la classe moyenne, les riches marchands et un nombre surprenant de membres de la haute noblesse ; en d'autres termes : tous ceux qui savent lire et écrire. »

L'archétype des Cavaliers était l'élégant prince Rupert, neveu du roi et probablement le plus grand officier de cavalerie qui ait jamais livré bataille sur bataille en les gagnant presque toutes. Quant au Tête-Ronde par excellence, c'était le poète aveugle John Milton, austère de sa personne mais dont la plume jetait des diamants scintillants, notamment dans ses écrits en prose traitant de sujets politiques.

A la Barbade, Thomas Oldmixon prit naturellement la tête des Cavaliers et annonça :

— J'ai toujours été loyal au roi et je le resterai. Si Charles Ier est vraiment mort, son fils Charles II est mon roi et je me battrai pour protéger ses prétentions à la couronne.

Des hommes fidèles comme lui à la Couronne commencèrent à se regrouper en le reconnaissant comme chef.

Le chef des Têtes-Rondes, moins nombreux mais aussi dévoués à leur cause, devint de la même manière Henry Saltonstall, qui approuvait la déposition du roi tout en regrettant son assassinat. Il estimait qu'un Parlement gouvernerait mieux l'Angleterre que ne l'avait fait la monarchie.

Les effets de ces événements sur les frères Tatum furent particulièrement dévastateurs. Isaac aimait intuitivement la monarchie et sa cour de nobles; il espérait en secret qu'en agrandissant sa plantation, en augmentant le nombre de ses esclaves et donc sa production de sucre, il amasserait bientôt une fortune. Il se proposait d'offrir à ce moment-là de vastes sommes à des entreprises auxquelles s'intéressait le roi, d'obtenir ainsi l'attention de Londres, et peut-être même un titre de noblesse.

Le pauvre Will n'aurait su que faire d'un titre si on le lui avait offert. En fait, il avait déjà révélé certaines tendances qui troublaient beaucoup Isaac et Clarissa : il se montrait ouvertement familier avec les esclaves; il tournait parfois en ridicule les airs pompeux que se donnait Thomas Oldmixon; deux fois il n'avait pas mis le nez à l'église le dimanche alors que la présence était requise par la loi, chacun le savait; et plus désolant encore, il fréquentait les quais et se liait d'amitié avec le capitaine Brongersma, en guerre avec l'Angleterre à peine quelques années plus tôt.

Quand le débat politique s'intensifia, Clarissa avertit Isaac :

— On ne peut faire confiance à ton frère. Tu vas le voir annoncer un de ces jours qu'il prend le parti de Saltonstall.

Elle était bon prophète, car deux ou trois soirs plus tard, au dîner, Will osa lancer, bien qu'il connût l'opinion des deux autres membres de la famille :

— Je crois que Saltonstall et ses Têtes-Rondes font preuve de beaucoup de bon sens. L'Angleterre a-t-elle vraiment besoin d'un roi ?

La question était posée avec tant de conviction qu'Isaac et Clarissa demeurèrent sans voix.

Les troubles se répandirent dans toute l'île et Isaac s'inquiéta de plus en plus de l'avenir de ses bonnes relations avec Oldmixon. Il expliqua à sa femme :

— Après l'exécution du roi, tout peut arriver.

Elle lui conseilla le calme et la fermeté.

— Ce n'est pas le moment de se tromper. Tout est en jeu.

En apprenant qu'Oldmixon s'était déclaré ouvertement en faveur du roi, elle conduisit Isaac à son cheval et l'aida à monter en selle.

— C'est le moment d'agir. Va là-bas lui annoncer que tu es de son côté.

Arrivant en coup de vent dans le vestibule d'Oldmixon, Isaac s'écria, de la voix grave qu'il cultivait :

— Je suis pour le roi.

Le riche propriétaire lui lança de bonnes claques d'amitié sur l'épaule.

— Tatum, vous êtes le bienvenu parmi les Cavaliers.

Puis il recula d'un pas, dévisagea l'homme qu'il connaissait en fait depuis peu et s'exclama :

— *Egad,* Tatum ! Vous m'avez rendu trois services. Vous m'avez prévenu de la révolte des esclaves, vous avez planté du sucre, et à présent vous venez à mes côtés dans le camp du roi. J'ai l'impression que nous allons nous voir beaucoup.

Même dans son enthousiasme, Oldmixon prenait soin de dire *Egad,* parce que le blasphème était sévèrement puni dans l'île, ce qui incitait les hommes à utiliser des jurons anciens et « sûrs » comme *Egad* au lieu de *Ah God,* de même que les Français disaient *Parbleu* au lieu de *Par Dieu* et et *Sangbleu* ou *Palsambleu* au lieu de *Par le sang de Dieu* ou *Par cent dieux.*

À son retour à la maison, Isaac Tatum dit à Clarissa :

— J'ai fait ce que tu m'as dit. Nous y sommes maintenant jusqu'au cou, tous les deux.

Ils n'en parlèrent pas à Will mais eurent le soir même une conversation sérieuse, lancée par Clarissa.

— Si Will persiste dans ses sentiments, je ne verrai pas d'un bon œil qu'il dorme sous notre toit.

— La moitié de la maison lui appartient, ma chère femme. Et la moitié des champs.

— Ne pouvons-nous racheter sa part ?

— Avec quoi ?

Après un long silence, Clarissa dit :

— Will est une tête brûlée, nous l'avons bien vu. C'est un rebelle, et si cette île reste fidèle au nouveau roi, ce dont je ne doute pas, il commettra une erreur qui le fera chasser de la Barbade. Il sera dépouillé de ses terres...

— Il n'est pas question de lui demander de partir maintenant. J'ai besoin de son aide pour les nouveaux esclaves et la canne à sucre.

— Isaac ! s'écria-t-elle d'un ton irrité. Sa présence ici me gêne. Réponds-moi donc : pourquoi cette Naomi lui a-t-elle révélé le complot ? Pourquoi ne nous a-t-elle rien dit à nous ? Qu'y avait-il entre eux ?

Isaac fut obligé d'imposer sa loi :

— Nous avons besoin de lui. Nous avons besoin de sa part des terres et nous avons besoin de sa part de travail.

Et Clarissa se mit à pleurer, alors il lui promit :

— Mais dès que la situation le permettra, nous lui demanderons de partir. Il peut de toute manière aller chez les Pennyfeather, ajouta-t-il.

Il faisait allusion à sa sœur Nell, qui avait épousé un commerçant très modeste, Timothy Pennyfeather. Cette idée en déclencha une autre dans l'esprit d'Isaac, et il dit à Clarissa :

— Tu as raison sur un point. Il faut que la part de terre de Will nous revienne, parce que le secret de la fortune sur cette île, c'est la propriété des terres, et j'ai l'intention d'en accumuler beaucoup.

A la fin de l'année, l'île était partagée entre deux factions quasiment prêtes à prendre les armes. De profondes divisions déchiraient des familles comme les Tatum. Il se produisit alors un événement qui révèle le caractère unique de la Barbade. On annonça dans les diverses églises qu'une partie de chasse allait être organisée dans l'île d'All Saints située à cent cinquante milles nautiques à l'ouest. Au jour dit, les hommes des deux camps se réunirent sur le petit bateau qui devait les conduire là-bas. Thomas Oldmixon, chef des Cavaliers et excellent fusil, avait rassemblé autour de lui dix-neuf de ses partisans, et Henry Saltonstall, armé de deux beaux mousquets, commandait les Têtes-Rondes. Isaac Tatum se rangea du côté d'Oldmixon, son frère Will du côté de Saltonstall.

Quand le bateau jeta l'ancre sur la côte orientale de la magnifique baie d'All Saints, sa chaloupe fit plusieurs allées et venues pour transporter les chasseurs à terre. Les chefs, Oldmixon et Saltonstall, partirent ensemble les premiers, les frères Tatum les rejoignirent en dernier. Les chasseurs se réunirent et Oldmixon lança des instructions de sa voix chaleureuse :

— Messieurs, Saltonstall, qui est un excellent fusil, conduira son groupe dans cette direction, le reste viendra avec moi. Et nous verrons si nous pouvons en finir avec ces bougres.

Qu'allaient-ils donc chasser ? Les Indiens Caraïbes qui, de leur foyer d'origine de la Dominique, s'étaient dispersés sur les îles voisines d'All Saints et de Saint-Vincent, où ces cannibales s'étaient révélés mortellement dangereux pour les marins anglais ou français naufragés sur leurs côtes. Ennemis implacables, ils étaient si agressifs qu'ils avaient refusé toute ouverture pour un partage pacifique de leurs îles. Les colons européens avaient alors jugé que seule une politique d'extermination était applicable. Ce n'était pas la première partie de chasse organisée contre eux, mais la plus importante.

Les Anglais armés de longs mousquets s'élancèrent donc à la recherche des sauvages d'un pas joyeux, en poussant des cris pour s'encourager mutuellement. Ce n'était nullement un combat inégal. Des marchands vénaux, hollandais, français et anglais — en fait des pirates, dont Brongersma du *Stadhouder* devait être le pire — avaient fourni aux Caraïbes des armes fabriquées dans les colonies d'Amérique et des quantités de poudre et de plomb. Les chasseurs de la Barbade et leurs proies partaient donc à peu près à égalité. Les tireurs anglais savaient qu'ils allaient recevoir des balles.

Ainsi donc, quelques siècles seulement après avoir poussé leurs sauvages cris de guerre en fondant sur les Arawaks pour les anéantir, les farouches Caraïbes entendaient ces mêmes cris dirigés contre eux-mêmes.

Au cours de la première demi-heure, Thomas Oldmixon, avec Isaac Tatum comme porte-fusil, tua deux Caraïbes et évita les balles indiennes qui sifflaient à ses oreilles. Le groupe de Saltonstall, qui contenait plusieurs Cavaliers, meilleurs fusils pour la plupart que les Têtes-Rondes, tua aussi sa part de sauvages. La chasse continua deux heures avec les Barbadiens qui poussaient des cris de triomphe chaque fois qu'ils abattaient un Indien. Ils notaient évidemment leur score, comme pour un concours de tir au pigeon, car il était absolument passionnant de voir une silhouette brune décamper parmi les broussailles, de viser le milieu de son dos, puis de la voir basculer et se tordre en tombant. Bien entendu, la silhouette en fuite était parfois une femme ou un enfant, mais le tir continua et au cours de toute la chasse pas un seul Bardadien n'exprima le moindre scrupule pour ce massacre de sauvages mâles et femelles, et certainement aucun remords.

Au bout de la troisième heure, comme la lumière commençait à tomber, les deux groupes forcèrent le rythme. Attaquant de plusieurs directions à la fois, ils bloquèrent les Indiens dans une position défensive, au fond de la belle baie qui conférait à cette île son charme particulier. Aussitôt, ils prirent les Caraïbes sous un feu croisé mortel. Dix-neuf hommes et femmes, plus une poignée d'enfants, furent exterminés. À la nuit tombée, les Barbadiens retournèrent momentanément à leur bateau, et, au cours d'une grande fête, Cavaliers et Têtes-Rondes trinquèrent ensemble avec de la bonne bière anglaise.

Au cours de la deuxième journée, le groupe entoura un autre campement caraïbe. Un bon tireur indien, qui avait maîtrisé parfaitement son beau mousquet de Nouvelle-Angleterre, se cacha dans un arbre et tenta sa chance sur le jeune Will Tatum. Il l'aurait tué si le jeune homme ne s'était pas écarté à la dernière seconde. La balle s'enfonça dans le bras gauche de Will mais ne toucha pas l'os. Isaac serra très fort la blessure avec un pan de chemise déchiré et tous les membres de la partie de chasse félicitèrent Will, devenu le héros de l'expédition. Dans cette atmosphère de sympathie mutuelle, les Barbadiens quittèrent All Saints, contents d'avoir « donné à ces maudits Caraïbes une bonne leçon ».

Quand les chasseurs revinrent à la Barbade, la discorde oubliée pour un temps reprit de plus belle : parfois, les discussions entre les deux partis s'échauffaient beaucoup et tous ceux qui possédaient le moindre sens de l'Histoire prévoyaient qu'un jour les paroles de colère seraient remplacées par des actes de violence. Mais, trait caractéristique de la Barbade en ces années troublées, les deux camps, Cavaliers et Têtes-Rondes, évitèrent prudemment, presque passionnément, toute action hostile déclarée, et donc le bain de sang qui accompagne en général des divergences aussi fondamentales et aussi sensibles. Il faut rendre hommage pour leur attitude raisonnable aux deux chefs de parti, Oldmixon et Saltonstall : ni l'un ni l'autre n'était homme à encourager ses partisans à des actes extrêmes ; ils croyaient tous les deux en l'efficacité des procédures légales et ils évitèrent donc toute émeute ou révolte. Oldmixon parlait peut-être plus fort que Saltonstall, mais jamais au point d'inciter à la rébellion, et quoique Saltonstall eût de toute évidence des convictions plus solidement fondées que celles d'Oldmixon, il n'envisagea jamais l'atteinte à l'ordre public ni l'attaque contre les biens ou la personne de l'adversaire comme un moyen valable d'imposer ses idées.

Bref, et c'est la plus belle louange que l'on puisse décerner à la Barbade en ce carrefour de l'histoire des Antilles, les îliens se conduisirent en *gentlemen* anglais bien élevés et prouvèrent que l'île méritait pleinement le nom enviable de Petite Angleterre.

La même courtoisie régna au foyer des Tatum, bien que Clarissa eût clairement envie de débarrasser les lieux de son beau-frère de mauvaise réputation, et qu'Isaac le considérât comme une gêne, surtout du jour où Thomas Oldmixon lui demanda :

— Qu'est-ce que j'apprends sur votre Will ? Est-il avec nous ou non ?

— Il a été contaminé par Saltonstall.

— Coupez les ponts, Isaac. Aucun bien ne saurait venir de frères ennemis.

— La moitié de mes terres lui appartient.

Oldmixon, qui aimait les décisions immédiates, se contenta de grommeler :

— Un jour prochain, Isaac, les hommes comme votre frère disparaîtront de cette île... à jamais. Préparez-vous pour cette circonstance.

Isaac apprit donc à sa femme qu'Oldmixon partageait, au sujet de Will, l'opinion qu'elle avait défendue depuis le début.

— Il n'est pas question de gâcher Noël et nous célébrerons le Nouvel An ensemble, dit-elle. Mais ensuite il partira, terres ou non.

Ce fut une saison de fêtes très tendue, bien que la Barbade parût plus belle que jamais. Les palmiers ployaient sous le vent envoyé par le ciel, qui soufflait toujours de l'est, et le jour de Noël les trois Tatum pique-niquèrent sur une colline voisine de Bridgetown. Isaac, dans un élan d'affection fraternelle — qu'il savait proche de sa fin — s'écria soudain :

— Ce divin vent d'est ne nous fait jamais faux bond. Il protège notre indépendance, Will, et notre liberté.

Clarissa demanda comment c'était possible, et il lui répondit d'une voix chargée de rêve :

— Pourquoi la Barbade était-elle la seule île déserte des Caraïbes quand Colomb l'a dépassée dans sa course vers le nord ? Pourquoi les Espagnols ne l'ont-ils jamais conquise ? Pourquoi les Français, les Hollandais et les autres se sont-ils emparés de toutes les îles mais jamais de la Barbade ? Pourquoi sommes-nous si particuliers, comme si Dieu veillait sur nous ?

— À cause du vent ? demanda Will.

Son frère lui donna une claque joyeuse sur l'épaule.

— C'est ce que je pense. Ce vent d'est qui fait pencher ces arbres comme il l'a fait sans discontinuer depuis mille ans. Tous les pays que j'ai cités ont eu envie de conquérir la Barbade. Ils savaient que c'est la meilleure île des Caraïbes, avec les plus belles terres, les plus riches récoltes. Mais pour nous conquérir, il leur aurait fallu nous attaquer de l'ouest, où se trouvent les autres îles, vers l'est où nous sommes. Or leurs bateaux ne pouvaient pas remonter contre un vent si violent.

— Comment les Anglais ont-ils pu débarquer, dans ce cas ?

— Parce qu'ils sont arrivés en amis, ils ont pu prendre leur temps et s'infiltrer sans trop de peine. Aucun coup de feu hostile tiré de la côte.

Il demanda à sa femme et à son frère d'observer un navire marchand hollandais qui essayait depuis deux jours exaspérants de remonter au vent pour gagner le port.

— Imaginez qu'il s'agisse d'un vaisseau de guerre venu nous attaquer, lança Isaac en riant. Il resterait là, presque immobile, pris dans le vent, et nos canons le réduiraient en miettes.

Les autres constatèrent que c'était la vérité.

— Mais si nous voulons nous emparer d'All Saints, et nous y serons sans doute contraints bientôt, nous chargerons nos bateaux, nous les lancerons dans le chenal et nous nous laisserons pousser par ce vent furieux. Nous pourrons débarquer à All Saints quarante minutes après notre arrivée en vue de l'île.

Pendant un moment, ils réfléchirent aux bienfaits du vent d'est et se sentirent enveloppés dans une atmosphère familiale chaleureuse. Puis Will rompit le charme en demandant :

— Pourquoi désirerions-nous envahir All Saints ? Il n'y a là-bas que des Indiens.

— Il faut voir loin, répondit Isaac. Nous ne pouvons pas prendre le risque de laisser une île sans protection... tomber entre les mains des ennemis du roi.

— Crois-tu que nous pourrons nous en emparer ? demanda Will en toute innocence.

— Nous sommes plus puissants que tu ne penses. Ces îles seront peut-être un jour le salut de l'Angleterre.

Il s'éleva, marcha nerveusement de long en large, puis se campa devant son frère.

— Will, sais-tu que des messagers secrets de la Virginie et de la Caroline, deux des plus puissantes colonies d'Amérique, se sont glissés récemment à la Barbade pour nous assurer qu'ils se joindront à nous si nous lançons une campagne en faveur du roi ? Et les Bahamas également ?

Will, qui avait discuté de géographie et d'affaires maritimes avec le capitaine Brongersma et ses flibustiers hollandais, se moqua des prétentions de son frère.

— Connais-tu la grandeur des Bahamas ? Sais-tu combien il y a d'habitants en Virginie ? Le Parlement réunirait une flotte en trois semaines et...

— Ne parle pas de trahison, lança Clarissa.

— Ne dis pas de sottises, répliqua Will sur le même ton.

Et avant même de se retrouver sous l'influence apaisante de leur maison, qui appartenait à moitié à Isaac à moitié à Will, Clarissa cria d'une voix stridente :

— Tu ferais mieux de nous quitter, Will. Aujourd'hui. Tu es promis à la potence.

Will ne songea même pas à lui faire remarquer qu'elle le chassait d'une maison qui lui appartenait pour moitié. Il rentra en silence, réunit le peu d'affaires qu'il avait, puis s'en alla chez sa sœur, au-dessus de la boutique de drapier de Timothy Pennyfeather, son beau-frère.

En 1650, les tempêtes politiques de la Petite Angleterre se gonflèrent en hurricanes, car le 3 mai, Thomas Oldmixon et ses partisans, qui gouvernaient l'île *de facto*, déclarèrent l'île entière loyale à Charles II, le prétendant non couronné, encore en exil sous la protection du roi de France. Mais toute l'Angleterre reconnaissait l'autorité au Parlement des Têtes-Rondes et la plupart des colonies d'Amérique du Nord se soumettaient à ses lois. Même la majorité des Antilles anglaises avait pris parti contre les royalistes, mais la brave petite Barbade osait défier la puissance de l'adversaire et se déclarait fidèle au nouveau roi jusqu'à ce que le reste du monde reprenne son bon sens. Les Bahamas et quelques royalistes des colonies américaines du Sud annoncèrent qu'elles sympathisaient aussi avec la prise de position de la Barbade. Le partage de l'opinion devait être à peu près de dix en faveur de la Barbade et dix mille pour le Parlement.

Mais Oldmixon et ses planteurs Cavaliers optimistes n'hésitèrent pas un instant. Dès que la nouvelle de la déclaration officielle se répandit dans l'île, des appuis tapageurs se manifestèrent de toute part, et des royalistes prudents commencèrent à rassembler des armes et des munitions pour le jour où une flotte apparaîtrait au large de Bridgetown pour tenter un débarquement et l'occupation. Oldmixon, soutenu par son ardent aide de camp Isaac Tatum, commença à préparer des troupes : on bâtit de petites forteresses et on organisa des tours de garde.

La guerre ouverte fut évitée surtout du fait que les Têtes-Rondes raisonnables comme Saltonstall gardèrent leur calme, persuadés que les hommes de Cromwell, à Londres, ne le laisseraient pas tomber. Mais quatre jours après la décision d'Oldmixon de ranger la Barbade sous l'étendard du roi, ses Cavaliers reçurent un appui fort réjouissant : un bateau apporta une nouvelle qui émoustilla Oldmixon et ses partisans.

— Le gouvernement de Cromwell envoie un nouveau gouverneur. Il s'appelle Willoughby et on dit qu'en secret il est royaliste.

Mais un simple matelot, un costaud coiffé dans le style des Têtes-Rondes, prévint calmement tous les îliens qu'il rencontra :

— Attention à ce lord Willoughby. Il change de camp si vite que le regarder vous fait tourner la tête. Cavalier ? Tête-Ronde ? Qui peut dire ce qu'il est aujourd'hui et ce qu'il sera demain.

Trois semaines plus tard, quand Francis, cinquième baron Willoughby de Parham débarqua de la chaloupe qui le conduisait à terre, la foule s'était alignée sur le front de mer pour assister à son arrivée impériale. Chacun vit, à la proue de la barque, un bel homme qui se tenait très droit, l'épée au côté, l'écharpe en travers de la poitrine et l'air de dire : « Je suis venu prendre le commandement. » Dans les journées précipitées qui suivirent, les îliens apprirent qu'effectivement, le noble lord avait été trois fois Cavalier fanatique, et trois fois Tête-Ronde aussi convaincu. Dans son rôle le plus récent, il avait commandé des troupes soumises au Parlement ; dans son premier rôle, Speaker de la Chambre des Lords, il avait défendu le roi avec véhémence. Pris au piège de ses contradictions, il avait été enfermé à la Tour de Londres et condamné à la pendaison. Il avait échappé à la corde en s'enfuyant en Hollande, où il avait déclaré hautement qu'il s'était toujours senti royaliste de cœur. Si incroyable que cela parût à l'époque, après la décapitation de Charles Ier il avait de nouveau servi Cromwell. Payant tribut à sa souplesse pour les grandes affaires d'État et à son intégrité pour les petites affaires de la vie quotidienne, Cavaliers et Têtes-Rondes non seulement l'appréciaient mais lui faisaient confiance aux postes auxquels ils le nommaient. Il passe pour une exception miraculeuse en son époque, et c'était exactement le pragmatique à la tête bien vissée sur les épaules dont la Barbade avait besoin à ce moment-là.

Dès qu'il eut établi son quartier général, lord Willoughby convoqua Oldmixon et lui fit savoir qu'il avait l'intention de continuer exactement dans la ligne fixée par Oldmixon lui-même. Puis, sur le conseil de ce dernier, il engagea comme collaborateur principal Isaac Tatum. Ce fut pour ce dernier le premier pas vers le pouvoir. Bientôt Clarissa et lui achetèrent à un planteur de canne à sucre, en disgrâce à cause d'un embarrassant attachement au Parlement, un lot de onze esclaves... à un prix ridiculement bas qu'Isaac put imposer parce qu'il était parvenu à faire condamner l'homme à l'exil.

Après ce coup de chance, Isaac s'appropria coup sur coup trois petites plantations attenantes à la sienne, par la grâce d'un simple expédient : lancer des accusations qui se terminaient par la déportation du propriétaire. Ces départs forcés lui permirent d'acquérir d'autres esclaves, jusqu'au jour où Oldmixon le prévint, au cours d'un dîner où il avait invité les Tatum :

— Isaac, vous avez pris un bon départ. Mais je dois vous avertir : prenez des mesures pour établir nettement vos droits sinon vous risquerez de tout perdre si lord Willoughby est forcé de quitter l'île et que la situation se retourne. Ils peuvent très bien faire ça, vous savez.

— Comment se protège-t-on ? demanda Isaac.

— Obtenez des papiers prouvant que les terres vous appartiennent légalement, répondit Oldmixon, laissant parler son expérience.

Les Tatum suivirent ce conseil. Au cours de l'été 1650, ils manœuvrèrent en sorte que lord Willoughby se trouva pour ainsi dire forcé de fournir des documents qui confirmaient les Tatum dans la possession de terres acquises de façon plus ou moins douteuse. En octobre de la même année, tous les notables de la Barbade, et en particulier les Tatum, purent se féliciter de leur chance : lord Willoughby avait organisé l'île selon des principes royalistes et délivré des titres de propriété qui indiquaient clairement qui possédait quoi.

Puis la paix de la Barbade se trouva brisée. Les hommes de Cromwell, las de cette comédie de la petite île qui faisait la nique aux principes de gouvernement du reste de l'empire britannique, donnèrent l'ordre de régler la question à l'un de leurs meilleurs amiraux, sir George Ayscue :

— Rassemblez une grande flotte, partez à la Barbade et réduisez-la à l'obéissance. Vous avez l'autorisation et la mission de débarquer des troupes, d'assaillir leurs forts, de forcer les îliens à la soumission, de raser leurs châteaux et leurs places fortes, et de vous emparer de tous navires et vaisseaux leur appartenant ou tout autre bâtiment relâchant dans leurs ports.

Quand l'annonce de ces ordres draconiens parvint à la Barbade, elle ne provoqua aucune panique — ce qui ne laisse pas de nous étonner. Les îliens croyaient fermement, malgré leur faiblesse et leur isolement, qu'ils pourraient résister à toute la puissance anglaise et renvoyer l'amiral Ayscue en Angleterre, la queue basse. La semaine après l'arrivée de la nouvelle, au cours d'un dîner qu'il offrait, lord Willoughby expliqua à Oldmixon et à Tatum :

— Sir George est un marin compétent et il conduira sa flotte ici, dans le port, sans problème. Mais comment débarquera-t-il ses troupes ? Et si nous refusons qu'il débarque, que mangeront ses hommes ? Où prendront-ils leur eau ? Retenez mes paroles : il restera ici quatre ou cinq mois puis remontera vers la Virginie pour essayer de les discipliner. Tenir bon ! c'est tout ce que nous aurons à faire : tenir bon jusqu'à ce que l'Angleterre retrouve son bon sens.

Une fois cette stratégie mise au point et chaleureusement approuvée, on porta un toast au « roi Charles II, absent pour le moment en France mais bientôt sur le trône ».

— Je méprise vraiment ce nom qu'on essaie de nous imposer :

Grande-Bretagne, dit Milord. Ils ont commencé du temps de mon père, quand James Stuart est monté sur les deux trônes. Nous l'appelions toujours « Premier et Six » — le roi Jacques Ier d'Angleterre et Jacques VI d'Écosse. Mais par déférence pour l'Écosse, le pays de Galles et l'Irlande, il faut que nous nous appelions maintenant Grande-Bretagne. Deux mots affreux et informes, qui ne signifient rien. Nous sommes anglais et notre pays est l'Angleterre. Je prends donc l'audace de porter un autre toast : « À l'Angleterre. Puisse-t-elle retrouver vite son bon sens ! » En attendant, remercions Dieu pour la Petite Angleterre.

Et chacun leva son verre à ces belles paroles.

Quand la conversation reprit, Willoughby demanda à Isaac :

— Qu'advient-il de votre frère ? Oldmixon me dit qu'il pose un problème.

— Oui, Milord, répondit Tatum. Il est tombé sous la coupe de Saltonstall. Je le vois peu et préférerais le voir encore moins.

— Il faut éliminer ce genre de relations, Tatum. Cet amiral Ayscue qu'on nous envoie n'est pas un imbécile. Nous aurons besoin de tout notre talent pour le repousser. Mais nous réussirons.

Confirmé dans sa résolution, il termina le rapport sur lequel il travaillait avant le dîner :

> *J'assure Vos Seigneuries que le sergent-major s'est donné beaucoup de mal à mettre les troupes en parfaite condition de combat. Il s'est levé tôt et s'est couché tard pour calculer comment protéger les intérêts de Leurs Majestés contre les allégations et plaintes que les planteurs de l'île ont déposées.*

Quelques jours plus tard, un petit bateau apporta à Bridgetown une nouvelle sensationnelle. Désireux d'insuffler un bon moral à ses forces, Willoughby demanda à Oldmixon et à Tatum de réunir le plus grand nombre possible de planteurs Cavaliers. Quand les notables de l'île furent rassemblés, il leur apprit :

— Le prince Rupert, neveu du roi et stratège qui a inspiré tous les succès remportés par les royalistes, vient d'être nommé amiral de la Flotte, loyal à notre nouveau roi de France, et il a pris la mer pour nous sauver d'Ayscue et de ses Têtes-Rondes.

Des vivats accueillirent cette déclaration car aucun chef de guerre de l'époque n'avait une réputation aussi brillante que ce beau prince élégant à qui le destin ne faisait que sourire. Sa présence dans la mer des Caraïbes pouvait tout changer, et jusqu'à la fin de la réunion, les Cavaliers devinrent plus certains à chaque verre de bière que Rupert allait châtier Ayscue et terminerait la guerre imminente avant même qu'elle ait débuté.

— Tout sera fini avant Noël, prédit Oldmixon d'une voix tonnante.

Les autres interprétèrent de façon encore plus extravagante les bienfaits de l'arrivée de Rupert, puis les Cavaliers se dispersèrent, le cœur en paix.

Une fois seul, Willoughby songea : « Je mourrai peut-être sur cette île, mais je ne la livrerai jamais. Ayscue devra se battre pour chaque pouce de terre. Oh, quelle honte j'éprouverais si je perdais cette île céleste ! Pas moi ! Pas moi ! »

Il pensa ensuite au prince Rupert et regretta fort de ne pas avoir à la Barbade un Cavalier à qui il puisse faire entièrement confiance, parce qu'il avait envie d'exprimer les doutes qui le hantaient. Il ne pouvait guère discuter de problèmes délicats avec Thomas Oldmixon : « Trop vulgaire, trop imbu de sa personne, et sans perspicacité. » Et il n'avait aucune envie de parler de choses sérieuses avec Isaac Tatum : « Trop lèche-bottes, trop intéressé... » Il réfléchit à ces deux épithètes et secoua la tête : « Quelle condamnation ! A-t-on le droit de parler ainsi d'un ami ? »

Il se trouva donc contraint d'évaluer les épreuves imminentes sans le moindre conseil, et ses conclusions furent négatives : « Le prince Rupert est un vaillant homme. J'ai commandé l'infanterie deux fois au cours de ses grandes charges de cavalerie et j'ai servi une fois en mer à ses côtés. C'est un vrai soldat, aussi beau que ses uniformes. Mais faire de lui un amiral ! Mon Dieu, je me demande s'il est capable de reconnaître l'avant d'un bateau de l'arrière. Sur un cheval, c'est un génie. Sur un bateau, responsable de douze autres bâtiments, c'est un âne total. Les ennuis ne font que commencer. Dieux de la guerre, priez pour moi. »

Ses prédictions concernant les capacités navales de Rupert se révélèrent exactes. Lorsque le génie de la cavalerie, après une invraisemblable perte de temps, se lança au secours de la Barbade, les incidents se succédèrent, comme son navigateur le précisa plus tard :

> *Quand nous arrivâmes à une cinquantaine de lieues à l'est de la Barbade, avec un cap que je considérais parfait, une vigie aperçut un petit bateau qui semblait hollandais et richement chargé. Nous nous dirigeâmes donc vers lui, mais il s'avéra plus rapide et nous ne le rattrapâmes jamais. Au cours de cette poursuite le bateau de l'amiral Rupert eut une voie d'eau si grave que nous eûmes énormément de mal à le maintenir à flot. À la fin de la poursuite, nous nous aperçûmes que nous ne savions plus où nous étions. Nous avions dépassé la Barbade dans la nuit sans la voir. Nous virâmes de bord, mais ne la retrouvâmes point, et les troupes que nous transportions pour la défense des îles ne servirent à rien.*

Pis encore, Rupert, en cherchant la Barbade, dirigea son escadre tout droit dans la queue d'un hurricane au large de la Martinique. Dans la tempête qui secoua ses bateaux, il perdit une grande partie de ses forces, y compris son frère Maurice, merveilleux combattant sur terre lui aussi. Couvert de honte, il rentra tant bien que mal en Europe et laissa la Barbade dans une situation plus grave qu'au moment où il était parti pour la sauver.

L'amiral Ayscue se montra beaucoup plus efficace que le prince Rupert, mais il lui fallut cependant une année entière — d'octobre 1650 à octobre 1651 — pour organiser, réunir et entraîner sa flotte de sept vaisseaux transportant deux mille soldats, puis lui faire traverser l'océan jusqu'à la Barbade. Entre-temps, les îliens vaquèrent apparemment à leurs affaires comme s'ils ne se trouvaient pas sur un baril de poudre relié à une très longue mèche qui brûlait lentement mais inexorablement jusqu'au point d'explosion. Lord Willoughby continua de donner des fêtes dans sa demeure toute simple, où les riches planteurs, qui vendaient leur récolte de sucre en douce à des bateaux venus de Hollande, se confirmaient mutuellement que « cet idiot d'Ayscue ne parviendrait jamais à conduire ses bateaux dans la baie ». Les Têtes-Rondes comme Saltonstall subirent de plus en plus de pressions.

Mais la légèreté apparente de ces Cavaliers ne pouvait pas dissimuler le fait qu'eux aussi éprouvaient une incertitude croissante à chaque mois qui passait sans qu'aucun vaisseau des Têtes-Rondes ne parût à l'horizon, tandis que ces derniers se demandaient, de plus en plus irrités : « Ces vaisseaux n'arriveront-ils donc jamais ? » En attendant, les deux groupes allaient à l'église de leur choix le dimanche, comme l'exigeait la loi. Dix fois plus de fidèles fréquentaient les services de l'Église anglicane que les rares chapelles où se rendaient les dissidents, méthodistes et quakers. La Barbade continuait d'être une belle île, une des plus belles, mais l'atmosphère n'y était plus détendue.

La tension ne touchait guère le jeune Will Tatum, âgé de seize ans ; il adorait sa petite chambre au-dessus du magasin Pennyfeather, sur la grand-rue de Bridgetown. De nombreuses raisons y concouraient : sa sœur était une bonne âme qui tolérait son caractère particulier comme ne pourrait jamais le faire sa belle-sœur Clarissa, plus collet monté ; il appréciait l'activité incessante et la liberté de la vie près des quais ; et il découvrait la qualité toute hollandaise des maisons de Bridgetown, certaines massives et en pierre, très dignes avec leur toit rouge, d'autres (comme la boutique occupée par les Pennyfeather) bâties en bois sombre bien ajusté. Mais la principale raison de son contentement demeurait le fait merveilleux que dans le magasin de James Bigsby — boucherie, boulangerie, ustensiles de cuisine — de l'autre côté de la rue, se trouvait une jeune fille de quatorze ans, Betsy, dont le sourire paisible et les nattes impeccables faisaient battre plus vite le cœur de plus d'un jeune homme. C'était une jeune fille modeste, réservée en public, douce dans la conversation avec ses amies. Jamais elle ne se laissait ouvertement conter fleurette comme certaines autres jeunes filles de la classe moyenne. Moins grande que Will, elle formait avec lui un couple parfaitement assorti, pensait-il — les rares fois où il avait pu rester près d'elle ou lui parler par hasard dans la rue. Et plus d'une fois, son imagination s'enflamma à l'idée de l'avoir près de lui dans quatre pièces au-dessus d'un petit magasin, comme Nell et Timothy Pennyfeather dans leur maison.

Peu de choses dans la nature sont plus charmantes au regard, plus rassurantes pour l'esprit que le comportement d'une jolie jeune fille de quatorze ans, consciente depuis peu de ses pouvoirs et qui désire attirer l'attention d'un jeune homme de seize ans. Quand elle avance dans les rues du village, elle danse ; de cent manières subtiles, elle se rend plus séduisante ; sa voix devient plus grave et ses yeux se déchaînent, envoient de nouveaux messages et d'étonnantes promesses jamais rêvées auparavant. Cette année-là, les personnes entendues de Bridgetown observèrent en souriant (et sans désapprouver) que la fille bien élevée du marchand avait remarqué le jeune Tatum et pratiqué sur lui son art encore bien timide de la coquetterie.

Will, émoustillé lui aussi par l'expérience, fut encouragé à réfléchir sur ces questions par le fait que sa sœur se trouva enceinte à cet automne-là. Il s'étonna de la voir dans son état se déplacer pour servir les clients. Et plus il observa Nell, plus il apprécia Betsy, car il l'imagina en train d'aller et venir de la même façon avec un enfant à lui. Ce fut dans sa vie une période troublante mais instructive, et que l'arrivée du *Stadhouder* dans le port rendit plus déconcertante. Will sauta dans une barque pour être le premier à bord de l'intrépide navire, où il trouva le capitaine Brongersma d'une humeur plus sombre.

— Petit, nous avons eu une aventure malheureuse la dernière fois, après t'avoir quitté. Nous avons vu une belle prise espagnole, nous l'avons rattrapée facilement et nous l'avons abordée comme d'habitude. J'ai pris la tête de mes hommes quand soudain une compagnie de soldats bien armés, dissimulés jusque-là, ont bondi sur nous de nulle part — et je veux que tu voies ce qui est arrivé.

Il emmena Will sur le pont et lui montra les taches pâlies par le soleil, où le sang des Hollandais s'était répandu quand les soldats espagnols avaient renversé la situation et abordé le *Stadhouder* avec des conséquences terribles.

— Nous aurions pu perdre notre bateau, avoua tristement Brongersma en retournant dans sa cabine. Mais quand le sort fut en balance, nos hommes firent preuve d'un courage extrême. Ils ont taillé, frappé, tiré le canon à bout portant... et nous les avons repoussés sur leur bateau. Il est parti aussitôt vers Séville et nous sommes rentrés tant bien que mal à Amsterdam.

Cette conversation fit beaucoup d'effet sur Will Tatum, et pendant les jours qui suivirent les gens de Bridgetown, médusés, virent le jeune homme s'arrêter soudain au milieu de la rue pour se lancer dans un combat imaginaire contre les Espagnols : « Taillez, frappez, tirez le canon à bout portant, nous les repousserons ! » Jamais il n'imaginait une défaite des Hollandais, ni il ne se représentait les marins morts sur le pont du *Stadhouder,* il ne voyait que la gloire. Dans son obsession pour l'aventure, il s'arrangea pour que Betsy Bigsby l'accompagne discrètement à bord du bateau — et le capitaine Brongersma tomba amoureux d'elle.

— Quelle jolie petite madame... Et ces tresses d'or ! Ah, que n'ai-je une fille comme vous !

Il passa presque une heure entière à lui montrer les souvenirs recueillis au cours de ses voyages sur toutes les mers, et quand elle lui parla de la façon d'éviter un blocus, il lui répondit :

— Vous voyez cet homme, là-haut ? Il surveille l'arrivée éventuelle de vaisseaux de guerre anglais. Quand il en aperçoit un, il crie : « Danger à l'ouest ! » Et nous filons, parce que nous pouvons aller plus vite que vos bateaux anglais.

— Mais si vous êtes dans l'illégalité, demanda-t-elle de sa petite voix curieuse, pourquoi les Anglais de l'île vous accueillent-ils de si bon cœur ?

— Que fait votre père, mademoiselle ? demanda-t-il.

— Il tient le magasin de la grand-rue. Il vend de tout.

Il éclata de rire.

— Ah oui ! Demandez donc à votre père pourquoi il est si content de mon arrivée.

Elle lui lança un regard espiègle et murmura :

— Croyez-vous donc que je ne le sais pas ?

Will désirait poser des questions sur le combat contre les Espagnols, et en quelques réponses brèves le flibustier hollandais résuma la vie à bord du *Stadhouder.*

— Quinze jours sous le vent en plein soleil, travail en permanence.

Dix jours encalminés, à ramer comme sur des galères d'enfer. Trois jours de tempête, à écoper et prier, On repère un bateau espagnol, mais sans pouvoir le rattraper. Puis on en rattrape un, mais il est défendu par des troupes. Ensuite, il faut fuir un patrouilleur anglais. Enfin, si Dieu vous sourit, on tombe sur un espagnol sous protection, chargé d'argent, et la longue traversée mérite l'effort.

Il baissa la voix.

— Mais seulement si vous êtes brave au moment de l'abordage.

Betsy Bigsby, qui ne perdait pas un mot, frissonna à l'idée du sang versé, mais elle remarqua du coin de l'œil que Will se penchait en avant, tout excité, les yeux en feu, et au moment où ils quittèrent le bateau, elle dit :

— Capitaine, je crois que vous avez trouvé une nouvelle recrue.

Brongersma posa le bras sur les épaules de Will.

Au milieu de 1651, les appréhensions relatives à l'arrivée de la flotte d'Ayscue incitèrent les Cavaliers de l'entourage de Willoughby à promulguer des ordonnances rigoureuses qu'il n'aurait jamais proposées s'il avait pris les décisions tout seul. Tous les Têtes-Rondes connus se virent chassés des postes d'influence ; les Cavaliers s'organisèrent en régiments et s'entraînèrent à repousser des forces de débarquement ; et, par une décision qui choqua l'île entière, les principaux notables Têtes-Rondes furent embarqués de force sur un bateau à destination de l'Angleterre. Will Tatum interrompit sa cour discrète à Betsy Bigsby le temps de se rendre à cheval à la plantation d'Henry Saltonstall, sur la colline à l'est de la ville, pour faire ses adieux à cet homme honorable contraint d'abandonner la maison de pierre bâtie par son père. Au moment de se séparer, les deux hommes durent retenir leurs larmes.

— Veille sur la plantation, lança Saltonstall avant de monter à cheval.

Puis il partit vers les quais et l'exil.

Le bateau n'avait pas encore quitté le port qu'Isaac Tatum vint réclamer les biens de Saltonstall, avec Clarissa munie de documents certifiant que « le domaine naguère connu sous le nom de Saltonstall Manor, appartenant au traître notoire Henry du même nom, est saisi et remis en pleine propriété à Isaac Tatum, loyal serviteur du roi Charles II et officier du Leeward Regiment, ladite propriété à titre perpétuel audit Tatum et à ses héritiers ». Cette nuit-là les Tatum dormirent dans leur nouvelle maison et chacun fit des rêves d'honneurs infinis au cours des années à venir, car en ajoutant les terres Saltonstall à celles dont ils s'étaient déjà emparés, les Tatum se trouvaient maintenant à la tête d'une des trois ou quatre meilleures plantations de la Barbade, dont chaque champ était couvert de canne à sucre.

Mais des amis Têtes-Rondes avertirent Will Tatum, qui dormait dans sa petite chambre au-dessus du magasin de drap. Aussitôt, il emprunta un cheval, galopa jusqu'au domaine et cogna à la porte jusqu'à ce que son frère montre son nez.

— Qu'as-tu fait, Isaac ?

— Seulement ce que la loi prévoit. Henry Saltonstall a été reconnu ennemi du roi et banni sans retour. Ses terres ont été saisies et m'ont été remises, à cause de ma loyauté.

Scandalisé par la conduite arrogante de son frère, Will lui sauta à la gorge, et l'altercation aurait mal tourné si Clarissa n'était intervenue, en chemise de nuit.

— Will, que fais-tu là ? lança-t-elle d'un ton péremptoire.

Et quand la colère se calma, elle donna à son jeune beau-frère un conseil glacial :

— Je t'ai tenu à l'œil, Will. Tu cherches les ennuis, de très gros ennuis. La Barbade est aux Cavaliers et le restera à jamais. Il n'y a pas de place pour toi dans cette île. Pourquoi ne pars-tu donc pas comme Saltonstall et les autres ?

Will serra les dents.

— Vous m'avez volé mes terres. Et vous avez volé à d'autres leurs petites parcelles qu'ils étaient incapables de protéger. Par Dieu, vous ne volerez pas la plantation de Mr. Saltonstall. Je ne le permettrai pas.

Mais tandis qu'il partait à grands pas vers le cheval emprunté, il entendit la voix sèche et menaçante de Clarissa :

— Will, tu as prononcé le nom du Seigneur en vain. Tu en entendras parler par les autorités de l'Église.

Dans les jours qui suivirent, tandis que Will cherchait vainement un moyen de s'opposer à l'usurpation des terres de son ami, il oublia la menace de sa belle-sœur, d'autant plus facilement que Nell se trouvait sur le point d'accoucher. Ce fut lui qui courut chercher la sage-femme et s'occupa du magasin jusqu'à la naissance du bébé, ce fut lui qui resta près du lit quand le bébé fut blotti dans les bras de sa sœur.

— Il s'appellera Ned, et si quoi que ce soit arrive à Timothy, il faudra que tu veilles sur lui.

Une poignée de main scella le pacte au-dessus du lit, et Will se pencha pour serrer la main minuscule de l'enfant : son neveu se trouvait désormais sous sa responsabilité.

Cette nuit-là, en proie à une confusion d'émotions joyeuses et intenses, il erra dans les rues de Bridgetown, regarda les maisons bien tenues, les magasins prospères et les bateaux anglais rassurants qui venaient avec leurs nombreuses marchandises à la Barbade et en repartaient avec leurs cales alourdies par le sucre, car malgré les menaces de guerre, le commerce allait grand train. Il se mit à parler tout seul, pour essayer de mettre de l'ordre dans les pensées qui tourbillonnaient dans sa tête.

— Je ne veux pas partir en exil comme Mr. Saltonstall, cette île me plaît. Et je ne veux pas quitter Betsy. Et si les bateaux promis arrivent un jour, certains Cavaliers recevront des coups sur la tête.

À ce moment-là, il se résolut presque de partir sur le côté au vent de l'île, où certains partisans des Têtes-Rondes formaient un régiment pour se battre contre les Cavaliers si la bataille se déclenchait, comme cela semblait probable et imminent. Mais il se rappela aussitôt sa discussion avec le flibustier hollandais : « Ça, c'est une vie ! Un homme qui a du cran peut vivre des moments passionnants sur un bateau comme celui-là. »

Mais le bon sens prévalut. « J'ai promis à Nell de veiller sur Ned. Et j'ai certainement envie de veiller sur Betsy, si elle veut bien de moi. »

Puis vint la question cruciale qui tourmentait à l'époque non seulement Will mais plus d'un Barbadien :

— Que faudra-t-il faire quand les bateaux Têtes-Rondes arriveront ?

L'attente prit fin le 10 octobre 1651, quand la flotte de l'amiral Ayscue, sept bateaux et deux mille soldats, se présenta enfin, certains dans la baie de Bridgetown, d'autres plus bas le long de la côte, où les troupes avaient plus de chance de débarquer sans rencontrer de résistance. La grande bataille entre les Cavaliers de l'île et les Têtes-Rondes sur mer allait commencer.

Les dirigeants du Parlement, extrêmement désireux d'humilier la Barbade pour enrayer l'épidémie de sympathies royalistes, n'avaient pas envoyé pour régler la question un matamore sans cervelle qui attaquerait de front et dévasterait tout sur son passage. Avec une précaution britannique fort recommandable, ils avaient désigné un homme remarquablement constant, plus porté sur la négociation pacifique que sur la gesticulation militaire. Dès l'instant où sir George Ayscue arriva en vue de la Barbade, il agit avec une retenue exemplaire. Il resta au large la fin du mois d'octobre, tout novembre et une grande partie de décembre, espérant obtenir un règlement pacifique des différends. Sa patience lassée par l'obstination méfiante de Willoughby, il débarqua enfin à terre avec ses deux mille hommes, et il s'ensuivit des engagements décousus où peu de sang fut versé — le pauvre Timothy Pennyfeather se trouva parmi les rares victimes.

Au cours de ces combats, Thomas Oldmixon se comporta vaillamment dans le camp des Cavaliers. De même pour Isaac Tatum — avec juste assez de courage pour qu'on remarque sa présence dans la bataille mais sans jamais se rapprocher suffisamment des Têtes-Rondes pour recevoir un mauvais coup. Will Tatum, en revanche, fit des pieds et des mains pour prendre contact avec les forces d'invasion et se battre dans leurs rangs. Il se conduisit de façon si héroïque qu'au moment où les Têtes-Rondes retournèrent dans leur bateau pour se réapprovisionner et se mettre à l'abri, ils l'emmenèrent et le gardèrent comme éclaireur et guide. Il leur apprit alors la confiscation de la plantation d'Henry Saltonstall.

— Ces abus seront corrigés, lui promirent les hommes d'Ayscue.

Mais ces combats entre *gentlemen* ne reprirent pas, car Willoughby et Ayscue comprirent qu'ils pouvaient se faire mutuellement beaucoup de mal sans remporter de victoire militaire décisive. Ainsi donc, dès la deuxième semaine de janvier 1652 les deux camps entamèrent une série de négociations historiques à l'*Auberge de la Sirène* dans le port d'Oistins et établirent un des documents les plus raisonnables et les plus justes qui ait jamais été signé pour mettre fin à une guerre. En termes graves et conciliants, le gouverneur et l'amiral définirent les principes selon lesquels la Petite Angleterre, trop belle pour être détruite, serait désormais gouvernée. Certains de ces termes auraient de longs échos dans l'histoire de l'Angleterre.

> Article 1 : *La liberté de conscience sera accordée à tous.*
>
> ...
>
> Article 4 : *Aucun homme ne sera emprisonné ou dépouillé de ses biens sans une procédure conforme aux lois en vigueur en Angleterre.*
>
> ...
>
> Article 9 : *La population de cette île sera libre de commercer avec l'Angleterre et toute autre nation qui commerce avec l'Angleterre ou entretient avec elle des relations d'amitié.*
>
> ...

Article 11 : *Toutes les personnes seront libres en tout temps de se déplacer ainsi que leurs biens, quand et où elles le jugeront bon.*

Article 12 : *Toutes les personnes, dans les deux camps, seront mises en liberté et tous les chevaux, bétail, serviteurs, nègres et autres biens seront restitués à leur légitime propriétaire.*

...

Article 15 : *Les trois vaisseaux échoués près de Bridgetown resteront la propriété de leurs patrons, avec la liberté de faire voile vers n'importe quel port, avec leur cargaison.*

...

Article 17 : *Le gouvernement de l'île se fera par Gouverneur, Conseil et Assemblée, selon la coutume ancienne et habituelle du lieu.*

L'article 20 contenait une mesure inhabituelle : comme la plupart des troubles de l'île avaient été causés par « des paroles relâchées vulgaires et inciviles », on passa une loi assortie de « lourdes pénalités » qui interdisait « tout discours avilissant qui rappellerait ou se complairait à évoquer d'anciens différends et reprocherait à quiconque la cause qu'il défendait auparavant ».

En d'autres termes : que la paix revienne en Petite Angleterre et que les animosités passées soient enterrées au fond des mémoires. La stratégie de ces deux responsables épris de justice fonctionna à merveille. Les habitants de la Barbade demeurèrent Cavaliers ou Têtes-Rondes, mais oublièrent leurs querelles et aucun homme ne se risqua à insulter son prochain à cause de ses préférences passées. Ce serait pourtant une erreur de croire que cet accord lava ou supprima de la nature tous ses travers. Quand Will Tatum se précipita sur la plantation usurpée de Henry Saltonstall avec un exemplaire de l'article 17 à la main, et exigea qu'on la remette à sa garde, Isaac et Clarissa l'informèrent sèchement que l'affaire Saltonstall était différente, et que, dans un accord secret, Willoughby et Ayscue avaient exclu de cette amnistie cette propriété et les deux autres donc Isaac s'était emparé. Will, devenu un robuste garçon de vingt ans, menaça son frère, mais Clarissa le mit en garde en lui citant l'article 20 qui interdisait toute parole inconsidérée contre d'anciens ennemis. Il risquait la prison. Il dut battre en retraite et laisser son frère en possession des plantations volées.

Au cours des années suivantes, Will prit la place de son beau-frère défunt, assuma la responsabilité de la famille et du commerce Pennyfather, et, tout en espérant épouser Betsy un jour, ne put faire aucun projet tendant à cette fin.

Puis, en 1658, une joyeuse nouvelle arriva : Oliver Cromwell était mort. Les Cavaliers de l'île n'apprirent pas sans colère que leur ennemi implacable avait été enterré à l'abbaye de Westminter, mais ils se réjouirent de voir la menace enfin levée. On donna des fêtes et Thomas Oldmixon invita tous les voisins qui purent emprunter un cheval à dîner à ses frais autour de longues tables de bois installées sous les arbres. Un orchestre improvisé joua des marches militaires et

quelques amis choisis, dont Isaac et Clarissa Tatum, se groupèrent autour du vieux planteur dans le calme d'une des pièces de l'arrière pour célébrer un événement qui semblait désormais imminent :
— Au roi Charles II, en exil en France, mais bientôt sur le trône d'Angleterre.
La joie régnait de nouveau à la Barbade.
En fait, la résurrection des Cavaliers donna à Isaac Tatum une telle confiance qu'au moment où il retourna avec Clarissa dans l'ancienne grande maison de Saltonstall il lui demanda de s'asseoir à ses côtés dans le vaste jardin qui dominait la mer, au loin.
— Cromwell est mort. Le roi est sûrement déjà sur la route de Londres. Nous avons suffisamment de terres et soixante-neuf esclaves pour cultiver la canne. Jamais le prix du sucre n'a été aussi élevé. Tout est en ordre, sauf une chose.
— Qu'est-ce qui t'inquiète ?
— Will. Nell m'a dit l'autre jour, quand j'ai apporté un cadeau à son fils, que Will allait enfin épouser cette jolie fille qui habite en face. Le père tient cette étrange boutique où l'on peut acheter tout ce que le dernier bateau a apporté en contrebande. J'ai oublié son nom.
— Où est le mal ?
— J'ai peur de Will. Il devient de plus en plus puissant dans la communauté. Les gens le respectent. Si on l'écoute, il pourrait devenir un danger pour nous.
— Mais que peut-il faire ?
— Il ne renoncera jamais, pour cette maison et ces terres. Je suis sûr qu'il est resté en contact avec Saltonstall, où qu'il soit.
— Cette affaire est réglée, Isaac. Nous avons plus de papiers qu'il n'en faut.
— Jamais assez si Saltonstall obtient la confiance du nouveau roi.
— Peu probable. C'était une Tête-Ronde trop acharnée.
— Regarde les Têtes-Rondes ici, à la Barbade. On dirait qu'ils ont gagné la guerre.
— Je crois que je connais un bon moyen de nous débarrasser de Will, répondit-elle.
Quelques jours plus tard, elle descendit à Bridgetown à cheval pour parler à son beau-frère dans le magasin de drap. Après avoir présenté ses respects à Nell et à son fils, fort bien élevé pour ses sept ans, Clarissa prit Will à part et lui dit carrément :
— Will, vous n'avez aucun avenir dans cette île. Vous devriez partir à Londres. Il y a là-bas davantage d'hommes comme vous.
Lorsqu'il se moqua de cette suggestion, elle lui lança d'un ton menaçant :
— Très bien, Will, je vous ai donné votre chance.
Et elle s'en fut sans un mot.
Elle ne rentra pas à la plantation, mais se rendit sur-le-champ à l'église de la paroisse, où elle chercha le pasteur — toujours servile avec elle parce qu'elle était riche.
— J'ai une nouvelle désolante, mon père, que je suis vraiment navrée de vous transmettre, mais le frère de mon mari, Will...
— Je le connais, un jeune homme douteux.
— Il se livre au blasphème. Il insulte le nom de Dieu sans motif.
— C'est une accusation grave, madame. Désirez-vous la présenter de façon officielle ?
— Oui, répondit-elle d'un ton sévère.

Après un instant de réflexion, le pasteur répondit d'une voix hésitante :

— Vous comprenez que cela conduira votre frère au pilori.

Elle le choqua en ajoutant, avec un désir manifeste de se venger :

— Je crois qu'il devrait être stimagtisé aussi, pour lui rappeler les bonnes manières.

En entendant ces mots terribles, le pasteur ne put retenir un frisson.

— Non, madame, ce serait trop dur.

Mais elle insista et le pasteur dut songer à la position de cette femme dans la communauté, ainsi qu'à la sienne propre. À regret, il consentit.

— Je le proposerai aux autorités.

À son retour à la plantation, ce soir-là, elle rassura son mari.

— Je suis sûre que nous avons mis ce serpent hors d'état de nuire. Jamais plus ton frère ne pourra montrer son visage à la Barbade.

L'Église, dans les îles anglaises, jouait alors un rôle particulier et important. Elle se portait garante à la fois de l'orthodoxie et des conventions ; elle soutenait le gouvernement, surtout quand il était fidèle au roi ; comme aucune des îles n'avait de presse, elle servait à disséminer les nouvelles décisions officielles (raison pour laquelle la mention « À lire pendant trois dimanches dans toutes les églises paroissiales » apparaît en bas des documents) ; et à une époque où le blasphème constituait un péché capital, elle protégeait les mœurs.

Ainsi donc, quand Clarissa Tatum accusa son beau-frère de blasphème, les anciens de l'Église, dans la paroisse de Saint-Michel, durent l'écouter. Et quand ils eurent réuni assez de preuves contre le jeune homme, ils les présentèrent aux magistrats, qui le condamnèrent à « la stigmatisation et deux heures de pilori public au croisement des grandes rues de Bridgetown ». Par une chaude journée, un mercredi à dix heures du matin, on prépara un feu de joie avec du petit bois qui flamberait à merveille, et quand il eut bien pris, on conduisit Will Tatum au pilori voisin, où on bloqua sa tête et ses poignets dans le cadre qui maintiendrait son visage immobile. Puis sous les yeux des habitants de la ville, certains horrifiés, d'autres pleins de joie méchante, un dignitaire de l'Église plaça le fer — portant la marque B, pour blasphémateur — dans le brasier, attendit qu'il rougisse à blanc, puis le posa brusquement sur la joue gauche de Will, où il siffla jusqu'à ce que le sang coule et produise la cicatrice permanente du stigmate. Will s'évanouit tandis que dans la foule s'élevaient des cris — certains d'horreur, d'autres pour célébrer le triomphe de la vertu.

Will resta sans connaissance pendant une demi-heure. Puis les mouches qui harcelaient sa blessure et ses yeux le ramenèrent à la vie et la douleur lancinante reprit. Forcé d'écouter les quolibets du public et de voir son propre frère Isaac et sa belle-sœur Clarissa à cheval à l'autre bout de la place pour se moquer de lui, il resta en plein soleil, tête nue, et subit des souffrances publiques qui n'avaient pas été conçues pour des dissidents mineurs comme lui. Ses malheurs furent cependant adoucis par la présence de Nell et de Betsy, deux femmes courageuses qui osèrent affronter les critiques en lui portant secours. Elles apportèrent de la toile pour essuyer son visage et des onguents pour calmer la douleur de la blessure. Elles lui donnèrent aussi des gobelets d'eau fraîche pour humecter ses lèvres sèches. Nell arriva à ses côtés la première, et quand il lui fallut partir, au milieu des protestations de la foule, Betsy s'avança avec des baumes et un regard de tendresse pour lui signaler qu'elle l'aimait.

À deux heures de l'après-midi, un bedeau de l'église paroissiale le libéra et plusieurs badauds se demandèrent où il irait. En plusieurs occasions mémorables, des hommes punis ainsi s'étaient rendus directement chez les dignitaires de l'Église qui les avaient condamnés au pilori, et les avaient roués de coups. Une fois, un homme avait frappé la personne qui l'avait dénoncé avec une telle violence qu'elle en était morte. Il avait fallu le pendre, et au moment où on l'avait conduit à la potence, il avait crié à tous les vents :

— Que toute cette île aille pourrir en enfer !

Il aurait continué de jurer ainsi si l'on n'avait serré très fort autour de sa tête la cagoule noire.

Will Tatum ne fit rien de semblable. Avec un sourire crispé, figé sur son visage balafré et douloureux, il traversa à grands pas la foule silencieuse jusqu'à la boutique de sa sœur, monta l'escalier, embrassa Nell et la remercia, puis serra la main du jeune Ned et dit :

— Je reviendrai veiller sur toi.

Il disparut dans l'escalier et descendit la rue vers les quais sans avoir le courage de dire adieu à Betsy Bigsby. Avec sa joue marquée à jamais par l'horrible B, il héla la chaloupe du *Stadhouder*, encore dans le port. Il monta à bord et se présenta au capitaine Brongersma :

— Je veux me battre contre les Espagnols.

On ne le revit jamais à la Barbade.

Dans les longues années qui suivirent, il pensait parfois à Betsy : avant d'attaquer un vaisseau du Trésor espagnol, dans une prison d'Espagne, ou bien quand il pataugeait dans une jungle marécageuse. Dans sa mémoire elle serait toujours une belle fille de vingt ans à la taille fine, aux belles nattes, au regard pétillant. Elle l'accompagnerait dans cent décors différents, toujours identique à elle-même, souvenir toujours brûlant. Pour lui elle ne vieillirait jamais. Il l'adorerait comme l'image la plus pure d'une île qui l'avait traité injustement, peut-être parce qu'il n'avait pas traité cette île avec autant de respect que son frère. Mais il avait senti ce soir-là, en quittant la Barbade, qu'il prenait une décision irrévocable. Il perdait Betsy Bigsby et ne la reverrait jamais.

En 1660, la nouvelle qu'attendait depuis si longtemps la Barbade arriva enfin. Charles II avait été sacré roi d'Angleterre, juché sur la Pierre de Scone symbolisant le fait qu'il était également roi d'Écosse. De grandes fêtes furent célébrées, auxquelles même les Têtes-Rondes les plus récalcitrants participèrent. La vie en Petite Angleterre reprit son cours normal et tout le monde en fut soulagé.

Preuve du désir général d'oublier les anciennes animosités, il arriva à Bridgetown vers la fin de l'année 1661 un document dont l'île se réjouit fort : « Sa Majesté le roi Charles II a le plaisir d'accorder à ses fidèles serviteurs de la Barbade sept titres de baronnet et six titres de chevalier. » Les gens se rassemblèrent autour du palais du Gouvernement pour apprendre les noms de ceux qu'il faudrait désormais appeler « sir ». Les citoyens âgés expliquèrent aux jeunes :

— Un titre de baronnet se transmet dans la famille à perpétuité, de génération en génération ; mais le titre de chevalier expire à la mort du récipiendaire.

Les sept titres de baronnet provoquèrent une certaine émotion, car quatre d'entre eux avaient été décernés à des Cavaliers loyaux au roi dès le premier instant, mais les trois autres récompensaient des Têtes-Rondes qui avaient servi la cause du Parlement dans l'honneur, et s'étaient finalement inclinés devant la volonté du peuple. Si, en cette période troublée, un geste démontre bien le désir de l'Angleterre de panser les anciennes blessures, c'est bien cette décision de décerner des honneurs à égalité entre vainqueurs et vaincus.

Le premier baronnet de la liste était évidemment sir Thomas Oldmixon, dont la loyauté n'avait jamais fléchi. Jamais il n'avait cessé de défendre le nom de son roi, que ce soit en paroles ou au combat. La décision fut applaudie à tout rompre, ainsi que le choix de sir Geoffrey Wrentham, autre vaillant défenseur du roi. Mais il s'éleva presque autant de louanges pour le premier des Têtes-Rondes, sir Henry Saltonstall, dont personne ne savait où il se trouvait.

Quand commença la liste des six chevaliers, Isaac Tatum et sa femme demeurèrent pétrifiés. Ils avaient défendu le roi sans défaillance et leur position sociale et économique dans l'île leur donnait droit à des honneurs. Leur plantation était l'une des plus vastes et leur envoi annuel de sucre en mélasse n'était inférieur à la récolte d'aucun autre planteur des Antilles. Pendant la guerre, Isaac s'était battu courageusement, quoique peu de temps, pour le roi. Et leurs espoirs ne semblaient nullement ridicules. Mais ils savaient que, parfois, les choses tournent mal.

Les deux premiers noms de la liste étaient ceux de Cavaliers bien connus : sir John Witham, sir Robert Le Gard. Aucune surprise, donc. Mais les deux suivants étaient d'anciens Têtes-Rondes, et le front des deux Tatum commença à transpirer. Puis la voix claire du fonctionnaire lança :

— Sir Isaac Tatum.

Et le nouveau `hevalier se serait pâmé si sa femme ne l'avait pas retenu fermement en le prenant par le bras.

Quelques semaines plus tard, une autre nouvelle qui réjouit les cœurs des Cavaliers de la Barbade arriva de Londres : « La fureur du peuple n'a pas pu être contenue. Aux cris de " l'abbaye est contaminée ", la foule s'est précipitée dans l'abbaye de Westminster, a ouvert la tombe d'Oliver Cromwell, déterré son corps et l'a traîné dans les rues jusqu'à un gibet où elle pendit le mort pour les crimes commis par le vivant. » La nouvelle fut confirmée. Quand on fut certain de l'exactitude de cet acte de vengeance, les cloches sonnèrent et certaines paroisses offrirent des prières de délivrance.

On a du mal à expliquer comment cette petite île, hantée par des loyautés contraires, a pu échapper à la guerre civile mais un des notables proposa des suggestions intéressantes.

— Dès le début, nous avons voulu que la Barbade soit un refuge pour des hommes aux idées neuves, en matière de commerce comme pour les questions de religion, et nous avons donc bien accueilli les marchands hollandais et les quakers, malgré leur côté agressif, puis nous avons invité les huguenots, des gens fort industrieux, quand la France les a expulsés. Saltonstall, avant son expulsion, avait même fait voter une loi pour admettre aussi les catholiques et les juifs, en précisant toutefois « à condition qu'ils ne commettent pas de scandale public les jours où nous célébrons notre culte ».

La preuve de cette tolérance s'offrit le jour d'un dîner de gala, peu de temps après la pendaison du cadavre de Cromwell.

Pendant des années, l'île avait vécu sous les menaces de la guerre et de l'invasion. Ses citoyens étaient à couteaux tirés et subissaient de nombreuses privations, mais dès la fin des hostilités on put célébrer des fêtes éblouissantes. Un voyageur français, qui n'était donc ni Cavalier ni Tête-Ronde, en fit un récit que l'on peut considérer comme impartial.

> *J'ai eu la chance de rencontrer sir Thomas Oldmixon, baronnet de fraîche date, qui m'a dit : « Demain après-midi, un chevalier de mes amis, sir Isaac Tatum, offre à ses admirateurs une " fête sublime ", selon ses propres termes. » Je lui ai demandé en quel honneur, et il m'a répondu : « La pendaison de Cromwell. » Puis il m'a expliqué comment le peuple avait enlevé le cadavre de l'abbaye de Westminster et l'avait profané. Très peu anglais, me suis-je dit.*
>
> *Hier soir, nous sommes allés à cheval à la plantation de sir Isaac, qui avait invité une cinquantaine de ses amis pour fêter aussi sa présence sur la liste des honneurs. Avec son épouse, il avait disposé des tables où une trentaine d'esclaves en livrée servirent une diversité de plats qui auraient fait pâlir d'envie Lucullus en personne. À la fin de la neuvième ou dixième entrée, quand il apparut que de nombreux autres plats allaient suivre, je demandai à mon hôte la permission d'établir une liste. J'avais peur que cela soit pris pour une impolitesse, mais il parut fier de la diversité des mets qu'il offrait.*
>
> *Il avait abattu pour l'occasion un jeune bœuf dont il servit la viande de quatorze façons différentes : la culotte bouillie, l'échine rôtie, la poitrine farcie, les joues au four ; la langue, les tripes et les reliefs hachés en pâtés relevés avec du gras de rognon, des épices et des raisins de Corinthe ; ainsi qu'un plat d'os à moelle. Ensuite ce fut un ragoût de pommes de terre, des tranches de porc, un plat de poule bouillie, l'épaule d'un chevreau, un agneau au ventre farci, un cochon de lait, une épaule de mouton, un pâté de chevreau, un jeune goret, une longe de veau avec une sauce à l'orange et aux citrons — jaune et vert —, trois dindonneaux, deux chapons, quatre canetons, huit tourterelles, trois lapins.*
>
> *Comme plats froids, nous eûmes deux canards de Barbarie, du jambon de Westphalie, de la langue séchée, des huîtres au vinaigre, du caviar, des anchois et les meilleurs des fruits : bananes, goyaves, melons, figues de Barbarie, pommes cannelles et pastèques. Comme boissons : rhum, cognac, brûle-gueule, vin clairet, vin blanc, vin du Rhin, xérès, vin des Canaries, vin rouge, et autres alcools venus d'Angleterre que je ne pus reconnaître.*
>
> *L'hôte offrit à tous l'accueil le plus joyeux et le plus chaleureux que quiconque dans ces îles puisse offrir à ses amis et à ses proches. Ce qui m'étonna le plus, ce fut que dans ce cas, ses « amis » comprenaient notamment les Têtes-Rondes faits chevaliers en même temps que lui. On me dit qu'ils appellent cette île la Petite Angleterre, mais quand on se trouve à la table de sir Isaac, on ne saurait appliquer l'épithète* petit.

Cette nuit-là, quand les invités furent partis et que les esclaves de Tatum, y compris la cuisinière, eurent plus ou moins fini de jeter les restes, sir Isaac et lady Clarissa s'installèrent dans leur beau jardin de devant et regardèrent les toits de Bridgetown qui luisaient au clair de lune. Plusieurs bateaux glissaient doucement dans la baie, et les lumières de deux d'entre eux laissaient des traînées d'argent sur l'eau. Une impression de paix gagna le maître et la maîtresse de cette magnifique plantation. Puis Clarissa lança d'un ton songeur :

— Je me demande parfois ce que fait Will par une nuit pareille.

Si on lui avait dit qu'à cet instant même il se trouvait dans une prison espagnole, où il attendait d'être brûlé vif, elle n'aurait nullement compris par quels détours il était parvenu à cette triste fin, ni ce qu'elle signifiait.

Sir Isaac n'avait aucune envie de spéculer sur le sort de son propre à rien de frère :

— Oublie-le. Il ne valait pas grand-chose quand nous l'avons connu, il doit ne rien valoir maintenant. En outre, au cours du dîner, j'ai reçu une excellente nouvelle.

Sa femme se pencha en avant, car elle se réjouissait des triomphes de son mari et se flattait souvent d'y avoir contribué.

— Les agents du gouvernement qui ont recherché Henry Saltonstall pour lui annoncer qu'il était chevalier, et que les accords conclus à la fin de notre guerre lui permettaient de récupérer son ancienne plantation, ont reçu pour toute réponse : « Au diable la Barbade, Boston est bien mieux, même avec la neige. »

Le couple garda le silence, en songeant aux violentes tempêtes subies par leur île au cours des récentes années, puis au moment où sir Isaac conduisit sa femme dans leur chambre, il lança avec un orgueil justifiable :

— Avec l'augmentation du prix du sucre et nos esclaves qui se multiplient vite, les terres que nous avons payées quatre-vingt-dix livres en valent maintenant plus de quatre-vingt-dix mille, grâce à nos soins.

Sa femme lui serra le bras pour lui montrer son approbation et il ajouta :

— Au milieu des tourmentes, nous avons gardé notre équilibre, maintenu les vertus d'autrefois et prouvé à tous les témoins que nous sommes vraiment la Petite Angleterre.

6

Les boucaniers

Ile de la Tortue, 1666

Au XVIIe siècle, la ville de Potosí, dans l'est du Pérou, ceinte de montagnes, loin de la mer, constituait l'un des établissements les plus opulents des deux Amériques. Sa richesse fabuleuse provenait d'un hasard heureux : l'une des montagnes voisines était pour ainsi dire en argent massif. Il n'existait rien de comparable dans le monde et le blason de la ville pouvait à juste titre se glorifier de symboliser : « Le roi de tous les monts et l'envie de tous les rois. »

Le matin du 6 octobre 1661, l'intendant Alonso Esquivel, responsable d'un des plus grands ateliers d'affinage de l'argent, ordonna à ses esclaves incas d'ouvrir les côtés du moule dans lequel il avait formé son dernier lingot. Quand les morceaux de bois de fer furent enlevés, le lingot précieux, un cône d'environ vingt centimètres de hauteur, apparut au soleil.

Il ne brillait pas, car l'argent n'était pas parfaitement pur, et les côtés du moule de bois dans lequel on l'avait coulé n'avaient pas été rabotés, mais, sous le soleil éclatant, sa belle surface rugueuse avait pourtant l'incontestable visage de la fortune. Une fois purifiés par les fondeurs d'Espagne ou des Pays-Bas, les lingots seraient polis puis travaillés en objets de grande valeur ou en espèces pour payer les aventures et mésaventures du roi sur les champs de bataille d'Europe.

Fier de s'être conformé à la lettre aux exigences strictes du vice-roi du Pérou, Esquivel vérifia une dernière fois le poids des cent dix-neuf lingots de son quota puis, avec un pinceau imbibé d'encre noire, marqua le dernier lingot P-663, chiffre code indiquant que les obligations contractuelles totales de Potosí étaient remplies pour 1661.

On chargea les cinquante mules, les muletiers se mirent à la tête de leurs bêtes, et trente soldats en armes attendirent sous leur casque de fer astiqué les ordres du capitaine responsable. Esquivel salua, un clairon sonna et la précieuse cargaison débuta son long voyage à travers les montagnes jusqu'au port important d'Arica sur l'océan Pacifique, à près de cinq cent cinquante kilomètres de là.

Le 10 novembre 1661, le capitaine responsable poussa un soupir de soulagement quand ses cinquante mules déposèrent leur trésor indemne sur les quais d'Arica, où on le chargea aussitôt à bord d'un charmant petit galion espagnol, *La Giralda de Sevilla,* qui appareilla immédiatement à destination de El Callao, port de mer desservant la capitale du Pérou, Lima. Cette étape de sept cent cinquante milles nautiques vers le nord se passa sans histoire, mais à Callao plusieurs choses importantes se produisirent : le vice-roi vint de Lima inspecter le galion, on certifia le nombre et la qualité des lingots d'argent, des personnages officiels qui rentraient en Espagne embarquèrent, on ajouta à la cargaison des barres d'or venues des mines du nord du Pérou et un contingent de soldats monta à bord pour garder la cargaison de plus en plus précieuse et les passagers officiels, également importants.

La *Giralda* perdit sept jours à Callao mais repartit le 2 décembre 1661 vers la grande ville de la côte du Pacifique : Panamá. Cette traversée de mille six cents milles nautiques était très dangereuse parce que, dans ces eaux, les corsaires français ou anglais frappaient parfois, certains que les galions de Lima seraient lourdement chargés. La capture d'un galion en route vers le nord pouvait justifier dix années de vagabondages infructueux, et les soldats espagnols restèrent donc en état d'alerte. Même les passagers titrés prenaient le quart et le capitaine rappelait chaque jour :

— C'est dans ces eaux que Francis Drake s'est emparé du grand *Cacafuego,* en 1578.

De nouveau, la traversée se fit sans anicroche, et après cinquante-six jours de mer le lingot P-663 arriva indemne au port crucial de Panamá où l'immense richesse de l'Amérique espagnole se trouvait concentrée. Panamá enflammait les imaginations. Des entrepôts entiers étaient emplis de barres d'or et d'argent, chaque famille pouvait accumuler sa part de richesse et c'était là que l'on amassait toutes les fabuleuses marchandises importées d'Espagne, de France et des Pays-Bas avant la traversée vers les villages et les villes du Pérou. Mais il ne s'agissait pas seulement d'un entrepôt, d'une ville portuaire où les marchandises ressortaient aussi vite qu'elles étaient entrées : Panamá constituait un royaume en soi, le centre d'un empire d'une richesse incroyable, qui livrait ses produits à l'est, à l'ouest, au nord ou au sud, selon ce qu'il jugeait préférable. C'était aussi une des vastes cités du Nouveau Monde, et l'une des mieux défendues, à en croire la formule orgueilleuse d'un de ses gouverneurs : « Si Drake n'a pas pu capturer Panamá en 1572 quand la ville n'avait que de maigres fortifications, quelle chance pourrait avoir un envahisseur aujourd'hui ? »

La *Giralda* mit une semaine à vider ses cales, et il en aurait fallu deux si le gouverneur n'était venu sur les quais en personne pour précipiter le mouvement : la caravane de mules qui transporterait le trésor à travers l'isthme devait partir au début de février pour le rendez-vous avec les galions d'Espagne attendus à Porto Bello, sur la côte de la mer des Antilles. Donc, le 8 février 1661, après un arrêt beaucoup trop bref pour leur permettre d'apprécier les merveilles de Panamá, les officiels du Pérou surveillèrent le chargement de l'imposante caravane et les mules partirent. La piste de l'océan Pacifique à la mer des Antilles avait à peine cent kilomètres de long mais demeurait aussi redoutable qu'à l'époque où Drake avait tenté de s'y aventurer. Des troncs d'arbres pourrissants barraient encore le passage, les bêtes sauvages et les serpents proliféraient et si un soldat se faisait une plaie à la jambe, la blessure risquait de ne jamais guérir, infectée par des matières putrides.

Quand le périlleux voyage s'acheva avec le splendide Porto Bello en vue, les dangers ne cessèrent pas pour autant, car la ville elle-même était aussi pestilentielle que jamais. Les soldats qui voyaient la ville pour la première fois en sortant de la jungle s'arrêtaient souvent à mi-pente pour admirer les nombreux bateaux groupés dans le grand port, dans l'attente de la cargaison d'or et d'argent, les immenses entrepôts le long de la côte, et la rangée de canons protecteurs en batterie sur les hauteurs environnantes. Ils se rassuraient alors mutuellement.

— Aucun de ces maudits pirates anglais n'osera s'approcher de ce port.

Et ils se sentaient vraiment en sécurité.

Mais le capitaine du train de mules, qui faisait ce voyage pour la quatrième fois, prononça des paroles moins optimistes :

— Mon Dieu, en qui se trouve notre salut, faites que je sois parmi les survivants !

Il savait que sur les quatre-vingt-dix hommes de l'escorte, pas moins de quarante allaient mourir des fièvres qui hantaient les lieux. Il se signa et murmura à son lieutenant :

— Pour comprendre les Espagnols, il n'y a que des idiots comme eux. Ils ont quitté le célèbre Nombre de Dios parce que la ville était malsaine pour s'installer à quelques lieues à l'ouest dans ce trou d'enfer, cinq fois plus mortel.

— Que reprochez-vous à Porto Bello ? demanda son adjoint, qui traversait l'isthme pour la première fois.

— Je vais vous montrer.

Tout en conduisant ses mules vers le port, il expliqua les dramatiques points faibles de l'endroit.

— Il faudrait couvrir ce ruisseau. Ouvert comme ceci, il se transforme en égout et répand les maladies partout. On aurait dû brûler cette grange depuis des années, elle est infestée de rats. Cette maison paraît jolie mais regardez son puits : on l'a creusé à côté des latrines. Les gens qui y vivent vont se tuer avec l'eau qu'ils boivent, pas au vin d'Espagne. Regardez ces carcasses en train de pourrir au soleil. Elles seront responsables d'une douzaine de décès. Et ces masures sont si rapprochées que ce qui cause la mort dans l'une se propage immédiatement dans toutes les autres. Avec la jungle si proche, l'air est lourd.

Il conclut son exposé par un conseil de sage :

— Je vais vous dire comment faire partie des rares veinards qui restent en vie à Porto Bello. Ne mangez pas de viande, elle est en putréfaction. Ne mangez pas de poisson, il est empoisonné. Ne respirez pas l'air, il est plein de fièvres de la jungle. Et ne batifolez pas avec les filles de Porto Bello, parce que leurs amants vous couperont la gorge.

— Vous êtes venu ici trois fois. Comment avez-vous survécu ?

— En suivant mes règles.

Mais, tout perspicace qu'il était, cet observateur de Porto Bello n'avait su percer à jour le mystère de l'endroit. Cette ville caméléon tirait ses couleurs de mort du dernier de ses visiteurs : si une flotte de bateaux arrivait au port pour embarquer de l'argent, les maladies apportées par ses marins se répandaient aussitôt. Si aucun bateau ne se trouvait dans la baie, la ville attrapait les maladies du dernier train de mules venu de l'autre côté de l'isthme. Et quand les rues étaient vides, les maladies locales entretenues par les marécages voisins reprenaient de la force pour frapper qui s'aventurerait à leur portée.

Les raisons de cette mortalité étaient complexes : proximité de la végétation en putréfaction de la jungle, absence de mouvement dans l'air du fait que la ville se trouvait à l'abri des vents, eau impossible à purifier. Un prêtre catholique qui desservait la ville d'un bout de l'année à l'autre déclara après une cascade d'épidémies :

— Porto Bello ressemble à une belle dame qui transporte une maladie fatale non pour elle-même mais pour ceux qui entrent en contact avec elle. Ah, mon ami, elle est belle — des fleurs sans fin, la merveille de son mouillage sans défaut, les collines des environs couvertes de grands arbres, les petites rues bordées de maisons engageantes... et les nobles forts pour protéger ce charme. Quand les gens visitent notre ville au bord de la jungle, ils partent avec le souvenir de deux choses : la beauté et la mort.

Les habitants de la ville avaient l'habitude de se réunir près des quais quand le train de mules arrivait pour décharger un convoi d'argent. On ne pouvait pas vraiment voir les métaux précieux, mais les caisses où l'on rangeait les lourds lingots intensifiaient le mystère de la richesse. On aurait dit des présents à l'intention d'un roi lointain. Les fêtes commençaient seulement après l'embarquement du trésor sous la protection de gardes en armes.

C'était comme des jeux villageois dans un hameau allemand reculé en l'an 900, où la mort se glissait dans la danse et choisissait tel ou tel pendant que jouaient les pipeaux nasillards et que les gigues continuaient sur la pelouse. Cette année-là, la prière du capitaine ne fut pas entendue ; malgré trois voyages précédents parfaitement réussis et sa décision judicieuse de ne pas boire de l'eau contaminée, la fièvre s'empara de lui, ainsi que de mille autres, et quand les galions levèrent l'ancre pour la traversée de retour à Carthagène, il n'y avait plus à bord que la moitié des marins et des soldats. Pendant six semaines frénétiques Porto Bello avait été la petite ville la plus riche du monde, mais aussi la plus dangereuse.

En ces années « Notre Noble et Puissante Cité de Carthagène », comme on l'appelait dans les documents officiels, demeurait une colonie majestueusement située en Terre Ferme sur la mer des Antilles. Le célèbre goulet protégeait toujours la baie intérieure, mais les dizaines de petites îles étaient à présent fortifiées par des bastions, des emplacements de tir et des batteries de canons. Drake s'en était emparé une fois et des corsaires français audacieux l'avaient capturée pour imposer une rançon, mais c'était du passé. Elle était devenue inattaquable, et dans ses vastes ports intérieur et extérieur, les grands navires d'Espagne se rassemblaient pour attendre l'or et l'argent du Pérou.

Le 6 avril 1662, les galions chargés d'argent de Porto Bello entrèrent dans Carthagène pour s'approvisionner aux énormes entrepôts, puis se préparèrent pour la traversée de mille trois cents milles marins vers La Havane, au nord. Dès que le gouverneur Alfonso Ledesma, descendant en ligne directe du remarquable deuxième gouverneur de Carthagène, Roque Ledesma y Ledesma, monta à bord, la flotte prit le large.

Le 7 mai, Ledesma ancra ses vaisseaux chargés de richesses dans le vaste port de La Havane, où le gouverneur de la ville se précipita dans une chaloupe pour lui annoncer une nouvelle fort réjouissante :

— Don Alfonso ! Le roi, en l'honneur de votre bravoure passée et de votre incontestable courage cette fois, vous a décerné le titre d'Amiral des Flottes combinées pendant la traversée de l'Atlantique vers l'Espagne. Amiral Ledesma, je vous salue.

L'autre moitié de cette grande flotte — des centaines de bateaux de toute taille — arriverait du port de Vera Cruz avec d'immenses quantités d'argent provenant des mines de la ville mexicaine de San Luis Potosí, qui tenait son nom du site le plus célèbre du Pérou. Quand les énormes galions commencèrent à arriver dans le port, Ledesma apprécia pleinement la responsabilité qu'on lui avait confiée.

— La richesse de l'Espagne pour les dix années à venir se trouve dans ces cales...

Dès que tous les navires furent rassemblés, le gouverneur de Cuba donna un dîner en l'honneur de l'amiral.

— Don Alfonso, lui demanda-t-il, vous allez vous absenter de Carthagène pendant plusieurs années, peut-être cinq ou six. Quelles dispositions avez-vous prises pour votre gouvernement, votre famille ?

Ledesma leva son verre :

— À la santé de Victorio Orvantes, le fils de mon cousin, qui gardera Carthagène pour moi. Et à mon épouse doña Ana, qui se trouve en ce moment en mer avec notre fille Inés. Elle restera auprès de sa sœur, à Panamá, jusqu'à mon retour... que j'espère glorieux.

Ils burent aussi à la santé de l'amiral, puis demandèrent que l'on dise des prières pour lui et pour sa flotte. Le matin venu, on tira de nombreuses salves et la magnifique flotte de grands galions et de petits bateaux de guerre quitta le port. Il fallut la journée entière pour que les derniers éléments de la flotte prennent le vent et se mettent en route, mais quand la formation fut en bon ordre au large de La Havane, le gouverneur lança à son entourage, venu sur les tours du fort :

— Aucun corsaire anglais n'osera attaquer un cortège aussi puissant !

C'était une vaine rodomontade, car en novembre 1662, juste au moment où la flotte s'approchait des côtes d'Espagne, « presque dans le lit du roi, comme déclara un Anglais par la suite, sept de nos corsaires les plus rapides tombèrent sur les Espagnols et ils auraient détaché un galion du groupe si l'un des amiraux n'avait pas exécuté une manœuvre soudaine qui nous laissa tout pantois. Nous ne sommes parvenus à rien, sauf à perdre un de nos propres bateaux, le *Pride of Devon*, corps et biens. »

Fier de cette victoire due à ses décisions rapides, l'amiral Ledesma conduisit sa flotte à l'embouchure du Guadalquivir, dans le port douanier de Sanlúcar de Barrameda, où la capitainerie enregistra le fait qu'en ce jour de 20 décembre 1662 les galions de Carthagène et de Vera Cruz étaient arrivés sans même la perte d'un seul des petits bateaux d'escorte, grâce au courage et à la compétence de l'amiral, Alfonso Ledesma Amadór y Espiñal.

Le trésor qu'il avait livré si rapidement en dépit de tous les dangers ne resta pas en Espagne ; on l'expédia aussitôt sur les champs de bataille étrangers où des soldats espagnols se battaient contre les insurgés de leur empire.

Le lingot P-663 de l'argent de Potosí ne resta à Madrid qu'une nuit, car le lendemain matin des courriers rapides l'emportèrent avec un grand nombre de ses semblables à mille cinq cents kilomètres de là, aux Pays-Bas où le roi lançait une dernière et vaine tentative pour reprendre le pouvoir dans cette région rebelle. L'argent fut fondu sur place et les pièces neuves distribuées aux combattants comme solde, aux agents de pays étrangers comme rémunération et sous forme d'intérêts à la puissante banque Fugger qui semblait parfois détenir la moitié de l'Espagne en gage des emprunts passés de la Couronne. Ce fut de cette manière que la fortune fantastique qui avait exigé tant d'efforts — un voyage de presque dix-huit mille kilomètres — ne servit absolument à rien. Et pourtant, alors même que les capitaines espagnols sur les champs de bataille des Pays-Bas en convenaient volontiers, de nouveaux lingots d'argent étaient fondus à Potosí et de nombreux galions se rassemblaient à Carthagène comme un vol d'oiseaux de mer affamés, pour prendre livraison des trésors à Porto Bello après la traversée de l'isthme mortel.

Le roi et ses conseillers croyaient à tort que la prospérité d'une nation repose sur la possession de métaux précieux ; et que plus les galions apporteraient d'or et d'argent à Séville plus riche serait le pays. Cette philosophie négligeait une vérité intemporelle : la richesse d'une nation provient du dur labeur de ses citoyens, paysans, travailleurs du cuir, charpentiers, constructeurs de bateaux et tisserands devant leurs métiers ; ce sont eux qui créent les biens de consommation qui mesurent le degré de prospérité d'un pays.

En Espagne, au cours de ces années critiques où l'avenir entier du pays était en jeu, les galions continuèrent de faire parvenir de fabuleuses richesses, tandis que les artisans et les commerçants dépérissaient. Au nord de la Manche, les bateaux anglais apportaient peu d'or ou pas du tout, mais les produits des terres nouvelles, et ils ramenaient là-bas l'excédent des marchandises fabriquées par les citoyens habiles et industrieux d'Angleterre. Chaque année l'Espagne n'importait que des métaux précieux, alors que les Anglais importaient et exportaient les produits qui font vivre les hommes et les nations. A l'époque, certains observateurs anglais ont sûrement envié l'énorme fortune que don Alfonso avait livrée à Madrid, mais s'ils avaient été plus sages, ils se seraient aperçus que leurs petits navires marchands déchargeaient en Angleterre un trésor beaucoup plus important.

En 1665 par une belle journée de janvier, dans la ville espagnole de Cadix, se produisit un événement sinistre qui aurait de violentes répercussions aux Antilles quelques années plus tard.

Au cours de la défense résolue de l'amiral Ledesma dans la bataille au large des côtes espagnoles, dix-neuf Anglais avaient été capturés. Le capitaine du galion attaqué avait l'intention de prendre la bande, mais l'amiral Ledesma était un opportuniste en politique, autant qu'un courageux marin. Il vit en ces prisonniers l'occasion d'entrer en grâce auprès des autorités religieuses qui jouaient un rôle si important dans la vie espagnole. Il prononça donc l'ordre suivant :

— Ces hommes sont des hérétiques. Emmenez-les à Cadix et remettez-les à l'Inquisition. Et précisez bien aux autorités que c'est moi qui les leur envoie.

Ce fut fait.

Pendant plus de deux longues années, de novembre 1662 à janvier 1665, les Anglais dépérirent dans les prisons de Cadix, sans lumière, sans exercice, sans nourriture saine, car si les roues grinçantes de l'Inquisition vous écrasaient de leur force inexorable, elles le faisaient avec une lenteur accablante. Pendant des sursauts d'activité, les Anglais étaient parfois interrogés cinq jours de suite par leurs austères juges en robe noire, puis on les oubliait pendant cinq mois de silence.

Au cours des interrogatoires on rappelait aux marins que de nombreuses années auparavant le siège de l'Inquisition, à Tolède, avait proclamé un extraordinaire édit en trois parties : au début du règne d'Henry VIII tous les Anglais devaient être de loyaux catholiques; mais à la suite de leur roi, ils avaient été contraints de devenir protestants, ce qui signifiait qu'ils avaient tourné le dos au catholicisme, seule et unique Église authentique du Christ; donc tout marin d'Angleterre naufragé sur les côtes d'Espagne ou capturé en mer à bord d'un navire anglais se trouvait *ipso facto* coupable d'hérésie — et inévitablement condamné à être brûlé vif sur le bûcher.

Bien entendu, l'Inquisition n'exécutait pas elle-même cette sentence cruelle. Elle se contentait de juger ces hommes coupables puis les remettait au « bras séculier » pour l'exécution. Ainsi donc, en ce jour de juillet, sans qu'un seul membre du tribunal inquisitorial soit présent, des soldats conduisirent trois Anglais en robe noire et le crâne rasé jusqu'au pied des bûchers, devant lesquels on aligna aussi les seize autres prisonniers pour leur montrer le châtiment qui les attendait dans les semaines à venir.

En s'avançant vers leur perte, les trois malheureux crièrent à leurs compagnons :

— Résistez ! Cromwell et une religion libre !

Quand les feux s'éteignirent et que l'on dispersa les cendres le long de la route, les représentants du roi passèrent au milieu des marins survivants pour désigner les hommes qui seraient brûlés à l'autodafé suivant.

— Toi, toi, et toi.

Le dernier « toi » tomba sur un marin costaud qui avait sur la joue gauche une profonde cicatrice en forme de B. Âgé de trente ans, il venait de l'île lointaine de la Barbade, dans les Antilles. Il était arrivé en Europe sur un navire marchand hollandais, le *Stadhouder,* et après avoir déchargé la cargaison de sucre brun, appelé *muscovado,* et de rhum ambré, il était passé sur un bateau anglais, le *Pride of Devon,* qui s'était joint à plusieurs autres vaisseaux anglais pour attaquer une flotte du Trésor espagnol. Il avait coulé par le fond.

Il se nommait Will Tatum, la nouvelle qu'il serait bientôt brûlé vif le mit dans une telle fureur qu'à son retour dans sa cellule, il frappa sur les murs avec une rage aveugle pendant de longs moments, toute la journée et le lendemain. Mais le troisième jour sa frénésie s'apaisa, et il regarda ses mains en sang avec dégoût. « Bougre d'idiot ! Tu n'as que quelques jours à vivre. Pense à quelque chose ! » Talonné ainsi par un farouche désir de rester en vie, il envisagea même les plus improbables possibilités d'évasion. Les murs semblaient trop épais pour tenter une brèche. Le plafond trop haut. Jamais la porte n'était ouverte. Mais son esprit enfiévré continuait de sauter d'une impossibilité à l'autre, et sans cesse les flammes du bûcher se rapprochaient.

Trois jours avant son exécution, la porte s'ouvrit cependant, et deux gardes armés entrèrent, leurs mousquets braqués sur sa tête. Derrière eux parut un dignitaire de l'Inquisition, pour le supplier d'abjurer sa religion protestante. Il serait alors charitablement pendu, évitant ainsi l'horreur des flammes. Tatum, refrénant son désir de sauter sur l'homme et de le tuer de ses mains nues, expliqua pour la dixième fois :

— Vous vous trompez. Oliver Cromwell est mort depuis longtemps et son fils a pris la fuite. Nous avons de nouveau un roi, et les catholiques ne sont pas persécutés en Angleterre.

L'austère inquisiteur ne voulut rien entendre. Il se trouvait si loin de la capitale que ses nouvelles dataient de plusieurs décennies. Il savait seulement que les Anglais avaient expulsé des prêtres catholiques et renié la vraie foi. C'étaient des hérétiques et ils devaient mourir en hérétiques. Il tenta un dernier appel :

— Matelot, supplia-t-il, voulez-vous reconnaître votre erreur et revenir au sein de Notre Mère l'Église pour pouvoir mourir d'une mort facile ?

Avec un regard de haine inextinguible, Tatum cria :

— Non !

Les deux gardes, leurs mousquets toujours braqués sur sa tête, se retirèrent et la porte de sa cellule claqua. Elle s'ouvrirait seulement quand on le conduirait à la mort.

Puis le lendemain, il entendit les charpentiers rajouter des sièges à l'estrade d'où les notables pourraient le regarder mourir — et le miracle qu'il avait tant espéré se produisit. Un des autres condamnés saisit un gardien à la gorge au moment où l'homme lui apportait le repas du soir, du pain et une bouillie de gruau. Il l'étrangla et s'empara sur son cadavre des clés des autres cellules. Comprenant qu'il aurait de bien meilleures chances si d'autres l'aidaient, il se précipita vers le cellules voisines, et chuchota :

— Les ponts sont coupés. S'ils nous reprennent, c'est la torture.

Cinq hommes, dont Will Tatum, s'engagèrent furtivement le long du couloir de pierre, prirent par surprise les deux Espagnols qui montaient la garde et se frayèrent un chemin vers la liberté.

À la sortie de la prison, ils rasèrent les murs pour que les ombres les protègent et parcoururent ainsi une certaine distance avant que l'alarme soit donnée. Des gardiens s'élancèrent à la poursuite des évadés dans toutes les directions. Au cours de la première mêlée, trois hommes furent repris et assommés à coups de matraques, mais Tatum et l'homme à qui il devait son évasion, un bouillant Gallois du nom de Burton, réussirent à gagner un quartier misérable de la ville et passèrent la nuit dissimulés entre deux masures.

Juste avant l'aube, ils pénétrèrent dans une maison, étouffèrent les habitants dans leurs lits et volèrent vêtements et provisions pour les dangereuses journées à venir. Ils n'éprouvèrent aucun scrupule à commettre ces meurtres, parce que selon les termes mêmes de Burton, à la sortie de Cadix : « C'était eux ou nous. »

Ils se lançaient dans une expédition périlleuse car leur seule chance de réussite supposait qu'ils parviennent au Portugal, loin vers l'ouest, et franchissent pour cela de nombreux obstacles. Il leur faudrait d'abord traverser le Guadalquivir où entraient les bateaux du Trésor à leur retour du Mexique, pour gagner Séville. Aussitôt après, la grande plaine vide des Marismas leur bloquerait le chemin de Huelva, d'où Colomb était parti à la découverte du Nouveau Monde. Puis ils rencontreraient un autre fleuve. Ensuite la route du Portugal serait courte, mais non sans périls. En effet au cours de ces années troublées, l'Espagne et le Portugal se livraient « une guerre non déclarée » et la frontière était bien gardée. Mais dans un autre sens, ce serait un avantage, car aucun Portugais ne les refoulerait en Espagne.

Ils vécurent des journées d'angoisse et des nuits de famine. À Sanlúcar, ils traversèrent le Guadalquivir dans une barque volée qui passa presque sous la proue d'une caravelle rentrant de La Havane chargée d'argent et d'or. Quand la lumière du fanal tomba sur le visage de Tatum, Burton chuchota :

— D'où tiens-tu cette cicatrice ?

— Un pasteur protestant m'a marqué au fer à la Barbade. Des prêtres catholiques veulent me brûler vif ici. Qui va gagner à ce jeu ? répondit Will.

La traversée des Marismas, vaste étendue semi-déserte en face du golfe de Cadix, s'avéra plus difficile, car au cours de la première moitié du voyage, ils ne trouvèrent rien à manger. Puis Burton, qui ne manquait pas de ressources, boucla deux issues d'un terrier et creusa jusqu'à ce qu'il trouve deux lapins. Les évadés les dévorèrent tout crus. Le reste du chemin se fit sans eau. Près de Huelva, ils tombèrent sur un petit ruisseau, où ils burent au point d'éclater, puis, toujours sans le moindre scrupule, ils cambriolèrent deux maisons à la suite, assassinèrent les habitants de l'une, traversèrent le fleuve au nord de la ville et pénétrèrent au Portugal.

Les privations de leur voyage avaient intensifié en chaque homme sa haine dévorante de tout ce qui était espagnol. Et quand les autorités portugaises les accueillirent et leur proposèrent d'embarquer sur un bateau qui allait défier le blocus des Espagnols, ils sautèrent sur l'occasion et encouragèrent les autres marins du bord, chaque fois qu'une chance s'offrait d'aborder et de capturer un vaisseau ennemi. Quand le combat s'engageait — car les marins espagnols devenaient de plus en plus habiles à repousser les Anglais, les Français et les Hollandais qui essayaient de leur voler leurs trésors — Tatum et Burton se montraient impitoyables. Ils tuaient sans nécessité, même quand l'issue de la bataille ne faisait plus de doute, et avec allégresse. Aux matelots de leur bord, ils disaient :

— Si les Espagnols te capturent, ils te brûlent vif.

Poussés par cet effrayant désir de vengeance, les deux marins endurcis passèrent presque toute l'année 1665 sur des bateaux portugais qui rôdaient le long des côtes d'Espagne, pour intercepter des navires espagnols et semer la terreur. Un jour où ils relâchèrent à Lisbonne, ils apprirent que leur pays était de nouveau sur le point de devenir catholique et ils se demandèrent s'il ne serait pas dangereux de retourner à Londres.

Un matin de printemps 1666, ils firent voile de Lisbonne sur un des nombreux bateaux anglais qui faisaient commerce avec ce port, et au cours de la traversée vers le nord, quand ils se rapprochèrent des côtes anglaises, les marins apprirent à Will et à Burton la tragédie qui avait accablé Londres au cours de l'année précédente.

— C'est terminé à présent, ou presque. Mais pendant toute la durée, ce fut terrifiant. La Peste Noire, comme on l'appelait, et la mort était si fréquente qu'on ne pouvait même pas enterrer décemment les victimes. On les jetait dans des fossés aux abords des ville et des chevaux traînaient de la terre sur les cadavres.

— La peste, dis-tu ? Qu'est-ce que c'est ? demanda Tatum.

— Tu ne peux rien voir. Tu ne sais pas comment tu l'attrapes. Tu te lèves le matin, la tête te tourne, tu te sens oppressé dans les poumons, tu te recouches et tu ne te relèves plus. Au bout de trois jours, la charrette t'emmène.

— La dernière fois que nous étions à quai, ajouta un autre marin, la maladie faisait rage. Des milliers de morts. Nous avons filé sans attendre d'avoir les cales pleines. Le capitaine a crié dans l'après-midi : « Nous quittons cet enfer ! » et nous avons appareillé, indemnes.

— Mais nous allons en Angleterre ! protesta Tatum.

Les marins le rassurèrent.

— La peste a suivi son cours et maintenant c'est fini. Un bateau nous l'a appris à Lisbonne.

Ce n'était pas tout à fait vrai. Quand Tatum et Burton descendirent à terre, profondément émus de se trouver en Angleterre, ils dépensèrent une partie de leurs gains de pirates pour se loger dans un mauvais quartier près des quais, et le brave Gallois Burton s'éveilla un matin avec une fièvre d'enfer. Incapable de quitter le lit, il dit à Tatum :

— C'est la peste. Veille à ce qu'on me donne une tombe convenable.

Dans les trois jours prédits, il mourut.

Lui-même en danger, Tatum enterra l'homme qui l'avait sauvé du bûcher, et, dans le cimetière solitaire, en présence seulement de Tatum, du pasteur et du fossoyeur, Burton, dont Will n'avait jamais connu le prénom, reposa en paix. Le fossoyeur, que les gens tenaient à l'écart à cause de sa profession, eut envie de bavarder dès qu'il se mit à lancer sur la bière des pelletées sonores de terre.

— La semaine dernière, nous n'avions pas assez de bras pour creuser des tombes ; deux semaines avant, pareil. C'est peut-être le dernier du lot. La peste est finie, ne cessent-ils de nous répéter, mais elle n'était pas finie pour lui, pas vrai ?

Tatum passa les cinq mois suivants à chercher en vain un navire marchand à destination des Antilles. La peur de la peste avait mis fin à tous les échanges avec Londres, et il se trouvait donc dans son taudis des quais quand, le 2 septembre, « Dieu envoya un feu de fournaise nettoyer Londres du péché et de la peste », comme le prétendirent les dévôts. L'incendie débuta de façon anodine : le feu se déclara dans des vieilles maisons si peu importantes que le premier jour Tatum ne s'aperçut même pas qu'une grande catastrophe allait se produire. Mais le lendemain, avec les vagabonds qui vivaient dans les masures de son quartier, il alla voir les colonnes de fumée qui s'élevaient du centre de la ville. Le matin même, des soldats parcoururent les rues voisines du quai en criant :

— Tous les hommes, avec nous. Vite ! Apportez des haches et des pelles.

Au coucher du soleil, les flammes illuminèrent la nuit, et le 4 septembre on eut l'impression que toute la ville était en feu. En fait, les trois quarts brûlaient.

Tatum travailla sans relâche pendant deux jours et deux nuits. Il sauva plusieurs fois des gens bloqués dans leur maison juste avant qu'elle ne s'effondre dans les flammes, et abattit des vieilles maisons pour essayer de constituer un pare-feu contre l'incendie qui gagnait sans cesse. Le soir du quatrième jour, quand les foyers s'éteignirent et que la fière ville de Londres se réduisit à des ruines fumantes, Tatum s'endormit, épuisé, sur le bord d'une rue. Mais bien avant l'aube un officier de l'armée le réveilla.

— Debout ! lança-t-il d'un ton sec. Porte-moi ces papiers.

Il passa la journée à courir derrière l'officier chargé d'évaluer les dégâts.

— Chaque église que nous avons vue, complètement détruite. Mettons : soixante-dix.

Le nombre de résidences privées incendiées devait s'élever à des dizaines de milliers, calcula l'officier, car ses subalternes lui apportèrent des rapports identiques : « Toutes les maisons détruites dans le quartier. » La seule bonne nouvelle que Tatum entendit pendant cette longue journée fut que l'incendie était bien terminé. La veille encore, des dizaines de feux faisaient rage. Vers trois heures de l'après-midi un groupe de femmes rassembla quelques provisions entre les murs d'un entrepôt construit en pierre, et Tatum dévora comme un glouton L'officier sourit de son appétit vorace et lui lança :

— Tu as bien gagné le droit de t'empiffrer.

La semaine suivante, un bateau remonta la Tamise avec une cargaison de sucre et de mélasse des Antilles. Après l'avoir déchargé dans les bras de gens qui pleuraient de revoir du sucre après la peste et l'incendie, Tatum s'embarqua pour la traversée de retour. Comme la plupart des bateaux de l'époque, celui-là fit son premier arrêt dans l'île adorable de la Barbade, et quand Will vit les champs verdoyants de son enfance, couverts de canne à sucre rassurante, des larmes lui montèrent aux yeux. Il avait quitté cette île douce et gracieuse sur un bateau hollandais en 1659, exilé, dans la honte et marqué au fer, en quête d'aventures. Au cours de ses années d'errance il avait participé à des combats de corsaires en pleine mer et avait vu ses compagnons flamber sur le bûcher. Il avait essayé de consoler le Gallois Burton quand la peste s'était saisie de lui pour en faire une de ses dernières victimes, et la fumée de l'incendie de Londres lui avait piqué les yeux. Il rentrait au port sans argent, sans espoir de trouver un emploi quelconque, mais il possédait une chose que les hommes inférieurs à lui n'aurait jamais : un désir ardent, plus obstiné que la vie même — un jour il se vengerait des Espagnols.

A l'automne de 1666, quand Will accosta à Bridgetown et comprit que dans quelques minutes il se trouverait dans les lieux familiers, il ressentit l'envie pressante de voir quatre personnes : l'adorable Betsy Bigsby et ses nattes d'or, sa sœur Nell au magasin, son filleul Ned et, non sans quelque perversité, son frère le pompeux sir Isaac : « Je suis vraiment impatient de savoir ce qu'il manigance, celui-là. »

Il débarqua sur le quai avec un petit sac contenant le résultat de cinq années d'aventures et s'élança au pas de course vers le magasin Bigsby. Il était tenu par de nouveaux propriétaires. Il leur demanda ce qu'il était advenu de Betsy, car il était impatient de la revoir, dans l'espoir qu'elle accepte encore de l'épouser. La réponse qu'il reçut mit fin brusquement à ce rêve.

— Elle a rencontré un soldat et l'a suivi en Angleterre.

Il eut un peu plus de chance quand il traversa la rue vers le magasin de sa sœur. Nell avait l'air fatiguée, usée par la vie, mais comme toujours elle faisait face avec courage.

— Ned et moi habitons encore en haut. Et c'est un garçon dont une mère peut-être fière... Isaac ? Son titre et ses plantations lui montent à la tête.

Will siffla entre ses dents.

— Il a été fait chevalier, hein ? Et c'est devenu un gros planteur ?

— Oui. Certains le jugent encore plus important qu'Oldmixon. Je peux le dire, parce qu'à eux deux, ils gouvernent l'île.

Will se prit d'affection pour le jeune Ned dès qu'il le vit. C'était un beau jeune homme de quinze ans aux cheveux roux frisés, avec des taches de son sur un visage franc et ouvert, inspirant confiance. Les autres garçons le voulaient toujours dans leur camp pour les jeux et les filles se demandaient : « M'invitera-t-il à danser cette fois ? »

Il avait quitté l'école à quatorze ans après avoir appris l'alphabet, les chiffres, les théorèmes les plus faciles d'Euclide et une pincée d'histoire grecque et romaine. Les premiers contacts avec des Cavaliers, à l'école et à l'église, avaient fait de lui un ardent royaliste — ce qui aurait pu lui valoir l'affection de son oncle sir Isaac, sauf que ce dernier n'appréciait guère les boutiquiers Pennyfeather et voyait rarement son neveu. Ned passait le plus clair de son temps à aider sa mère au magasin, tâche pour laquelle il n'avait aucune inclination. Plus d'un voisin se demandait ce qu'il deviendrait à l'âge adulte, mais ses manières enjouées et son esprit vagabond ne permettaient aucun pronostic.

L'oncle Will vit sur-le-champ que le jeune homme lui ressemblait beaucoup quand il avait le même âge, et à la surprise de Nell, il lui dit un soir au dîner :

— N'oublie jamais cette cicatrice sur mon visage, Ned. Elle ne m'a fait aucun bien. N'attrape pas des balafres par hasard. Mérite-les en faisant quelque chose de grand.

Facilement, presque sans prendre de décision consciente, Will s'installa avec sa sœur, l'aida au magasin, et fit des petits travaux sur les quais, où il gardait un œil sur les bateaux qui venaient d'Angleterre ou se dirigeaient vers l'ouest et d'autres îles de la mer des Caraïbes. Il ne disait à personne ce qu'il cherchait, mais quand les habitants de la ville apprirent que pendant plusieurs années après son départ il avait été corsaire sur des bateaux de plusieurs pays, ils supposèrent que c'était encore ce qui le tentait.

— Nous ne verrons pas Will bien longtemps. Ce n'est pas un homme posé comme son frère.

Will se demanda bientôt quand il tomberait sur sir Isaac, mais quand Nell lui suggéra de monter, par politesse, à l'ancienne plantation Saltonstall pour se présenter, Will lui répliqua :

— Il sait que je suis revenu. À lui de se montrer.

Plus d'un mois s'écoula sans qu'il rencontre Isaac ou son épouse lady Clarissa, mais peu lui importait.

Il connut une déception presque égale à la perte de Betsy Bigsby quand il apprit que son ami hollandais le capitaine Brongersma ne venait plus avec son *Stadhouder* à la Barbade.

— Et pour cause ! lui dit un marin. Vu qu'il a perdu son bateau et sa vie dans une bataille avec les Espagnols, près des salines de Cumaná.

— Que s'est-il passé ?

— Tué pendant l'abordage des Espagnols. Il a tenté de les repousser, mais leurs épées étaient plus longues et plus pointues.

Cette nouvelle fit tant de peine à Will que le dimanche il accompagna sa sœur et Ned à l'église de la paroisse, où il dit des prières pour l'âme turbulente de Brongersma. Lorsqu'il ouvrit les yeux, il vit sir Isaac et lady Clarissa qui le dévisageaient depuis l'autre côté de l'allée centrale, et il s'aperçut que le célébrant du service était le pasteur sournois qui l'avait marqué au fer. Ce ne fut pas un dimanche matin de bonheur, et ses pensées n'étaient guère pieuses : elles dérivèrent vers ce qu'il aimerait faire au pasteur, à sir Isaac et à lady Clarissa.

À la fin du service, il entraîna Nell vers la sortie, espérant ainsi éviter leur frère et sa déplaisante épouse. Malheureusement ils se rencontrèrent sur le seuil de l'église, où sir Isaac lança d'un ton distant, comme il convenait à sa dignité :

— Content de te voir, Will. J'espère que cela se passera mieux cette fois.

Pendant qu'il parlait, lady Clarissa adressa à Will le sourire le plus pincé qu'on ait vu depuis des mois. Puis ils tournèrent le dos.

Ce soir-là au dîner, quand Ned eut quitté la table, Will posa la question qui le préoccupait depuis longtemps :

— Nell, Isaac ne partage-t-il pas un peu de sa fortune avec toi ? Pour t'aider ainsi que ton fils ?

— Jamais. Il a honte de nous et il doit être mortifié de te savoir de retour.

Will, qui avait donné à sa sœur tout l'argent qu'il avait pu gagner sur les quais, fut si scandalisé par l'égoïsme de son frère qu'il prit le chemin de Saltonstall Manor (comme il l'appelait encore dans l'espoir que le courageux Tête-Ronde reviendrait un jour en revendiquer la propriété), entra sans frapper dans la résidence devenue digne d'un prince et affronta son frère dans son bureau. Isaac, craignant que Will ne fût venu pour lui faire payer sa stigmatisation, s'empara d'un grand chenet mais Will éclata de rire.

— Pose-le, Isaac. Je ne suis pas venu parler de moi mais de Nell.

— Que veux-tu dire ?

— C'est indécent. Tu vis ici comme un seigneur pendant qu'elle se débat en ville pour tenir son magasin et habiller son fils proprement.

— C'est un grand jeune homme à présent. Il pourrait trouver du travail comme régisseur sur une des plantations.

Isaac, qui dans sa prospérité paraissait plus grand que dans le souvenir de Will, ajouta d'un ton hautain :

— D'ailleurs, Will, tu devrais faire de même. Nous manquons de régisseurs. Il a fallu que j'en fasse venir un d'Écosse.

Puis il conclut, avec un sourire glacé :

— Mais, bien entendu, je suppose que tu préfères les pirateries.

Quand il montra la porte à son frère, celui-ci comprit que sir Isaac ne se délesterait jamais d'un sou pour les Pennyfeather.

L'allusion de sir Isaac aux difficultés éprouvées par les plantations pour trouver des régisseurs pour leurs champs de canne à sucre attira l'attention de Will sur les changements radicaux qui s'étaient produits à la Barbade aux cours des années précédentes. Nell compléta le tableau.

— Les richards comme Thomas Oldmixon et Isaac ont mis la main sur tellement de plantations que les planteurs de moyens modestes n'en trouvent aucune à acheter. Plus d'un a émigré à l'ouest, vers les terres libres de la Jamaïque. Depuis que sont partis les blancs normalement capables de servir de régisseurs, Oldmixon, Isaac et leurs pareils sont obligés de faire venir des hommes d'Écosse. Ils les appellent des domestiques sous contrat, de braves garçons qui s'échinent au travail pendant sept ans, logés et nourris mais sans salaire, espérant qu'au bout des sept ans ils pourront acheter un coin de terre et devenir propriétaires à leur tour.

— Mais tu dis qu'Isaac et les autres se sont emparés de toutes les terres disponibles. Que font les jeunes Écossais ? demanda Will.

— Parle donc à Mr. McFee qui est venu ici travailler pour ton frère. Il te racontera toute l'histoire.

Et Will fit la connaissance d'Angus McFee.

— Je vivais dans une petite ferme des Highlands, à l'ouest d'Inverness, et je suis venu ici sur un malentendu. En Écosse, l'agent m'avait promis : « Sir Isaac Tatum vous paiera la traversée à la Barbade, et en remerciement vous êtes lié par contrat à lui donner sept ans de loyaux services. À ce terme, il vous remettra les salaires qu'il aura mis de côté pour vous, plus cinquante livres de congé. Vous serez alors libre d'acheter votre plantation et vous aurez le pied à l'étrier... »

— J'ai appris que la plupart venaient dans ces conditions.

— Oui, mais à l'arrivée nous découvrons que le travail n'a jamais de fin, la case est horrible et la nourriture pire, aucun salaire ne s'accumule, aucun versement de congé à la fin et aucune terre à acheter même si l'on avait de l'argent.

— Que faites-vous ?

— Que pouvons-nous faire ? Quand nous sommes de nouveau libres, nous revenons travailler pour votre frère ou ses pareils pour le salaire qu'ils veulent bien nous payer... La chance que je croyais avoir de faire venir ma fiancée d'Inverness pour établir une plantation et fonder une famille s'est évaporée en fumée, ajouta-t-il amèrement en s'adossant à un piquet de clôture.

— N'avez-vous pas protesté ? demanda Will.

— Et comment ! lança McFee. J'ai porté plainte aux tribunaux. Mais qui sont les juges ? Oldmixon et votre frère. Et ils se rangent invariablement du côté des autres propriétaires de plantations. Un régisseur ordinaire n'a presque aucun droit, et un travailleur ordinaire absolument aucun.

En apprenant ces détails de la vie à la Barbade depuis plusieurs années, Will demanda à l'Écossais :

— J'aimerais en savoir plus long.

Au cours de ses déplacements dans l'île, il vit beaucoup de choses qui l'intriguèrent, et quand il rencontra de nouveau McFee, il remarqua :

— Plus de la moitié des visages que j'ai eus en face de moi étaient noirs. Ce n'était pas ainsi avant.

— Quand un blanc comme Oldmixon possède les terres sur lesquelles seize blancs travaillaient dans le passé, il lui faut des esclaves... toujours en plus grand nombre — « trouvez-moi des esclaves à la vente aux enchères quand les bateaux hollandais arriveront » — et maintenant l'île a des quantités de noirs. Dans dix ans, cinquante blancs riches posséderont toutes les terres et feront travailler cinquante jeunes Écossais comme moi, un sur chaque plantation, pour surveiller cinquante mille noirs.

— Les esclaves que j'ai connus n'étaient pas stupides, dit Will. Quand ils seront en nombre suffisant, ils se battront pour leurs droits.
Prévoyant ce qui se passerait, il annonça à McFee un après-midi :
— Je n'ai pas envie de vivre à la Barbade si l'île devient comme ça.
— Je n'ai déjà pas très envie d'y vivre en ce moment, lui répondit McFee après avoir regardé autour de lui.
Cet échange de deux phrases brèves déclencha une série d'événements qui allait entraîner les deux conspirateurs beaucoup plus loin qu'ils ne l'avaient envisagé quand ces paroles plus ou moins insouciantes avaient été prononcées. En effet, McFee commença à étudier de plus près le fonctionnement des propriétés de sir Isaac Tatum, et Will traîna de plus en plus souvent sur les quais de Bridgetown où il nota de son œil de marin tout ce qui s'y passait, et en particulier les noms et les destinations des bateaux. Il entendit aussi citer le nom de Tortuga, l'île de la Tortue dont le capitaine Brongersma lui avait parlé avec enthousiasme. Une île unique, prétendaient les marins, près de la côte nord-ouest de la grande île espagnole d'Hispaniola, que Colomb avait colonisée et gouvernée.
— C'est une île pour ainsi dire française, déclara un vieux marin grisonnant qui la connaissait bien. Même pas la moitié de la Barbade, elle appartient en principe à l'Espagne qui a essayé plusieurs fois de la reprendre. Mais les Français... ce sont vraiment des pirates : ils s'appellent boucaniers. Je suis resté quatre ans avec eux à la Tortue. Passionnant, ça oui ! Mais comme je te le disais, ce sont des sauvages, plus sauvages que tout ce que tu peux voir à la Barbade, crois-moi. Ils vivent de deux choses. Ils chassent les petits bateaux espagnols, tuent l'équipage et volent le bateau et tout ce qu'il contient. En outre, ils débarquent dans les forêts d'Hispaniola et ils tuent les cochons sauvages. Ils rapportent la viande, la découpent en lanières, la frottent avec du sel et des épices, puis la font rôtir très lentement au-dessus de petits feux, souvent pendant quatre jours. Ils appellent ça boucaner la viande. Ils vendent ce boucan avec un gros bénéfice aux corsaires hollandais et anglais qui croisent dans ces eaux contre les Espagnols.
— Ils s'emparent vraiment de bateaux espagnols ? demanda Tatum.
Ses oreilles tintèrent quand le vieux marin répondit :
— Des quantités. Vois-tu, la haine des boucaniers pour l'Espagne et tout ce qui est espagnol remonte à 1638, quand il y avait une colonie importante de boucaniers à la Tortue. Les Espagnols de Carthagène ont envoyé une flotte puissante contre Tortuga, comme ils l'appellent, et leurs soldats ont massacré sans pitié tous les boucaniers de la petite île : les hommes, les femmes, les enfants et même les chiens. Je te l'ai peut-être dit, la seule chose au monde qu'aiment les boucaniers, ce sont leurs chiens de chasse. Ils sont capables de flairer un sanglier à trois kilomètres. Mais des centaines d'entre nous étaient absents, à la chasse sur Hispaniola. À notre retour (Tortuga n'est qu'à quelques milles) nous avons vu les cadavres de nos amis restés sans sépulture, et nous avons juré qu'avant de mourir...
— Comment se joint-on aux boucaniers ? demanda Will.
— On va là-bas, c'est tout. Tu voles un bateau, n'importe lequel et tu vas à Hispaniola, tu évites les Espagnols du sud de l'île et tu longes la côte jusqu'au nord-ouest. Tu n'as besoin d'aucun papier. Il y a des Français, des Indiens du Honduras, des Hollandais mutinés contre leur capitaine, qu'ils ont peut-être assassiné pour s'emparer de son

bateau, des Anglais, peut-être une demi-douzaine de bateaux venus des colonies américaines...

L'homme aurait pu en raconter davantage, mais Will en avait assez entendu. Le soir même il commença à parler sérieusement à Angus McFee.

Dans la journée, Will faisait son possible pour surveiller les intérêts de sa sœur, et il remarqua non sans angoisse que la santé de Nell déclinait rapidement. Il en discuta avec Ned, qui lui dit :

— Maman le sait très bien. Elle m'a dit qu'elle ne resterait pas longtemps de ce monde.

— Pourquoi ne m'en as-tu pas parlé ?

— Elle m'a fait jurer de garder le secret. Elle m'a dit que tu avais assez de tes propres problèmes.

— Nous devons faire quelque chose pour elle.

Guidé par son amour pour sa sœur, il agit très vite. Il vendit le magasin à un jeune couple qui arrivait d'Angleterre, confia l'argent à un homme d'affaires honnête de Bridgetown, y ajouta toutes ses économies personnelles, installa Nell chez une voisine qui pourrait s'occuper d'elle et alla même voir Isaac pour le supplier de contribuer à la pension de sa sœur. Mais, en présence de lady Clarissa, assise comme un bloc de glace à ses côtés, sir Isaac lui répondit :

— Elle a suivi son chemin, j'ai suivi le mien.

Et son regard suffisant impliquait que Will aussi avait apparemment suivi son chemin, et un chemin effroyable.

— Mais enfin, Isaac, elle va mourir. Je le vois dans ses yeux. Elle s'est tuée au travail.

— Son chenapan de fils devrait se trouver un emploi au lieu de flemmasser dans cette boutique ridicule.

— Le magasin est vendu.

— Dans ce cas, elle doit avoir de l'argent, lança Clarissa.

Will regarda simplement les deux grippe-sous, la peau autour de sa blessure rougit sous l'effet de la haine. Il n'ajouta pas un mot. Sur le chemin du retour, il s'arrêta à la cabane de McFee et lui dit d'une voix résolue :

— Le plan dont nous avons parlé l'autre soir est bon. Nous partons.

Sir Isaac, comme les plus riches propriétaires de plantations, possédait un bateau, baptisé *Loyal Forever* en souvenir de sa défense du roi Charles pendant les troubles de la Barbade de 1649 à 1652. Il n'était pas grand car on l'utilisait uniquement pour le commerce entre les îles, avec Antigua par exemple, ou pour aller à la chasse aux Caraïbes sur All Saints, mais il était robuste car il avait été construit par les meilleurs chantiers navals d'Amsterdam et conduit à la Barbade par des marins hollandais — les cales pleines d'esclaves. Sir Isaac avait acheté en un seul lot le bateau, ses cartes marines et les esclaves, sur lesquels il avait effectué un bénéfice énorme. Et ce bénéfice doublerait quand il revendrait le *Loyal Forever* à un autre planteur sur le point d'agrandir sa plantation.

Au cours d'une série de réunions secrètes, McFee, Tatum, deux autres régisseurs exploités, trois esclaves de confiance et de grande capacité et le jeune Ned discutèrent de plans pour capturer le *Loyal Forever*, persuader le plus grand nombre possible de marins de rester à bord, et partir à la Tortue pour se joindre aux boucaniers. Avec une aiguille pointue, Will piqua l'index droit de ses sept conspirateurs et tacha de leur sang une feuille de papier sur laquelle rien n'était écrit.

— C'est votre serment. Si vous nous trahissez en prononçant un seul mot...
Il passa son propre index en sang en travers de sa gorge.
Quand Will et Ned virent, de leur chambre à terre, que le bateau avait été pris sans un seul coup de feu, ils descendirent sur les quais pour monter à bord, lentement de peur d'attirer l'attention. Mais au dernier moment, Ned quitta son oncle pour courir dans la maison de la voisine, qui s'occupait de Nell. Il se précipita dans la petite chambre, embrassa sa mère qui déclinait rapidement et chuchota :
— Maman, je pars avec l'oncle Will. Rejoindre les boucaniers.
Elle leva les yeux vers son fils, si intelligent et plein de promesses, et elle dit doucement :
— Cela vaut peut-être mieux. Vous n'auriez guère d'avenir ici tous les deux.
Elle l'embrassa pour la dernière fois.
— Prends bien garde.
Il quitta la maison sans un regard en arrière, descendit d'un pas nonchalant vers le bateau volé, en prenant des airs de vieux loup de mer blasé.

Il y avait plus de mille milles nautiques de la Barbade à la Tortue. Les futurs boucaniers prirent l'itinéraire qu'ils jugèrent le moins fréquenté par d'autres bateaux : ils franchirent le passage de Saint-Vincent pour pénétrer dans la mer des Caraïbes proprement dite, puis mirent le cap au nord-ouest vers le passage de Mona entre les îles espagnoles de Porto Rico et d'Hispaniola, enfin ils longèrent la côte nord de cette dernière île et s'engagèrent dans le bras de mer qui la sépare de la Tortue.
Au cours des premiers jours du voyage, qui prit environ trois semaines, il apparut clairement que malgré sa bravoure et son intelligence, McFee ne serait jamais un bon capitaine, mais personne d'autre ne désirait ce poste. Heureusement, Will Tatum et plusieurs hommes à bord étaient des marins expérimentés. Quant à Ned Pennyfeather, Will trouva en lui un assistant à qui un Hollandais avait appris à utiliser un instrument remarquable mais encore primitif : l'astrolabe, pour vérifier la latitude chaque fois que le soleil était visible à midi, ou bien l'étoile du Nord la nuit. Ils avaient quitté la Barbade, à treize degrés nord environ, et remonté l'échelle des latitudes au-delà du vingtième degré. Ned prenait plaisir à indiquer au capitaine McFee la position du bateau deux fois par jour :
— Seize degrés de latitude nord, et au cap...
Mais comme aucun bateau ne possédait à l'époque un moyen précis de déterminer la longitude, il ne savait jamais exactement où le *Loyal Forever* se trouvait. Quand ils eurent suffisamment remonté au nord pour être certains d'avoir dépassé Hispaniola, ils prirent plein ouest vers l'île de la Tortue.
Dès l'entrée du bras de mer, Will réalisa combien la Tortue était petite, basse sur l'eau et sans collines dignes de ce nom. Il connut un moment de doute : « Impossible que ce soit l'endroit merveilleux dont Brongersma m'a parlé ! » Et quand McFee conduisit le *Loyal Forever* à son mouillage au milieu d'une dizaine d'autres navires, Ned s'écria :

— Aucun de ces bateaux n'est aussi gros que le plus petit des navires hollandais qui se faufilent à la Barbade.

Mais en descendant à terre, ils virent un étrange spectacle. Ce centre vital de la mer des Caraïbes n'était pas une ville mais un ramassis de maisons disparates ; chacune reproduisait le souvenir que conservait son propriétaire de son pays d'origine. Un célèbre pirate hollandais avait dépensé une fortune pour créer une réplique de la maison de son enfance aux Pays-Bas, complète avec des fenêtres à guillotine et un moulin à vent ; un Anglais qui finirait ses jours au bout d'une corde à Tyburn avait bâti un cottage du Devon, avec un jardin clôturé et des plates-bandes de fleurs ; un Espagnol dormait sous un toit de tuiles rouges, mais la majorité, d'origine française, avait établi l'assortiment le plus insolite qui soit de fermettes et de chalets.

En fait la plupart des habitations ordinaires étaient des cabanes fort misérables, ainsi que des tentes et des abris de toile adossés à des arbres. Il y avait des comptoirs de commerce mais aucun magasin à proprement parler. Partout où l'œil se posait, il rencontrait une juxtaposition spontanée de richesses considérables et de pauvreté abjecte. Comme le train de vie d'un pirate dépendait de sa plus récente capture en mer, et comme la plupart passaient des mois et parfois des années sans prendre un bateau, la Tortue ne brillait pas par son élégance.

Mais chaque habitation possédait deux attributs particuliers : un foyer extérieur surmonté d'une broche pour le fumage lent du boucan, et au moins un chien, plus souvent deux ou trois. Tels étaient les signes particuliers de la Tortue.

Quand les mutinés du capitaine McFee, venus de la Barbade, jetèrent l'ancre de leur *Loyal Forever* près des rivages de cette petite île sauvage, personne ne pouvait se rendre compte qu'elle appartenait jadis aux territoires gouvernés par Christophe Colomb, avait toujours été et demeurait une dépendance d'Hispaniola. Santo Domingo, ancienne capitale et encore grande ville, se trouvait fort loin, à près de quatre cents kilomètres sur la côte de la mer des Caraïbes alors que la Tortue devait subir les tempêtes de l'Atlantique. Cela lui convenait parfaitement, car c'était un endroit orageux et sauvage, dont l'aspect chaotique s'expliquait par le fait qu'à intervalles réguliers, un gouverneur espagnol de Carthagène hurlait à tous les vents :

— Assez de ces maudits pirates de la Tortue qui prennent nos navires pour proie. Détruisez ce nid de vipères.

Alors, des soldats espagnols aux casques brillants, transportés vers le nord par une petite flotte, débarquaient en fanfare, incendiaient les cabanes éparses des Hollandais et des Français, tuaient tout le monde, y compris les enfants et les chiens, et ne laissaient que cendres. La Tortue restait désolée pendant quelque temps, mais bientôt une autre bande de pirates descendait à terre, fouillait les cendres encore chaudes et reconstruisait son propre village de bric et de broc.

Quand les hommes de la Barbade débarquèrent, ils trouvèrent l'île aux mains de hors-la-loi qui venaient d'admettre, non sans réticences, qu'ils vivraient bien mieux s'ils se soumettaient à une forme grossière de gouvernement. Ils s'étaient même entendus pour choisir une sorte de gouverneur, un Français élu par ses pairs boucaniers.

Tortuga, l'île en forme de tortue, d'où son nom, était un lieu de passions et de promesses. Ned, l'un des plus jeunes boucaniers, n'en éprouva que plus de fierté. Comme son oncle Will avait tenu à ce que l'enfant apprenne un peu de français et d'espagnol, il participa aux importantes négociations concernant le *Loyal Forever*.

Deux pirates français, énormes et terrifiants, avaient des services à offrir que McFee et ses Anglais ne pouvaient pas refuser.

— Si vous avez volé votre bateau, là-bas, les patrouilles anglaises vous rechercheront, expliquèrent les deux Français. Et s'ils vous attrapent, c'est la corde. Parce que dès maintenant vous êtes des pirates aux yeux de la loi.

Quand McFee et Tatum entendirent cette horrible prédiction, Ned les vit se rembrunir, mais les Français lancèrent aussitôt leur proposition.

— Nous prendrons votre bateau et ordonnerons à nos charpentiers de...

— Vous ne le faites pas vous-mêmes ? coupa McFee.

Les Français éclatèrent de rire.

— Nous sommes les organisateurs. Sur le dernier bateau espagnol que nous avons capturé, nous avons trouvé huit charpentiers expérimentés. Nous les avons gardés comme esclaves, pour ainsi dire, mais nous les nourrissons bien.

Il fit venir les charpentiers qui se déchaînèrent aussitôt en un torrent d'espagnol pour décrire la façon dont ils démonteraient le *Loyal Forever* et le reconstruiraient de façon à le rendre méconnaissable.

— Et, ajoutèrent les Français comme deux banquiers prudents au moment d'accorder un prêt, nous prendrons votre bateau et nous vous donnerons le nôtre que vous voyez ancré là-bas. Il n'est pas tout à fait aussi grand, mais il est sans doute moins vulnérable.

Le marché fut conclu et au milieu de l'après-midi les charpentiers espagnols détruisirent à bord du *Loyal Forever* tout ce qui risquait de trahir son origine. Ils construisirent à la place une superstructure qui créait une nouvelle silhouette. Au bout d'une semaine de travail intensif, le nouveau bateau parut plus long et plus fin ; il avait deux mâts au lieu d'un. Le bateau que les Anglais reçurent en échange avait été modifié lui aussi et Ned se demanda à qui il avait appartenu auparavant. Quant à son nom, McFee ordonna aux charpentiers espagnols de sculpter une planche qu'ils fixeraient à la proue. Lorsqu'elle fut en place, Ned demanda :

— *Glen Affric ?* Qu'est-ce que c'est ?

— Une vallée d'Écosse où chantent les anges, lui répondit McFee.

Ned remarqua avec satisfaction que leur nouveau bateau possédait des sabords pour huit petits canons.

— Ce *Glen Affric*-là chantera lui aussi ! prédit-il.

Mais le rêve d'une expédition rapide vers le nord pour intercepter un galion espagnol isolé en route pour Séville avec des cales pleines de lingots s'acheva brusquement, car McFee apporta une décevante nouvelle :

— Aucune action avant le passage des bateaux espagnols en mai. Ils veulent que nous débarquions avec eux à Hispaniola pour chasser le sanglier.

Au cours des mois qui suivirent, Ned apprit à connaître la vraie vie des boucaniers. On lui donna un très long fusil avec une crosse en forme de bêche que l'on coinçait contre son épaule; un grand bonnet pointu pour le protéger du soleil ardent, une ration de tabac; et une grosse chienne de chasse errante qui avait appartenu à un boucanier français tué au cours d'un abordage. Avec cet équipement, complété par un bol creusé dans une demi-noix de coco et une couverture roulée en boudin autour de la taille, il était fin prêt pour les forêts d'Hispaniola, et quand un bateau le déposa avec dix autres hommes sur le rivage en face de la Tortue, il était impatient de recevoir l'initiation aux rites occultes de la boucanerie.

Il se trouvait à présent sur l'île historique d'Hispaniola, à partir de laquelle toutes les Antilles avaient été colonisées par les conquérants espagnols, mais la région où ils avaient débarqué demeurait un désert sauvage d'arbres bas, de savanes et de cochons sauvage, sans un seul colon. Elle appartenait cependant à l'empire espagnol, même si la plupart des administrateurs en place avaient oublié son existence *.

Dans ce mélange de prairie et de nature sauvage, étrange mais captivant, Ned fut écarté de son oncle et envoyé avec un peloton de six hommes dont le chef, un jeune chasseur intelligent de vingt-sept ou vingt-huit ans, avait battu les forêts d'Hispaniola pendant plusieurs années entre deux expéditions de flibuste.

— Je m'appelle Mompox, dit-il.

Pas un mot de plus. Dans les jours qui suivirent, Ned apprit qu'il était espagnol pour moitié, indien mosquito du Honduras pour un quart, et pour le reste nègre de l'isthme de Panamá.

— À cause de ma couleur, les Espagnols ont fait de moi un esclave, et j'ai dû travailler à la construction du fort de Carthagène.

— Comment vous êtes-vous libéré ? demanda Ned.

Le colosse répondit avec un regard de filou.

— Comme lui. Comme celui-là. Peut-être comme toi.

Il ne précisa rien, mais des paroles qu'il prononça pendant la chasse à Hispaniola, Ned déduisit qu'il était boucanier à la Tortue depuis pas mal d'années.

De tout le groupe désigné pour chasser sous ses ordres, Mompox semblait préférer Ned, car il se donna beaucoup de mal pour lui apprendre à manipuler son grand fusil et utiliser le chien dressé à lever les sangliers. Et quand Ned en tua enfin deux coup sur coup après en avoir manqué deux, Mompox lui montra comment vider les animaux, leur ôter la peau et couper leur viande en lanières.

Quand ils eurent tué assez de cochons pour justifier la préparation d'un grand feu, Mompox enseigna à Ned l'art de boucaner et, pendant plusieurs jours, le jeune homme dut attiser le feu et surveiller que les morceaux de viande ne brûlent pas; il sala également le porc et le frotta avec une poignée de feuilles aromatiques que Mompox lui donna.

— Cette viande, lui assura Mompox dans un mélange insolite de plusieurs langues, se conservera des mois. De nombreux bateaux s'arrêtent pour en acheter. Elle est bonne contre le scorbut.

Quand il estima que Ned connaissait les principes de base du

* En 1697, comme les pirates français occupaient de fait cette partie occidentale d'Hispaniola, le traité de Ryswick qui mit fin à la guerre qui opposait Louis XIV à l'Angleterre, l'Espagne et les Pays-Bas la concéda à la France qui la conserva jusqu'en 1804. À cette date, des noirs rebelles chassèrent les armées de Napoléon Ier et établirent la république d'Haïti. Aujourd'hui, l'île de la Tortue fait partie de Haïti.

boucan, il l'emmena pour une longue expédition dans l'intérieur. Avec trois autres, ils s'éloignèrent suffisamment de la côte pour parvenir à un endroit souvent parcouru par des patrouilles de la partie espagnole de la grande île. Ils eurent ce jour-là la malchance d'en rencontrer une, et Ned aurait peut-être été tué par un tireur d'élite embusqué si Mompox n'avait aperçu l'Espagnol et ne lui avait tiré dessus. Dans l'escarmouche confuse qui suivit les boucaniers s'emparèrent de l'Espanol, mais Mompox lui coupa la gorge, et laissa son cadavre adossé à un arbre.

Quand les divers groupes de chasseurs furent prêts à retourner à la Tortue, ils se rassemblèrent sur le rivage et attendirent deux jours, avec leurs énormes ballots de viande séchée, que des bateaux viennent les prendre, et pendant ces moments de calme Will put observer, non sans appréhension, l'intérêt particulier que Mompox accordait à Ned. Quand ils mangeaient, Mompox glissait au jeune homme les meilleurs morceaux de viande, lorsqu'ils établirent leur camp près du bras de mer, Mompox ramassa des petites branches pour l'endroit où Ned dormirait. Tatum remarqua aussi que même quand les deux hommes étaient séparés, les yeux perçants de Mompox se posaient souvent sur Ned, où que fût le jeune homme.

Au cours de cette attente, Will ne dit rien à son neveu, mais quand les bateaux vinrent chercher la viande séchée et les groupes de chasseurs, Will se plaça sur un banc de sorte que Mompox ne puisse s'asseoir à côte de Ned. Le colosse passa outre en disant hardiment :

— Viens t'asseoir ici, Ned.

Will fit comme si la situation ne le préoccupait nullement mais à leur retour à la Tortue, quand ils furent seuls, il prit son neveu à part pour une conversation paternelle.

— As-tu remarqué, Ned, la façon dont chaque boucanier semble choisir une autre personne pour travailler avec lui ? La façon dont ils veillent l'un sur l'autre, si l'on peut dire ?

— Oui. Si Mompox n'était pas venu à mon secours ce jour-là, je serais mort.

— Tu ne m'en as pas parlé. Que s'est-il passé ?

Le jeune homme lui expliqua l'incident avec le tireur d'élite espagnol.

— Tu as eu de la chance que Mompox soit là, répondit Will, approbateur, et il aborda la question d'une autre manière : Te souviens-tu de la nuit avant notre départ d'Hispaniola ? La nuit où l'un des hommes a sauté soudain sur un autre pour le poignarder ?

— Oui.

— Pourquoi supposes-tu qu'il ait fait ça ?

— Peut-être l'argent ?

En fait Ned l'ignorait et n'avait pas assez d'expérience pour proposer une hypothèse raisonnable. Très doucement, Will lui dit :

— Je ne crois pas que c'était pour l'argent. Quand un grand nombre d'hommes se trouvent rassemblés, sans femmes... Quand ils n'en voient pas pendant des mois et même des années... Eh bien, certains hommes se comportent de façon bizarre... et se battent pour des raisons étranges.

Il se tut, mais Ned avait l'esprit assez vif pour deviner que la conversation n'était pas terminée.

— Qu'essaies-tu de me faire comprendre ?

— Ne fréquente pas trop Mompox. Non, ce n'est pas ce que je veux dire. Ne laisse pas Mompox te fréquenter trop.
— Mais il m'a sauvé la vie.
— Oh oui ! Et tu lui dois beaucoup. Mais pas trop.

Will et Ned, tout comme Mompox, furent déçus à leur retour à la Tortue d'apprendre qu'aucun plan n'avait été mis au point pour attaquer soit un galion du Trésor espagnol soit une ville de Cuba ou de la côte de Campêche. La proposition qu'on leur fit les désespéra.

— Nous avons vendu toute la *barbacoa* que nous pouvions. Aucun argent en provenance de raids. Mais ces deux gros bateaux, là-bas, un anglais et un hollandais, nous ont promis d'acheter tout le bois de campêche que nous pouvons couper...

À la seule mention du mot bois les plus anciens boucaniers s'insurgèrent, car il n'y avait, dans les sept Mers, aucun travail pire que le bois de campêche. Un vieux marin qui s'était trouvé un jour dans les salines de Cumaná, déclara :

— Le campêche est encore plus dur. À Cumanà, on travaillait en tout cas à terre. Le bois de campêche ? Il faut rester dans l'eau jusqu'aux fesses pendant dix-huit heures par jour.

Mais sans prise espagnole en perspective, les hommes de McFee n'eurent d'autre choix que de partir plein ouest vers les côtes lointaines du Honduras, avec les deux gros bateaux derrière eux pour acheter tout le campêche que les boucaniers abattraient. Quand Ned aperçut l'incroyable dédale de mer et de marécages dans lequel poussaient les arbres aux branches nombreuses, il imagina les insectes, les serpents et les panthères qui infectaient cette jungle et il perdit courage ; mais son oncle, qui s'était trouvé à deux jours de la mort dans sa cellule de Cadix, l'encouragea :

— Six mois d'enfer, Ned. Mais ils s'achèveront. Et pendant des années nous pourrons raconter aux autres combien c'était affreux.

Cela se passa exactement comme Will l'avait prédit : six mois du travail le plus accablant que des hommes puissent faire, dans l'eau vaseuse jusqu'aux cuisses, harcelés par des insectes cruels, attaqués de temps en temps par des serpents d'eau mortels, les bras moulus à force de cogner sur les arbres de campêche entremêlés. On avait du mal à croire que ces arbres laids aient une quelconque valeur, mais un vieux marin dit à Ned :

— Poids pour poids, ils valent autant que l'argent.
— De la merde ! lança une voix.

Et une bagarre s'ensuivit.

Ned aurait vécu des heures difficiles dans la forêt de campêche si Mompox ne s'était pas trouvé là pour prendre soin de lui, pour soigner les affreuses morsures d'insectes quand elles s'infectaient et pour veiller à ce qu'il reçoive une nourriture correcte. Un jour où Ned faillit s'évanouir d'une fièvre causée par les insectes et l'immersion constante, Mompox persuada le bateau hollandais de prendre Ned à son bord pour qu'il puisse au moins dormir un peu sans être continuellement dérangé. Le jeune homme affaibli demanda au capitaine :

— Que fait-on de ce maudit bois de campêche ?
— Regardez le cœur de ce bois écorcé. Avez-vous jamais vu une

aussi belle couleur, d'un brun-violet, très foncé, avec peut-être une touche d'or ?

Ned avait déjà remarqué la beauté du cœur du bois qu'il ramassait.

— Je ne vois toujours pas ce qu'on peut en faire.

— Une teinture, jeune homme. Une des plus résistantes et des plus belles du monde.

— Je croyais que les teintures étaient jaune, bleu et rouge. Les jolies couleurs claires qui plaisent aux femmes.

— Elles tapent à l'œil, oui. Mais celle-ci... Celle-ci est impériale.

Quand Ned put reprendre le travail, il lança sa hache sur ses arbres avec davantage de respect, mais quant au métier de coupeur de bois de campêche, il continua de partager l'avis de ceux qui le lui avaient décrit avant son départ pour le Honduras :

— C'est l'enfer.

A son retour à la Tortue, il demanda, de plus en plus irrité :

— Quand attaquons-nous les Espagnols ?

Un boucanier, dans l'île depuis longtemps, lui rappela :

— Nous attendons la bonne année, avec un vent favorable. Heyn, le grand pirate hollandais, a attendu le bon moment deux ans — mais il a capturé toute la flotte des mines d'argent à son retour à Séville. En une manœuvre audacieuse qui ne se reproduira jamais, il a capturé non pas trois galions du Trésor, ni quatre, mais la *flota* entière. Oui quinze millions de florins d'un seul coup et un florin valait plus d'une livre. Cette année-là, sa compagnie a versé un dividende de cinquante pour cent. J'ai navigué avec Heyn, et nous avons reçu une prime en argent si importante que j'aurais pu acheter une ferme. Mais je ne l'ai pas fait.

Au cours des longs mois monotones de 1667 et 1668, les boucaniers du capitaine McFee dans leur désinvolte petit *Glen Affric* ne participèrent à aucun assaut aussi fructueux, mais ils réussirent à livrer deux batailles assez chaudes au cours desquelles, de conserve avec trois autres petits bateaux, ils attaquèrent deux galions espagnols isolés, perdirent l'un et s'emparèrent de l'autre après un abordage difficile. Le galion valut des primes intéressantes pour les quatre équipages et Ned eut l'occasion de voir comment son oncle et Mompox traitaient les prisonniers espagnols : ils les abattirent tous et lancèrent les cadavres par-dessus bord.

Ce mois de janvier, McFee annonça à ses hommes qu'au cours de la saison calme qui allait venir, où aucun bateau espagnol ne se présenterait, ils avaient le choix entre deux corvées :

— Chasser le sanglier à Hispaniola ou revenir au Honduras pour d'autre bois de campêche.

— Non ! s'insurgèrent les hommes. Nous avons couru de grands risques pour venir ici attaquer les bateaux espagnols et c'est ce que nous ferons !

— Paroles courageuses ! s'écria McFee comme s'il les félicitait de leur audace, puis il lança avec mépris : Mais que mangerez-vous pendant les dix mois qui viennent ? Choisissez. La chasse ou la hache.

Ce fut Mompox qui résolut le dilemme, car c'était un homme habile qui écoutait les bruits qui couraient.

— Il paraît qu'un capitaine a beaucoup de chance, du côté de la Jamaïque. Et j'aime bien naviguer avec les capitaines qui ont de la chance, parce que nous partageons tout ce qu'il capture avec notre aide.

Et pour la première fois, Will Tatum et son neveu entendirent prononcer le nom du capitaine Henry Morgan. Gallois de trente-trois ans, il était arrivé à la Barbade quelques années auparavant comme régisseur sous contrat, puis s'était lancé comme McFee dans une vie de boucanier, où il avait remporté des succès spectaculaires. On le considérait partout comme un capitaine chanceux, qui attirait vers lui les riches prises à la manière d'un aimant. Il n'avait pas encore accompli d'exploits semblables à ceux du grand Piet Heyn, ni mis à sac des villes espagnoles comme L'Ollonois, le cruel Français, mais il avait prouvé sa fougue en lançant ses petits bateaux contre d'énormes adversaires en des combats dont il sortait toujours victorieux. Comme Mompox le précisa aux hommes du *Glen Affric* :

— Tout le monde dit : « Quand on navigue avec Morgan, on rentre toujours chez soi les mains pleines. »

Et ils firent voile vers Port Royal.

Ned n'oublierait jamais le jour de leur arrivée. Debout à la proue du *Glen Affric*, il observa au nord la grande île de la Jamaïque qui se rapprochait. Comme s'il se voyait lui-même, dans un proche futur, amener son propre bateau dans ce port, tout excité et bien que Will ne fît guère attention à ses paroles, il ne cessait de discourir.

— De cette distance, impossible de voir qu'il y a un port sur cette côte. On ne voit que l'île énorme et menaçante. Mais, regarde ! Il y a en fait un chapelet de petits îlots qui s'étend vers l'ouest, parallèlement à la terre. Ils ne peuvent pas être loin de la côte, mais je vois bien qu'ils abritent une baie derrière eux. Pour y entrer, il faudra que je continue loin vers l'ouest, que je contourne ce cap puis que je revienne vers l'est. Et c'est exactement ce que nous faisons.

À peine était-il arrivé à cette conclusion logique, qu'il resta sans voix, car la baie protégée par l'arc de petites îles était immense.

— Tous les vaisseaux de guerre de l'Angleterre pourraient s'abriter en toute sécurité dans ce port. Oncle Will ! C'est fantastique !

Mais Will regardait le véritable miracle de ce mouillage. Ce que le jeune Ned avait pris pour un cap était en réalité une île, petite mais beaucoup plus vaste que le chapelet d'îlots qui aboutissait à elle, et au bout de cette île s'élevait une ville.

— Ce doit être Port Royal ! murmura Will.

L'émerveillement qu'exprimait le ton de sa voix incita Ned à observer mieux la célèbre capitale des boucaniers.

— Elle a un fort, donc ils ont l'intention de se défendre. Des centaines de maisons, donc il y a des gens qui vivent ici en permanence. Et une église. Un endroit où haler les bateaux à terre pour nettoyer les fonds. Et ça, ce sont sans doute des magasins. Mais regarde leurs enseignes ! Un marchand de vin... Un autre... Un autre...

Il se tourna ensuite vers l'est pour inspecter la grande baie elle-même :

— Plus de deux douzaines d'énormes bateaux ! Ils n'appartiennent pas tous aux boucaniers, impossible ! Il n'y aurait pas assez de vaisseaux espagnols à attaquer pour toute cette flotte.

Le capitaine McFee fit glisser le *Glen Affric* jusqu'à son mouillage et son équipage fut saisi de plein fouet par la vision de ce port célèbre, le plus sauvage et le moins policé de tous ceux où des bateaux du monde occidental jetaient l'encre. À l'endroit où le *Glen Affric* s'amarra, les marins se trouvèrent à deux pas d'une ville fort engageante avec une rangée de maisons blanches, de grands établissements sur la côte pour l'entrepôt des marchandises, quatre ou cinq églises et une sorte de petite cathédrale. Ce qu'ils ne pouvaient voir mais tenaient pour acquis à la suite des récits de Mompox, c'étaient les quarante tavernes et les cinquante maisons de plaisir qui avaient valu à la ville sa mauvaise réputation.

Elle n'était pas parfaite. Dès qu'ils débarquèrent, ils virent que Port Royal était spécial. Aucune police, aucune contrainte, les soldats postés dans le port semblaient aussi indisciplinés que les pirates descendant à terre dans leurs barques pour envahir la ville chaque soir. Il y en avait de toutes les races, de toutes les couleurs, tous occupés à des affaires louches. Certains mois de fièvre, Port Royal comptait en moyenne douze meurtres par nuit. En plein milieu des quais se dressait une potence grossière avec, au bout de sa vergue, « dansant au beau soleil de Port Royal », le cadavre de quelque pirate qui avait attaqué le mauvais bateau au mauvais moment.

Quelle différence avec la Tortue ! songea Ned pendant les premiers jours. Cette dernière était austère et aride, la nourriture monotone, la bière mauvaise. À Port Royal en revanche régnait une gaieté exubérante. D'excellents restaurants servaient des fruits frais de l'intérieur de la Jamaïque, du bœuf des plantations et du poisson de mer. Le vin arrivait d'Europe à pleins fûts et les brasseurs de la ville fournissaient une bière râpeuse. Mais la plupart des pirates plaçaient au-dessus de tous ces agréments les femmes de toute couleur qui affluaient de l'ensemble des Antilles et d'ailleurs. Elles étaient dissolues et merveilleuses, elles s'adonnaient comme les hommes aux boissons fortes et aux bamboches. Tous ceux qui arrivaient du monde sans femmes de la Tortue recherchaient passionnément les distractions que ces femmes ardentes pouvaient offrir.

Curieusement, chaque dimanche, les églises sur la langue de terre de Port Royal étaient aussi bondées que les tavernes pendant la semaine. Les ministres de Dieu n'hésitaient nullement à rappeler à leurs fidèles aux yeux troubles que s'ils continuaient la vie de piraterie et de débauche, le châtiment s'ensuivrait forcément. Les pasteurs de l'Église anglicane, qui appréciaient un petit coup de temps en temps, ne fulminaient pas contre la boisson, mais les ministres de sectes plus rigoureuses ne s'en privaient pas, et des prêcheurs d'Angleterre ou des colonies américaines prédisaient souvent le feu et le soufre comme la fin probable du mode de vie dissolu de Port Royal.

Ned, qui avait promis à sa mère d'aller à l'église, se montra fidèle à son vœu. Après un sermon particulièrement fougueux qu'il avait écouté avec Mompox à ses côtés, le pasteur l'aperçut au milieu des boucaniers, remarqua sa jeunesse, l'arrêta au moment où il quittait l'église et l'invita à dîner au presbytère le soir même. Ned répondit que Mompox devrait venir aussi et le ministre se mit à rire.

— Quand il y en a pour trois, il y en a pour quatre.

Le dîner associa des plats succulents, un bon vin et un récit passionnant sur la Jamaïque, par un homme qui avait participé à une partie de son histoire.

— En 1655, Oliver Cromwell envoya dans les Caraïbes deux hommes merveilleusement incompétents, en réalité deux bouffons : l'amiral Penn, à la tête de Dieu seul sait combien de bateaux, et le général Venables, commandant une armée. Leur aumônier ? moi-même. Nous avions reçu des ordres simples : « Enlevez Hispaniola aux Espagnols. » Nous avons essayé, Penn a débarqué à une soixantaine de kilomètres de notre objectif, et Venables a oublié d'emporter de quoi manger et de quoi boire; lorsque nous sommes enfin arrivés sous les murs de Santo Domingo, nous étions si épuisés que trois cents soldats espagnols ont vaincu trois mille des nôtres, et nous avons filé comme des diables jusqu'à nos bateaux, en lançant nos armes pour courir plus vite.

Ned, consterné par tant d'incompétence, s'écria :

— Une défaite terrible.

— Pas du tout! corrigea le pasteur avec un sourire épanoui. Une glorieuse victoire.

— Comment cela? Vous êtes revenu prendre la ville?

— Pas du tout! répéta le pasteur rougeaud sur le même ton d'allégresse. Nous avons tenu une réunion de crise à bord du bateau et Penn a dit : « Si nous rentrons en Angleterre à présent, Cromwell nous tranchera la tête. » Venables a demandé : « Que pouvons-nous faire? » Ni l'un ni l'autre n'en avaient la moindre idée, mais un très jeune lieutenant, un simple gamin en fait, demanda brusquement : « Comme nous sommes déjà dans ces eaux, pourquoi ne capturons-nous pas la Jamaïque? » Penn étudia ses cartes marines et s'aperçut que l'île se trouvait à quatre cent soixante milles à l'ouest. « À la Jamaïque! » cria-t-il.

» Je m'attendais à un autre désastre, continua le pasteur, parce que je voyais bien que Penn ne connaissait rien aux bateaux et Venables encore moins aux armées. Mais le jeune officier guida notre flotte dans ce port, et cette fois, nos milliers de soldats débarquèrent à peu de distance des Espagnols, qui n'avaient qu'une poignée d'hommes à nous opposer. Nous fûmes vainqueurs et prîmes possession de cette île magnifique. Quand Penn et Venables rentrèrent en Angleterre, ils parlèrent peu aux journaux ou au Parlement de leur défaite à Hispaniola, mais beaucoup de la prise de la Jamaïque. Ils se présentèrent évidemment en héros.

» Penn et Venables désiraient que je revienne en Angleterre, avec eux. Ils me promirent une bonne église dans la nouvelle religion de Cromwell. Mais j'avais vu la Jamaïque et je n'avais plus envie d'en partir, ajouta-t-il en souriant à ses invités. Vous voyez donc, mes amis, qu'on peut parfois perdre une grande bataille mais continuer la campagne pour en gagner une plus importante. La Jamaïque est la perle des Caraïbes.

Le lundi suivant, alors que Ned traînait dans une taverne, plusieurs loups de mer se joignirent à lui dans l'espoir qu'il leur paierait un verre, et quand il les eut régalés ils lui firent miroiter les agréments de la guerre sur mer telle que la concevaient les Anglais.

— Il ne faut jamais nous appeler pirates. Le pirate est un marin qui sillonne les mers sans obéir à aucune loi, sans respecter aucune convenance. Il attaque tout ce qui flotte, même un goéland si aucun galion espagnol n'est en vue. Il y a des pirates français, et des pirates hollandais. Des anglais, jamais.

Ils avertirent Ned que, s'il désirait se faire briser le crâne, le moyen le plus simple était de traiter de pirate un homme de Port-Royal.

— Tu ne peux pas dire flibustier non plus. C'est seulement un nom de fantaisie pour pirate. Même pas boucanier, parce que c'est à peine mieux. Le boucanier reste rebelle, et vit à l'écart à la Tortue avec son long fusil et son chien. Il ne se lave jamais. Il lance une expédition de temps en temps, s'empare d'un petit bateau avec une petite cargaison, puis rapplique aussitôt à la Tortue pour faire la fête avec ses copains aussi dégueulasses que lui.

L'homme qui parlait cracha dans un coin.

— Et que croyez-vous que font ces boucaniers quand ils ne peuvent pas capturer d'Espagnols ? Ils coupent du bois de campêche au Honduras.

La simple allusion à ce travail épuisant souleva le cœur de Ned.

— Comment voulez-vous qu'on vous appelle ? demanda-t-il.

— Ce que nous sommes ? Des *privateers,* en anglais. En français, des corsaires. Nous sommes armés à la course et nous naviguons avec des lettres de marque délivrées au nom du roi. Nous nous soumettons à sa loi. On peut dire que nous appartenons à sa marine. À titre officieux, quoi.

À ces mots, Mompox apparut sur le seuil et lança un cri qui galvanisa le groupe.

— Henry Morgan part pour la Terre Ferme.

À peine avait-il commencé d'expliquer qu'il entendait par là l'Amérique du Sud que d'autres marins arrivèrent en poussant des cris qui augmentèrent la confusion générale.

— Henry Morgan à Carthagène ! Le capitaine Morgan à La Havane !

En quelques secondes la taverne se vida. Des hommes de tout acabit se précipitèrent vers un petit bâtiment du gouvernement où le grand corsaire se tenait prêt à donner ses instructions aux capitaines de sa flotte. Ned et son oncle entendirent, ravis, un des lieutenants de Morgan annoncer qu'Angus McFee et son *Glen Affric* comptaient parmi les élus. Puis Morgan se leva. C'était un homme trapu, de taille moyenne, avec d'étranges moustaches, fines au début sous son nez puis formant de petits bulbes ronds sur ses joues hâlées. Sous sa lèvre inférieure naissait un petit bouc, et de ses épaules tombait une lourde cape de brocart. Son trait le plus impressionnant était la sévérité de son regard : quand il dévisageait un homme et lançait un ordre, il était manifestement impossible de désobéir.

Il demanda aux onze capitaines désignés d'avancer d'un pas, puis il leur dit à voix basse :

— Ce sera Porto Bello.

Sans leur laisser le temps de réagir à l'étonnante nouvelle, car ce fort bien défendu était réputé imprenable, il parla comme si sa capture se résumait à une simple opération à terre. Mais plus tard, quand le capitaine McFee réunit son équipage à bord du *Glen Affric,* Ned apprit non sans surprise à quel point les consignes seraient strictes.

— Sous peine de mort dans l'instant, ne jamais attaquer un vaisseau anglais. Ni le vaisseau d'une nation liée par un traité de paix avec nous, et pour le moment cela inclut les Hollandais.

Au sujet des blessures, les règles habituelles s'appliqueraient.

— Perte du bras droit, six cents pièces de « huit » ou six esclaves, perte du gauche, cinq cents ou cinq esclaves. La même chose pour la jambe, droite ou gauche. Perte d'un œil, cent pièces ou un esclave. La même chose pour un doigt.

Les capitaines avaient le droit d'engager dans leur équipage des hommes de toute nationalité et McFee aurait cette fois à son bord des Anglais, des Portugais, des Hollandais, des Indiens de la côte des

Mosquitos, de nombreux Français et même quelques Espagnols écœurés par les mauvais traitements reçus à Carthagène ou à Panamá. Le règlement concernant les esclaves était complexe.

— Nous pouvons prendre des esclaves à bord pour les gros travaux, mais seulement ceux que nous trouverons sur les bateaux que nous capturons. De sévères pénalités seront appliquées si nous acceptons un seul esclave en fuite d'une plantation de la Jamaïque. Les planteurs ont besoin d'eux pour la récolte du sucre.

Deux autres règles curieuses déterminaient certains comportements étranges des corsaires :

— Si nous nous emparons d'un bateau étranger en mer, nous devons le ramener à Port Royal pour que la Couronne inventorie son contenu et prélève d'abord sa part de notre prise. Mais si nous mettons à sac une ville, le butin nous appartient en totalité. C'est pour cette raison que le capitaine Morgan ne se jettera pas sur les gros bateaux espagnols mais attaquera directement Porto Bello, où le trésor se trouve à terre.

Morgan se présenta en personne devant les capitaines pour réciter d'un ton menaçant la dernière instruction, imposée par le roi, applicable à tous les pirates, flibustiers, boucaniers et corsaires anglais. Ses termes rigoureux expliquent pour beaucoup le comportement barbare de Ned au cours des années à venir : « Si vous capturez des prisonniers espagnols, traitez-les exactement comme nos sujets sont traités quand les Espagnols les capturent. »

Puis les douze capitaines signèrent des documents indiquant qu'ils avaient reçu du gouvernement jamaïcain des lettres de marque conférant un caractère légal à leur entreprise, mais ces subtilités ne firent aucun effet sur Tatum et son neveu.

— Nous ne sommes pas des corsaires, dit Will, mais de simples boucaniers, et je veux être appelé ainsi.

Ned pensait de même. Il n'avait pas fui son foyer, ni la vie sauvage de la Tortue et l'esclavage des jungles de bois de campêche, pour trouver refuge dans les raffinements juridiques de la course en mer. Il naviguerait sous les ordres de Morgan et obéirait fièrement à ses ordres, mais au fond de son cœur il demeurerait boucanier.

Comme les douze bâtiments disparates de la flotte d'Henry Morgan se glissaient discrètement le long de la côte du Nicaragua vers leur fabuleux objectif de Porto Bello, la chance les favorisa par deux fois : ils capturèrent le vaisseau-vigie espagnol, chargé en principe de signaler à Porto Bello l'arrivée éventuelle de pirates ; et ils repérèrent sur les eaux sombres une petite barque dans laquelle ramaient six Indiens. Ceux-ci leur firent signe, comme s'ils appelaient à l'aide. Il se trouva que les Indiens étaient en fait des Anglais, qui, une fois à bord, relatèrent une histoire macabre :

> *Nous avons été faits prisonniers par les Espagnols. Comment nous ont-ils traités ? Ils nous ont enchaînés, chevilles et poignets, au sol d'une cellule de prison. Trente-trois dans la cellule, si près que chaque homme, jamais lavé, offensait le nez de ses voisins de chaîne. A l'aube on nous libérait pour nous conduire dans l'eau salée jusqu'au ventre et nous faire*

travailler la journée entière sous un soleil ardent. Regardez nos corps. Du cuir. Certains jours, absolument rien à manger. D'autres, de la viande couverte d'asticots. Les jambes déchirées, les pieds en sang, et la nuit, les mêmes chaînes sur le même sol froid, dans la même cellule surpeuplée.

— Comment vous êtes-vous évadés ? demanda le capitaine Morgan.
— Nous avons tué deux gardes. Si l'on nous avait rattrapés, c'était la torture et la mort.
— Pouvez-vous nous guider au cours de notre assaut de Porto Bello ?
— Sur les mains et les genoux s'il le faut ! répondit le porte-parole des évadés.
— Vous aurez votre vengeance, leur promit Morgan.
L'homme révéla alors une nouvelle qui suffoqua tout le monde :

Vous vous rappelez le prince Rupert, le glorieux cavalier qui avait perdu un de ses bateaux au cours d'une tempête au large de la Martinique ? Tout le monde a cru que son frère, le prince Maurice, s'était noyé... Eh bien, pas du tout ! Il a atteint la côte de Porto Rico avec plusieurs autres dans une chaloupe. Les hidalgos l'ont arrêté. Et il est à présent en train de languir dans les entrailles de ce château avec les autres.

Morgan comprit aussitôt que si ses boucaniers pouvaient sauver le prince et le rendre à la famille royale d'Angleterre, de grands honneurs lui seraient réservés ainsi qu'à ses hommes. Il fit passer les Anglais à la peau basanée d'un bateau à l'autre pour que tous puissent entendre leur récit : il leur arriverait en effet la même chose s'ils étaient faits prisonniers au cours de l'assaut. Quand les hommes arrivèrent sur le *Glen Affric* de McFee, Will Tatum se proposa pour les prendre en charge, et, quand ils eurent parlé, il demanda quelques minutes d'attention pour raconter ses souffrances dans la prison de Cadix, où les marins anglais étaient brûlés vifs. Sur le gaillard d'avant bondé, il se fit un silence absolu.

Lorsque les bateaux eurent descendu la côte aussi loin qu'ils l'osaient sans se faire repérer prématurément, on mit à la mer vingt-trois grands *canoas,* capables de transporter chacun une vingtaine d'hommes. Pendant trois jours et trois nuits, les rameurs pagayèrent vers l'est, puis dans la nuit sombre du 10 juillet 1668, Will Tatum, à la barre du *canoa* de tête, passa le mot à ceux qui le suivaient :
— D'après les guides, c'est le dernier endroit sûr.
Sans bruit, les marins halèrent leurs *canoas* à terre, et chaque homme vérifia ses trois armes : pistolet, épée, dague. Alors, seulement, Morgan lança l'ordre :
— Nous prenons d'abord la ville, et ensuite le grand fort.
Comme Porto Bello contenait trois forts puissants — deux à des emplacements stratégiques le long de la baie, le troisième dominant la ville — les Espagnols étaient certains qu'aucune force venant de la mer ne pourrait s'emparer de leur ville forteresse, mais ils n'avaient jamais subi d'assaut du côté de la terre, et par des hommes comme les corsaires de Morgan. Les manœuvres furtives et les renseignements exacts fournis par les anciens prisonniers à la peau basanée permirent aux assaillants d'atteindre les abords occidentaux de la ville à l'insu

des Espagnols. Aux heures qui précèdent l'aurore, ils se rassemblèrent, puis, en poussant des hurlements et en tirant des coups de feu sur tout ce qui bougeait, ils créèrent un tel désarroi qu'ils purent prendre pied au centre de la ville sans perdre un seul homme. Mais Morgan savait que ce serait une fausse victoire tant que les Espagnols tiendraient les trois forts. Sans s'arrêter pour célébrer un succès dénué de sens, il ordonna :

— Au grand château !

Et il s'élança en tête de l'assaut.

La forteresse semblait imprenable. Stratégiquement placée et solidement construite, avec ses énormes canons qui commandaient à la fois les rues de la ville et les mouillages du port, elle souffrait cependant du mal indolore qui condamnait tant d'entreprises espagnoles sous les climats lourds du Nouveau Monde. L'officier responsable, le *castellan*, était un personnage si incompétent que son ineptie en devenait comique. Par exemple, son lieutenant d'artillerie, qui aurait dû pouvoir pulvériser les assaillants avec ses redoutables canons, n'en avait pas fait charger un seul ! La grande forteresse se rendit avec une hâte honteuse. Au cours de l'assaut final le *castellan* fut miséricordieusement abattu, ce qui lui évita l'obligation pénible d'expliquer ses manquements à son roi.

L'artilleur inefficace subit un destin plus bizarre. Encerclé par les Anglais à qui il désirait livrer ses canons, son fort et son honneur, il chercha des yeux un officier dans le groupe des assaillants et aperçut le capitaine McFee. Il mit un genou à terre devant lui, écarta les deux bras pour exposer sa poitrine, et cria en mauvais anglais :

— Perdu l'honneur... Failli à mon roi... Ma vie finie... Tuez-moi !

McFee fut ébranlé par cette prière, mais pas Tatum, qui se trouvait à ses côtés. Will saisit soudain son pistolet, le braqua sur la poitrine de l'homme et appuya sur la détente.

Ce fut pour Ned Pennyfeather un avant-goût violent de la vie et des mœurs des boucaniers. Les Anglais victorieux entassèrent tous les officiers espagnols du château avec leurs soldats dans une pièce aussi petite que la cellule des prisonniers anglais. Quand ils furent enfermés, on envoya Ned dans les caves pour rapporter des barils de poudre à canon et les placer au-dessous de la pièce des Espagnols. Dès qu'il revint à l'endroit où Will gardait les prisonniers, il s'aperçut avec horreur que son oncle avait répandu une traînée de poudre noire de cette pièce jusqu'aux barils, dans le couloir et l'escalier.

— Sens ça ! cria Will à un capitaine espagnol emprisonné. Tu sais ce que c'est ?

— De la poudre.

— Sauve qui peut ! cria Will à Ned et aux autres marins.

Quand ils eurent disparu, il mit le feu à la poudre à l'entrée de la pièce, regarda la flamme se précipiter vers l'escalier, puis courut se mettre en sécurité. Avant que les prisonniers puissent se libérer, une formidable explosion détruisit l'angle du château où ils se trouvaient. Tous furent réduits en lambeaux.

Morgan avait éliminé l'un des châteaux, mais il en restait un doté de forces importantes et placé sous les ordres d'un homme de valeur, le gouverneur en personne, soutenu par des soldats de mérite qui repoussaient chaque assaut successif des Anglais. Même Morgan finit par se dire : « Si nous ne trouvons pas un stratagème puissant, ils finiront par remporter la victoire. »

Et il donna aux Espagnols eux-mêmes une leçon de sauvagerie : il interrompit l'assaut du château et se lança à la place sur un monastère et un couvent. Il en fit sortir un grand nombre de moines et de nonnes. Entre-temps, ses charpentiers avaient construit des échelles extrêmement larges, « si larges que quatre hommes pouvaient s'élancer de front à l'escalade d'un mur ».

Quand tout fut prêt il donna aux moines et aux nonnes un ordre fort simple :

— Vous, vous et vous, soulevez ces échelles et portez-les contre le mur de ce château.

Derrière les religieux, il fit passer le maire de la ville, les marchands et les anciens pour aider à soulever le poids.

— Si quiconque s'arrête, homme ou femme, il recevra une balle dans le dos.

Pour s'assurer que les échelles avanceraient vite, il intercala des marins dans les groupes, et Ned fut chargé d'inciter les nonnes à avancer.

Au moment où cette procession tragique s'élançait vers les murs, les hommes autour de Morgan murmurèrent :

— Jamais les Espagnols n'oseront tirer sur leurs semblables, surtout sur les religieuses.

— Vous ne connaissez pas les Espagnols, répondit Morgan.

Lentement, les lourdes échelles se rapprochaient des murs. Ned, nerveux, se baissa pour se cacher derrière les nonnes. Morgan pressa la colonne d'avancer. Sur les remparts le gouverneur attendait, hésitant. Il voyait bien que les échelles étaient d'une telle dimension qu'une fois plantées elles permettraient l'escalade. Tout serait alors perdu. Mais il se rendait également compte qu'il pouvait arrêter les échelles mortelles, simplement en faisant feu sur les meilleurs citoyens de la ville.

Les cris des porteurs d'échelle commençaient à monter vers le gouverneur :

— Ne tirez pas sur nous ! Sauvez-nous, nous sommes votre peuple !

Certains l'appelaient par son nom. D'autres lui rappelaient leurs relations passées. Tous braquaient leurs regards sur la gueule de ses canons.

— Feu ! cria-t-il.

Et les canons tirèrent sur la masse de ses amis. Quand les nonnes, mortes, et les moines, déchiquetés, s'écroulèrent, Ned et les autres contraignirent les survivants à continuer d'avancer vers le mur avec les échelles *.

— Feu !

D'autres tombèrent, mais les échelles furent bientôt dressées contre les murs et cent marins, conduits par l'impitoyable Will Tatum, montèrent à l'attaque.

Le combat fut sauvage sur les remparts étroits, et marqué par beaucoup d'héroïsme dans les deux camps. La victoire ne fut pas aussi facile que dans le premier fort, aucun officier espagnol ne demanda

* En 1678, l'un des boucaniers de Morgan, homme au passé douteux connu sous le nom d'Exquemelin ou Esquemeling, publia à Amsterdam un livre qui connut un succès sensationnel : *De Americaensche Zee-Rovers.* Quand il parut à Londres en anglais, en 1684, Morgan entreprit des poursuites judiciaires, prétendant que le récit ci-dessus, entre autres, était diffamatoire. Les deux éditeurs cédèrent à la pression et acceptèrent de transiger pour 200 livres chacun. Mais d'autres boucaniers qui avaient participé à l'attaque confirmèrent que ce récit des atrocités de Morgan était exact.

aux Anglais de le tuer. Le gouverneur espagnol, en particulier, se conduisit avec une bravoure si remarquable que même Tatum ne put s'empêcher de l'admirer.

— Monseigneur, rendez-vous dans l'honneur ! Votre vie sera épargnée.

Pensant que le gouverneur ne l'avait pas compris car il continuait de se battre avec une ardeur inimaginable, Will demanda à Ned de lui servir d'interprète.

— *Honorable gobernador,* cria son neveu, *rindase con honor.*

Cette fois le gouverneur entendit les paroles, salua et se jeta sur trois assaillants, qui ne purent faire autrement que de le tuer.

Pour Ned, les deux jours suivants resteraient à jamais dans un brouillard, des journées qu'il avait vécues, certes, mais qu'il préférait effacer de son souvenir. Les corsaires, après leur incroyable victoire contre une des principales villes espagnoles, maillon essentiel de la chaîne du Pérou à Séville, se sentirent autorisés à une débauche de vainqueurs, et ils s'y livrèrent, sans égard pour les droits des vaincus ou les règles de la morale. Le viol, le pillage, les mutilations, les incendies transformèrent la fière Porto Bello en un charnier, et plus d'un Espagnol finit sa vie un sabre fiché en pleine poitrine pour avoir voulu protéger sa femme. En assistant à ces saturnales, Ned se dit : « Quand j'ai quitté la Barbade, ce n'était pas cela que je recherchais. »

Ce ne fut pas un des survivants espagnols qui relata la bestialité de ces deux journées mais un homme qui avait servi comme capitaine sous les ordres de Morgan. De nombreuses années plus tard, vieilli et de retour à La Haye, il écrivit :

> *Ce qu'ont fait les Anglais à Porto Bello laisse une cicatrice sur mon âme, car je ne croyais pas que des hommes d'aussi bonne compagnie en mer pussent s'avérer aussi abjects à terre. Après avoir capturé les deux forts, nous rassemblâmes tous les habitants sur la place publique pour leur dire : « Montrez-nous où vous cachez l'argent, sinon nous vous forcerons à l'avouer. »*
>
> *Cela nous valut un peu d'argent des personnes qui connaissaient le comportement des pirates anglais — car c'est ce qu'ils étaient, bien qu'ils se fissent appeler corsaires. Après avoir empoché l'argent facile, on se mit en quête du reste — en appliquant aux hommes et aux femmes les tortures les plus infernales qui aient été inventées. On plaça des chevalets en plusieurs endroits pour arracher les membres. On brûla diverses parties du corps. Les Anglais utilisèrent aussi une torture horrible qu'ils appelaient* woolding, *la rouste (du nom de l'opération qui consiste à rouster ou à velter une vergue) : ils mettaient à un homme une corde autour de la tête au milieu du front, puis avec des bâtons passés dans la corde à l'arrière, ils serraient de plus en plus fort, provoquant la pire douleur que puisse connaître un homme. Le cerveau lui-même se troublait, les yeux commençaient à sortir de la tête, puis il s'évanouissait et souvent mourait, le crâne écrasé.*
>
> *Je les ai vus découper des gens en morceaux, lentement et en*

criant sans cesse : « Où est ta cachette ? » jusqu'à ce que le corps et l'âme se brisent, au même instant. Je les ai vus faire aux femmes des choses qu'il vaut mieux oublier, mais ce qui me hante encore à ce jour ce sont les indécences perpétrées sur des religieuses catholiques qui ne pouvaient posséder le moindre peso.

Dans les souvenirs horrifiés du sac de Porto Bello par ce marin figurait un passage qui éclaire les réactions du jeune Pennyfeather confronté à ces folies, lors de sa première expédition pirate d'envergure.

Chaque matin, le capitaine Morgan envoyait des éclaireurs fouiller les bois à la recherche d'hommes et de femmes qui s'y étaient enfuis aux premiers coups de feu : « S'ils se sont montrés assez malins pour fuir, ils le sont assez aussi pour avoir amassé des richesses au cours des années. Il faut découvrir où ils cachent les bijoux et l'argent. » Une fois pris, ces gens étaient soumis aux pires tortures, et le quatrième matin, quand on m'envoya à la tête d'un détachement pour capturer les derniers groupes encore cachés, j'eus sous mes ordres un brave jeune Anglais du nom de Ned. Nous avons trouvé ensemble trois familles de réfugiés. Pendant que nous les conduisions vers la ville, attachés à la même corde, je vis Ned surveiller les allées et venues des autres pirates ; quand ils eurent le dos tourné, il détacha les femmes et les libéra. Il s'aperçut que je l'observais, mais ne désirant pas voir des actes dont j'aurais été forcé de rendre compte, je me suis détourné.

Quand les tortures s'achevèrent, des émissaires partirent à travers l'isthme jusqu'à la capitale, Panamá, pour réclamer une rançon de trois cent cinquante mille pesos en argent — faute de quoi la ville de Porto Bello serait incendiée jusqu'à ses fondations. Les responsables de Panamá répondirent qu'ils ne pouvaient réunir une telle somme, mais offrirent à Morgan une lettre de change sur une banque de Gênes. Il répondit, non sans raison :

— Les corsaires préfèrent les lingots.

Les Espagnols finirent par verser cent mille pesos et, vingt-quatre jours après l'assaut initial, la flotte corsaire leva l'ancre et rentra rapidement à Port Royal, où Will Tatum, Ned Pennyfeather et les autres reçurent chacun cent cinquante livres sterling au moins — somme colossale à l'époque. Ned envoya sa part à sa mère.

Au sac de Porto Bello en 1668, Ned Pennyfeather vit Henry Morgan sous son jour le plus brutal ; en 1669, pour l'attaque de Maracaibo, il le vit au mieux de ses talents de stratège. Le récit de l'assaut de ce site réputé imprenable est l'un des épisodes les plus dramatiques de l'histoire des Antilles.

Après la victoire retentissante de Morgan à Porto Bello, le gouvernement britannique accorda à son prétendu amiral de la Terre Ferme espagnole un puissant bâtiment neuf, l'*Oxford*, frégate de trente-quatre canons et cent soixante hommes d'équipage. La guerre navale dans la mer des Antilles allait changer radicalement de nature.

À une réunion à bord de son nouveau bateau ancré à l'île à Vache, petite île jamaïcaine à mi-chemin entre Port Royal et la Tortue, place forte des pirates, Morgan invita tous les capitaines susceptibles de s'intéresser à une importante expédition de course. Une bande de desperados et de coupeurs de gorge se rassembla donc pour décider quelle riche cité de la Terre Ferme ils attaqueraient. Comme toujours, une seule règle les guidait : « Si nous capturons un bateau, le roi prendra sa part; mais si nous saccageons une ville, nous gardons tout. »

En préambule, Morgan, fier comme un gamin, voulut leur montrer son nouveau vaisseau.

— Regardez la robustesse de cette cabine, la résistance des cales. C'est un vaisseau de combat... Messieurs, ajouta-t-il, dans quelques minutes nous choisirons notre prochain objectif. N'oubliez pas que pour la première fois nous aurons au cœur de notre flotte ce bâtiment puissant, plus fort que tous les bateaux espagnols lancés contre nous.

Puis, avec son sourire enchanteur de Gallois, il ne put s'empêcher de conclure sur une note d'humour :

— L'*Oxford* a été envoyé ici dans un seul but : supprimer la piraterie. Donc si vous voyez des pirates, quels qu'ils soient, faites-le-moi savoir.

À cause de l'*Oxford,* la discussion des objectifs éventuels fut animée, et l'on n'envisagea même pas de petites villes comme celles qui se livraient au commerce du bois de campêche.

— Aucun bénéfice à attendre d'un retour à Porto Bello ?

— Non, dit Morgan. Nous avons plumé le poulet.

— À Vera Cruz, quelles chances ?

— Si Drake et Hawkins ont échoué, comment pourrions-nous réussir ? Nous avons démontré que nous étions bons, et cette fois nous serons excellents. Mais pas invincibles.

— Campêche ?

— Pas assez riche.

— La Havane ?

— Avec ces nouveaux forts ? Non !

Puis le capitaine McFee prononça le nom auquel tous songeaient mais que personne n'avait le courage de mentionner :

— Carthagène ?

Ce nom magique évoquait un flot de souvenirs. Drake avait extorqué à la ville un énorme butin. Des pirates hollandais l'avaient attaquée. L'Ollonois le sauvage pirate français, le capitaine le plus cruel de la mer des Caraïbes, lui avait fait subir plus d'une épreuve, et bien d'autres avaient tenté de l'investir pour s'emparer de ses richesses presque illimitées. Les formidables défenses de Carthagène les avaient tous repoussés. L'un des hommes, vaincu sous ses remparts, la décrivit ainsi :

— Une baie, à l'intérieur d'une baie dont les forts protègent une troisième baie plus petite, plus fermée, cernée de canons. Elle peut être prise, mais pas par des mortels.

— Drake l'a prise, observa une voix.

— Il y a un siècle, avant la construction des nouveaux forts, répliqua un autre capitaine... Les ingénieurs espagnols ont eu le temps de construire beaucoup de forts en cent ans, ajouta-t-il sans laisser aux autres le temps de répondre.

Mais Morgan intervint :

— Les trente-quatre gros canons de notre *Oxford* réduiront au silence les pièces espagnoles, quel que soit leur nombre. Ce sera Carthagène !

Les capitaines les plus timorés auraient sans doute essayé de dissuader Morgan de cette téméraire entreprise si, à cet instant précis, une étincelle funeste, dont l'origine ne fut jamais établie, n'était tombée dans les magasins de poudre, et n'avait provoqué une explosion d'une telle ampleur que l'*Oxford* fut éventré. Il sombra immédiatement en entraînant dans la mort deux cents hommes. Par miracle, Morgan et ses capitaines furent sauvés, le corsaire anglais lança d'un ton nonchalant :

— La chance de Morgan, une fois de plus.

Les rescapés trempés d'eau de mer se regroupèrent à terre. Morgan ne les laissa même pas se lamenter une minute. Pendant que les quelques survivants de l'équipage préparaient des feux pour se sécher, il lança aux capitaines :

— Comme nous le disions il y a quelques minutes, nous ne sommes pas assez forts pour attaquer Vera Cruz et à présent, sans l'*Oxford*, nous ne pouvons plus prendre Carthagène. Eh bien, messieurs, quelle ville s'offre à nous ?

Un capitaine français, qui avait bourlingué sans pitié dans tous les recoins des Antilles, fit une proposition imprévue.

— Amiral Morgan, il y a une ville dont personne n'a parlé : Maracaibo.

Les capitaines anglais se regardèrent, hésitants, et non sans raison.

Sur la côte septentrionale de la Terre Ferme, à près de huit cents kilomètres à l'ouest des grandes salines de Cumaná et à seulement six cents kilomètres à l'est de Carthagène, se trouvait l'immense golfe du Venezuela ; et au fond de ce golfe, au sud, un chenal très étroit conduisait à un lac d'eau douce, presque aussi vaste que le golfe lui-même. Il se nommait La Laguna de Maracaibo, et deviendrait célèbre des siècles plus tard à cause de ses gisements de pétrole. Il mesurait cent quarante kilomètres du nord au sud, et cent d'est en ouest, quatorze mille kilomètres carrés.

Il constituait un monde clos, presque séparé de la mer, bordé de champs fertiles et de villages prospères, avec au bout du grau une ville importante qui portait le même nom que la lagune.

Maracaibo constituait donc un objectif à la fois tentant en raison de sa richesse, et très dangereux à cause des risques encourus : les bateaux pouvaient se trouver bloqués à l'intérieur du lac si les Espagnols parvenaient à réunir quelques vaisseaux de guerre pendant le déroulement de l'expédition. Même bien armés, dotés d'une artillerie puissante, des corsaires regardent à deux fois avant d'envisager de mettre à sac la région de Maracaibo.

— Le butin serait énorme, mais l'on risque toujours de se faire prendre au piège dans le chenal. Que se passerait-il ?

Morgan soupesa les dangers qu'impliquait l'attaque de cet objectif délicat.

— La nuit portera conseil, dit-il. Si nous parvenons à dormir...

Le matin venu, il lança à ses capitaines :

— Ce sera Maracaibo !

Et ce fut ainsi que le 9 mars 1669, Ned Pennyfeather se trouvait debout à la proue du *Glen Affric*, une ligne de sonde à la main, en train de relever les fonds de l'entrée tortueuse de la lagune. Le chenal était parfois si étroit qu'il avait l'impression de pouvoir toucher la côte en se penchant. Mais il était tellement concentré sur sa tâche qu'il faillit ne pas voir, dressé sur un promontoire élevé, droit devant lui, un fort espagnol dont les canons pouvaient détruire le bateau. Il était prodigieux, une énorme masse de murailles de pierre et des remparts renforcés avec de lourds canons pointés directement sur les dix vaisseaux qui s'avançaient.

— Des canons ! hurla-t-il.

Un boulet, mal dirigé, siffla au-dessus des têtes, au-delà des bateaux. La tragédie espagnole se renouvela : une belle forteresse, parfaitement bien située et suffisamment équipée et armée, mais des soldats en nombre insuffisant et dépourvus de détermination ou de compétence. Ned eut presque honte de la facilité avec laquelle Morgan s'empara de cet excellent fort sans perdre un seul marin.

Mais son oncle Will exprima les appréhensions de tous les vieux loups de mer :

— Nous sommes entrés sans mal, mais saurons-nous en sortir ?

Les jours suivants, tandis que la flotte s'élançait sur la grande lagune et remportait victoire sur victoire, les marins d'expérience ne cessaient de se demander :

— Comment dégagerons-nous nos prises de cette nasse ?

Le butin fut énorme car même les plus petites villes posées sur les rives de la lagune étaient vraiment riches, mais les citoyens avaient bien abrité leur or et leurs bijoux, et Ned traversa une crise morale grave. En effet, il comprit que si les boucaniers voulaient réunir de grandes richesses, il fallait que quelqu'un capture les notables en fuite dans les collines et les ramène sous les fers pour les forcer à révéler leurs cachettes secrètes. Les tortures nécessaires étaient horribles : la roue, les brûlures et l'affreuse rouste. Il refusa d'y participer, mais pourchassa les gens et les conduisit ensuite à l'endroit des interrogatoires. Et quand ils révélaient leurs caches, il s'y précipitait pour déterrer les bijoux.

Au cours d'une beuverie où les boucaniers célébrèrent le succès de leur raid, une vigie stationnée à l'entrée de la lagune arriva avec la nouvelle que tous redoutaient d'entendre :

— Des vaisseaux de guerre espagnols sont venus bloquer notre seule issue.

Aussitôt tous ces hommes au bord de l'ivresse retrouvèrent soudain leur raison. Les visages se tournèrent vers Morgan. Ce renversement malencontreux de la situation ne parut pas le surprendre. Il demanda au messager de s'asseoir, de prendre une chope de bière et de répondre à ses questions.

— Combien de bateaux ?

— Un gros et six ou sept plus petits. À peu près de la taille de celui du capitaine McFee.

— Ont-ils tenté de regarnir le fort que nous avons partiellement détruit ?

— Oh oui ! Ils ont beaucoup reconstruit, apporté de nouveaux canons, mis en place des troupes fraîches.

— Aucune tentative de faire entrer les vaisseaux dans la lagune ?

— Aucune. Ils sont groupés dans le canal. Ils attendent que vous tentiez de forcer le passage.

À ces mots, Morgan parut sortir complètement du sujet :

— Le gros bateau ? A-t-il le bordage très élevé ?... Existe-t-il près du fort un endroit où un *canoa* pourrait accoster et débarquer des hommes ?... Des forêts dans le voisinage ?

Quand il en eut assez entendu, il dit calmement à ses capitaines :

— Messieurs, le problème est simple. Nous forcerons leur blocus, retournerons à Port Royal et partagerons nos prises.

Aucun des capitaines présents n'osa lui demander comment.

Il n'avait qu'une seule solution : forcer le barrage malgré la supériorité écrasante de ses adversaires. Le 27 avril 1669, il se prépara à le faire. Ned, qui servait maintenant à bord du vaisseau amiral, eut l'occasion d'observer de près le brio avec lequel Morgan mit sur pied l'opération. Il fit avancer sa flottille de dix bâtiments vers la sortie interdite et expliqua à ses marins :

— Rien ne nous oblige à procéder comme ils s'y attendent. Nous passerons à notre manière.

Il attribua à chacun sa tâche. Certains coupèrent des branches pour fabriquer une armée d'hommes imaginaires ; d'autres les habillèrent avec des hardes improvisées et des chapeaux ; d'autres les armèrent de bâtons. Ayant appris que l'on pouvait confier à Will Tatum des missions importantes, Morgan le convoqua à son bord.

— Will, je veux que vous garnissiez le pont de ce bateau avec tout ce que vous trouverez d'inflammable. Du goudron, de la poix, et de la poudre en vrac. Ensuite vous recouvrirez le fouillis avec des feuilles sèches et des branches.

— Vous n'allez pas sacrifier votre propre vaisseau amiral ? demanda Will le plus calmement du monde.

— Aucun amiral espagnol ne le ferait. Moi, si, répondit Morgan.

Pendant que Will et Ned faisaient du bateau un brûlot, Morgan ordonna à ses forgerons :

— Forgez-moi six énormes grappins deux fois plus gros que vos grappins ordinaires.

Quand ces monstres griffus furent terminés, Morgan participa lui-même au lovage de leurs gros cordages.

Quand tout fut prêt, avec trois bateaux plus petits vidés jusqu'aux sabords pour pouvoir voler sur l'eau, Morgan donna le signal, et sa flottille appareilla comme pour rompre le cordon ennemi. Le bateau pirate prêt à prendre feu, dirigé seulement par Tatum, Pennyfeather et huit autres intrépides assistés par les marins de bois, tous campés sur le pont d'un air féroce, parvint bientôt à la hauteur du gros bâtiment espagnol qui constituait la clé du blocus. Il n'essaya pas d'esquiver mais vira soudain droit sur le travers du vaisseau ennemi, pendant que deux des petits bateaux anglais attaquaient l'avant et l'arrière. Les trois anglais percutèrent l'espagnol simultanément, fixèrent leurs grappins et obligèrent les défenseurs du gros navire à se scinder en trois groupes. Ils auraient mieux fait de n'attaquer le gros bateau qu'en son centre. Parce qu'une fois les grappins en place et la séparation devenue impossible, Tatum et Pennyfeather crièrent aux autres Anglais :

— Sauve qui peut ! Nous mettons le feu aux poudres !

Les hommes sautèrent par-dessus bord vers un bateau de sauvetage qui s'avançait, pendant que Will Tatum s'offrait un plaisir suprême : mettre le feu à la traînée de poudre. Le premier baril explosa en une immense boule de feu avant même que Ned et lui sautent dans les flots. Tout ce qui s'entassait sur le pont prit feu, et l'énorme vaisseau de guerre espagnol se trouva en proie aux flammes rugissantes.

Dans un gigantesque brasier, les deux bâtiments allaient partager le même destin. Enchaînés l'un à l'autre par les grappins de métal, ils brûleraient jusqu'à la ligne de flottaison et couleraient comme un seul bateau. Le principal obstacle à la fuite des Anglais était éliminé.

Entre-temps, les Espagnols avaient lancé un deuxième navire vers le fort, avec l'ordre de s'échouer pour que l'équipage puisse débarquer et contribuer à sa défense, mais un des vaisseaux anglais, plus rapide, le prit en chasse et parvint à l'incendier en tirant à boulets rouges. Il n'en resta qu'une carcasse fumante. Le troisième gros bateau espagnol, poursuivi jusque dans le détroit, fut capturé et Morgan l'adopta pour remplacer celui qu'il avait sacrifié aux flammes. Le chenal était libre de tout bâtiment espagnol, le premier obstacle à la fuite des Anglais venait d'être levé.

Au matin, le capitaine Morgan s'attaqua au problème du fort, dont les canons remis en place pouvaient détruire tout ennemi qui essaierait de se faufiler. L'entreprise semblait impossible.

Mais le mois précédent, quand il était entré avec ses bateaux sous le nez du fort, il avait vu un moyen de les faire ressortir. Et il le mit à exécution. Il réunit autour de lui les grands *canoas* capturés dans la lagune, plaça dans chacun vingt hommes bien armés, parfaitement visibles et ordonna aux marins qui tenaient la barre de se diriger vers la côte aux abords de la forteresse, mais d'accoster au milieu de fourrés. Là, les *canoas* débarquèrent ostensiblement ce qui pouvait passer pour une force d'assaut. Mais ensuite les *canoas* retournèrent aux bateaux des pirates avec seulement deux rameurs visibles, et les dix-huit autres couchés à plat au fond des embarcations avec des feuilles pour couvrir leurs bras nus de peur que leur couleur trahisse le stratagème.

Les Espagnols crurent alors que Morgan avait laissé au pied du fort un énorme détachement, mais en réalité tous ses hommes étaient remontés à bord, cachés à fond de cale. Les occupants du fort, pour ne pas se laisser surprendre, déplacèrent leurs lourdes batteries de canons pour les pointer sur l'endroit où les embarcations anglaises avaient mis des hommes à terre, et d'où ils lanceraient sans doute leur assaut.

Il ne se produisit jamais. Bientôt l'unique sentinelle postée du côté du chenal cria :

— Ils s'enfuient !

Et quand les défenseurs accoururent de ce côté du fort, armés seulement de pistolets et d'épées, les canons pointés dans la mauvaise direction, ils virent Henry Morgan et ses dix bateaux filer en toute sérénité dans l'étroit chenal qui les conduisait à la liberté. Un officier espagnol, l'œil rivé à une lunette de marine, observa le bâtiment de tête et s'écria :

— Le porc ! Il se sert de notre *Soledad* comme vaisseau amiral, et il est assis sur le tillac, en train de boire, sans doute du rhum.

Morgan, libre, avait mis le cap sur Port Royal.

Le redoutable trio que constituaient le capitaine McFee avec son *Glen Affric,* Will Tatum, son second, et Ned Pennyfeather l'homme à tout faire, gaspilla l'année 1670 à diverses activités improductives : traîner dans les auberges de Port Poyal, boire et bambocher. Un missionnaire quaker, venu de Philadelphie pour exercer son ministère à la Barbade, débarqua à Port Royal du fait que son bateau avait perdu une vergue. Mais au bout d'une seule horrible journée à terre, il se retira dans sa cabine dont il refusa de bouger tant que son bateau demeurerait dans cet enfer : « J'ai souvent lu les versets sur Sodome et Gomorrhe, et je me disais : ces villes n'ont pas vraiment existé, ce sont seulement des symboles du mal. Mais Port Royal existe bel et bien. Et si nous étions à l'époque biblique, Dieu l'aurait effacé de la face de la Terre. »

L'oisiveté rendait les hommes du *Glen Affric* irascibles, et ils prirent la mer sans aucun plan précis.

— Pas question de jungles et de bois de campêche, décidèrent les marins.

Ils tentèrent d'intercepter un bateau espagnol chargé d'or, mais aucun ne se présenta. Sans se presser, ils firent voile d'abord vers Porto Bello, mais l'arrivée intempestive d'un convoi espagnol au complet, venant de Carthagène, les incita à filer pour échapper à un désastre certain.

Au cours de leurs errances, jamais ils n'appelaient les flots qu'ils sillonnaient mer des Antilles ou mer des Caraïbes, ces expressions n'étaient pas encore d'usage courant à l'époque. Du fait que l'isthme de Panamá s'orientait curieusement d'est en ouest et non du nord au sud comme on aurait pu s'y attendre, on appelait toujours la mer des Caraïbes « mer du Nord » et le Pacifique « mer du Sud ». Par rapport à l'isthme de Panamá cela correspondait à la réalité. Drake avait donc combattu les Espagnols dans la mer du Nord, puis s'était glissé dans le détroit de Magellan pour rentrer en Angleterre par la mer du Sud, et non le Pacifique. Et sir Henry Morgan ravageait la mer du Nord, pas la mer des Caraïbes.

Un marin ne cessait de répéter à McFee :

— C'est au Mexique que se trouve l'argent.

Et faute de mieux, l'*Affric* mit le cap au nord-ouest, vers la première terre mexicaine qu'ils rencontreraient. Le hasard voulut que ce fût l'île historique de Cozumel, mais quand ils se précipitèrent à terre, les armes brandies, ils ne trouvèrent que des ruines, des temples d'autrefois en train de s'écrouler. Will, en examinant les blocs de pierre, déclara qu'ils étaient égyptiens et les autres acceptèrent cette opinion. Mais l'on discuta beaucoup sur la façon dont les Égyptiens avaient pu atteindre cet endroit perdu.

À Cozumel, ils ne trouvèrent pas un seul peso, mais Ned ramassa une petite tête sculptée qui devait provenir d'une statue. Il l'emporta à bord. Hélas, quand son oncle la vit sur le hamac du jeune homme, il la lança par-dessus bord.

— Pas d'idoles païennes sur ce navire chrétien. Ça porte malheur.

Vers la fin de 1670, le capitaine Morgan fit savoir qu'il avait en tête « une des plus vastes entreprises jamais tentées dans ces eaux ». La rumeur s'en répandit et des capitaines comme Angus McFee et son solide petit *Glen Affric* retournèrent aussitôt à Port Royal pour se faire confirmer officiellement la nouvelle.

— Le capitaine Henry Morgan, par des lettres officielles du roi et du gouverneur de la Jamaïque, a été nommé amiral et commandant en chef de toutes les forces réunies contre les Espagnols. Il invite les bateaux et les équipages intéressés à le rencontrer à l'île à Vache, au large de la pointe sud-ouest d'Hispaniola, pour tirer des plans.

Quelques jours plus tard, le bassin de Port Royal s'était vidé et une petite flotte convergeait vers l'île au large de laquelle le vaisseau *Oxford* avait explosé deux ans plus tôt. Morgan se félicita de voir parmi les arrivants presque une douzaine de navires français portant les cicatrices de nombreuses batailles, car il tenait en haute estime l'ardeur au combat des boucaniers français. « Les meilleurs des Caraïbes », disait-il fréquemment, ajoutant aussitôt : « Quand ils sont bien commandés. » Et il avait l'intention de les commander sur les chemins de l'or et de la gloire. Quand l'amiral s'adressa à ses capitaines rassemblés, il les stupéfia par la hardiesse de sa vision.

— Messieurs, nous avons réuni ici trente-huit bateaux et près de trois mille combattants.

Morgan fit taire les vivats déclenchés par ses paroles en levant un doigt en guise d'avertissement :

— Mais nous venons d'apprendre à l'instant que l'Angleterre a officiellement fait la paix avec l'Espagne.

Violents murmures.

— Tout n'est pas perdu, car nous avons reçu d'autres instructions. Si nous découvrons un complot espagnol pour envahir la Jamaïque ou une autre possession anglaise, nous avons l'ordre d'attaquer l'Espagne à l'endroit où elle sera le plus vulnérable pour empêcher ladite invasion.

Nouvelles acclamations. Puis le coup de grâce :

— Messieurs, nous n'avons encore aucune preuve confirmant l'existence d'un projet de ce genre. Et je vous serais reconnaissant de m'en découvrir une.

Rien ne saurait mieux décrire ce qui se passa ensuite que des souvenirs rédigés par Ned Pennyfeather à propos de l'amiral Morgan, longtemps après le décès de celui-ci.

> *Pour découvrir une preuve de la duplicité des Espagnols, de nombreux petits bateaux partirent dans toutes les directions pour faire des prisonniers qui déclareraient sous serment que les forces espagnoles de Carthagène préparaient une opération importante pour reprendre la Jamaïque. À mon avis, il n'existait aucun projet de ce genre, car nous capturâmes coup sur coup deux bâtiments espagnols, et malgré les interrogatoires fort prolongés pour lesquels je servis d'interprète, nous n'apprîmes absolument rien. Ces Espagnols obstinés furent aussitôt lestés de pierres et jetés à la mer.*
>
> *Toutefois, un bateau de nos amis, éclaireur comme nous, captura deux prisonniers qui acceptèrent de trahir les secrets de l'Espagne. On me fit passer sur ce bateau pour garantir l'authenticité de leurs rapports. En réalité, ce n'étaient pas de*

vrais Espagnols mais des Canariotes de basse extraction, et jamais je ne pus me convaincre qu'ils disaient la vérité. Ils ne pouvaient rien savoir de ce qu'ils affirmèrent sous serment. Mais quand ils virent trois de leurs compagnons, qui refusaient de parler, passer par-dessus bord avec le lest aux pieds, ils se déclarèrent prêts à jurer sur la Bible que je leur présentai qu'une puissante flotte se préparait à Carthagène avec des soldats sans nombre pour attaquer la Jamaïque. Lorsque je remis ma copie de leur déposition à l'amiral Morgan, il la saisit dans la main gauche, la brandit au-dessus de sa tête et cria : « C'est tout ce dont nous avons besoin ! » L'après-midi même, il annonça à ses capitaines réunis : « Nous appareillerons vers l'isthme, le traverserons, et mettrons à sac la riche cité de Panamá. » En entendant ces paroles, je frémis. Ainsi que plus d'un capitaine.

Deux voies traversaient l'isthme, de la mer des Caraïbes à l'est vers l'océan Pacifique à l'ouest. Le premier itinéraire, par voie de terre, celui des trains de mules transportant l'argent et l'or du Pérou, était célèbre depuis les tentatives de Drake. Le deuxième profitait d'un fleuve, le Chagres, à quelques kilomètres vers le nord, redoutablement protégé par un fort à son embouchure. Cette forteresse fantastique était si ingénieusement située et construite qu'un des hommes de Morgan utiliserait plus tard deux pages entières pour décrire son armement effrayant : « Bâtie sur une haute montagne... Un fossé de protection de trente pieds de profondeur... Doublée par un fortin où huit gros canons sont braqués de façon à prendre le fleuve en enfilade. » En outre : « À l'entrée du fleuve se trouve un grand rocher très difficile à apercevoir, sauf à marée basse. »

L'attaque de ce fort par quatre cents hommes de Morgan contre le même nombre d'Espagnols résolus dura une longue et terrible journée. La nuit allait tomber sans que rien ne fût réglé. Ned, qui se battait avec les grenadiers, chargés de la mission périlleuse de courir jusqu'au pied des murs pour lancer à l'intérieur des grenades et des brandons enflammés, eut l'impression que les défenseurs finiraient par repousser l'assaut et par contraindre les Anglais à se retirer dans leurs bateaux en attente. Mais, dans la lumière du crépuscule, il se produisit un de ces événements imprévisibles qui déterminent l'issue des batailles : un Indien habile, qui se battait dans le camp des Espagnols, décocha une flèche qui se planta dans l'épaule d'un grenadier, voisin de Ned. Avec un juron, l'Anglais arracha la flèche de la blessure, plaça à sa pointe un tampon de coton garni de poudre, y mit le feu et la relança dans le fort, où elle atterrit sur un toit de palmes sèches. En quelques minutes cette partie du fort prit feu, et au long de la nuit, des groupes de grenadiers audacieux (dont Ned) ne cessèrent de lancer dans le fort d'autres boules de feu. Au matin, presque tous les bois du bâtiment brûlaient.

La journée qui suivit fut horrible. Plus de cent corsaires (jamais autant n'avaient péri) moururent dans leur tentative de soumettre cette forteresse obstinée, alors que les défenseurs espagnols n'avaient perdu que quelques hommes ; Ned n'avait jamais vu auparavant autant de soldats espagnols se battre avec une telle valeur, notamment le *castellan,* qui battit en retraite devant l'incendie, d'abord dans un coin de son fort, puis de pièce en pièce, le coutelas à la main jusqu'au bout. Acculé enfin dans un angle, il tint tête à trois boucaniers jusqu'à ce qu'un quatrième se jette sur lui pour lui administrer le coup de grâce. Ned, qui faisait partie des trois et qui avait failli périr de la main de cet homme héroïque, s'agenouilla au-dessus de lui, lui prit son épée et la plaça au-dessus du cadavre avec le pommeau en guise de croix. Ce fut dans cette position que les flammes se saisirent de lui.

Le 19 janvier 1671, Henry Morgan et ses deux mille hommes lancèrent leur flotte de *canoas* sur le fleuve Chagres. Aucun ne savait ce jour-là, l'amiral moins que tout autre, qu'il s'engageait dans l'une des expéditions les plus mal préparées de l'histoire militaire. Un des marins, voyant qu'ils abandonnaient toute la nourriture pour pouvoir transporter les armes nécessaires à l'assaut de Panamá, demanda :

— Qu'allons-nous manger pendant notre avancée ?

D'un cœur léger, comme plus d'un autre général dans l'Histoire, Morgan répondit :

— Nous vivrons sur le pays.

Malheureusement, il n'y avait pas de pays. Le Chagres ne coulait pas au milieu de belles terres arables peuplées d'Indiens dans de petites cases de chaume, avec du bétail bien soigné, des vergers et des potagers. Il ne drainait que des marécages, sans cases, sans bétail et même, à la stupéfaction des marins, sans le moindre fruit. Et l'énorme troupe avança trois jours sans manger une bouchée. Le quatrième jour, les hommes connurent un instant de joie perverse, car des éclaireurs crièrent :

— Embuscade, à l'avant !

Les soldats affamés n'y virent pas une menace mais l'occasion de livrer une bataille à corps perdu pour s'emparer d'un peu de nourriture. Mais quand ils arrivèrent à l'endroit de l'embuscade supposée, ils découvrirent, stupéfaits, que les Espagnols avaient fui sans rien laisser à manger. Ils ne trouvèrent qu'une dizaine de sacs de cuir, du genre qu'utilisent les soldats de tous les pays pour ranger leurs affaires précieuses. Ils les mangèrent. L'un de ces marins écrivit plus tard :

> *Vous vous demandez comment des hommes peuvent manger du cuir ? Simple. Raclez les poils, coupez le cuir en lamelles, battez-le entre deux pierres tout en le trempant dans l'eau de la rivière, puis faites-le bouillir pour l'attendrir, et ensuite rôtir pour lui donner du goût. On ne peut toujours pas le mâcher, mais on le coupe en tout petits dés et on le fait tourner dans sa bouche pour en extraire le goût délicieux. Enfin on l'avale. Le cuir n'offre aucun aliment à votre ventre, mais il lui donne de quoi s'occuper un peu, et cela fait cesser pendant un instant la terrible crampe d'un estomac qui voudrait travailler mais ne trouve rien.*

Ned faillit manquer ce festin, car il était parti en éclaireur le long du fleuve au moment de la distribution du cuir. A son retour, voyant tous les hommes mâchonner ce qu'il prit pour de la nourriture, il s'écria, pris de panique :

— Où est ma part ?

Mompox le prit par le bras, l'invita à s'asseoir, fit taire ses protestations et lui expliqua ce que les marins essayaient de ronger. Puis il partagea sa part de cuir rôti en deux, et en donna la moitié à son ami. Ned dit plus tard à Will Tatum :

— Il m'a sauvé la vie. Je n'aurais pas tenu un jour de plus.

Personne n'oublierait le neuvième jour, car après une montée épuisante au sommet d'une crête, les marins affamés découvrirent vers le sud un panorama qui les stupéfia par sa beauté et sa majesté. Ned Pennyfeather le décrivit dans ses Mémoires en ses termes :

> *Je me levai tôt, ainsi que Mompox, et implorai la bénédiction du Seigneur sur ce qui s'annonçait comme notre dernière journée sur cette Terre. Avec ce qu'il nous restait d'énergie nous nous lançâmes dans l'ascension d'une hauteur très raide. J'avançais la tête penchée, les mains crispées sur mon ventre pour étouffer ses grognements de douleur, puis j'entendis Mompox crier : « Ned ! Oh, Ned ! » Je levai les yeux. J'aperçus aussitôt l'immense étendue de la mer du Sud, à l'infini, jusqu'à l'endroit où le ciel devenait presque noir. Des vagues douces, pas plus hautes que quelques pouces, semblait-il, se brisaient sur la plage immense, d'une splendeur sans limite. Aucun signe de la ville de Panamá décrite par Morgan, uniquement ce vaste océan qui s'étendait au-delà de l'imagination.*
>
> *Puis un cri s'éleva derrière moi : « Regardez ! Panamá ! » Je me retournai vers une direction où je ne m'attendais guère à la trouver, et je vis la cité étincelante qui allait faire de nous des hommes riches. J'y découvris de nombreuses églises et le noble clocher d'une cathédrale, entourée d'innombrables maisons pleines des objets de nos convoitises. Dans la baie devant la ville, plus d'une douzaine de bateaux relâchaient, dont plusieurs galions d'une taille énorme — ceux-là mêmes qui apportaient vers le nord l'argent du Pérou. Mompox s'agenouilla près de moi pour rendre grâces, car la ville contenait forcément de quoi manger.*

En descendant vers la mer, ils tombèrent sur une vallée où paissaient un grand nombre de vaches, de taureaux, de chevaux, de chèvres et d'ânes. Ils abattirent ce bétail à la hâte et préparèrent de grands feux pour rôtir la viande, mais quantité de marins, dont Mompox et Ned, ne purent attendre la fin de la cuisson. Dès que les morceaux commençaient à fumer, ils les arrachaient des broches de bois improvisées et commençaient à dévorer. Le sang dégouttait sur leur chemise tandis qu'ils se gavaient.

Le dixième jour après leur capture du fort à l'embouchure du Chagres, l'amiral Morgan et ses hommes, le ventre garni, étaient prêts à lancer leur assaut sur Panamá. Des défenseurs, en grand nombre, les attendaient en ordre de bataille sur une plaine devant leur ville. Outre des troupes entraînées, une cavalerie compétente et un état-major résolu, les Espagnols possédaient une arme secrète sur laquelle ils comptaient beaucoup : deux vastes troupeaux de taureaux sauvages qu'ils comptaient lâcher simultanément contre les pirates au moment propice. Au cri « *Viva el Rey* ! », la cavalerie lança la charge, renforcée par de vaillants fantassins. Pendant deux heures la bataille fit rage, mais les Espagnols ne purent percer les rangs des envahisseurs, forcenés dans leur volonté de vaincre car s'ils perdaient cette bataille leur séjour dans les prisons espagnoles serait un bref avant-goût de l'enfer.

Au début de la troisième heure, les Espagnols lâchèrent leurs taureaux sauvages — douze cents dans chaque troupeau, l'un sur le flanc gauche l'autre sur le flanc droit. Les animaux se précipitèrent tout droit sur les pirates, entendirent le bruit de la bataille, s'affolèrent, se retournèrent soudain et foncèrent vers les Espagnols. En proie à la confusion la plus totale, les défenseurs de Panamá se replièrent pêle-mêle vers la ville, avec les marins de Morgan à leurs trousses.

L'entrée de Morgan dans Panamá fut âprement disputée et il perdit un si grand nombre d'hommes qu'une rage sans nom s'empara de lui. Découvrant que des soldats espagnols en fuite et des civils s'étaient réfugiés dans des fossés dans l'espoir de se rendre quand la fureur des combats s'apaiserait, il ordonna à ses hommes de les abattre, quel que soit leur sexe, et de ne faire aucun prisonnier. Dans l'enceinte de la ville, il tomba sur un groupe nombreux de religieuses et de moines, et dans sa fureur aveugle, il cria : « Ils vont nous attaquer ! » A la tête de ses marins, il lança une charge qui les massacra sans discrimination.

Sa rage devint encore plus intense quand il eut pris la ville, car il découvrit que l'on avait évacué tout l'argent des énormes entrepôts du front de mer. Tous les ornements des monastères et des églises, fabuleusement riches, avaient également disparu. Morgan avait remporté une victoire sans précédent, en prenant des risques énormes, mais n'avait obtenu que l'écorce vide d'une ville. Ses trésors lui avaient échappé.

En proie à une fureur sans bornes, il ne connut plus de limites. Il livra Panamá au pillage de ses marins, et après plusieurs jours de saccage, il leur ordonna de mettre le feu à la ville. Pendant les quatre semaines où il resta à Panamá avec ses hommes, l'incendie fit rage sans discontinuer. Tout brûla. Les églises, les monastères, les maisons, les entrepôts, tout fut détruit en de gigantesques brasiers. Seul le clocher de la cathédrale, en pierre dure, demeura debout pour marquer l'endroit où s'élevait naguère cette splendide cité-carrefour.

Pendant ces journées, les hommes de Morgan, rendus furieux par l'absence des trésors pour lesquels ils avaient tant souffert, capturèrent autant d'habitants qu'ils purent trouver en vie et les mirent à la torture pour leur faire révéler leurs cachettes. Will Tatum et Mompox participèrent à la recherche des fugitifs puis les soumirent aux tortures raffinées perfectionnées par les pirates au cours de leurs raids précédents : le chevalet, le feu, l'horrible rouste, le démembrement, le viol. Et quand leur patience était à bout, le meurtre. Le sac de Panamá vit la mort de quatre cents soldats sur le champ de bataille, et de plusieurs fois ce nombre de civils abattus à la suite de tortures.

Cette fois, Ned ne se livra pas à la chasse des fugitifs, car il avait été chargé des interrogatoires. Sa mission consistait à dénicher où les Espagnols avaient dissimulé les trésors de Panamá. Il partageait la déception de ses camarades et n'ignorait pas que s'ils ne découvraient pas les richesses cachées, ils rentreraient à Port Royal avec rien qui puisse compenser leurs journées de combat et de famine. Il se montra donc sans pitié. Si des femmes refusaient de révéler des secrets de famille, il n'avait aucune scrupule à crier à ses assistants : « Répétez la question », et les tortures redoublaient parfois de violence jusqu'à ce que la prisonnière meure dans le local improvisé où Ned travaillait.

Parmi les hommes capturés se trouvait un notable, visiblement puissant et fort riche. Tatum et Mompox l'avaient découvert au cours d'un raid loin de la ville. Quand ils le conduisirent à la question, Will précisa :

— Il avait trois serviteurs, qui ont donné leur vie pour le protéger. Nous avons été obligés de les tuer, Mompox et moi. Je suis sûr que cet homme sait quelque chose.

Personne n'apprit jamais qui il était, et Ned finit par croire qu'il devait appartenir à un ordre religieux. Après des tourments que peu d'autres hommes auraient supporté, l'homme éclata d'un rire démoniaque.

— Bande d'imbéciles ! Idiots ! Faites venir Morgan ici et je lui révélerai tout.

Morgan parut aussitôt dans la salle des interrogatoires. Le prisonnier, attaché à la roue, le dévisagea avec le mépris infini d'un agonisant et se mit à rire de nouveau.

— Espèce d'âne bâté ! Vous prenez des poses de général mais n'avez pas un grain de bon sens !

— Demandez-lui où est la cachette ! hurla Morgan.

Ned répéta la question en espagnol et le prisonnier répondit :

— Vous aviez le trésor à portée de la main, Morgan. Il était sous vos yeux, à deux encablures de la côte quand vous vous êtes jeté sur notre ville... notre si belle ville.

Pendant un instant, on crut que l'homme allait pleurer, non de douleur mais du chagrin d'avoir vu sa ville incendiée.

— Serrez ! lança Morgan à l'homme qui manœuvrait la roue.

L'Espagnol poussa un cri involontaire, puis reprit d'un ton calme qui redoubla la rage de Morgan :

— Avant votre arrivée j'ai ordonné que tous les trésors de Panamá, l'argent des églises, les lingots des entrepôts, les grands trésors des monastères et des bâtiments officiels, tout : de quoi faire rêver un pirate... Je l'ai fait embarquer à bord du petit galion que vous avez vu quand vous avez attaqué notre ville.

Il haleta. Au seuil de la mort, parler exigeait de lui un douloureux effort.

— Mais vous, Morgan, prétentieux imbécile, pauvre insensé... Vous avez laissé vos hommes bambocher, s'enivrer, violer nos femmes et brûler nos églises. Le beau général que voilà ! Et pendant tout ce temps, le fabuleux trésor que vous convoitiez, vous l'aviez à portée de la main...

Les cordes tendues l'empêchaient de soulever la tête. Il baissa la voix, réduite à un murmure, et Morgan dut se pencher vers lui pour apprendre que le trésor s'était enfui. Aussitôt le mourant lui cracha au visage.

— Tendez les cordes ! cria Morgan.

Lentement, l'écartèlement de l'homme s'acheva.

Le sac et l'incendie de Panamá occupèrent Morgan du 28 janvier au 24 février, quatre semaines exactement. Quand il fut rassasié, ainsi que ses hommes, de la désolation qu'ils avaient semée, il repartit vers la source du Chagres, les mains vides ou presque, puis descendit rapidement le fleuve dans les *canoas* laissés sur place un mois plus tôt. Au cours de ce retour, Ned eut amplement l'occasion d'étudier son commandant, car Morgan prit le même *canoa* que lui. Il lui parla même à plusieurs reprises. Morgan s'en tint toujours à la conclusion qu'il avait adoptée à l'instant où il avait compris que les richesses de Panamá lui avaient échappé :

— Ce fut une noble tentative. Même si nous nous étions contentés de réduire le redoutable fort de l'embouchure, l'expédition aurait été un triomphe. Des vaisseaux anglais pourront utiliser ce fleuve au cours de prochaines campagnes. Quant à la mise à sac de leur grand port de l'argent, le jour où le roi d'Espagne apprendra ce que nous avons fait, il en tremblera dans son lit.

En fait le nouveau roi était un enfant de dix ans presque débile, dont l'incapacité marqua la fin du règne des Habsbourg en Espagne, leur remplacement par les Bourbons, et le déclin de la puissance espagnole partout dans le monde, et notamment aux Antilles.

— On fait ce qu'on peut, Ned. Et il y aura assez de butin. Pas la gloire, mais ça suffira.

Quant à la légèreté avec laquelle il avait laissé filer un trésor qu'il tenait presque entre ses doigts, il déclara :

— A Porto Bello et à Maracaibo, nous avons eu de la chance sans la mériter; et à Panamá de la malchance sans la mériter non plus. N'as-tu pas participé à ces trois raids ? Si tu as mis de côté ta part de butin, la moyenne ne sera pas négligeable.

Le bateau passa devant l'endroit où ils avaient mangé les sacs de cuir.

— Deux ou trois jours sans viande ne font jamais de mal à un homme, lança Morgan en riant. Cela affermit les muscles du ventre.

Ned ne put se retenir de répondre :

— Nous avons jeûné dix jours, capitaine.

— Oui, répondit le célèbre amiral, sérieux soudain. Le septième et le huitième jour, je me suis demandé si je pourrais continuer, mais le neuvième et le dixième, j'ai commencé à sentir la mer...

Il regarda les berges du fleuve qui s'était montré tellement inhospitalier.

— Je n'aimerais pas refaire ce voyage... En tout cas, de la même façon. Mais nous en ferons d'autres ensemble avant de mourir. Et de meilleurs.

Ned prisait ces conversations avec Morgan, car le grand amiral y manifestait à l'égard de ses hommes des sentiments de chaleur et de compréhension qu'il n'affichait pas en d'autres circonstances. Dans l'action il semblait sans pitié, prêt à tout sacrifier, même les vies humaines, pour parvenir à ses fins brutales. Au cours de ces trois expéditions mémorables, il avait provoqué la mort d'un nombre incalculable d'Espagnols, certains à la suite d'actions militaires loyales, mais autant au cours d'interrogatoires cruels pour faire main basse sur des richesses cachées, réelles ou supposées. Mais pendant les derniers jours de cette expédition extraordinaire, il s'avéra hors du commun, et Ned dut penser que les échos de sa gloire retentiraient d'un bout à l'autre des Caraïbes tant que des hommes aimeraient naviguer et les actions héroïques sur les mers.

Aux abords de San Lorenzo — les ruines du fort dont la prise avait coûté tellement de vies — Ned ne put s'empêcher d'avouer à Morgan à quel point il l'admirait.

— Amiral, mon père est mort avant que j'aie l'âge de le connaître. Après ces aventures avec vous, je vous considérerai toujours comme le père que j'aurais aimé avoir.

Morgan, âgé seulement de trente-six ans à l'époque, répondit d'un ton bourru :

— Je t'ai bien observé, Ned. Tu es un homme. Je serais fier d'avoir un fils comme toi.

Mais Ned devait bientôt changer d'opinion sur l'amiral Morgan. Son jugement définitif s'exprima dans les premières pages d'un long journal de bord qu'il tint après le retour de l'expédition au fort de San Lorenzo, quand les marins se préparèrent à embarquer pour le retour à Port Royal.

JOURNAL DE BORD D'UN BOUCANIER

MAR. 14 MARS 1671 : Un des jours les plus sombres de ma vie. Pendant tous ces mois, mon oncle Will Tatum et moi avons suivi le capitaine Morgan comme des petits chiens, et nous l'avons entendu se vanter qu'il nous ramènerait chez nous « non pas avec des centaines de livres, mais avec des milliers ». Eh bien, ce matin il a réuni les équipages sous trois grands arbres et il a crié : « Fouille générale ! » Nous nous sommes tous déshabillés et chacun a fouillé les vêtements d'un autre, chaque poche, chaque couture. Toutes les pièces, les bijoux, les moindres objets de valeur ont rejoint le trésor commun. On a ouvert les malles contenant le peu de butin rapporté de Panamá et on les a vidées sous les yeux de tous. Quand ce fut entassé devant nous, le capitaine Morgan commença le partage : « Une part pour chacun, deux parts pour les capitaines, quatre parts pour moi. » Il continua ainsi jusqu'à ce que le dernier peso fût distribué. Puis il fit un geste qui ne manquait pas d'audace. Il lança par terre tous ses habits sauf ses sous-vêtements et cria : « Fouillez-moi aussi ! » On ne trouva rien de caché. « Est-ce tout ce que nous aurons ? » cria Will. Le ton déçu de sa voix encouragea Mompox et les autres à crier : « Où est la fortune que vous nous avez promise ? » Le mécontentement général faillit dégénérer en mutinerie, mais le capitaine Morgan cria : « Taisez-vous, moutons ! Nous n'avons pas conquis de grandes richesses à Panamá, mais chacun de vous a eu sa juste part de ce que nous avons rapporté. » Une misère ! Onze livres sept shillings chacun. « Vous nous avez volés ! » commencèrent à crier les marins, et si Morgan n'avait pas fait signe aux capitaines de se rassembler autour de lui, il ne s'en serait probablement pas sorti sans blessures.

MER. 15 MARS : La nuit dernière, le capitaine Morgan a dormi sous sa tente avec des sentinelles qui montaient la garde. Il a bien fait de prendre ces précautions parce que plus d'un — moi le premier — avait envie de le tuer. Ces marins qui avaient navigué et s'étaient battus avec lui pendant trois ans avaient reçu bien peu pour leurs peines, et dans leur rancœur certains firent courir le bruit qu'il avait volé beaucoup d'or et de grandes caisses de pièces de monnaie. Mais nul ne pouvait dire où il les avait cachées. Quant à moi, je crois qu'il les a apportées à bord de son bateau, à l'ancre dans la baie. J'en ai parlé à Will, qui m'a dit : « Allons le fouiller tout de suite. » Mais des hommes du capitaine Morgan, bien armés, nous ont empêchés de prendre une des chaloupes dont nous avions besoin pour nous rendre au bateau.

JEU. 16 MARS : Malédiction ! Que soient maudits ses yeux sales, sa grosse moustache, son bouc et son pourpoint à fleurs ! Aujourd'hui, avant que la plupart d'entre nous se réveillent, le capitaine Henry Morgan s'est rendu secrètement à bord de son bateau, a levé l'ancre et a filé avant que nous puissions l'en empêcher. Il s'est enfui sous notre nez avec des milliers ou même des millions de pesos qui nous appartenaient et des quantités inconnues de lingots d'or qu'il avait malhonnêtement prélevés avant le partage. J'ai crié à Will : « Il s'en va ! » Will a couru jusqu'à la grève et a hurlé : « Que tes magasins de poudre explosent ! Qu'une grosse baleine te fasse chavirer ! » Mompox et plusieurs marins ont sauté dans leurs bateaux pour tenter de le rattraper, mais le capitaine Morgan, sachant que leur poursuite n'avait aucune chance de succès, s'est campé à la poupe de son bâtiment et leur a ri au nez. Il a ordonné à son canonnier de tirer deux salves d'adieu, qui ont brisé les branches au-dessus de nos têtes ! C'est de cette manière exaspérante que se sont achevées mes aventures de boucanier avec le capitaine Morgan et ses lettres de marque.

VEN. 17 MARS : Une fois notre rage apaisée, oncle Will a réuni une quarantaine d'hommes de confiance et leur a dit : « Oublions tout cela. Nous nous sommes laissés duper par un maître tricheur. Devenons de vrais boucaniers. Retraversons l'isthme, capturons un bateau du Trésor espagnol, mettons à sac ce qu'il reste de Panamá, puis rentrons chez nous, avec l'aide de Dieu. » Chacun des hommes pressentis était d'humeur à tenter l'entreprise. Nous savions tous que nous possédions la force et le courage d'exécuter le plan de Will. « Les boucaniers ont besoin d'un capitaine de confiance, reprit-il. Je crois que nous devrions tous voter pour McFee. » Cette proposition fut acclamée, Will et Mompox tirèrent un coup de canon pour annoncer « élection unanime », puis quarante-six hommes crièrent « Halloo ! » Quinze Indiens, dont un Mosquito nommé David qui avait fait la preuve de ses remarquables compétences comme pêcheur et charpentier, nous ont suppliés de les laisser nous accompagner, ainsi que dix-neuf esclaves noirs qui n'avaient pas envie de retourner auprès de maîtres brutaux dans les champs de canne à sucre de la Jamaïque. Et bien entendu, j'ai insisté pour que Mompox reste avec nous. Nous étions quatre-vingt-un hommes, quatre-vingt-un prêts à tuer s'il le fallait.

SAM. 18 MARS : J'écris ceci sur la piste qui conduit à la mer du Sud. Jamais je n'ai vu produire tant d'efforts qu'hier. Nos hommes ont réuni un groupe de *canoas* indiens longs et spacieux, dans lesquels nous avons entassé toutes les armes à feu, les piques et la poudre que nous avons pu récupérer sur les bateaux dont les équipages avaient décidé de rentrer à la Jamaïque. Nous souvenant de la faim dont nous avions souffert lors du premier voyage, nous désirions prendre le plus de provisions possible, mais certains marins qui avaient peur de se joindre à nous ont tenté de nous dissimuler des vivres. Will a abattu l'un d'eux et nous n'avons plus eu aucun ennui. J'ai pris sur un de nos bateaux deux longueurs de bambou creusé, bouché aux deux bouts, pour garder mes plumes et mon papier, car je désire conserver un témoignage sincère de ce que nous accomplirons sans le capitaine Morgan. Le premier jour, tout s'est bien passé, et nous avons remonté le fleuve sur au moins quinze milles anglais.

MAR. 28 MARS : Levés tôt, nous avons sollicité la bénédiction du Seigneur sur cette journée. Au bout de seulement quelques milles, alors que je me trouvais en tête avec Mompox, j'ai vu de nouveau l'immense étendue de la mer du Sud. Comme elle m'a paru différente, cette fois ! Quand je l'avais aperçue depuis cette même hauteur, nous comptions mettre Panamá à sac, faire demi-tour et rentrer chez nous comblés de richesses. Aujourd'hui, notre intention était de nous emparer d'un bateau et de faire voile sur ce vaste océan à la recherche de la côte opposée, s'il en existe une. Et quand je me suis retourné pour regarder les ruines du site de Panamá, j'ai vu deux choses, l'une pleine de promesses et l'autre non. Les Espagnols s'étaient regroupés autour de leur cathédrale et ils seraient donc plus faciles à plumer, car cette fois nous comptons bien nous saisir de leurs richesses avant qu'ils ne les cachent. Mais les plus gros vaisseaux de guerre que j'aie jamais vus se trouvaient à l'ancre dans la baie. Je me suis mis à trembler.

MER. 5 AVRIL : Un des jours les plus exaltants de ma vie, parce que j'ai prouvé que je suis un vrai boucanier. Nous nous sommes levés tôt, nous avons dit de brèves prières et nous voilà partis dans nos huit *canoas* les plus robustes pour réussir ou mourir dans notre tentative de franchir le cordon de bateaux espagnols et capturer l'un des gros galions à l'ancre dans le port. Quand nous nous sommes rapprochés de la flotte, les Espagnols ont décidé de nous contrer en embarquant un grand nombre de leurs marins et soldats dans trois de ces petites embarcations rapides qu'ils appellent *barcas*. Ils se sont jetés sur nous comme s'ils allaient nous dévorer, et j'ai cru qu'ils y parviendraient. Mais quand ils se sont avancés, le capitaine McFee, en vrai combattant, a crié : « Laissez-les se rapprocher davantage ! » et pendant ce qui me parut une période d'attente fort dangereuse, nous n'avons pas eu le droit de tirer. Mais dès que nous avons pu distinguer nettement leurs visages, nous avons lâché une fusillade d'une telle ampleur et d'une telle précision, qu'ils en sont restés pétrifiés. Ils ont essayé évidemment de riposter, mais nous étions déjà sur eux, et avec une grande dextérité nous avons sauté de nos *canoas*, abordé leur *barcas* et provoqué le corps à corps. Dans la passion de la bataille, j'ai oublié mes craintes, et me suis très bien comporté. Mais quand deux des nôtres ont voulu forcer cinq des leurs à reculer à la poupe de leur *barca*, ils se sont révélés plus forts. Ils m'auraient tué avec leurs piques sauvages si Mompox n'avait pas sauté à ma défense avec son épée et sa dague. Il a tué l'un des Espagnols et blessé grièvement son camarade. Avant que le soleil passe à son zénith, nous étions les maîtres de deux des *barcas* et la troisième s'est repliée sans demander son reste dans le refuge du port.

Notre victoire nous a laissés avec environ quatre-vingts prisonniers espagnols, presque deux prisonniers par marin anglais — beaucoup trop : qu'en faire ? Mon oncle s'était conduit avec une bravoure remarquable qui lui donnait bien le droit de parler. Il a proposé de les tuer tous. Le capitaine McFee lui a demandé pourquoi. « Ce sont des

Espagnols, non ? » a-t-il répondu. McFee n'a rien voulu entendre. Il a fait venir trois *canoas* le long des *barcas* dont nous venions de nous emparer et l'on y a transbordé les Espagnols. Quand ce fut fait, mon oncle et Mompox sont passés parmi eux, ont abattu les blessés trop graves et jeté leurs cadavres à la mer. Le reste a pu rentrer au port à la rame.

Grâce à la capture des deux *barcas,* nous avons pu récupérer une quantité énorme de coutelas, d'armes à feu, de poudre et de balles. Nous ne sommes plus désormais un groupe de *canoas* indiens mais deux petits vaisseaux de guerre rapides, capables, en raison de notre supériorité anglaise au combat, de menacer même le plus gros galion si nous parvenons à nous rapprocher de lui. J'ai changé moi aussi, parce que maintenant je me sais capable de sauter de mon bateau sur le pont d'un bateau plus grand et d'en balayer tous les Espagnols. Mes compagnons ont sans doute acquis la même assurance, car au cours de cette bataille nous avons vaincu, à quarante-six hommes, plus de quatre fois ce nombre, avec seulement deux morts et trois blessés graves. Nos morts, parmi les Indiens et les noirs qui nous aidaient, ne comptent pas.

Le capitaine McFee a compensé nos pertes de bien curieuse façon : au moment où nous nous préparions à renvoyer nos prisonniers à terre, il s'est penché au bastingage de la *barca* dans laquelle j'avais sauté pendant la bataille puis a dévisagé attentivement tous les Espagnols. Il a choisi les cinq qui lui paraissaient plus intelligents et robustes, et les a gardés avec nous. Comme il ne parle pas espagnol je sers d'interprète, et j'ai appris plusieurs renseignements précieux. Le galion richement chargé qui traverse le Pacifique en provenance de Manille ne relâche jamais à Panamá mais à Acapulco. Le galion qui avait fui Panamá pendant le raid de Morgan sur la ville est resté en pleine mer jusqu'à notre départ, puis est revenu. L'énorme trésor se trouve donc à terre : il nous attend si nous pouvons nous en emparer. Enfin le galion qui apporte l'argent du Pérou n'est pas encore arrivé, mais il sera alors escorté par de nombreux vaisseaux de guerre. En possession de ces renseignements, je m'endormirai ce soir dans un nouveau bateau et un nouveau hamac, inspiré par de nouveaux rêves.

VEN. 7 AVRIL : Un des jours les plus décevants de ma vie. Nous avons essayé en vain de pénétrer les défenses de Panamá, alléchés par la certitude que le grand trésor manqué par Morgan nous y attendait. J'aimerais rencontrer le salaud qui a fait courir le bruit que les Espagnols sont des lâches. Pas quand ils ont un trésor à défendre ! Nous avons tout essayé pour en venir à bout, et nous avons échoué. En mer, ils nous ont tenus en respect avec une batterie de gros canons. Sur terre, ils nous ont accablés par leur nombre. J'ai eu l'impression de me trouver dans un essaim de moucherons pestiférés qui tentaient d'attaquer un lion. De quelque côté que nous allions, nous recevions des baffes. En mer nous avons perdu trois Anglais, abattus par les balles. Et sur terre, deux autres. Nous sommes donc réduits de quarante-six au départ à quarante ce soir. Je m'aperçois que la vie d'un boucanier peut être triomphante quand tout tourne bien, mais dangereuse dans le cas contraire. Battus et dominés, nous allons rentrer, mais nous n'avons pas encore décidé si ce serait par le cap Horn ou par le cap de Bonne-Espérance. À Panamá, les Espagnols étaient trop nombreux pour nous.

LUN. 10 AVRIL : Journée de gloire, journée de mystère ! Hier, à six degrés quarante minutes au nord de l'équateur, notre vigie a crié : « Galion de Lima, deux points à l'est du sud ! » Tous les hommes de ma *barca* se sont précipités à l'avant, et nous avons eu sous les yeux un des plus merveilleux spectacles de la création : un petit galion espagnol bien gréé dont le château de poupe s'élevait haut vers le ciel avec ses ornements dorés qui scintillaient sous le soleil matinal. Il naviguait majestueusement, pareil à un grand d'Espagne fabuleusement riche sorti pour une promenade matinale, et roulait tantôt sur bâbord puis doucement sur tribord, en proclamant à chaque fois : « Regardez-moi bien, je suis lourd de trésors. »

La vue de ce galion enflamma tellement notre avidité qu'au moment où nous nous rapprochions, pas un seul d'entre nous n'aurait renoncé à le capturer, au risque de mourir dans l'entreprise. Le capitaine McFee réunit nos deux *barcas* et s'adressa à nous : « Voici l'objectif dont nous rêvions. Nous l'attaquerons par bâbord, vers le milieu. Nos meilleurs hommes l'escaladeront armés de pistolets et de coutelas. Pas de quartier. Les esclaves qui resteront à bord amarreront nos *barcas* et monteront la garde. Que tous les hommes du groupe d'abordage me suivent, car je prendrai la tête. »

C'étaient des ordres stricts et tous ceux qui les entendirent comprirent qu'en ce jour nous prouverions notre valeur ou entrerions dans le sommeil éternel, au fond de l'océan. Cette éventualité ne me faisait pas peur, mais j'eus soudain du mal à respirer et ma bouche devint très sèche. Mon oncle, à mes côtés, me dit simplement : « Eh bien, petit, c'est ce que tu es venu chercher, non ? Il est là, devant nous. » Je regardai l'énorme bâtiment espagnol au-dessus de nous, et je dois avouer que je me suis demandé : « Quarante hommes pourront-ils s'emparer de lui ? » À peine cette pensée m'était-elle venue, que je la corrigeai : « Quarante Anglais ! » Et je me répondis par des paroles criées à tue-tête pour encourager ma bravoure : « Oui, par saint Georges et l'Angleterre, nous le prendrons ! » Autour de moi, les hommes reprirent mon cri. « Par saint Georges et l'Angleterre ! » Bien que notre capitaine fût écossais, il se joignit aux clameurs.

Le capitaine espagnol, en nous voyant venir, comprit que ce serait un combat sans pitié. Il adopta la même tactique que les galions du port de Panamá. Il lança trois *barcas* plus grandes que les nôtres pour essayer de nous contenir loin des flancs du galion. Quand ces embarcations se rapprochèrent, nous nous jetâmes sur elles comme des loups affamés sur des moutons.

« Laissez-les se noyer ! » cria mon oncle comme les *barcas* espagnoles chaviraient, en jetant les marins à l'eau. Puis il se produisit un de ces mystères insondables du destin. Nous nous regroupâmes pour nous élancer vers le galion, dont les officiers auraient dû être terrifiés en voyant la rapidité avec laquelle nous avions éliminé leur première ligne de défense, mais un incendie stupéfiant se déclara soudain sur le pont au-dessus de nous. Une imprudence quelconque, à bord du galion, avait dû mettre le feu à un baril de poudre, ce qui tua beaucoup plus d'Espagnols que nous-mêmes quand nous grimpâmes le long du flanc pour nous emparer du bateau.

Une fois le galion sous nos ordres, mon oncle et moi arpentâmes les ponts inférieurs à la recherche des énormes réserves d'argent, chaque lingot marqué de son numéro de Potosí, et nous comprîmes que nous avions fait une prise d'une valeur colossale. « Pas de partage à onze livres chacun, cette fois ! » s'écria Will. Nous comprîmes, dans cette cale sombre, que nous serions désormais des hommes riches si nous parvenions à ramener ce grand bateau à Port Royal de la Jamaïque.

Pendant que nous nous trouvions dans les entrailles du galion, nous entendîmes des cris confus sur le pont, et craîgnimes une sortie d'Espagnols armés qui s'étaient peut-être cachés en attendant une bonne occasion de se jeter sur nous et de reprendre leur bateau. Nous nous élançâmes sur le pont, le visage plein de la crasse de la cale, nos pistolets et nos épées brandis. À la place, je me trouvai nez à nez avec la plus belle jeune femme que j'eusse jamais vue. Elle devait avoir dix-sept ans, avec une peau aussi pâle que si le soleil n'avait jamais touché sa jolie frimousse. Elle était vêtue des plus beaux atours, mieux adaptés à un bal qu'à la vie sur un galion. Sa silhouette était parfaite. Elle avait des cheveux bruns et des yeux d'une vivacité exquise, qui semblaient danser de joie de vivre, même dans cet entourage inquiétant.

Une femme que je pris pour sa mère l'accompagnait, une imposante matrone, d'une quarantaine d'années sans doute, peut-être plus, car au-delà de l'âge de vingt ans, je ne suis pas bon juge. L'air sévère, elle désapprouvait manifestement tout ce qui s'était passé ce matin-là, et en particulier la présence des forbans anglais au visage noir qui venaient de s'emparer d'elle-même et de sa fille.

Plus tard dans l'après-midi, quand nous découvrîmes qui elles étaient, nous nous émerveillâmes de notre bonne fortune, car le grand prêtre compassé qui les accompagnait nous apprit dans un espagnol élégant : « Ce sont l'épouse et la fille du gouverneur de Carthagène, le très honorable Alfonso Ledesma Amador y Espiñal. Elles viennent de visiter le Pérou, et, si vous touchez à un seul de leurs cheveux, la colère de tout l'empire d'Espagne vous poursuivra jusque dans vos tombes. » Sur ces paroles, il nous présenta à doña Ana Ledesma y Paredes et à sa ravissante fille Inés. Il nous apprit aussi qu'il était fray Baltasar Arévalo, de la ville du même nom dans la province d'Avila, voisine de Ségovie. Il déclama ces noms comme si chacun décernait une grandeur spéciale à ses origines.

Grand, le visage sombre, la conduite de son troupeau de catholiques espagnols dans le Nouveau Monde semblait pour lui un fardeau épouvantable — sans doute à juste titre — mais il comptait bien défendre en tout cas ses deux protégées, fût-ce au prix de sa vie. Quand mon oncle le vit, il me souffla à l'oreille : « On dirait exactement l'homme de l'Inquisition qui m'a condamné à mort à Cadix. » Si je ne l'avais pas retenu, je crois qu'il aurait plongé son poignard dans le ventre de ce sinistre prêtre.

Je ne suis pas encore couché parce que le capitaine McFee m'a chargé de garder les cent et quelques prisonniers que nous avons faits au cours de la bataille, et au moment même où j'écris, je peux les entendre remuer. Entassés dans une cale au-dessous des écoutilles, ils doivent se demander quel destin les attend. Mon oncle est partisan de les tuer, mais d'autres disent : « Mettons-les dans les barques et renvoyons-les à terre. Qu'ils se débrouillent ! » Je serais fort malheureux si la señorita Inés était traitée ainsi.

MAR. 11 AVRIL : En apprenant que notre beau petit galion s'appelait *La Giralda de Sevilla,* nous avons voulu savoir ce que ces mots signifiaient. Le lugubre prêtre nous a répondu : « À Séville, la plus belle ville d'Espagne, existe une divine cathédrale si vaste que vous ne me croiriez pas si je vous le disais. Associée à elle s'élève la plus belle des tours, la Giralda, monument d'une grâce parfaite, construit par les Maures. »

« Qu'est-ce qu'une *Giralda*? » ai-je demandé. « Une girouette », a-t-il lancé d'un ton impatient. Pour quelque raison insensée, ces idiots d'Espagnols ont donné à une tour le nom de « girouette ». Et notre bateau était donc la *Girouette de Séville.* Certains marins n'aimaient pas naviguer avec un bateau portant un nom espagnol, mais quant ils proposèrent de le changer pour un beau nom anglais de bon aloi, comme *The Castle,* parce que nous avions une superstructure en forme de château à l'arrière, d'autres protestèrent vivement. Ils prétendaient que changer le nom d'un bateau porte malheur : « Nous nous sommes emparés un jour d'un *Saint Peter* et nous en avons fait *le Master of Deal,* moins de quatre semaines plus tard il a pris feu et l'incendie l'a détruit. » On cita cinq histoires épouvantables de ce genre. Mais un homme s'inscrivit en faux : « Nous nous sommes emparés d'un bateau hollandais, *Frau Rosalinde,* et notre capitaine à qui sa femme avait fait des misères, lança aussitôt : « Jamais je ne naviguerai sur un bateau qui porte un nom de femme. » Nous l'avons rebaptisé *Robin Hood* et dans le mois suivant nous avons arraisonné un bâtiment espagnol contenant des quantités de lingots. » Mais pour neuf cas de malchance, il n'y eut que deux exemples favorables, et quand on en vint au vote, le nom de *Giralda* prévalut. Je l'appris au prêtre, qui répondit de mauvaise grâce : « Bon présage. Un marin a toujours besoin d'une girouette. »

DIM. 16 AVRIL : Premières prières, pour remercier Dieu d'avoir remis entre nos mains cette riche prise. Puis grandes décisions, je peux vous l'assurer. Le capitaine McFee et les cinq hommes qui forment son conseil ont résolu d'entasser tous les prisonniers dans des *barcas,* avec des provisions de bouche et de l'eau, puis de les laisser rentrer chez eux du mieux qu'ils pourront — mais seulement après avoir scié les mâts pour les empêcher de se retourner contre nous. Ils ont également convenu de garder à bord de la *Giralda* le chirurgien espagnol qui s'y connaît sans doute mieux que nous en pilules et en onguents, mais mon oncle a mis les officiers en garde : « Fouillez ses fioles et jetez tous les poisons, sinon il nous en fera avaler. » Ils ont décidé de garder aussi un certain maître Rodrigo, homme de savoir qui assistait le capitaine comme navigateur. Il m'avait dit, pour que je traduise : « Je connais ces eaux, d'Acapulco au cap Horn. Informez votre capitaine que je pourrai lui rendre service. » Je lui demandai pourquoi il désirait nous aider. « La vie d'un marin est de naviguer, me répondit-il. Et qui sait ce que le sort réserve à ces petites *barcas ?* » Nous avons gardé sept noirs : esclaves sur la *Giralda,* ils deviendront les nôtres. Notre nouveau navigateur nous a demandé de garder également son assistant, mais oncle Will a protesté : « Mon neveu sait naviguer. Il vous servira d'assistant. » Et l'on en est resté là.

Puis s'est posé le problème le plus délicat : que faire des deux dames Ledesma et du prêtre. Mon oncle se proposait de les faire descendre dans l'une des *barcas,* à la grâce de Dieu, car il voyait en leur présence à bord la source de plus d'un ennui, mais fray Baltasar l'a arrêté par une remarque angoissée : « Sauvez ces femmes, malheureux insensés !

Le gouverneur Ledesma paiera pour elles une belle rançon. » Je m'avançai pour ramener les dames, mais oncle Will lança : « Il offrira la rançon, mais comment la toucherons-nous ? » McFee le réduisit au silence en lui rappelant : « Aucun homme n'a jamais assez d'argent. » Mon oncle en convint mais je m'aperçus qu'il n'était pas content, cet après-midi, quand il vit les *barcas* dériver vers quelque rivage lointain sans les dames Ledesma à leur bord. Quant au sombre prêtre, mon oncle a toujours envie de le poignarder, et il est bien capable de le faire avant la fin de la traversée.

On m'a chargé de trouver un logement pour les deux femmes et le prêtre, et je me suis arrangé pour qu'elles conservent les cabines qu'elles occupaient en haut du château de poupe, mais quand le capitaine McFee a appris ma décision, il a grondé : « Impossible de les laisser là. » J'en ai demandé la raison et sa réponse m'a stupéfié : « Dans quatre jours, ce château n'existera plus. » Il m'a fallu trouver des cabines plus petites et moins confortables au-dessous du pont. Fray Baltasar a protesté, mais de ma voix la plus officielle je lui ai lancé : « Dans quatre jours, ce château n'existera plus », et je l'ai laissé expliquer la situation aux deux dames.

LUN. 17 AVRIL : La *Giralda* n'est pas un des grands galions de Manille, mais il est fort bien équipé avec les instruments les plus modernes que requiert la navigation. Maître Rodrigo s'est assuré que je possédais une certains compétence dans l'utilisation de l'arbalète, pour prendre des visées du soleil afin de déterminer notre latitude, puis il m'a accepté sans réserve comme assistant. « Vous devez ranger votre arbalète car ce n'est guère mieux qu'un jeu de devinette. » Il m'a alors montré un bel instrument neuf, inconnu de moi qu'il a appelé théodolite, construit en poirier cérusé et en ivoire. Je n'ai pu en comprendre l'utilisation, et il m'a expliqué : « Pour faire la visée, ne le braque pas sur le soleil, car cela fatigue l'œil. Dirige-le à l'inverse du soleil, repère l'ombre qu'il projette ici, et rapporte-la à l'horizon que tu vises par ce petit trou. » J'ai suivi ses instructions et obtenu une visée parfaite à ma première tentative.

MAR. 18 AVRIL : Aujourd'hui, quand j'ai remis à maître Rodrigo la latitude calculée d'après ma visée à midi avec son théodolite, je lui ai demandé : « Comment avez-vous appris l'anglais ? » Il m'a répondu : « Un navigateur hollandais — ce sont les meilleurs — m'a conseillé de me procurer un exemplaire des *Errors in Navigation* d'Edward Wright, qui expliquait tout clairement, m'a-t-il dit. Quand j'ai mis la main sur ce livre, il m'a fallu apprendre l'anglais pour le lire. Mais cela méritait bien l'effort. » Il m'a remis cet ouvrage précieux pour que je l'étudie et quand je l'eus parcouru, au niveau où je pouvais le comprendre, je lui ai lancé : « À présent, je suis prêt à devenir navigateur. » Il m'a répliqué : « Peut-être dans dix ans. »

MAR. 28 AVRIL : Grande querelle avec maître Rodrigo. Quand il s'est aperçu que j'avais daté la note ci-dessus *MAR. 18 AVRIL* qui était la date exacte, il a crié : « L'ensemble du monde civilisé utilise le calendrier catholique. Ton calendrier protestant insensé est en retard de dix jours. Change la date tout de suite, sinon tu ne seras plus mon assistant. » Je l'ai donc changée comme vous pouvez le voir, mais je crois que Rodrigo se trompe, car je ne peux pas imaginer que les Anglais puissent commettre pareille erreur.

JEU. 30 AVRIL : Quand nous avons mouillé l'ancre au large de l'île où nous nous trouvons ce soir, j'ai fait le point et découvert que nous étions par 3° 01′ de latitude Nord. « C'est l'île Gorgona, nous a dit le marin, un bon endroit pour ce que vous voulez faire. » Nous avons donc conduit la *Giralda* le plus loin possible dans les terres, en suivant une petite rivière, et quand nous avons failli nous échouer à marée haute, nous avons tendu des cordages du bateau aux arbres de la berge. Une fois solidement amarrés, nous avons reçu les ordres du capitaine McFee : « Nous resterons ici environ un mois pour accomplir les aménagements nécessaires à notre retour à Port Royal en toute sécurité. » Avant le coucher du soleil a commencé la formidable tâche de convertir le beau petit galion en un bon navire de combat digne d'un boucanier. Tout ce que McFee a proposé m'a surpris : « Détruisez ce château arrière. » Une voix a protesté, car cela nous prive d'excellentes cabines. « Les bateaux sont conçus pour faire la guerre, pas la sieste ! » a-t-il répliqué. On va réduire de moitié la hauteur des deux mâts pour se débarrasser de toutes les hautes voiles à la mode du jour, qui ont l'air si jolies quand elles poussent un long galion par beau temps et bon vent, mais qui se révèlent si inutiles quand on essaie de combattre un autre bateau et qu'il faut manœuvrer vite pour prendre l'avantage. On va également supprimer un mât à l'arrière, si bien que plus de la moitié de nos voiles ne serviront plus. Les gros cordages lourds seront entassés sous le pont. Nous ne nous en servirons plus à bord mais nous comptons bien les vendre dans un port où de grands bateaux en auront peut-être besoin. Le désordre accumulé sur le pont sera « entièrement dégagé », car le capitaine McFee a observé : « Si le capitaine espagnol avait rangé ses barils de poudre dans la cale, jamais il n'aurait perdu son bateau. Nous n'aurions pas réussi l'abordage. » Dans tous les coins de ce beau galion, il voit une chose à éliminer d'une manière ou d'une autre, et il a ordonné à Mompox d'attaquer le superflu à la hache.

MAR. 5 MAI : Ce matin, quand fray Baltasar et la señora Ledesma ont vu que nous avions vraiment l'intention d'abattre les deux ponts supérieurs de l'arrière, ils ont protesté, lui avec colère, elle en pleurant. Le capitaine McFee, prétendirent-ils, détruisait un splendide bateau. Mais l'Écossais s'est montré ferme, et a relevé le menton : « Nous aménageons un bateau de combat plus rapide, pour vous emporter sans encombre à la Jamaïque, avec votre magot d'argent massif. Tout ce que nous enlevons ne sert à rien. » Et nous avons continué la destruction.

LUN. 25 MAI : La reconstruction est terminée et maître Rodrigo, en regardant les décombres sur le rivage, a fait observer : « Nous pesons deux fois moins qu'avant. » Le capitaine McFee, les yeux posés sur ce cimetière de mâts de hauteur excessive, de cabines inutiles, et de ponts entiers construits seulement pour le coup d'œil, a lancé à notre équipage : « À présent, nous avons un bâtiment capable de fendre les flots et d'échapper à n'importe quel vaisseau espagnol. »

Demain, nous allons rompre les amarres qui nous relient au rivage, et prendre le large... Vers où ? Nous savons que la Jamaïque est notre but, mais nous ne parvenons pas à nous décider sur un itinéraire : le trajet le plus court par le cap Horn (aventure peu agréable, paraît-il), ou bien le tour du monde — la traversée du Pacifique vers l'Asie, puis le cap de Bonne-Espérance et la remontée de l'Atlantique. Les deux perspectives sont effrayantes de toute manière, mais comme dit oncle Will : « Peu importe laquelle, c'est toujours bien de voir de nouveaux pays. »

JEU. 28 MAI : Je n'ai jamais vécu une journée aussi heureuse en mer. Ce matin, la señorita Inés, que sa mère et fray Baltasar tiennent toujours éloignée de moi, s'était libérée de leur surveillance pour faire un tour avec moi vers l'avant du bateau où ils ne pourraient pas nous espionner. Elle me laissa lui prendre la main, et je crois qu'elle voulait me faire comprendre qu'elle me jugeait bien élevé, quoique anglais. Je ne parle qu'un mauvais espagnol et elle pas un mot d'anglais, mais elle est parvenue à m'expliquer : « Je ne m'appelle pas " Inez " comme vous dites, mais Inés ». Elle a prononcé ce prénom d'une manière douce, adorable, et j'avoue que je préfère de beaucoup sa façon.

Ensuite elle me fit partager l'histoire de ce qu'elle appelle « notre célèbre famille » et je ne fus guère ravi d'apprendre que son arrière-grand-père avait pourchassé notre sir Francis Drake jusqu'à sa tombe marine. En me voyant me rembrunir, elle m'assura que son grand-père, gouverneur de Carthagène, avait autorisé des relations commerciales avec l'Angleterre. Malgré son nom curieux, Roque Ledesma y Ledesma, ce ne devait pas être un méchant homme. Notre conversation agréable fut interrompue par mon oncle, qui nous chassa de notre cachette. Aussitôt, fray Baltasar nous aperçut et survint en courant. Je demandai à Will la raison de son acte : « Une fille t'attend à la Barbade, une Anglaise convenable. » Je voulus savoir laquelle, mais il lança sèchement : « Tu le sais très bien, l'une ou l'autre... » Et il s'éloigna à grands pas en jurant contre les Espagnols en général.

VEN. 29 MAI : Promenade sur le pont avec la señorita Inés, mais quand oncle Will nous a vus il a couru comme une commère prévenir fray Baltasar, qui s'est précipité pour enfermer la jeune fille. Un peu plus tard, mon oncle s'est s'excusé : « Je suppose qu'elle vaut mieux que Mompox. Mais n'oublie pas qu'elle est papiste, et qu'elle poussera des cris de joie quand son prêtre te brûlera sur le bûcher des hérétiques... s'il en a l'occasion. »

JEU. 25 JUIN : En mer, par 2° 13′ lat. Sud, au large de la célèbre ville de Guayaquil, nous nous sommes emparés d'un gros navire espagnol qui naviguait vers Panamá, au nord. Aucune perte pour nous, seulement trois morts dans leur camp. Même décision que la première fois. Tous dans des petits bateaux démâtés. En direction du continent et bonne chance! Transbordement de toute la cargaison à bord de la *Giralda,* incendie de l'espagnol et départ vers le sud. Pendant que nous fêtions notre bonne fortune je me trouvai de nouveau seul avec la señorita Inés. Elle me déclara son chagrin de voir ces bonnes gens, qui ne nous avaient fait aucun mal, largués ainsi à la dérive sans mât ni voiles. J'étais de la même opinion, mais je restai cependant sur la défensive, ne pouvant tolérer qu'une Espagnole critique des marins anglais : « Vous devriez parler à mon oncle. Quand vos Espagnols ont capturé son bateau, ils ont brûlé vifs nos marins, et il aurait subi le même sort s'il ne s'était pas évadé. » Elle n'arrivait pas à croire que son peuple se fût conduit de la sorte et quand fray Baltasar, toujours aux aguets, vint comme d'habitude la sauver de moi, elle lui demanda : « Bon prêtre, dites-moi s'il est vrai que nous avons en Espagne une Inquisition qui brûle vifs les Anglais ? — Oui, nous dit-il, la Sainte Église a dû établir une institution pour se protéger des hérétiques et des infidèles. Eh oui, parfois, les châtiments doivent être cruels, mais pas plus cruels que les actes de votre oncle, quand vous vous emparez d'un vaisseau espagnol et que vous achevez les blessés et tuez ceux qui se sont battus avec le plus d'ardeur contre vous. L'esprit de l'homme est violent, et il a besoin d'être constamment adouci. »

Il nous expliqua qu'en Terre Ferme, l'Inquisition ne condamnait pas au bûcher, ce dont il se félicitait, mais que la lutte contre les hérétiques devait continuer de peur que la seule Vraie Foi ne se trouve « contaminée », selon son expression. Il ajouta : « Nous protégerons la foi dans votre intérêt autant que dans le nôtre. » Comme je ne comprenais pas ces paroles, il m'expliqua : « Il y a moins de cent vingt ans les Anglais étaient tous catholiques, et un de ces jours, quand un roi digne de ce nom montera sur votre trône, vous le redeviendrez. » Sans me laisser le temps de protester, il demanda : « Vous avez vu la plupart des Antilles, Ned. Ne serait-il pas plus simple et bien mieux si nous formions tous un seul ensemble d'îles, toutes catholiques et soumises à un seul roi en Espagne et à un seul pape, à Rome ? »

Cette idée me surprit tellement qu'après le départ du prêtre avec Inés, je cherchai mon oncle et lui dis : « Fray Baltasar prétend qu'il y a cent ans tous les Anglais étaient catholiques... » Il répliqua d'un grognement : « Pas dans ma famille. Depuis l'époque de Jésus-Christ lui-même, nous avons appartenu à l'Église anglicane. » Je ne sais pas trop qui je dois croire.

LUN. 13 JUILLET : En ce jour, j'ai acquis beaucoup de respect pour mon capitaine : par 12° 05′ de latitude Sud, au large du grand port de Callao, qui dessert Lima, au Pérou, j'ai aperçu une multitude de vaisseaux marchands protégés par une flotte de bâtiments de guerre couverts de canons. Je me suis dit : « Mon Dieu, protège-nous si nous tentons quoi que ce soit ici. Je sais qu'un Anglais vaut bien dix Espagnols, mais il y a là trop de bateaux, même pour nous. » Le capitaine McFee a dû avoir la même idée, et je lui en saurai gré éternellement. Lorsqu'il baissa sa lunette, il se tourne vers maître Rodrigo et dit : « Continuez sur le même cap. » Le navigateur salua et répondit : « Excellente décision, capitaine. »

Ce Rodrigo me confond. C'est un Espagnol loyal et il doit donc espérer qu'un vaisseau de guerre de son pays s'emparera de nous, mais il demeure avant tout un marin responsable, et, à ce titre, il tient à défendre son bateau et à le conduire dans des eaux sûres. Je l'ai vu souffrir horriblement quand nous avons démoli son beau galion à la hache, mais à présent il est fier de ses performances de vaisseau rapide, qui se comporte merveilleusement au combat. Réciproquement, nous lui faisons confiance. Selon les termes mêmes du capitaine McFee : « Que faire d'autre ? Il connaît ces eaux et nous ne les connaissons pas. »

MER. 22 JUILLET : D'Arica, je ne peux dire que ceci : le plus riche port du Pérou, car tout l'argent du Potosí part d'ici ; défendu par les meilleures troupes espagnoles. Des beaux salauds, rusés comme des diables. Ils nous ont laissés débarquer, puis ils ont lancé leur cavalerie contre nous, et ils nous ont repoussés tambour battant. Quand nous sommes remontés à bord, oncle Will m'a dit : « Tu vois ! On ne peut jamais faire confiance à un Espagnol. »

MAR. 28 JUILLET : Nous avons pris notre revanche de la perte de trois de nos braves à Arica, mais notre triomphe ne m'a guère impressionné. A bonne distance au sud de ce port, nous avons jeté l'ancre au large de la ville de Hilo et avons débarqué en force pour nous emparer d'une sucrerie dont nous avons pris le directeur de la plantation en otage. Dans un message que j'ai apporté aux propriétaires, à l'intérieur des terres, sous la protection d'un drapeau blanc, nous avons menacé d'incendier la sucrerie si l'on ne nous remettait pas une rançon de cent mille pesos dans les deux jours. Les propriétaires nous assurèrent qu'ils avaient cet argent à Arica, mais que la ville se trouvait à deux jours de distance. Je leur répondis : « Vous apportez l'argent dans deux jours, ou nous incendions vos installations. » Deux jours plus tard, ils se présentaient avec leur drapeau blanc et nous crûmes qu'ils apportaient l'argent. Mais ils n'avaient rien, leur messager à Arica avait pris du retard. Ils nous supplièrent de ne pas incendier le moulin parce qu'ils reviendraient dans deux jours avec la rançon. Deux jours passèrent, et pas d'argent. Je repartis donc les voir avec mon drapeau blanc. Ils me dirent que l'argent serait remis le lendemain et me supplièrent encore de ne pas détruire leur sucrerie. Je le leur promis. Le lendemain — c'est-à-dire hier — toujours pas d'argent. Le capitaine McFee s'est pris de colère : « Ils se moquent de nous, Ned. Mettez le feu partout ! » Nous nous sommes précipités dans tous les coins de la plantation, nous avons incendié les maisons et les granges et avons détruit le matériel. Rien ne restait debout à plus de vingt centimètres du sol. Quand nous avons quitté les lieux, mon oncle m'a dit : « Eh bien, tu as vu à quel point les Espagnols sont fourbes. Cesse de t'occuper de cette fille et de son prêtre. »

VEN. 28 AOÛT : Mon instrument magique me dit que nous sommes très loin au sud de l'équateur, par 26° 21′ lat. Sud. J'ai passé du bon temps à terre à chasser les cochons sauvages sur le rivage, et à attraper des tortues de mer. Nous avons bien mangé au cours de cette expédition de boucanage. Nous sommes en train de « donner carène » à la *Giralda*. Nous avons fixé de gros cordages à notre mât pour pouvoir faire basculer le bateau sur un flanc, puis sur l'autre. Cela nous permet de travailler avec des barres et des haches, pour détacher les bernacles qui recouvrent la coque. Certaines sont de la taille de ma main. Ensuite nous gratterons les algues qui s'accrochent au bois comme de longues chevelures. Ces choses ralentissent énormément un bateau, comme si de grosses mains le retenaient dans l'eau. De vieux marins m'ont dit que si on laissait pousser les bernacles à l'envi, un jour viendrait où le bateau ne pourrait plus avancer du tout.

Mais la partie la plus importante du carénage n'est pas le simple nettoyage. Il faut enlever tous les vers qui se multiplient dans les eaux chaudes et creusent le bois si vite qu'ils seraient capable de ronger une coque entière en un an. Nous avons enlevé une petite montagne de vers, à la grande joie d'une centaine de mouettes qui en profitèrent sans nous dire merci.

Pendant les deux semaines que nous avons consacrées à cette tâche nécessaire, comme nos cabines étaient penchées d'un côté ou de l'autre, nous avons dormi à terre et j'ai eu l'occasion d'effectuer de longues promenades avec la señorita Inés. Nous avons passé d'excellents moments près de la baie à observer les poissons et les tortues, et je pus me convaincre qu'elle ressentait quelque intérêt pour moi. Après tout, chaque fois que je l'avais vue à bord, elle m'avait vu moi aussi. Et si je m'étais de plus en plus attaché à elle, me disais-je, n'était-il pas raisonnable de croire qu'elle se fût attachée à moi de la même façon ?

Un après-midi où je travaillais dur à gratter la coque et à la préparer pour le revêtement de métal que nous avions découvert dans la cale, je vis Inés marcher près du rivage sans l'habituelle protection de sa mère ou du prêtre, ce chien de garde attentif. Bien entendu, je ne quittai pas des yeux la jeune fille que j'en étais venu à aimer au cours de notre longue traversée, et je m'aperçus qu'un de nos marins, nommé Quinton, grossier et mal embouché comme la pire racaille, s'était mis à la suivre. À peine avait-elle disparu à mon regard que je l'entendis pousser un cri. Je me précipitai vers l'endroit où je l'avais vue. Sans hésiter ni réfléchir, je tirai mon pistolet de ma ceinture et abattis l'homme. Le bruit attira la señora Ledesma et fray Baltasar. Ils prirent la jeune fille évanouie dans leurs bras et la portèrent à la tente qu'ils occupaient pendant le carénage.

L'équipage se réunit, car un de ses membres avait été abattu. On m'approuva sans réserve. Sauf mon oncle qui profita de l'occasion pour me réprimander : « Tu n'aurais pas dû gaspiller une balle à tuer un Anglais qui s'attaquait à une Espagnole, mais la garder pour un Espagnol attaquant un Anglais. »

Comme notre équipage était rassemblé, quelqu'un invoqua soudain la tradition : « Les boucaniers ont toujours élu leurs capitaines. » Aussitôt la plupart se plaignirent de la façon dont McFee s'était comporté à plusieurs occasions, et un si grand nombre exprima son mécontentement que le premier qui avait parlé présenta une motion comme au Parlement : « Je propose d'élire un nouveau capitaine. » Avant même que je comprenne ce qui se passait, nous avions déposé le capitaine McFee et élu un marin qui parlait fort mais n'agissait guère.

JEU. 3 SEPTEMBRE : Aujourd'hui mon oncle, dans une crise de colère, m'a lancé : « Ned, tu ne me donnes que des soucis. Ne fréquente pas cette Inés. Elle ne te vaudra que des ennuis. » Je voulus protester, mais il a réagi : « Et ne fréquente pas non plus Mompox. Il te vaudra des ennuis encore plus graves. » Je lui demandai la raison de cet éclat soudain, et il me répondit d'une voix presque plaintive : « Tu étais destiné à une belle jeune Anglaise de la Barbade, et par les cornes de l'enfer, je veillerai à ce que tu rentres sain et sauf dans notre île. »

LUN. 14 SEPTEMBRE : Notre nouveau capitaine a pris la grande décision. « Nous rentrerons par la Chine, l'Inde et Bonne-Espérance. » Dans cette perspective, nous avons mis le cap à l'ouest en suivant la latitude 34° 07' Sud et sommes parvenus à une île appelée Juan Fernandez. Nous relâchons ce soir dans la baie principale, et pour moi qui aspire à devenir navigateur confirmé, la visite à cette île isolée a constitué une sorte de cadeau. Dans le ciel qui s'est magiquement éclairci de tout orage comme en mon honneur, j'ai vu pour la première fois ce soir les grandes concentrations d'étoiles que les marins ont appelées nuages de Magellan, car ce dernier fut le premier homme civilisé à les voir. Comme ils sont mystérieux et magnifiques, accrochés dans les cieux du Sud ainsi qu'un bouquet de fleurs célestes. Je les contemplais, émerveillé, mais maître Rodrigo s'approcha de moi et me dit d'un ton sombre : « Ils sont beaux, oui, mais ne valent pas le dixième de notre étoile polaire, qui nous indique où nous sommes. » Ensuite il me montra comment, en utilisant la croix du Sud, constellation aussi belle que n'importe quelle autre dans le nord, un marin peut construire dans son imagination l'équivalent de l'étoile polaire. Ce fut un bon exercice mental, et je l'en remerciai.

Quand il s'en alla, un promeneur nocturne bien différent vint prendre sa place, et je sentis une petite main se poser sur la mienne. C'était la señorita Inés, venue voir les nuages de Magellan, et au moment où elle se blottit près de moi, elle murmura : « Ned, je suis si heureuse d'être avec vous. » Avant même que je me rende compte de ce qui nous arrivait, nous nous embrassâmes, et ce fut plus doux que tous les baisers que j'avais donnés et reçus à Port Royal. Nous demeurâmes ainsi presque une heure entière, à regarder Magellan et à nous embrasser. Puis nous entendîmes tout un remue-ménage sur le pont inférieur, et nous vîmes la señora Ledesma et fray Baltasar courir en tous sens, tantôt ensemble, tantôt l'un dans une direction l'autre ailleurs, sans cesser de crier : « Elle n'est pas ici ! Est-elle par là-bas ? » Tout ce temps, Inés se serra plus près de moi et maintint mes bras autour de sa taille, si bien que nous semblions une seule personne. Elle ne cessait de m'embrasser et de rire du tapage que faisaient sa mère et le prêtre. Enfin fray Baltasar nous repéra sur le pont supérieur. « Exactement ce que nous craignions ! Elle est avec lui ! » Les deux forcenés se précipitèrent vers les échelles pour sauver Inès, qui resta dans mes bras jusqu'à leur arrivée.

« Dévergondée ! » cria sa mère en arrachant Inés de mon étreinte. « Vaurien ! » ajouta le prêtre en m'éloignant des deux femmes à coups de coude. Mais quand Inés fut en sécurité dans sa cabine, Baltasar revint près de moi regarder les étoiles. Nous parlâmes presque jusqu'au jour. Il évoqua son enfance à Arévalo, il m'expliqua qu'il avait pu voir dans sa vie des dizaines de mariages entre des personnes mal assorties : tous avaient fini dans le malheur et parfois même par une tragédie. Il y avait toujours un lot de tragédies humaines dans les récits de fray Baltasar.

« Qu'entendez-vous par “ mal assorties ” ? » lui demandai-je, et il me fournit plusieurs exemples : « Une dame de noble naissance mariée à un Maure. Couleur différente, religion différente, très mauvais. Elle l'a poignardé. Une femme de qualité de notre ville a épousé un Portugais de vile extraction. Il l'a étranglée pour son argent. Je l'ai accompagné au gibet, et je suis heureux de dire qu'il est mort en se repentant. »

Il donna trois exemples d'Espagnoles de « bonne réputation », selon son expression, qui avaient épousé des protestants, et avaient mené des vies pitoyables. À la fin de ces récits, je lui demandai carrément : « Qui doit épouser qui ? » Il me répondit d'une voix ferme : « Une belle jeune fille catholique de noble famille comme Inés doit épouser seulement un jeune homme catholique d'une famille de même rang.

Ce que vous faites importe peu, car vous êtes hérétique. » Il me laissa seul, les yeux posés sur les étoiles. L'aube allait poindre et je pouvais encore sentir les bras d'Inès autour de moi. Je descendis me coucher, certain qu'elle m'aimait — et satisfait.

MER. 30 SEPTEMBRE : Événements stupéfiants. Au cours de notre long séjour à Juan Fernandez, notre équipage s'est lassé des ordres ridicules que lançait notre nouveau capitaine pour exhiber son pouvoir sur nous. On a commençé aussi à critiquer sérieusement sa décision de rentrer par la Chine, et un rassemblement a eu lieu hier soir. Nous lui avons annoncé qu'il n'était plus notre capitaine et il a demandé : « Qui le sera ? » Une élection a eu lieu et notre ancien capitaine, Mr. McFee, a repris sa place. Ce genre de chose ne me plaît pas. Des marins ordinaires ne devraient pas avoir le droit de destituer et de renommer des capitaines. La manière des Anglais est bien meilleure. On le nomme capitaine et il le reste jusqu'à ce que son bateau coule. Bien entendu, s'il coule avec son bateau, comme il est censé le faire, cela met fin à tout.

La première décision du capitaine McFee ne fut pas heureuse. Il résolut, avec notre approbation, de ne pas continuer notre traversée des mers du Sud mais de se diriger vers le cap Horn. Il quitta Juan Fernandez si vite que nous n'eûmes pas le temps de vérifier sur la plage qu'aucun de nos hommes n'était resté à terre. Au bout de plusieurs heures en mer, mon oncle s'écria : « Virez de bord ! Le Mosquito David est resté dans l'île ! » mais le capitaine McFee ne voulut rien entendre. Nous continuâmes notre route vers le détroit de Magellan. Je passai de longues heures à songer à David, à ce que serait son destin. Je l'imaginais seul, absolument seul sur cette île perdue. « Comment mangera-t-il ? Et s'il tombe malade ? » Pauvre David, pauvre Indien. J'ai pleuré pour lui *.

Autre événement passionnant de cette journée mémorable, nous avons aperçu un bateau espagnol qui se dirigeait vers le nord et nous avons décidé de le poursuivre. De nombreux marins, moi compris, n'étaient pas d'avis de capturer un autre bateau, surtout dans le sud, car il ne transportait sans doute ni or ni argent. Mais le capitaine McFee a déclaré : « Un marin parti pour une longue traversée n'a jamais assez de vivres et de poudre à canon. » Nous avons rattrapé l'espagnol, nous l'avons abordé sans perdre un seul homme, passé neuf marins au fil de l'épée, puis délesté les cales de tout ce qui méritait d'être emporté. Nous avons épargné les chaloupes mais incendié le bateau. Ensuite nous avons fait descendre dans les chaloupes la plupart de nos prisonniers espagnols et l'équipage du bateau, puis nous avons scié les mâts et en route vers le continent, qui se trouve très loin d'après mes repères sur la carte. J'ai demandé à mon oncle : « Crois-tu qu'ils parviendront à terre ? » Il m'a répondu : « J'espère bien que non. » Je me suis levé de mon hamac pour ajouter ces phrases. Je n'arrivais pas à m'endormir, je songeais à David le Mosquito abandonné sur cette île et aux marins espagnols qui

* L'Indien Mosquito, connu sous le nom de David, fut sauvé quelques années plus tard par le légendaire pirate, naturaliste et écrivain William Dampier, et ramené à la civilisation. Curieusement, en 1704, le célèbre marin écossais Alexander Selkirk se fit déposer sur cette même île, où il vécut dans une solitude totale pendant quatre ans et demi avant d'être retrouvé par le même Dampier lors d'une autre visite à Juan Fernandez. Daniel Defoe, qui connaissait Dampier, emprunta plus tard cette histoire, sans le signaler, pour en faire la trame de son roman *Robinson Crusoë*.

essayaient d'atteindre les côtes sans voiles et avec très peu de nourriture et d'eau. J'en ai assez de tuer. Je suis fatigué de tirer sur des prisonniers espagnols sans armes, ou de les envoyer à la dérive vers la mort. Capturer leurs bateaux, soit. Nous battre vaillamment s'il le faut, à l'épée et au pistolet, soit. Mais ce massacre incessant ? Non. Je n'y participerai plus. Bien entendu, de tels remords ne tracassent pas oncle Will, qui ronfle dans son hamac, au-dessus du mien.

MAR. 13 OCTOBRE : Des journées vides et mornes, vers le cap Horn. Aucun poisson à attraper, aucun oiseau à suivre des yeux, aucun bateau espagnol à pourchasser, rien. Ce doit être la mer la plus solitaire du monde. Mais aujourd'hui la vie s'est un peu animée, car maître Rodrigo m'a soumis à une épreuve : « Voyons, *muchacho*, pour être navigateur, il faut pouvoir faire une visée juste. » Il m'a remis une feuille de papier et en a gardé une. « Il est près de midi, m'a-t-il dit. Nous allons viser le soleil tous les deux sans donner notre chiffre, puis nous calculerons la latitude sur nos feuilles et nous comparerons nos résultats. » Il me laissa passer le premier. Les pieds bien campés et le bras ferme, le dos au soleil et le bâton magique bien tendu. Je calculai une latitude de 39° 40′ Sud, et je l'inscrivis sur ma feuille. Il fit sa visée à son tour, beaucoup plus rapidement que moi, et l'inscrivit. « Comparons, maintenant. » Je posai ma feuille à côté de la sienne. Nous avions trouvé tous les deux trente-neuf degrés, et l'écart entre nous n'était que de vingt minutes. « *Muchacho*, tu es un navigateur en herbe. Plus que neuf ans. »

« Maître Rodrigo, lui demandai-je, si nous pouvons dire avec une telle précision où nous sommes par rapport au nord et au sud, pourquoi ne pouvons-nous le faire dans le sens est-ouest ? » Il s'interrompit pour me donner une longue leçon au cours de laquelle il compara les deux problèmes : « Pour la latitude, nous avons deux repères fixes, le soleil à midi, l'étoile polaire la nuit. Dieu nous les a donnés et ils sont immuables. Une visée vers l'un d'eux, et tu sais exactement à quelle distance angulaire tu te trouves de l'équateur. » Puis il dit une chose que fray Baltasar n'aurait sans doute pas approuvée : « Mais Dieu ne s'est guère soucié de Son est et de Son ouest. Nous n'avons pas de repères fixes. Pour la longitude, nous sommes réduits à des conjectures. » Il passa plus d'une heure à m'enseigner les secrets qui permettent aux navigateurs expérimentés de deviner où ils sont. « Suppose que je sache où Cadix se trouve, au début de la traversée, et que je sache à quelle vitesse et dans quelle direction mon bateau se déplace. Au bout de vingt-quatre heures, je peux estimer sans grand risque d'erreur l'endroit où je suis arrivé. À partir de là, je peux effectuer de nouveaux calculs : marées, vents, dérive des courants, vitesse supposée. Vingt-quatre heures plus tard, j'estimerai de nouveau notre position. Et ainsi de suite autour du monde. En ce moment, parce que nous avons des cartes et savons ce que nous avons fait, j'estime que nous sommes à environ 69° de longitude à l'ouest de Cadix. » Au terme de cet exposé, il se rembrunit : « C'est agaçant de ne pas disposer d'un système plus sûr. Quelqu'un inventera peut-être une chaîne que nous traînerons dans l'eau pour égrener les milles. Ou un nouveau moyen pour viser le soleil à côté, et non de haut en bas. Ou bien une horloge qui nous dira toujours quelle heure il est à Cadix pour que nous puissions comparer le midi d'ici au midi de là-bas. » Il me montra le théodolite d'ivoire et me dit : « Si des hommes ont inventé ceci, il n'y a pas si longtemps, ils pourront inventer d'autres appareils utiles. » En calculant à l'estime les marées et les vents, en tenant compte de l'imprécision de nos cartes, nous calculâmes que pendant ces journées monotones vers le sud, nous parcourions jusqu'à quatre-vingt-dix milles nautiques — soit environ quatre miles anglais à l'heure. Un jour nous avançâmes plus de cent milles, mais certains autres, avec un vent contraire, seulement vingt ou même moins.

SAM. 21 NOVEMBRE : 56° 10′ Sud. Oui, c'est exact. Je l'ai vérifié avec mon théodolite chaque fois que le soleil a percé les nuages glacés, et ce chiffre confirme une lamentable aventure de chenaux manqués, de déceptions, de désespoirs et de doigts gelés. Maître Rodrigo n'avait jamais navigué par le détroit de Magellan qui relie la mer du Sud à l'océan Atlantique, et comme des nuages lourds nous ont enveloppés presque tout le temps depuis la capture de notre dernier bateau espagnol, personne à bord ne savait vraiment ce qu'il fallait faire. Plusieurs marins m'ont dit : « Heureusement que tu sais te servir de cet astrolabe, sinon nous serions complètement perdus. » Si mes visées sont justes et si nos cartes ne mentent pas, nous avons complètement manqué le détroit et nous sommes beaucoup plus bas vers le pôle sud. Mais nous avons enfin trouvé de la haute mer, et demain matin le navigateur conseillera au capitaine McFee de mettre le cap au nord, car je suis convaincu que nous avons contourné le cap Horn et sommes à présent dans l'océan Atlantique. Je dois dire que je n'apprécie guère désormais la compagnie de boucaniers qui ne savent même pas dans quel océan nous sommes.

DIM. 29 NOVEMBRE : Journée de miracles ! Perdus dans le froid violent. J'ai calculé d'après ma visée du soleil que nous devons nous trouver par 52° 10′ de lat. Sud. Le nid de nuages légers que je ne cesse d'observer au nord-est depuis deux jours doit se trouver au-dessus d'une île qui n'existe pas sur nos cartes. J'ai fait part de mes conclusions au capitaine McFee et je lui ai recommandé de mettre le cap dans cette direction. « Va au diable ! m'a-t-il répondu. Ce n'est pas un gamin qui me dira où je dois aller. » Mais les marins se sont réunis et ont décidé de lui retirer de nouveau le commandement, « parce qu'il avait manqué Magellan et la pointe de l'Amérique du Sud ». Leur arrogance ne dissimulait guère leur frayeur d'être perdus sur un océan inconnu.

Pendant quelques minutes, nous sommes restés sans capitaine, puis le miracle se produisit car mon oncle cria d'une voix tonnante : « Les îles ! Juste où le gamin a dit qu'elles seraient * ! » Et quand les hommes effrayés levèrent les yeux, ils aperçurent de belles îles vertes qui promettaient eau fraîche et venaison. Will cria de nouveau : « Par le diable, une seule personne sait où nous sommes, et c'est ce gamin. » Les hommes m'acclamèrent et m'élirent capitaine, avec comme instruction ferme : « Ramène-nous au port, petit. »

Me voici donc à l'âge de vingt ans, presque vingt et un, au commandement du ci-devant galion espagnol *Giralda,* devenu vaisseau de combat anglais, avec un équipage de quarante Anglais

* Les Malouines. Las Islas Malvinas pour les Espagnols. Les Falklands pour les Anglais.

aguerris, neuf marins espagnols qui ont choisi de rester avec nous, et dix-sept esclaves, quatorze Indiens, Mompox, maître Rodrigo, fray Baltasar et les deux dames Ledesma — plus une cale pleine de lingots d'argent.

Où sommes-nous ? Je sais seulement que nous nous trouvons sains et saufs dans l'Atlantique et que notre refuge de Port Royal nous attend à quelque six mille sept cent milles nautiques au nord, si les cartes dont nous nous sommes emparés sont exactes. En tant que capitaine responsable de la sécurité de mon bateau, je dois supposer que tôt ou tard nous rencontrerons un grand vaisseau de guerre espagnol avec un équipage plus nombreux et des canons plus puissants, capable de nous arraisonner. Il faut absolument que je l'évite. Au cours des quelques heures depuis que l'on m'a donné le commandement, je n'ai pas songé à la facilité avec laquelle nous avons capturé de petits vaisseaux espagnols, mais à notre fuite devant de grands bâtiments à Panamá, à Callao et à Arica. J'ai vu que les soldats espagnols, quand ils étaient en nombre, nous ont infligé une cuisante défaite au port de l'argent. J'ai décidé qu'on peut être un vrai boucanier sans pour autant se conduire comme un idiot.

SAM. 12 DÉCEMBRE : 34° 40′ Sud, au large de la côte de Buenos Aires, où s'est produit un événement entièrement nouveau, à ma plus grande surprise. En tant que capitaine de notre bateau, je prends désormais mes repas dans la même cabine que les dames Ledesma et leur prêtre. Je me trouve donc face à face, trois fois par jour, avec l'adorable señorita Inés, et je crois que je parle en nos deux noms — et en tout cas pour moi — quand j'écris le cœur battant et d'une main qui tremble, que nous sommes tombés merveilleusement, magnifiquement, amoureux. Elle s'est montrée fort habile à échapper à sa mère et à son prêtre pour venir me trouver où ils ne savaient pas que j'étais. L'autre soir, nous avons passé près de trois heures tout seuls et ce fut... ma foi, un enchantement. Au moment de me quitter, elle me murmura : « Ned, je sens au fond de mon cœur qu'à la fin de cette croisière nous serons mariés. » Je lui ai assuré : « C'est devenu mon seul but. »

Ce midi, après avoir fait le point avec les résultats inscrits ci-dessus, j'ai demandé à table : « Où est la señorita Inés ? » Sa mère a répondu d'un ton suffisant : « Enfermée dans sa cabine. » Je restai sans voix et le prêtre demanda avec un sourire ironique : « Et qui croyez-vous qui surveille la porte ? » Je n'en avais aucune idée. « Votre oncle », me lança-t-il.

Oui, l'ennemi le plus farouche de mon amour pour Inés est mon propre oncle. Quand je me suis précipité dans la coursive pour lui donner une semonce, il m'a dit : « Mon enfant, ta vie risque d'être... » J'essayai de l'écarter : « Je ne suis plus un enfant. Je suis le capitaine de ce bateau. » Je ne pus le déloger. Il prenait le parti du prêtre et de la señora Ledesma pour le bien de mon âme, me dit-il, et parce qu'aucun Anglais ayant du sang Tatum dans ses veines ne devait épouser une Espagnole.

Ainsi donc trois personnes résolues, deux Espagnols et un Anglais, se sont liguées pour empêcher deux jeunes gens obstinés, la señorita Inés et moi-même, de se donner des gages d'amour. La nuit dernière, je peux vous dire qu'ils ont échoué, non pas à la suite d'un coup d'audace de ma part, mais parce qu'Inés a échappé à la surveillance de fray Baltasar, a couru dans la cabine où je dormais et a fermé la porte de l'intérieur. Avec un tendre abandon elle s'est jetée dans mes bras en s'écriant : « Oh ! Ned, je ne peux pas vivre sans vous... Si brave... Capitaine de votre bateau... Tous mes désirs vont vers vous. » Ma foi, je dois avouer que j'étais abasourdi par la témérité de son acte. Surtout qu'elle ne cessait de répéter, en couvrant de baisers mes lèvres tremblantes : « Nous nous marierons. » C'était exactement ce dont j'avais rêvé au cours de la longue traversée au sud du cap Horn, et j'ai commencé à envisager sérieusement le mariage avec cette jeune fille adorable, en dépit des objections énergiques de sa mère et de mon oncle.

Mais alors même qu'elle me lançait ses déclarations d'amour, que j'acceptai comme le genre de miracle qui se produit quand un homme devient capitaine d'un beau bateau, de grands coups furent frappés à ma cabine et nous entendîmes la señora Ledesma et fray Baltasar, celle-ci d'une voix aiguë, celui-là d'un ton grave, supplier Inés d'ouvrir la porte et de se conduire comme une jeune Espagnole bien élevée. Elle refusa, en criant à plusieurs reprises : « Je n'ouvrirai pas. Promettez-moi d'abord que nous pourrons nous rencontrer sur ce bateau, Ned et moi, comme nous l'entendons. » J'eus l'impression, en entendant les coups qu'ils frappaient et la réponse d'Inés, qu'un grand scandale s'annonçait. Mon équipage allait être au courant de tout, et je me demandai aussitôt quelles en seraient les conséquences.

Le problème sombra au niveau des futilités quand j'entendis mon oncle crier, dans les premiers feux de l'aurore : « Un bateau espagnol ! À l'attaque ! » Il se produisit un énorme vacarme : notre *Giralda* s'élançait toutes voiles dehors vers l'ennemi et préparait ses ponts pour l'assaut. Il était parfaitement ridicule que je reste enfermé dans ma cabine, prisonnier d'une jeune Espagnole, au moment où le vaisseau que j'étais censé commander fondait sur un ennemi peut-être fort bien armé.

— Il faut que je sorte ! criai-je à Inés en essayant de me libérer, mais elle se campa devant la porte verrouillée et refusa de me la laisser ouvrir.

Je passai les minutes suivantes torturé par l'indécision, tandis que la señora Ledesma continuait de cogner à ma porte, que fray Baltasar hurlait des anathèmes et que mon oncle lançait mon bateau à l'assaut d'un ennemi que je ne pouvais pas voir, dont je ne pouvais pas évaluer la puissance. Désolante position pour un capitaine ! Mais je ne vis aucune issue possible et, tenant Inés dans mes bras, j'attendis le fracas des armes qui surviendrait quand les marins de la *Giralda* essaieraient de prendre à l'abordage le vaisseau espagnol en fuite.

Ce furent deux heures effrayantes, enfermé dans cette cabine avec la jeune fille que j'aimais. Nous entendîmes les deux bâtiments se heurter, puis le bruit rapide des pas sur le pont et les échos des épées si lointains qu'ils venaient à coup sûr du pont de l'autre bateau, enfin des salves puis des cris de victoire. À ce moment-là, Inés me laissa partir.

Quand je montai sur le pont, je trouvai mon oncle Will en train de conduire onze prisonniers espagnols lestés de chaînes vers la coupée du bateau, avec l'intention de les pousser par-dessus bord. Leur mort serait instantanée. « Non ! m'écriai-je. Laissez-leur une chaloupe, ou bien leur bateau, que vous démâterez. »

Mais mon oncle et les habituelles têtes brûlées sur qui il pouvait compter pour approuver ce genre de conduite infâme refusèrent de se soumettre à mes ordres, et je dus crier : « Arrêtez ! Je suis votre capitaine ! » Deux des marins me répliquèrent du tac au tac : « Plus maintenant. Vous vous êtes caché dans votre cabine pendant que nous nous battions. » Ils tinrent une assemblée sur-le-champ, ils me déposèrent et rétablirent Mr. McFee dans ses fonctions.

Quand les boucaniers essaient de gouverner à bord de leurs bateaux, ils se conduisent souvent comme des imbéciles. Vous vous rendez compte ? Élire le même homme capitaine à trois reprises. Mais, en un sens, je fus content qu'il reprenne le commandement parce que son premier ordre fut : « Libérez ces prisonniers. » Comme il était plus âgé, les hommes durent lui obéir. Ensuite, il ordonna de dépouiller le bateau capturé de tout ce dont nous aurions besoin jusqu'à notre retour à Port Royal, surtout les tonneaux d'eau douce et la nourriture. Il invita nos marins à ramener à bord autant de poudre et de balles qu'ils estimaient nécessaire, puis d'abattre les mâts au niveau du pont. Les Espagnols vaincus purent alors remonter sur leur navire et se diriger vers le continent, pendant que nos hommes tiraient des salves pour les inciter à se hâter.

Je suis resté capitaine quinze jours. J'ai ramené notre vaisseau de 56° à 34° Sud. On peut dire que, sous mes ordres, nous avons capturé un bateau espagnol sans perdre un seul homme, et que j'ai reçu la demande en mariage d'une merveilleuse jeune Espagnole. Beaucoup de capitaines boucaniers mettent plus de temps pour des résultats moindres.

Mais, dans le nouvel ordre des choses, je ne suis plus autorisé à prendre mes repas avec les dames Ledesma et le prêtre, et il faut donc que je trouve un moyen de revoir la jeune fille qui m'aime.

VEN. 25 DÉCEMBRE : Très loin de la côte, par 22° 53′ lat. Sud, en face de Rio de Janeiro, au Brésil. Cet après-midi, toute la rancune que je nourrissais à l'égard de fray Baltasar a disparu. Tout le monde à bord s'était réuni sur le gaillard d'arrière par un bel après-midi pour les services divins en l'honneur de la naissance de Notre-Seigneur Jésus-Christ, et le grand prêtre sombre s'est écrié, après avoir prononcé ses prières : « Que l'harmonie règne en ce jour béni. J'ai prié à la manière des catholiques espagnols pour mes compatriotes, voulez-vous prier à la manière des protestants anglais pour les vôtres ? » A ma stupéfaction, il a placé entre mes mains sa Bible espagnole, et j'ai été si ému que pendant quelques instants je n'ai pu parler. Puis j'ai entendu la voix de mon oncle qui grognait : « Vas-y donc, petit ! » et un torrent de paroles sont sortis de ma bouche.

> *Dieu Tout-Puissant, nous avons fait une longue traversée avec notre robuste bateau, et nous nous sommes entraidés. Nous n'aurions pas pu longer la côte de la Terre Ferme espagnole sans les indications de maître Rodrigo, et pour son bon travail, nous lui rendons grâces. Nous avons été aidés par les prières et les conseils de fray Baltasar, l'excellent prêtre. Trois fois nous avons demandé au capitaine McFee de prendre le commandement de ce bateau et nous prions qu'il nous ramène à bon port sains et saufs avec notre trésor intact.*

Il ne m'était pas possible de terminer cette prière de Noël sans faire allusion à la jeune fille dont j'étais tombé amoureux, et j'ajoutai, au plus vif étonnement de l'équipage :

Mon Dieu, je Te remercie en particulier de m'avoir donné au cours de cette traversée l'occasion de rencontrer une jeune fille bénie. Son courage n'a jamais faibli au cours des dangers, et elle n'a jamais inspiré que le bien. Ce fut un de nos meilleurs marins, protège-la où que la conduisent ses voyages.

Pendant que je parlais ainsi, elle s'écarta de sa mère pour venir à mes côtés et personne ne songea à l'en empêcher. Je songeai alors aux aventures remarquables vécues par ma bande de boucaniers : la décision précipitée de suivre notre propre chemin après que le capitaine Morgan nous eut dépouillés de notre juste part ; la longue traversée de l'isthme, en barque et à pied ; les batailles ; les victoires splendides contre des forces supérieures ; les défaites de Panamá et d'Arica ; les petits bateaux capturés et les gros vaisseaux évités ; les nuages de Magellan la nuit ; le détroit de Magellan que nous n'avons jamais trouvé... Puis une main de glace parut serrer mon cœur, et je terminai ma prière à voix plus basse :

Dieu miséricordieux qui protège les marins et les ramène à bon port après de longs voyages, étends tout particulièrement ton amour, en cette sainte journée, sur l'Indien David abandonné tout seul à Juan Fernandez. Envoie un bateau à son secours et ramène-nous tous sains et saufs dans nos foyers.

VEN. 8 JANVIER DU NOUVEL AN 1672 : En cette journée où rien de spécial ne s'est produit, ni même un bon repas ou une bagarre entre les hommes, nous avons traversé l'équateur et commencé à respirer avec plus de soulagement, car nous nous rapprochons de Port Royal.

VEN. 29 JANVIER : Journée de victoire, journée de désespoir. Depuis plusieurs jours le capitaine McFee, oncle Will, fray Baltasar et moi nous réunissons pour mettre au point la remise des dames Ledesma et de nos prisonniers aux Espagnols, en échange d'une rançon, dans la mesure du possible. Personne, même pas mon oncle, n'a envie de les tuer ou de leur faire le moindre mal, mais il serait trop risqué d'entrer témérairement dans le port de Carthagène avec eux. Ils ne veulent pas non plus que nous les débarquions à Port Royal ou ailleurs à la Jamaïque, car ils n'auraient aucun moyen de gagner Carthagène, où leurs familles les attendent.

Le capitaine McFee et mon oncle ont résolu de se débarrasser d'eux, parce que les garder impliquerait trop de problèmes. Mais comment ? On nous a chargés, fray Baltasar et moi, de concevoir un plan satisfaisant, et nous avons commencé à en discuter dans un coin du gaillard d'arrière. J'ai aussitôt demandé l'autorisation d'inviter Mompox à se joindre à nous, car un homme de couleur comme lui a beaucoup à gagner ou à perdre selon ce que nous déciderons. Fray Baltasar a ajouté : « J'aimerais de même bénéficier des conseils de maître Rodrigo, notre navigateur », et j'ai accepté.

Quand nous avons été réunis, le prêtre dit gravement : « C'est une question de vie et de mort. Une erreur, nous risquons tous de mourir. Cherchons une solution juste. »

« Étant donné ma couleur, a lancé Mompox sans ambiguïté, je ne peux pas aller en des lieux où de mauvaises gens pourraient me réduire à l'esclavage. Ni Carthagène. Ni la Barbade. Ni la Jamaïque. Ni les colonies d'Amérique du Sud. »

« Que reste-t-il ? a demandé Baltasar et Mompox a répondu : « Transbordez-moi sur un navire marchand à destination de Boston. »

« Mais comment faire parvenir les dames Ledesma à Carthagène ? » a demandé Baltasar. « Inés restera avec moi », ai-je répondu. Mais il a déclaré, de cette voix grave que j'ai appris à respecter : « Mon fils, ce n'est pas possible. Elle appartient à un monde et vous à un autre... Cela ne saurait se faire. Cela ne se fera jamais. » Voyant mon désarroi, il a aussitôt ajouté : « Mon fils, vous avez remporté de grands triomphes au cours de cette traversée. Capitaine de votre bateau. Vainqueur au combat. Un courage que nul ne saurait contester. Restez-en là. » Me voyant désemparé, vraiment au bord des larmes, il m'a dit encore : « Mon fils, la traversée s'achève. Le bateau rentre à son port et une nouvelle vie commence, une vie d'honneur, de dignité et d'amour raisonnable. Croyez-moi, croyez-moi. Elle dans son port, vous dans le vôtre. C'est la meilleure solution. »

Je n'étais guère disposé à consentir à une telle décision, mais j'ai entendu Mompox demander, non sans appréhension : « Comment procéderez-vous à l'échange ? Je ne veux pas retomber aux mains des Espagnols. » Maître Rodrigo a proposé : « Après l'île de Trinidad, nous mettrons le cap à l'ouest le long de la Terre Ferme jusqu'à ce que nous croisions un bateau espagnol. Nous lui signalerons nos intentions pacifiques, nous lui parlerons, puis nous passerons de ce bateau à l'autre. Les Espagnols seulement, pas vous, Mompox. »

« Comment envoyer un signal de ce genre ? » ai-je demandé. « Je l'ignore, a répondu Baltasar, mais il faudra trouver. »

Nous avons rassemblé tous les marins pour leur expliquer notre tactique, mais les Espagnols et les Anglais en ont immédiatement vu le point faible. « Ils nous prendront pour des pirates et fileront, a lancé le capitaine McFee. Et si nous le pourchassons, ils nous tireront dessus, et par Dieu, nous les coulerons. »

« Je ne ferai pas confiance à un bateau espagnol », a grommelé Will, et plusieurs de nos hommes l'ont soutenu, mais maître Rodrigo est intervenu : « Il n'y a pas d'autre moyen. » A regret, mon oncle en a convenu : « Nous essayerons. Mais mes hommes et moi aurons nos canons prêts à tirer à chaque instant. » Maître Rodrigo a souri : « Je suis sûr qu'ils feront de même. Entre-temps, il faut confectionner deux grands drapeaux blancs, immenses, avec le mot PAX peint en lettres bleues de chaque côté. »

Le reste de la journée nous avons longé la côte septentrionale de Trinidad et cinq jours plus tard nous passions devant les grandes salines de Cumaná où se sont livrées tant de batailles avec les flottes hollandaises. Puis, ce matin, alors que nous avions presque renoncé à tout espoir de rencontrer un navire espagnol, nous sommes tombés sur l'un d'entre eux, et la situation est devenue parfaitement ridicule.

Quand ils nous ont vus, notre allure de flibustiers et nos canons les ont convaincus que nous étions des boucaniers sur le point de les aborder, et ils ont pris la fuite. Nous avons hissé nos deux drapeaux blancs et nous nous sommes lancés à leur poursuite. Mais plus nous accélérions pour les rattraper, plus vite ils décampaient et j'ai eu l'impression que notre plan ne se réaliserait jamais. Puis le capitaine McFee, grâce à une manœuvre habile, a placé la *Giralda* droit devant le navire espagnol, qui a été contraint de ralentir. Il a fait mettre une chaloupe à la mer. Maître Rodrigo, fray Baltasar, mon oncle et moi, avec un drapeau blanc, sommes partis à la rame vers l'Espagnol stupéfait. Mon oncle braquait son fusil vers le cœur du capitaine espagnol, et les Espagnols braquaient leurs fusils vers nous, puis maître Rodrigo a lancé d'une voix forte : « Nous avons des prisonniers espagnols pour Carthagène ! » et fray Baltasar a ajouté un message plus important : « Nous avons à bord l'épouse et la fille du gouverneur Ledesma. Je suis leur prêtre. »

Les deux messages, surtout le dernier, ont fait l'effet d'une bombe. Deux chaloupes furent mises à la mer, on improvisa des drapeaux blancs et le capitaine en personne, comprenant que nous disions la vérité, sauta dans l'une d'elles, suivi par trois autres officiers, et se dirigea vers la *Giralda* à force de rames. Nous montâmes sur le pont avec eux et fûmes les témoins d'une scène hors du commun. Le capitaine, dès qu'il aperçut la señora Ledesma et sa fille, courut vers elles, mit un genou à terre et baisa la main de la mère en disant d'une voix forte : « Je vous salue, *condesa* de Carthagène ! » Comme la mère d'Inés s'étonnait, les autres officiers s'avancèrent pour lui annoncer la bonne nouvelle : « Oui ! Le roi a fait votre mari *conde* de Carthagène ! »

Et mon désespoir commença, car de toute évidence, les Espagnols et les Anglais n'avaient plus qu'une hâte : transborder les prisonniers de notre bateau sur le leur. Les premières chaloupes s'éloignèrent, pleines de marins et de prisonniers ordinaires, puis les quatre Espagnols les plus importants — Rodrigo, Baltasar et les deux dames Ledesma, épouse et fille d'un comte — se préparèrent à nous quitter. Nos marins aidèrent les deux hommes à rassembler leurs quelques affaires, puis Mompox et moi aidâmes les deux femmes. Quand j'eus terminé le transbordement des panières de la señorita Inés, je me dirigeai vers l'échelle grossière et l'angoisse m'étouffa. Je ne pus supporter la pensée de prendre congé de cette précieuse jeune femme qui m'aimait et que j'aimais de tout mon cœur. Et quand elle courut m'embrasser une dernière fois, je me dis : « Jamais je ne la laisserai partir. » Mais fray Baltasar me prit par l'épaule et m'écarta : « N'oubliez pas, jeune homme, chaque bateau gagne son port. Le nôtre à l'ouest, le vôtre à l'est. » Il m'embrassa, et ajouta en descendant dans la chaloupe : « Vous vous êtes conduit en homme, Ned, et vous pouvez en être fier. »

Mais le départ ne devait pas se dérouler en paix, car, à la surprise des Espagnols, la jeune Inés refusa carrément de quitter la *Giralda*. Elle croisa les bras sur sa poitrine et lança d'un ton clair : « Nous nous aimons. Dieu nous a ordonnés d'être mari et femme, et vous n'avez pas le droit de nous séparer. » Aussitôt, ils s'élancèrent vers elle à la façon d'une armée à l'assaut d'une forteresse. Le capitaine du navire espagnol s'écria d'un ton solennel : « Señorita Inés, vous êtes la fille d'un comte. Vous représentez l'honneur de l'Espagne. Vous devez... »

« Vous êtes une enfant stupide et obstinée ! coupa la *condesa*. Comment pouvez-vous savoir... »

Mais ce fut fray Baltasar qui prononça les paroles les plus raisonnables : « Chère enfant, tout est merveilleux au printemps quand les fleurs s'épanouissent. Mais la véritable importance de l'arbre apparaît plus tard, quand il porte des fruits, comme Dieu l'a voulu. Vous avez eu un merveilleux avant-goût de l'amour, il ne saurait en exister de meilleur, mais les grandes années vous attendent dans l'avenir.

Embrassez ce jeune homme pour la dernière fois, et dirigeons-nous vers ces autres années, qui comptent davantage. »

En entendant ces mots, je me mordis la lèvre. Je jurai que je ne laisserais pas à Inés, au moment de notre séparation, l'image d'un homme en larmes, mais cette résolution courageuse ne fut pas nécessaire, car oncle Will s'élança soudain et criant : « Et l'argent de la rançon ? » D'autres marins reprirent son cri en écho et une mutinerie faillit tout gâcher car le capitaine espagnol répliqua en mauvais anglais : « Non ! Non ! Rançon, personne ! » Mais fray Baltasar reprit aussitôt l'initiative. S'adressant aux hommes des chaloupes espagnoles qui écoutaient attentivement, il rappela à tous le passé oublié : « Quand ces Anglais nous ont capturés, ils auraient pu nous tuer tous à coups de balles, ou bien nous noyer. Je leur ai juré que ces deux dames appartenaient à une famille importante qui paierait une rançon si elles rentraient indemnes. »

Il s'arrêta et se tourna vers nous : « Je ne saurais dire ce qui a poussé ces hommes à épargner leur vie, ainsi que la mienne et celle de maître Rodrigo. J'aimerais croire que ce fût par charité chrétienne. Mais si c'était seulement pour l'appât de l'argent, je peux vous assurer qu'ils l'ont bien mérité. Nous voici tous ici, sans une égratignure. Capitaine, si vous avez des fonds à votre bord, vous devez les remettre à ces hommes. » Cette décision provoqua des murmures, mais il lança : « Le capitaine McFee et moi irons à votre bord pour prendre possession de ce que vous avez. » Bien entendu, plusieurs d'entre nous les ont accompagnés et nous avons recueilli une quantité surprenante de pièces. Quand nous les avons rapportées à la *Giralda*, le prêtre les a remises en prononçant seulement quatre mots : « Une dette d'honneur. » L'échange eut lieu : les femmes contre l'argent.

J'avais envie de raccompagner Inés jusqu'à son bateau, mais ce ne fut pas possible car elle partit dans une chaloupe espagnole. Je restai donc près du bastingage où mon oncle et ses canonniers maintenaient leurs armes pointées sur le navire espagnol au cas où il entreprendrait quelque action traîtresse. Au moment où la chaloupe d'Inés s'éloignait, je vis avec un déchirement de cœur qu'un jeune officier espagnol s'occupait de la jeune fille et lui enveloppait les pieds dans une cape. Quand elle fut sur le pont, il se produisit tellement de choses qu'elle n'eut aucune occasion de m'adresser un signe d'adieu. Lentement nos navires s'éloignèrent l'un de l'autre. Nous avions voyagé ensemble pendant deux cent quatre-vingt-quinze jours et elle avait capturé mon cœur à jamais.

Puis un officier sauta soudain dans l'une des chaloupes espagnoles encore à l'eau, et se dirigea vers nous. Des voix crièrent, en espagnol et en anglais : « Señor Ned ! Mister Ned ! » Je me précipitai vers le bastingage, à l'endroit où la chaloupe avait accosté notre bateau. C'était le jeune officier qui avait recouvert les pieds d'Inés avec sa cape. Il me cria : « Elle vous envoie ce présent. » Il me tendit le précieux théodolite en poirier et ivoire de maître Rodrigo, auquel était joint ce message : *Para Eduardo, mi querido navigante que nos trajo a casa.*

DIM. 21 JANVIER 1672 : Le jour de notre séparation, pendant que je m'occupais de la señorita Inés, le capitaine McFee avait reçu du capitaine espagnol une nouvelle importante. L'Espagne et l'Angleterre étaient officiellement en paix et le roi d'Angleterre, pour satisfaire ses cousins espagnols, comme il les appelait, avait donné l'ordre que tous les pirates, anglais ou non, et notamment ceux qui opéraient dans les Caraïbes, soient pendus haut et court jusqu'à ce que mort s'ensuive : « Plusieurs ont dansé au bout d'une corde à Port Royal... Méfiez-vous. » Cet avertissement constituait une gentillesse en échange de notre traitement humain des prisonniers espagnols.

Il ne nous fallut qu'un instant de débat pour décider de ne pas mettre le cap au nord-ouest, vers Port Royal, mais plein est vers la Barbade. Mais le capitaine McFee nous annonça : « Je ne connais pas ces eaux. » Ce qui se passa ensuite m'invite à penser que, tout compte fait, les boucaniers ne sont pas si mauvais marins. Dès que nous eûmes décidé de nous rendre non à Port Royal mais à la Barbade, les hommes lancèrent : « C'est l'île d'où vient Pennyfeather ! » et ils m'élirent de nouveau capitaine. Pendant les neuf jours suivants je fus seul maître à bord de la *Giralda* après Dieu. Et comme maître Rodrigo n'était plus à bord pour me harceler au sujet de son maudit calendrier, la première chose que j'ai faite, c'est de remonter les dates en arrière, comme cette note le prouve, conformément au vrai calendrier correspondant à la volonté de Dieu. Mais j'ai tout de même utilisé le théodolite de Rodrigo pour naviguer au large de Saint-Vincent et des Grenadines. Je suis arrivé à la Barbade ce matin même à l'aube, au moment où le soleil rouge s'élevait derrière les belles collines.

Quel bonheur de rentrer chez soi et de trouver dans le port, au mouillage, un bateau de notre colonie du Massachusetts qui emportera mon fidèle ami Mompox — espagnol-indien-noir — vers Boston et la liberté. Au moment de nous séparer, il m'a rappelé : « Dis à tous les bateaux en partance vers là-bas qu'ils demandent après David le Mosquito. » Puis il ajouta doucement : « Ned, c'est la dernière fois... Puis-je t'embrasser ? » Par égard pour tout ce qu'il avait fait pour moi, j'acceptai, au plus grand dégoût de mon oncle.

Nous fûmes donc libres d'accoster et de présenter notre lettre de marque prouvant que nous avions l'autorisation royale de protéger en mer les intérêts de l'Angleterre. Aussitôt une question se posa : « Mais vous êtes-vous conduits d'une manière digne et non comme des pirates ? » Je tendis alors la lettre du capitaine espagnol certifiant que « les officiers et l'équipage du galion espagnol *Giralda* avaient montré un respect de gentilshommes à l'égard de l'épouse et de la fille du *conde* de Carthagène pendant une longue traversée en mer ». Cela nous sauva doublement de la pendaison. Comme nous étions dimanche, nous avons jugé irrévérencieux de distribuer les primes.

VEN. 26 FÉVRIER 1672 : Notre voyage s'est officiellement terminé mais les représentants du roi ont mis toute la journée pour fixer et réclamer leur part légale de notre prime, et il nous a fallu plusieurs heures pour répartir le restant entre nos hommes. Le butin a été divisé en cinquante-six parts égales, que nous avons distribuées de la façon suivante : le capitaine McFee a reçu trois parts pour ses excellents services, le premier marin élu capitaine à sa place a reçu deux parts, et moi deux parts également pour nous avoir ramené du cap Horn, puis à bon port à la Barbade. Les trente-huit marins ont reçu une part entière, les quatorze Indiens une demi-part chacun pour leur aide fidèle, et les seize esclaves un quart de part chacun — ce qui correspond au nombre total de parts, si l'on oublie bien entendu la poignée de pièces remise à Mompox avant qu'il n'embarque sur le bateau de Boston. Les esclaves, enchantés de l'aubaine, reçurent assez pour racheter leur liberté, et nous leur souhaitâmes du bonheur. Nous étions donc rentrés à Bridgetown, sans ma chère Inés mais, comme me le rappela oncle Will, avec suffisamment d'or espagnol pour panser mes blessures. Sur cette note qui exprime ma confusion s'achève ce journal de bord d'un boucanier.

Ned Pennyfeather

Quand Will prit conscience du découragement dans lequel était tombé son neveu par suite de la perte d'Inés, il le mit au défi :

— Tu as commandé un bateau, tu peux sûrement commander ta vie.

— Inés, murmura Ned. Je ne parviens pas à l'oublier.

— Tu ferais bien. Elle est dans une autre partie du monde.

Mais Ned continua de se morfondre, enfermé dans la petite chambre que son oncle avait louée à Bridgetown.

Pour le distraire de ses préoccupations, Will proposa une excursion téméraire : ils iraient rendre visite à sir Isaac. Et un matin, comme ils n'avaient pas de chevaux, ils partirent à pied vers Saltonstall Manor, encore plus splendide avec son allée bordée de jeunes arbres et de haies de croton. Ils frappèrent à la porte, ce qui attira plusieurs esclaves qui travaillaient à l'intérieur, puis ils entendirent une femme crier :

— Dis Pompey des hommes il vient.

Peu après, un noir en livrée jaune d'or et grandes manchettes blanches ouvrit la porte et demanda d'une voix polie :

— 'Jour, quel est votre plaisir ?

— Nous voulons voir sir Isaac, lança sèchement Will.

— Euh, en ce moment..., commença l'esclave.

Mais Will l'écarta d'un geste, s'élança dans le vestibule et brailla :

— Isaac, sors de là !

Sir Isaac et son épouse apparurent, et Will s'inclina :

— Nous sommes revenus.

— Nous l'avons appris, répondit Clarissa, glaciale. Et on nous a parlé de vos pirateries.

Comme ni elle ni son mari ne faisaient un seul geste pour accueillir frère et neveu, Will demanda :

— Vous ne nous invitez pas à rester ?

L'invitation suivit, mais à regret, et l'on envoya Pompey chercher des rafraîchissements.

En attendant son retour, sir Isaac et lady Clarissa, proches de la cinquantaine et prospères, observèrent les deux intrus d'un air gêné. Pour eux Will n'était qu'un aventurier balafré, usé par une vie de bagarres en mer, et Ned un jeune gamin déjà détruit par ses années de flibuste. Deux épaves, et lady Clarissa n'éprouva aucun regret d'avoir fait marquer son beau-frère au fer : « Que le monde entier le voie tel qu'il est. »

La visite fut extrêmement désagréable, et avant même la première tasse de thé, sir Isaac se demandait déjà comment il pourrait se débarrasser de ces deux parents importuns. Il se pencha en arrière comme pour parler de plus loin et demanda :

— Qu'est-ce que vous vous proposez de faire à la Barbade, cette fois ?

— Nous allons jeter un coup d'œil, répondit Will en prenant son thé. À propos, fais-moi passer un de ces petits fours.

Ned se dit : « Il veut vraiment qu'oncle Isaac perde son calme. » Mais le planteur refusa de mordre à l'appât. Il se tourna vers Ned et lui demanda :

— Où allez-vous chercher ? Plusieurs plantations ont besoin de régisseurs, mais je suppose que vous repartirez à l'aventure.

— Comme ma mère n'est plus là...

— Elle est morte peu après votre départ. Lady Clarissa et moi avons assisté à ses obsèques.

— Merci.

— Elle vous a laissé un petit pécule. Mr. Clapton, le banquier, s'en est occupé et il m'a dit qu'il augmente. Un homme honorable, Clapton.

— Je suis content d'apprendre l'existence de cet argent. J'envisage de me fixer à Bridgetown. J'ai vu les océans...

Cette remarque, qui impliquait tant de choses, n'éveilla aucun intérêt chez Clarissa et Isaac — pour eux, la mer n'était qu'une route de la Barbade à Londres. Les autres océans du monde ne servaient à rien. Will, devinant leur sentiment, précisa fièrement :

— Il a été navigateur à bord d'un grand vaisseau à dix-neuf ans, capitaine à vingt ans et il a combattu les Espagnols.

— On nous a avertis que ceux qui combattent les Espagnols seront pendus, maintenant. Les temps changent et les règles aussi.

Ainsi s'acheva la réunion glaciale, sans invitation à revenir, sans une question sur l'assistance que pourraient leur prêter le noble planteur et son épouse. Sir Isaac, d'un ton hautain lança à son esclave Pompey :

— Ordonne au valet d'écurie de seller trois chevaux et de reconduire ces deux hommes à la ville.

— Non, merci, répliqua Will sèchement. Nous repartirons comme nous sommes venus.

Et ils s'éloignèrent à pied sur la longue allée bordée d'arbres.

À leur retour dans leur chambre, Will déclara :

— Ned, nous devons songer sérieusement à ton avenir.

Il proposa de puiser dans leur prime de la *Giralda* pour louer deux chevaux et traverser l'île vers l'est, jusqu'à la côte sauvage de l'Atlantique, où il connaissait un marin du nom de Frakes qui vivait dans la solitude et possédait un trésor hors du commun.

Jamais Ned n'oublierait ce voyage, aussi excitant à sa manière que la traversée du détroit de Magellan, car il lui fit découvrir des régions de la Barbade qu'il n'avait jamais vues : de splendides collines qui permettaient de voir depuis leur crête d'immenses champs s'étendant vers l'est ; des allées au cœur de vastes plantations où les cannes à sucre vertes se serraient ainsi que des arbres dans une forêt ; de petits vallons couverts de multitudes de fleurs ; et des groupes de masures sombres où s'entassaient les esclaves dont le labeur engendrait cette prospérité. La promenade à cheval, sous un chaud soleil qui jouait à cache-cache avec des nuages blancs venus de l'océan invisible, fut une aventure au cœur de l'île splendide. Chaque fois qu'un nouveau panorama s'offrait, Ned se sentait de plus en plus attaché à cette terre. Il comprit bientôt qu'il n'aurait plus aucun plaisir à quitter la Barbade. Le boucanier avait trouvé des racines.

Même à cette heure tardive de leur journée de voyage, Ned n'avait aucune idée de ce qui l'attendait chez le vieux Frakes. Puis ils atteignirent le rebord occidental du plateau central qui occupait la majeure partie de l'île et ils se trouvèrent en haut d'une haute falaise, à l'entrée d'un étroit sentier qui descendait à pic jusqu'au rivage en contrebas. Là grondait l'Atlantique, l'océan sauvage dont les vagues assaillaient une côte désolée, totalement différente de celle qu'offrait la douce mer des Caraïbes.

Ned s'arrêta un instant pour goûter pleinement le panorama grandiose :

— Et on m'a caché ça pendant des années ! s'écria-t-il.

— Seuls les forts osent venir ici, répondit son oncle.

Il tendit le bras droit pour montrer la caractéristique remarquable qui distinguait cette côte de toutes les autres, et Ned vit pour la première fois les groupes hallucinants de gigantesques rochers arrondis de couleur rouge qui se serraient à plusieurs endroits sur le bord de la mer, jusque dans l'eau. Ils se dressaient parfois quatre ou cinq côte à côte, pareils à des juges essayant de s'entendre sur un verdict. Ailleurs, un solitaire défiait l'océan. Mais à un endroit qui retint le regard de Will, un défilé de presque une douzaine s'éloignait de la côte jusqu'en pleine mer, constituant un danger certain pour la navigation, comme en témoignait la carcasse brisée d'un navire marchand passé trop près.

— D'où viennent-ils ? demanda Ned.

— Ou bien Dieu les a lâchés par hasard au moment où il construisait la terre, expliqua Will, ou bien des géants s'en sont servis pour jouer aux billes.

Sur la terre, à l'endroit où la procession des rochers ronds commençait, se trouvait une petite maison de construction grossière dont l'unique porte révélait l'épaisseur énorme des murs de pierre dans lesquels elle était fixée.

— Frakes ? demanda Ned.

Son oncle acquiesça, et les voyageurs descendirent vers la plaine. A leur arrivée à la maisonnette de pierre, dont le toit était recouvert d'une mousse épaisse, Ned ignorait encore le but de leur voyage. Tom Frakes s'avança sur le seuil : de grande taille et amaigri, il avait la tignasse en broussaille et une barbe qui semblait taillée fort rarement, et avec des ciseaux émoussés. Il portait un pantalon et une chemise en lambeaux et le premier tenait autour de sa taille inexistante grâce à une corde dont les extrémités étaient effilochées. Son visage semblait aussi usé par le temps que ses vêtements, car il lui restait seulement quelques dents, il avait le nez cassé et des yeux larmoyants. Il paraissait presque soixante-dix ans, mais en avait peut-être moins car il avait mené une vie très dure, dont le terme approchait maintenant.

Reconnaissant en Will un ancien camarade de bord, il s'avança pour le prendre par les épaules.

— Will, mon vieux, entre donc, entre donc !

Puis il s'arrêta, dévisagea Ned et demanda.

— Qui est ce gamin ?

— Mon neveu.

— Soyez doublement les bienvenus, s'écria le vieillard en les faisant entrer dans la maisonnette.

Ned s'attendait à ce que l'intérieur ressemble à son propriétaire : un désordre impie. Mais ce fut une révélation : impeccable, des bons meubles, certains élégants, disposés en ordre le long des murs décorés de beaux tableaux dans des cadres coûteux. Le sol couvert de deux tapis venant sans doute de Perse ou de pays voisins, et dans les angles trois coffres aux lourdes ferrures de cuivre.

— C'est une caverne pleine de trésors ! s'écria Ned d'un ton admiratif.

— Frakes récupère les épaves qui s'entassent sur les rochers, là-bas.

Les bateaux devaient être richement chargés car le vieux marin possédait des objets de grande valeur.

Ensuite, de la petite chambre de l'arrière, vint la plus précieuse de ses possessions, sa fille Nancy, adorable jeune fille de seize ans, brune, souple et d'une beauté exceptionnelle. Et à cet instant, à la seconde même, tout le monde comprit que Will Tatum avait conduit son neveu Ned dans cette masure isolée dans l'espoir qu'il trouverait séduisante cette enfant des tempêtes, et désirerait l'épouser. Le vieux Frakes, qui sentait passer les années, était ravi, et Nancy respira soudain plus vite, car elle commençait à se demander si elle rencontrerait un jeune homme un jour. Quant à Ned, il était pétrifié, sous le charme.

La visite dura trois merveilleuses journées, pendant lesquelles Frakes dirigea des expéditions vers les épaves battues par la tempête. Ned et Nancy traînaient à l'arrière, donnaient des coups de pied dans les galets et se demandaient comment les billes gigantesques s'étaient frayé un chemin jusqu'à la côte. Plus tard, quand les visiteurs furent seuls, Will confia au jeune homme :

— Le gouvernement le soupçonne de placer une lumière vive sur le toit de sa maison pendant les nuits de tempête pour troubler les capitaines et leur faire croire qu'il s'agit d'un phare. Le lendemain matin, il visite l'épave.

Dans l'après-midi, Frakes, manifestement pour encourager Ned, montra à ses invités une grange attenante à la maison, vers l'arrière, où il avait amassé un trésor de tapis emballés, de beaux meubles et de services en argent, avec des outils pratiques et de petites machines, le tout récupéré à bord de bateaux qui s'étaient écrasés dans les rochers, sur le pas de sa porte.

— Un jeune couple pourrait faire des merveilles avec ces affaires-là, dit Frakes.

— Quoi, par exemple ? demanda Will.

— Ça dépendrait du couple, répondit le vieux marin.

Le lendemain Will proposa aux deux jeunes gens d'aller pique-niquer ensemble, et Nancy entraîna Ned vers une hauteur de laquelle ils pourraient voir l'Atlantique à marée haute déferler à grand bruit sur les gros rochers.

— Comment votre père est-il venu ici ? demanda Ned.

Elle expliqua qu'il avait mené la vie des boucaniers avec Will Tatum, avait entendu parler de la Barbade par son ami, et était venu y faire un tour à la fin de leur traversée, simplement pour voir.

— A son retour en Angleterre, il nous a demandé, à ma mère et à moi, par un matin brumeux de novembre : « Qui veut aller au soleil de la Barbade ? » Il n'a pas eu besoin de répéter la question.

— C'est votre mère qui vous a appris à vous conduire comme une dame ?

— Oui, répondit-elle, les yeux baissés. Cela a toujours été le rêve de ma mère.

— Elle vous a bien éduquée, balbutia Ned, la gorge nouée par ses sentiments.

Le dernier jour de leur visite, Will lança brusquement :
— Il est temps de passer aux affaires.
Ils s'assirent tous les quatre sur des monticules herbeux entre les gros rochers, et l'on aborda le sujet qui préoccupait tout le monde.
— Frakes, commença Will, tu te fais vieux. Tu as une fille splendide que tu devrais marier bientôt. Je ne suis plus si jeune moi non plus, et j'ai un neveu qui a, lui aussi, besoin d'une compagne. Qu'en disent nos jeunes gens ?
Pendant quelques instants, chacun regarda fixement la mer à l'endroit où l'Atlantique lançait ses hautes vagues. Puis, sans un mot, Nancy glissa sa main droite dans celle de Ned. Elle sentit la pression chaude du jeune homme qui consentait et elle s'écria :
— Quelle journée merveilleuse !
Puis elle stupéfia Ned en lui donnant un ardent baiser.
Ce soir-là, au dîner, elle dit :
— Quand mon père partait en mer, ma mère travaillait comme serveuse dans un bar et...
— Elle rêvait toujours de devenir une lady ? coupa Ned.
— Elle ? répliqua Nancy en riant. Elle n'aurait pas su reconnaître une lady si elle en avait vu une. Mais elle a essayé de m'éduquer : « Si tu veux épouser un jeune homme comme il faut, conduis-toi comme une lady. » Comment au juste, je ne l'ai jamais su. Elle adorait cet endroit, et c'est elle qui tenait à ce que tout soit propre et net, rangé à sa place. C'était une femme excellente.
Une fois le mariage décidé, Nancy prit tout en main, avec une joie désinvolte dont plus d'un médirait dans les années à venir.
— Nous avons une fortune ici, si nous trouvons un moyen de l'exploiter.
Parfois elle s'arrêtait soudain au milieu de ses calculs, courait vers son père et l'embrassait :
— Oh, je t'aime tant, père ! Tu ne nous quitteras jamais.
Puis elle faisait la moue.
— Mais j'ai tellement envie de vivre à Bridgetown avec ses boutiques et ses bateaux.
Et elle demandait à oncle Will, comme si c'était elle qui l'avait fait venir :
— Mais que pourrions-nous faire à Bridgetown pour gagner notre vie ?
Will et Ned restèrent un jour de plus pour étudier les possibilités. Ils s'assirent au milieu des gros rochers et proposèrent l'une après l'autre des solutions qu'ils écartèrent aussitôt. Puis Will lança :
— Partout où je suis allé, à Port Royal, à la Tortue, à Lisbonne, j'ai remarqué que les hommes ont besoin d'auberges et de tavernes. Des endroits où l'on parle, où l'on apprend la destination des bateaux, où l'on prend un verre avec de vieux amis, où l'on raconte ses batailles. Bridgetown s'agrandit. Il lui faudra une auberge de plus. Une bonne.
Quand ce fut convenu, Nancy se mit à chanter gaiement comme si elle était déjà la maîtresse des lieux en train de charmer les clients.
— Une idée épatante pour vous, les jeunes, dit Frakes. Vous pouvez prendre tous les meubles de la maison et de l'appentis. Faites-en une belle auberge, animée et accueillante. Moi je resterai ici, près de la mer.
Cette décision jeta un froid dans la discussion, mais Will le dissipa vite.

— Il a raison. Pourquoi ne resterait-il pas à l'endroit où il est heureux ?
— Tu sais, il y a aussi la mer à Bridgetown, insista Nancy.
— Je veux dire près de la vraie mer, répliqua son père.
L'on passa ensuite au nom que porterait l'auberge.
— Un nom juste compte pour beaucoup, conseilla Will. Il faut que tout le monde l'apprécie.
Il suggéra des exemples de noms populaires en Angleterre à l'époque :
— *Cavalier et Tête-ronde,* ou peut-être *Cochon et Chardon.*
Nancy proposa *Aux Antilles* ou *Le Calme et la Tempête.* Ned ne prononça pas un mot tant que les autres n'eurent pas épuisé leur réserve d'idées puis il annonça doucement :
— Ce sera l'*Auberge de la Giralda.*
Tous protestèrent.
— C'est grâce à la *Giralda* que je suis ici aujourd'hui. J'ai participé à la prise de ce bateau, j'en ai été le capitaine et c'est lui qui nous a ramené indemnes à bon port.
Will ne put s'empêcher de songer : « Et c'est à son bord que tu as découvert l'amour avec Inés. Mais, de toute façon, il est normal que tu rendes hommage à ce bateau... »
Au moment du départ de Will et de Ned, Frakes les surprit en annonçant :
— Nancy et moi vous accompagnerons. Plus tôt ils seront mariés, plus tôt tout sera réglé.
Il suggéra à Will et à Ned de fouiller la plage à la recherche de charretons capables de transporter les trésors de sa maisonnette à Bridgetown pour meubler l'auberge. Puis il ordonna :
— Emportez tout.
Quand les lieux furent vides, Nancy demanda :
— Mais avec quoi vas-tu vivre ?
— Je me débrouillerai.
Il avait dû recevoir des signes du ciel, car deux jours après avoir assisté au mariage, à Bridgetown, quand ses meubles et ses tableaux furent installés dans le bâtiment acheté par Ned avec le legs de sa mère, il mourut. Quelques heures après avoir commandé à un sculpteur sur bois une grande enseigne qui proclamait : *AUBERGE DE LA GIRALDA.*
L'auberge fut vite célèbre pour trois de ses caractéristiques : l'aubergiste rouquin qui avait navigué comme boucanier avec Henry Morgan ; la jeune brune, belle et vive d'esprit, qui s'occupait du bar ; et le vieux de quarante et un ans à la joue balafrée qui occupait toujours la même chaise à une table d'angle, où il se lançait dans des récits improbables mais intéressants sur ses aventures supposées au sac de Panamá, sa vie de sauvage à la Tortue et son évasion d'une prison espagnole. Il connaissait des quantités d'histoires et devint l'une des raisons pour lesquelles les marins se précipitaient à *La Giralda* dès que leurs bateaux jetaient l'ancre. Ils pouvaient rarement citer le nom d'un port où il n'avait pas relâché : Maracaibo, La Havane, Porto Bello, Cadix, Lisbonne. Il les avait tous vus. Puis il ajoutait avec une pointe de déception sincère :
— A Carthagène, jamais je n'ai posé le pied. Nous avons essayé, mais les hidalgos étaient trop forts pour nous. Peut-être un jour, si je reprends la mer...

C'était néanmoins Nancy qui créait l'ambiance à l'auberge, avec son sourire constant, son rire clair, et les astuces qu'elle utilisait pour satisfaire la clientèle. Quand un marin se montrait entreprenant avec elle après une longue traversée en mer, elle ne s'en offensait pas. Elle élevait simplement la voix pour que toute la clientèle l'entende :

— Vous avez entendu ce qu'il m'a dit ?

Elle répétait mot pour mot la proposition inconvenante de l'homme et chacun éclatait de rire. Elle chatouillait alors sous le menton le marin déconfit, lui plantait un baiser sur le front et lançait d'une voix aussi forte :

— Mais il n'en pensait pas un mot.

Ces manières enjouées engendrèrent des rumeurs dans la ville : l'*Auberge de la Giralda* n'était qu'une maison de rendez-vous, et Nancy ne valait guère mieux qu'une prostituée de bas étage. Quand ces bruits parvinrent aux oreilles de sir Isaac et de lady Clarissa, ils en furent scandalisés — Isaac à cause de la position élevée qu'il occupait dans l'île ; Clarissa parce que cela offensait la morale. Elle se rendit donc de nouveau auprès de son pasteur servile et exigea que l'Église intervienne au sujet de ce scandale. On lança une campagne énergique pour la fermeture de *La Giralda,* dont l'existence menaçait les bonnes mœurs de la Petite Angleterre. On prêcha, on tint des réunions où sir Isaac dirigea les assauts, sous la stricte supervision de son épouse. Pendant quelque temps, on crut que Will Tatum serait de nouveau chassé de l'île, avec sa nièce et son neveu.

Mais les temps avaient changé : de nombreux planteurs — bien entendu les plus petits — commençaient à se lasser de la domination de Cavaliers aux idées périmées comme le vieil Oldmixon et Isaac Tatum. Au moment de l'affrontement, les îliens découvrirent qu'ils appréciaient l'honnête Will Tatum en dépit de sa cicatrice et de ses vagabondages, et méprisaient son frère, le suffisant sir Isaac.

La confrontation se produisit au cours d'une réunion publique organisée à la demande d'Isaac et de Clarissa.

— Nous ferons d'une pierre deux coups, prédit Isaac à ses sycophantes. Nous ferons fermer *La Giralda* qui constitue un danger public, et, sans cette ancre à laquelle s'accrocher, Will devra quitter la ville.

Le complot échoua. Des orateurs auxquels nul ne s'attendait accaparèrent la tribune et lancèrent un tir de barrage contre les tyrannies mesquines d'Isaac Tatum et de Clarissa. Dans l'assistance, plus d'un osa applaudir à chaque accusation. Sir Isaac se trouva dénoncé comme un dictateur en puissance et un insupportable pudibond. Quand il fut manifeste que les plans d'Isaac, quels qu'ils fussent, ne pourraient aboutir, un planteur, propriétaire de seulement quelques modestes arpents, prit la parole :

— Je crois que nous avons mis au jour le complot de cet homme, lança-t-il en braquant vers sir Isaac un index méprisant. Il voudrait chasser son frère de la Barbade, comme il l'a déjà fait il y a des années avec la complicité de son épouse. J'aimerais entendre ce que l'homme impliqué pense de tout ceci, et je crois que chacun ici partage le même désir. Raconte-nous, Will.

Heureux de voir tous les anciens torts sur le point d'être redressés, Will se leva, se racla la gorge et dit sans élever la voix, en tournant le dos à son frère :

— La première fois que j'ai quitté cette île, je suis parti avec cette cicatrice sur mon visage. Vous savez à qui je la dois. J'ai joué au pirate. Je me suis battu contre les Espagnols, et quand ceux-ci ont gagné, j'ai failli être brûlé vif. J'ai coupé du bois de campêche au Honduras, et j'ai combattu à Panamá aux côtés de sir Henry Morgan. J'ai doublé le cap Horn et aucun homme ne devrait être forcé à ça. Me voici revenu, et vous me demandez à présent ce que je pense de mon frère ? Après toutes mes aventures, croyez-vous que je me soucie le moins du monde de cet imbécile ?

La foule se mit à rugir. Quatre hommes prirent Will sur leurs épaules et le portèrent en triomphe à *La Giralda*. Quand les lumières s'éteignirent et que la nuit reprit possession de la ville, sir Isaac et son épouse filèrent par les rues latérales.

Deux soirs plus tard, Will décida qu'il fallait fêter la victoire des gens honnêtes sur les tyrans, et il organisa une soirée où il offrit les rafraîchissements à tous ceux venus des quais.

— Une fête à retardement pour mon neveu et son épousée, expliqua-t-il.

Ned se demanda pourquoi son oncle faisait un tel fracas, chantait de vieilles chansons et racontait des histoires folles, mais vers minuit, Will se mit à taper sur un verre pour réclamer l'attention et demanda doucement :

— Combien d'entre vous ont vu le bateau hollandais qui a mouillé l'ancre ici ce matin ?

Deux hommes levèrent la main.

— Ils ont passé la journée entière à décharger leur cargaison et demain matin ils mettront le cap à l'ouest, vers Port Royal.

Nancy regarda son mari comme pour demander : « Mais que se passe-t-il ? »

— Quand ce bateau repartira, continua Will, je serai à bord. J'ai encore de vieux comptes à régler avec l'Espagne.

Tous se serrèrent autour de lui pour voir s'il pensait vraiment ce qu'il avait dit. Une voix demanda pourquoi il allait abandonner la belle vie qu'il menait. Il répondit d'un ton solennel :

— Il arrive un moment où un homme a envie de retourner à ce qu'il fait le mieux.

Ned et Nancy comprirent que la vie de violence de leur oncle signifiait qu'ils ne le reverraient jamais, et ils restèrent à ses côtés quand il alla s'asseoir dans son coin habituel, où il régala les jeunes marins de ses récits d'aventures lointaines. Tard dans la nuit, Nancy l'entendit dire à un matelot :

— Jamais je n'aurais dû avoir cette cicatrice. Une imprudence. Si l'on t'en fait une, mon jeune ami, et cela arrivera certainement, mérite-la en tentant quelque chose de grand.

Et au matin, il n'était plus là.

Le bateau hollandais relâcha à Port Royal, où Will fut de nouveau le témoin de l'activité frénétique de ce trou d'enfer des Caraïbes : les petites barques fourmillaient au milieu des vaisseaux de ligne anglais pour conduire les marins à terre, dans les boîtes qui proposaient du rhum et des filles ; les voleurs à la tire exerçaient leur métier en silence, interrompus de temps en temps par le cri : « Arrêtez ce filou ! » Partout allaient et venaient des gens de toute couleur et de toute langue, devant des centaines de magasins et de gargotes graisseuses. Port Royal, par une belle matinée de janvier, était un soulagement radical après la réserve très anglaise de la Barbade. La perspective de ramener dans ce tourbillon des vaisseaux espagnols capturés avec leur équipage et leur argent transportait Will de joie.

À sa vive surprise, il eut du mal à trouver un hamac à bord d'un corsaire, car si sa bravoure à l'abordage des bateaux espagnols, au pistolet et au coutelas, était bien connue, peu de vaisseaux corsaires écumaient maintenant les mers.

— Henry Morgan ? C'est sir Henry à présent, lui expliqua un vieux marin français. Il est lieutenant-gouverneur. Il ne pense qu'à donner satisfaction à son roi. Il arrête tous les pirates.

— Tu veux dire...

Tatum avait du mal à croire que le vieux pirate gallois s'était laissé séduire par un beau titre et une petite rente mais le Français le corrigea :

— Pas un seul titre, beaucoup : gouverneur par intérim, lieutenant général, vice-amiral, colonel commandant le régiment de Port Royal, juge de la Cour de l'Amirauté, juge de paix et Custos Rotulorum.

Voyant Will bouche bée quand il eut terminé cette énumération d'honneurs, le Français ajouta avec un clin d'œil sarcastique :

— Toujours la vieille règle : prendre un voleur pour attraper les voleurs.

— Il faut que je le voie, coupa Will. Si je peux lui parler d'homme à homme...

Mais quand il essaya de rencontrer son ancien compagnon de combat, à son bureau de Spanish Town, le jeune officier qui en gardait l'accès lui dit carrément :

— Sir Henry refuse de recevoir les anciens pirates. Il a remis un message pour eux : « Rentrez chez vous et laissez l'Espagne en paix. »

Tatum ne voulut rien entendre et insista pour obtenir une explication.

— Notre roi, répondit le jeune homme, a promis au roi d'Espagne d'interdire Port Royal à tous les pirates. Les vaisseaux espagnols ne seront plus attaqués. Sir Henry obéit au roi.

Outré par ce honteux revirement, Tatum rentra à Port Royal sans avoir vu Morgan, et après un certain nombre de bagarres, trouva enfin un hamac sur un bateau pirate hollandais dont le capitaine ne se sentait nullement lié par des accords convenus en Europe.

— Dans les Caraïbes, c'est nous qui décidons.

Et il décida, à la plus grande joie de Tatum, d'écumer les côtes de la Terre Ferme à la recherche de butin espagnol.

Dans les années qui suivirent, chaque fois qu'il réussit à aborder un bateau du roi d'Espagne, Tatum fut le premier sur le pont du bâtiment assailli. Et pendant que les marins hollandais se disputaient le butin, il arpentait les coursives avec son coutelas et son pistolet et il abattait tout Espagnol qui faisait mine de s'opposer à lui, jusqu'à ce que son capitaine hollandais lui crie :

— Tatum ! Arrête !

Le boucanier hollandais écuma toute la mer des Antilles et des échos de la conduite sauvage de Tatum parvinrent à Port Royal. Des officiers anglais prévinrent le lieutenant-gouverneur Morgan.

— Il faut que vous mettiez ce forcené à la raison. Si le roi d'Espagne se plaint à notre roi, nous le paierons très cher.

Dès que l'on annonça le retour à Port Royal du vaisseau hollandais chargé de butin, le gouverneur par intérim Morgan, torturé par les tourments de la goutte dans son gros orteil gauche, tourments provoqués par l'abus de l'alcool, clopina dans son bureau et lança une série d'ordres détestables :

— Interceptez ce bateau. Arrêtez ce cinglé de Will Tatum.

Quand on fit comparaître le vieux pirate devant lui, il dit simplement :

— Vous constituez une menace pour le roi. Vous vous croyez revenu des années en arrière.

L'allure de son ancien capitaine stupéfia Will Tatum. Il était devenu énorme, il avait le visage écarlate, le pied dans un pansement, et une voix râpeuse, avinée. Puis il entendit la décision ignoble :

— Tatum, pour prouver que nous faisons de notre mieux pour maintenir la paix, je vais vous livrer comme prisonnier au gouverneur espagnol de Carthagène.

— Non ! cria Will.

— Par ordre du roi.

— Les Espagnols me détestent. Ils me tueront.

Morgan se contenta de sourire, et Will le supplia.

— J'étais votre bras droit à Porto Bello... À Panamá.

Cette supplique amusa beaucoup Morgan, car il se souvenait bien de Tatum : un héros le jour où il avait fait sauter les soldats espagnols à Porto Bello ; un héros, encore, à Panamá, à l'assaut des murailles ; mais un fieffé fripon quand il avait orchestré les protestations lors du partage du butin sur la plage. Cette révolte effaçait ses autres exploits : Morgan ne devait rien à ce vieux boucanier.

— Autres temps, autres problèmes, dit-il sèchement.

Il sortit du bureau en boitant.

Quand le bateau anglais qui conduisait Tatum arriva aux abords de Carthagène, sinistre port où tant de vies anglaises avaient été perdues, Will n'arrivait pas à croire les sinistres détours de l'Histoire. Des années auparavant, à Cadix, il avait failli monter sur le bûcher, mais il s'était évadé pour se mettre au service du Portugal, de l'Angleterre et de Henry Morgan, toujours contre le même ennemi immortel : l'Espagne. Et voici qu'on le livrait maintenant, les poings liés, à la captivité espagnole dont il s'était évadé trente ans plus tôt, pour lui faire subir un châtiment aussi barbare.

Son procès devant l'Inquisition s'ouvrit et il protesta aussitôt, du fond du cœur, qu'il s'était conduit en simple marin, ni meilleur ni pire que les autres. Mais le procureur cita six Espagnols qui témoignèrent que l'accusé Will Tatum, connu pour ses infamies dans toute la Terre Ferme, avait dirigé l'abordage de leurs bateaux, massacré leurs camarades et envoyé les autres à la dérive dans des chaloupes sans voiles et avec très peu d'eau. Sa culpabilité ne fit aucun doute, et quand le juge principal se mit à déclamer : « Vous avez offensé Dieu et l'Espagne », Will supposa qu'il allait être condamné à mort une fois de plus. Mais, à Carthagène, l'Inquisition n'aimait pas ordonner des exécutions, et la sentence fut plus clémente.

— Emprisonnement à vie, comme galérien.

Aussitôt, il songea à l'ironie de sa situation : l'implacable ennemi de la marine espagnole passerait le reste de sa vie à la faire avancer à la rame sur les Sept Mers.

Mais un jeune prêtre à l'œil vif remarqua le B presque effacé sur la joue de Will. Cette marque très rare lui rappela qu'un prisonnier anglais, avec la même lettre, non seulement s'était évadé des geôles de l'Inquisition à Cadix mais avait assassiné plusieurs gardiens. Et l'on ramena Will devant les juges en robe noire qui lui lurent la nouvelle sentence :

— Le jugement rendu en Espagne sur le criminel hérétique Tatum sera exécuté ici. La pendaison.

De retour dans sa cellule, Will réfléchit à sa vie tumultueuse de boucanier : aux nuits de fêtes déchaînées à Port Royal, au bois de campêche du Honduras, au sac de Panamá, au bateau égaré en doublant le cap Horn, à la capture du galion espagnol au large de Cuba, à la perte du *Pride of Devon* au large de Cadix, à la prison et à l'évasion, et dans quatre jours... une potence à Carthagène. Il haussa les épaules et s'endormit.

Le matin du troisième jour il reçut la visite de deux éminents habitants de Carthagène qui le connaissaient bien, la *condesa* et son conseiller spirituel fray Baltasar, qui parla le premier :

— Will Tatum, la sentence contre vous est juste et vous méritez de mourir pour vos crimes dans l'Ancien et le Nouveau Monde. Mais la *condesa* désire vous parler.

De la voix tranchante que Will se rappelait si bien, elle déclara :

— Tatum, malgré notre longue épreuve, vous nous avez aidés à ramener ma fille Inés intacte. Je ne l'oublie pas, et j'ai obtenu du *conde* qu'il vous sauve la vie.

On le libéra le jour même, et dès qu'il fut libre il se précipita vers les quais sans le moindre remords, avec l'intention de se faire engager sur un bateau qui le conduirait à Port Royal. Mais dès qu'il apparut près de l'eau trois hommes d'armes placés sous l'autorité de fray Baltasar l'appréhendèrent.

— Vous vous êtes montré un ennemi tellement acharné de l'Espagne que vous devez rester ici, à Carthagène, jusqu'à la fin de vos jours. Nous ne voulons pas prendre le risque que vous redeveniez pirate contre nos bateaux.

Will se soumit donc à cette sentence clémente et travailla sur les routes, loin de la mer. Et au bout de sept mois de travail épuisant, il en était venu à accepter la perspective désolante de passer le reste de sa vie dans ces conditions. Mais, vers la fin de l'an 1692, le sombre fray Baltasar fit courir sa mule vers l'endroit où Will travaillait, et cria :

— Tatum ! On a besoin de vous au port !

Et au milieu des rires, Tatum sauta en croupe du prêtre et s'accrocha à sa soutane.

Le problème intriguait tout le monde : un navire marchand hollandais s'était réfugié tant bien que mal dans le port, où il n'avait aucune raison de se trouver, avec ses vergues et ses ponts dans un triste état. L'équipage avait donné une explication si absurde que le capitaine avait dû la répéter six fois en mauvais espagnol, sans que les responsables de Carthagène lui prêtent foi. À l'arrivée de Tatum on le poussa au premier rang.

— Vous parlez anglais et vous connaissez Port Royal. Que devons-nous conclure de ce que cet homme nous raconte ?

Ce fut la traduction précise de Will qui parut dans les chroniques de Carthagène :

> *Le matin du 7 juillet 1692, journée à ne jamais oublier, notre bateau se trouvait paisiblement à l'ancre dans le chenal de Port Royal, à la Jamaïque, quand nous avons vu soudain la terre se soulever sous la ville, se briser en énormes fragments et se tordre, comme prise de convulsions violentes. De vastes cavités apparurent dans le sol et engloutirent des églises entières. On ne les revit plus. Des failles de plus petites dimensions happèrent des groupes de personnes, prises au dépourvu, et bientôt un raz de marée vint nettoyer les ruines et les neuf dixièmes des anciennes terres s'enfoncèrent sous la mer. Deux mille habitants perdirent la vie dans les premières minutes du séisme et des vagues énormes se jetèrent sur les vaisseaux du port. La mer déferla sur nos ponts et brisa tout.*
>
> *Les marins des bateaux, ceux qui avaient évité la noyade, aidèrent les victimes qui flottaient dans l'eau à l'endroit où se trouvaient leurs maisons. Un vieillard nous a dit : « Les anciens dieux des Antilles, écœurés par la débauche des boucaniers qui ont fait de notre ville un cloaque, ont décidé de l'ensevelir sous les vagues. »*

Ainsi disparut de la Terre, en moins de vingt-cinq minutes, la ville de Port Royal, capitale des boucaniers et le plus débauché de tous les ports des Sept Mers.

On ne remercia guère Will de ses bons offices d'interprète de la tragique nouvelle, car le lendemain il travaillait de nouveau sur les routes. Mais le jour suivant, il reçut une récompense inattendue car fray Baltasar réapparut sur sa jeune mule.

— Tatum, le *conde* a apprécié votre aide l'autre jour. On lui a rapporté que vous étiez un prisonnier modèle, obéissant et excellent travailleur. Il m'a accordé la permission de vous accorder un bienfait. Posez votre pelle et venez partager avec moi un ragoût et une bouteille de vin rouge... chez ma sœur.

Tout Espagnol, prêtre ou malandrin, conseiller fidèle ou petit combinard dans un bureau du gouvernement, se soumettait à la règle d'or qui avait toujours dicté le comportement de chacun à Carthagène : « Veillez d'abord sur votre famille. » Personne, même pas Baltasar, ne dérogeait à cette loi rigide. Sa sœur était une veuve convenable qui possédait quarante-quatre arpents de terre en pleine production et essayait de trouver un second mari depuis une douzaine d'années. Ce jour-là comme bien souvent, son frère avait donc invité un homme sans épouse à goûter l'un de ses délicieux ragoûts.

Elle servit un repas si merveilleux que Will fut encouragé à revenir souvent sans que fray Baltasar ait besoin de l'en supplier. Puis le prêtre revint un beau jour avec sa mule sur le lieu de travail de Will et fit une proposition inespérée à cet Anglais en qui il était arrivé à avoir confiance.

— Will, vous avez sans doute remarqué que ma sœur a besoin de quelqu'un pour l'aider à travailler ses terres. Je l'expliquerai au *conde*. Je sais qu'il vous fera grâce... Et vous pourrez aller vivre là-bas...

— Oh ! vous voulez que j'épouse votre sœur ? Mais je ne suis pas catholique et...

— Qui parle de mariage? cria le prêtre. Pour moi, marier un protestant comme vous à une bonne catholique comme ma sœur serait un péché mortel. Je rôtirais en enfer. Mais j'ai fait construire une petite cabane... sur un coin de ses terres... Il n'est pas question de mariage!

Avant que Will puisse répondre à cette proposition stupéfiante, le prêtre baissa la voix pour ajouter :

— C'est une brave femme, Will. Une femme charmante que j'aime beaucoup. J'ai plus de soixante ans, et je dois veiller à ce qu'elle ait quelqu'un pour l'aider dans sa petite ferme.

Ce fut ainsi que Will Tatum, ennemi mortel de l'Espagne et de tout ce qui était espagnol, devint l'homme de peine d'une veuve espagnole possédant quarante-quatre arpents et un don remarquable pour la cuisine. Au cours des années, il prit ses repas de plus en plus souvent à la table de la veuve, et découvrit que « quand on essaie de comprendre les Espagnols, ils ne sont pas si mauvais que ça ».

7

Les Intérêts du Sucre

Jamaïque, 1731

Les colons anglais de la Jamaïque les appelaient *marrons*. Des esclaves noirs, fiers de caractère, dont les ancêtres s'étaient échappés quand les Anglais avaient chassé leurs maîtres espagnols de l'île dans les années 1650. Ils s'étaient enfuis dans des vallées reculées des montagnes, au centre de l'île, où ils avaient survécu et prospéré pendant plus de quatre-vingts ans, en repoussant tous les efforts des Anglais pour les déloger. Chaque année, leur nombre augmentait. De nouveaux esclaves importés à la Jamaïque à grand prix travaillaient quelques années dans les plantations de sucre puis disparaissaient dans les montagnes pour former une nouvelle réserve de marrons.

En 1731, la situation s'aggrava : d'audacieux marrons lancèrent des assauts en règle contre des plantations de sucre. Aussitôt, les planteurs blancs décidèrent une contre-attaque de grande envergure et lancèrent une vaste campagne contre ces maraudeurs des montagnes. Chaque plantation dut fournir des armes, de l'argent et surtout des hommes — des blancs et des noirs fidèles — pour constituer la milice qui châtierait les renégats. Comme il fallait s'y attendre, l'éminente plantation Trevelyan, au nord de la capitale, Spanish Town, proposa quantité d'armes et de munitions, ainsi qu'un capitaine pour le régiment : sir Hugh Pembroke. Âgé de quarante-six ans cette année-là, il avait un air militaire et l'uniforme de l'armée anglaise mettait en valeur sa silhouette svelte. Il était également membre du Parlement, à Londres.

L'important contingent de plus de cent soldats, venus de Spanish Town et des plantations voisines, partit vers Trevelyan, où se joignit à la troupe un planteur extraordinaire, Pentheny Croome, cent vingt kilos, la silhouette d'une motte de beurre fraîchement battue, un visage rouge flamboyant. De même que sir Hugh, il était membre du Parlement anglais et célèbre au sein de l'auguste assemblée comme « le seul des deux Chambres à n'avoir jamais ouvert un livre ». Certains de ses collègues murmuraient même dans son dos :

— Je me demande même s'il sait son alphabet, mais pour calculer quinze pour cent par an sur ses investissements, il n'a pas son pareil.

Les investissements de Pentheny, comme ceux de tous les principaux chefs de la troupe improvisée, se trouvaient dans le sucre. Par la ruse, l'avarice et le vol, il avait acquis non seulement une immense plantation, deux fois plus vaste que celle de sir Hugh, mais plusieurs milliers d'arpents qu'il se proposait de mettre un jour en culture. C'était un géant aux appétits de géant, et quand les hommes furent prêts à lancer leur poursuite dans les collines, il déclara :

— Nous allons mettre ces marrons en déroute et tous les tuer. Pas de quartier !

Sir Hugh, qui possédait une expérience militaire supérieure, corrigea aussitôt ses paroles :

— Non, Pentheny, mon excellent ami. Les ordres du gouverneur sont fort différents. Nous essayons de détruire les marrons depuis trente ans. Une expédition après l'autre. Résultat ? Six morts dans notre camp, c'est certain. Et chez eux, peut-être quatre.

— Alors pourquoi partons-nous ?

— Pour établir une trêve. Messieurs, nous ne tirerons pas un seul coup de feu contre les marrons. Nous allons leur proposer une trêve. Plus de guerre... jamais... s'ils s'engagent à nous retourner nos esclaves qui essaient de s'enfuir.

— Pouvons-nous leur faire confiance ? demanda Croome.

— Avons-nous un autre choix ? rétorqua sir Hugh.

Pentheny Croome joua des coudes pour parvenir au premier rang et se campa sous le nez de sir Hugh.

— Est-ce là ce que vous avez recommandé au gouverneur, Pembroke ? lança-t-il.

Sir Hugh répondit sur un ton assez soutenu pour que toutes les troupes l'entendent :

— En 1717, vous avez fait passer une loi autorisant les planteurs comme vous et moi à mutiler les esclaves « difficiles », et même à les écarteler et à les faire passer au bûcher si le délit était assez grave. Je vous avais prévenu que cela ne marcherait pas. Et cela n'a pas marché.

Il regarda fixement, tour à tour, chaque propriétaire de plantation.

— Alors nous allons essayer à présent quelque chose de mieux, en tout cas dans notre région de la Jamaïque.

Et il conduisit ses troupes dans les montagnes.

En quatre jours de marche extrêmement pénible en terrain très accidenté, ils ne virent aucun signe de la présence des marrons qui vivaient, à n'en pas douter, dans le secteur. Ils avaient envoyé en avant-garde des éclaireurs qui appelaient à tue-tête le chef des marrons :

— Cuffee ! Cuffee ! Montre-toi ! Nous voulons parlementer !

Aucune réponse. Mais le cinquième jour, au coucher du soleil, un coup de fusil retentit au milieu d'un dédale de racines de banian.

— Par ici ! cria Croome.

Il s'élança en tiraillant dans la jungle épaisse et un marron s'écroula.

— Voilà comment nous réglerons l'affaire, dit-il en s'asseyant sur un tronc pour nettoyer son fusil, le noir mort à ses pieds.

Mais sir Hugh ne voulut rien entendre. Il attacha un foulard blanc au canon de son fusil, demanda à son fils Roger de faire de même et se dirigea vers le fourré en criant :

— Cuffee ! Cuffee ! Je suis sir Hugh. Venez discuter avec moi.

Et dans la nuit tombante, le célèbre chef des marrons, âgé de quarante ans, dont les ancêtres avaient été capturés dans le golfe de

Guinée en 1529, s'avança avec précaution pour parlementer avec ses ennemis, comme s'il était un véritable chef d'État.

Au retour de l'expédition, sir Hugh ne s'arrêta pas à Trevelyan mais continua jusqu'à Spanish Town, accompagné par Pentheny Croome pour rendre compte au gouverneur, le général Hunter :

— Une escarmouche brève. Croome, ici présent, a réagi avec une extrême bravoure. Il nous a protégés dans une situation difficile, mais n'a pu éviter de tuer un marron.

— C'est un brave, ce Croome. Et qu'avez-vous obtenu ?

— J'ai rencontré Cuffee. Vu ses hommes. Vu leur énorme réserve de fusils volés et de balles. Conclu l'accord dont nous étions convenus ensemble. Plus de tueries de sa part. Plus d'incendies dans la nuit. De notre côté, nous lui fournirons d'autres munitions pour qu'il nous protège contre une éventuelle invasion espagnole.

Le gouverneur explosa :

— Bon Dieu ! Vous êtes passé à côté du vrai problème !

— Pas du tout, sauf votre respect, gouverneur. Cuffee et ses lieutenants, sans exception, ont accepté de ne plus recueillir d'esclaves en fuite. Ils les ramèneront. Dix livres de récompense s'ils sont vivants, cinq livres s'ils sont morts.

— Bien joué, Pembroke.

Puis le gouverneur salua, quitta la pièce et revint aussitôt avec une bonne nouvelle pour Croome.

— Les terres défrichées à flanc de coteau, dont vous m'aviez parlé ? Les papiers viennent d'être signés. Elles sont à vous.

Avec un geste d'affection sincère, car il comprenait les planteurs comme Pentheny Croome, il prit le gros bonhomme par l'épaule et le raccompagna à la porte.

Le lendemain matin, sir Hugh, levé avant l'aube, repartit à cheval avec Roger, sans même prendre congé de Pentheny tant il avait hâte de retrouver le seul refuge sûr qu'il connût en ce monde, supérieur même à son siège assuré au Parlement : les splendides champs verdoyants de la plantation Trevelyan. En apercevant les limites de ses terres impeccablement entretenues, il cria à son fils :

— Conserve-les ainsi, Roger ! Un endroit comme celui-ci réjouit le cœur de l'homme.

Comme le soleil était déjà haut dans le ciel, il ne s'étonna pas de voir ses esclaves se diriger vers les champs des collines basses, où des milliers de petits rectangles venaient d'être tracés avec une précision rigoureuse, leurs quatre côtés alignés avec soin en relevant la terre meuble à la houe. À l'intérieur de chacun d'eux l'on planterait des rejets de canne à sucre, et chacun aurait son système d'irrigation séparé, protégé par les murets de terre.

Il ne s'attendait pas à ce que les esclaves témoignent le moindre plaisir de le voir de retour, mais s'il avait regardé de près, il se serait aperçu qu'ils préféraient en tout cas le savoir à la Jamaïque qu'à Londres.

— Quand le pied du patron touche le sol, les choses poussent.

Puis le cœur de sir Hugh battit plus vite, car il se rapprochait de la butte où il s'arrêtait toujours quand il rentrait dans sa plantation après une absence prolongée. Quand il y parvint, il arrêta son cheval, se pencha en arrière sur la selle et regarda une fois encore l'un des plus beaux paysages de la Jamaïque, et peut-être de toutes les Caraïbes.

En haut d'une autre colline, dans le lointain, s'élevait un bâtiment de pierre qui brillait sous l'éclat du soleil, couronné par un moulin à vent en état de marche avec ses quatre voiles de toile écrue. Non loin, sur une vaste aire plate, s'élevait une bâtisse semblable, mais sans moulin. À l'intérieur de chacune d'elles se trouvait un mécanisme vertical permettant de broyer les cannes à sucre pour en extraire le suc précieux.

Ces deux bâtiments, aussi bien construits que des cathédrales, constituaient le cœur même de la plantation. Quand le vent soufflait, et il soufflait au moins un jour sur deux à la saison des récoltes, le premier faisait le travail grâce à l'énergie transmise par le moulin. Mais quand les vents se lassaient de souffler, comme cela arrivait aux moments les moins opportuns, des négrillons criards, dans le deuxième, faisaient tourner sans cesse des paires de gros bœufs sur une piste circulaire pour mouvoir les lourds rouleaux broyeurs. Du moment qu'une des deux bâtisses pouvait fonctionner, tout allait pour le mieux dans la plantation.

Au pied de la colline du moulin à vent serpentait un cours d'eau, pas assez important pour être qualifié de rivière ou même de ruisseau, mais néanmoins de débit assez régulier pour les besoins de Trevelyan. Il poursuivait son chemin en bruissant pour passer sous un charmant pont de pierre de deux arches. Cet ouvrage aux proportions élégantes constituait le centre du secteur de production du sucre.

Des deux broyeurs sur la colline, le jus de canne extrait coulait par gravité dans un aqueduc de pierre à la romaine, non couvert, qui passait au-dessus du pont et formait un de ses parapets. L'aqueduc livrait son précieux liquide aux cuves où l'on recueillait le jus, aux bouilleurs de cuivre où on le faisait réduire, aux plateaux sur lesquels il se transformait comme par magie en cristaux bruns appelés *muscovado,* aux pots dans lesquels le *muscovado* était traité avec de l'argile blanche importée de la Barbade pour produire les cristaux blancs que désiraient les marchands et les ménagères. Toutes ces opérations avaient lieu dans une série de petits bâtiments de pierre bien construits qui comprenaient aussi l'enclos des mules et les alambics où les rebuts de la raffinerie — de riches mélasses de couleur sombre — étaient transformés en rhum.

La plantation Trevelyan jouissait d'une réputation enviable sur le marché sucre-mélasse-rhum à cause d'une décision intelligente d'un de ses premiers propriétaires. Dans les années 1670, il avait dit à sa famille :

— Le coton et le tabac, à la Jamaïque, sont pour les idiots. Les colonies d'Amérique nous battront toujours, en prix de revient et en qualité. Mais j'ai appris qu'à la Barbade, un malin du nom de Thomas Oldmixon commence à gagner des paquets en cultivant de la canne à sucre importée en fraude des Guyanes. Je vais aller là-bas voir comment il s'y prend.

Il le fit, et constata qu'Oldmixon amassait des bénéfices énormes avec ses cannes. Mais sous ses airs affables le bonhomme se montra soupçonneux.

— Pourquoi vous confierais-je mes secrets ? Pour voir le sucre de la Jamaïque concurrencer le mien ?

Il ne dit rien à son visiteur et lui montra encore moins. Le jour où il surprit Samuel Trevelyan sur ses terres à la tombée de la nuit pour étudier comment la canne à sucre poussait, il lui ordonna de quitter la plantation, et il lâcha deux chiens pour l'empêcher de revenir fourrer son nez.

Le séjour de Trevelyan à la Barbade serait resté infructueux s'il n'avait rencontré un garçon sympathique répondant au nom de Ned Pennyfeather — le propriétaire de l'*Auberge de la Giralda,* sur les quais de Bridgetown. Après avoir écouté le récit des espoirs déçus de Trevelyan, l'aubergiste lui répondit :

— Logique, non ? Oldmixon a fait venir ses cannes en contrebande. Du Brésil, je crois. Et ils étaient furieux, là-bas, quand ils ont découvert son coup. Il n'a pas envie de partager avec vous l'avantage acquis.

— Je suis venu de loin pour ça. Que vais-je faire ?

Pennyfeather réfléchit un instant, puis fournit une réponse qui allait déclencher la prospérité future de la Jamaïque.

— Il y a, vers l'est, en haut de la première colline, une espèce de salopard. Il ne vous donnerait même pas un verre d'eau si vous creviez de soif. Mais pour trente deniers il vous vendra n'importe quoi. Il s'appelle sir Isaac Tatum.

— Oldmixon m'a expliqué que ma requête allait contre les intérêts de la Barbade.

— Sir Isaac ne connaît qu'une sorte d'intérêts : les siens. Vous aurez vos cannes à sucre si vous avez de l'argent.

Isaac Tatum discuta âprement, mais Trevelyan obtint ses rejets, et à son retour à la Jamaïque, ceux-ci poussèrent « merveilleusement bien », selon les termes de sa lettre de remerciement à Pennyfeather.

Bien entendu, quand il en sut plus long sur la canne à sucre, il découvrit que sir Isaac l'avait trompé de façon éhontée. Il ne lui avait pas vendu des boutures normalement racinées qui resteraient viables pendant quatre ans, mais seulement des rejets accidentels de plants enracinés, qui ressemblaient aux boutures mais ne vivraient pas plus de deux saisons. Mais ces rejets permirent cependant à Samuel Trevelyan de se lancer et deux ans plus tard il put acheter de vraies boutures à un planteur honnête. La grande plantation jamaïcaine démarra et d'énormes richesses commencèrent de s'accumuler.

Une découverte accidentelle joua un rôle décisif dans la fortune des Trevelyan. Un des esclaves de la plantation, particulièrement étourdi, versa dans l'alambic un mélange de vieilles mélasses dont le sucre s'était caramélisé au soleil. En voyant que le rhum produit ainsi était beaucoup plus sombre que d'habitude, il le cacha dans un fût spécial qui avait été fabriqué, tout à fait par hasard, avec du chêne passé au feu. Quand Trevelyan découvrit enfin l'erreur, il ne trouva pas le liquide d'ambre clair produit d'habitude par la plantation, mais un rhum lourd et sombre, au parfum étonnant. Certains l'appellent maintenant *golden black,* mais il porte encore le nom conventionnel de Trevelyan et demeure recherché par les connaisseurs qui désirent la meilleure qualité. Aussitôt l'argent coula à flots d'Europe et de Nouvelle-Angleterre, parce qu'aucune autre plantation n'avait maîtrisé la technique de fabrication d'un aussi bon rhum noir.

A la droite du pont se groupaient les petites cabanes des esclaves : murs de maçonnerie jusqu'à mi-hauteur, poteaux de bois aux angles, canisses tressées et torchis durci par le soleil, toits recouverts de palmes. Les sols, durs et secs, étaient recouverts par un mélange de boue, de gravier et de chaux, bien tassé puis balayé. Sir Hugh, qui leur jeta un coup d'œil en passant, les trouva raisonnablement en ordre.

Sur la colline, non loin du moulin à vent, s'élevait la maison des maîtres, manoir de trois niveaux, avec des ailes protégeant la cour. On l'appelait Golden Hall à cause de la rangée d'arbres dont les fleurs jaunes égayaient la propriété. Lady Beth Pembroke avait adoré ces arbres, et leur floraison éclatante rappelait à sir Hugh et à ses trois fils la présence de cette femme regrettée.

Enfin en sécurité sous la véranda de Golden Hall, sir Hugh, à son retour des guerres, pouvait poser les yeux sur une scène aux éléments si parfaitement agencés — arches du pont, bâtiments de pierre, logements des esclaves, alambic du rhum, champs cultivés, forêts — que le décor semblait créé par le pinceau d'un maître du Moyen Âge. C'était un petit royaume dont n'importe quel prince d'un autre âge aurait été fier.

Avec ses sept cents arpents, dont soixante-dix-sept de canne mûre, cent cinquante-quatre de rejets et soixante-dix-sept de jeunes plants, la plantation Trevelyan n'était nullement la plus grande de la Jamaïque — celle de Pentheny Croome avait une superficie double, sans compter les terres récemment acquises. Elle était exploitée par deux cent vingt esclaves, quarante mules et soixante-quatre bœufs. Leurs efforts conjugués produisaient un peu moins de trois cents tonnes de sucre, dont environ la moitié serait blanchie et l'autre partirait vers les raffineries d'Angleterre sous forme du *muscovado* roux. En outre, fierté de la plantation, on mettait en fût chaque année plus de cent tonneaux de rhum Trevelyan, soit un peu moins de quatre cents hectolitres.

Sir Hugh calculait ses coûts avec soin :

— Chaque esclave, deux cent cinq dollars américains ; chaque mule, cent quatre-vingts ; coût de remplacement des bâtiments de pierre et des moulins à vent, deux cent mille dollars. Frais de gestion, chaque année, environ trente mille dollars ; revenu annuel moyen, cinquante-cinq mille ; bénéfice annuel moyen, vingt-cinq mille dollars.

Il tenait également ses comptes en monnaie anglaise et en monnaie espagnole, mais quelle que fût sa façon de calculer ses bénéfices, ils étaient énormes et lui permettaient, ainsi qu'à sa famille, de vivre dans ce qu'on appelait « le grand style d'un planteur de la Jamaïque ». Cela signifiait que Golden Hall avait une douzaine de domestiques, six jardiniers, des garçons d'écurie, un docteur pour la plantation, un pasteur pour la petite église de l'autre côté du pont, et quantité d'autres serviteurs.

Tout en constatant la prospérité de sa plantation, sir Hugh songeait à l'essor de son île. Le dernier recensement sommaire avait révélé l'existence de deux mille deux cents blancs de la catégorie maître-maîtresse, environ quatre mille « petits blancs » de basse classe, et soixante-dix-neuf mille esclaves. Comme il l'avait précisé à un visiteur d'Angleterre :

— Nous n'oublions jamais que les blancs, même en les comptant tous, forment une minorité de six contre soixante-dix-neuf. Cela nous impose certaines précautions. Oui, de grandes précautions dans notre façon de traiter nos esclaves, capables de se soulever et de nous massacrer tous si l'envie leur en prenait.

Mais il avoua aussi qu'il avait amassé des bénéfices énormes dans la traite des noirs.

— L'an dernier, nous avons pu importer à la Jamaïque sept mille esclaves d'Afrique, et nous aurions pu en revendre deux fois plus. Nous en avons immédiatement réexporté plus de cinq mille à Cuba et en Caroline du Sud pour de nouveaux colons, et nous avons fait un profit fabuleux.

À la Jamaïque et en Angleterre, il expliquait au premier venu qui s'intéressait à son île que c'était un refuge pour toute sorte de gens.

— Nous acceptons les Espagnols qui fuient les gouvernements autoritaires d'Amérique du Sud, les esclaves qui veulent échapper à la cruauté de leurs maîtres en Georgie, et les artisans de Nouvelle-Angleterre qui désirent démarrer une nouvelle vie. L'an passé, le gouverneur a publié une proclamation précisant que nous accepterions désormais même les catholiques et les juifs, s'ils promettent de ne pas fomenter de scandale public.

La vie des Pembroke ne se limitait nullement à Golden Hall, car les trois garçons avaient fait leurs études en Angleterre, à Rugby dans le Warwickshire et passé une grande partie de leur jeunesse soit dans leur maison de Cavendish Square près de Hyde Park, à Londres, soit dans l'adorable petite propriété des Cotswold Hills, à Upper Swathling, dans le Gloucestershire, à soixante-cinq kilomètres de Londres, où lady Pembroke — lady Beth pour ses intimes — avait ordonné la création d'un des plus beaux petits parcs floraux du sud de l'Angleterre.

Les Pembroke, comme la plupart des planteurs de sucre des Indes occidentales, étaient légalement domiciliés dans l'île où se trouvait leur plantation mais se sentaient toujours liés à l'Angleterre par le cœur. Ils éduquaient leurs fils en Angleterre ; ils entretenaient leurs maisons de famille en Angleterre ; et ils siégeaient au Parlement pour défendre ce que l'on appelait dans l'empire entier « les Intérêts du Sucre ». Dans ces années-là, deux douzaines de planteurs comme sir Hugh occupaient des sièges à la Chambre des Communes. Ils y formaient un bloc irréductible qui contrôlait toute la législation de façon que le sucre bénéficie de la protection qu'il méritait à leurs yeux.

Mais comment un planteur presque illettré comme Pentheny Croome, de la lointaine Jamaïque, pouvait-il obtenir un siège au Parlement ? Simple. Comme les autres, il l'achetait. Il y avait à l'époque, en Angleterre, une poignée de « bourgs pourris », comme on disait — des villes qui avaient eu une certaine importance à l'époque de la répartition originale des sièges du Parlement, mais qui avaient décliné depuis, et même dans certains cas complètement disparu. Mais chacune de ces circonscriptions fantômes conservait le droit d'envoyer un homme au Parlement, et il devint banal qu'un propriétaire terrien possédant le titre d'un bourg pourri vende son siège parlementaire au plus offrant. Pentheny avait payé son bourg onze cents livres sterling ; sir Hugh mille cinq cents livres chacun des deux qu'il avait acquis, l'un pour lui-même, l'autre pour Roger, son fils aîné. Les autres planteurs des Indes occidentales avaient fait de même, en plein accord avec la formule de Pentheny :

— C'est mon meilleur placement. Cela nous permet de nous défendre contre les salopards.

Les « salopards » étant, bien entendu, toute personne désireuse de fixer un prix équitable pour le sucre.

Et c'était là la différence essentielle entre les colonies anglaises des Indes occidentales et celles d'Amérique du Nord. Des colonies de plus en plus responsables et capables d'autonomie comme le Massachusetts, la Pennsylvanie et la Virginie ne contrôlaient pas un seul siège au Parlement ; elles étaient sans protection contre les impôts et les règlements imposés de façon arbitraire ; elles conservaient leurs politiciens sur place où ils apprenaient les complexités de la politique locale de l'Amérique rurale — ce qui leur permettrait d'accéder à l'indépendance. Les îles des Indes occidentales, comme les Anglais appelaient leurs colonies des Caraïbes, infiniment plus favorisées à l'époque, ne tiraient jamais profit de l'expérience sur le terrain, car leurs meilleurs hommes se trouvaient presque toujours absents, à Londres.

Également important, alors que de jeunes garçons brillants de la Jamaïque ou de la Barbade faisaient leurs études en Angleterre, leurs contemporains de Boston et de New York fréquentaient respectivement Harvard et King's College, et constituaient les amitiés intercoloniales qui s'avéreraient si importantes le jour où les colonies décideraient de réclamer leur autonomie. Avec le recul du temps, il paraît évident que les Indes occidentales ont payé extrêmement cher les avantages éphémères dont elles ont bénéficié entre 1710 et 1770.

Mais en 1731, sir Hugh se sentait parfaitement satisfait de se trouver à Golden Hall avant de rentrer à Londres pour la prochaine session du Parlement, où l'on discuterait de questions capitales pour les planteurs de sucre. Quel plaisir d'avoir ses trois fils à la maison ! Roger, vingt-six ans, hériterait un jour du titre de baronnet et deviendrait sir Roger ; en ce moment, il possédait le deuxième bourg pourri contrôlé par les Pembroke et faisait son chemin lentement et sans bruit au Parlement, en suivant les instructions de son père :

— Pendant les deux premières sessions, ne dis rien, n'attire l'attention de personne, mais sois présent pour voter chaque fois que le sucre est en jeu.

Roger promettait déjà de devenir, à l'âge mûr, un des leaders de la « délégation du sucre ». Mais à bien des égards c'était le deuxième fils qui assurait la position élevée des Pembroke, parce que Greville restait à la Jamaïque pour faire tourner la plantation. À vingt-quatre ans, il avait déjà montré son talent pour faire travailler les esclaves dans des conditions de bien-être raisonnable, mais avec un rendement plus que raisonnable. Il manipulait bien les chiffres et savait juger s'il valait mieux expédier son surplus de mélasses à Boston ou à Londres. Comme disaient les planteurs de la Jamaïque :

— Les habitants du Massachusetts doivent boire davantage de rhum par personne que n'importe qui dans le monde. Ils ont sept distilleries, là-haut, et un appétit insatiable pour nos mélasses.

Il avait mis au point un accord profitable avec le frère de Pentheny Croome, Marcus, armateur de deux petits bateaux qui transportaient le fret de la Jamaïque. Partout où Greville posait la main, de l'argent entrait dans les caisses de Pembroke.

Avoir un fils capable de diriger la plantation constituait un avantage dont peu de familles disposaient. Comme la plupart des propriétaires préféraient passer le plus clair de leur temps en Angleterre, ils confiaient la gestion de leur plantation à de jeunes Écossais ou

Irlandais sans expérience venus à la Jamaïque dans ce but. Ou, s'ils avaient de la chance, ils trouvaient sur place un juriste honnête qui s'occupait de l'exploitation ; dans le cas contraire, ils tombaient entre les griffes d'un forban qui volait la moitié des bénéfices dès qu'ils avaient le dos tourné. Sur les deux douzaines de planteurs des Indes occidentales qui constituaient les Intérêts du Sucre au Parlement en 1731, seuls deux avaient eu la chance de trouver d'honnêtes membres de leur famille pour diriger leur plantation, alors que treize s'étaient rendus, tout jeunes, en Angleterre et n'avaient plus remis les pieds dans leur île natale pour contrôler la production du sucre sur place. Ils ne se souciaient que de défendre les îles contre les intérêts concurrents, en Angleterre, en France et surtout en Amérique du Nord.

John, le troisième fils de sir Hugh, posait un problème. Ce jeune homme de vingt-deux ans était l'un des meilleurs garçons que la Jamaïque eût jamais produits et s'il avait été l'aîné, il aurait fait un digne héritier du titre de son père et de son siège au Parlement. S'il avait été le deuxième, il aurait sans doute occupé la place de Greville à la tête de la plantation, mais il n'existait aucun espoir dans cette direction. John lui-même avait dit à son père un soir :

— Je me demande si j'aurais été capable de réussir comme Greville.

Et la question restait donc en suspens :

— Qu'allons-nous faire de John ?

Personne n'avait de réponse. Il avait reçu une excellente éducation à Rugby et, traditionnellement, les troisièmes fils entraient dans l'armée ou le clergé ; mais John n'avait montré aucune disposition pour l'une ou l'autre.

— Tout va très bien, assurait-il pourtant à son père. Je trouverai quelque chose un jour.

Entre-temps, il livrait une bataille dont ses deux frères s'étaient tirés avec succès. Hester, la fille de Pentheny Croome, était une grosse personne effrontée qui hériterait un revenu d'au moins vingt mille livres par an, somme colossale dans l'Angleterre de l'époque, et bien suffisante pour lui permettre de choisir un mari à son goût. Mais dès sa jeunesse elle avait jeté son dévolu sur un Pembroke et s'était accrochée à cette idée avec une telle force que même un des célèbres cyclones de l'île n'aurait pu la déloger de sa tête rousse. À seize ans, elle avait fait des avances fort claires au futur sir Roger, mais il les avait esquivées en épousant la fille d'un planteur de la Barbade. À dix-huit ans, encore accablée par la perte de Roger, elle avait mis le cap sur Greville, et l'aurait conduit à l'autel si une sémillante beauté d'une plantation des environs de Spanish Town ne l'avait ensorcelé.

Elle avait maintenant vingt ans, et John Pembroke lui plaisait beaucoup. Elle avait déclaré à son père que « c'était probablement le meilleur de toute la bande de Golden Hall »... Audacieuse dans ses tentatives de séduction, elle se rendit chez lui sur sa jument grise pour l'inviter à un bal, et elle insista pour qu'il assiste à une pièce que les jeunes de la ville allaient jouer en l'honneur des officiers d'un bateau de guerre anglais en escale à Kingston.

— C'est une farce française, John. Très polissonne. Et je joue le rôle le plus important, vraiment : celui de la soubrette.

Il accepta à regret, mais s'aperçut qu'il prenait un plaisir immense. La conversation des jeunes officiers lui parut si amusante qu'il songea un instant à s'engager dans la marine ; et au cours de la pièce, son attention se fixa sur Hester. Elle jouait fort bien le rôle de la soubrette à l'esprit querelleur. Elle faisait preuve d'un vigoureux sens de l'humour, du don de rire d'elle-même et d'une surprenante tendresse dans les scènes d'amour.

Au cours des deux heures et demie du spectacle, elle se hissa du rang de « presque aucune chance », à celui de « presque acceptable », et, quand il la raccompagna chez elle, les applaudissements du public retentissaient encore dans les oreilles de John. Il faillit lui déclarer son intérêt, car il avait vu plusieurs officiers de marine attirés par sa vivacité d'esprit. Mais le lendemain, il participa à une réunion de planteurs à laquelle assistait le père d'Hester, obèse, vulgaire et autoritaire. Reconnaissant la fille dans le père, John battit en retraite.

À cette réunion prenaient part sir Hugh Pembroke et ses deux fils, Roger et John, Pentheny Croome et un gros planteur de Spanish Town presque aussi vulgaire que le père d'Hester. Le sujet du débat n'était autre que l'avenir des Intérêts du Sucre.

— Ils l'appellent déjà la loi sur les mélasses, comme si le projet était voté, expliqua sir Hugh. Elle déterminera nos bénéfices pour les vingt années à venir, il faut donc intervenir avec fermeté. Si nous les laissons agir à leur guise, nos revenus s'écrouleront. Si nous les forçons à rédiger la loi à notre manière, les profits seront sans limites.

Il expliqua que les planteurs des Indes occidentales avaient en face d'eux trois ennemis résolus :

— Les minables voyous de Boston et de New York, qui veulent acheter nos mélasses à bas prix pour gagner des fortunes avec le rhum détestable qu'ils distillent...

À ces mots l'assemblée se lança dans une attaque impitoyable des colonies anglaises de l'Amérique du Nord, et couvrit notamment d'opprobre Boston et Philadelphie, les deux centres commerciaux où les puritains et les quakers rapaces cherchaient à dépouiller sans rémission leurs partenaires commerciaux. Toutes les personnes présentes convinrent qu'à longue échéance l'ennemi naturel des Intérêts du Sucre aux Indes occidentales serait ce ramassis de colonies américaines mal éduquées, mais les membres du Parlement originaires de la Jamaïque connaissaient plus d'un tour pour les contrer.

— Notre deuxième ennemi est plus proche, reprit sir Hugh. Je songe aux îles françaises de la Guadeloupe et de la Martinique. Le problème est le suivant : nos plantations de sucre de la Jamaïque bénéficient de vents sur lesquels nous pouvons compter. Les îles françaises n'en ont pas, donc les moulins à vent sont exclus, et il leur faut utiliser des chevaux et des mules. Et où les trouvent-ils ? Au Massachusetts et dans l'État de New York. Chaque année des centaines de petits bateaux chargés d'animaux de trait descendent de Boston à la Martinique, où ils vendent leur cargaison avec des bénéfices fantastiques.

— En quoi cela nous porte-t-il tort ? demanda le planteur de Spanish Town.

— Après avoir déchargé à la Martinique, grommela Croome, ils remplissent leurs cales de mélasses françaises, qu'ils ramènent en contrebande à Boston. Totalement illégal, à l'aller et au retour, mais des profits énormes.

— Croome doit le savoir, commenta sir Hugh d'un ton caustique, parce que le bruit court que son frère Marcus participe à ce trafic.

— Il a intérêt à ne pas s'en mêler ! répliqua le gros bonhomme d'un ton rogue.

— Et même si nous mettons au pas Boston et la Martinique,

continua Sir Hugh, nous aurons encore à affronter notre adversaire permanent : la ménagère d'Angleterre qui réclame sans cesse un prix plus bas pour le sucre.

Il fit une grimace de dégoût : sans doute songeait-il aux pressions injustes exercées par ces pauvres femmes, si acharnées à acheter leur sucre à un prix légèrement réduit qu'elles mettaient en péril les intérêts légitimes des riches planteurs.

Son fils Roger rappela l'état de choses détestable qu'ils devaient affronter :

— Les nouvelles circulent. En France le sucre blanc raffiné à l'argile, qualité supérieure, se vend huit pence la livre. En Angleterre la ménagère doit le payer dix pence. Elles protestent avec des voix de stentor.

— Qu'est-ce que ça veut dire ? demanda Pentheny.

— Ça veut dire très fort. D'après le héraut à la voix tonnante de l'*Iliade.*

— Et qu'est-ce que c'est, ça ?

— Le poème d'Homère. La Grèce en guerre contre Troie.

— J'en ai entendu causer. Mais ça n'a rien à voir avec le prix du sucre en Angleterre.

Il estimait que le prix imposé par le monopole devait être augmenté et non diminué. Quant aux récriminations des ménagères d'Angleterre qui ne connaissaient rien des problèmes d'une plantation — « les nègres, les marrons des montagnes et la concurrence des Français » —, que ces bonnes femmes aillent au diable.

Sir Hugh conseilla à son ami de ne jamais tenir ce genre de discours en public, en tout cas en Angleterre, et les conspirateurs décidèrent de se réunir de nouveau six semaines plus tard, à Londres, avec un plan précis auquel tous les planteurs se soumettraient, pour parvenir aux fins que sir Hugh résuma ainsi :

— Obliger Boston à acheter ses mélasses chez nous et à notre prix. Mettre fin à l'envoi de mules et de chevaux à la Martinique. Et relever le prix de vente en Angleterre du sucre produit aux Indes occidentales, en interdisant l'entrée en Grande-Bretagne des sucres étrangers qui se vendraient à moitié prix si leur importation était autorisée.

Tous ces hommes espéraient, en offrant un front uni au Parlement, pouvoir atteindre leurs objectifs.

À la fin de la réunion, Pentheny demanda où était allé John Pembroke, qui avait quitté la pièce. Devinant ce qui allait suivre, son frère répondit :

— Je ne sais vraiment pas.

Mais sir Hugh, désirant s'attacher Pentheny en toutes circonstances, lança aussitôt :

— Je crois qu'il est dans la bibliothèque.

On le trouva vite.

— Hester se demandait si vous seriez libre pour dîner ce soir ? demanda Pentheny.

À l'instant où John allait refuser, son père intervint :

— Il en sera ravi.

Un observateur ne connaissant les puissants planteurs de sucre des Caraïbes que dans leurs demeures assez frustes de la Jamaïque, d'Antigua ou de Saint-Kitts, pouvait parfois entrevoir comment ils dépensaient leurs énormes fortunes, mais pour apprécier pleinement la façon dont ils utilisaient leur richesse pour établir leur pouvoir politique et social, il fallait se rendre en Angleterre et y observer la vie de ces membres des Intérêts du Sucre. Chacun entretenait toute l'année un hôtel particulier luxueux sur l'une des places les plus en vue de Londres, ainsi qu'une maison de campagne fort bien aménagée dans un village des environs de la capitale. Si un planteur contrôlait trois sièges au Parlement, et c'était le cas de plusieurs, la famille disposait probablement de six résidences anglaises, trois à Londres, trois à la campagne. Un contemporain plein d'esprit remarqua :

— À la Jamaïque ce sont des rustres insupportables ; à Londres, des gentilshommes raffinés qui invitent le prince de Galles pour le thé.

À Londres, sir Hugh et son fils Roger possédaient chacun leur hôtel particulier sur Cavendish Square, face à face. Celui du père un peu plus vaste mais pas plus ostentatoire que celui du fils : une demeure de quatre niveaux, avec une belle entrée et trois fenêtres harmonieusement disposées à chaque étage. Protégée par une modeste grille de fer assez basse pour qu'un gentilhomme l'enjambe, elle n'affichait aucun signe de richesse particulier. À l'intérieur, les pièces, spacieuses, meublées avec goût, s'ornaient d'une abondance de tableaux dans de lourds cadres dorés. Un coup d'œil rapide permettait de reconnaître le bon goût du propriétaire, et son sens de l'équilibre dans la décoration ; mais si l'on y regardait de plus près, l'on était frappé par les noms des artistes choisis.

Le paysage que l'on voyait en entrant était un Rembrandt. Sir Hugh l'avait choisi lui-même, à Dresde. *La Vierge et l'Enfant,* aux belles tonalités de rouge, d'or et de vert était un Raphaël, achat personnel de lady Beth peu avant sa mort. Le cavalier était signé Van Dyck et la scène avec des nymphes des bois, Rubens. Mais la toile que sir Hugh aimait le plus, un paysage de dimensions modestes peint par un Hollandais, Meindert Hobbema, représentait une scène campagnarde en Hollande, avec un pont très semblable à celui de Trevelyan. Chaque fois que sir Hugh posait les yeux sur ce tableau, il se sentait transporté par la pensée dans sa plantation jamaïcaine.

Il y avait neuf autres toiles, dont une *Madone* de Bellini et un élégant portrait de lady Beth Pembroke par un peintre de cour à la mode. Dans une autre pièce se trouvait un ensemble de six tableaux anglais, mais d'un caractère si scandaleux que sir Hugh les montrait seulement à des amis intimes dont il connaissait le sens de l'humour.

Les étages supérieurs étaient décorés dans un style sobre qui reflétait le bon goût de lady Beth Pembroke, née Trevelyan. Un connaisseur en visite, désireux de flatter sir Hugh, lui lança :

— Je vois bien que votre épouse avait un excellent jugement artistique, mais vous avez dû l'encourager dans le choix de ses achats.

— Pas du tout ! rétorqua sir Hugh. C'était son argent. Et son bon goût.

Si l'on insistait, il avouait volontiers qu'il avait acheté seulement les deux paysages : le Rembrandt et le Hobbema.

De nombreuses réunions plus ou moins officielles des Intérêts du Sucre avaient lieu dans cette maison, mais des personnalités influentes du Parlement, comme le Premier Pitt et Robert Walpole, s'y rendaient aussi pour solliciter l'appui des voix des Indes occidentales en faveur de lois concernant l'ensemble de la nation. Ils obtenaient en général les votes dont ils avaient besoin s'ils promettaient de laisser passer en échange d'autres textes à l'avantage des hommes du sucre.

Mais Pembroke House, sur Cavendish Square, ne constituait cependant pas le quartier général londonien des Intérêts du Sucre. Le magnifique hôtel de Pentheny Croome, sur Grosvenor Square, remplissait cette fonction. En fait il s'agissait de deux demeures palladiennes bâties côte à côte à l'origine, mais Mrs. Croome, avec son audace de Jamaïcaine et de fille de planteur, avait abattu les murs de séparation et transformé l'intérieur en une vaste salle d'exposition pour les curiosités qu'elle avait acquises au cours de trois longs voyages avec sa fille Hester en Allemagne, en France et en Italie. Les deux femmes s'étaient laissé éblouir par les statuettes de porcelaine fine allemande, par les peintures d'artistes italiens représentant le lac de Côme et par le bateau français qui les avait conduites en Italie. Bien qu'elles fussent des anglicanes acharnées, le portrait austère de l'un des papes les avait séduites. Il faut dire que le marchand le présentait comme l'une des plus remarquables œuvres d'art créées depuis l'époque grecque :

— Partout où vous allez dans la pièce, ses yeux vous suivent. Il surveille vos actes.

La grande salle double était en fait un musée d' « art-pour-voyageurs », avec sept statues sur leur socle représentant des femmes presques nues miraculeusement drapées dans des plis de marbre juste ce qu'il fallait pour ne pas offenser les prudes. C'était là que les membres des Intérêts du Sucre se réunissaient le plus souvent car les Croome étaient des hôtes généreux. Leurs revenus — de la plantation et des autres investissements — s'élevaient à près de soixante-dix mille livres sterling par an, et une fois déduits le fonds de roulement de la plantation, les pensions à ses six enfants mulâtres illégitimes aux Caraïbes, et de quoi satisfaire les goûts dispendieux de sa femme et de sa fille, il restait à Pentheny plus qu'il n'en fallait pour recevoir avec faste pendant la saison de Londres. Au cours de ses dîners somptueux figuraient six ou sept espèces de viandes, trois sortes de volailles et des desserts d'une imagination effrénée. Le vin coulait à flots, et, par déférence envers ses collègues, il servait toujours un rhum léger de sa plantation et le lourd rhum sombre distillé dans la plantation voisine, Trevelyan.

En 1732, Pentheny dépensa plus de vingt mille livres sterling pour faire passer une loi sur les mélasses favorable aux intérêts des Caraïbes, mais il se montra assez malin pour laisser son ami sir Hugh traiter avec les membres les plus influents du Parlement. Comme il l'avoua à son épouse après l'un de ses dîners grandioses mais boudés par les dirigeants du moment :

— Parfois, l'argent ne suffit pas. Mais toi et moi pouvons obtenir des voix sur lesquelles sir Hugh ne pourrait jamais compter. Lui et moi formons une fameuse paire.

Il avait mis le doigt sur la façon dont les Intérêts du Sucre pouvaient venir à bout de tant de notes critiques au Parlement. La presse anglaise, toujours inconstante, avait naguère surnommé Pembroke et Croome, non sans humour, « les deux pois dans la même gousse », et les pamphlétaires qui dirigeaient les batailles qui faisaient rage sur la question du sucre avaient repris l'expression. Mais tout en demeurant des manipulateurs habiles, les deux hommes ne pêchaient pas dans les mêmes eaux. Sir Hugh, exploitant son bon goût naturel, avec sa

Madone de Raphaël et son Rembrandt, éblouissait un certain style de membres du Parlement, alors que Pentheny Croome attirait les autres : son étalage délirant de richesse prouvait que des espèces sonnantes appuyaient ses prétentions.

Lors du vote de la loi des mélasses de 1733, les « deux pois dans la même gousse » remportèrent une victoire éclatante. Pour les colonies américaines sans défense qui n'avaient aucune voix au Parlement, ce fut une gifle en pleine figure. Les distillateurs de rhum de Boston allaient se trouver contraints d'acheter leurs mélasses à la Jamaïque et dans les autres Antilles anglaises à des prix ridiculement élevés ; le lucratif commerce de chevaux et de mules avec la Martinique prendrait fin et aucune mélasse française bon marché ne devait plus emplir les cales au retour. En fait, les colonies américaines se voyaient traitées avec un tel manque de considération que des citoyens naguère loyaux du Massachusetts, de Pennsylvanie et de Virginie commencèrent à protester.

— Chaque décision prise à Londres favorise les Indes occidentales et nous porte tort.

Mais les Intérêts du Sucre avaient obtenu l'essentiel : chaque famille de Grande-Bretagne paierait chaque année son tribut à des planteurs comme Pembroke et Croome, qui continueraient de s'enrichir.

Après le compte des voix, sir Hugh quitta le Parlement avec Roger, rentra à Cavendish Square avec lui et lui souhaita bonne nuit.

— Aucun autre père et son fils n'ont fait autant pour l'Angleterre que toi et moi en ce jour.

Puis il se retira dans le petit salon privé où peu d'amis étaient admis, et il rit en regardant les murs. Les tableaux étaient de William Hogarth, devenu célèbre depuis la parution et la vente de sa série de gravures *La Carrière de la prostituée.*

« Bon Dieu ! se dit sir Hugh en souriant, quand je pense que je l'ai payé pour les faire ! Et que j'ai même suggéré les sujets... en tout cas, la partie jamaïcaine. »

La série de tableaux, qui était déjà entre les mains d'un graveur, s'appelait *Le Planteur de Sucre.* Le personnage central — un planteur en qui tous les membres du Parlement pouvaient reconnaître Pentheny Croome — était représenté dans les trois premières scènes à la Jamaïque : une brute qui fouettait un esclave, un rapace qui entassait ses profits, un père entouré de concubines noires avec quatre petits mulâtres. Dans les trois scènes de Londres, Croome arborait un costume somptueux : il recevait dans une demeure immense, il manipulait les votes du Parlement, et il regardait d'un œil approbateur de longues queues de ménagères appauvries payer son sucre un prix exorbitant. C'était Hogarth au mieux de sa verve satirique et sir Hugh trembla en songeant à la réaction de son ami Pentheny.

Il avait tort de s'inquiéter. Quand les gravures parurent en 1733, Pentheny, tout fier, se mit à harponner ses collègues du Parlement.

— Dites donc, mon vieux, vous avez vu les gravures de ce type, Hogarth ?... C'est moi.

Il devint la coqueluche de la capitale et tout Londres voulut faire sa connaissance.

— Alors, Croome, c'est vrai ? Vous avez vraiment quatre bâtards, quatre négrillons dans les îles ?

Plus d'un, à qui ces gravures avaient fait mesurer la richesse immense de Pentheny Croome, commencèrent à lui tourner autour dans l'espoir d'en recueillir une part. Au plus fort de sa notoriété, il donna mille livres sterling à une école pour enfants pauvres de Londres et souscrivit à hauteur de cinq cents livres pour un hôpital dans un quartier misérable. Il apparut dans un costume princier à un concert donné par deux chanteurs italiens, l'homme et la femme, et participa à l'inauguration de trois kermesses à la campagne.

Il acheta ainsi six collections de gravures de Hogarth pour ses amis dans les îles, mais, à son retour à la Jamaïque, il découvrit que son frère Marcus s'était engagé avec ses deux petits bateaux dans une affaire louche. Il avait empli les cales du *Carthaginian* à Kingston avec de beaux tonneaux jamaïcains vides, destinés à l'envoi de mélasses de l'île vers Boston, puis avait trafiqué ses connaissements pour prouver que ses fûts étaient pleins de mélasses jamaïcaines. Il avait levé l'ancre et s'était dirigé vers la Martinique où il avait empli ses tonneaux de mélasses françaises bon marché. À son arrivée à Boston, il avait présenté aux douanes des documents certifiant qu'il livrait du premier choix jamaïcain, et il avait fait des bénéfices énormes.

Quand Pentheny eut vent de cette manœuvre frauduleuse, il tendit un piège à Marcus, vérifia tous les points, puis partit à Golden Hall montrer à Pembroke la preuve de ce comportement criminel.

— Il nous vole, répondit simplement sir Hugh. Il prend de l'argent dans votre poche et dans la mienne. Il faut faire cesser ça.

Scandalisé par le comportement de son frère, Pentheny jura d'y mettre un terme. Sur les quais, à l'endroit où l'ancien Port Royal, enfoui sous les eaux, avait jadis abrité ses hordes de pirates, il loua un petit bateau rapide dont l'équipage, une bande patibulaire, lui assura qu'ils étaient prêts à tout. Une fois certain que son frère, avec le *Carthaginian*, avait appareillé pour Boston, Pentheny monta discrètement à bord, rattrapa le bateau de Marcus et prit le contrebandier à l'abordage avec ses marins.

La confrontation fut rapide et violente.

— Qu'est-ce que c'est ? cria Marcus.

— Tu voles des honnêtes gens ! rugit Pentheny.

— Absolument pas ! cria son frère.

La suite donna lieu plus tard à de nombreuses discussions, mais tous les marins qui se trouvaient près des deux frères confirmèrent qu'entendant ces paroles Marcus Croome, de fort méchante humeur, se saisit d'un pistolet. Pentheny, qui s'attendait à ce geste, braqua son pistolet quelques secondes avant Marcus, tira sur son frère à bout portant et lui perfora la poitrine.

Quand le bruit courut à Londres que Pentheny Croome avait mis fin à un acte de piraterie de cette manière spectaculaire, le pirate abattu étant son propre frère, sa gloire fut à son comble et plusieurs amateurs éclairés de Hogarth suggérèrent à l'artiste d'ajouter une septième gravure à sa célèbre série du *Planteur de Sucre*. Il protesta — « Une série est une série » — mais un artiste vénal copia la manière de Hogarth et envahit les rues avec une septième scène, *Le pirate surpris par son propre frère,* qui connut un succès énorme.

Il ne fallut pas moins que de considérables turbulences en Europe pour que John Pembroke échappe aux manœuvres envoûtantes d'Hester Croome. En ces années, le vieux continent semblait perpétuellement en état d'effervescence et, heureusement pour John, un événement se présenta au bon moment.

Voici l'affaire : le roi de Pologne mourut. La tradition exigeait que les nobles du royaume, une bande de cabochards, élisent un prince européen, mais pas un Polonais, pour gouverner le pays. La France et l'Espagne soutinrent un candidat, la Russie et l'Autriche un autre — et aussitôt presque toute l'Europe se trouva engagée dans la célèbre guerre de la Succession de Pologne.

Lorenz Poggenberg, gentilhomme de petite noblesse à la cour du Danemark, quitta Copenhague en mission secrète pour Londres dans l'espoir d'entraîner la Grande-Bretagne dans les opérations navales projetées par le Danemark en cette période troublée. À Londres, on lui conseilla de présenter sa requête à sir Hugh Pembroke, chef d'une faction importante au sein du Parlement.

La tactique du Danois n'aboutit à rien, mais, au cours des discussions prolongées, Poggenberg apprit que sir Hugh possédait de vastes propriétés sucrières à la Jamaïque. Cela éveilla en lui un tel intérêt qu'il en oublia ses aventureux projets d'opérations navales anglo-danoises aux Caraïbes.

— De la canne à sucre, sir Hugh ?

— Absolument. Et ce n'est pas une affaire facile.

— Je sais. Des esclaves, le *muscovado*, le rhum, trouver les marchés avantageux...

L'intérêt de sir Hugh en fut piqué.

— Comment pouvez-vous connaître ce genre de choses, baron ?

— Ma famille possède une grande plantation à Saint-John *. Le problème, c'est que nous ne pouvons trouver un directeur capable de gérer convenablement nos intérêts. Je ne peux m'y rendre à cause de mes affaires à la cour, et je n'ai pas de fils pour régler cette question sur place.

Sir Hugh raconta plus tard à son fils aîné :

— Quand Poggenberg m'a appris ça, je n'ai rien répondu pendant au moins cinq minutes, car mon esprit tournait comme une toupie. Puis tout devint clair comme un coup de soleil après l'orage, et je me suis dit : « John est précisément l'homme dont ils ont besoin. »

Il avança sa proposition avec précaution :

— Baron, j'ai peut-être la réponse à votre problème.

Poggenberg se pencha en avant.

— Mon fils John, reprit Pembroke. Vingt-quatre ans. Parfaitement compétent pour la canne à sucre. À la recherche d'une plantation où il pourra rétablir l'ordre.

Il s'interrompit pour ajouter un détail que tout chef de famille européen était en mesure d'apprécier :

— Mon troisième fils, vous comprenez. Ses perspectives à la Jamaïque ne sont pas très brillantes.

Et avant la tombée de la nuit il fut convenu que John Pembroke de Trevelyan, Jamaïque, partirait à Saint-John dans les Antilles danoises, pour remettre de l'ordre dans la plantation de canne à sucre des Poggenberg.

Quand la nouvelle de cette mission parvint à la Jamaïque pendant l'été 1732, John Pembroke en éprouva joie et soulagement, car il vit

* Une des îles Vierges, qui seront rachetées en 1917 par les Etats-Unis.

dans ce départ à Saint-John une machination céleste lui permettant d'éviter les pièges d'Hester Croome. Il lui apprit aussitôt, en affichant un masque de tristesse, qu'à son plus grand regret il devait quitter la Jamaïque pour remplir les devoirs dont sa famille l'avait chargé dans les îles danoises.

— Je partirai avec vous, s'écria Hester. Pour diriger une plantation de sucre, il faut une maîtresse dans la grande maison, vous savez.

Mais Greville, le frère de John, lui assura que la vie à Saint-John était si primitive, etc., qu'elle retira sa proposition, les larmes aux yeux. Quand le bateau appareilla, elle promit à John de l'attendre.

— Je ne reviendrai peut-être pas à la Jamaïque avant dix ans, répondit-il du haut du pont.

Et à ces mots elle proféra un juron qu'il serait inconvenant de répéter.

A son arrivée à la plantation Poggenberg fin décembre, John la trouva beaucoup plus belle que celles qu'il avait vues à la Jamaïque. Elle partageait avec deux autres propriétés une belle plaine surélevée au nord de l'île. De la grande maison où il allait s'installer, son regard s'étendait sur les vastes panoramas de l'Atlantique au nord et de la mer des Caraïbes au sud, et chaque baie était parsemée d'une pléiade de petits îlots couverts d'arbres. La plantation portait le nom de Lunaberg et la première fois que John vit la pleine lune se lever sur ce décor paisible, avec les vagues qui déferlaient en silence au pied des falaises, il convint que ce nom se justifiait.

Elle était évidemment beaucoup plus petite que Trevelyan — pas plus de quatre cents arpents, l'équivalent de cent soixante hectares — mais le terrain semblait plein de promesses et John se réjouit de découvrir qu'outre ses beautés, Lunaberg avait d'excellents voisins à l'ouest : un Danois du nom de Magnus Lemvig et sa très belle épouse Elzabet.

— Nous vous aiderons à démarrer, lui dit Lemvig en bon anglais.

Et Elzabet, les cheveux blonds tressés en deux nattes relevées sur le haut de la tête, proposa d'envoyer ses esclaves pour mettre un peu d'ordre dans la maison. Elle prévint le jeune homme :

— Comme vous n'avez pas emmené d'épouse, vous devez être attentif au choix des esclaves que vous vous attacherez. Soyez bon avec eux mais ne les laissez pas vous dominer.

Le propriétaire de la plantation de l'est, Jorgen Rostgaard, était très différent : un Danois désabusé de quarante ans passés marié à une femme acariâtre.

— Méfiez-vous de vos nègres ! Ils voleront vos chaussettes dès que vos fermerez les yeux !

Pour faire obéir les esclaves, il suggéra une douzaine de mesures toutes aussi brutales les unes que les autres.

— Vous avez le choix, Pembroke : cajoler vos esclaves à la manière de Lemvig, ou les mettre au pas comme je fais. Vous apprendrez vite que ma méthode est meilleure... Nous ne pourrissons pas nos nègres comme vous le faites à la Jamaïque, lança-t-il d'un ton presque insultant. Le plus important c'est de partir du bon pied. Montrez tout de suite à vos nègres qui est le patron.

John Pembroke prit son poste de directeur de la plantation Lunaberg le 1er janvier 1733, et passa un mois entier à se familiariser avec les terres et les esclaves dont il aurait la charge. Plus il les étudiait — terres et esclaves —, et plus il constatait qu'avec un juste mélange de gentillesse et de fermeté, il pourrait rétablir l'exploitation et assurer à ses employeurs de Copenhague des bénéfices alléchants.

Les terrains étaient de premier ordre et leur position sur la hauteur assurait un bon drainage : jamais les cannes à sucre ne pourriraient par excès d'humidité. Comme les esclaves semblaient aussi forts et en aussi bonne santé que ceux de sa famille à la Jamaïque, il supposa qu'il pourrait constituer avec eux une équipe efficace. À la fin du mois, il avait prouvé à ses esclaves qu'il avait l'intention de les faire travailler dur, mais que dans ce cas-là, ils obtiendraient des avantages appréciables : des rations de nourriture plus importantes et davantage de jus de canne pour leur repas de midi. Au début de février, il estima qu'il avait pris un bon départ. Mais le 4 de ce mois, un grand sergent des forces armées danoises se présenta à Lunaberg accompagné d'un tambour, et quand tous les blancs des propriétés du voisinage furent rassemblés, le sous-officier fit signe au tambour, qui battit un long moment. Il déroula ensuite un parchemin portant un sceau officiel et proclama les dix-huit règles nouvelles concernant le traitement des esclaves.

> *Concédé par le gouverneur Phillip Gardelin, que Dieu lui accorde longue vie, à Saint-Thomas des Isles danoises, le 31 janvier 1733. Tel est le nouveau règlement pour le gouvernement des esclaves :*
>
> *1. Le chef d'esclaves fugitifs sera marqué trois fois au fer rouge, puis pendu.*
>
> *2. Chacun des autres esclaves fugitifs recevra cent cinquante coups de fouet, puis perdra une jambe...*
>
> ...
>
> *5. Un esclave qui s'enfuit seul pendant huit jours, cent cinquante coups de fouet; douze semaines, une jambe; six mois, pendu.*
>
> *6. Des esclaves qui volent la valeur de quatre dollars, marqués au fer et pendus.*
>
> ...
>
> *8. Un esclave qui lève la main pour frapper un blanc sera marqué au fer et pendu.*
>
> ...
>
> *13. Un esclave qui tente d'empoisonner son maître sera marqué trois fois au fer rouge, puis écartelé sur une roue jusqu'à ce que mort s'ensuive.*
>
> ...
>
> *15. Toutes les danses, fêtes et comédies des esclaves sont interdites sans l'autorisation du maître.*
>
> ...

Quand Pembroke entendit toutes ces mesures draconiennes, agrémentées d'un roulement de tambour final, il se dit : « Si les noirs de Saint-John ont autant de caractère que les nôtres, à la Jamaïque, les conséquences de cette journée vont être sanglantes. »

Ce soir-là, il commença à dissimuler dans sa grande maison des réserves de poudre et de balles. Quand les esclaves apprirent le nouveau règlement, en rangs et au garde-à-vous, dans les diverses plantations, ils décidèrent eux aussi de rassembler des fusils et des munitions, ainsi que les longs coupe-coupe des champs de canne à sucre et toutes les armes qu'ils avaient réussi à voler au fil des années. Un observateur attentif aurait remarqué de l'angoisse dans les conversations des blancs, et une hostilité croissante dans le comportement des noirs.

John, soucieux de se tenir au courant des événements au cours de ses premiers mois dans l'île, sollicita les conseils de Lemvig à l'ouest et de Rosgaard à l'est. Le premier reconnut franchement :

— Des troubles menacent mais je crois pourtant que les nouvelles lois pourront être appliquées d'une manière chrétienne.

Elzabet, fille d'un pasteur de campagne du Danemark et luthérienne pieuse, précisa les espérances de son mari :

— Je ne peux pas imaginer que des gens comme nous, ou vous-même, appliqueront dans la réalité les mesures les plus cruelles du nouveau code. Écarteler un de nos hommes sur un chevalet de torture ? Je donnerais ma propre vie pour l'empêcher.

Mais chez les Rostgaard, John entendit un tout autre son de cloche :

— Pembroke, lui dit Rostgaard avec son accent accusé, il y a sur cette colline deux nègres à surveiller de près, l'un chez vous, l'autre chez moi. Avant longtemps, ils pendront tous les deux au bout d'une corde... ou pire.

— Sur ma plantation ?

— Oui. Le mien est le plus dangereux : Cudjoe, un sale type de la côte de Guinée. Très effronté. Le vôtre paraît plus fourbe. Le grand Vavak.

John connaissait l'homme ; il passait pour un meneur parmi les noirs mais se montrait soumis en présence des blancs.

— D'où lui vient un nom pareil ?

— Le tam-tam de la jungle. Ils sont tous païens, vous savez. Son ancien propriétaire m'a raconté une histoire démente.

— J'aimerais l'entendre... puisque c'est un de mes hommes.

— A bord du négrier hollandais qui l'a conduit ici, il était enchaîné dans la cale à un endroit où quelque chose tapait constamment contre la coque du bateau, à côté de sa tête : « Vavak ! Vavak ! » Pour ne pas devenir fou, il a pris le bruit en lui-même. Jour et nuit il s'et mis à répéter « Vavak — Vavak » comme si c'était lui qui ordonnait le bruit, et non le bateau. Quand il est descendu à terre en balbutiant « Vavak ! Vavak ! », tout le monde a cru que c'était son nom.

— Il doit avoir un vrai nom ?

— Qui sait ? Nous le connaissons par celui-ci et nous l'avons à l'œil. S'il continue de parler à mes nègres, je le ferai pendre... ou pire.

Par deux fois, Rostgaard avait répété « ou pire » d'un ton de mauvais augure, et John préféra ne pas savoir de quel acte de barbarie il s'agissait, mais Rostgaard avait la ferme intention de le perpétrer si son Cudjoe ou le Vavak de John faisaient le moindre faux pas.

Les deux esclaves désignés comme des fauteurs de troubles par Rostgaard avaient des passés fort différents. Nés tous les deux en Afrique et capturés par des négriers portugais, ils avaient été confinés dans des baraquements du grand fort danois de Fredericksborg, près de la frontière entre la célèbre Côte de l'Or (à l'est) et la Côte d'Ivoire (à l'ouest). Mais Cudjoe, l'esclave de Rostgaard, appartenait à la tribu achanti, réputée pour ses guerriers qui donnaient beaucoup de mal quand on les contraignait à l'esclavage, alors que Vavak avait été pris par des chasseurs d'esclaves noirs dans une tribu lointaine, les Mandingues, pacifiques et supérieurs à tous égards, avant d'être revendu aux Portugais. Chacun à sa manière se morfondait dans la servitude et aspirait à la liberté. Cudjoe réunissait des armes et méditait un soulèvement violent contre les blancs minoritaires — deux cent huit Danois, Français, Anglais et Espagnols contre mille quatre-vingt-sept Achantis, Fantis, Denkyéras et un Mandingue — tandis que Vavak, sans esclandre, insufflait courage et force d'âme à ses camarades et les préparait à une action pacifique mais irrésistible, le moment venu, contre les maîtres.

Comme leurs plantations étaient voisines, les deux esclaves se rencontraient en secret, mais les règlements fort stricts contre ce que les maîtres appelaient « vagabondage » permettaient à Rostgaard d'attacher Cudjoe à un arbre et de lui donner vingt coups de fouet chaque fois qu'il quittait la plantation, même s'il restait à brève distance. Et un jour de juin où il surprit Vavak en train de parler à des esclaves de sa plantation, le Danois n'hésita pas à infliger la même punition à l'esclave de Pembroke.

Dès que John l'apprit, il se rendit à la grande maison de Rostgaard, une méchante masure toujours en désordre, et voulut protester, mais le Danois, plus âgé, n'avait pas l'intention de tolérer un sermon de la part d'un blanc-bec anglais.

— Si vous refusez de maintenir la discipline parmi vos esclaves, il faut bien que je le fasse à votre place.

Il jura de fouetter Vavak de nouveau si celui-ci retraversait la limite entre les deux plantations.

John, ne sachant trop à quoi s'en tenir, se rendit chez les Lemvig pour essayer de trouver une solution à son problème avec Rostgaard, mais il n'apprit rien qui pût le consoler.

— Si vous avez obtenu cette place à Lunaberg, Pembroke, c'est pour une seule raison : Rostgaard a terrifié tous les jeunes hommes que Poggenberg a envoyés pour gérer la plantation. Personne n'a pu supporter les manières impérieuses de Rostgaard.

— Que puis-je faire ?

— Je vais vous dire, en tout cas, une chose à ne pas faire. N'intercédez pas en faveur de vos esclaves. Sinon Rostgaard montera tous les blancs de l'île contre vous. Après tout, la loi est de son côté. Le nouveau règlement est fort clair.

— Laissez-le dans son coin, insista Elzabet, c'est un monstre.

Le bien-fondé des conseils des Lemvig apparut clairement au mois de juillet, le jour où Rostgaard captura un de ses propres esclaves qui s'était enfui et caché pendant douze semaines et un jour. Il était donc justiciable de l'article numéro 5, et Rostgaard décida de donner une leçon aux autres esclaves de la région. Un sergent, accompagné d'un soldat battant tambour, fit donc le tour de toutes les plantations de la colline et somma les esclaves et leurs maîtres de se rassembler devant la maison de Rostgaard, où le maître barbu préparait le châtiment.

Le sergent et le tambour, qui ne cessait de battre roulement sur roulement pour donner de l'animation, se placèrent à gauche et à droite d'une petite plate-forme de rondins sciés le jour même. Rostgaard y monta par un escalier improvisé, accompagné par un esclave qui portait, bien visible de tous, un énorme coutelas, un rouleau de corde et une scie. Quand le maître fut en place, on fit sortir le fugitif de sa cabane, on le conduisit devant la plate-forme, et on le ligota à un poteau. Un assistant blanc prit un grand fouet à bœufs, à la corde garnie de nœuds, et infligea cent cinquante coups au malheureux. Chaque fois que le fouet tombait le tambour battait un roulement, tandis que Rostgaard, du haut de son estrade, comptait à haute voix. Le fugitif s'évanouit longtemps avant le centième coup, mais le châtiment continua.

Le tambour s'arrêta enfin et l'on traîna l'esclave inerte sur la plate-forme. On jeta de l'eau froide sur son corps pour lui faire reprendre connaissance avant la phase suivante de son ordalie — la pire. Dès qu'il se ranima on l'attacha à plat ventre avec des cordes, puis Rostgaard fit signe au sergent de lire le nouveau règlement.

— Écoutez ça, brailla Rostgaard du haut de sa plate-forme. Voilà comment les choses vont se passer désormais.

Puis il salua le sergent, qui lui rendit son salut, indiquant ainsi que la Couronne de Danemark approuvait ce qui allait se passer.

— Ce nègre est un fugitif, cria Rostgaard pour que tous les esclaves de Lemvig et de Pembroke l'entendent. Il s'est enfui pendant plus de douze semaines. La loi stipule qu'il doit perdre une jambe.

Sur ces mots, il saisit le grand coutelas, vérifia son fil et se mit à trancher la jambe de l'esclave au-dessus de genou. Quand la première coupe arriva à l'os, on retourna l'esclave, dont le sang jaillissait partout, pour que Rostgaard puisse couper sur l'arrière. Sans s'interrompre un instant, le Danois prit la scie, qui grinça sur l'os. Une fois la jambe détachée, Rostgaard la brandit pour que tous les autres esclaves la voient.

— Voilà ce qui arrive si jamais vous vous enfuyez.

Ensuite, devant Pembroke saisi d'horreur, le grand Danois se lança dans un sermon sur le péché odieux commis par un esclave fugitif, qui dépouillait de son bien légitime un maître prévenant comme un père.

— Quand vous vous enfuyez, vous volez à votre maître une possession qui lui appartient de droit. Car vous devez travailler et l'aider à produire du sucre, pour qu'il puisse vous habiller et vous nourrir.

On traîna dans sa case l'esclave sans jambe droite et on démolit l'estrade. Le sergent salua, et le soldat continua de battre tambour en quittant la place. Dans le silence pesant, Lemvig chuchota à Pembroke :

— Par Dieu, à quoi peuvent bien penser des esclaves que l'on contraint à regarder cette horreur ?

Les deux meneurs noirs, si différents qu'ils fussent, s'étaient posé la même question avant même que débute l'amputation de la jambe. Pendant que les coups de fouet tombaient, Cudjoe le farouche Achanti et Vavak le Mandingue patient s'étaient rapprochés lentement, presque imperceptiblement, pour se trouver non au coude à coude mais assez près pour échanger des regards. Parfaitement maître de lui, Vavak hocha légèrement la tête ; et Pembroke, quand il se détourna pour ne pas voir les écœurants coups de scie, surprit par hasard le regard horrifié de son esclave et remarqua un léger signe d'acquiescement en réponse à un signe venu d'ailleurs. En suivant aussitôt le regard de Vavak, Pembroke vit un visage sombre et supposa aussitôt qu'il s'agissait de l'esclave rebelle de Rostgaard, Cudjoe.

C'est ainsi que l'Anglais Pembroke, entouré de planteurs danois, conclut qu'un soulèvement d'esclaves allait éclater bientôt. La scène à laquelle il venait d'assister, si différente de ce qui se serait passé à Trevelyan en cas de capture d'un fugitif, ne pouvait que provoquer une réaction. Et quand il vit la haine déformer les traits de ses propres esclaves, pourtant bien traités, il supposa que les noirs brutalisés de Rostgaard devaient ressentir un plus violent désir de vengeance.

Aussitôt, en cette fin de juillet, il lança un programme pour améliorer le sort de ses esclaves de Lunaberg. Il institua des méthodes de travail plus rationnelles, fit préparer de meilleurs repas et s'attacha à apaiser Vavak, qui semblait ne pas se rendre compte des efforts de son maître. Pas un seul geste ne trahit qu'une sorte de lien s'était établi entre eux, et quand John essayait de parler avec l'esclave, Vavak faisait semblant de ne pas le comprendre quand il s'exprimait en danois. John n'en continua pas moins, et de temps à autre il surprit une fugitive étincelle de compréhension. Ainsi passèrent les mois critiques d'août et de septembre.

Mais, en octobre 1733, Rostgaard attrapa un autre fugitif et l'on effectua les préparatifs d'une autre amputation en public. Le sergent et son tambour se rendirent de plantation en plantation pour rassembler les esclaves en vue de l'effroyable châtiment. Mais quand on traîna le fugitif vers la plate-forme dont il redescendrait mutilé, celui-ci échappa soudain à ses gardes, courut à une vitesse folle vers le bord de la falaise qui formait la limite des plantations, et, avec un cri de défi, se jeta sur les rochers en contrebas. Tous ceux qui se rassemblèrent en haut de la falaise virent son cadavre écrasé et sanglant.

Rostgaard, privé à la fois d'un esclave adulte et de sa vengeance, saisit le fouet des mains de l'homme qui devait administrer les cent cinquante coups et se jeta au milieu de la masse des esclaves, où ceux de Lemvig et de Pembroke se mêlaient aux siens. Lançant des coups à tort et à travers avec le fouet noué, il se mit à hurler :

— Foutez le camp, sales bêtes ! Ne le regardez pas ! Il est mort, et vous mourrez aussi si vous ne marchez pas droit !

Il avait frappé une dizaine d'esclaves de Pembroke, quand il reconnut Vavak, qu'il détestait. Le Mandingue, parfaitement immobile et silencieux, observait simplement cette scène immonde, mais Rostgaard se jeta sur lui avec une fureur particulière et s'apprêta à le fouetter au visage. John s'interposa aussitôt.

— Pas celui-ci. C'est un des miens ! lança-t-il en mauvais danois.

Le fait qu'un blanc s'oppose, sous les yeux de tous, à ce que Rostgaard considérait comme le châtiment justifié d'un esclave, mit le Danois dans une telle fureur qu'il retourna sa rage contre l'Anglais. Il l'aurait frappé de son fouet si John, prévoyant l'attaque, n'avait saisi le fouet près du manche. Pendant un instant, les deux hommes parurent immobilisés chacun par la force de l'autre, puis, lentement, Pembroke obligea Rostgaard à baisser le fouet. Le Danois s'écarta en ricanant et en jurant, puis se mit à frapper d'autres esclaves sans discrimination, à la recherche de Cudjoe, qu'il ne trouva pas.

Pendant la fin du mois d'octobre et les deux premières semaines de novembre, Jorgen Rostgaard fit le tour des autres planteurs danois pour les prévenir « qu'on ne pourrait faire confiance à ce maudit Anglais s'il y avait des troubles ». Il ne communiqua pas ses impressions aux Lemvig, car il soupçonnait Pembroke de les avoir gagnés à son opinion sur la façon de traiter les esclaves. Mais il n'avait nul besoin de faire peur à Magnus et Elzabet car ils étaient déjà horrifiés, comme Pembroke, à la perspective de ce qui risquait de se produire dans les semaines à venir. Ils voyaient bien la haine dans les yeux de leurs noirs ; ils entendaient les murmures ; et ils savaient que Cudjoe, le meneur des esclaves de Rostgaard, avait disparu. Si cet homme intraitable manigançait quelque chose, ils se doutaient que Vavak, de Lunaberg, se joindrait bientôt à lui.

Mais octobre s'acheva et Vavak continua de travailler dans les champs de canne à sucre de Pembroke. Celui-ci se mit en quatre pour rassurer l'esclave manifestement troublé, mais Vavak ne répondit pas. John aurait cependant juré que ses gestes de conciliation étaient remarqués et appréciés. Car le jour où une loi spéciale arriva du quartier général du gouverneur dans l'île de Saint-Thomas située à quelques milles nautiques de l'autre côté d'un bras de mer calme, Vavak se porta volontaire pour aider Pembroke à la faire appliquer. Les nouvelles instructions étaient simples :

> *Chaque direction de plantation, sous peine d'amende et d'emprisonnement, devra fixer à un arbre proche de la côte, par une chaîne cadenassée, toute petite embarcation, barque ou canot appartenant à sa plantation dès que ce bateau ne sert pas. Cette précaution empêchera les esclaves fugitifs de voler des embarcations en arrivant près des côtes, et de fuir ainsi par mer à Porto Rico et à Saint-Domingue, dépendances respectivement de l'Espagne et de la France.*

Pembroke se trouvait dans une situation délicate. Il avait deux bateaux à rames et deux cadenas, mais pas de chaîne assez longue pour faire le tour des arbres. Il demanda donc à Vavak de surveiller les cadenas pendant que lui-même irait emprunter une chaîne aux Lemvig, qui n'avaient pas de bateau. Magnus n'était pas chez lui, mais Elzabet le reçut, aussi jolie que jamais avec ses tresses blondes, et ils discutèrent de la nouvelle loi.

— C'est une mesure de prudence, dit John. Les bateaux invitent les fugitifs à quitter l'île.

— Vous croyez qu'il y aura des ennuis ? Tout le monde en discute.

— Cudjoe est parti dans les bois. Un de mes hommes a disparu.

— Magnus assure...

Mais à ces mots le jeune Danois apparut. Et en apprenant que Pembroke avait confié ses cadenas à Vavak, il exprima de vives craintes :

— John ! Deux de mes esclaves ont pris les bois. Le vôtre peut s'enfuir avec les cadenas.

Les deux hommes galopèrent jusqu'à la plage, mais Vavak gardait paisiblement les bateaux, les deux cadenas près de lui. Il regarda avec intérêt les deux blancs préparer les bateaux pour passer les chaînes puis les aida à les haler à terre, où Pembroke fixa les chaînes de telle sorte que si des esclaves essayaient d'arracher les bateaux de leur amarrage, la coque s'éventrerait et le bateau coulerait. Vavak comprit très bien ce que son maître faisait, et pourquoi.

A la fin de la deuxième semaine de novembre, Jorgen Rostgaard, accompagné par deux planteurs de son acabit, fit le tour de l'île pour vérifier que la loi sur les bateaux avait été appliquée. Ils parurent surpris de voir que l'Anglais avait attaché les siens de façon si judicieuse.

— Bon travail, lança Rostgaard en danois. Gardez les deux yeux ouverts. Ce Cudjoe est encore par ici, dans les bois. Et mon ami Schilderop a perdu deux de ses esclaves.

— Nous les rattraperons, jura l'un des deux autres.

— Quand nous le ferons, pour Cudjoe, ce sera ça ! dit Rostgaard en traçant de l'index dans le vide des volutes de fumée pour indiquer que, cette fois, il le ferait brûler vif.

La nuit du 23 novembre 1733, à minuit et quart, John Pembroke fut réveillé en sursaut par les cris de cavaliers affolés.

— Les esclaves se soulèvent ! Ils incendient les plantations ! Ils massacrent les hommes et les femmes !

Avant qu'il ait le temps de les interroger, ils galopaient déjà vers l'est pour alerter Rostgaard et les autres. Au moment où ils quittaient Lunaberg, l'un d'eux se retourna.

— Vous feriez bien d'aller voir chez Lemvig. Ils n'ont pas répondu.

John s'arma avec tout ce qu'il avait dissimulé, ajouta un coutelas à son arsenal et alla d'abord inspecter les cabanes occupées par ses esclaves. Elles étaient toutes vides et les coupe-coupe utilisés pour la canne à sucre avaient disparu.

Avec une angoisse croissante, il courut à la plantation des Lemvig. Les quartiers des esclaves étaient vides eux aussi. Il supposa que les deux Lemvig avaient pris la fuite, mais il entendit un gémissement en provenance de la grande maison. Il se précipita. Tout était noir. Puis un faible murmure s'éleva d'un angle de la pièce.

— Est-ce vous, John ?

La voix d'Elzabet. Il alluma une lampe. Il la trouva accroupie derrière la table, le corps de son jeune mari, dont la gorge était tranchée jusqu'aux vertèbres, entre ses bras couverts de sang.

— Oh, Elzabet ! s'écria-t-il.

Il voulut l'éloigner du cadavre.

— Ce sont nos propres esclaves qui ont fait cela, gémit-elle. Ils m'auraient tuée moi aussi, si votre Vavak ne m'avait sauvée.

Et sur les basses terres, jusqu'à l'horizon, ils virent flamber dans la nuit les plantations dans lesquelles gisaient les maîtres blancs assassinés.

L'histoire de la grande révolte des esclaves de Saint-John pendant l'hiver de 1733-1734 constitue une escalade incessante de terreur. Au cours de cette première nuit de feu, les esclaves tuèrent toutes les familles de planteurs qu'ils purent atteindre. Ils assaillirent la maison des Rostgaard mais en furent repoussés, et, pour une raison inconnue, ils n'essayèrent pas de tuer Pembroke ni d'incendier sa plantation.

L'interrogatoire forcené d'esclaves restés loyaux à leurs maîtres — il y en avait bon nombre — démontra le bien-fondé des soupçons de Rostgaard.

— Cudjoe commande tout. Vavak et un autre de l'est sont ses lieutenants. Ce sera l'enfer de les faire sortir de ces forêts.

Il avait plus que raison, car les esclaves, avec une habileté et une compétence dont leurs maîtres ne les avaient jamais crus capables, organisèrent une guerre de contre-offensive d'une subtilité remarquable. Au bout de cinq jours de coups de main, ils avaient incendié deux douzaines de plantations et ridiculisé tous les efforts des maîtres blancs pour les encercler, ou même pour découvrir leurs refuges.

Le 29 novembre, sixième journée du soulèvement, un navire de guerre anglais, qui se trouvait par hasard dans les îles pour s'approvisionner en eau, débarqua un contingent important de soldats entraînés pour soumettre les rebelles. Après avoir arpenté la campagne en ordre parfait, ils tombèrent enfin sur un groupe de noirs sous le commandement de Cudjoe. Brève escarmouche : au bout de dix minutes, vaincus par un ennemi qu'ils ne virent jamais, les Anglais battirent en retraite en abandonnant leurs blessés.

Rostgaard et ses planteurs furent plus difficiles à décourager, bien qu'au cours de leurs expéditions ils aient rencontré peu d'hommes de Cudjoe et de Vavak. A la place, ils massacrèrent trente-deux noirs qui ne se battaient pas, « pour donner aux autres une bonne leçon ».

Le bruit de la rébellion de Saint-John se répandit dans les autres îles, et les planteurs et leurs familles vécurent désormais dans la terreur.

— Est-ce le commencement de la fin ? Va-t-il se produire un soulèvement général dans toutes les îles ?

Pour l'empêcher, un officier du nom de Maddox prit la tête d'une expédition organisée à Saint-Kitts. Il fit débarquer ses hommes à Saint-John avec tambours et fanfare, mais après une vigoureuse campagne à travers l'île sous des trombes d'eau, ces volontaires n'avaient pas aperçu un seul esclave — tout en ayant perdu trois Anglais et ramené huit blessés. Les hommes de Saint-Kitts, plus que las, battirent en retraite sur leur bateau, sans tambour ni trompette.

Au cours des semaines qui suivirent, Pembroke cessa de s'occuper de la lutte contre les esclaves, car toute son attention se concentrait sur la protection de la veuve Lemvig. Tous ses esclaves avaient disparu et elle n'avait aucun serviteur dans la grande maison, où elle se sentait très seule. John ne savait absolument pas comment l'aider. Il lui rendait visite tous les jours, lui apportait des plats qu'il avait préparés lui-même car les esclaves de Lunaberg avaient tous disparu, eux aussi, et, après de longues négociations, il obtint qu'une noire restée fidèle à son maître dans une plantation de l'ouest s'installe sur la falaise avec Elzabet — deux âmes en peine dans la vaste maison.

Pour Elzabet, la solution la plus raisonnable aurait été de fuir avec une petite barque à Saint-Thomas où la révolte ne s'était pas répandue, mais elle refusa d'abandonner le seul bien que lui ait laissé son mari, leur plantation. Il aurait sans doute été plus sage qu'elle s'installe à Lunaberg avec sa servante noire, car elle s'y serait sentie davantage en sécurité, mais son sens des convenances l'en empêchait. Malgré la gravité de la situation, son éducation de fille de pasteur luthérien lui dictait sa conduite. Quand Pembroke le lui suggéra, elle répliqua :

— Mais que dirait tout le monde dans l'île ?

— Et que diront-ils, le jour où ils vous trouveront avec la gorge tranchée ? lança-t-il d'un ton brusque.

Mais cela ne modifia nullement la décision de la jeune femme, et il dut se contenter de l'aider de loin.

Enfin la terreur qui régnait à Saint-John se répandit dans les autres îles. Les Français de la Martinique, à qui appartenait l'île importante de Sainte-Croix, à quelques lieues au sud de Saint-John, décidèrent que la révolte des noirs couvait depuis trop longtemps. Le 23 avril 1734, ils envoyèrent un détachement compétent et bien armé de plus de deux cents créoles, avec quatre officiers de métier venus de France et soixante-quatorze noirs et mulâtres des Antilles. Les Français sillonnèrent Saint-John en tous sens avec beaucoup d'ardeur, mais plusieurs jours s'écoulèrent sans qu'ils repèrent les hommes de Cudjoe, qui avaient continué entre-temps d'incendier et de piller les plantations danoises. Enfin, le 29 avril, les Français coincèrent les noirs dans un défilé d'où ils ne pouvaient battre en retraite. Il leur fallut livrer une vraie bataille rangée. Comme les Français avaient tous les avantages, dont la supériorité du commandement, ils triomphèrent. Après avoir pourchassé le reste des esclaves pendant deux semaines de plus, ils finirent par capturer le général noir, Cudjoe, de la plantation Rostgaard.

Au cours des combats, plus d'un des rebelles irréductibles trouva la mort, mais onze d'entre eux furent fait prisonniers et isolés par les autorités locales pour ce qu'ils appelèrent « une attention spéciale ». Nul n'a consigné par écrit les détails de leur mort à petit feu au cours de spectacles publics. Mais quand Jorgen Rostgaard entra en trombe au quartier général des Français pour solliciter le droit de s'occuper lui-même de son esclave Cudjoe, les militaires, par égard pour l'ardeur infatigable avec laquelle Rostgaard les avait aidés à traquer les rebelles, accédèrent à sa requête.

L'exécution de Cudjoe eut lieu sur la même estrade que naguère. Le même sergent prit place sur le côté pour lire l'arrêt de mort, le même tambour résonna aux cent cinquante coups de fouet, mais il y aurait une différence, car l'arrêt précisait que le coupable serait « passé au chevalet puis au bûcher » et Rostgaard se faisait une joie de présider aux supplices.

Sur la plate-forme, élargie pour placer l'appareillage, on avait installé les roues et les leviers, auxquels étaient fixés des bouts de grosse corde dont les extrémités libres attendaient la victime. Après les coups de fouet, on ranima Cudjoe et on le traîna sur l'estrade où l'on fixa les cordes à ses chevilles, ses poignets et ses épaules. Puis, sur un signe de Rostgaard, l'on tendit ses cordes lentement par degrés de plus en plus douloureux, jusqu'à ce que les articulations commencent à se déchirer.

Pembroke assista à l'exécution avec la plupart des deux cents autres blancs survivants, car les mesures exceptionnelles prises par le gouvernement exigeaient leur présence avec autant d'esclaves qu'ils pouvaient réunir dans la région ; la cruauté prolongée du chevalet le scandalisa, mais ce n'était pourtant qu'un préambule à l'horreur qui allait suivre, car lorsque les cordes se tendirent jusqu'à leur point de rupture, avec le colosse noir fou de douleur, Rostgaard fit signe à des esclaves de mettre le feu aux bûches et aux copeaux entassés en contrebas de la plate-forme. Pembroke se détourna, incapable de suivre des yeux le corps inerte que l'on apportait près du feu. Tandis qu'il regardait le paisible Atlantique à l'horizon, il entendit une réaction dans la foule et quand il se retourna machinalement, il vit le moment le plus écœurant du supplice. Jorgen Rostgaard, triomphant, avait saisi un coutelas et s'avançait vers le corps écartelé de son esclave. En quatre coups précis à travers les articulations détendues il lui trancha les bras et les jambes, qu'il lança dans le feu qui prenait de la force.

— Jetez-le ! cria-t-il en versant, comme pour essayer de le ranimer, un seau d'eau sur le torse encore vivant qui fut lâché dans les flammes tourbillonnantes.

Cudjoe, le courageux Achanti avait appris qu'on ne doit pas se rebeller.

En rentrant d'un pas mal assuré vers la grande maison qu'il n'avait plus guère envie d'occuper, John Pembroke s'aperçut que l'on n'avait pas obligé Elzabet Lemvig à assister à l'exécution. Il continua donc vers la plantation Lemvig. Désireux de se retrouver avec un être humain comme lui-même et non avec un monstre forcené comme Rostgaard, qui avait semé la terreur dans sa communauté, il cria :

— Elzabet, où êtes-vous ?

Elle apparut, affaiblie et amaigrie. Il s'élança vers elle, la prit dans ses bras et cria :

— Elzabet, pour l'amour de Dieu, quittons cet endroit odieux. Commençons une nouvelle vie dans l'espoir, non le désespoir.

Elle essaya de répondre à ce qui était en fait une demande en mariage, mais la déclaration du jeune homme tombait tellement à l'improviste et un jour si horrible qu'aucune parole raisonnable ne put franchir les lèvres d'Elzabet. Elle s'abandonna dans ses bras, sans connaissance, signe qu'elle se confiait désormais entièrement à lui.

Il la ranima, la fit sortir de la maison vide, et la fit asseoir à ses côtés sous la véranda, en face du groupe d'îlots, vers l'ouest. Quand elle retrouva un peu son calme, elle murmura :

— Qu'avez-vous dit dans la maison ?

— Nous devons tous les deux quitter cet endroit couvert de sang et commencer une nouvelle vie ailleurs, répéta-t-il.

— Je crois que vous avez raison, dit-elle.

Pour la première fois depuis les seize mois qu'ils étaient voisins, il l'embrassa.

Comme le danger continuait de planer sur les îles, il lui fit part aussitôt d'une étrange nouvelle :

— Vous êtes-vous demandé pourquoi ces volontaires français de la Martinique se sont montrés si généreux ? Pourquoi ils ont envoyé si vite leurs troupes pour écraser notre révolte d'esclaves ?

Elzabet secoua la tête.

— Ils désirent depuis des années vendre l'île Sainte-Croix aux Danois. Grâce à leur geste de bonne volonté, en nous aidant contre nos rebelles... le marché vient d'être conclu.

— Quelles conséquences pour nous ?

— Le gouvernement danois m'a demandé de m'installer là-bas pour établir une grande plantation de sucre selon les principes anglais.

D'une voix calme mais très ferme, elle répondit :

— Je n'ai aucune envie de vivre dans une plantation où notre nouveau règlement serait applicable. Je ne vous accompagnerai pas, John.

Ces paroles ne déçurent nullement le jeune homme, au contraire.

— Voyons, Elzabet ! À la minute où l'on m'a fait cette proposition, je leur ai expliqué que je rentrais à la Jamaïque. Je vous emmène à Trevelyan. Vous adorerez l'endroit.

Cette fois, elle l'embrassa, et quand le soleil tomba, il dit d'un ton grave :

— J'ai encore une chose à faire en cette journée terrible.

Elle lui donna le bras et il la conduisit vers l'endroit où ses deux bateaux étaient enchaînés aux arbres. Elle lui demanda de quoi il s'agissait.

— Je suis presque certain que Vavak se cache dans notre forêt. Ils ne l'ont pas pris.

— Il m'a sauvé la vie, cette nuit-là.

— La mienne aussi, je crois. Rien d'autre n'explique qu'ils ne m'aient pas tué.

Près des bateaux, John prit dans la poche de son pantalon la grosse clé des cadenas et, sous les yeux d'Elzabet, il les ouvrit pour que n'importe quel esclave encore caché dans les bois puisse s'emparer des deux barques et tenter la longue traversée vers Porto Rico ou Saint-Domingue.

Lorsqu'ils remontèrent le sentier vers la maison, ils entendirent un froissement de branches dans les arbres et virent sortir des ombres Vavak et une femme. Ce fut un instant d'effroi, parce que l'esclave était armé et le maître ne l'était pas. Le sentier était étroit, si étroit qu'il ne pouvait laisser le passage qu'à une seule personne. Les deux hommes, qui marchaient devant, se rencontrèrent, et chacun s'écarta pour laisser avancer l'autre. L'Anglais songea tristement à une autre des nouvelles règles : tout esclave rencontrant un blanc devait s'écarter et attendre qu'il passe, sinon il serait fouetté.

Pas un mot ne fut échangé. Mais tous savaient pourquoi Pembroke avait enlevé les cadenas des bateaux.

John et Elzabet se cachèrent entre les arbres pour observer ce que feraient Vavak et sa femme. Ils examinèrent les barques, choisirent la meilleure, puis se lancèrent dans la longue et dangereuses traversée jusqu'au pays qui porterait bientôt le nom d'Haïti, où leurs descendants continueraient leur lutte non violente pour la liberté.

Quand John Pembroke débarqua par surprise à la plantation Trevelyan avec une épouse danoise, les réactions furent variées. Sir Hugh, satisfait de voir tous ses fils mariés, accueillit Elzabet de bon cœur et attribua au couple un appartement de trois pièces au deuxième étage de Golden Hall. Les frères de John, Roger et Greville, furent fort soulagés de le savoir à l'abri des manigances d'Hester Croome. Mais quand elle eut vent du mariage, l'intrépide Hester partit au galop à Trevelyan, se jeta sur Elzabet, la prit dans ses bras généreux, s'écria :

— Bienvenue à la Jamaïque !

Puis éclata en sanglots incontrôlables.

John n'offrit à son épouse aucune explication sur le stupéfiant comportement d'Hester, mais Roger lui confia :

— Hester est une jeune femme adorable. Elle a une fortune énorme et elle s'était mise dans la tête d'épouser l'un de nous trois. Pourtant Dieu sait qu'elle n'a nul besoin de nous.

Gêné de s'être laissé ainsi aller à une indiscrétion sur une bonne voisine, il ajouta :

— C'est une personne fantastique, et elle n'aura aucun mal à trouver un époux.

Puis, se sentant obligé de décrire Hester sous son meilleur jour, il précisa :

— Quand je me suis marié, puis Greville, elle a adopté nos épouses.

Avec chaleur et sincérité. Elle fera de même pour vous. Elle n'a pas un brin de méchanceté.

Et ce fut ce qui se produisit. Lors des grands dîners donnés sur les diverses plantations, les trois fils Pembroke, comme on continuait de les appeler malgré le passage du temps, arrivaient ensemble avec leurs jolies femmes, et Hester Croome toujours aussi grosse, maladroite et exubérante s'écriait :

— Ne sont-elles pas la fierté de la Jamaïque, ces trois-là !

Et elle se montrait particulièrement aimable avec Elzabet la Danoise :

— John nous a ramené une beauté, pas vrai ?

La famille décida que John et Elzabet resteraient à Trevelyan pendant les premières années de leur mariage, pour aider Greville et mieux connaître la Jamaïque et les autres îles anglaises. Ce fut une période de bonheur, car la Jamaïque et les Caraïbes se trouvaient alors au point culminant de leur histoire commune. Des gouvernements stables. Des prix pour le sucre qui ne seraient jamais plus élevés. La guerre semblait faire rage ici ou là sans discontinuer, mais sans la moindre conséquence pour les îles. Quand la jeune femme se trouva enceinte, l'euphorie fut à son comble pour John et Elzabet.

Un problème continuait pourtant de se poser d'un bout à l'autre de la mer des Caraïbes : les relations des blancs avec leurs esclaves. Au cours des siècles suivants, historiens et romanciers se demanderaient souvent : « Pourquoi les esclaves se sont-ils montrés si passifs ? S'ils étaient six et huit fois plus nombreux que les blancs, pourquoi ne se sont-ils pas révoltés ? La vérité, c'est qu'ils se révoltèrent, constamment, avec une violence inouïe et dans toutes les îles, comme le montrent les annales du temps : à la Jamaïque, quinze soulèvements en tout, à la Barbade, cinq, aux îles Vierges, six, à Hispaniola, huit, à Cuba, seize. Chaque île connut au moins une grande révolte.

En 1737, une affaire choquante se produisit dans un coin perdu de la Jamaïque, et plongea les Pembroke au cœur du problème de l'esclavage. Un pasteur de l'Église anglicane envoya deux rapports, l'un à la capitale — depuis peu la ville nouvelle de Kingston —, l'autre à l'intention du roi, à Londres.

> *J'ai le douloureux devoir de vous informer que Thomas Job, membre de mon Église, à Glebe Quarter, a été reconnu, à la suite de comptes vérifiés, responsable de la mort de plus de quatre-vingt-dix de ses esclaves. Les faits, bien connus de ses voisins, m'avaient été dissimulés, mais des rumeurs me parvinrent et je puis confirmer chaque mot de ce que je vais vous rapporter.*
>
> *Job, monstre inhumain, prenait plaisir à étaler ses esclaves par terre, à les attacher par les poignets et les chevilles, puis à les battre sans interruption pendant parfois une heure, jusqu'à ce qu'ils expirent. Il châtiait les femmes à son service en leur ouvrant la bouche de force avec des bâtons puis en leur versant dans la gorge des quantités d'eau bouillante. Toutes en sont mortes. Je connaissais personnellement un des esclaves envoyés dans les bois reprendre des fuyards. Il n'en trouva pas, et on enfonça un fer rougi à blanc dans sa gorge. Bien entendu, il en mourut.*
>
> *Je sais que l'on aura du mal à me croire, mais à plusieurs*

reprises, Job s'est mis en colère contre des négrillons et leur a enfoncé la tête sous l'eau jusqu'à ce qu'ils se noient. D'autres ont été jetés dans des chaudrons d'eau bouillante. Je vous en prie, je vous en supplie, faites quelque chose contre ce monstre.

Quand la nouvelle de cet appel parvint au gouverneur, il demanda à Greville Pembroke, réputé pour son bon sens, d'entreprendre le long voyage jusqu'à Glebe Quarter pour enquêter sur les allégations et, s'il les jugeait fondées, entamer une procédure légale contre ce Job.

— Mais je vous rappelle cependant, prévint le gouverneur, que pas une seule plainte n'a été déposée contre Job depuis que j'occupe cette charge. Il ne s'agit peut-être que d'un bobard.

Greville acquiesça, puis suggéra :

— Excellence, mes devoirs à la plantation sont lourds, mais mon jeune frère John a plus d'expérience que moi pour les problèmes des esclaves. Je vous recommande de l'envoyer à ma place.

Ce fut fait et dix minutes après son arrivée à Glebe Quarter, John ordonna la détention de Thomas Job dans la prison improvisée du village. Sur les ordres écrits du gouverneur, il réunit un jury. Stupéfait, il écouta ces hommes, tous blancs et faisant partie des Intérêts du Sucre, déclarer Job non coupable sous prétexte qu' « on a du mal à tenir les nègres au pas sans des mesures sévères, et à notre avis, Thomas n'a nullement outrepassé les coutumes établies dans cette île. »

Quand John entendit ce verdict, il entra en une telle fureur qu'il eut envie de procéder à la pendaison de Job sur-le-champ ; mais le pasteur lui conseilla de n'en rien faire et Job fut libéré. Le lendemain matin, se croyant non seulement justifié mais autorisé à recourir à ses précédentes méthodes, Job aperçut un esclave en train de faire une chose banale qui lui déplut, et le battit à mort comme à son habitude.

Un jeune Écossais qui travaillait pour Job en eut assez. Il signala la mort au révérend, et ce dernier fit venir Pembroke pour qu'il entende tous les détails. Par un curieux hasard, l'esclave mort portait un nom assez fréquent dans les îles, Cudjoe. Dès que ce nom fut prononcé, John se rappela les supplices horribles auxquels il avait assisté par force quand le Cudjoe de Rostgaard avait été passé au chevalet et brûlé. Il prit sa décision aussitôt.

Le procès, une nouvelle audience pour une affaire entièrement nouvelle, allait se dérouler de façon différente car John pouvait cette fois compter sur un blanc pour témoigner. Quand le jeune Écossais se leva pour effectuer sa déposition, un planteur à l'arrière de la foule cria :

— Abattez-moi ce salopard !

De nombreuses protestations similaires s'élevèrent pour défendre Job, mais le jury, ne pouvant ignorer des preuves manifestes, fut contraint de prononcer un verdict de culpabilité.

Dans l'après-midi, John Pembroke fit dresser une potence de sa propre autorité, et Thomas Job, le monstre de la Jamaïque, fut pendu.

En fin de soirée, le petit bateau de Pembroke appareilla du port de Glebe Quarter et mit le cap sur Kingston avec le jeune Écossais à son bord ; le laisser au milieu des planteurs de sucre l'aurait condamné à mort : ils étaient devenus fous à la pensée qu'un des leurs venait d'être pendu pour avoir simplement mis ses nègres au pas.

Mais quand Pembroke et l'Écossais arrivèrent à Kingston pour rendre compte de ce qui s'était passé à Glebe Quarter, ils découvrirent qu'un cavalier rapide les avait devancés dans la capitale pour répandre une version monstrueusement déformée des événements. La colère faisait rage parmi les membres des Intérêts du Sucre. Pentheny Croome organisait déjà une bande pour tabasser l'Écossais ou pis, mais John s'interposa.

— Pentheny, que faites-vous là ?

— Si nous laissons punir un planteur pour avoir fait ce que nous faisons tous, la révolution nous menace. Les esclaves nous trancheront la gorge au milieu de la nuit.

— « Ce que nous faisons tous », dites-vous ? s'écria John. Voulez-vous savoir ce qu'a vraiment fait ce Thomas Job, Pentheny ? Asseyez-vous et écoutez-moi.

D'un ton dénué de toute passion, il raconta les actes de barbarie perpétrés sur les esclaves hommes, les tortures obscènes infligées aux femmes et l'incroyable cruauté envers les enfants. Puis il ajouta à mi-voix :

— Vous êtes l'ami de mon père de longue date, et à Londres les « deux pois dans la même gousse » sont respectés, non ? Vous occupez des positions importantes au Parlement. Voulez-vous que le comportement de ce Thomas Job ternisse vos réputations ? Et fasse capoter l'ensemble des Intérêts du Sucre ?

Cela secoua Pentheny, d'autant plus que John ne s'en tint pas là :

— Un exemplaire de mon rapport a été envoyé au roi. Quand il demandera : « Comment avez-vous réglé cette affaire ? », répondrez-vous : « Nous n'avons rien vu de mal dans ces actes » ? Allez-vous souiller votre propre nid ?

Pentheny avala sa salive et dit d'une petite voix :

— J'aimerais tout entendre de la bouche de l'Écossais que nous voulions pendre.

À la fin du récit des horreurs, Pentheny se leva, s'avança vers le jeune homme et lui donna l'accolade.

— J'ai besoin d'un gars comme vous pour surveiller ma plantation pendant mes séjours à Londres.

Une semaine plus tard, Hester Croome, en visite à Trevelyan, laissa échapper en babillant avec les trois jeunes femmes :

— Un merveilleux jeune homme est venu travailler pour mon père. Je regrette un peu que nous partions à Londres vendredi.

En 1738, le jeune John Pembroke attira pour la première fois l'attention favorable de Londres. Il s'était produit des troubles à cause d'un nid de marrons sur la côte sous le vent de la Jamaïque. Au lieu d'envoyer une armée contre eux, le gouverneur dépêcha Pembroke avec une garde de seize soldats du régiment de Gibraltar, stationné à ce moment-là dans l'île.

— Ce que nous espérons, dit le gouverneur le jour du départ, c'est un renouvellement de la paix durable conclue par votre père avec les marrons de son district. Mêmes garanties de notre part, mêmes promesses de leur côté.

Ce fut une longue marche en terrain difficile, et quand Pembroke parvint dans la région des marrons, les anciens esclaves refusèrent de parlementer. Mais une combinaison adroite de patience et de pressions accomplit des merveilles et, au bout du compte, on convint d'une trêve. En 1739, le gouverneur chargea John d'une mission identique du côté au vent de l'île, et il obtint de nouveau ce que personne n'avait pu établir : une trêve durable. L'île se trouva donc pacifiée, et des hauts dignitaires de Londres envoyèrent à Kingston la dépêche : « Félicitez John Pembroke, bon travail. »

Cela lui valut une mission surprenante.

Le jour où une énorme escadre de guerre, une centaine de bateaux au total sous le commandement d'un amiral réputé, Edward Vernon, jeta l'ancre dans le chenal de Port Royal, toutes les personnes associées de près ou de loin au gouvernement conclurent que les Britanniques avaient enfin décidé de chasser les Espagnols de la mer des Caraïbes.

L'Espagne avait déjà perdu de nombreuses possessions : la Jamaïque devenue anglaise et la future Haïti, devenue française. Elle n'était plus représentée dans aucune des îles du chapelet oriental. À l'extrême sud de ces Petites Antilles, Trinidad demeurait espagnole de nom mais était colonisée surtout par des Français et passerait bientôt aux mains des Anglais. Seuls le riche Mexique et le Pérou encore plus riche demeuraient espagnols, ainsi que la Terre Ferme, au nord du continent sud-américain. Pour garder la mainmise sur ces régions vitales l'Espagne devait absolument tenir le port clé de Carthagène, et, naturellement, les Anglais décidèrent de s'en emparer pour mettre en péril le reste des dépendances espagnoles du Nouveau Monde. Comme si souvent dans le passé, le sort des pays européens allait se jouer aux Antilles.

Une flambée d'enthousiasme accueillit la nouvelle officielle de l'objectif.

— Vernon va s'emparer de Carthagène ! Il effacera les humiliations que nous avons subies là-bas.

Quand l'amiral descendit à terre pour achever ses préparatifs de dernière minute, il se vanta sans vergogne :

— Cette fois, nous rayerons cette ville de la carte.

C'était un pittoresque loup de mer de cinquante-sept ans, toujours vêtu de la même redingote verte élimée en *grogram* *, tissu assez rêche, mélange de soie, de mohair et de laine. Ce tissu lui avait valu le sobriquet de « Vieux Grog », et quand, dans un effort pour inciter ses marins à la sobriété, il fit diluer la traditionnelle ration d'alcool à raison d'un demi-gallon d'eau pour une pinte de rhum, son surnom entra ainsi, par la petite porte, dans tous les dictionnaires, car *grog* signifiait au début « rhum dilué » par opposition au rhum pur.

Il avait acquis une popularité folle en 1739, en se vantant que Porto Bello n'était pas invulnérable.

— Donnez-moi six bons bateaux et je vous livrerai la ville.

Le gouvernement le prit au mot, et il remporta une victoire si éclatante, sans perdre ni bateau ni homme, qu'on alluma des feux de joie dans toute l'Angleterre et frappa des médailles en son honneur. Mais des marins qui avaient participé à « la grande victoire »

* Grogram : en français, gros-grain, ou ottoman.

déclaraient à qui voulait les entendre : « Les Espagnols n'ont même pas essayé de se défendre. Une poignée d'hommes, un fort vide. »

Vernon n'en fut pas moins le héros du moment, et il proposa aussitôt de s'emparer de Carthagène.

Comme il aurait besoin de diplomates compétents pour l'assister lorsqu'il dicterait les conditions de paix après la reddition de l'ennemi, il demanda au gouverneur de la Jamaïque de lui présenter des candidats valables, et les exploits récents de John Pembroke imposèrent naturellement son nom. Il mit donc le cap vers le sud, le 26 janvier 1742, en qualité de négociateur, et se trouva peu après en face du redoutable ensemble d'îlots, de promontoires fortifiés et de détroits bordés de forteresses qui constituaient Carthagène. L'histoire raconte que, lorsque Philippe II apprit que les travaux de fortification avaient coûté l'équivalent de cinquante millions de dollars, il sortit sur son balcon de l'Escorial, regarda vers l'ouest et lança : « Avec tout cet argent dépensé, je devrais voir les fortifications depuis ici ! »

Le siège et la bataille, l'une des plus décisives de l'hémisphère occidental, furent un combat inégal. L'amiral Vernon avait réuni cent soixante-dix bâtiments et vingt-huit mille hommes, dont un grand nombre de « volontaires d'office » raccolés dans dix colonies américaines différentes. Il disposait d'une quantité incroyable de canons. Les Espagnols ne pouvaient lui opposer qu'une poignée de petits bateaux — vite arraisonnés — et environ trois mille hommes. Ils avaient heureusement dans leur camp un homme qu'on appelait « les deux tiers d'un amiral ».

Blas de Lezo, l'un des plus grands combattants de l'histoire, avait passé une longue vie à guerroyer contre la marine anglaise. Il avait toujours perdu davantage que la bataille : en 1704, à Gibraltar, un boulet de canon anglais lui avait emporté la jambe gauche ; à Tolosa un tireur d'élite anglais lui avait pris l'œil gauche ; et dans un combat au large de l'Espagne, il avait perdu son bras droit. Une nouvelle bataille contre l'ancien ennemi s'annonçait, et il sauta de fort en fort, sans l'assistance d'un aide de camp, pour inspecter les défenses. Toute la nuit il restait éveillé pour essayer de deviner ce que l'amiral Vernon, avec son écrasante supériorité, tenterait ensuite. Chaque fois qu'il se retournait, incapable de trouver le sommeil, il ricanait, comme pour se moquer de l'extrémité dans laquelle il se trouvait. À Gibraltar, des années auparavant, quand ils étaient jeunes tous les deux, ils s'étaient trouvés confrontés dans la bataille, et ce jour-là Vernon avait gagné. Mais c'était une autre époque, un autre champ de bataille, et cette fois don Blas possédait un allié puissant : le général Fièvre.

La fièvre jaune avait déjà abattu un général anglais de premier ordre et offert au tenace don Blas un « allié » inattendu : le général de brigade Thomas Wentworth, commandant des troupes anglaises à terre, un raté, indécis et totalement inepte, propulsé à la tête de l'armée par la mort de son supérieur. Pembroke en signala les conséquences :

> *Je servais d'officier de liaison à bord du navire amiral de Vernon, et chaque matin se reproduisait la même scène : « Le général Wentworth a-t-il lancé l'attaque du fort ? » me demandait l'amiral. Je répondais « Non » et il se tournait vers les autres. « Pourquoi ? — Personne ne le sait », répliquaient-ils.*
>
> *Du temps perdu. Puis les pluies commencèrent. La fièvre*

frappa nos hommes avec une violence terrible, mais Wentworth ne bougea toujours pas. En fin de compte, notre grande flotte, plus puissante que celle des Espagnols lors de leur attaque de l'Angleterre, dut se retirer sans avoir rien accompli. Pas une seule bataille notable. Pas une seule muraille prise. Rien.

La raison de cet échec ? À chaque tentative nouvelle, ce maudit amiral bancal et manchot prévoyait d'avance nos mouvements. Il s'est avéré génial.

La marine et l'armée britanniques n'aboutirent qu'à un désastre, mais John Pembroke obtint cependant ce à quoi tout combattant anglais aspirait, « une mention dans les dépêches », car l'amiral Vernon rendit compte à Londres en ces termes :

Quand nous avons décidé de pousser le petit bateau Galicia *près du fort espagnol pour vérifier la portée et l'efficacité de nos canons, nous avons demandé des volontaires car la mission était extrêmement dangereuse. John Pembroke, bien qu'il fît partie de nos collaborateurs civils, se présenta aussitôt, et quand le bateau faillit s'échouer sous les batteries et les fusillades de l'ennemi, il sauta dans l'eau au milieu des balles pour le dégager. Ce fut un acte d'héroïsme sans pareil.*

Ce fut sans conséquence positive : le général Wentworth refusa plus que jamais d'attaquer et l'inévitable ennemi, le général Fièvre, aidé par l'amiral Choléra, frappa les troupes. Le nombre des décès quasi instantanés fut effarant. Un soldat nettoyait son fusil, l'arme lui tombait des mains ; il levait les yeux, saisi d'horreur, et s'écroulait, inerte. Cinquante pour cent de pertes par unité en moyenne, et les recrues des colonies américaines décimées à soixante-dix pour cent.

Le jour honteux survint où l'amiral Vernon, toujours incapable de faire bouger Wentworth qui se trouvait maintenant toutes les raisons de ne pas attaquer, dut lancer l'ordre de retraite :

— Toutes les troupes à bord des navires. Tous les navires, cap sur la Jamaïque.

Le puissant assaut pour chasser l'Espagne de la mer des Antilles avait été tenu en échec par un courageux amiral qui n'était que les deux tiers d'un homme.

Au cours de la lugubre traversée de retour à Port Royal, John Pembroke conversa avec les officiers et les hommes pour réunir des renseignement de première main qu'il inclurait plus tard dans son opuscule très apprécié : *Authentique récit des actes de l'amiral Vernon devant Carthagène,* dont voici les paragraphes les plus souvent cités :

Selon les comptes les plus précis, nous avons perdu dix-huit mille hommes. À en croire un prisonnier ennemi, les Espa-

gnols en ont perdu au plus deux cents. L'amiral unijambiste, par son excellent commandement et sa puissance de feu, a tué neuf mille de nos hommes, et le général Fièvre en a détruit autant. La dernière fois que j'ai vu le port de Carthagène, sa surface était grise de cadavres de nos soldats en train de pourrir — ils mouraient si rapidement que nous ne pouvions pas les enterrer. Parmi les paysans pauvres et affaiblis de nos colonies d'Amérique du Nord, quatre hommes sur cinq ne sont plus.

Mais la plus grave perte, c'est que si nous avions gagné, l'ensemble de la mer des Caraïbes serait passé entre les mains de la Grande-Bretagne. Le monde des îles serait unifié, avec toutes les perspectives de croissance qu'offre l'unité. Un seul gouvernement, une seule langue, une seule religion. L'occasion s'est envolée, et ne se représentera peut-être jamais.

L'héroïsme de John Pembroke devant Carthagène reçut une récompense inattendue, sous la forme d'une lettre de son père, qui séjournait à Londres.

> *Nous sommes tous fiers de votre comportement héroïque. Je regrette de ne pouvoir dire à mes amis : « C'est ainsi que les Pembroke ont toujours répondu à l'appel de notre pays. » Hélas, les Pembroke n'ont aucun antécédent de vaillance au combat, et je vous félicite donc d'avoir lancé la tradition. Je compte bien que vous viendrez ici en toute hâte, même si vous devez négliger telle ou telle obligation à Trevelyan, car j'ai pour vous trois surprises, et je vous assure qu'elles méritent votre attention.*

Le plus jeune des Pembroke quitta donc Trevelyan à la fin de l'été 1743, avec son épouse et leurs deux enfants. Lorsqu'il passa à pleines voiles devant les restes de Port Royal, John ne se doutait guère qu'il ne reverrait pas une seule fois la Jamaïque avant la dernière décennie du siècle — la plus turbulente. Dès leur arrivée à Londres, sir Hugh, venu à leur rencontre sur les quais, leur annonça la première de ses trois surprises :

— John, vous vous êtes conduit en homme ces dernières années. Tous les représentants de la Jamaïque sont fiers de vous, en particulier les Intérêts du Sucre. Nous avons voté à l'unanimité pour votre récompense.

Il s'arrêta, pour laisser le jeune couple deviner ce qu'il dirait ensuite, mais l'expression vide de leur visage lui confirma qu'ils n'avaient pas percé son secret.

— Je vous ai acheté un siège au Parlement.

Oui, à l'âge de trente-quatre ans, sans aucune expérience en matière de politique, John Pembroke allait occuper un siège acheté par son père dans un des « bourgs pourris ». Au bout de trois ans aux Communes, il partit un jour en pleine campagne, à l'ouest de Londres, pour voir où se trouvait sa circonscription : il trouva trois masures et les ruines de ce qui avait été jadis une importante ville-marché. Il rencontra deux vieillards, les seuls électeurs restants dans toute sa circonscription et qui lui accorderaient dorénavant leurs voix : il serait réélu chaque fois à l'unanimité.

— Je compte bien me montrer digne de représenter notre circonscription, dit-il.

— Ouais, répondirent les hommes.

La famille Pembroke contrôlait maintenant trois sièges au Parlement, et la réputation de John comme héros militaire décuplait sa puissance de conviction dans les débats en petit comité. Ses responsabilités étaient simples, comme le lui avait expliqué son père :

— Ne cédez pas d'un pouce aux Français. N'oubliez pas, ce sont nos ennemis de toujours. Et mettez au pas ces imbéciles des colonies d'Amérique. Le prix du sucre doit toujours augmenter.

Les Pembroke n'étaient nullement la famille jamaïcaine la plus éminente du Parlement. En fait, ils ne venaient qu'au troisième rang. La famille Dawkins y était représentée par trois de ses membres et les Beckford, d'une plantation non loin de Trevelyan, par trois frères remarquables : William Beckford, deux fois lord-maire de Londres, avait été élu au Parlement par cette ville; Richard Beckford par Bristol et Julius, par Salisbury. Donc, trois familles rurales de Jamaïque comptaient neuf sièges, et huit autres planteurs jamaïcains, chacun un. En ajoutant les sièges achetés par de riches planteurs des petites îles, comme Antigua et Saint-Kitts, le pouvoir des Intérêts du Sucre était devenu énorme, et une critique s'éleva :

— Ces maudits îliens disposeront pendant cette session de leurs vingt-quatre sièges, plus ceux des vingt-six autres députés qui ont des dettes envers eux.

Le mot « îliens », devenu péjoratif, n'était pas entièrement justifié pour décrire ce phénomène, parce que dans toute l'Angleterre, les électeurs considéraient les riches candidats des Indes occidentales simplement comme des hommes du pays partis temporairement dans « les îles » pour faire fortune. Et de fait, sur les soixante-dix représentants « îliens » qui siégèrent au Parlement pendant ces années-là, plus de la moitié n'avaient jamais mis les pieds aux Caraïbes, et ne s'y rendraient jamais de leur vie. C'étaient les célèbres « propriétaires absents » dont les ancêtres avaient effectué le voyage aventureux à la Jamaïque et établi là-bas leur fortune, puis étaient rentrés définitivement dans la mère patrie. Leurs foyers se trouvaient à présent en Angleterre, mais ils n'oublieraient pas que leurs richesses provenaient encore de la Jamaïque et ils votaient en conséquence.

Aussitôt après la première surprise, sur les quais, John et Elzabet se demandèrent ce que serait la deuxième, mais sir Hugh garda le silence jusqu'à Cavendish Square où se trouvait son hôtel particulier. Il semblait de plus en plus nerveux. La voiture ne s'arrêta pas car le cocher avait reçu l'ordre de déposer le jeune couple dans une belle demeure aux proportions élégantes sur l'autre côté de la place, non loin de la résidence de Roger.

— Votre nouvelle maison, dit sir Hugh, d'un ton gêné, quand ils descendirent de voiture.

Il les conduisit de pièce en pièce, toutes étaient décorées avec goût.

— Père ! s'écria Elzabet. Quel merveilleux présent !

John approuva sans réserve.

— Mais qu'avez-vous donc caché comme troisième cadeau ?

Au mot « caché », sir Hugh rougit jusqu'aux oreilles, toussa, et dit d'une voix à peine plus forte qu'un murmure :

— Vous pouvez vous montrer, maintenant.

Et d'une pièce où elle attendait, une femme ouvrit la porte à la volée et s'élança comme une tornade de la Jamaïque, en criant d'un ton joyeux :

— John ! Elzabet ! Je suis votre nouvelle mère !

C'était Hester Croome Pembroke, toujours aussi grande, aussi grosse et aussi rousse, dont la joie faisait presque éclater le corset. Elle traversa le vestibule d'un bond, s'empara de John entre ses bras puissants et s'écria :

— John, cher enfant ! Je suis une Pembroke, enfin !

Puis elle vint se placer aux côtés de sir Hugh et adressa à John et à Elzabet son regard le plus charmant.

— Mon Dieu ! lança-t-elle. Ne sommes-nous pas mignons tous les quatre ?

Pendant les deux décennies suivantes, ce fut l'âge d'or du pouvoir antillais à Londres. Quand le lord-maire Beckford ne donnait pas une énorme soirée pour encourager ses partisans, Pentheny Croome offrait un divertissement d'une munificence époustouflante, avec des chanteurs d'opéra italiens et des violonistes allemands. De temps en temps, sir Hugh, lady Hester et les deux fils Pembroke ouvraient leurs maisons pour des réceptions plus discrètes : conversations calmes et musique de Haendel, qui venait parfois diriger un petit orchestre en personne. Les trois grandes familles — Beckford, Dawkins, Pembroke — avaient à elles seules dix-neuf enfants et petits-enfants dans de bonnes écoles d'Angleterre comme Eton, Rugby et Winchester, et le caractère anglais des « Antillais » devint plus prononcé avec le temps.

Au cours de ces années, sir Hugh découvrit manifestement une nouvelle joie de vivre, et ses enfants se félicitèrent de son remariage. Ils s'aperçurent que son pas semblait plus léger, son sourire plus facile à naître, comme si la vitalité tourbillonnante de sa nouvelle femme l'amusait à part lui.

— Il a épousé un cyclone antillais, et il a rudement bien fait, déclara John à Elzabet.

Rien ne pouvait rester discret avec lady Hester à la barre et la noble élégance de la grande salle de réception de sir Hugh, avec son Rembrandt et son Raphaël, se trouva « légèrement altérée » par l'introduction d'une gigantesque sculpture de marbre qu'Hester avait achetée au cours d'un voyage à Florence, où elle avait fait la connaissance de l'artiste. L'adorable Raphaël se trouvait à présent dans l'ombre de *Vénus résistant aux avances de Mars,* où s'entremêlaient bras et jambes d'un blanc éclatant. Quand son mari vit le chef-d'œuvre, il grommela :

— Hester, je vais faire apporter quatre pots de peinture. Nous peindrons les bras de Mars en rouge, ceux de Vénus en bleu. Les jambes de Mars en violet, celles de Vénus en jaune. Cela nous permettra de voir qui fait quoi à qui.

Le Rembrandt fut également écrasé par une vaste toile qu'elle fit venir de la résidence de son père — celui qu'un marchand de tableaux enthousiaste avait vendu aux Croome, mère et fille, en leur disant : « L'une des plus célèbres œuvres d'art du monde. Regardez les yeux du pape. Où que vous alliez dans la pièce, ils vous suivront. Si vous avez mal agi, vous ne pouvez vous cacher. »

Peu à peu les dîners d'Hester devinrent de plus en plus tapageurs, et les parlementaires de tous les partis préférèrent bientôt ses réceptions à toute autre. Elle apprit à accepter d'un même cœur léger, « à la jamaïcaine », la défaite comme la victoire, et quand un groupe de députés essayait de forcer l'Office du Commerce à baisser le prix du sucre et échouait, elle les consolait de la même façon que « ses trois Pembroke » quand ils perdaient une bataille. Cette attitude rendit de grands services aux Intérêts du Sucre après 1756, au cours des années turbulentes où tous les pays d'Europe semblaient en guerre les uns contre les autres. Les alliances changeaient constamment : la Prusse, les États allemands, l'Autriche, la Russie, la France, l'Espagne, le Portugal et l'Angleterre se trouvèrent impliqués dans diverses coalitions et l'Europe trembla.

Avec l'intelligence dont font parfois preuve les grandes puissances, la France et l'Angleterre livrèrent leurs batailles décisives à l'autre bout du monde, en Amérique du Nord pour l'armée de terre, et aux Antilles pour la marine.

En 1759, le général Louis Joseph Montcalm, à la tête des Français, et le général britannique James Wolfe, moururent le même jour dans la grande bataille des plaines d'Abraham, au Québec, sanglante épopée de la conquête anglaise au Canada.

En 1762, sur mer, l'amiral Rodney brouilla les cartes en s'emparant des îles françaises de la Martinique, Saint-Vincent, Grenade et All Saints, qu'il annexa à la grande île de la Guadeloupe, déjà entre les mains des Anglais. Les victoires de Rodney semblaient si importantes pour la sécurité de l'empire, qu'à leur annonce à Londres, on alluma des feux de joie et les gens dansèrent dans les rues — tous, sauf les membres des Intérêts du Sucre. Ils se réunirent, déconcertés, et mumurèrent :

— Mon Dieu ! Quel désastre ! Comment effacer cette monstrueuse erreur ?

Le danger était réel. Si l'Angleterre conservait comme dépouilles de guerre les grandes îles françaises de la Guadeloupe et de la Martinique, sans parler des petites, l'existence d'importantes surfaces plantées en canne à sucre créerait une concurrence sur le marché anglais, dont les îles du monopole, comme la Jamaïque et la Barbade, auraient énormément à souffrir.

— Par le diable, s'écria Pentheny Croome, sentant le vent tourner, le sucre en Angleterre pourrait se vendre aussi bon marché que maintenant en France. Ce serait notre perte.

Il avait raison, et vers la fin de 1762 et le début de 1763, les Intérêts du Sucre, sous la direction de sir Hugh Pembroke, des puissants Beckford et du très riche Pentheny Croome, tirèrent toutes les ficelles imaginables en vue d'un seul objectif : forcer les négociateurs anglais à la conférence de la paix, qui se tenait à Paris, à accepter le Canada en échange des Antilles françaises. Si la France n'en voulait pas, qu'on les offre à l'Espagne ou qu'on les abandonne à elles-mêmes, mais en aucune circonstance elles ne devaient entrer dans l'Union britannique.

De toute évidence, des forces considérables s'organisèrent contre les « îliens » des Indes occidentales; journaux et pamphlets les brocardèrent et les accusèrent de ne songer qu'à leurs intérêts personnels. Des dirigeants français influents désiraient conserver le Canada et se débarrasser des îles, qui constituaient une charge financière constante. Les grands stratèges britanniques, surtout les amiraux, y étaient également favorables; ils étaient prêts à renoncer au Canada en échange de la Martinique et d'All Saints, qui contrôlaient l'accès oriental de la mer des Caraïbes.

— Dans les batailles navales de l'avenir, le pays qui contrôlera ces îles aura l'avantage. Le Canada? Qu'a-t-il à offrir à part les castors et les Indiens?

Mais les voix les plus fortes furent celles des ménagères anglaises, qui supplièrent le gouvernement :

— Nous vous en supplions, donnez-nous les îles françaises pour que nous puissions payer le sucre à un prix raisonnable.

Depuis quelques années, un nouveau facteur était entré dans le débat : l'engouement croissant de la population pour le thé, à la maison et dans les salons de thé publics. De l'Inde britannique arrivaient à Londres de nouveaux mélanges de thé intéressants et les connaisseurs commençaient à distinguer les différents mélanges : le darjeeling avec son parfum subtil; l'earl grey, clair et distingué; et pour les palais virils un nouveau régal très fort, le lapsang souchong qui avait un goût de cire brûlante. Mais pour apprécier le thé comme il se doit, les Anglais devaient y ajouter du sucre, des quantités de sucre et dès que la demande de thé augmenta de façon vertigineuse, le désir de sucre bon marché prit les mêmes proportions, et les planteurs de canne des Indes occidentales comprirent que les nouvelles îles prises aux Français représentaient une menace encore plus grave qu'ils ne l'avaient cru.

On se réunissait à Londres sans discontinuer. Des leaders politiques passaient chez les Beckford, des membres du Parlement, tout prêts à faire usage de quelques livres de la fortune de Pentheny Croome, s'arrêtaient chez lui pour délibérer, tandis que ceux qui modelaient l'opinion publique, les manipulateurs du Parlement, se rencontraient en catimini chez sir Hugh Pembroke et ses fils. Les réunions étaient souvent tendues car les hommes du sucre exerçaient de fortes pressions pour faire admettre leur position de base :

— Prenons le Canada. Il a de l'avenir. Restituons les îles à la France. Si elle les conservait, la Grande-Bretagne commettrait une erreur énorme.

Quand un membre du Parlement reprenait le refrain populaire : « Mais le peuple a besoin de sucre à bas prix », les hommes du sucre se gardaient bien de lancer : « Au diable le peuple » — comme il arrivait parfois à Pentheny dans les discussions à huit clos. Ils argumentaient au contraire avec des paroles de miel :

— Mais enfin, sir Benjamin, ne savez-vous pas que la Jamaïque est immense? Nous avons encore d'innombrables champs sur lesquels planter de la canne à sucre... Deux fois et trois fois plus que maintenant. Faites-nous confiance.

Bien entendu, ils possédaient depuis un quart de siècle des milliers d'hectares cultivables qu'ils s'étaient obstinément refusés à exploiter. Selon les termes de Pentheny, qui ne manquait pas de bon sens : « Pourquoi mes esclaves devraient-ils s'échiner à cultiver mille arpents, alors qu'avec cinq cents et moitié moins de travail nous pouvons gagner deux fois plus d'argent... si nous maintenons le prix du sucre élevé ? »

En 1760 les hommes du sucre subirent un sérieux revers. Un économiste compétent du nom de Joseph Massie publia à ses propres frais un pamphlet portant le curieux titre que voici : *Calcul des sommes exorbitantes prélevées sur le peuple de Grande-Bretagne par les planteurs de sucre en une seule année, de janvier 1759 à janvier 1760, montrant la quantité d'argent perdue par une famille de chaque rang, degré ou classe à cause de ce monopole rapace qui continue toujours de s'exercer bien que je l'aie dévoilé dans mon « État du Commerce du Sucre dans les Colonies Britanniques », publié l'hiver dernier.* Par un raisonnement sans faille, grâce aux éléments dont il disposait, Massie démontrait que les planteurs des Caraïbes avaient soutiré au peuple anglais, en vingt ans, la somme « prodigieuse de HUIT MILLIONS DE LIVRES STERLING, tout en se gardant une marge tout à fait satisfaisante de bénéfices ».

Attaqués de front et sans merci, les hommes des Intérêts du Sucre étaient présentés comme des ennemis de l'État qui exploitaient sans scrupules, non seulement leurs esclaves noirs de la Jamaïque mais les ménages blancs de Grande-Bretagne. Une solution à cette grave injustice pouvait être trouvée, prétendaient les politiciens acquis aux idées de Massie, par la simple décision de conserver la Martinique et la Guadeloupe. Comme le fit observer à bon droit un autre pamphlétaire : « Les grands planteurs de la Jamaïque nous ont promis depuis trente ans qu'un de ces jours, ils mettraient en culture d'autres champs de canne sur leur île, mais comme le prouvent mes chiffres, Pentheny Croome a accumulé égoïstement des milliers d'arpents vierges sans en cultiver un seul. »

Ces nouvelles attaques étaient si bien documentées et si convaincantes qu'un soir de 1762, les planteurs les plus influents se réunirent à l'occasion d'un dîner dans la splendide salle à manger de sir Hugh et lady Hester. Le grand William Pitt, dont la conviction qu'il ne fallait pas lâcher les Antilles françaises était inébranlable, avait été invité pour entendre les arguments contre cette position, mais il se passionna pour le récit de lady Hester sur la façon dont son premier monstrueux chef-d'œuvre de marbre était entré dans son hôtel.

— Il s'intitule, comme vous pouvez le voir, *La Victoire récompensant l'Héroïsme,* et quand il est arrivé, impossible de le faire passer par nos portes. Nous avons donc fait appel à Luigi, qui est venu aussitôt de Florence nous montrer combien c'était simple en réalité. Avec une scie spéciale, il a coupé la statue juste ici — la Victoire d'un côté et l'Héroïsme de l'autre — et nous avons pu faire passer chaque moitié par les portes.

— Mais comment avez-vous réuni les deux moitiés ? demanda Pitt. Je ne vois aucune trace.

— Ah, ah ! s'écria Hester en s'avançant vers la statue. C'est exactement ce que j'ai demandé, Mr. Pitt, et Luigi m'a répondu : « Chaque artiste a ses secrets. » Il a refusé de me révéler celui-ci. Mais le chef-d'œuvre est là. N'est-il pas magnifique ?

Elle avait posé la question directement à Pitt, qui répondit :

— Ma foi, il est certainement plus gros que la plupart.

L'interruption de lady Hester avait offert à William Pitt la possibilité de rassembler son courage, dont il possédait des réserves illimitées. Quand Hester se retira avec les dames dans le salon voisin, il déclara en toute sincérité :

— Messieurs, comme vous le savez, j'ai toujours été partisan de conserver les grandes îles françaises. Davantage de commerce pour l'Angleterre, des prix plus bas pour le sucre, des avantages stratégiques pour notre marine.

Plusieurs planteurs suffoquèrent et tentèrent de le dissuader d'inclure la stipulation concernant la Martinique et la Guadeloupe dans le traité de paix qu'il était en train de négocier avec les Français au cours des conférences de Paris.

Ils n'avancèrent pas d'un pouce avec lui, mais quand on servit le porto et alluma les cigares, il se pencha en arrière, dévisagea chaque planteur tour à tour, puis leur confia :

— Messieurs, j'ai une bonne nouvelle pour vous et une mauvaise nouvelle pour l'Angleterre.

— Comment une situation peut-elle se définir dans ces termes ? demanda sir Hugh courtoisement.

Pitt fit la sourde oreille.

— On m'écarte des négociations de Paris. Le comte de Bute va me remplacer, et vous savez fort bien qu'il est beaucoup plus attaché à votre cause que je ne saurais jamais l'être.

Au moment du départ, il lança une dernière remarque, généreuse et efficace, bien qu'elle allât dans un sens contraire à ses propres intérêts :

— À votre place, messieurs, je demanderais à un membre de votre camp de lancer un pamphlet pour contrebalancer l'exposé convaincant de Joseph Massie. Il a beaucoup nui à vos intérêts, vous savez...

Et sur ce conseil, il s'en fut.

Dès le départ de Pitt, lady Hester, qui avait lu le pamphlet de Massie avec une fureur croissante, prit la réunion en main :

— Pitt a raison. Notre camp doit répliquer à ces fausses accusations. Et il serait bon de le faire immédiatement.

En quelques minutes de discussion, on convint de faire imprimer et distribuer largement une brochure, dont Pentheny Croome assumerait la dépense. Mais ensuite, le problème devint plus complexe, car aucun des planteurs ne se sentait assez compétent pour répondre à la critique incisive de Massie. Chacun tenta de se décharger sur les autres, jusqu'à ce que lady Hester tranche le nœud gordien :

— Mon mari le rédigera.

Comme il balbutiait un refus stupéfait, elle ajouta simplement :

— Je vous aiderai pour les parties difficiles, cher ami.

Lady Hester et sir Hugh passèrent les trois semaines suivantes à forger une riposte magistrale aux pamphlets contre les planteurs. Ils révélèrent leurs inexactitudes, ridiculisèrent aimablement leurs prétentions à se mêler des affaires internationales, et exposèrent de nouveaux arguments puissants et des impératifs économiques passés sous silence. Dans la rédaction, sir Hugh adoptait systématiquement un ton conciliant, tandis que lady Hester voulait toujours sauter à la veine jugulaire. En fait, ils formèrent une équipe sans prix : l'homme d'État éprouvé, qui allait sur ses soixante-dix ans, et la femme énergique de cinquante ans. En un temps record, leur texte fit le tour de Londres et des grandes villes de Grande-Bretagne :

UN TABLEAU IMPARTIAL
intitulé
IMPORTANCE DU COMMERCE DU SUCRE
pour les
INTÉRÊTS PERMANENTS ET LES PROBLÈMES FINANCIERS
de
L'EMPIRE BRITANNIQUE
y compris et surtout l'Angleterre,
avec une brève discussion révélatrice
sur la raison pour laquelle les îles
GUADELOUPE ET MARTINIQUE
ne doivent pas faire
PARTIE PERMANENTE DE L'EMPIRE BRITANNIQUE

soumis respectueusement par
UN POIS DANS LA GOUSSE,
PLANTEUR DE LA JAMAÏQUE BIEN INFORMÉ

Londres, 1762

Le pamphlet connut un succès saisissant, car il jouait sur la ténacité britannique, l'héroïsme anglais, les espoirs pour l'avenir et le patriotisme en général, tout en masquant la vénalité des Intérêts du Sucre et en passant sous silence le lourd tribut que payait l'Anglais moyen pour assurer le somptueux train de vie de famille comme les Beckford, les Dawkins, les Pembroke et les Croome.

Le *Tableau impartial* fournit de puissantes munitions au comte de Bute dans ses efforts pour parvenir à un traité de paix qui mettrait fin aux conflits en Europe, en Inde, en Amérique du Nord et aux Antilles, car il allait au-devant de tous les objectifs qu'il cherchait à atteindre, avec des justifications nouvelles et convaincantes. Lors d'un retour à Londres, il signala à sir Hugh et à ses planteurs : « La situation paraît prometteuse. Vous ne serez pas étranglés par la Guadeloupe. »

À cette assurance d'un personnage si haut placé, tous les planteurs se réjouirent — sauf dans la demeure de John Pembroke, car sa frêle épouse danoise, alitée à la suite de plusieurs évanouissements, éprouva de graves inquiétudes en apprenant que la Grande-Bretagne allait rendre les îles françaises.

— Oh, John ! Cela me semble une grosse erreur !

Il s'étonna :

— Enfin, ma chérie, c'est pour cela que nous nous battons. Nous protégeons les marchés de notre récolte de sucre.

— Je sais, dit-elle d'un ton vaguement impatient. Mais il y a d'autres considérations.

— Qu'est-ce qui pourrait être plus important en ce moment ?

— Le destin des Caraïbes, c'est qu'elles soient toutes groupées sous une seule autorité. La situation actuelle est une folie. On dirait un porridge aux raisins quand il a tourné. Quelques îles danoises ici. Deux ou trois suédoises là. Quelques hollandaises. Une poignée d'espagnoles, mal gouvernées. Des françaises. Elles pourraient devenir en majorité anglaises, et ce serait l'occasion d'inviter toutes les autres à s'unir.

— Mais tout notre programme..., balbutia John. Nous débarrasser de la Guadeloupe...
— John ! Il faut faire ce qui est bien tout de suite ! Il faut donner à notre merveilleuse mer des Caraïbes un gouvernement unifié. Agir maintenant, car c'est peut-être la dernière chance... la dernière chance qui se présentera jamais.
Elle parlait avec une telle véhémence que son mari lui demanda :
— Elzabet, je ne savais pas que tu avais cette opinion...
— J'ai observé, j'ai écouté, j'ai lu, répondit-elle. Il n'est donné aux pays qu'une chance, parfois deux, pour réaliser ce qu'il faut au bon moment, et s'ils refusent l'occasion... Je ne vois que tragédie dans l'avenir si cette merveilleuse mer n'est pas unifiée... Tout de suite, tant que la dernière occasion se présente.
Elle se mit à pleurer et John s'écria, aux cent coups :
— Bett, qu'y a-t-il ?
Elle sanglota de plus belle.
— J'ai le cafard. John. Je regrette tant ces belles îles.
— Dès que tout cela sera terminé, nous repartirons. J'ai envie de revoir Trevelyan moi aussi.
— J'y étais si heureuse...
Quelques minutes plus tard, elle mourut. John, enfermé dans son chagrin, demanda aux médecins :
— Comment pouvez-vous permettre une chose pareille ?
— Elle a vécu intensément, répondirent-ils simplement, et c'était son heure de partir.

Après les obsèques, organisées par lady Hester car John était trop désespéré pour prendre la moindre décision, celui-ci essaya, par respect pour les opinions d'Elzabet, de ne plus se mêler des dernières escarmouches pour le traité de paix, mais ni sir Hugh ni lady Hester ne voulurent en entendre parler ; ils le forcèrent à s'engager de plus en plus dans les négociations préalables au vote capital du Parlement, qui accepterait ou rejetterait les propositions du comte de Bute.
Sous la pression de lady Hester, défenseur farouche des intérêts de la Jamaïque, John organisa la réimpression de huit cents exemplaires du *Tableau impartial,* qu'Hester distribua en personne partout où sa propagande pouvait être efficace. Elle organisa également des dîners somptueux au cours desquels elle forçait la main de représentants au Parlement des campagnes anglaises en leur expliquant les avantages importants dont bénéficieraient leurs circonscriptions respectives si les propositions de Bute étaient acceptées.
Le débat se poursuivit sans relâche pendant le mois de décembre 1762, puis en janvier et même février de l'année suivante. Les Intérêts du Sucre rencontrèrent plus d'un écueil, car les faits se dressaient implacablement contre eux, mais on ne pouvait repousser le vote indéfiniment et, le 20 février 1763, les grands planteurs, qui faisaient pour ainsi dire la loi au Parlement, se réjouirent sans réserve : le compte des voix confirma 319 votes pour le traité et le retour des îles à la France, et seulement 65 votes contre.
Ce soir-là, William Pitt, toujours acharné dans le débat mais charmant dans la défaite, raccompagna chez elle lady Hester Pem-

broke à la sortie des Communes. Assis sur un fauteuil de velours devant *La Victoire récompensant l'Héroïsme,* il regarda les planteurs en délire fêter leur triomphe. Au cours d'une interruption des réjouissances, il jeta un coup d'œil par-dessus son épaule et montra la statue gigantesque.

— Messieurs, permettez-moi de vous rappeler que lady Victoire, si immense qu'elle paraisse dans cette pièce ce soir, est une dame fort volage. Vous avez gagné, mais je crains que votre triomphe détache les colonies d'Amérique de notre empire. Il y a là-bas des hommes fort résolus, une race nouvelle, et ils ne toléreront pas les handicaps cruels que vous leur avez imposés aujourd'hui.

— Et que voulez-vous donc qu'ils fassent ? demanda Croome. Ils ne possèdent aucun pouvoir, c'est nous qui le détenons.

— Je suis persuadé qu'ils se révolteront. Oui, ils se révolteront contre ces injustices.

Sur ces mots, il s'inclina devant lady Hester, lui baisa les deux mains et lui demanda de le raccompagner à la porte, où sa voiture attendait.

Pitt avait raison, et la victoire s'avéra coûteuse pour sir Hugh. Les efforts qu'il avait dépensés sans compter depuis deux ans pour la défense du sucre l'avaient épuisé. Il se sentait usé, et il éprouva peu de plaisir quand les planteurs célébrèrent ce que Mr. Pitt avait qualitié de « coûteuse victoire ». Il se désespérait aussi de voir son plus jeune fils tellement abattu par la perte de son épouse. De jour en jour, sir Hugh s'affaiblissait.

Il retrouvait cependant une certaine consolation dans la vivacité remarquable de lady Hester ; un soir, sentant ses forces diminuer, il lui dit :

— Des hommes comme moi, éduqués en Angleterre, souriaient souvent des planteurs jamaïcains comme votre père qui savaient seulement ce que la terre leur avait enseigné. A présent, je m'aperçois que lui, que vous aussi, avez tiré votre substance de ces champs, de ces forêts.

Il éclata soudain en sanglots.

— La Jamaïque ! La Jamaïque ! Je ne reverrai jamais le pont de Trevelyan.

Le lendemain, il mourut, et la plupart des membres du Parlement en résidence à Londres assistèrent à ses obsèques, car il restait un représentant des Intérêts du Sucre que tous respectaient.

Au cours de la septième semaine qui suivit les obsèques, c'est-à-dire en avril, quand la campagne d'Angleterre a le plus de charme, une voiture remonta l'allée de la maison de campagne d'Upper Swathling où John Pembroke pleurait sa double perte. Une femme en descendit, entra sans frapper et se précipita dans la pièce où John se trouvait. C'était sa belle-mère, lady Hester Pembroke, et les paroles qu'elle lui adressa le choquèrent.

— John, écoutez-moi ! Vous ne pouvez continuer de vous morfondre ainsi. Mon Dieu, vous n'avez que cinquante-quatre ans !

Il se leva pour lui offrir un fauteuil mais elle le refusa, préférant rester debout jusqu'à ce qu'elle ait terminé.

— Je vous ai aimé pendant de nombreuses années, John. Quand

vous avez ramené Elzabet des îles Vierges, mon cœur s'est brisé, mais je l'ai caché. Mais je n'ai plus besoin de cacher quoi que ce soit. Je suis une Pembroke, je l'ai toujours été, et maintenant que nous sommes tous les deux libres...

Il en fut abasourdi. Il quitta la pièce et, d'une fenêtre du premier étage, regarda la voiture de lady Hester en espérant qu'un geste aussi grossier de sa part la forcerait à partir. Mais elle resta, et au bout d'une demi-heure de réflexions amères, il retourna au salon avec l'intention de la repousser. Il n'y parvint pas, parce qu'à son arrivée, elle était en train de rire, cette grosse femme au grand cœur qui s'était épanouie et raffinée au contact de Londres pour devenir une maîtresse de maison redoutable, armée de la grâce que des femmes moins hardies n'acquièrent jamais. Voyant la détresse de John, elle s'écria :

— Mais c'est inévitable, voyons. Vous savez bien que je ne renonce jamais. Je vous ai laissé vous enfuir une fois, et je vous ai perdu Jamais plus.

Elle lui affirma que son frère aîné, devenu sir Roger, reconnaîtrait le bon sens de sa proposition. Les trois enfants de John et d'Elzabet, tous mariés et installés à Londres, approuveraient eux aussi.

— Ils n'ont pas envie de vous voir vous dessécher comme de la canne à sucre coupée oubliée au soleil.

La métaphore jamaïcaine l'enhardit, et elle ajouta un argument d'importance :

— En outre, John, ils n'auront pas peur que je mette le grappin sur votre argent et que je les dépouille de leur héritage.

Elle n'aboutit à rien ce jour-là, mais elle retint des chambres dans une auberge des environs et vint le voir à tout instant. Avec le temps, les ombres qui continuaient de hanter John s'estompèrent, et il reconnut peu à peu le bien-fondé de la proposition d'Hester, et son caractère inévitable. Il présenta sa demande en mariage de curieuse manière, un jour où ils se promenaient ensemble dans les vallons.

— Vous savez que vous allez perdre votre titre de lady. Je ne suis pas sir John.

— Je continuerai de l'utiliser, car il m'a appartenu, et au diable le qu'en dira-t-on.

Elle lui répliqua également de manière pratique quand il lui fit observer que l'Église anglicane devait avoir des règles interdisant à un homme d'épouser sa belle-mère.

— Peu importe, dit-elle. Nous nous marierons en France, où tout est permis.

Elle organisa également la lune de miel : elle le traîna à Florence, où son ami le sculpteur lui présenta une œuvre vraiment colossale, qu'il venait juste de terminer : *La Justice défendant les Faibles.* Elle l'acheta au premier coup d'œil. Son mari, épouvanté par la monstruosité — une femme presque nue qui protégeait six suppliants tapis à ses pieds —, ne put empêcher cet achat. Comme il l'expliqua à sir Roger quand l'horreur arriva dans son salon :

— Elle l'a payé avec son argent.

8

Horatio Nelson

Nevis, 1785

Quand l'infâme nid de pirates de Port Royal, sur la côte méridionale de la Jamaïque, sombra sous les flots au cours du terrible tremblement de terre de 1692, une langue de terre longue et mince échappa à l'oubli. Ce n'était qu'une infime partie de l'ancienne superficie, mais comme une forteresse massive, avec d'épais murs de pierre judicieusement placés pour résister à toute attaque venue de la mer, y avait tenu bon, le Parlement de Londres décida de renforcer ses défenses en y installant des batteries de canons supplémentaires pour lui permettre de contenir tout assaut éventuel des Français.

L'époque de la reine Élisabeth et de Francis Drake était bien révolue. Aucun Anglais ne tremblait plus de peur chaque fois que les Espagnols risquaient un geste hostile. Deux siècles s'étaient écoulés et plus personne ne prenait au sérieux une menace de l'Espagne. C'étaient les Français dont les écarts de conduite semaient la terreur dans les cœurs britanniques, car leur marine expérimentée ne cessait de menacer l'indépendance anglaise. Curieusement, les grandes batailles de l'époque ne se livrèrent pas dans les eaux européennes mais dans la mer des Antilles où les flottes des deux pays s'affrontèrent souvent, et connurent tour à tour la victoire et la défaite. Au cours d'un grand combat dans les eaux de la Dominique, la Grande-Bretagne remporta une victoire importante, mais, au cours des années que nous allons évoquer, les Français se montrèrent et capables et désireux de prendre leur revanche. Tout officier anglais naviguant dans ces eaux devait demeurer en alerte, car la vigie pouvait crier à tout instant :

— Bateau français à l'horizon !

Aussitôt retentissait le branle-bas de combat.

Ce fut dans ce climat que ce qu'il restait de Port Royal au-dessus de l'eau après le tremblement de terre prit une importance cruciale pour la flotte anglaise. Le pays qui tenait Fort Charles, à la pointe de l'îlot minuscule, contrôlait l'immense baie de la Jamaïque, cœur de la mer des Caraïbes. Pour assurer la sécurité du fort, le gouvernement britannique, au cours de la turbulente année 1777 où les Anglais essayaient encore de mettre au pas leurs colonies américaines, confièrent le commandement de la place à un jeune officier étonnant de moins de vingt ans, qui devint bientôt le plus jeune capitaine de la

flotte. Quand des loups de mer aguerris de deux fois son âge aperçurent sa silhouette frêle d'à peine un mètre soixante-cinq, pesant même pas soixante kilos, ils grommelèrent :
— Londres ne nous a envoyé qu'un gamin.
Mais le jeune marin n'avait d'yeux que pour le vaste mouillage et il se dit : « Nous pouvons mettre à l'ancre tous les navires du monde dans ce port sûr, et je le défendrai au prix de ma vie s'il le faut. »
Il s'appelait Horatio Nelson, et c'était un choix invraisemblable pour un poste aussi éloigné d'Angleterre : le jeune homme n'en imposait ni par sa prestance, ni par ses cheveux filasse, ni par sa voix haut perchée, ni par son accent de l'Est de l'Angleterre, parfois inintelligible. En fait, au moment où il s'avança pour prendre son commandement, on l'aurait pris pour un pasteur ordonné depuis peu venu solliciter auprès d'un riche cousin une nomination dans une des églises du domaine familial, ce qui aurait été d'ailleurs tout à fait logique, car ses deux grands-pères et la plupart de ses grands-oncles avaient été pasteurs — de l'Église anglicane, bien entendu.
Les forces aux ordres de ce jeune commandant étaient aussi frêles que lui. Il avait au plus sept mille hommes, alors que le commandant français aux Antilles sillonnait les mers avec au moins vingt-cinq mille marins expérimentés dans des bateaux armés de canons lourds. Le soir de son arrivée au fort, il dîna à la hâte puis arpenta les fortifications de la place, en se donnant des ordres : « Tu dois installer d'autres canons ici. Tu dois organiser des manœuvres d'alerte pour voir si les hommes prennent leurs postes assez vite au son du clairon. Tu dois nettoyer toutes ces caillasses sur la grève — pas question que des espions français viennent s'y cacher. »
Tout en continuant sa ronde, il remarqua qu'un jeune midship venu d'Angleterre avec lui, un petit rouquin de treize ans, le suivait à quelques pas. Il s'arrêta sans prévenir, fit demi-tour et demanda :
— Qu'est-ce qui t'amène si près ?
— Je vous en prie, monsieur, répondit le gamin d'une voix ferme. J'ai envie de voir notre nouveau fort moi aussi. Pour choisir un poste quand les Frenchies viendront.
— Et qui es-tu, petit ?
— J'ai servi sur le *Dolphin* avec vous.
— Je m'en souviens, mais qui es-tu ?
L'enfant lui fit une réponse surprenante.
— Alistair Wrentham. Mon grand-père est le comte de Gore et mon père est mort au champ d'honneur, en Inde.
Nelson, habituellement condescendant et distant, dressa l'oreille car, si le jeune garçon avait une chance d'hériter du titre, il s'avérerait peut-être fort précieux pour les ambitions de Nelson. La suite le déçut.
— Mon père était le quatrième fils et je suis le quatrième fils moi aussi. J'en suis donc loin.
Mais se rappelant que le jeune homme avait fait preuve d'intelligence et de courage pendant la traversée, il répondit :
— Tu resteras à mes côtés. Pour t'occuper des petites choses.
Et ils firent le tour des remparts ensemble.
Très vite, soldats et marins cantonnés à Port Royal apprirent à estimer leur jeune chef. Il avait la fermeté d'un chêne inébranlable, un insatiable appétit de gloire et une enviable dévotion à l'héroïsme et à la droiture. Au cours des longues nuits de veille où aucun agresseur français n'apparaissait sous le clair de lune tropical, il révélait parfois,

sans vantardise aucune, certains incidents de sa prodigieuse carrière, car, à vingt ans, il avait amassé davantage d'expérience que la plupart des marins de la quarantaine.

— Mon frère aîné était devenu le pasteur anglican que notre famille souhaitait, je fus donc libre de me faire marin. Je me suis embarqué à treize ans et j'en avais quatorze la première fois que j'ai navigué dans cette mer des Caraïbes. J'y suis revenu souvent, je connais donc ces eaux. À quinze ans, ou peut-être un peu avant, je suis allé dans l'Arctique. Une grande exploration, cette traversée-là.

— C'est là que vous vous êtes battu contre l'ours blanc ? demanda Alistair Wrentham.

Des gravures de Nelson combattant un énorme ours polaire avaient circulé en Angleterre et, comme on l'interrogeait souvent au sujet de cet incident, il répondit de façon très précise.

— J'ai quitté le *Gargass* avec Thomas Flodd, qui avait quatorze ans lui aussi, pour explorer un peu par nous-mêmes. Nous nous trouvions sur une banquise pas très loin du bateau quand un énorme ours blanc surgit derrière nous. Il nous aurait tués si le capitaine Lutwige ne nous avait pas crié une mise en garde.

— Et vous vous êtes retourné pour combattre l'ours ? demanda Alistair.

— Combattre ? Ce n'est pas le mot. J'avais un aviron à la main, ou peut-être un gourdin. J'ai essayé de le chasser. Mais le combattre ! Sûrement pas.

— Comment vous en êtes-vous tiré ?

— Le capitaine de notre bateau s'est aperçu du danger que nous courions et il a fait tirer un coup de canon. Le bruit nous a terrifiés, Flodd et moi. Mais il a également terrifié l'ours, qui a fui.

— Qu'a dit le capitaine à votre retour à bord ?

— Il nous a ordonné de ne plus jamais partir en exploration tout seuls, répondit Nelson avec la plus grande sincérité.

Parfois il racontait aussi qu'à l'âge de dix-sept ans il s'était rendu en Inde.

— Les grands ports, les gens étranges, nous avons tout vu. Nous avons combattu les pirates pour protéger les navires marchands.

Il gardait alors le silence un instant, puis racontait à son entourage :

— La fièvre s'est emparée de moi, et j'en serais mort sans l'intervention d'un homme merveilleux, le capitaine Pigot. James Pigot, n'oubliez jamais ce nom, m'a pris sous son aile protectrice et m'a sauvé la vie.

Quand il parlait ainsi à ses marins, il s'arrêtait à chaque fois, les regardait tour à tour, puis disait :

— Rien n'est plus beau, sur terre ou sur mer, que l'amitié éprouvée d'un compagnon d'armes. Sur le champ de bataille, dans l'arène politique et surtout en mer, nous sommes galvanisés par la bravoure de l'homme qui partage nos dangers. Si je suis ici aujourd'hui, c'est uniquement grâce au capitaine James Pigot.

Le soir, surtout quand une lune tropicale baignait le vieux fort d'une lumière d'argent qui projetait des ombres mystérieuses, le jeune capitaine aimait rassembler autour de lui un groupe d'officiers confirmés et de jeunes aspirants avec quelques matelots que ces réunions intéressaient, et il discutait avec eux de questions militaires, et notamment de manœuvres navales en temps de guerre. Il tenait surtout à leur faire comprendre le sens de leur présence dans la mer des Caraïbes.

> *Ces eaux merveilleuses ont toujours été chères au cœur de l'Europe, parce que tout ce qui se produit dans une arène décide de ce qui se passe dans l'autre. Supposez qu'une guerre se livre seulement sur terre, en Europe ; quand on en vient au traité de paix, ses conditions déterminent si telle ou telle île des Caraïbes appartiendra à l'Espagne, la France, la Hollande ou l'Angleterre, et rien de ce que nous pourrons faire n'y changera rien.*
>
> *Mais à l'inverse, quand nos marines s'affrontent en mer par ici, elles influent sur ce qui se passera sur terre en Europe. « Pourquoi ? » vous demandez-vous, alors que nos îles sont si petites et leurs pays si grands... Parce que nous faisons pousser le sucre, l'une des denrées les plus précieuses de la Terre, et l'Europe s'enrichit chaque fois que nous envoyons notre sucre, nos mélasses et notre rhum dans les métropoles. La Jamaïque, cette île sombre, là-bas, que nous protégeons avec notre fort, fournit l'argent qui maintient l'Angleterre en vie. Les bateaux sur lesquels nous naviguons sont construits avec de l'argent jamaïcain.*
>
> *De même pour la France. Son île de Saint-Domingue, juste à quelques journées de voile au nord de cette montagne, passe pour la plus riche du monde. Si nous pouvions couper la navigation entre Saint-Domingue et Rochefort, nous étranglerions la marine française, parce que c'est le sucre des Caraïbes qui assure le fonctionnement du royaume de France. Messieurs, vous servez le roi dans une mer d'une importance capitale pour l'Angleterre.*

Mais au cours de ses réunions nocturnes, dont beaucoup de participants se souviendraient plus tard, Nelson parlait aussi de stratégie navale car son cerveau agile réfléchissait sans cesse à de nouvelles techniques capables de donner aux vaisseaux anglais ne serait-ce qu'un léger avantage au cours d'une bataille contre les Français.

> *N'oubliez jamais qu'il y a à peine quelques années, en 1782, le sort de l'Angleterre s'est joué au large de l'île d'All Saints quand notre amiral Rodney a livré bataille à la flotte française entière sous les ordres de De Grasse. Jusqu'à cette date, au cours d'un engagement de ce genre, les deux flottes se disposaient toujours en ligne, en se présentant respectivement le flanc, et leurs canons tiraient à tout va. Savez-vous ce qu'a fait Rodney ?*

Le midship Wrentham le savait, mais avant qu'il puisse ouvrir la bouche, Nelson l'arrêta en posant la main sur son genou, car il ne voulait pas gâcher l'effet de son récit.

> *Il a déclenché la bataille avec sa flotte en ligne comme toujours, à la façon de danseuses en formation. Mais au milieu de l'opération, il a fait tourner sa ligne de quatre-vingt-dix degrés, il a foncé au milieu des bateaux français, a brisé*

leur ligne et semé le désordre. Imaginez la confusion ! Et nous avons pu mettre en déroute les vaisseaux ennemis. Une autre victoire pour l'Angleterre.

— Je vous demande pardon, s'écria l'aspirant Wrentham, mais mon père m'a enseigné qu'à présent nous devons toujours dire Grande-Bretagne.

— Votre père a raison. L'Écosse, le pays de Galles et l'Irlande sont de belles nations avec des fils valeureux, mais rappelez-vous que nos bateaux sont construits par des ouvriers anglais, avec du chêne anglais, pour être manœuvrés par des marins anglais. Il n'en existe pas de meilleurs au monde, et si nous manquons à nos devoirs un jour, les parties moins importantes de la Grande-Bretagne couleront avec nous. Nous sommes l'Angleterre, le cœur de la Grande-Bretagne, et ne l'oubliez en aucune circonstance.

Nelson ne faisait jamais allusion lui-même à un incident révélateur de sa carrière, non par modestie, vertu qu'il n'avait point, mais parce que l'aspirant Wrentham racontait l'histoire avec un enthousiasme juvénile qui faisait apparaître son héros encore plus grand.

L'an dernier nous avons quitté Port Royal pour châtier les corsaires des colonies rebelles d'Amérique, qui essaient de faire commerce avec nos îles... Le capitaine Nelson les a qualifiés de « porcs arrogants ». Nous avons lancé plus d'une poursuite et avons coulé par le fond deux d'entre eux.

Mais la dernière fois, nous n'avons pas eu besoin de couler leur bâtiment, parce que nos artilleurs les ont vraiment matraqués et ils ont préféré se rendre, je peux vous le dire, en baissant leur insolent drapeau. Mais il se posa un problème. La mer était si agitée que des marins à mes côtés demandèrent : « Sera-t-il possible de se rendre en chaloupe à leur bateau avec un équipage pour prendre possession ? »

J'étais certain que c'était faisable, je me suis donc porté volontaire en premier, et je m'attendais à ce que le premier lieutenant s'élance aussitôt à mes côtés, mais quand il a vu la violence de la mer et la hauteur des vagues, il a pâli. « Aucune chaloupe ne pourra se rendre là-bas », a-t-il lancé, et il a refusé de se joindre à nous.

Le capitaine Locker est intervenu : « Pourquoi tardez-vous ainsi à aborder le bateau ? » Nous voyant tous dans notre petit bateau, sans personne pour le commander, il a crié avec mépris : « N'ai-je donc aucun officier assez brave pour monter à bord de cette prise ? » Et il a voulu s'élancer avec nous mais le lieutenant Nelson (il n'était pas capitaine à l'époque) l'en a empêché en criant : « C'est mon tour à présent. Si j'échoue, votre tour viendra après. » Il a sauté dans la barque et nous sommes partis sur la grosse mer, secoués comme un bouchon dans une cuvette qu'on agite. Nous atteignîmes enfin l'Américain et Nelson monta à bord. Je le suivis aussitôt et l'entendis crier : « Lieutenant Horatio Nelson, officier de Sa Majesté le roi George III et commandant de ce bâtiment. » Et laissez-moi vous dire que le jour où la cargaison de notre prise a été revendue à la Jamaïque, nous nous sommes tous rempli les poches.

Les Anglais, au cours de leur attente d'une attaque qui ne survint jamais, racontaient bien d'autres histoires qui attestaient toutes la bravoure de Nelson mais aussi son entêtement, sa détermination de faire les choses à sa manière britannique, en respectant la traditionnelle loi de la mer. Il ne tolérait de ses hommes aucun relâchement, même s'ils avaient souvent vingt ans de plus que lui, et il ne supportait jamais en silence l'incompétence de ses supérieurs. Si ces derniers fléchissaient dans l'accomplissement de leur devoir, il le leur faisait remarquer aussitôt.

Pour le moment, dans le vieux fort de Port Royal, il attendait son heure, préoccupé par d'autres soucis. Jeune homme d'à peine plus de vingt ans, il s'intéressait bien entendu aux femmes. Il cherchait sans relâche une épouse capable de le soutenir sur le plan affectif au cours de sa carrière, et avec ses camarades officiers, tous plus jeunes que lui et célibataires, il entretenait de longues discussions, d'une franchise surprenante, concernant le genre de jeune femme capable de satisfaire les conditions. Au cours de ces conversations il précisait souvent ses deux règles fondamentales pour le mariage d'un marin :

— D'abord, un officier n'est que la moitié d'un homme s'il n'a pas femme et enfants. Il lui faut donc se marier. Esnuite, il doit choisir une femme avec des précautions extrêmes, car elle doit devenir son soutien le plus ferme et non la cause de sa chute.

Quand il s'exprimait en public, il révélait rarement et à regret ses deux autres règles, car il les appliquait en particulier à lui-même :

— Troisième point, la femme de mon choix devra être riche, pour que je puisse faire bonne figure parmi mes pairs. Enfin, elle devra appartenir à une famille importante dont les membres pourront m'aider à obtenir des promotions. Je suis certain qu'il existe en ce monde au moins une jeune femme qui remplit ces conditions.

Puis il ajoutait aussitôt :

— Et il ne serait pas mal non plus qu'elle déteste les Français, puisque nous devons les détester quand nous les attaquons.

Un des officiers présents lui demanda s'il comptait se battre contre les Français pendant le reste de sa vie, et Nelson lança d'un ton vif :

— Quel autre ennemi pourrions-nous avoir ?

Très vite il se corrigea :

— Les ennemis ne manquent pas, mais aucun n'est aussi vaillant en mer que les Français. C'est notre éternel ennemi.

Il prononça ces paroles les yeux fixés sur la mer où son prédécesseur Drake avait déclaré la même chose des Espagnols et où ses successeurs affirmeraient de même leur éternelle inimitié à l'égard des Allemands. La même mer, les mêmes bateaux — de chêne, de fer et d'acier —, les mêmes hommes du Devon, du Sussex et du Norfolk, le même ennemi sous différents noms, les mêmes îles à défendre, et les mêmes jeunes officiers se demandant dans les longues veilles de la nuit quelle belle ils épouseraient.

Des quatre conditions énoncées par Nelson, c'était la troisième qui le tourmentait le plus — la fortune de la candidate. Sixième enfant d'un impécunieux pasteur du Norfolk, il avait une peur peu commune de la pauvreté et l'argent devenait pour lui une obsession. Cela faisait de lui un abominable coureur de dot, prêt à épouser n'importe quelle jeune fille qui lui apporterait un pécule suffisant et des relations intéressantes pour sa carrière. Il évitait cependant de raconter à ses jeunes subalternes la vraie raison pour laquelle il avait évité le mariage avec plusieurs jeunes tentatrices auxquelles il s'était risqué à faire un brin de cour.

Chaque fois il s'était torturé avec des questions indignes : « Combien ses parents lui donneront-ils ? », « Gérera-t-elle avec prudence notre maigre capital ? » Et la plus terrifiante question de toutes : « Supposons qu'à la fin de ce commandement on ne me confie pas de bateau et que je reste à terre avec seulement cent livres par an : pourra-t-elle vivre avec un officier de marine en demi-solde et sans perspectives d'avenir ? » Quand les réponses à cette rafale de questions de pure rhétorique étaient négatives — ce qui semblait toujours le cas — Nelson fuyait la jeune femme, souffrait de la séparation et tombait, comme le marin amoureux qu'il était, dans une autre toquade vouée à une fin semblable.

Ce terrible souci de l'argent était réservé à ses problèmes matrimoniaux. Dès qu'il s'agissait uniquement de son rôle de combattant, Nelson faisait fi du gain. Le jour où l'on proposa à Nelson le poste de New York, l'amiral Digby lui lança : « Vous avez de la chance, Nelson. Voilà où vous ferez de riches prises. » Mais la réplique de Nelson le surprit : « Sans doute, amiral, mais c'est aux Caraïbes où l'on conquiert l'honneur. »

Car c'était l'honneur, la célébrité, la gloire, que Nelson recherchait. Il avait une telle soif de ces attributs de la carrière navale que, tout jeune, il suppliait et implorait des postes sur des vaisseaux partant au combat. Adulte, il subit d'indicibles humiliations de la part de ses supérieurs qu'il suppliait toujours de lui confier un bateau plus puissant. Si, enfin, il obtenait le commandement d'un bâtiment de vingt-huit canons, il intriguait pour que c'en soit un de soixante-quatre, et à peine se trouvait-il à bord de celui-ci, qu'il manœuvrait pour en avoir un de soixante-quatorze. Mais il n'était pas sot au point de se laisser aveugler par les dimensions car, lorsqu'il dîna à bord du monstre espagnol *Concepción*, avec ses cent douze canons, il ne s'émerveilla nullement et s'aperçut rapidement que « si les hidalgos savent faire de beaux bateaux, ils ne semblent pas capables de trouver les hommes pour les manœuvrer. Et puissent-ils rester longtemps dans cette situation ! »

Au fil des ans, Nelson devint de plus en plus audacieux et, de temps à autre, une de ses déclarations révélait ses aspirations irrésistibles à la gloire. Un soir, à la forteresse de Port Royal, les yeux posés sur la merveilleuse baie où l'ancienne ville avait disparu sous les vagues, il s'écria :

— Comme ce doit être horrible de mourir sans avoir connu la gloire !

Et le lendemain il se mit à écrire un torrent de lettres à ses supérieurs pour les supplier de lui accorder une promotion, un avancement à un meilleur poste, le commandement de tel ou tel bateau. Sans vergogne dans ses ambitions, il s'attachait inlassablement à polir les dons de chef qui lui permettraient de s'affirmer et de dominer, si l'occasion se présentait.

Comme il ne pouvait trouver à la Jamaïque aucune héritière blanche satisfaisant à ses conditions il fut contraint de rechercher la compagnie temporaire des joyeuses beautés sans fortune qui se pressaient autour de Fort Charles, et la légende jamaïcaine continue d'affirmer que, dans sa solitude, il trouva de chauds réconforts entre les bras de trois belles à la peau de couleur. On n'a pas retenu leurs noms, car ces « sang-mêlé », comme la bonne société locale les appelait avec mépris, ne furent pas jugées dignes d'entrer dans l'histoire, mais l'on montrait cependant les petites maisons proches du fort où elles avaient vécu, surtout un peu plus tard quand le nom de Nelson se grava en lettres d'or dans le cœur de tous les Anglais.

— C'est la maisonnette où le capitaine Nelson a vécu avec sa beauté noire, disaient les gens du pays, et, le temps passant, les trois masures prêtèrent une touche d'humanité aux histoires que l'on racontait sur l'austère capitaine qui piaffait dans l'oisiveté en attendant une attaque française sur Port Royal.

Parmi les soldats qui observaient le comportement amoureux de leur capitaine avec la plus grande attention se trouvait le midship Alistair Wrentham, âgé de seize ans à l'époque et tout prêt à subir la fascination irrésistible que peut exercer une jolie fille sur un jeune marin. Il n'était pas encore assez hardi pour aborder une des sang-mêlé, et comme il n'en connaissait pas d'autre, il passait son temps à se promener dans les ruines de Port Royal, du côté de la baie, en essayant d'entrevoir les maisons enfoncées sous les vagues au moment du tremblement de terre. D'autres les apercevaient, ou du moins le prétendaient, mais il n'y arrivait pas. Toutefois, un après-midi où il se fit prêter une barque pour une promenade au large, il entrevit les restes d'un bateau coulé. Il se précipita au fort pour annoncer sa découverte ; le capitaine Nelson en personne voulut aller voir la merveille, et, l'esprit en fête, il demanda à son amie à la peau sombre de préparer un panier de pain, de fromage et de viande séchée, qu'il emporta avec une bouteille de vin.

Ce fut un après-midi de gala. Wrentham, fier d'être celui qui montrait à Nelson une chose concernant la mer, perdit un peu de son enthousiasme quand Nelson, qui scrutait au-dessous des vagues, lui lança :

— Ce bateau, ce genre de bateau, je veux dire, ne peut guère avoir plus de douze ans.

Ils revinrent à terre vérifier la date du naufrage, et de vieux loups de mer qui avaient observé leurs allées et venues se moquèrent d'eux.

— Nous savons à quoi vous pensez, le tremblement de terre et tout. Mais ce bateau a coulé il y a dix ans, pris par un de nos hurricanes. Son calfatage était déjà mauvais, il a coulé comme une pierre.

Et Wrentham, au lieu des louanges attendues pour son acuité de marin, dut affronter les rires, même celui de Nelson, qui impliquait une mise en garde : « La prochaine fois, regarde plus soigneusement. »

Mais le midship songea bientôt à tout autre chose, car deux serviteurs de Trevelyan, la célèbre plantation du centre de l'île, vinrent en voiture à la pointe de la grande île en face de Port Royal, prirent une petite barque et se dirigèrent vers le fort.

— Nous apportons un message pour l'aspirant Wrentham, dirent-ils.

Ils se rendirent tous les deux — un blanc et un noir — auprès du capitaine Nelson.

— Les Pembroke, les propriétaires de Trevelyan, sont de bons amis de la famille Wrentham, d'All Saints, et notre maître sollicite l'autorisation d'inviter le jeune homme pour six ou sept jours.

Ils adressèrent à Nelson un regard interrogateur et celui-ci acquiesça d'un geste sec.

— Un excellent jeune homme, dit-il. Bon pour l'avancement. Qu'il y aille.

Mais quand Alistair quitta le fort, Nelson le rattrapa :

— Pas sept jours, cinq. Je risque d'être envoyé sous peu à un autre poste, et je tiens à vous voir avant mon départ.

Les serviteurs retraversèrent la brève distance qui les séparait de leur voiture, puis partirent à bonne allure dans la direction du nord-ouest, vers Spanish Town, la digne capitale de l'île où l'on trouvait encore des restes de l'occupation espagnole de la Jamaïque. Wrentham, enchanté par cette première visite à l'intérieur de l'île sur laquelle il s'était posé tellement de questions quand il montait la garde au fort, espérait que les hommes s'arrêteraient en ville pour passer la nuit, mais ils continuèrent, sur une route étroite mais pittoresque qui partait vers le nord le long d'une rivière d'eau vive, d'abord sur la rive gauche, puis sur la rive droite après avoir franchi un gué. De grands arbres bordaient le chemin, avec des oiseaux qui se faufilaient entre les branches basses et semblaient se héler pour annoncer l'arrivée d'Alistair Wrentham au royaume des grandes plantations de canne à sucre.

Lorsqu'ils débouchèrent de la piste ombragée sur la vaste étendue de beaux champs couverts de canne, les deux hommes expliquèrent :

— Trevelyan n'est pas la plus grande plantation. La plus grande c'est celle-ci, sur la droite. Elle appartient aux Croome et elle est immense. Mais la nôtre est plus riche. Les terres sont meilleures et mieux entretenues.

Ils arrivèrent enfin à l'endroit où, des années auparavant, sir Hugh Pembroke s'arrêtait toujours pour parcourir du regard son domaine, et Wrentham eut sous les yeux à peu près le même décor.

— Là-bas, sur la colline, les moulins à vent, dont les voiles claquent. Au-dessous, le broyeur où les bœufs remplacent la brise. Vous voyez le petit ruban de pierre qui descend la colline vers ces petits bâtiments ? C'est la canalisation qui amène le jus aux chaudières où il sera cuit en sucre. Là-bas, l'endroit le plus précieux. C'est là que nous faisons le rhum noir que les gens apprécient tant. Le Trevelyan. Quand vous serez un homme, n'en buvez jamais d'autre. Les vrais hommes boivent du Trevelyan.

Ils pressèrent les chevaux, et Alistair descendit la côte, franchit le beau pont de pierre à deux arches avec l'aqueduc de pierre pour parapet, puis remonta légèrement vers l'imposante demeure.

— Nous l'appelons Golden Hall. C'est là que vivent les Pembroke.

Le cocher coinça les rênes entre ses genoux, mit ses deux mains en porte-voix et lança de toute sa poitrine :

— Hallou-ou !

A la porte d'entrée apparut non pas l'un des parents Pembroke mais la plus ravissante jeune femme qu'Alistair eût jamais vue, cheveux blonds aux tresses parfaites, peau très blanche, yeux noirs pétillants, un soupçon de fossette au menton et sous les pommettes saillantes des ombres pleines de mystère. En ce jour où il la vit pour la première fois, elle portait une robe blanche toute simple, serrée très haut au-dessus de sa taille et maintenue en place par un ruban rose dont le nœud généreux retombait vers l'avant. Il remarqua même ses chaussures, des sandales menues sans talon. Presque aussitôt, son cœur se brisa :

elle paraissait à première vue nettement plus âgée que lui. Il calcula qu'elle devait avoir dix-neuf ou vingt ans, et, soudain alarmé, il la supposa mariée ou fiancée à un jeune homme de la région.

— Je m'appelle Prudence, lança-t-elle d'un ton léger en s'avançant pour lui tendre la main quand il descendit de la voiture.

Au moment où il toucha sa peau, il sentit une onde de choc remonter le long de son bras.

Les quatre jours qu'Alistair passa à Golden Hall avec Prudence Pembroke et sa famille furent pour lui une découverte. Sa famille, les Wrentham d'All Saints, était associée au comte de Gore en Angleterre, mais ne possédait pas de plantation de sucre, ni la fabuleuse richesse qui provenait des ventes habiles de *muscovado* et de rhum aux agents de Londres. Jamais il n'avait vu une plantation aussi bien menée, ni une demeure comme Golden Hall, ni une famille comme les Pembroke : de grandes tables de bois ciré, des peintures à l'huile encadrées, des portraits de sir Hugh et de ses puissants amis du Parlement comme William Pitt, des serviteurs en uniforme quasi militaire, partout les signes du luxe. La conversation aussi lui parut « élégante » : elle abordait les problèmes de la Jamaïque mais aussi ceux de Londres, et il apprit, le cœur gros, que les Pembroke, y compris Prudence, regagneraient bientôt leur hôtel particulier londonien.

Au cours de sa première journée à Golden Hall, sa gêne augmenta, car il s'avéra que Prudence avait bien dix-neuf ans comme il l'avait deviné : trois ans et demi de plus que lui par l'âge, mais huit ou neuf ans de plus par son raffinement et son intérêt pour le sexe opposé. De caractère aimable, elle ne se vantait jamais de ses succès auprès des hommes, mais ne pouvait s'empêcher de glisser des sous-entendus : les jeunes gens la trouvaient séduisante à Londres autant qu'à la Jamaïque... on l'avait invitée à tel ou tel bal... et plus elle en rajoutait, plus il semblait manifeste qu'un blanc-bec de seize ans n'avait aucune chance de retenir son attention.

Mais, en jeune dame bien élevée, elle se savait responsable du bon accueil de cet ami de la famille, et elle l'emmena donc explorer la plantation et inspecter le bâtiment où l'on fabriquait le rhum brun de Trevelyan. Elle organisa même une excursion à la plantation des Croome, où Alistair fit la connaissance d'un des deux fils du propriétaire, un homme qui allait sur ses trente ans. « Est-ce à lui que Prudence est fiancée ? » se demanda-t-il dans une bouffée de jalousie. Il respira mieux quelques minutes plus tard lorsqu'elle lui chuchota :

— C'est un vrai raseur. Il ne pense qu'à ses chevaux et à la chasse.

Le troisième jour, il aida la jeune fille à franchir un échalier d'une clôture. Elle trébucha et tomba dans ses bras. Il éprouva une immense envie de la retenir ainsi, de l'enlacer et même de l'embrasser, mais sa timidité l'en empêcha. Or, à sa plus vive surprise, Prudence l'embrassa soudain en s'écriant :

— Vous êtes un parfait gentleman, aspirant Wrentham, et la fille qui vous épousera aura bien de la chance.

Puis ils partirent regarder les esclaves qui sarclaient les cannes à sucre avant la récolte.

Ce fut ce baiser qui décida Alistair : il se mit à songer sérieusement à elle. Il se rendait bien compte qu'elle ne pourrait jamais s'intéresser à lui mais ne parvenait pas à la chasser de son esprit. Et au beau milieu de la nuit il s'éveilla en sursaut : « Bon Dieu ! C'est vraiment le genre de jeune femme que le capitaine recherche ! » Et il énuméra les conditions qu'il avait entendues si souvent dans la bouche de Nelson. Loyale, elle le serait, il en était convaincu ; ses parents l'avaient bien élevée. « Et elle appartient à une famille importante qui l'aiderait à obtenir de l'avancement. Elle aurait aussi belle allure pour une femme d'officier. Et elle saurait remplir son rôle. » Puis il songea : « Est-elle riche ? » De toute évidence la famille avait de la fortune, mais lui en reviendrait-il une part ?

Il ne put refermer l'œil, persuadé que si Prudence Pembroke avait quelque argent, elle serait une épouse idéale pour son capitaine. Au point du jour il se leva et, en attendant qu'elle apparaisse, il essaya, avec des silences révélateurs de sa maladresse, de sonder ses hôtes à propos de leurs projets pour leur fille.

— Qu'adviendra-t-il de cette immense plantation, le jour où...

Il ne pouvait évidemment pas ajouter vous *mourrez.*

Mr. Pembroke avait réfléchi à la question.

— C'est toujours un problème pour les planteurs de sucre, tous tant que nous sommes, répondit-il aussitôt. Comment léguer la plantation sans la partager.

— Et comment faites-vous ?

— Nous la remettons toujours au fils aîné. C'est la manière anglaise, la plus sûre.

— Et si vous n'avez pas de fils ?

— Les difficultés commencent. Les gendres rapaces et le reste. Heureusement, nous avons un excellent fils, en Angleterre en ce moment : il travaille chez nos agents pour apprendre les arcanes du commerce du sucre.

— Vous avez de la chance.

On en resta là car Prudence entrait, avec des rubans rouge vif dans ses cheveux et autour de sa taille. Elle annonça qu'elle voulait emmener Alistair voir le bétail importé depuis peu d'Angleterre. Quand ils se retrouvèrent côte à côte accoudés à la barrière du petit enclos où l'on gardait les animaux le temps qu'ils s'acclimatent, Alistair, prenant son courage à deux mains, demanda à la jeune fille :

— Prudence, êtes-vous riche ?

— Quelle question stupide ! Alistair. C'est de l'impudence !

— Je suis sérieux. Est-ce que vos parents vous donneront assez d'argent pour faciliter la carrière d'un officier de marine ?... Je veux dire, si vous en épousiez un.

Elle se tourna vers lui et lui dit gentiment, presque avec tendresse :

— Alistair, vous êtes un garçon charmant. En toute sincérité. Vous ne manquez ni de beauté ni de bonnes manières. Mais vous n'êtes encore qu'un enfant, et je ne pourrais en aucune façon vous...

— Je ne pensais pas à moi ! s'écria-t-il, plus surpris que froissé.

— À qui donc ?

— Au capitaine Nelson.

Dans les instants d'émotion qui suivirent, il traça un portrait magnifique d'Horatio. Nelson, vingt-deux ans, compétent, de bonne famille, courageux au-delà de toute imagination, destiné à de hauts commandements et cherchant sérieusement une épouse à la hauteur de ses exigences. Prudence Pembroke l'écouta sans un mot. Encouragé par cette attitude, Alistair ne s'arrêta plus : il raconta le combat héroïque de Nelson avec l'ours blanc, son départ dans la chaloupe pour recevoir la reddition du pirate américain et l'adoration de ses

hommes, qui le considéraient comme le meilleur jeune officier de l'époque.
Ils passèrent la matinée entière à ne parler que de Nelson et de ce que serait la vie avec lui.
— Il serait fidèle jusqu'à la mort, assura Alistair.
Il se montrait si convaincant qu'elle répondit enfin à voix basse :
— J'ai rencontré de nombreux jeunes gens, ici et à Londres, mais jamais *le* jeune homme. Votre capitaine Nelson semble... Je veux dire, vous le présentez comme un héros.
— C'est un héros.
Puis l'idée surgit entre eux. Ils la conçurent en même temps mais Alistair fut le premier à l'exprimer :
— Raccompagnez-moi à Port Royal. Je me ferai un plaisir de vous le présenter...
— Oui. Oui, je serais enchantée de connaître votre capitaine Nelson.
— Nous ne devons pas tarder, vous savez. Il doit rejoindre un autre poste et nous risquons de le manquer.
Bien entendu, quand ils proposèrent ce voyage aux parents de Prudence, ceux-ci ne purent s'empêcher de sourire.
— Les jeunes filles ne traînent pas dans la campagne pour aller voir des jeunes messieurs auxquels elles n'ont jamais été présentées.
— Mais je les présenterai, s'écria Alistair. Nelson est un excellent homme. Il vous plaira beaucoup.
— J'en suis certain, répondit Mr. Pembroke. L'Angleterre existe par sa marine, il n'y en pas de meilleure au monde.
— Il n'en demeure pas moins impensable, Prudence, que vous vous rendiez à Port Royal, ajouta la mère de la jeune fille d'une voix ferme.
— Mais si je rentre tout de suite et apprends à Nelson quelle jeune fille merveilleuse vous avez..., lança Alistair.
— Alistair ! répliqua Mrs. Pembroke. Nous ne cherchons pas à nous débarrasser de Prudence. Nous sommes très heureux avec elle, et en temps voulu... Elle connaît une foule d'excellents partis.
— Mais pas Horatio Nelson.
Il prononça ses mots avec une telle force, que les trois Pembroke se dirent : « Ce jeune garçon n'est pas sot. Et s'il affirme que ce Nelson serait une belle prise, nous ferions peut-être mieux de l'écouter. » Mrs. Pembroke fut la première à rompre le silence.
— Chaque planteur de la Jamaïque doit beaucoup à la marine royale. Ses hommes assurent notre liberté. Ils protègent l'artère vitale qui nous relie à Londres. Ce serait un honneur pour nous de recevoir votre capitaine Nelson pendant une semaine, s'il peut échapper à ses devoirs.
Et sur ces mots, Mrs. Pembroke s'installa à son secrétaire et rédigea un billet courtois et encourageant qui sollicitait Horatio Nelson de visiter la plantation Trevelyan, à l'invitation d'une famille qui appréciait les excellents services rendus par la marine.
— Vous remettrez ceci à votre capitaine, dit-elle à Alistair.
— Nous n'oublierons jamais ce jour, répondit-il avec enthousiasme en prenant le billet.
Mais lorsqu'il parvint au bout de la route sur la grande île, prit la barque pour Port Royal et arriva au fort, la plus grande des déceptions l'attendait :
— Le capitaine Nelson a reçu l'ordre de prendre la mer pour son nouveau poste à l'aurore.

Abasourdi, le jeune Wrentham longea les couloirs familiers du fort en déplorant d'avoir organisé un jour trop tard la rencontre entre Nelson et Prudence Pembroke, car il était persuadé que leur mariage avait été ordonné par les dieux de l'histoire. Quand il perçut enfin l'ironie de la situation, il trembla de regret, car le dernier acte de Nelson avant de faire voile avait été une note à l'attention de Wrentham : « Ce jour, je vous ai officiellement recommandé, en reconnaissance de vos services exemplaires, pour une promotion au grade de premier maître dans la marine royale. Horatio Nelson, capitaine. »

Des larmes montèrent aux yeux de Wrentham quand il reçut ce billet, non seulement précieux parce que cette promotion constituait la dernière étape avant le grade de lieutenant, mais parce qu'il comportait la signature de Nelson.

— Trop tard, murmura-t-il en ravalant sa déception. Trop tard, mais c'était l'épouse qu'il lui fallait, j'en suis sûr.

Au même instant, à bord du bateau qui l'éloignait de la Jamaïque sans retour, Nelson était arrivé à l'endroit de la mer des Caraïbes où les remparts du fort qu'il avait commandé avec compétence commençaient à sombrer sous l'horizon. Il salua la vieille citadelle battue par les vents au moment où elle disparut, tout en ruminant son incessante malchance : « Me voici à vingt-deux ans, et je rentre en Angleterre sans épouse et sans bateau à commander. Simple passager sur ce rafiot lugubre qui transporte des sacs de sucre et des tonneaux de rhum au lieu de canons. » Son dernier jugement sur Port Royal au moment où il disparut fut très amer : « Ce fameux tremblement de terre dont on ne cesse de parler, il aurait mieux valu qu'il submerge l'île entière. »

Les quatre années suivantes ne furent pas les plus décevantes que connaîtrait Nelson — nous le verrons bientôt plus mal loti — mais il en souffrit beaucoup. Il ne connaissait que la mer et il était à terre, sans bateau ni promesse d'en avoir un jour. En demi-solde avec seulement cent livres par an — des gages de bonniche, selon son expression — il n'avait aucun moyen de nourrir l'épouse et les enfants qu'il désirait.

Ce fut au cours de cette période d'inactivité que se cristallisa la vision qu'il avait de lui-même. « Je suis un marin, écrivit-il dans son journal. Je suis né pour commander un grand bâtiment au combat. Il n'existe aucun homme en Angleterre, ni d'ailleurs en France, possédant une meilleure connaissance de la navigation et de la tactique navale. Il faut que je trouve un bateau, sinon ma vie sera amputée de moitié, inutile et sans but. »

A vingt-quatre ans, supposant que le reste de sa vie serait absorbé par le conflit avec les Français, il décida de consacrer ses heures d'oisiveté à apprendre leur langue. Avec sa maigre solde, il se rendit en France pour étudier non seulement la langue mais les coutumes du pays, en prévision du jour où cette expérience lui servirait. Hélas, à son arrivée dans la maison de la petite ville de province où il comptait s'installer, il la trouva occupée par un Anglais extraordinaire, prédicateur de son état, entouré d'une épouse hospitalière et d'une ribambelle d'enfants, dont deux filles remarquables d'à peu près vingt ans. Elles portaient de belles toilettes, parlaient français sans accent, jouaient du piano comme des virtuoses et parlaient intelligemment de tous les sujets abordés devant elles.

En outre, elles étaient belles, drôles et prêtes à flirter. Qualité suprême — aux yeux de Nelson —, le bruit courait qu'elles seraient substantiellement dotées. Il abandonna donc vite ses leçons de français — par la suite, il essayerait à quatre reprises d'apprendre cette langue difficile, chaque fois sans succès — et se lança dans une cour assidue. Il écrivit à un ami : « Je suis enfin amoureux d'une jeune fille admirablement qualifiée pour devenir l'épouse d'un officier de marine. » Curieusement, il ne précisa dans aucune de ses lettres sur quelle sœur il avait jeté son dévolu. Soudain ses épîtres énamourées cessèrent : il avait appris que sa Miss Andrews aurait bien entendu une dot, mais modeste, insignifiante par rapport à la somme à laquelle il estimait avoir droit. Il mit fin à sa cour et quitta la France, plus écœuré que jamais.

Le 14 janvier 1784, il s'attela à la rédaction d'une série de lettres extraordinaires à des relations plus âgées susceptibles de l'aider. L'une d'elles donne une bonne idée des autres : « Il arrive un moment dans la vie d'un homme où ses amis influents doivent soit lui trouver une situation qui assurera sa sécurité pour le reste de sa vie, soit lui donner assez d'argent pour assurer sa position dans la société et dans le monde. Pour moi, cet instant critique vient d'arriver... »

Avec une franchise stupéfiante, il avoua à un ami qu'il avait récemment trouvé en Angleterre une jeune femme digne à tous égards d'épouser un officier, sauf qu'elle n'avait aucune fortune. Comme sa demi-solde de la marine ne lui rapportait que cent cinquante livres, son ami accepterait-il, suppliait Nelson, de lui assurer un don annuel de cent livres de plus ? En outre, il espérait que l'ami ferait tout son possible et frapperait à toutes les portes pour lui trouver un poste sur un bateau, « ou au moins dans un bureau où je n'aurais rien à faire — il doit y avoir de ces places, il suffit de les dénicher ».

Comme son ami ne put ni lui promettre une pension annuelle, ni lui trouver une sinécure, l'homme destiné à devenir le plus grand génie de la marine dans l'Histoire jugea sa carrière terminée à vingt-cinq ans. Au début de 1784, il décida d'abandonner la mer et, faute de mieux, de se présenter aux élections pour le Parlement ! Pendant plusieurs mois de fièvre il consacra sa considérable énergie à ce projet, mais sa silhouette frêle, ses cheveux rebelles qu'il réunissait en une énorme queue de cochon mal peignée, et sa voix sans attrait séduisirent peu d'électeurs. Cette incursion dans la politique se solda par un lamentable échec.

A ce nadir de sa vie, un de ses amis, répondant à ses appels au secours, obtint que les Lords de l'Amirauté confient à Nelson le commandement d'une petite frégate de vingt-quatre canons, le *Boreas,* qui devait appareiller pour les Indes occidentales.

Éperdu de joie à cette nomination inespérée, il annonça à tous les amis de la marine :

— De nouveau un bateau ! Le cap sur une mer que je connais bien ! Pour défendre contre les Français des îles que j'adore ! Jamais de ma vie je n'ai connu une telle allégresse !

Sa nouvelle mission, quoique importante, avait ses inconvénients temporaires. En effet, quand il se présenta à bord du *Boreas,* son premier lieutenant, l'ancien aspirant Alistair Wrentham promu de son poste à Port Royal, lui précisa aussitôt :

— L'Amirauté vous a chargé d'embarquer à votre bord une douzaine de midships de bonne famille. Le plus âgé a quatorze ans...

— Le plus jeune ?

— Onze. Mon neveu, qui sera le prochain comte de Gore.

Nelson toussa et Wrentham reprit :

— Vous devrez également transporter à la Barbade une femme assez difficile, lady Hughes et sa malencontreuse fille, Rosy.

— Malencontreuse ? Que voulez-vous dire ?

— Un gros tas de bonne femme qui ne cesse de glousser, un teint à faire pitié et à l'affût d'un mari.

Dès que Nelson aperçut sur le quai les deux déplaisantes passagères, accompagnées de trois servantes, il décida d'exercer ses prérogatives de capitaine et lança :

— Je ne les embarquerai pas sur mon bateau. Dites-leur de filer.

Le lieutenant Wrentham sourit, inclina la tête comme s'il allait ordonner aux deux femmes de s'en aller, puis murmura :

— Je crois utile de vous apprendre, capitaine, que lady Hughes est l'épouse de sir Edward Hughes, amiral commandant la région maritime des Indes occidentales, et que c'est à sa suggestion que ces dames s'embarquent avec vous.

Nelson se balança sur ses talons, étudia un instant le ciel et dit à mi-voix :

— Wrentham, faites monter lady Hughes et sa suite à bord.

Wrentham se hâta d'obéir.

Ce soir-là, quand les dames se furent retirées dans leurs cabines, Wrentham demanda à Nelson :

— Que pensez-vous de la fille, capitaine ?

— Repoussante.

— Je vous demande pardon, capitaine, mais n'est-il pas évident qu'elle part aux Indes occidentales pour trouver un mari ? Tous ces jeunes officiers et pas une Anglaise...

— Que dites-vous, Wrentham ?

— Si je puis me permettre, capitaine, prenez garde où vous mettez les pieds.

— Comment ça ?

— Lady Hughes voudra vous avoir pour gendre, j'en suis certain.

Ce fut la traversée la plus pénible de toute la carrière de Nelson car lady Hughes, exécrable, fourrait son nez partout pour le compte de son mari, tandis que sa fille Rosy devenait plus impossible chaque fois que Nelson l'apercevait. Pris entre les tentatives flagrantes de la mère pour rapprocher Rosy et Nelson, et les attitudes vulgaires de la fille — elle faisait des bruits en mangeant, et ses grosses lèvres bavaient sur les liquides — Nelson dut songer souvent à renoncer au commandement qu'il avait si longtemps désiré.

— Elles sont horribles, avoua-t-il à Wrentham au cours d'un quart de nuit.

Et il n'avait pas encore appris le pire. Ce fut Wrentham qui lui annonça l'incroyable nouvelle :

— Capitaine, savez-vous que selon le règlement de la marine lady Hughes, sa fille et leurs trois servantes sont techniquement vos invitées à bord du *Boreas* ? Vous êtes responsable de leur traversée.

— Responsable ? Que voulez-vous dire ?

— En tant que leur hôte, vous devez payer leur passage. Cent dix livres sterling, je crois !

— Bon Dieu, Wrentham ! C'est plus que la moitié de ma solde.

— Le règlement de la marine, capitaine.

Dès cet instant, chaque fois que Nelson posa les yeux sur ses deux passagères sans charme, il vit non seulement le côté rustre de la mère et la vulgarité de la fille, mais le départ en fumée de son argent. Mais en raison de leurs liens avec l'amiral Hughes, il dut se montrer exceptionnellement poli et un soir au dîner, non loin de la Barbade, il redoubla de courtoisie feinte et d'attentions.

— Capitaine Nelson, lui demanda lady Hughes avec un sourire matois, ai-je raison de croire que vous n'êtes pas marié ?

— Vous avez raison, madame, comme toujours.

— Peut-être une jeune élue vous attend-elle dans quelque port ? Ah, la vie de marin ! Les femmes de marin, comme dit la chanson...

— Je crains que les jeunes dames n'aient guère de temps à consacrer à mes pareils.

Lady Hughes trahit son impatience de caser sa fille par sa manœuvre suivante :

— Rosy, ma chérie, allez me chercher mon foulard de soie grise, voulez-vous ?

La pauvre fille dénuée d'attraits s'éloigna et la mère attaqua Nelson de front.

— Rosy, la chère enfant, pense le plus grand bien de vous, capitaine. Le rapprochement sur le bateau et tout...

Elle lui donna un coup de coude.

— Ah, les voyages romantiques ont cette réputation, pas vrai ? « Sous les étoiles, le monde semble plus vaste. Bercés par les vagues, deux cœurs battent plus vite. »

— Il paraît que c'est souvent le cas.

Aussitôt, avant le retour de Rosy avec le foulard, lady Hughes lança hardiment :

— Vous savez, capitaine Nelson, quand Rosy se mariera, elle apportera à son époux une rente considérable qu'elle tient de sa grand-mère, considérable...

Comme Nelson semblait réfléchir à cette nouvelle, lady Hughes ajouta :

— Et l'amiral et moi apporterons notre soutien. C'est une si bonne enfant ! Elle compte énormément, pour nous...

À la fin du dîner, Nelson quitta la table avec un problème troublant. Lady Hughes avait défini la situation avec une telle clarté que nul ne pouvait douter des possibilités qu'elle offrait : l'heureux officier qui épouserait la fille de l'amiral Hughes recevrait un héritage important de la grand-mère de Rosy, un don appréciable des parents et, pour sa carrière, le soutien de l'amiral qui s'était avéré un fin politique en ce qui concernait les promotions et les nominations sur de bons bateaux.

Toutes les angoisses exprimées par Nelson dans ses célèbres lettres trouvaient ainsi une solution favorable : de l'argent, un bateau de guerre, des promotions et une épouse déjà habituée aux affaires de la mer. Tout en arpentant le pont sous les étoiles, il se représenta un avenir taillé sur mesure : le bateau qu'il fallait et un adversaire français maladroit suffiraient à le faire monter au pinacle de la gloire. Dans son enthousiasme, il exprima ses rêves les plus secrets :

— Si je fais un bon départ, à moi l'abbaye de Westminster. Ma tombe avec celle des grands. Ma mémoire honorée.

Pris dans l'euphorie grandiloquente de batailles futures et d'héroïsme à venir, il s'écria enfin :

— Le jour viendra où l'Angleterre aura besoin de moi. Je ne peux pas me dérober. Jamais je ne ferai faux bond à l'Angleterre.

Mais l'affreuse réalité passa sa tête horrible par-dessus le bastingage à la manière d'un redoutable dragon venu massacrer les défenseurs endormis : « La clé de tout ceci, c'est Rosy, se dit-il. Et aucun homme ne devrait être obligé de payer un prix si élevé, même pour l'immortalité. » Et il continua d'arpenter le bateau d'un pas lourd en répétant entre ses dents à chaque pas :

— Non, non, non, non, non !

Quand la cloche sonna minuit, sa décision était prise : si son avenir devait passer par le lit odieux de Rosy Hughes, il était contraint d'y renoncer. Et dans les derniers jours de la traversée, du côté d'Antigua, il glissa à lady Hughes suffisamment de sous-entendus négatifs pour qu'elle devine la nature de sa décision.

À la vive surprise de Nelson, cette ancienne combattante blanchie sous le harnois de multiples guerres matrimoniales ne lui témoigna aucune rancœur particulière du fait qu'il refusait sa fille. Le dernier soir à sa table, elle lui dit avec effusion :

— Capitaine Nelson, je vous prédis un bel avenir dans la marine.

— Qu'ai-je fait pour mériter cette généreuse opinion ?

— Je vous ai observé avec les jeunes qui servent sur le pont.

— Me suis-je montré dur avec eux ? Ils ont besoin de discipline.

— Au contraire. Je vous ai trouvé bon et compréhensif.

— Madame, dit-il avec une galanterie forcée, je ne saurais l'être plus que vous.

— Je veux dire ceci : deux fois, quand un de ces gamins avait trop peur pour monter le long des agrès jusqu'au nid de pie, je vous ai entendu lui lancer d'un ton aimable : « Eh bien, monsieur, nous allons faire la course ensemble jusqu'en haut du grand mât, je suis sûr que vous arriverez avant moi. » En vous voyant grimper dans les cordages, le gamin s'est senti obligé de vous suivre par respect, et quand vous l'avez félicité à l'arrivée en haut, toutes ses frayeurs s'étaient envolées.

Les bons souhaits de lady Hughes pour la carrière de Nelson dans la marine de son époux étaient si généreux et déclarés avec une telle bienveillance, que Nelson fit des sourire à Rosy la Ronde comme l'appelaient ses jeunes officiers.

— Miss Rosy, dit-il en plaisantant aimablement avec la jeune fille, je crois avoir vu un de mes hommes vous lancer des œillades.

À la fin du repas, un officier à l'œil vif, qui nourrissait des ambitions sans aucun espoir d'être aidé par sa propre famille, s'arrêta près de la table pour solliciter la permission d'emmener miss Rosy faire un tour de promenade sur le pont, permission que lady Hughes et le capitaine Nelson octroyèrent avec presque trop de hâte. Après le départ des deux jeunes, Nelson se dit : « Un malin. Il a entendu parler de la dot. » Il éprouvait un tel soulagement d'être débarrassé de la disgracieuse fille de l'amiral, qu'il en oublia presque qu'il payait avec sa maigre solde le passage de la jeune personne.

Horatio Nelson avait vingt-sept ans lorsqu'il engagea le *Boreas* dans le chenal de la Barbade et prit ses quartiers temporaires à terre à l'*Auberge de la Giralda*. Son caractère était déjà formé, et plus d'un trait n'était pas sympathique. Ambitieux jusqu'à la folie, il s'avérait extrêmement jaloux de la moindre prérogative dont il pouvait bénéficier, et il se montrait si téméraire dans la défense de ses droits que, quelques jours après son arrivée à son poste, tout le monde comprit qu'il allait se montrer difficile. Hughes, l'amiral borgne, qui se trouvait à la veille de sa retraite et désirait terminer sa carrière de manière agréable, avertit aussitôt son épouse :

— Je crois que nous allons avoir des ennuis avec ce jeune homme qui semble vous plaire.

Elle défendit aussitôt Nelson :

— Il est sévère mais juste. Je ne crois pas que vous ayez un meilleur officier.

La prédiction de l'amiral se confirma dans les mois qui suivirent, car le jeune capitaine établit une sorte de record en précipitant sur-le-champ une série de crises, toutes provoquées par sa vanité et son désir obsessionnel de voir ses qualités reconnues. Le premier incident, comme il fallait s'y attendre, naquit de sa méfiance instinctive de tout ce qui touchait à la France. En faisant escale dans l'île de la Guadeloupe pour une visite de courtoisie à Pointe-à-Pitre, il se froissa dès l'abord que les Français n'accordent pas au drapeau britannique le respect qui lui était dû, et il lança des protestations d'une telle véhémence qu'elles auraient abouti à des hostilités si les Français n'avaient pas cédé et tiré les salves de rigueur. Il sauta aussitôt à terre pour exiger que l'officier fautif soit puni, et sa rage s'apaisa seulement quand il eut obtenu satisfaction.

— Aucun Français n'humiliera un bateau commandé par Horatio Nelson, lança-t-il au lieutenant Wrentham.

Mais il adressait également ses foudres aux Anglais qui ne respectaient pas les règles. Au cours de la même traversée, quand il se présenta pour la première fois dans le splendide mouillage de l'île d'Antigua appelé à l'époque English Harbour mais rebaptisé plus tard Nelson's Harbour, il ne tomba en arrêt ni sur la beauté du site, ni sur la sécurité qu'il pouvait offrir à une flotte de guerre, mais sur une infraction au code militaire qui le mit en fureur.

— Lieutenant ! cria-t-il de sa voix haut perchée. Qu'est-ce que je vois pendre à la vergue de ce bateau, là-bas ?

— Un guidon de commandement, capitaine.

Nelson prit sa longue-vue et ses soupçons se confirmèrent ; le bateau à l'ancre avait hissé le drapeau de grande taille indiquant qu'il se trouvait sous les ordres de l'officier possédant le plus d'ancienneté dans la région, or, dans ce cas, cet officier ne pouvait être que Nelson lui-même.

D'une voix lente, en pesant ses mots, Nelson demanda :

— Quel peut donc être ce navire ?

— Un bateau de transport, affecté à Antigua.

— Et qui peut être le commandant d'un rafiot de cette espèce ?

— Un marin nommé par l'officier responsable de la base à terre, je suppose.

— Allez le chercher ! tonna Nelson.

Le malheureux jeune homme se présenta bientôt devant lui, et Nelson lui demanda d'un ton glacial :

— L'amiral sir Edward Hughes vous a-t-il donné l'ordre de battre un guidon de commandement ?
— Non, capitaine.
— Alors comment osez-vous le faire lorsque je suis ici l'officier de rang le plus élevé.
— L'officier qui commande la place m'en a donné la permission.
— Commande-t-il un vaisseau de guerre ?
— Non, monsieur.
— Alors, amenez ce drapeau. Immédiatement. Je suis l'officier de grade le plus élevé à Antigua et j'exige le respect dû à mon rang.
Il regarda le lieutenant Wrentham ramener dans la chaloupe le jeune homme effrayé. Dès leur arrivée sur l'autre bateau, les deux officiers amenèrent le drapeau qui offensait les yeux de leur supérieur. Alors, seulement, Nelson hissa son propre guidon. Au retour de Wrentham, Nelson lança :
— C'est moi qui commande dans ces eaux, et j'ai l'intention de le faire savoir à tout le monde.
Il eut vite l'occasion de donner la preuve de sa détermination. En effet, par un après-midi calme où le *Boreas* patrouillait avec ses dix-huit canons au milieu des petites îles au nord d'Antigua, il tomba par hasard sur un navire marchand qui naviguait sous les couleurs des États-Unis d'Amérique, récemment constitués. Comme le célèbre *Navigation Act* de 1764 interdisait tout commerce, si banal qu'il soit, entre les îles anglaises des Antilles et les marchands de New York, Boston et Philadelphie, Nelson, conformément à ces lois rigoureuses, jugea de son devoir d'arraisonner cet intrus.
— Lieutenant, voulez-vous, je vous prie, faire tirer un coup de canon à l'avant de son étrave.
Au deuxième coup de semonce, le bateau de Boston, stupéfait, mit en panne et se laissa aborder par les Anglais. On conduisit aussitôt le capitaine américain à bord du *Boreas*.
— Pourquoi venez-vous faire commerce dans ces eaux ? Vous savez que c'est interdit, lui dit Nelson.
L'Américain faillit lui rire au nez.
— Voyons, capitaine ! Nous négocions avec ces îles depuis un temps immémorial. Vous avez besoin de nos bois et de nos chevaux. Nous avons besoin de votre sucre et de vos mélasses.
Nelson resta bouche bée.
— Vous voulez dire que d'autres bâtiments pratiquent ce commerce illégal.
— Un grand nombre. Toutes vos îles réclament ce que nous avons à vendre.
— Ce genre de trafic va cesser aujourd'hui.
Il ordonna à ses hommes de monter à bord du navire américain et de jeter à la mer la cargaison entière. Wrentham retourna presque aussitôt au *Boreas*.
— Capitaine, il disait la vérité. Il a seize beaux chevaux dans ses cales.
— Par-dessus bord, comme le reste.
— Mais capitaine...
À la réflexion, Nelson céda.
— Nous débarquerons les chevaux à terre. Contrebande confisquée.
Mais quand ce fut fait, il découvrit que personne à Antigua ne les avait achetés, ni n'avait besoin d'eux, et cela l'intrigua — jusqu'au

moment où le jeune officier qui avait hissé le guidon de commandement lui suggéra à mi-voix une solution manifestement indigne :

— Nous pourrions les conduire dans les îles françaises, où l'absence de vents réguliers oblige les planteurs à importer des chevaux pour leurs broyeurs de canne à sucre. À la Guadeloupe, ces seize chevaux vaudraient une fortune.

Se dressant de toute sa hauteur — ce qui n'était guère — Nelson fulmina.

— Moi, Horatio Nelson? Faire commerce avec les Français à leur avantage? Jamais!

Il ordonna que l'on distribue gratuitement les chevaux aux fermiers d'Antigua.

Cet acte de générosité ne fit nullement de lui un héros aux yeux des Antiguais, ni des planteurs anglais des îles voisines de Saint-Kitts et Nevis, car les hommes d'affaires fortunés de toutes les îles, anglais et français d'ailleurs, étaient habitués à ces trafics clandestins avec des bateaux des États-Unis, et en tiraient des bénéfices. Ils se froissèrent donc quand le nouveau commandant de la flotte dans leurs eaux déclara publiquement son intention, non seulement de mettre fin à l'illégalité, mais d'arrêter les marchands des îles qui y participaient.

Quand la nouvelle se répandit, Nelson reçut d'abord des avertissements très fermes :

— Capitaine Nelson, en vous opposant à ce commerce profitable, vous faites souffrir gravement nos îles.

Ensuite d'authentiques révolutionnaires annoncèrent sans vergogne qu'ils continueraient leur commerce, que cela plaise ou non au petit capitaine. Furibond dans sa cabine du *Boreas*, il menaça de pendre quiconque négocierait avec les briseurs de blocus américains, mais avant qu'il puisse annoncer ses intentions à terre, Wrentham, toujours prudent, lui déconseilla de lancer cette proclamation. Nelson détourna alors son attention des Anglais d'Antigua pour s'occuper des insolents Américains en haute mer. Dans les semaines qui suivirent, il captura coup sur coup plusieurs navires yankees et confisqua ou jeta à la mer une fortune en marchandises — ce qui mit le commerce des îles en péril. Les plaintes des marchands anglais frustrés renforcèrent les hauts cris des capitaines américains dépouillés, mais Nelson ne voulut rien entendre.

Il méprisait les Américains, marins ou non, pour des raisons qu'il exprima sans ambages à Wrentham :

— Bon dieu, lieutenant! Ils faisaient partie de l'Empire britannique, non? Que pouvait souhaiter de mieux un pays? Il bénéficiait déjà de notre système! Regardez ces lamentables îles françaises, comparées à l'ordre et à la raison qui règnent à la Barbade et à Antigua. Ces maudits Américains ne valent guère mieux que des sauvages. Ils feraient mieux de se mettre à genoux pour nous supplier de les ramener à la décence... à la civilisation. Retenez mes paroles, Alistair, un de ces jours il faudra bien qu'ils s'y résignent!

Il ne pouvait comprendre pourquoi des colonies s'étaient battues pour ce qu'elles appelaient la *liberté*.

Furieux de cette ingratitude, il prenait un réel plaisir à couler ou à capturer leurs arrogants bateaux, sans se soucier des conséquences pour les producteurs de sucre des îles. Il fit donc la sourde oreille aux suppliques fort bien présentées par le porte-parole des îliens, un certain Herbert, de Nevis.

— Il n'y a pas assez de navires marchands anglais pour subvenir à nos besoins, et ils ne viennent pas assez souvent pour nous approvisionner. Sans les Américains, nous mourrions de faim.

Nelson, comme la plupart des officiers de marine, notamment ceux qui étaient issus de milieux sociaux élevés, admirait sans réserve les familles héritières de grandes fortunes et méprisait les marchands durs au labeur en train de s'enrichir. Il les tenait pour un mal nécessaire, non pour des gens avec qui l'on souhaitait s'associer. Les entendre se plaindre de la façon dont la classe supérieure gouvernait l'empire était intolérable :

— Par Dieu, Wrentham, l'Angleterre envoie les bateaux qu'elle juge nécessaires et quand elle le décide. C'est à eux de s'accommoder de nous et non l'inverse.

Les proches de Nelson, à bord de son bateau, remarquèrent vite que jamais il n'utilisait les expressions *Grande-Bretagne* et *britannique*, et qu'il n'appréciait pas que ses officiers le fassent en sa présence.

— Nous sommes une flotte anglaise, commandée par des officiers anglais, formés par les grandes traditions de la marine anglaise. Et ces pirates américains parvenus qui envahissent nos eaux ont intérêt à protéger leurs bateaux... et leur vie.

Jamais il ne voulut démordre de ces convictions simples : les Américains n'étaient qu'une bande indisciplinée de flibustiers ingrats. Les marchands n'étaient qu'une bande de rapaces indignes d'intérêt. Et les uns et les autres devaient être mis au pas par les officiers de marine anglais, qui savaient ce qui était le mieux pour tout le monde. Vingt ans plus tard, le matin de sa mort prématurée à l'âge de quarante-sept ans, lorsqu'il prononça la phrase la plus célèbre de toute l'histoire de la marine, il n'évoqua pas la Grande-Bretagne. Il en revint une fois de plus à sa conviction fondamentale que l'Angleterre était destinée à gouverner le monde : « L'Angleterre s'attend à ce que chaque marin fasse son devoir *. »

Par une journée historique de janvier 1785, le capitaine Nelson mit le cap vers la belle île de Nevis, pour discuter de questions relatives au commerce du sucre avec le planteur anglais le plus influent de l'endroit, le même Mr. Herbert qui l'avait sermonné à Antigua pour qu'il accorde aux « flibustiers américains » l'autorisation de poursuivre leur commerce illicite aux Antilles. Toujours fasciné par l'argent mais méprisant toute association avec de simples marchands, Nelson confia à Wrentham avant sa rencontre avec Herbert :

— N'oublions pas que c'est un planteur de sucre, propriétaire de bons domaines, et non un colporteur de légumes.

Quand Alistair rendit compte à son chef du résultat d'enquêtes discrètes, Nelson s'enflamma.

— Capitaine, lui apprit Wrentham, cet Herbert est l'homme le plus riche de Nevis, de Kitts et d'Antigua. Il a une fille Martha, mais elle n'héritera d'aucun de ses biens immenses parce qu'elle est en train de se marier contre les désirs de son père. La fortune d'Herbert sera léguée à une fort jolie nièce, une certaine Mrs. Nisbet...

* *England expects every man will do his duty.* La rédaction originale de Nelson était : *Nelson* confides *that every man will do his duty*, avec *confides* dans le sens ancien de *ne doute pas*. Un des officiers suggéra qu'*expects* était d'usage plus courant, un autre laissa entendre que le message serait plus fort avec *England* à la place de *Nelson*. L'amiral accepta aussitôt les deux propositions. Le mot *that* ne fut pas inclus dans le message signalé avec les douze pavillons, selon le système conçu par sir Henry Pophan en 1803.

— Mais elle est déjà mariée.
— Elle est veuve. Elle a cinq ans de moins que vous, c'est ce qu'il faut. Elle a un très beau fils de cinq ans.

Ces renseignements déclenchèrent les rêves de Nelson : « Une veuve séduisante, très riche, avec un fils déjà grand... C'est ce que j'appelle un parfait mariage pour un marin. Avec des revenus assurés et un foyer, un homme peut courir l'aventure contre les Français armé d'un sentiment de sécurité. S'assurer du même coup une épouse, un fils, une fortune et un bâtiment de soixante-quatorze canons... Je crois entendre les pas solennels de mon cortège funèbre retentir sous les voûtes de l'abbaye de Westminster. »

Il se trouvait donc enclin à tomber amoureux de la veuve Nisbet avant même de la voir, et lorsqu'elle entra comme un papillon dans le salon de la demeure de son oncle à Nevis, elle enleva aussitôt le cœur de Nelson, car elle était charmante, d'une beauté délicate, pleine d'esprit dans la conversation et douée pour la musique. L'attitude de son fils Josiah, qui à cinq ans ne rêvait déjà que de s'embarquer, sublima les qualités de la mère. Le plus rassurant de tout demeurait bien entendu les renseignements recueillis discrètement par Alistair Wrentham, l'ami et confident, pour le compte de son capitaine.

— Impossible de déterminer au juste la fortune du vieil Herbert, expliqua Wrentham quand Nelson retourna à bord du *Boreas*, les yeux pleins d'étoiles. Elle doit être colossale parce qu'il contrôle trois plantations différentes. Ses agents m'ont assuré qu'il expédie chaque année à Londres au moins six cents tonneaux de sucre. J'ai compté moi-même ses esclaves, ils ne valent pas moins de soixante mille livres. Pouvez-vous imaginer le montant total de ses richesses ?

Nelson n'en avait aucune idée.

— Avec cette fortune, poursuivit Alistair, Herbert pourrait facilement doter sa nièce de vingt mille livres. Si vous investissez cette somme en fonds consolidés à cinq pour cent, cela vous rapporterait... voyons... Merveilleux ! Mille livres par an !

Mais, à la réflexion, Wrentham décida que le vieil homme pourrait donner carrément quarante mille livres, ce qui rapporterait annuellement la somme coquette de deux mille. Et ce chiffre se fixa dans la tête de Nelson aussi solidement que si Mr. Herbert lui en avait fait la promesse écrite. Il allait être riche, situation à laquelle il croyait depuis toujours avoir droit.

En dépit de tous ses conseils de sagesse, le lieutenant Wrentham songeait souvent à son séjour passionnant à la plantation Trevelyan et se lamentait : « Pourquoi n'est-ce pas Prudence Pembroke au lieu de celle-ci ? Prudence avait tout l'argent dont Nelson a besoin, ainsi que la beauté. Sa famille aurait été peut-être encore plus influente. Dans cette aventure amoureuse, quelque chose me déplaît... Le fait que Mrs. Nisbet a eu un enfant... Par ailleurs, Nelson n'est pas en bonne santé. Son souci constant des détails l'épuise et il devrait songer à prendre du repos plutôt qu'à se marier. » Ensuite, Alistair se représentait Prudence telle qu'il l'avait vue le premier jour sur les marches de Golden Hall, ravissante apparition dans sa robe charmante, sourire avenant... Il baissait alors la tête et la penchait lentement de gauche à droite comme s'il tentait de remonter le temps jusqu'en ces jours heureux où il s'efforçait déjà de trouver une épouse pour l'homme qu'il vénérait.

« Au diable les regrets », se dit-il un jour en regardant Nelson lancer sa cour fulgurante de Mrs. Nisbet. Trop souvent déçu dans le passé et plus que jamais talonné par le manque d'argent, Nelson avait décidé qu'il ne devait pas laisser passer cette éblouissante occasion de se libérer. Et comme apparemment Fanny Nisbet éprouvait le même sentiment, leur union semblait en bonne voie. Un petit nuage menaçait cependant ce paysage de rêve : Mr. Herbert fit observer que sa nièce s'était engagée à tenir sa maison et il ne voyait aucun moyen de la libérer de ses devoirs avant dix-huit mois. Le couple éperdu d'amour dut donc sacrifier toute l'année 1785 et une bonne partie de l'année suivante en longues fiançailles plutôt qu'en mariage. Mais comme cela se passait sur l'adorable petite île de Nevis, ces longs mois prirent un caractère de conte de fées, et Nelson s'en contenta.

Le seul point faible de cette combinaison matrimoniale continuait pourtant de menacer l'avenir de Nelson : la fille d'Herbert pouvait fort bien regagner l'affection de son père et mettre en danger la fortune de Mrs. Nisbet. Mais Wrentham posa des questions discrètes et rapporta à Nelson des nouvelles à la fois rassurantes et scandaleuses.

— Martha s'entête dans le mariage que son père refuse d'approuver. Et de qui croyez-vous qu'il s'agit ?

— Ça ne m'intéresse pas.

— Mais si ! Un certain Mr. Hamilton, parent de cet autre Hamilton, de Nevis, le célèbre Alexandre Hamilton qui a joué un rôle si méprisable contre nous au cours de la révolution américaine et qui parade maintenant parmi les dirigeants de la nouvelle nation.

— Je refuse de me lier à des traîtres ou à leurs amis, répliqua Nelson, furieux.

— Vous n'avez aucun besoin de voir ce salaud d'Américain, ou celui de Nevis. L'important c'est que le père et la fille ne se parlent plus. C'est à Fanny Nisbet que reviendra la fortune.

Et le 11 mars 1786, au cours d'une cérémonie somptueuse célébrée à Nevis dans la demeure de Mr. Herbert, en présence du prince William, fils de George III, qui serait couronné plus tard sous le nom de Guillaume IV, le capitaine Horatio Nelson pénétra sous une tonnelle décorée où l'attendaient Fanny Nisbet et son jeune fils. Ce furent de grandes réjouissances, ces noces du jeune officier de marine plein d'avenir et d'une héritière dont l'immense fortune galvaniserait la carrière. Mais le futur roi, Silly Billy (Billy l'idiot) pour ses intimes, avait sans doute une vision plus raisonnable de la situation, car dans une lettre à un ami, il émit quatre jugements : « J'ai accompagné une épouse à l'autel aujourd'hui. Elle est jolie. Elle a beaucoup d'argent. Nelson est amoureux d'elle. Mais il a besoin d'une nourrice plus que d'une épouse... J'espère qu'il ne se repentira pas de la décision qu'il a prise. » C'était de mauvais augure.

Wrentham, refoulant ses appréhensions à propos de ce mariage, se joignit aux autres officiers pour le banquet offert ce soir-là, et tous se félicitèrent d'avoir, à leur manière, aidé leur talentueux ami à s'assurer la sécurité financière qu'il recherchait depuis si longtemps en vain. Wrentham, songeant que ses propres chances d'avancement allaient augmenter si Nelson lui-même réussissait dans sa carrière, rappela à ses camarades :

— La marée montante soulève tous les bateaux dans le port. Quand Nelson grimpera sur le tableau d'avancement, nous grimperons avec lui.

Puis tout parut s'écrouler. Le premier choc fit presque perdre à Nelson son sang-froid : il découvrit que son épouse n'avait pas cinq ans de moins que lui, mais cinq mois de plus. Il apprit ensuite qu'en dépit de son immense fortune sucrière, Mr. Herbert n'était nullement disposé à léguer à sa nièce une somme capable de lui assurer deux mille livres de rente par an. Il était prêt à lui verser une pension de cent livres. Avec les cent livres que Nelson gagnait déjà, les nouveaux mariés ne disposeraient annuellement que de deux cents livres jusqu'au décès de Mr. Herbert, où toute la fortune reviendrait probablement à Mrs. Nelson.

Mais bientôt le lieutenant Wrentham apporta une épouvantable nouvelle :

— Martha Hamilton, la fille d'Herbert, qui s'est mariée récemment, vient de se réconcilier avec son père, et c'est elle qui va hériter.

Quand Nelson, tremblant d'incertitude, posa carrément la question à Mr. Herbert, celui-ci lui répondit que « le sang est plus épais que l'eau », et qu'en outre Nelson ferait mieux de s'occuper de ses propres affaires, car les marchands des Caraïbes étaient sur le point de lancer un procès contre lui en raison de son intervention dans leurs affaires avec Boston et New York.

Les ennemis de Nelson avaient monté un piège tortueux. Connaissant son honnêteté rigoureuse et sa dévotion à tout ordre écrit, ils montèrent un coup en douce puis lui firent savoir que deux officiers d'intendance des chantiers de la marine anglaise aux Caraïbes escroquaient des fonds du gouvernement. Wrentham mit Nelson en garde contre toute action précipitée, mais Nelson fonça comme un taureau enragé et accusa publiquement les deux officiers de malversation. Les officiers ripostèrent, et Nelson fut frappé de stupeur : ils retournaient la même accusation contre lui et lançaient des poursuites judiciaires pour la somme effrayante de quarante mille livres sterling.

Les dernières journées de Nelson dans la mer des Caraïbes, cette mer qu'il avait appris à aimer pour son opulence, ses îles merveilleuses et ses ports sûrs, se déroulèrent sous le signe du malheur. Enchaîné à une femme sans le sou, âgée de cinq ans de plus qu'on le lui avait fait croire, accablé par des avocats le traînant de procès en procès, il se sentit traqué de tous les côtés et s'écria comme Job :

— Pourquoi me suis-je lancé sur cette mer maudite ?

Dans son désespoir, il négligeait le fait que ces eaux lui avaient permis de révéler ses authentiques mérites : son courage, sa force de caractère, son esprit inventif, son don pour le commandement — qualités essentielles et trop souvent négligées par les jeunes qui aspirent au titre de chef. C'est dans la mer des Caraïbes qu'il avait forgé sa personnalité, presque terrifiante par son obstination proche de l'idée fixe, presque méprisable par sa promptitude à s'abaisser devant les autorités pour obtenir le commandement d'un bateau. Nelson était un produit de la mer des Caraïbes et l'avait sans doute voulu dès ses débuts quand il avait refusé le poste brillant de New York pour prendre un commandement aux Caraïbes « parce que c'est là que l'on conquiert l'honneur ». Au cours de sa période la plus sombre, au moment de quitter cette mer, sans doute dut-il la maudire, mais il y était devenu l'un des hommes les plus acharnés du monde. Les grandes batailles navales se gagnent souvent à terre, où les futurs capitaines s'aguerrissent pour le jour de l'épreuve.

Mais comme toujours, Nelson estimait que les autres lui devaient de l'argent pour sa carrière et des recommandations pour son avancement.

— Pourquoi, se plaignit-il à Wrentham, l'amiral Hughes à la Barbade ne fait-il rien pour me défendre contre mes ennemis ou me soutenir auprès de mes amis ?

Alistair éclata de rire.

— Vous savez bien que Hughes est une chiffe molle. Il passe tout son temps à chercher un mari pour Rosy.

— Qu'est-il arrivé au petit pudding ?

— Vous ne savez pas ? Il a offert cinq mille livres au jeune lieutenant Kelly qui se trouvait à bord avec nous s'il acceptait d'épouser Rosy. Mais Kelly n'est pas idiot. Il a épousé une fille charmante, la cousine de votre femme.

— Et Rosy ?

Wrentham répondit en riant, mais avec beaucoup de chaleur :

— Ce qui s'est passé a fait ma joie. Lady Hughes et l'amiral ont écumé toute la flotte, mais sans pouvoir enrôler un seul homme. Enfin, un major sans le sou du 16e régiment d'infanterie, un rien du tout nommé John Browne, a mordu à l'appât et ramassé les cinq mille livres en même temps que Rosy. J'ai assisté au mariage. Jamais vous n'avez vu un couple plus heureux : Rosy qui s'attendait à demeurer vieille fille, et le brave vieux Browne souriant de ses dents d'en haut qui ne touchent pas celles d'en bas, car il n'avait jamais espéré tomber sur une telle fortune. Un peu à l'écart, l'amiral Hughes semblait aussi ravi que s'il venait de remporter une bataille contre les Français.

Nelson se montra conciliant.

— Hughes ne peut pas être aussi mauvais marin qu'on le dit. Après tout, il a perdu un œil au combat, et cela force mon respect.

— Son œil, ne savez-vous pas comment il l'a perdu ?

— Au cours de la bataille avec Rodney, contre les Français, je suppose.

— Non ! Dans sa cuisine à la Barbade, en essayant de tuer un cancrelat géant avec une fourchette. Il a manqué la sale bête mais s'est crevé un œil.

Puis virent des années terribles qui auraient détruit tout homme de moindre trempe. On mesure rarement à quel point elles furent accablantes parce qu'elles n'apportèrent ni grands ouragans, ni incendies éclatant dans la nuit, ni morts subites, ni emprisonnement, ni écartèlement, ni folie. Mais elles soulevèrent des tempêtes sauvages qui ne troublèrent pas la surface des lacs de campagne, mais déchirèrent une âme humaine et la laissèrent tellement dévastée que la coquille extérieure visible se serait désintégrée si son propriétaire n'avait réuni son courage et sa volonté pour proclamer : « Non ! Cela ne sera pas ! Je ne laisserai pas une telle chose se produire. »

Quand Nelson ramena sur la Tamise le *Boreas*, le navire de Sa Majesté, il reçut les instructions qu'il craignait : « Votre bateau doit être désarmé et votre équipage débarqué. » Le mot débarqué résonna de façon sinistre, car il signifiait que les simples matelots, après de longues années de loyaux services, seraient jetés à terre avec une poignée de livres sterling — quatre ou cinq dans certains cas — sans garantie d'emploi, sans pension pour les notes de médecin s'ils avaient perdu un bras ou une jambe. Les aspirants ne recevraient rien, et même les officiers quitteraient le bateau qu'ils avaient si fidèlement aimé sans une solde leur permettant de vivre décemment pendant les années à venir.

Bien entendu, si la France se mettait à piaffer — et des rumeurs de mauvais présage ne cessaient d'arriver de ce malheureux pays — on comptait bien que le *Boreas* reprendrait la mer avec un groupe d'Anglais comme ceux que l'on venait de jeter au rebut. Horatio Nelson quitta donc son premier commandement important avec seulement sa demi-solde et l'assurance de reprendre du service actif « quand le besoin se présenterait, s'il se présentait ».

Que devait-il faire, à l'âge de vingt-neuf ans — avec une épouse, un jeune fils, pas de fortune et même pas une maison où se loger ? Il imita tous les autres officiers dans la même situation que lui en temps de paix : il revint chez son père, dans le Norfolk. Il s'occupa du jardin, planta des légumes au printemps, des fleurs en été et « bricola dans la maison » pendant toute l'année.

Les voisins de Nelson, qui le regardaient s'occuper à des tâches rustiques ou se rendre aux foires et aux comices où l'on jugeait les légumes et comparait les miches de pain, l'acceptèrent bientôt comme un des leurs, et quand cela se produisit, un curieux changement s'opéra : tout le monde se mit à l'appeler familièrement par le prénom de son enfance, Horace. Des semaines s'écoulèrent sans qu'il entende une seule fois son vrai prénom et il commença lui-même à se considérer comme le fermier Horace.

Mais il n'oublia jamais l'autre côté de sa nature. Souvent, au retour d'un concours agricole, il se mettait à son bureau dans le presbytère de son père et, jusque très tard dans la nuit, il écrivait d'innombrables suppliques à ses riches amis pour les implorer de lui trouver un commandement dans la marine et même, dans un nombre choquant de cas, les prier de ne pas lui prêter d'argent, mais de « m'adresser les sommes dont vous avez bien les moyens de vous défaire et dont j'ai un besoin si désespéré pour maintenir ma position de capitaine de la marine du roi ».

Ses suppliques, et il en envoyait des dizaines chaque année, demeurèrent sans effet. On ne lui donna pas de bateau, il ne reçut que sa misérable demi-solde, et pendant cinq années de désespoir il continua de vivre en mendiant les maigres largesses que pouvait se permettre son père, tout en privant sa femme, fidèle mais ennuyeuse, de robes neuves et des autres petits plaisirs auxquels elle avait bien droit. Les Horace Nelson s'efforçaient de sauver les apparences mais vivaient dans la pauvreté car leurs deux cents livres par an ne leur permettaient ni frivolités ni même tout l'indispensable.

Le couple économisait cependant assez pour qu'Horace puisse de temps en temps se rendre à Londres où il faisait le tour des services du gouvernement pour quémander un bateau. Il déclara aux Lords de l'Amirauté :

— J'ai reçu une formation d'officier de marine. Je sais commander un bateau, galvaniser le courage de mon équipage et attaquer l'ennemi comme jamais il n'a été attaqué. Messieurs, il faut me donner un bateau.

Sans qu'on lui présente la moindre raison logique, il était chaque fois éconduit.

En 1792, vers la fin de l'après-midi, après s'être traîné d'un rendez-vous insultant à un autre, il tomba par hasard sur un vieil ami des Caraïbes qui sortait d'un des bureaux de l'Amirauté : son ancien lieutenant Alistair Wrentham, fort élégant dans son uniforme de capitaine. Ils se donnèrent l'accolade et se rendirent dans un café où Wrentham raconta à Nelson, avec un plaisir manifeste, qu'on venait de lui accorder le commandement d'un vaisseau de soixante-quatre canons chargé de patrouiller le long des côtes de France. A ces mots, Nelson se raidit et Wrentham comprit aussitôt que son ami, son aîné de six ans et bien plus compétent que lui en matière de navigation, se trouvait « sur le sable » avec de maigres perspectives de changement.

— Je suis tellement désolé, Nelson. C'est une injustice terrible.

— Qu'est-ce qui a provoqué cet embargo contre moi ? Si vous le savez, il faut me le dire.

Wrentham se recula, dévisagea son ancien capitaine et lui demanda :

— Vous tenez à le savoir ?

— Absolument.

Avant de parler, Wrentham se pencha en avant et posa les deux mains sur celles de son ami comme pour l'empêcher de recourir à une action violente quand il apprendrait la vérité.

— Nelson, vous devez savoir que le bruit a circulé dans l'Amirauté que vous êtes un homme très difficile.

Nelson retira ses mains d'un geste sec et s'écria, ulcéré :

— Difficile, moi ? Je commande mon navire dans les règles. Je n'ai apporté à la marine que dignité et efficacité.

Après avoir amorcé cette discussion déplaisante, Wrentham n'avait nulle envie de l'interrompre à mi-chemin, et il énuméra d'une voix ferme toutes les plaintes accumulées contre Nelson.

— Le jour de votre arrivée à Antigua, souvenez-vous, vous avez forcé ce type à amener son guidon.

— Il n'avait pas le droit de le hisser. C'était rigoureusement contre le règlement.

— Vous avez également provoqué les Français à la Guadeloupe... au risque de créer un incident international.

— Aucun Français ne se permettra jamais de manquer de respect à un bâtiment que je commande.

— Ensuite vous avez lancé votre guerre contre les contrebandiers américains.

— Les lois en vigueur exigeaient que je les punisse.

— Et vous l'avez fait. Mais leurs capitaines ont lancé des procès contre vous devant les tribunaux de Londres.

— Qui a répandu ces accusations contre moi à l'Amirauté ?

— L'amiral Hughes, de la Barbade. Il raconte partout que vous êtes entêté et difficile.

— Vous voulez dire Hughes la chiffe molle ? Le père de la Rosy qu'il a essayé de refiler à toute la flotte ? Celui qui s'est crevé un œil en essayant de tuer un cafard ?

— Lui-même. Un ami en haut lieu m'a appris, Nelson, que jamais on ne vous confiera un bateau, à moins que les révolutionnaires de France ne fomentent des troubles.

À la surprise de Wrentham, Nelson souleva sa tasse de café et la tint délicatement entre le pouce et l'index de sa main droite. Cela lui permit de maîtriser suffisamment sa colère pour pouvoir parler.

— Alistair, il en va de même dans toutes les marines du monde. En temps de paix, ce dont le haut commandement a besoin, c'est de beaux messieurs bien élevés pour faire bonne figure à l'heure du thé dans le salon de ces dames, pour recevoir l'ambassadeur de Turquie et tenir le pont des bateaux en ordre et parfaitement briqué. Jamais il n'y a de place pour un vrai marin comme moi, capable de commander un bateau au combat avec la loyauté totale de ses hommes. Au diable, les tasses de thé.

Il jeta par terre celle qu'il tenait avec un tel fracas qu'une des serveuses arriva en courant.

— Je suis désolé, madame, dit-il. Elle m'a échappé des mains.

Quand la jeune femme revint avec une autre tasse, il reprit :

— Mais quand le canon se met à tonner et que les côtes se trouvent menacées par une armada espagnole ou par les Français, alors les marines du monde appellent au secours les hommes comme moi : « Venez nous sauver, Drake ! Venez, Hauwkins ! Venez, Rodney ! » Et toujours nous répondons, car nous n'avons aucune autre ambition que de sauver la patrie.

Craignant d'avoir révélé sur lui-même beaucoup plus de choses qu'il n'en avait l'intention, il lança à Wrentham un regard penaud, puis posa les mains sur celles du jeune capitaine.

— Alistair, je vous envie manifestement votre commandement. Je désirerais l'avoir obtenu... commander de nouveau un bateau...

Il hésita, puis ses mains se crispèrent davantage.

— Mais vous devez me comprendre, mon ami, je vous envie sans vous en vouloir pour autant. Vous avez votre propre carrière à mener, et vous faites un bon départ.

Il prit les mains de Wrentham entre les siennes et conclut :

— Le jour où la France attaquera, je veux vous avoir à la tête de ma ligne de tribord. Je sais que je peux vous faire confiance, parce que vous ne vous intéressez pas seulement aux tasses de thé.

Si Nelson, généreusement, avait pu déclarer à Londres qu'il n'en voulait pas à Wrentham de sa chance d'avoir obtenu un bateau de soixante-quatre canons, au cours du long retour solitaire dans le Norfolk, il ne put retenir l'indignation qui l'accablait : « Des gamins ! Ils accordent des commandements à des gamins, alors que des hommes de trente ans se rouillent dans l'oisiveté. » A chaque cahot de la diligence, il passait en revue sa situation lamentable : enchaîné à une épouse qui devenait de plus en plus geignarde chaque jour, responsable de l'éducation d'un fils qui n'était pas à lui, dépouillé par l'oncle de cette femme d'un héritage qu'il était en droit d'attendre, et privé d'un bateau par des racontars. Il serra les poings entre ses genoux et conclut : « Ma vie est en miettes, il n'y a plus d'espoir. »

Son moral était donc au plus bas quand il arriva chez lui — et il trouva sa femme dans l'affolement.

— Oh, Horace ! Deux de ces hommes horribles ont cogné à notre porte et se sont introduits ici de force pour savoir si j'étais l'épouse de l'officier de marine Nelson. Quand j'ai répondu oui, ils m'ont lancé ces papiers.

— Quels papiers ?

— Le procès d'Antigua. Ils l'ont repris à Londres et ils réclament quarante mille livres. Ils ont dit que si vous ne payez pas, vous croupiriez en prison le reste de votre vie.

Dans la crise de rage qui suivit, Nelson fit tant de choses visiblement irrationnelles que sa femme et son père décidèrent ensemble d'envoyer un messager au capitaine Alistair Wrentham, à Londres, dont Nelson parlait comme le seul ami sur lequel il pouvait compter. Sachant que le jeune officier descendait en ligne directe du comte de Gore, ils espérèrent qu'il pourrait les aider à dissiper la confusion dont Horace était possédé. Avec une promptitude qui les surprit, le jeune Wrentham arriva dans le Norfolk pour découvrir son ancien commandant en train de préparer ses bagages. Il voulait s'enfuir en France en toute hâte.

— Mon Dieu, Horatio ! Que faites-vous ?

A la surprise du jeune homme, Nelson se jeta dans ses bras.

— Quel plaisir, Alistair, d'entendre à nouveau mon prénom ! Ici tout le monde m'appelle Horace et je commence vraiment moi-même à me sentir Horace. Mais, nom de Dieu, je m'appelle Horatio et je suis officier de marine — et un bon.

— Mais pourquoi ces bagages ?

— Je pars.

— Où ?

— Je n'en sais rien. Ces forbans d'Antigua relancent leurs procès contre moi à Londres... Quarante mille livres... La prison à vie si je ne paie pas.

En une réaction de désespoir et de futilité, il s'écria de sa voix haut perchée :

— Où vais-je dénicher quarante mille livres ?

— Horatio, soyez raisonnable. Le gouvernement a déjà promis de soutenir votre défense au procès. Vous avez agi selon les instructions officielles. Même l'amiral Hughes le reconnaît.

— Mais j'ai une autre affaire sur le dos. Vous vous rappelez ces hommes que j'ai surpris en train de voler les fonds de l'Amirauté ? Alistair, savez-vous que j'ai découvert dans les comptes un trou de deux millions de livres sterling ?

— Les gouvernements n'apprécient pas qu'un subalterne découvre des erreurs, même quand elles s'élèvent à des millions. Mais vous n'avez vraiment aucune raison de fuir.

— Je pars en France. Je veux enfin apprendre cette langue méprisable pour le jour où je m'emparerai d'un de leurs grands bateaux de guerre. Il faudra bien que je dicte mes conditions au capitaine.

À ce raisonnement bizarre, Wrentham explosa.

— Horatio, vous ne serez jamais heureux en France. Laissez-moi présenter votre cas à l'Amirauté. Mon grand-père le comte exigera une audience.

Sans entendre ces assurances, Nelson poursuivit :

— Ma véritable intention, Alistair, c'est de gagner Saint-Pétersbourg depuis la France. J'offrirai mes services à la flotte de Catherine de Russie.

Cette déclaration était si choquante que Wrentham en resta sans voix. Emporté par sa passion, Nelson enchaîna, avec force mouvements de mains :

— Vous vous souvenez de John Paul, le maudit Écossais qui s'est retourné contre nous pendant la guerre contre l'Amérique ? Qui a ajouté Jones à son nom et est devenu le héros de leur marine ? Quand ils ont refusé de le nommer amiral, ce qu'à mon sens il méritait bien car il savait se battre avec son bateau, il a filé en Russie et la tsarine lui a confié une grande mission. Autant que je sache, il est resté là-bas. Je serai ravi de me battre aux côtés d'un homme de son courage.

Wrentham se mit alors en colère.

— Horatio, vous n'êtes pas John Paul Jones — aussi capricieux qu'une brise de printemps. Écossais de naissance, il aurait dû se battre dans notre camp, mais il a offert ses services à la France, puis aux colonies américaines, maintenant à la Russie et plus tard à Dieu sait qui... La Turquie, peut-être ! Ou encore la France.

Il se campa devant Nelson pour lui lancer son ultimatum.

— Vous êtes anglais, Nelson. Vous ne pourrez jamais être autre chose. Les procès ? Je m'en occuperai. Mais pour l'instant, je veux que vous vidiez vos bagages... Et acceptez, je vous prie, ce petit présent pour vous aider à retrouver le sens des convenances.

Prévoyant que Nelson devait être dans une situation financière lamentable, il avait pris à sa banque de Londres deux cents livres qu'il donna alors à son ancien commandant. Pendant un instant, Nelson resta figé sur place, les deux mains encore tendues avec les billets posés sur ses paumes.

— Les humiliations que j'ai connues. Les innombrables lettres restées sans réponse. Les appels à l'Amirauté toujours vains. La vie passée à ramper, à tirer le diable par la queue, sans pouvoir acheter à mon épouse les robes qu'elle mérite, les emprunts successifs d'argent à un vieux père, l'impossibilité de secourir une sœur mariée quand elle a besoin d'un peu d'aide... J'ai vécu ces cinq années dans l'enfer. Il n'y a rien de pire sur terre. Et si la guerre éclate, si j'obtiens un bateau, que Dieu assiste les Français qui passeront sur mon chemin, car je ne serai que feu et poudre noire.

Puis son humeur changea du tout au tout, il agita les billets de banque dans le vide et s'écria :

— Depuis qu'ils ont fait de moi le fermier Horace, j'ai eu envie de m'acheter un cheval. Jamais je n'ai eu l'argent. Mais si je suis destiné à devenir paysan et non officier de marine, il me faut ce cheval !

D'un ton presque joyeux, il entraîna Wrentham au village, où il avait repéré depuis longtemps la belle petite jument de ses rêves. A la surprise du propriétaire il lança :

— Jacko, mon gars, je l'emmène. Voici cent livres, tu me rendras la monnaie quand tu l'auras faite.

Avec une satisfaction qu'il n'avait pas connue depuis des années, il conduisit l'animal chez lui.

— Si je dois être fermier, Alistair, je serai un bon fermier.

L'idée que ce grand capitaine en puissance gaspillait sa vie dans une ferme écœura Wrentham. Il découvrit bientôt l'existence misérable que Nelson menait aux crochets de son père, le caractère geignard de Mrs. Nelson, qui lui parut beaucoup plus âgée d'allure et d'esprit, et les constantes privations. Il en conçut un tel désespoir qu'il fit une remarque déplacée — et qu'il regretterait plus tard.

— Nelson, quand vous m'avez donné la permission de me rendre à cette grande plantation de la Jamaïque, j'ai fait la connaissance de la jeune fille de la maison, qui avait dix-neuf ans, donc trop âgée pour moi. Mais je ne cessais de parler de vous et elle m'a demandé : « J'aimerais rencontrer votre capitaine Nelson. » Je suis revenu aussitôt à Port Royal avec une invitation de ses parents pour vous. Ils étaient riches. Ils aimaient la marine. Et il fallait voir Trevelyan ! Mais à mon arrivée au port, vous étiez déjà parti... depuis quelques heures.

Il inclina la tête au-dessus de la table de cuisine et ajouta :

— Tout aurait pu être si différent. Cette femme vous aurait suivi jusque dans la bataille.

Nelson toussa pour attirer l'attention de Wrentham.

— Alistair, lui dit-il, c'est cruel de me raconter une histoire pareille... et juste en ce moment.

Il parut sur le point de chasser le jeune officier de la maison de son père, quand son œil tomba sur quelques légumes restés sur la table de cuisine pour le ragoût du lendemain, et leur juxtaposition mobilisa soudain son attention.

— Supposons que nous soyons tous les deux en face de la flotte française au large d'Antigua, par exemple, ou dans n'importe quel océan. Ils essaient de nous échapper dans cette formation...

Bientôt, la table de cuisine se garnit de pommes de terre représentant la flotte française et d'oignons pour indiquer la position des Anglais, et jusque très avant dans la nuit, Nelson révéla à son ami les stratégies navales qu'il avait conçues au cours de ses promenades dans la campagne du Norfolk.

— Rappelez-vous ce que je vous ai dit à Port Royal sur la manœuvre audacieuse de Rodney à All Saints. Il a opéré un quart de tour et lancé toutes ses forces de plein fouet contre la ligne française. Regardez la confusion.

La table se transforma en une vaste mêlée de patates françaises désorientées par des oignons anglais.

— Mais Alistair ! Supposons que dans la prochaine bataille, et elle se produira, j'en mettrai ma main au feu parce que jamais les Français ne nous laisseront en paix, ni d'ailleurs l'inverse... Supposons cette fois que juste au moment où nous paraîtrons répéter la stratégie de Rodney — pour laquelle les Français se seront certainement préparés —, nous séparions soudain notre flotte en deux lignes, moi ici à bâbord, et vous à tribord, bien détachés l'un de l'autre, et que dans cette formation nous nous lancions contre la flotte ennemie. Quelle confusion en deux endroits ! Les bateaux combattront, si l'on peut dire, au corps à corps dans l'océan entier.

En voyant l'extraordinaire mélange de pommes de terre et d'oignons, Wrentham demanda :

— Mais comment nos deux forces garderont-elles le contact ? Pour les signaux, les ordres de combat ?

Nelson lui lança un regard abasourdi.

— Alistair ! Ce jour-là, quand je vous aurai envoyé à bâbord, vous n'aurez plus d'ordres à recevoir de moi. Chaque bateau de votre ligne passera sous votre commandement. Vous livrerez votre bataille et moi la mienne.

— Cela me paraît... un vrai chaos.

— Un chaos planifié, au cours duquel je ne doute pas que chaque capitaine fera son devoir... selon sa raison.

Il termina sur une opinion qui s'était ancrée en lui depuis plusieurs mois :

— Les Français aiment rester au large et tirer sur nos mâts et nos voiles. Nous nous rapprocherons et nous ratisserons leurs ponts. Nous les serrerons de près, Alistair ! Toujours de près !

Au cours de cette longue nuit, ils firent manœuvrer leurs flottes en tous sens, et quand l'aube se leva, ils étaient encore en train de livrer leurs batailles imaginaires, et les mers rouges de sang étaient pleines de navires en train de couler. Avant le petit déjeuner, Wrentham aida son ancien commandant à défaire les bagages avec lesquels il serait sans doute parti en Russie.

Le capitaine Alistair Wrentham, fidèle à chaque promesse qu'il avait faite dans le Norfolk, sauva la carrière navale de son ami. Le gouvernement intervint du côté de la défense dans les procès scandaleux; l'Amirauté écouta le plaidoyer passionné de Wrentham en faveur de Nelson; et même les Français vinrent à son secours, car à Paris, les fous furieux de la Révolution française continuèrent de lancer de telles menaces que la guerre devint inévitable. Vers la fin de janvier 1793, des espions rentrèrent à Londres à la hâte avec la preuve irréfutable que « la flotte française entière semble se réunir pour attaquer nos côtes ». L'Amirauté agit alors exactement comme Nelson l'avait prévu le jour de sa conversation avec Alistair, au café : on envoya des messagers au galop pour informer le capitaine Horatio Nelson qu'on lui confiait sur-le-champ le commandement d'un important vaisseau de ligne.

Après le départ des messagers, il resta seul dans le presbytère, sans se rengorger du triomphe qu'il avait prévu, ni tempêter contre les injustices subies. Il se durcit au contraire pour les autres orages qu'il sentait venir : « Voici venue l'épreuve de la grandeur. J'échappe à la vallée du désespoir pour m'élancer dans le fracas des batailles, et que Dieu me conforte dans ma résolution. »

On prétendrait souvent, dans les décennies suivantes, que l'amiral Horatio Nelson avait forgé ses stratégies révolutionnaires et son caractère imperturbable au cours de ses diverses expériences en mer, notamment dans les Caraïbes, mais ce n'est pas la vérité : il les trempa douloureusement au cours des cinq années de malheur où il se trouvait dans le presbytère de son père, dans le Norfolk. Humilié, appauvri et ignoré de tous, il y martela ses principes et conçut les stratagèmes qui feraient de lui peut-être le meilleur officier qui ait jamais commandé une flotte au combat. Conscient de la miraculeuse valeur qu'il avait façonnée en lui, il prit congé de sa prison du Norfolk, se tourna vers Londres et s'écria :

— Plus d'Horace ! Je serai Horatio à jamais !

Le 7 février 1793, au moment où la France ne songeait plus qu'à la guerre, Nelson, de nouveau capitaine en activité de la marine de Sa Majesté, monta à bord de l'*Agamemnon*, vaisseau rapide de soixante-quatre canons, se tourna vers l'arrière pour saluer les officiers, et prit des mesures immédiates pour préparer à la bataille son équipage trié sur le volet.

Quelques jours plus tard, avec tout l'enthousiasme d'un jeune de onze ans arrivant à bord de son premier bateau, il cria à ses hommes :

— Larguez les amarres !

Et à son timonier :

— Droit devant !

Bientôt il sentit le grand vaisseau chargé de canons rouler sous ses pieds. Il descendit la Manche puis contourna l'Espagne pour gagner la Méditerranée où le destin l'attendait pour lui accorder la victoire en mer, le scandale à Naples avec l'ensorceleuse lady Hamilton, et l'immortalité à Trafalgar.

9

Les créoles

Guadeloupe, 1784

En 1784, les promeneurs de l'un des endroits les plus animés des Antilles, la place des Sartines de Pointe-à-Pitre, en l'île française de la Guadeloupe, avaient toutes les chances de rencontrer trois jeunes créoles, manifestement les meilleurs amis du monde. Personne ne pouvait imaginer qu'ils allaient être précipités dans un drame, dont sans en être les auteurs ils auraient à subir les horribles excès.

La place était un endroit vaste et agréable, bordé d'arbres et accueillant avec ses nombreux bancs de bois et son kiosque central où l'orchestre de la ville venait jouer certains soirs. Les habitants pouvaient y déguster du café brûlant et des pâtisseries tout en s'abritant du soleil. Vers le sud, la place s'ouvrait sur la mer où se pressaient des bateaux dont les voiles blanches se détachaient sur le bleu des eaux. Sur les trois autres côtés s'élevaient de belles demeures de style colonial, construites en bois — le plus souvent un bel acajou que n'attaqueraient pas les insectes. Sur le premier étage de chaque maison courait une véranda ornée de fleurs tropicales aux couleurs vives, ce qui faisait de l'endroit un jardin où les habitants de la ville allaient et venaient tout au long du jour.

A l'est de la place, au coin d'une petite rue, s'élevait une magnifique demeure : chacun de ses deux étages était entouré d'une véranda, d'où tombaient des cascades de fleurs — jaunes, rouges et bleues. Et ce qui la rendait inoubliable pour tous ceux qui l'admiraient en prenant leur café près du kiosque c'était les ravissants croisillons des boiseries, entremêlés de très fines arabesques de fer forgé dont était fait le tour des vérandas. « De la dentelle », avait déclaré une femme qui approuvait l'effet produit, et l'image était restée : on l'appelait la Maison Dentelle.

Au rez-de-chaussée, M. Mornaix, l'un des notables de Pointe-à-Pitre, avait installé son affaire de banque et de prêts, mais les étages décorés de la fameuse dentelle étaient réservés à sa famille. Fort souvent, des jeunes gens qui passaient le temps sur la place levaient des yeux langoureux vers les vérandas fleuries puis soupiraient :

— Elle est là.

Et leurs regards suivaient d'en bas Eugénie Mornaix, l'adorable fille du banquier, qui se promenait sur l'une des vérandas.

— C'est l'une des fleurs..., murmura l'un des galants.

Leur adoration resterait stérile car elle avait déjà accordé son affection. Dans la maison de bois beaucoup plus simple de l'angle opposé — un seul étage, une véranda modeste et simplement quelques fleurs — où tenait boutique l'apothicaire de la ville, M. Lanzerac, habitait son fils Paul. Il connaissait Eugénie depuis sa naissance et ils venaient d'atteindre tous les deux l'âge passionnant où l'on s'aperçoit parfois que l'on éprouve un attachement particulier. Il avait en effet quatorze ans et elle, beaucoup plus éveillée pour l'instant, un peu plus de douze.

Leurs parents, commerçants laborieux appartenant à la moyenne bourgeoisie, approuvaient les liens qui semblaient se développer entre leurs enfants, car les deux familles avaient en commun nombre d'intérêts et de particularités. Catholiques dévots, ils trouvaient dans l'Église un guide et un soutien ; ils menaient une vie sans excès, persuadés que Dieu exigeait de Ses enfants un dur labeur et des principes d'économie pour assurer l'avenir. Chaque membre des deux familles aimait la France avec une passion que les colons espagnols n'avaient jamais éprouvée pour leur métropole. M. Lanzerac, l'apothicaire, se plaisait à dire aux jeunes :

— L'Espagnol respecte sa patrie, le Français l'adore.

De tous les lieux où s'exerçait alors l'influence française, des rives du Rhin à Saint-Domingue, aucun Français ne pouvait passer pour plus patriote que ceux de l'île à sucre de la Guadeloupe.

Elle se trouve à seulement quatre-vingt-cinq milles nautiques de la Martinique, mais les différences entre les deux colonies étaient frappantes. Lanzerac père l'expliqua un jour à des capitaines de bateaux hollandais qui forçaient les blocus pour vendre leurs marchandises de contrebande à Pointe-à-Pitre :

— Vous voulez savoir en quoi diffèrent les deux îles ? Très simple. En France, on parle toujours des « beaux messieurs de la Martinique » parce que là-bas personne ne travaille un seul jour de l'année, et des « bonnes gens de la Guadeloupe », parce qu'on sait très bien ce que nous faisons. Qu'est-ce que la Martinique envoie à Paris ? Des rapports bien rédigés. Et qu'envoyons-nous ? Du sucre et de l'argent.

Il existait, et il existe encore, une différence encore plus grande : la Martinique n'est qu'une île ordinaire, en forme de haricot, identique à des centaines d'îles semblables dans le monde, alors que la Guadeloupe paraît absolument unique — belle à tous égards et d'origine mystérieuse. Par sa forme et sa couleur, elle évoque un papillon vert et or, en train de planer paresseusement vers le nord-ouest ; le vert provient de la lourde couverture de végétation, l'or du jeu constant de la lumière. Elle semble constituée en fait par deux îles, et les deux ailes de papillon sont séparées par un canal si ridiculement étroit qu'un ivrogne a lancé un jour :

— Donnez-moi trois verres de rhum et je saute d'une île sur l'autre.

L'aile orientale du papillon, basse et plate, se compose de terres arables ; celle de l'ouest n'est que hautes montagnes accidentées ne permettant à aucune route de les traverser. Cette différence remarquable s'explique par l'origine de chaque moitié : l'est s'est élevé de la barre rocheuse de la mer des Antilles il y a quarante millions d'années, ce qui a laissé à ses pics tout le temps de s'éroder, alors que la partie occidentale a terminé sa remontée à la surface il y a seulement cinq millions d'années. Ses montagnes sont encore jeunes, nées de différentes surrections à des époques très éloignées l'une de l'autre, les deux moitiés sont à présent à demi jointes en un tout splendide. Les gens qui habitent la Guadeloupe disent toujours :

— Nous avons une île qu'on ne peut qu'adorer.

Et ils prennent en pitié tous ceux qui doivent vivre dans ce qu'ils appellent « l'autre île » — la Martinique.

Dans ce paradis vert et or les deux enfants créoles conçurent un attachement passionné pour leur île natale et leur métropole française, si bien que des mots comme gloire, patriotisme et esprit français résonnaient dans leurs cœurs à la manière de l'angélus qui appelait à la prière du soir. C'étaient là des engagements solennels, des allégeances profondes, et Paul, qui fréquentait l'école du prêtre de sa paroisse, disait souvent à Eugénie, confinée dans sa Maison Dentelle où on l'initiait à toutes les nuances de l'existence d'une belle créole :

— Quand je serai plus grand, j'irai faire mes études en France et je deviendrai un soldat du roi.

En prononçant le mot vénéré de roi, il songeait à Louis XVI, dont le portrait gravé sur bois et reproduit en grand nombre ornait les salons des deux demeures. Le roi Louis, avec son visage rond et sa perruque poudrée, était un personnage qu'il comptait bien rencontrer personnellement un jour.

Élevés en bons catholiques, patriotes et loyaux sujets de leur roi, ces deux enfants symbolisaient les aspirations de la quasi-totalité des colons des Antilles françaises. Leurs seuls ennemis étaient les Anglais, dont le comportement infâme à l'égard de leur île les mettait en rage. En 1759, longtemps avant leur naissance, un corps expéditionnaire britannique comprenant de nombreux bateaux et des milliers de soldats avait envahi la Guadeloupe sans raison et capturé la moitié occidentale du papillon ; les Anglais avaient établi une base solide puis tenté de conquérir Grande-Terre, où vivaient les Lanzerac et les Mornaix de l'époque.

— Il leur a fallu environ un an pour se décider à attaquer, expliquait Lanzerac père aux enfants, car ils savaient que les gens de Grande-Terre, tous autant qu'ils sont, se battraient sans merci. Puis ils sont venus sur nous et c'est alors que votre arrière-grand-mère a mérité sa place au panthéon des héros de la France.

Quand il prononçait ces mots, il marquait chaque fois un temps de silence pour accuser l'effet, puis faisait observer à ses auditeurs :

— J'ai dit héros, et non héroïnes, parce que Grand-Mère Lanzerac s'est avérée l'égale de n'importe quel homme.

Elle s'était mise à l'abri dans l'entrepôt des Lanzerac, sur la plantation, avec tous ses esclaves, et elle les avait armés avec des fusils empruntés à d'autres planteurs moins acharnés qu'elle. Son acte valeureux a été relaté en ces termes par un général anglais dans ses Mémoires sur la campagne :

> *Cette vieille femme remarquable, de soixante-sept ans, aux cheveux tout blancs, soutenue seulement par ses trois fils et quarante et un esclaves, tint en échec l'ensemble de la force d'invasion britannique. À mon arrivée sur les lieux, je demandai : « Qu'est-ce qui nous arrête ? » Mon lieutenant répondit, le visage blême : « Une maudite vieille qui refuse de nous laisser passer devant son fort. » La chose me parut absurde et j'allai jeter un coup d'œil. Mais c'était vrai. Pour que nos soldats puissent pénétrer sur Grande-Terre, il fallait qu'ils*

franchissent le goulet d'étranglement que cette femme défendait. Et pendant deux journées entières, elle nous bloqua le passage.

Ne me racontez jamais que des soldats noirs sont incapables de se battre. Ils ont été admirables au combat, rien de moins, et de temps en temps nous apercevions la vieille femme, cheveux blancs au vent, qui s'élançait ici ou là pour encourager ses troupes. Au bout du compte je me suis trouvé contraint de commander une charge à la baïonnette contre sa plantation fortifiée.

Avant le combat, j'ai donné des ordres fermes : « Ne tuez pas la vieille dame. » Mais elle ne laissa pas le choix à mes hommes car elle se jeta sur eux avec un pistolet dans chaque main et ils durent l'abattre.

La grand-mère Lanzerac devint la sainte patronne des Français au cours des quatre années d'occupation anglaise, et, pendant toute leur jeunesse, Paul et Eugénie apprirent à vénérer son nom.

Ils formaient un beau couple d'enfants : Paul avec ses cheveux blonds, son visage ouvert, intelligent, et ses taches de rousseur; Eugénie, brune, avait un charmant visage et une silhouette souple qui faisait songer à un roseau des marais, puis à un jeune arbre que le moindre vent agite. Ils passaient par des périodes où ils étaient inséparables, sur les vérandas fleuries, Paul partageait avec la jeune fille ses secrets et ses rêves impossibles. Puis, ils s'éloignaient pendant des mois, allant chacun de son côté, mais ils finissaient toujours par revenir l'un à l'autre car ils sentaient entre eux un lien que rien ne dissoudrait jamais. Ils ne pouvaient encore savoir si cette affection s'épanouirait en une véritable histoire d'amour, et quant à envisager le mariage, n'était-ce pas ridicule à leur âge ?

Ils étaient pris au piège d'ambiguïtés et ils le savaient. La cause en était une autre créole *, une jeune mulâtresse ravissante à la peau brune qui se nommait Solange Vauclain. Elle était fille d'un immigrant de France, engagé comme directeur de plantation et qui vivait avec une de ses esclaves.

Solange vivait à l'Habitation ** sur une des plus grandes plantations de l'île, à l'est de la ville — « un véritable jardin fleuri », disait la jeune fille à ses amis de Pointe-à-Pitre, car tous les espaces inutilisés pour la canne étaient envahis par l'abondance de fleurs variées qui faisaient de la Guadeloupe un pays des merveilles : oiseaux-de-paradis pareils à des canoës d'or au coucher du soleil, anthuriums et flamboyants, hibiscus délicats et magnifiques, plantes grimpantes à fleurs rouges et roses qui porteraient bientôt le nom de bougainvillées. Et par-dessus tout ça, de majestueux cocotiers, par centaines, pareils à d'énormes fleurs vertes, tandis qu'autour des bâtiments de la plantation pous-

* Le mot *créole* a de nombreuses définitions différentes. En Louisiane et dans d'autres régions d'Amérique où l'on employait le mot, on l'utilisait souvent pour désigner une personne née d'un père français (blanc) et d'une noire — toujours dans un sens péjoratif. Dans les îles anglophones, il impliquait que du sang noir — « une touche du vieux pinceau à goudron » — coulait dans les veines de la personne considérée. Aux Antilles françaises, s'il désigne aujourd'hui les descendants blancs des colons, il qualifiait alors tout ce qui était originaire des îles, colons et esclaves nés dans l'île, plantes, animaux, etc.

** La maison d'un planteur et ses dépendances.

saient les mystérieux crotons capables de s'épanouir de six ou sept couleurs différentes. Mais la fleur préférée de Solange — sa fleur — n'était autre que l'alpinia, la « lavande-pays », dont la couleur rouge sombre s'accordait à son tempérament.

— C'est la fleur de la Guadeloupe, disait-elle à ses amis, grosse, effrontée et exubérante. Vous n'en trouverez pas à la Martinique. Là-bas, ils n'aiment que les roses et les lis.

Solange se sentait merveilleusement heureuse au milieu de ses fleurs, mais elle rendait souvent visite à la famille noire de sa mère, à Pointe-à-Pitre, et lui apportait ses chères alpinias. Elle avait le même âge qu'Eugénie, et dans cette petite ville, les deux jeunes filles se lièrent d'amitié. De fait, Solange devint une confidente si intime qu'elle était plus une sœur qu'une simple amie ; elle partageait avec Eugénie conciliabules et spéculations à propos de tel ou tel garçon ou des agissements de la jeune veuve, près du port.

La présence de Paul Lanzerac dans la maison d'en face nourrissait leurs conversations. Solange un jour déclara :

— Quand je serai plus grande, j'espère connaître un jeune homme comme lui.

Et quand elles partageaient la même chambre au cours des nuits chaudes des tropiques, il arrivait à la belle mulâtresse de chuchoter d'étranges aveux :

— Eugénie, je crois que Paul nous aime toutes les deux... mais de manière différente.

Eugénie voulut approfondir cette surprenante analyse, mais Solange répondit seulement :

— Oh, tu sais bien !

Si elles avaient posé la question à Paul, il aurait pu avouer qu'il tenait à Eugénie à cause de tous les moments de leur enfance passés ensemble, mais qu'il aimait Solange d'un sentiment différent, beaucoup plus irrésistible.

Une fois, à la campagne où Eugénie passait deux jours avec Solange, la jeune mulâtresse s'écria dans un élan de confiance fraternelle :

— Oh, Eugénie, que Paul choisisse l'une ou l'autre d'entre nous, restons toujours amis tous les trois !

Eugénie s'écarta, regarda attentivement son amie, et lui demanda :

— Est-ce qu'il t'a embrassée ?

— Oui, répondit Solange, et je l'aime a en pleurer.

Puis tout changea, car le moment vint où Paul dut partir en France pour parfaire la formation qui lui serait indispensable s'il voulait occuper la position à laquelle il avait droit. En 1788, avant son départ, à l'âge de dix-sept ans, il passa de longues journées avec les deux jeunes filles et partagea avec elles ses espoirs et les possibilités qu'il entrevoyait pour son retour trois ans plus tard.

— Je n'ai pas l'intention de devenir apothicaire comme mon père.

— Médecin ? demanda Solange, que cette conversation sérieuse faisait rougir d'excitation.

— Non. Je respecte la vie de mon père... sa belle boutique... et je serais fier d'être docteur...

— Mais quoi ? pressa Solange.

Il se détourna d'elle et s'adressa à Eugénie :

— Souviens-toi de ce dont nous parlions. Obtenir une charge, un office, être envoyé d'île en île...

— Mais tu reviendras ? demanda Solange.

— Oh, oui ! répondit-il avec enthousiasme. Ma vie est ici, à jamais. Ma grand-mère Lanzerac est morte pour défendre cette île. Je ne pourrais pas vivre ailleurs.

Et Solange, son beau visage sombre en feu, s'écria presque avec regret :

— Mais tu seras allé à Paris...

— Oh non ! corrigea-t-il. Je ne verrai même pas Paris.

— Comment ? s'écria-t-elle surprise. Ne pas voir Paris !

Il expliqua que son bateau le débarquerait à Bordeaux, et que de ce port il se rendrait directement vers les Alpes par des routes de campagne.

— J'irai dans la petite ville d'où viennent les Lanzerac, Barcelonnette, près de la frontière italienne. Des montagnes et des torrents. C'est là qu'habitent mes oncles.

— Mais pourquoi traverser un océan si c'est pour se rendre dans une bourgade de montagne ? demanda Solange.

— Mon père assure que c'est le plus beau coin de France. Et c'est la frontière — là où il faut se battre pour vivre... La vieille combattante acharnée qui a tenu les Anglais en respect pour sauver cette île venait de Barcelonnette, leur rappela-t-il

Les jeunes filles en conclurent qu'il comptait bien se conduire dans la tradition glorieuse de son ancêtre : comme un patriote français se battant pour la France.

Pour un jeune homme brillant venu des colonies françaises, désireux de ranimer son amour pour la patrie en cette année tendue de 1788, peu d'endroits pouvaient mieux convenir que la ville reculée de Barcelonnette, au milieu de ses montagnes — si près de la frontière italienne qu'un sentiment de défense du territoire animait ses habitants. On y connaissait bien les colonies, parce que de nombreux enfants de la ville, au vu de ses maigres perspectives d'avenir, avaient émigré vers le Nouveau Monde dans l'espoir d'y faire fortune. Plusieurs décennies auparavant, la branche de la prolifique famille Lanzerac à laquelle appartenait Paul avait envoyé trois frères dans la mer des Antilles — l'un au Mexique, l'autre à Cuba et le troisième à la Guadeloupe — et tous avaient si bien réussi qu'ils pouvaient envoyer leurs fils, ou en tout cas l'aîné, terminer son éducation à Barcelonnette. Entre les montagnes paisibles, les jeunes gens faisaient la connaissance de leurs oncles, grands-pères et cousins, et apprenaient de leur bouche les gloires intemporelles de la culture française.

Il était convenu que Paul passerait son séjour de trois ans dans la demeure de l'oncle Médéric, resté au pays, et ferait ses études dans l'établissement que dirigeait un autre membre de la famille, le père Émile, installé lui aussi à Barcelonnette, devenu prêtre et professeur respecté.

En quelques semaines, confié aux soins éclairés de ces deux hommes remarquables, Paul accéda à un niveau d'études et de compréhension entièrement nouveau. Dans le même temps, par une décision du roi et de son gouvernement arrachée par les notables, les parlements et le clergé, les Etats Généraux du royaume furent convoqués pour le 1er mai 1789 et chaque bailliage, selon la coutume, fut invité à rédiger son cahier de doléances. À peine le jeune Paul s'était-il engagé dans ses études qu'il trouva les deux membres les plus influents de sa famille occupés par la rédaction des doléances de Barcelonnette — le père Émile celles du clergé et l'oncle Médéric, celles du tiers état. À observer ces deux hommes dans leur travail de réflexion sur la situation et les perspectives de la France, Paul s'imprégna de l'idée que la France avait une place éminente parmi les nations.

L'oncle Médéric voyait dans la France un phare étincelant dont la destinée manifeste était d'éclairer le reste du continent et du monde. Au moment de mettre au point sa rédaction définitive, il expliqua aux membres de sa famille :

— Les États généraux ne se sont pas réunis depuis 1614. C'est l'occasion unique d'exprimer notre opinion au roi.

Il assura que sa liste de doléances serait brève.

— La France se porte très bien. Les extrémistes des villes comme Lyon et Nantes se plaignent de tout : ils réclament plus de liberté politique, l'assistance aux miséreux, une police plus efficace. Mais quels sont les faits ? Nous avons un pays splendide, et avec seulement un peu plus de soin il demeurera ainsi.

Dans cet esprit, sa liste demeura brève :

— Davantage de soldats le long de la frontière pour nous protéger des contrebandiers italiens. Un meilleur service de postes pour nous relier à Paris. Et l'élargissement du pont sur la route de Marseille pour passer avec nos charrettes.

Ensuite, pour informer Paris de l'opinion de sa circonscription sur le gouvernement en général, il rédigea un passage enflammé souvent cité au cours des générations suivantes, car les historiens se demanderaient comment, à la veille même d'une révolution, cette petite ville manifestement éclairée pouvait déclarer :

> *Si Louis XII, si Henri IV demeurent aujourd'hui les idoles des Français à cause de leurs actes généreux, Louis XVI le Bien-Aimé est le Dieu des Français loyaux. L'Histoire le proposera comme le modèle des rois, dans tous les pays et à tous les siècles. Aucun changement de quelque ordre que ce soit n'est nécessaire.*

Le père Émile ne rédigea pas personnellement la liste de doléances du clergé, mais comme sa contribution fut très importante, Paul put glaner une idée juste de l'opinion des prêtres.

> *Tant que la France suit les enseignements de l'Église et les prescriptions de notre roi, la nation avance en terrain ferme. Le génie de la France, c'est son application de la raison à la science, à l'industrie, au commerce et aux questions militaires, mais elle doit laisser l'interprétation du sens de la vie aux autorités spirituelles. Si nous parvenons à conserver cet équilibre, comme notre assemblée n'en doute pas, nous démontrerons au monde notre supériorité par rapport aux principes pragmatiques qui gouvernent des nations moins capables, comme l'Angleterre. Aucun changement n'est nécessaire, à part l'élargissement du pont sur la route de Marseille.*

L'instruction que Paul recevait du père Émile et de ses trois autres professeurs renforça dans l'esprit du jeune homme ces certitudes fermement établies. Leur établissement était conçu pour donner aux jeunes de plus de quinze ans une éducation d'un niveau correspondant à la première année d'études dans des universités comme celles de Salamanque ou de Bologne. Les étudiants apprenaient en détail les origines de la grandeur française, et l'on s'attachait à montrer pour chaque matière sans exception la supériorité de la France dans le domaine de la pensée et des résultats. Il n'existait aucun cours consacré spécialement à la littérature, mais les professeurs faisaient sans cesse allusion à des œuvres de Racine, Corneille, Rabelais et surtout Molière dont le théâtre était considéré comme le mélange le plus subtil de pensée profonde et de comédie. Un professeur admettait cependant que l'Anglais Shakespeare avait quelque mérite, surtout dans ses sonnets, mais assurait que ses pièces avaient un style ampoulé. Il reconnaissait aussi, à regret, qu'un auteur allemand, Goethe, méritait d'être lu, mais ses *Malheurs du jeune Werther* étaient beaucoup trop sentimentaux pour un honnête homme bien élevé. On écartait Boccace et si l'on citait Dante, c'était pour l'accuser d'être abscons, incapable de raconter une histoire dans les règles.

Dans tous les domaines, il en allait de même : les rois de France étaient magnanimes, les généraux français sans pareils, les amiraux français passaient pour la gloire des mers, et les explorateurs français d'Amérique comptaient parmi les hommes les plus courageux de l'Histoire, bien supérieurs à un Italien comme Christophe Colomb qui s'était simplement contenté de diriger ses bateaux, sans risque, vers des îles dont les philosophes connaissaient déjà l'existence.

Dans des écoles semblables, d'un bout à l'autre de la France, ces leçons étaient ancrées dans la tête de jeunes garçons, qui, conscrits dans l'armée quelques années plus tard, se lanceraient à la conquête de presque toute l'Europe et marcheraient jusqu'aux portes de Moscou. Si Paul était resté à Barcelonnette, ce berceau d'hommes courageux, il serait sûrement devenu l'un des meilleurs officiers de Napoléon, et l'un des agents de la propagation des valeurs françaises.

Mais il ne devait passer que trois ans dans ces montagnes car le 14 juillet de cette année-là, dans un pays qui, à en croire les auteurs des cahiers de doléance de la ville, n'avait aucun besoin de changer, le peuple de Paris s'empara de la Bastille et amorça une vague de changements qui s'avérerait fracassante. Mais Paul ne prit guère conscience des premières convulsions qui déchiraient son pays bien-aimé, car il s'était lancé dans un autre genre de bataille.

Quand des jeunes gens comme lui retournaient à Barcelonnette pour leurs études, on ne ménageait aucun effort pour leur trouver une épouse de la ville, pour la raison compréhensible que les femmes de la région étaient un produit bien connu, et sans nul doute des plus désirables. Nul ne soutenait cette opinion avec plus de force que l'oncle Médéric. Et il fit défiler devant son neveu, l'une après l'autre, toutes les beautés locales. Certaines étaient à couper le souffle, avec leur teint sans défaut dont il fallait remercier l'air des montagnes, et un caractère raisonnable et sûr résultant d'une existence rurale protégée — notamment une jeune Brigitte, cousine éloignée de Paul (car tout le monde dans le bailliage semblait plus ou moins parent). Fille d'un riche fermier, elle n'était pas seulement experte dans les arts ménagers, mais possédait une jolie voix et une paire de talons agiles dès qu'un violoneux se mettait à jouer. En outre, l'oncle Médéric rappela à Paul qu'on pouvait compter sur le père pour offrir une belle dot.

Mais Paul ne pouvait lui accorder aucune attention sérieuse car il venait d'être attaqué par un mal étrange : le mal du pays. Il regrettait les splendeurs tropicales de la Guadeloupe et les charmes éclatants d'Eugénie Mornaix et de Solange Vauclair. En fait, Brigitte elle-même, par l'abondance de ses vertus, lui avait rappelé qu'il était déjà amoureux — mais de laquelle des deux créoles, il ne l'avait pas encore décidé. Quand il songeait aux femmes dans l'abstrait, c'était Solange — et sa beauté sombre — qui emplissait son cœur, mais quand il se posait sérieusement la question « laquelle », il découvrait toujours qu'il pensait à Eugénie, et pendant trois semaines, il musarda pendant des heures dans les collines de Barcelonnette, tellement perdu dans ses rêves que son oncle estima nécessaire de prendre des mesures audacieuses.

— Qu'est-ce qu'il t'arrive, mon petit ? Ne vois-tu pas que Brigitte a perdu la tête pour toi ? Permets-moi de te dire qu'un parti comme celui-là ne se retrouve pas deux fois sur le chemin d'un jeune homme.

Les deux ou trois premiers assauts ne se soldèrent par aucun résultat, car Paul n'en tint aucun compte.

— As-tu donc peur des femmes ? lui demanda son oncle carrément.

— Je suis amoureux d'une jeune fille, à la Guadeloupe, répondit Paul, prêt à révéler son secret.

— Quel genre de fille ?

Et à la façon dont son neveu se mit à bafouiller, Médéric conclut qu'il s'agissait d'un mensonge... La vérité, c'était que Paul ne savait quel nom donner.

— Eugénie Mornaix, avoua-t-il enfin.

Son oncle le soumit alors à un barrage de questions pertinentes, qui déconcertèrent tellement le jeune homme qu'au cours d'une de ses réponses il laissa échapper malencontreusement le prénom de Solange.

— Quelle Solange ?

— Une autre jeune fille, aussi jolie qu'Eugénie.

— Et tu ne parviens pas à te décider ? Tu récolteras des ennuis si tu te laisses prendre à ce genre de piège. Dis-moi, sont-elles aussi jolies que Brigitte ?

— Elles sont différentes. Eugénie est plus petite et très vive d'esprit. Solange plus grande et plus sombre... très belle.

— Plus sombre ? Que veux-tu dire ?

Et Paul révéla en bredouillant que la mère de Solange était une esclave.

Le silence se fit dans la pièce. L'oncle Médéric se caressa le menton et montra du doigt une poutre noircie par la fumée de plusieurs siècles.

— Tu veux dire que sa mère est sombre comme ça ?

Paul inclina la tête, ce qui incita son oncle à poser une longue série de questions sur les esclaves dans les îles. Paul lui répondit qu'aux Antilles de nombreux Français vivaient avec des femmes venues d'Afrique, « de très belles femmes dont les enfants ont parfois la peau aussi claire que vous et moi ». Il évoqua des exemples avec une telle habileté que les soirs suivants l'oncle Médéric invita d'autres membres de la famille à écouter les récits du jeune homme sur la vie à la

Guadeloupe. Progressivement, l'attitude française sur les relations entre les races se manifesta.

— Nous sommes tous des enfants du Bon Dieu, dit le père Émile.

Et un cousin ajouta :

— Nous n'avons jamais vu d'esclaves à Barcelonnette, mais je suis certain qu'une fois baptisées...

Le prêtre acquiesça.

Mais l'oncle Médéric défendait encore la cause de Brigitte, et il fit une observation judicieuse :

— Si un homme doit passer son existence dans les îles, je conçois qu'une femme noire paraisse acceptable, mais s'il envisage un poste en France... Une épouse noire...

— Elle n'est pas noire ! se récria Paul, sur la défensive. Elle est... À Pointe-à-Pitre, on voit des jeunes filles de toutes les nuances, et certaines sont vraiment belles, les hommes aussi.

Et cela l'incita à révéler une chose qu'il avait jusque-là gardée pour lui. Il se rendit dans sa chambre et en revint avec une petite feuille de papier blanc d'environ sept centimètres sur sept sur laquelle l'on avait collé à grand soin une silhouette habilement découpée par un artiste de l'île avec de minuscules ciseaux. C'était le buste de Solange — la silhouette banale que l'artiste faisait pour toutes les jolies filles mais, aux yeux de Paul, l'image même de sa belle amie de l'île.

— Vous voyez, balbutia-t-il d'une voix timide, elle est très jolie.

— Elle est noire, répliqua une tante en rapprochant la feuille de ses yeux.

Le père Émile expliqua que toutes les silhouettes étaient découpées dans du papier noir et collées sur du blanc.

— Pour souligner le contour.

La discussion se prolongea sans aboutir à une conclusion, mais personne n'avança l'argument qui serait venu sur toutes les lèvres en Angleterre, pourtant si proche de la France — à savoir que Paul, avec sa peau blanche, possédait un sang trop précieux pour être mêlé à du sang noir. Pas un seul Français ne lui assena : « Un mariage de ce genre est impensable ! Vous seriez exclu de la bonne société, vos amis et leurs femmes ne vous diraient plus un mot. » Même l'oncle Médéric, qui avait invoqué les obstacles auxquels le jeune homme se heurterait s'il ramenait une épouse noire à Paris, battit en retrait.

— Quand j'y pense, ce type de la route de Marseille a bien ramené une femme qu'il a connue en Turquie ou en Algérie. Avec la peau sombre, hein ! Mais personne n'a paru s'en soucier. Si cette Solange est aussi jolie que tu le dis, et si tu dois t'installer dans les îles...

Dans les jours qui suivirent il cessa donc de chanter à tout venant les charmes de Brigitte, mais répéta l'avertissement qu'il avait déjà lancé à Paul :

— Sérieusement, petit, un homme amoureux de deux filles en même temps et au même endroit... Des ennuis, des ennuis !

Il porta les deux mains à ses tempes.

Mais en ces mois de l'été 1791 les problèmes du cousin Paul passèrent en second plan. Un garçon de la ville monté faire fortune à Paris rentra au bercail avec une nouvelle stupéfiante :

— Ils ont retiré au roi une partie de ses pouvoirs. Le roi a essayé de s'enfuir du pays...

— Pas possible !

— Si. Déguisé en femme, il paraît.

— Que s'est-il passé ? lança une femme. On l'a arrêté ?
— Oui. Et ramené à Paris de force. Ils l'ont obligé à accepter une constitution. Le roi n'a plus aucun pouvoir. La canaille court partout. À mon départ, les routes de campagne étaient pleines de personnes de qualité qui fuyaient Paris.
Désireux d'en savoir plus long sur des changements qui risquaient de modifier leur vie à Barcelonnette, les notables envoyèrent des messagers dans les villes environnantes, mais ils ne ramenèrent que des nouvelles fragmentaires.
— Paris s'est insurgé. Personne ne sait ce qui va arriver à notre roi bien-aimé.
— Est-ce vraiment si grave ? demanda l'oncle Médéric, se rappelant les louanges dont il avait abreuvé le roi dans son rapport aux États généraux.
— Qui sait ? répondit un des messagers. Personne ne peut savoir ce qui se passe vraiment à Paris.
Dans cette atmosphère d'incertitude, Paul Lanzerac quitta Barcelonnette le cœur plein d'amour et de sympathie pour la France, et pour les braves Lanzerac qui, dans leur ville des Alpes, lui avaient rendu la vie si agréable et riche.
— Jamais je ne vous oublierai. Et chacun de vous aura un foyer à la Guadeloupe si vous décidez de vous y rendre.
Au moment où il montait dans la carriole qui le conduirait à l'arrêt de la diligence, Brigitte s'élança vers lui, l'embrassa et lui murmura :
— Revenez, Paul, je vous en prie. Et veillez bien sur vous.
Le père Émile, prêtre et maître d'école, le bénit au nom de la ville entière et accompagna la carriole au pas de course pendant quelques dizaines de mètres.
— Paul, vous avez un caractère fort et une éducation solide. Faites quelque chose de grand, en hommage à cette ville et à la France.
Et le beau Paul, son adolescence terminée, s'éloigna sur la route de montagne, fermement résolu à suivre la voie indiquée par le prêtre.

Il embarqua à Bordeaux à la fin du mois d'août 1792. Des rumeurs stupéfiantes circulaient dans la ville.
— On a arrêté le roi ! Il est en prison. Avec des centaines de ses partisans. Il y a des massacres partout. L'armée prussienne essaie d'envahir le pays pour protéger le roi, mais nos soldats les repoussent.
Le bateau était près de lever l'ancre. Il quittait sa patrie, la tête pleine d'informations confuses. Les conseils du père Émile résonnaient encore dans ses oreilles : « Quelque chose de grand... pour la France... » Mais cela semblait déjà devenu immensément difficile.
La longue traversée de l'Atlantique fut un temps de réflexion et de paix — sauf par un après-midi inquiétant où la vigie aperçut une voile.
— Bâtiment anglais à l'horizon.
Tous les passagers sentirent leur cœur se serrer, mais le capitaine français fit hisser davantage de toile et la distance séparant les bateaux augmenta. Au dîner ce soir-là, tout le monde exprima le même avis : les Anglais n'étaient que des misérables, à peine meilleurs que les pirates infestant naguère ces eaux. Et l'on raconta sur le capitaine Kidd, L'Ollonis et Henry Morgan des histoires si horribles qu'une passagère murmura :

— J'ai peur d'aller me coucher.

Le bateau accosta sans autre incident, au port de Basse-Terre sur l'aile occidentale du papillon Guadeloupe ; plusieurs passagers qui se rendaient à Pointe-à-Pitre, sur l'aile orientale, discutèrent d'une éventuelle location de voitures à cheval pour s'y rendre directement. On les détourna vite de ce projet absurde.

— Vous ne connaissez pas les montagnes qui nous séparent de Pointe-à-Pitre ? Même les chèvres ne les traversent pas.

— Des chemins carrossables ? confirma un habitant de Basse-Terre. Mais il n'y a aucun chemin, carrossable ou non.

Les passagers se dirigeant vers l'est durent donc attendre que le bateau embarque à Basse-Terre sa cargaison de sucre.

Mais pendant que le bateau restait ainsi au port, plusieurs barques de pêche contournèrent la pointe méridionale de l'aile occidentale du papillon et apportèrent des nouvelles passionnantes à la ville natale de Paul.

— Un bateau est arrivé de Bordeaux. Avec un Lanzerac à bord. Toute la France est en émeute. Le sort du roi demeure incertain.

Et le jour où le bateau arriva enfin à Pointe-à-Pitre, tout le monde attendait avec impatience le retour du fils du pays et les nouvelles qu'il rapportait. On se pressa sur le quai pour l'accueillir.

Quand Paul apparut près du bastingage, chacun vit un beau jeune homme de vingt et un ans, bien droit, avec des cheveux blonds tombant sur son œil gauche. Son maintien réservé n'excluait pas un sourire généreux, mais il émanait de lui une impression durable de dignité et de compétence.

Au dernier instant, quand le bateau glissa sur son erre vers l'appontement, Paul aperçut, côte à côte, ses deux chères amies qui l'attendaient : Eugénie Mornaix et Solange Vauclain. Quelles belles jeunes femmes elles étaient devenues, chacune à sa manière ! Eugénie, blonde et plus petite, un bijou avec sa silhouette délicate, parfaitement en harmonie avec sa taille, lança à Paul un sourire éclatant quand le jeune homme lui fit signe. Solange, plus grande, plus mince, lui parut plus provocante quand elle tourna vers lui son beau visage sombre, légèrement penché sur le côté. « Pareille à un volcan des Antilles sur le point d'exploser », se dit-il.

Derrière elles, il vit alors son père, à qui il devait ce séjour en France, et il lui cria aussitôt sa joie et sa reconnaissance. Mais quand on autorisa les passagers à débarquer ce fut vers les deux jeunes filles qu'il s'élança. Et pendant quelques instants d'éblouissement, sur les quais, les citoyens de la ville purent admirer le tableau formé par les trois jeunes gens : l'héritière blanche d'un banquier bien connu, décédé depuis peu, la ravissante fille d'un planteur très considéré, et entre elles le fils bien éduqué de l'apothicaire, rentré de France ses études achevées — un instant d'élégance et de bon ton dont plus d'un se souviendrait au cours des journées terribles qui s'annonçaient.

Les ennuis se présentèrent de façon graduelle. Paul rit quand son père le mit en garde :

— Des jeunes femmes impatientes t'attendent...

Mais Paul tenait à rétablir ses relations chaleureuses avec sa famille, et il raconta au moins deux fois toutes les nouvelles de Barcelonnette.

— J'ai rencontré en France des jeunes filles merveilleuses, avoua-t-il en décrivant Brigitte et en expliquant à ses parents à quelles familles elle était apparentée.

— Je les connais, s'écria Mme Lanzerac. Oh ! pourquoi ne l'as-tu pas ramenée à la maison ?

— Jamais je n'ai pu chasser de mon esprit les jeunes filles de Pointe-à-Pitre, répondit le jeune homme.

Puis il se lança pour de bon dans sa cour, sous les yeux de la ville, consciente de l'ambiguïté de ce qui se passait.

On prit des paris pour rire : laquelle des deux adorables jeunes filles ramènerait Paul dans ses filets ? Mais parfois la conversation prenait un tour plus sérieux. Une femme, qui observait la vie de l'île assise sur un banc avec une voisine dans un square baigné de soleil, songea à haute voix :

— C'est un moment si mystérieux ! Trois vies en suspens. Un moment unique, vraiment. Un choix qui détermine une existence.

La voisine, plus âgée, les yeux fixés sur les bateaux de fret qui se préparaient à partir pour les autres îles, hocha la tête.

— Et le plus souvent nous choisissons mal, conclut-elle.

Une fois passés les premiers jours merveilleux des retrouvailles, les trois créoles s'aperçurent bien entendu que la vie continuait. Mais Paul était impatient de fonder un foyer, et la nécessité de se décider se fit plus pressante.

Il ne dressa pas la liste comparative des qualités des deux jeunes filles en attribuant des points pour ceci ou cela, mais il avait conscience des grandes différences qui distinguaient Eugénie et Solange : la première représentait une compagne parfaite, la seconde vous faisait exploser le cœur. Quand il se trouvait en tête à tête avec l'une ou l'autre, il se sentait heureux... La mort du père d'Eugénie parut accorder à celle-ci toute sa sympathie. Bientôt, tout le monde à Pointe-à-Pitre remarqua sa préférence, et Solange fit une chose qu'elle regretterait amèrement plus tard. Elle se retourna contre ses amis et lança d'un ton accusateur :

— Si j'avais été blanche...

Elle s'enfuit aussitôt et se réfugia sur la plantation de son père ; elle refusa l'invitation à la noce et ne parut pas non plus à la soirée que donna le jeune couple lorsqu'il s'installa dans la Maison Dentelle.

Une fois calmé tout le remue-ménage sur le choix de Paul, les citoyens se remirent à discuter sérieusement des événements de France, et par une soirée mémorable, M. Lanzerac assura :

— Si notre roi est en danger, il peut sans nul doute compter sur notre soutien.

De tels applaudissements accueillirent cette protestation de loyauté qu'un parti royaliste se constitua spontanément. Des prêtres, des propriétaires de plantations, des agents commerciaux du sucre, des armateurs qui possédaient des parts dans tel ou tel bateau, des petits commerçants exprimèrent hautement leur soutien au roi et aux méthodes du bon vieux temps. Bien entendu, quelques hommes de mauvais esprit prirent note de leurs noms en secret.

Chaque bateau entrant à Basse-Terre apportait des nouvelles plus bouleversantes sur les événements qui déchiraient la métropole — abolition de la monarchie, proclamation de la république, guerre contre l'ennemi de l'extérieur. Enfin l'événement horrible qui réduisit l'île à un silence morne :

— Le roi Louis a été exécuté. Tout le pays est en ébullition.

Dans les journées qui suivirent, l'île française de la Guadeloupe réagit précisément comme l'avait fait l'île anglaise de la Barbade cent quarante-quatre ans plus tôt, quand les révolutionnaires anglais avaient décapité leur roi : chaque notable se déclara du parti du roi défunt et opposé aux nouvelles réformes extrémistes. Personne ne s'engagea davantage dans cette cause perdue que Paul et Eugénie. Sentant intuitivement que le chaos atteindrait tôt ou tard la Guadeloupe, avec des conséquences bien entendu impossibles à définir, ils décidèrent de renouer leur amitié avec Solange en prévision du jour où éclaterait l'orage. Ils se rendirent ensemble à la plantation, où Solange les accueillit au milieu d'une débauche de fleurs.

— Reviens avec nous, supplia Eugénie. Nous sommes destinés à rester amis pour toujours.

Après avoir réuni des bouquets pour égayer sa chambre à Pointe-à-Pitre, Solange fit seller son cheval et ils repartirent ensemble.

Sa réapparition en ville comme amie intime des Lanzerac ne gêna personne. Elle aimait Paul, elle l'adorait depuis l'âge de neuf ans, mais après le mariage du jeune homme avec Eugénie, Solange semblait avoir mis à l'écart cette partie de son ancienne vie, avec apparemment toute intention de l'y laisser. Paul et Eugénie connaissaient l'un et l'autre l'intensité de cet amour de Solange pour Paul, mais ils estimaient que du moment où les émotions demeuraient maîtrisées, nul n'avait rien à perdre de la nouvelle situation, et les deux jeunes époux se mirent sérieusement à chercher un mari pour la belle Solange.

En 1793, la Guadeloupe fut ébranlée par une série de catastrophes d'origine différente. De France, on apprit bientôt qu'un régime de terreur s'était déchaîné sur l'ensemble du pays. Une nouvelle machine à décapiter, appelée guillotine d'après le nom de son inventeur, exécutait les suspects par milliers. Sur la frontière d'Allemagne, presque tous les pays d'Europe venaient de se coaliser pour détruire la Révolution française et instaurer un nouveau roi sur le trône. Enfin, la plus triste de toutes les nouvelles : la reine Marie-Antoinette, frivole mais si charmante, avait été également guillotinée.

Cet acte honteux échauffa les royalistes de l'île, qui organisèrent des réunions et firent de beaux discours... pendant que des espions notaient leurs noms. Paul Lanzerac, qui à vingt-deux ans faisait déjà figure de notable, donna l'exemple de discours enflammés et rappela à tous les souvenirs de la grandeur française sous ses illustres rois. Mais sa passion se déchaîna vraiment à l'annonce, dans les îles françaises, des coups portés au catholicisme et par l'instauration d'un calendrier révolutionnaire d'où étaient exclues les fêtes religieuses. Les noms des mois faisaient référence à des phénomènes naturels : germinal (le mois des semailles), thermidor (le mois de la chaleur), fructidor (le mois des fruits et de la récolte). Dans la métropole, prêtres et religieuses étaient exterminés à un rythme allègre, et les patriotes des colonies étaient invités à effectuer un nettoyage du même ordre.

Paul prit la tête d'une vaste manifestation sur la place, en face de la boutique de son père. Pendant plusieurs minutes il vitupéra contre les assassins du roi et de la reine, qui tentaient maintenant de tuer Jésus et sa mère la Sainte Vierge. Dans l'après-midi même, une fois toutes les passions déchaînées, la Guadeloupe, ou en tout cas sa moitié orientale, affirma sans équivoque son soutien à l'Ancien Régime. Et quand Paul eut terminé son discours, Solange s'élança sur l'estrade improvisée pour exprimer la dévotion des femmes de l'île à la reine défunte et à l'Église.

On était à la fin de 1793. La Déclaration des droits de l'homme n'avait eu que peu d'effet en Guadeloupe. L'esclavage n'avait pas été aboli. Pour la première fois, quelques mulâtres libres et de nombreux esclaves des campagnes unirent leur révolte pour faire basculer la situation. Ils lancèrent contre les citoyens blancs de Pointe-à-Pitre une attaque si violente que Paul Lanzerac cria à ses partisans :

— C'est la folie de Paris qui déferle sur le Nouveau Monde !

Il organisa une petite milice pour repousser les agresseurs. Mais ceux-ci avaient appris que le peuple de Paris avait réussi son insurrection, et ils se mirent à incendier les plantations et à s'attaquer aux propriétaires blancs. Paul choisit au sein de sa troupe un peloton de cavaliers qu'il organisa en unité volante capable de lancer des incursions dans la campagne pour sauver les planteurs.

L'ardeur de ces volontaires et les qualités de commandement dont fit preuve Paul Lanzerac installèrent un périmètre de sécurité au sein duquel les propriétaires des plantations purent survivre aux attaques des nègres rebelles. Mais au cours d'une sortie lointaine vers les côtes orientales de l'île où les plantations descendaient jusqu'à l'Atlantique, un des cavaliers demanda à Paul :

— Vous savez que Solange Vauclain est partie dans sa plantation pour aider son père à maîtriser l'incendie ?

Paul demanda alors à ses troupes :

— Pouvons-nous rentrer par la plantation Vauclain pour sauver Solange si elle s'y trouve encore ?

— Ça ne nous concerne pas, protestèrent les cavaliers. C'est une mulâtresse et elle se bat sans doute de leur côté.

La milice ne fit donc pas le détour pour aider Solange. Mais, le soir venu, Paul avoua à sa femme :

— Je suis vraiment inquiet. Elle est allée là-bas et il faut la ramener.

— C'est évident, répondit Eugénie sans hésitation.

Elle lui souhaita bonne route. Paul demanda à trois volontaires de l'accompagner dans son galop vers l'est à la lumière des étoiles.

Ce n'était pas une longue chevauchée : il fallait franchir le périmètre de sécurité et couvrir cinq kilomètres au-delà. Mais cette dernière partie du trajet pouvait être extrêmement dangereuse si des rebelles étaient aux aguets. Quand Paul atteignit la limite de la zone protégée, il cria à ses volontaires :

— Nous continuons. Que ceux qui veulent s'arrêter ici le fassent.

Mais aucun ne s'arrêta et il s'élança vers la plantation Vauclain avec trois hommes derrière lui.

Ce fut un trajet difficile en terrain accidenté, mais ils évitèrent les embuscades. Au petit jour, en arrivant aux abords de la plantation, un des éclaireurs qui connaissait l'affection de Paul pour Solange rebroussa chemin aussitôt et agita le bras pour arrêter les cavaliers.

— N'avancez pas, c'est épouvantable.

Paul fit un écart pour l'éviter et partit au galop. Le premier, il prit la mesure du désastre et ne put que constater la désolation qui régnait sur une des plus riches plantations de la Guadeloupe. La grande demeure avait été ravagée par l'incendie. Les beaux meubles d'acajou finissaient de se consumer. Le propriétaire, pourtant très juste et bon meneur d'hommes, venait d'être pendu à un arbre qu'il avait planté.

Paul, accablé de douleur, se mit à errer parmi les décombres à la recherche de Solange et de sa mère. Les autres essayèrent de l'arrêter, mais en vain. Il entendit des gémissements du côté du poulailler, et il trouva les deux femmes tapies à l'intérieur, terrifiées à la pensée que les cavaliers pussent être un second groupe de rebelles venu achever la destruction.

En voyant l'état lamentable de sa belle amie, Paul la prit dans ses bras. Il lui ordonna de monter en croupe derrière un de ses cavaliers, ainsi que sa mère. Il les ramenèrait ainsi à la ville, en toute sécurité. La mère de Solange refusa de l'accompagner et il s'en étonna. Il demanda à Solange de supplier sa mère, mais la vieille dame lui adressa un rire plein d'amertume :

— Je suis noire. Les Français n'ont jamais voulu de moi. Je suis du côté des esclaves. Et un jour, nous vous chasserons de l'île.

Elle se redressa et lança à sa fille :

— Fais comme tu voudras, mais ils ne voudront pas de toi non plus.

Et elle prit le chemin des camps où se trouvaient les hommes mêmes qui avaient incendié sa plantation et tué Vauclain.

Pendant un instant, Solange, fille d'un père assassiné et d'une mère rebelle qui l'abandonnait, se tourna dans sa confusion extrême vers l'homme qu'elle avait toujours aimé. Elle crut s'évanouir. Mais avec la même force de caractère dont avait fait preuve sa mère africaine, elle épousseta la poussière de sa jupe et s'écria :

— Partons !

Paul l'aida à monter puis se remit en selle. Elle le saisit par la taille et ils reprirent le chemin de Pointe-à-Pitre.

En voyant son mari arriver avec leur très chère amie en croupe, Eugénie Lanzerac ne s'étonna pas. L'incendie de la plantation Vauclain, le meurtre de son propriétaire et la décision de la vieille femme de se joindre aux rebelles la bouleversèrent sans la surprendre :

— Nous vivons une époque affreuse, dit-elle à Solange pour la consoler.

Et dans les jours qui suivirent, elles s'aidèrent mutuellement, pendant les restrictions de nourriture ou les attaques de l'ennemi. La ville se trouvait en état de siège et les jours où Paul prenait la tête d'un détachement de sa cavalerie pour réunir des provisions, les deux jeunes femmes de vingt et un ans l'accompagnaient jusqu'à la porte de la maison pour lui souhaiter bonne route et prompt retour. Lorsqu'il rentrait, sain et sauf, nul n'aurait su dire laquelle des deux femmes l'accueillait avec la plus grande affection ou prononçait les plus sincères prières.

Puis l'un des trois compagnons de Paul fut blessé au cours d'une sortie, et Paul et Eugénie connurent une surprise de taille le jour de la sortie suivante, parce que sur le cheval du blessé se trouvait Solange, prête à participer à la chasse aux rebelles. Personne, ni Eugénie, ni Paul, ni les deux autres cavaliers ne fit de commentaire : c'était une fille de l'île, et l'île avait besoin d'elle. A son retour avec les hommes en fin d'après-midi, Eugénie l'aida à mettre pied à terre et l'embrassa.

Pendant les journées difficiles qui suivirent, Solange sortit régulièrement avec les trois hommes. Un jour, en arrivant en haut d'une petite côte, elle remarqua une haie composée des fleurs splendides de la Guadeloupe et elle s'écria :

— Paul, cette île mérite d'être sauvée !

Et ils jurèrent de s'y appliquer. Au cours de ces sorties un des cavaliers, fils d'un négociant, se sentit visiblement attiré par la jeune mulâtresse si courageuse. Il ne parvenait pas à détacher son regard de son visage brun doré et évoquait sans cesse sur un ton d'admiration ses talents de cavalière. Solange avait très bien compris ce qu'il ressentait, car le jeune homme restait toujours près d'elle pour la protéger et lui prêter son cheval quand celui de la jeune fille s'épuisait. Mais elle ne pouvait rien trouver dans son cœur pour lui rendre cette affection. Toute son attention se concentrait sur Paul Lanzerac comme dans le passé. Quand elle eut repoussé cinq ou six fois les avances de l'autre cavalier, celui-ci lui lança un jour :

— Vous êtes la maîtresse de Paul, n'est-ce pas ?

Elle refusa de répondre. Mais dans les jours qui suivirent le jeune prétendant chevaucha avec les autres hommes et regarda de loin Solange et Paul galoper à travers la campagne en prenant de grands risques.

Un après-midi, à leur retour à la maison, Eugénie vint à leur rencontre au moment où, épuisés, ils se laissaient tomber de leur selle. Le soleil couchant baignait leurs visages et elle se dit : « Ils sont beaux. Comme s'ils avaient été faits l'un pour l'autre. » Mais ce fait évident ne troubla nullement leur amitié, car au moment où Eugénie apparut au dîner, ce soir-là, avec son fils Jean-Baptiste niché dans son bras gauche en un geste typiquement maternel pendant qu'elle servait le potage avec sa main droite, Solange songea : « Elle est si parfaite comme maîtresse de maison, si parfaite comme mère... » Et la participation de Solange à cette curieuse situation se prolongea sur la même base, sans trouble.

Au début de 1794, à l'autre bout du monde, Paris fut entraîné dans le tourbillon de la Terreur : les dirigeants sanguinaires exécutés à tour de rôle — Hébert, Chaumette, Cloots, Danton, Desmoulins, chacun avec cent crimes sur les mains, et mille cadavres... Une Terreur d'un autre ordre allait bientôt frapper la Guadeloupe, mais elle se présenta d'abord sous le masque d'un sauvetage, d'origine fort inattendue.

Au moment où les esclaves rebelles paraissaient sur le point d'écraser la ville assiégée, une petite flottille entra dans le port.

— Mon Dieu ! Des Anglais ! cria une sentinelle.

Paul Lanzerac et deux autres hommes audacieux sautèrent dans une barque, sans se soucier du risque qu'ils couraient si les marins décidaient de leur tirer dessus. Ils se présentèrent sous l'étrave du navire de tête et crièrent :

— Nous sommes royalistes ! Les esclaves nous assiègent !

L'amiral à la tête de la force d'invasion était originaire de la Barbade. Il se nommait Hector Oldmixon, et son arrière-grand-père avait déjà à son époque pris le parti du roi — pour la cause anglaise, bien entendu. Il n'était pas question qu'il tolère les extravagances d'esclaves. On hissa Lanzerac à bord, et Oldmixon écouta attentivement le récit du Français.

— Rien n'est plus infâme sur cette Terre que la doctrine accordant des âmes aux nègres. L'égalité, monsieur, sera la perte des grandes nations. Eh bien, quel est donc le meilleur moyen de débarquer sur votre île ?

Le mépris vulgaire d'Oldmixon pour toutes les personnes de couleur sans distinction révolta Paul. Mais il ne pouvait oublier les émeutes récentes, au cours desquelles les mulâtres s'étaient rangés du côté des esclaves contre les blancs. Peut-être la formule anglaise comme elle se trouvait pratiquée non loin, à la Barbade, était-elle préférable — « On ne mélange pas le blanc avec le noir ». La bonne grâce avec laquelle les Français acceptaient et même encourageaient parfois ces unions constituait peut-être une politique erronée. Lanzerac ne pouvait souffrir l'insupportable Oldmixon qui semblait prendre plaisir à dominer les Français, visiblement méprisables à ses yeux. Mais la flotte anglaise permettrait sans aucun doute de sauver l'île, et il fallait donc accepter l'amiral tel qu'il était.

Pour ces raisons complexes, Paul Lanzerac, Français si passionnément attaché à sa patrie qu'il avait pleuré en apprenant les désastres qui accablaient la France, dut se résigner à aider la force navale anglaise à s'emparer des deux ailes du papillon Guadeloupe. L'occupation se fit sans grandes pertes : à Pointe-à-Pitre, Paul et ses partisans accueillirent les marins anglais, et à Basse-Terre l'opposition fut négligeable. Au bout de deux semaines, la paix régna dans l'île.

Un curieux événement se produisit quand les unités de l'armée britannique débarquées au début des combats partirent dans l'arrière-pays de Pointe-à-Pitre pour soumettre les derniers rebelles; au moment où ils crurent les rebelles coincés dans leur dernière redoute, ils découvrirent à leur plus vif étonnement que la révolte était organisée et dirigée par une femme féroce. Des espions la reconnurent : il s'agissait de la femme du planteur français assassiné, Philippe Vauclain. En apprenant cette situation absurde, l'amiral se rendit sur les lieux avec un cheval fourni par Paul Lanzerac et demanda à ses hommes :

— Qu'est-ce qu'il se passe ici ?

— Une vieille négresse, expliquèrent-ils. Chaque fois que nous proposons une trêve, puisqu'ils n'ont plus la moindre chance — cela saute aux yeux ! —, elle recommence le combat.

Oldmixon en fut révolté. Ce bravache pour qui tout ce qui n'était pas authentiquement anglais était maudit (même ses occasionnels alliés français dans l'île) n'allait pas tolérer qu'une femme et une esclave — et en plus une vieille édentée — tînt en échec son invasion de la Guadeloupe. Il hurla à ses hommes :

— Lancez l'assaut et abattez la vieille bique !

Le jeune Lanzerac, mis au courant de la situation, arriva au galop.

— Non, non !

Mettant pied à terre devant les Anglais en fureur, il expliqua :

— Vous ne pouvez pas faire cela. C'est la compagne d'un blanc et la mère de ma meilleure amie.

— Qu'est-ce que vous racontez là, Frenchie ? lança Oldmixon.

Paul lui assura qu'il s'agissait de la vérité.

— Je vais aller la chercher, dit-il.

Il posa toutes ses armes, tendit ses mains vers l'avant, les paumes ouvertes et s'avança lentement vers la plantation en lançant d'une voix suppliante :

— Je suis l'ami de Solange. C'est elle qui m'envoie. Je suis l'ami de votre fille. C'est elle qui m'envoie...

En arrivant aux abords de la maison, il se dit : « C'est Grand-Mère Lanzerac revenue à la vie... La même chose... le même courage contre les Anglais. » Quand il entra enfin dans le bâtiment, il la vit avec quelques esclaves rangés contre le mur, les fusils baissés, il répéta :

— Je suis l'ami de votre fille. C'est moi qui ai enterré votre mari, là-bas.

De la fenêtre où elle se trouvait, le fusil braqué, la vieille esclave répondit d'une voix grave, dans un français parfait :

— Vous êtes Lanzerac ?

Il ne répondit pas. Elle se laissa conduire à l'endroit où l'amiral Oldmixon attendait.

— Jetez-la en prison, ordonna le Barbadien.

Malgré les prières les plus ardentes de Paul, d'Eugénie et de Solange qui reçurent à dîner Oldmixon ce soir-là, l'amiral ne revint pas sur sa décision.

— Elle a été esclave et elle ne l'oubliera jamais, dit-il. On ne peut chasser de leur peau le besoin de liberté qu'ils éprouvent. Rebelle un jour, rebelle toujours.

Mais vers la fin de la soirée, Paul remarqua qu'Oldmixon quittait rarement Solange des yeux, et quand l'Anglais quitta la maison pour retourner à bord de son bateau il avoua à son hôte :

— Cette fille, si seulement elle était blanche... Quelle beauté !

Pendant la durée de l'occupation, les Lanzerac invitèrent Oldmixon à plusieurs reprises, car il détenait à présent le pouvoir dans l'île. Il soupçonna non sans raison qu'ils le recevaient à leur table avant tout parce qu'il apportait à chaque fois des quartiers de viande — denrée de plus en plus rare. Mais de toute manière, il appréciait la compagnie de gens intelligents et l'occasion de perfectionner sa maîtrise déjà considérable du français.

— Bonté divine, lança-t-il un soir à Solange, vous parlez vraiment bien anglais.

— Rien d'étonnant, répliqua-t-elle. Mon père était de Calais.

— Ah bon ? Un marin peut-être ?

— Mon grand-père l'était. Mon père, lui, avait peur de la mer.

— Moi aussi, avoua Oldmixon. Mais mon père m'a lancé un tabouret sur la tête et m'a dit : « Pour toi, ce sera la marine, mon petit. » Et me voici, commandant d'une île dont je me suis emparé pour le roi.

Au cours de ses fréquentes visites aux Lanzerac, il se sentit de plus en plus attiré par Solange, mais demeura également résolu à ne pas céder aux supplications de la jeune fille concernant la libération de sa mère.

— Je regrette, chère amie, mais nous ne pouvons pas courir ce risque. Si elle reprenait la lutte contre nous...

Le temps passa. Il se sentait de plus en plus solitaire et il trouvait Solange de plus en plus séduisante. Il laissa entendre que si Solange souhaitait s'installer dans sa cabine à bord, on pourrait faire quelque chose en faveur de sa mère — et à la stupéfaction des Lanzerac, il fit cette proposition non pas à Solange mais à Paul et Eugénie. Paul jugea la proposition indécente et le déclara à sa femme dès qu'Oldmixon eut prit congé. Mais malgré ce qu'elle ressentait au fond de son cœur, Eugénie décida de parler franchement à son amie. Elle alla coucher son fils et pria Paul de quitter la pièce.

— Solange, ta mère mourra en prison, et je tiens à ce qu'elle soit libérée.

— Moi aussi.

— L'amiral Oldmixon nous a demandé de te dire... que si tu... si tu voulais rester à bord de son bateau jusqu'au départ de la flotte...

Solange se trouvait dans un fauteuil devant la cheminée quand Eugénie lui annonça la nouvelle. Pendant longtemps, la lueur du feu modelant son beau visage et en soulignant la finesse, elle garda le silence. Puis avec un rire presque irrévérencieux, elle lança :

— Connais-tu les quatre règles que l'on nous enseigne, à nous les mulâtresses ? La première : séduire un blanc. La deuxième : le rendre assez heureux pour qu'il nous épouse. La troisième : quand on a une fille de lui, veiller à ce qu'elle épouse elle aussi un blanc. Pour gravir les échelons à chaque génération, et blanchir la famille.

— Mais Oldmixon ne t'épousera jamais, dit Eugénie.

Solange éclata de rire.

— Ce qui nous amène à la quatrième règle : prendre tout l'argent que possède le pauvre imbécile.

Mais aussitôt son visage devint très grave et elle plongea longuement son regard dans les yeux de son amie.

— Mais jamais je n'ai envisagé d'appliquer ces règles moi-même, murmura-t-elle.

Longtemps elles partagèrent leur tristesse en silence puis Eugénie se leva pour aller rejoindre son mari.

— Solange n'ira pas sur le bateau de l'amiral, lui dit-elle.

— J'en étais certain, répondit Paul.

Pendant ces années mouvementées où la France se débattait dans les affres de la mort d'un Ancien Régime sans trouver le moyen d'en forger un nouveau, l'île historique d'Hispaniola, jadis gouvernée par Colomb et qui abritait sa dépouille mortelle, se trouva divisée d'une étrange manière. Les deux tiers orientaux, presque plats et stériles demeurèrent espagnols sous le nom de Santo Domingo mais le tiers montagneux de l'ouest, qui porterait bientôt le nom de Haïti, passa à la France sous le nom de Saint-Domingue. L'est continua de parler espagnol, l'ouest parla français. A l'est, les belles terres plates dont on pouvait escompter des récoltes généreuses rapportèrent très peu, alors que 'es terres difficiles et accidentées de l'ouest fournirent les plus riches récoltes de sucre du monde. Plus important encore à certains égards, Santo Domingo était peuplée de mulâtres espagnols, alors qu'à Saint-Domingue le nombre des esclaves africains était tel qu'on pouvait croire à une colonie entièrement noire.

En l'année encore paisible de 1783, un jeune Français exerçait sans grand intérêt le modeste métier de barbier. Par sa naissance et son éducation, il semblait le prototype de l' « homme moyen » car il ne possédait aucune caractéristique permettant de le distinguer du reste de la masse. Ce Victor Hugues, alors âgé de vingt et un ans, se faisait passer pour le fils d'un petit négociant de Marseille mais le doute régnait sur ces origines réelles car il avait le teint basané, ni blanc ni mulâtre, à mi-chemin entre les deux. Où qu'il aille, des rumeurs le suivaient :

— Hugues a du sang africain. Sa mère ne devait pas être très pointilleuse, et Marseille est un port, n'est-ce pas ?

Il était de taille moyenne ou légèrement au-dessous, et de poids moyen ou légèrement au-dessus. Il avait de bonnes dents, sauf une qui lui manquait du côté gauche; ses cheveux plutôt tristes avaient une couleur indistincte. En règle générale, il se tenait à l'écart des discussions pour voir dans quelle voie elles s'engageraient, puis il s'élançait brusquement pour haranguer, non sans vigueur et habileté, les adversaires du parti qu'il avait arbitrairement choisi. Il ne lisait pas beaucoup, mais écoutait avec l'attention tendue d'une bête de proie. A n'en pas douter il ne manquait pas de courage, toujours prêt à en découdre quand au cours du débat l'on en venait aux coups, et s'il avait perdu une dent dans la bagarre ses adversaires en avaient perdu bien plus. C'était un adversaire redoutable qui, à dix-neuf ans, avait manigancé la mort d'un homme beaucoup plus âgé qu'il détestait.

Comment avait-il échoué dans une échoppe de barbier à Saint-Domingue ? Très tôt dans sa vie, ses parents avaient renoncé à faire de lui quelque chose de bien, et il avait réagi en se faufilant sur les quais de Marseille pour s'enrôler sur le premier bateau en partance. Le bateau qui le prit se rendait au Mexique, et ce fut là qu'il débarqua. À dix-sept ans, il se mit à travailler sur les quais comme un homme. Plus tard, il vagabonda de port en port autour de la mer des Antilles, mais où qu'il fût et quoi qu'il fît, il manifesta le seul trait caractéristique qui le rendait remarquable : très jeune dans sa vie, il avait exprimé un appétit insatiable pour les filles et il avait commencé à les entraîner dans son lit à l'âge de onze ans. Aux Antilles, cet appétit atteignit la voracité : des filles de rues mexicaines, la fille d'un capitaine à Porto Bello, une serveuse à la Jamaïque, la jeune épouse d'un soldat anglais à la Barbade et d'autres, partout où il accostait.

Malgré cette activité fiévreuse, ce n'était pas un de ces classiques libertins qui traitent leurs conquêtes avec mépris ; il adorait les femmes, les respectait, et ne leur cachait pas qu'il les considérait, individuellement et en groupe, comme la meilleure chose de la vie. Peu de femmes qu'il avait connues se souvenaient de lui avec animosité. Pourtant sa passion avait un aspect plus sombre, capable de provoquer un comportement férocement aberrant à la fin d'une liaison — et ne disait-on pas que certaines de ses femmes avaient mystérieusement disparu.

Il avait acquis l'échoppe de barbier de Saint-Domingue à cause de cette combinaison de plaisir extatique et d'opportunisme criminel, car à son arrivée à Port-au-Prince, jeune homme de dix-neuf ans sans un sou en poche ou presque, il s'était lié par hasard à un mulâtre qui possédait à la fois une échoppe de barbier et une jeune épouse ravissante à la peau ambrée. Il supplia le barbier de lui enseigner les secrets de son art, passa beaucoup de temps avec l'épouse et, peut-être par pure coïncidence, le barbier disparut juste au moment où Victor pouvait effectuer une parfaite coupe de cheveux. Au bout d'une période d'attente normale, Hugues s'appropria la boutique et la veuve.

Cette disparition à point nommé était survenue en 1785, et pendant les deux années suivantes Victor Hugues tint un salon de coiffure prospère : il coupa les cheveux des planteurs blancs qui faisaient la loi à Saint-Domingue et de la poignée de mulâtres compétents qui les assistaient. Les noirs, quatre-vingt-dix pour cent de la population, n'avaient pas accès à l'échoppe, quoique plusieurs déposèrent plus tard sous serment :

— Le soir, quand les blancs et les mulâtres n'étaient plus là, Victor invitait les noirs libres ayant de l'argent à se présenter à une porte de l'arrière qui conduisait à une autre salle, où il leur coupait les cheveux. Il éprouvait toujours beaucoup de sympathie pour les noirs, en particulier les anciens esclaves, car il m'a dit un jour : « Ce sont les bannis de la terre et ils méritent notre charité. »

Il exprima cet intérêt de manière spectaculaire, car l'année où il ferma son salon de barbier, il loua une vaste maison de Port-au-Prince et, avec l'aide de la belle mulâtresse dont il avait hérité, il ouvrit un bordel de première classe qui employait six filles de couleurs différentes, venues d'îles différentes. Selon toutes les apparences, sa clientèle était limitée aux planteurs blancs et aux mulâtres de quelque importance, mais encore une fois, dès qu'on avait le dos tourné, il ouvrait la porte de derrière pour admettre les noirs libres. Il continua de le faire même après plusieurs mises en demeure d'arrêter, et répondit à un représentant du gouvernement :

— Je suis allé dans tous les coins de cette mer... dans toutes les îles... Cette région deviendra inévitablement un endroit où hommes et femmes de toute couleur vivront librement ensemble.

Scandalisé par une idée si révolutionnaire, le fonctionnaire envoya un rapport secret au ministère dont il dépendait. Ce texte présente en termes clairs le « personnage dengereux ».

> *Dans la capitale, nous avons un ancien barbier qui dirige maintenant une élégante maison de tolérance, un certain Victor Hugues qui se prétend originaire de Marseille et d'ascendance blanche depuis des générations, affirmation que semble réfuter la couleur de sa peau. De nature rebelle et querelleuse, il représente un danger extrême dans la mesure où il défend les droits des noirs et s'élève fréquemment contre l'esclavage. Je vous recommande d'ordonner une surveillance discrète de ce Victor Hugues.*

Ce rapport parvint à Paris en novembre 1788, et un espion libéral qui travaillait dans les bureaux où il arriva en fit une copie aussitôt remise à un de ses camarades, membre d'un club politique. Ce fut de cette manière détournée que le barbier-barbeau attira l'attention de Maximilien Marie Isidore de Robespierre.

Au début de 1789, alors que tout en France entrait en effervescence, Robespierre commença à songer aux colonies, et notamment à Saint-Domingue — « le plus important producteur de richesse dans l'ensemble du système français », lui assuraient ses amis. Au moment où les membres du club voulurent désigner une commission pour étudier la meilleure manière de traiter les colonies, Robespierre se rappela soudain ce barbier de Saint-Domingue et lui fit parvenir un message : « Venez à Paris. J'ai besoin de votre présence pour des questions importantes. »

À son arrivée en juin 1789, Victor Hugues ne put trouver Robespierre, mais un ami de ce dernier, au courant de l'invitation, présenta le nouveau venu à un club philosophique puissant, la Société des Amis des Noirs, dont les penseurs révolutionnaires furent ravis de trouver une personne connaissant de première main les colonies et les problèmes de l'esclavage. Victor Hugues, porté aux nues, prononça une série de causeries et se révéla au moins aussi avancé dans sa pensée pratique que les philosophes dans leurs analyses spéculatives. Le 14 juillet 1789, il était à Paris. Tard dans la nuit, alors qu'il regagnait son domicile avec une jeune femme qu'il avait rencontrée au cours de cette glorieuse journée, il déclara à sa compagne, d'un ton épuisé mais presque prophétique :

— Ma venue à Paris est un coup du destin. De grandes choses vont se produire et l'on aura besoin d'hommes comme moi.

Sa prédiction se réalisa de façon éclatante. Lorsqu'il rencontra enfin Robespierre, déjà engagé sur les premiers degrés de son ascension, le farouche jacobin l'embrassa presque comme un égal. L'Assemblée législative de la 1re République, décida bientôt d'envoyer une armée française à Saint-Domingue pour pacifier une île où s'étaient déclenchés des troubles menaçant la distribution régulière du sucre sur les marchés européens, et l'on demanda à Hugues d'exposer la situation au commissaire du gouvernement qui emmènerait les troupes dans l'île. Il soumit un rapport oral si pertinent que les nouvelles autorités retinrent son nom.

> *Commissaire général, vous trouverez à Saint-Domingue trois nations : les Français blancs qui possèdent tout le pouvoir apparent ; les mulâtres qui espèrent en hériter si les Français s'en vont ; et les noirs qui sont capables de s'en emparer s'ils parviennent à s'organiser un jour. Quelle que soit l'importance du détachement français auquel vous ferez appel pour vous aider, jamais vous n'aurez assez de soldats si vous vous alliez seulement aux blancs. Si vous parvenez à organiser une association d'intérêts entre les blancs et les mulâtres, vous aurez peut-être une chance d'obtenir, au mieux, une trêve temporaire.*
>
> *Mais si vous désirez une paix à long terme dans cette île que je connais bien, il faut fonder absolument cette paix sur les noirs, en obtenant des concessions de la part des deux autres groupes. Si vous n'y parvenez pas, je ne vois que révolution continue dans les années à venir, surtout quand l'île apprendra ce qui se passe ici, en France.*

— L'union des intérêts blancs, des mulâtres et d'une armée française résolue ne peut-elle sauvegarder la paix et stabiliser l'exportation du sucre ? demanda le commissaire.

— Jamais votre armée ne sera assez nombreuse, répondit Hugues d'un ton impatient. Ni en assez bonne santé. Dans ces pays chauds, commissaire, la fièvre abat davantage d'hommes que les balles.

Le commissaire ne sut pas reconnaître le bien-fondé de ces conseils, et après le départ de Victor Hugues, il se tourna vers un de ses assistants.

— Que pouvons-nous attendre d'autre d'un barbier qui dirige un bordel ? Il doit tenir ses idées sur le pouvoir noir d'une esclave africaine avec qui il couche.

Après cette rebuffade, Victor Hugues demeura dans l'ombre et vécut des quelques subsides qu'il parvenait à grappiller auprès de ses amis révolutionnaires, mais en janvier 1793, quand la Terreur commença à régner au lendemain de la décapitation du roi, Robespierre reconnut enfin les talents de Hugues et le chargea de mettre au pas les petites villes des environs de Paris. Le barbier, avec l'appui d'une guillotine mobile que l'on démontait et rangeait sur une petite charrette, eut alors l'occasion de révéler un aspect de son caractère resté longtemps en sommeil : son implacable cruauté. Sans émotion et sans tapage, cet homme parfaitement ordinaire se déplaçait avec son entourage sinistre d'une petite ville à l'autre en appliquant des procédures identiques. Accompagné de deux magistrats en tricorne, il faisait arrêter à l'entrée de la ville son escorte composée de la charrette, des deux charpentiers et des deux gendarmes. Il gagnait lentement à pied le centre de l'agglomération et, toujours discrètement, demandait à parler au maire.

— Ordre de la Convention. Que tous les citoyens de votre ville se rassemblent immédiatement sur la place.

Quand cela était fait, il demandait aux espions locaux, connus de longue date, d'aider les gendarmes à maintenir hommes et femmes groupés.

Puis Victor Hugues repartait de son pas tranquille vers l'endroit où ses autres hommes attendaient, il leur faisait signe d'avancer avec leur charrette grinçante tirée par deux bœufs. Au centre de la place, il leur ordonnait de monter la guillotine sous les yeux de tous. On dressait d'abord les deux montants verticaux qui guidaient le lourd couperet dans sa chute. Puis les équerres qui maintenaient la verticalité des montants. Ensuite la plate-forme sur laquelle le condamné s'agenouillerait, puis la partie courbe où il poserait son cou et l'élément mobile destiné à immobiliser le cou et les épaules. Enfin le couperet lui-même, énorme, brillant, rapide. Un essai, effectué avec un gros chou, démontrait que le miraculeux appareil était en bon état de marche. Aussitôt Hugues demandait à ses espions de désigner le plus riche propriétaire terrien du district ou toute autre personne soupçonnée d'hostilité au nouveau régime. Ces suspects — dont plusieurs femmes effrayées — étaient immédiatement séparés et placés sous garde armée.

Ensuite, à une vitesse qui paraissait incroyable aux spectateurs saisis de terreur, Victor Hugues lançait, d'une voix basse que seuls les premiers rangs entendaient :

— Faites avancer le premier accusé.

En ces premières minutes de son audience, il se plaisait à faire comparaître devant lui le plus puissant des représentants de l'Ancien Régime, un membre de la petite noblesse qui s'était montré trop exigeant dans l'exercice de ses privilèges, ou bien un propriétaire engraissé par les bénéfices de ses vastes terres.

Aussitôt les accusateurs déversaient une pluie de griefs mesquins dont la bassesse et l'imprécision auraient scandalisé n'importe quel observateur impartial.

— Il a toujours été un ennemi du peuple.

— Il laissait ses cochons entrer dans mon jardin.

— Il nous faisait travailler les jours de fête et nous versait des salaires de misère.

Levant la main droite pour arrêter le flot des accusations, Hugues lançait d'une voix sépulcrale :

— La mort !

Le malheureux, trop affolé pour comprendre pleinement ce qui se passait, était aussitôt traîné vers la guillotine et montait les trois marches conduisant à la plate-forme fatale. Les gendarmes le remettaient alors aux charpentiers, qui lui ligotaient les mains derrière le dos, le forçaient à s'agenouiller et lui faisaient pencher la tête en avant de façon que son cou se place dans la partie courbe évidée. Avec un grincement de bois qui glisse contre le bois, la partie supérieure descendait pour bloquer le cou. Ensuite, lentement, l'un des charpentiers tournait une sorte de treuil pour soulever jusqu'en haut des montants mortaisés l'énorme couperet en biseau. Dès que le couperet se trouvait en place, Hugues haranguait la foule :

— Tel est le châtiment réservé aux ennemis de la France.

La main droite levée, il faisait signe aux charpentiers de libérer le couperet qui tombait sans bruit sur le cou nu avec une telle force que la tête roulait, détachée du torse éclaboussé de sang.

Dans chaque petite ville, il agissait ainsi, guillotinant dès son arrivée trois personnages éminents dès le premier jour ; toute la région se trouvait aussitôt soumise, ce qui facilitait la suite de son enquête, car chacun se hâtait de témoigner contre son voisin avant que ce dernier ne dépose contre lui. Cette méthode, rapide, impitoyable et sûre, provoqua deux rapports divergents sur le travail de Victor Hugues.

> *C'est un tyran qui ne respecte même pas les apparences d'une procédure légale. Jamais il ne déclare innocente une personne accusée hâtivement par les habitants de l'endroit. Et il laisse derrière lui une impression de choc qui risque d'agir à long terme contre nos objectifs généraux.*

Mais un autre rapport à Robespierre exprimait l'opinion de la majorité sur l'action de Hugues dans les provinces voisines de la capitale :

> *La grande vertu de Victor Hugues, c'est la rapidité de son intervention. Jamais il ne prend de poses pour attirer l'attention sur lui-même, et il paraît si résolu et si implacable qu'il semble parler avec l'autorité de la Convention tout entière. Il arrive et il repart à la façon d'un orage inévitable, et ne laisse derrière lui rien qui puisse susciter du ressentiment.*
>
> *Il n'a qu'une faiblesse, mais capable de lui nuire beaucoup : il éprouve manifestement un insatiable désir pour les femmes, et dans chaque ville, il se jette sur la première disponible. Il termine sa guillotine à la tombée du jour, il prend un bon dîner, puis une heure plus tard il se couche avec une fille de la ville. On raconte qu'il obtient leurs faveurs en les menaçant de sa guillotine si elles ne lui cèdent pas ; ou bien, également efficace, il menace le cou de leur mari ou de leur fils. Un jour il risque de recevoir une balle ou un coup de rapière.*

Robespierre lut ces rapports en septembre 1793 et se dit : « Le barbier coupe les têtes aussi bien que les cheveux. J'aimerais en avoir une douzaine comme lui du côté de Lyon et de Nantes. » C'étaient deux bastions royalistes où un nombre consternant d'ennemis de la Convention allaient être massacrés peu après, de façon beaucoup moins propre et efficace que par la guillotine ambulante d'Hugues qui continuait son bonhomme de chemin et tranchait méthodiquement les têtes de ses trois à quatre suspects quotidiens, sans jamais susciter un seul mouvement de protestation.

À la fin octobre, peu après la mort de la reine Marie-Antoinette, Robespierre laissa entendre à Hugues qu'il lui réservait une mission plus importante. Il ne précisa pas laquelle et Hugues reprit ses voyages porteurs de mort et ses amours furtives, certain que ses efforts pour instaurer la Liberté étaient appréciés à Paris. La nomination qu'il attendait lui parvint à la fin de cette année terrible.

Citoyen Hugues, au nom respecté du Culte de la Raison, vous vous rendrez sans délai au port de Rochefort, prendrez le commandement des troupes et des bateaux qui y sont rassemblés et ferez voile vers notre île de la Guadeloupe, où vous agirez en tant que commissaire du gouvernement avec une seule responsabilité : vous vous assurerez que l'île demeure entre les mains de la France. Votre action exemplaire dans les environs de Paris nous a convaincus que vous êtes à la hauteur de cette promotion importante.

Pour mener à bien sa mission, Victor Hugues disposait du message de la Convention, en date du 4 février 1794, déclarant :

L'esclavage est aboli dans toutes les colonies et, en conséquence, tous les hommes sans distinction de couleur, domiciliés dans les colonies, deviennent des citoyens français jouissant de tous les droits garantis par la constitution.

Hugues se rendit aussitôt au port de Rochefort, où il découvrit, fort déçu, que la « flotte rassemblée » se composait de deux frégates surannées, une corvette, deux petits cotres et deux navires marchands lourds et lents — avec pour soldats exactement mille cent cinquante-trois paysans mal entraînés. Quand il se plaignit, le capitaine du port le rassura :

— Ne vous en faites donc pas. Un bateau est arrivé de la Guadeloupe la semaine dernière. Nous tenons l'île sans aucun risque. Il vous suffira de renforcer nos bateaux et nos troupes, qui assurent l'ordre là-bas.

Le capitaine du port ne mentait pas. Ni les officiers du navire marchand récemment arrivé des Antilles, car à leur départ de la Guadeloupe l'île était encore française. Ils ne pouvaient pas savoir que peu après l'amiral Oldmixon avait débarqué en force avec un important détachement anglais, s'était emparé de l'île et avait établi de puissants emplacements pour ses canons, et de solides fortifications pour ses plusieurs milliers de soldats aguerris. Le barbier et barbeau de Saint-Domingue se dirigeait dans un nid de frelons dont il ne pouvait imaginer l'existence.

Il paraissait pourtant nerveux, car une charrette qu'il avait commandée à Paris bien avant son départ pour Rochefort n'était pas encore arrivée, et il craignait d'être obligé de partir sans son précieux contenu.

— Pouvons-nous retarder le départ de deux jours de plus ? demanda-t-il au capitaine de ses bateaux.

— Nous devons avant tout éviter les vaisseaux de guerre anglais, lui répondirent-ils non sans raison. Nous appareillerons comme prévu.

Au plus vif soulagement de Hugues, la charrette arriva enfin sur les quais à l'aube du dernier jour, et l'on embarqua les sept gros colis grossièrement enveloppés qu'elle avait apportés.

On se posa beaucoup de questions sur la nature de ce fret qui préoccupait tellement le commissaire du gouvernement Hugues. Les marins qui apportèrent les colis à bord se lancèrent dans des conjectures, jusqu'au moment où un jeune soldat, plus hardi que le reste, déchira furtivement le coin d'un paquet. Il se trouva devant une immense lame d'acier trapézoïdale.

— Mon Dieu ! murmura-t-il. Une guillotine.

Qui fut le plus étonné, le beau jour de juin où le représentant de la Convention arriva au large de Pointe-à-Pitre ?

Hugues, qui trouvait son île occupée par l'ennemi, ou bien Oldmixon quand il vit au loin cette flotte française de sac et de corde se ranger en ordre de bataille ? Les chances de victoire des Anglais ne faisaient aucun doute : sur mer, vingt bateaux ayant déjà subi l'épreuve de la bataille, contre sept rafiots hétéroclites ; sur terre, dix mille hommes contre mille cent cinquante-trois, plus la mainmise sur le gouvernement civil grâce à la collaboration de royalistes comme Paul Lanzerac. Bien entendu, Oldmixon ne pouvait réunir tous ses bateaux sur-le-champ, et de nombreux détachements de ses troupes étaient dispersés dans de petites îles voisines, mais les forces qu'il pouvait opposer à Hugues demeuraient plus qu'impressionnantes.

Trop incompétent en matière militaire pour comprendre qu'il n'avait aucune chance de vaincre, Hugues ordonna à ses petits bateaux de « nettoyer le port », ce qu'ils réussirent à la stupeur de tous. Ensuite, il fit débarquer ses troupes et lança une charge trois fois plus audacieuse qu'Oldmixon n'avait pu l'imaginer. Au prix d'un incroyable héroïsme, les forces d'Hugues reprirent pour la France une moitié de l'île. Un colonel anglais déclara plus tard :

— Ce coiffeur français, qui n'avait jamais lu un ouvrage tactique, était trop stupide pour comprendre qu'il n'avait aucune chance de gagner. Et pour cette raison même, il a remporté la victoire.

Après la prise de Pointe-à-Pitre, Hugues rédigea aussitôt un rapport à la Convention, à Paris. Dans ce texte, il se décrivit dix fois plus courageux qu'il ne l'avait été en réalité, ce qui aurait largement suffi, et le message s'avéra si tonifiant que les autorités firent publier dans une des « feuilles » de Paris un article illustré par une belle gravure sur bois représentant Hugues, sabre au clair, à la tête d'une charge sous la bouche même des canons anglais. La manchette précisait :

> *SANG-FROID DE L'INTRÉPIDE CITOYEN VICTOR HUGUES, COMMISSAIRE DU GOUVERNEMENT À LA GUADELOUPE.*
>
> *Le 16 floréal de l'an II de la Révolution, le brave Victor Hugues prit la tête des vaillants Français contre des forces très largement supérieures. Sans espoir de vaincre, Hugues et ses hommes se battirent comme des lions, mais furent bientôt submergés. Au moment du plus grand péril, une voix anglaise cria : « Rendez-vous ! », mais Victor Hugues, toujours intrépide, répliqua sur-le-champ : « Pas question ! Nous nous défendrons jusqu'à la mort ! » Cette réponse admirable permit aux Français, sous les ordres compétents du courageux Victor Hugues, de reprendre la Guadeloupe aux envahisseurs anglais, pour la plus grande gloire de la France. Bravo Victor Hugues !*

Les Anglais, comme les Français, assurèrent qu'Hugues avait réellement accompli cet exploit : avec une poignée de Français il avait écrasé un ennemi largement supérieur en nombre. Mais ses admirateurs exagéraient sur un point. Hugues n'avait pas « chargé comme un démon à la tête de ses troupes », il avait simplement débarqué à la fin de la bataille, tel un grand conquérant détaché de tout, humble dans la victoire et accablé sous le poids de ses responsabilités de commissaire du gouvernement. Il se retrancha aussitôt dans ses attitudes anonymes et présenta aux citoyens de Pointe-à-Pitre l'image d'un Français banal de trente-deux ans, légèrement amaigri, légèrement plus petit de taille que l'on pouvait s'y attendre de la part d'un conquérant, avec des cheveux châtain clair, un visage marqué par la petite vérole, des jambes très minces, de longs bras et des yeux aux paupières lourdes qui ne cessaient d'aller et venir en tous sens, comme pour surprendre un assassin sur le fait.

Lorsqu'il descendit à terre, Hugues était déjà possédé par la volonté farouche de devenir le gouverneur révolutionnaire de cette île précieuse, malheureusement détachée des nouveaux principes qui gouvernaient la France. La population de Pointe-à-Pitre aurait été terrifiée si elle avait appris ce que contenaient les sept colis du bateau.

Les hommes d'Hugues commencèrent à décharger le fret à deux heures de l'après-midi et apportèrent chaque colis sur la place baignée de soleil, devant la Maison Dentelle. Pendant ce temps, Hugues appliquait la méthode qui lui avait si bien réussi dans les environs de Paris. Il réunit les espions révolutionnaires de l'île, étudia leurs listes de suspects royalistes, pointa son index officiel en face de chacun puis décida :

— Arrêtez-les tous.

Et avant que ces hommes s'en aillent avec leur escorte de marins armés, il demanda :

— Qui est le banquier ? Qui est le plus riche planteur ?

On les lui désigna.

— Saisissez-vous d'eux. Et qui était le royaliste le plus acharné ?

Les espions s'entendirent sur un nom.

— Il nous faut celui-là.

A cinq heures moins le quart en ce premier après-midi, la guillotine s'éleva au centre de la place et l'on procéda à des essais pour vérifier le bon fonctionnement du couperet. Les badauds se turent soudain, car jusque-là on n'avait qu'entendu parler de cette monstrueuse invention opérant très loin, à Paris. Jamais on n'avait imaginé qu'elle arriverait un jour dans l'île.

— Il ne faut pas traîner, signala un espion local à Hugues. Sous les tropiques, nous n'avons pas de crépuscule. A six heures, brusquement, il fait nuit.

— Je sais, répliqua Hugues. Vous verrez, ajouta-t-il, ce sera un crépuscule que personne n'oubliera. Nous n'avons besoin que de quinze ou seize minutes.

Il fit signe aux marins de conduire le premier groupe de prisonniers. Quand ils furent au milieu de la place, Solange Vauclain, qui se trouvait non loin d'Hugues, poussa un cri si déchirant que ce dernier se retourna pour en découvrir l'origine. Et ses yeux tombèrent sur la femme la plus éblouissante qu'il ait vue depuis des mois : grande, avec un visage de madone de Raphaël, et de la grâce même dans sa façon de porter ses deux mains devant son menton en une réaction d'horreur. Elle avait cette qualité rare qui force les hommes à hésiter et à regarder une deuxième fois.

— Qui est-ce ? demanda Hugues.

Un mulâtre, qui avait participé aux premières émeutes avant de devenir espion pour les révolutionnaires, lui murmura :

— La fille d'un planteur blanc que les rebelles ont tué et de la femme noire que vous venez de libérer de prison.

— Pourquoi a-t-elle poussé ce cri ?

— Elle a grandi avec ces deux-là.

Il montra, au milieu du premier groupe à exécuter, Paul et Eugénie Lanzerac. Et si absurde que cela paraisse, à l'instant même où cet homme froid et sanguinaire aperçut Eugénie Lanzerac, encore plus désirable dans son élégance française que Solange Vauclain elle-même, son esprit retors conçut un plan de bataille : il posséderait ces deux femmes.

Un marin des bateaux se mit à battre tambour, un assistant de Hugues rapprocha de ses yeux l'ordre d'exécution et lut :

— Philippe Joubert, propriétaire de plantation, vous avez volé du sucre appartenant au peuple, vous avez maltraité vos esclaves et vous vous êtes déclaré ennemi de la Révolution. Vous êtes condamné à mort.

On traîna l'homme terrifié vers la plate-forme, on le mit à genoux et on lui immobilisa le cou entre les planches. Le tambour battit, presque doucement, le soleil s'enfonça de plus en plus vite et en un éclair le couperet tomba. La lame frappa le cou exposé avec une telle force que la tête de Joubert roula dans la rue pavée, où un marin la ramassa et la jeta dans un panier.

— Paul Lanzerac, cria l'homme à la liste.

Deux marins s'emparèrent de lui et l'entraînèrent vers la guillotine. Il avait vingt-trois ans en cette soirée de juin, il avait reçu la meilleure éducation que la France pouvait offrir et possédait un esprit, un tempérament et des talents d'une valeur inestimable pour la nation Mais il était là, en train d'écouter les accusations lancées contre lui :

— Vous avez essayé de terrasser la Révolution en soutenant l'avènement d'un nouveau roi sur le trône. Vous avez maltraité des esclaves et vous avez détourné des biens publics. Vous êtes condamné à mort.

Des mains brutales le traînèrent sur la plate-forme et fixèrent le cadre de bois sur ses épaules.

Mais avant que ne tombe le couperet mortel, Solange poussa un cri perçant, franchit les rangs de marins qui protégeaient le lieu de l'exécution et s'élança vers la guillotine. Elle prit dans ses bras la tête du condamné et couvrit ses lèvres des baisers qui lui avaient été refusés pendant les longues années où elle l'avait aimé. Les marins l'auraient entraînée aussitôt si Victor Hugues, l'extraordinaire bourreau, n'avait levé la main.

— Laissez-la lui faire ses adieux.

La foule silencieuse entendit la jeune fille murmurer :

— Paul, nous t'avons toujours aimé.

Hugues comprit que ces paroles étaient étranges, mais crut qu'elle parlait au nom de la ville et de toute la Guadeloupe. Il se dit que si tout le monde aimait ce brillant jeune homme, il était d'autant plus impératif de le supprimer pour l'exemple.

— Emmenez-la maintenant, dit-il sans aucune animosité dans sa voix.

Quand ce fut fait, il donna le signal, le couperet tomba et la plus belle tête de l'île roula sur les pavés.

Une série d'ordres secs retentit aussitôt, et l'on entraîna Eugénie Lanzerac pour lui lire la liste des méfaits dont son père était jugé coupable. On la fit s'agenouiller sur les planches de l'estrade devant la guillotine. Mais Solange, rendue complètement insensible par la mort de Paul Lanzerac, ne put supporter que l'on exécute son amie la plus chère et la plus sincère. Elle échappa à ses gardes, grimpa sur la plate-forme et se jeta sur le corps prostré d'Eugénie.

— Tuez-moi à sa place ! Laissez-la vivre.

Elle s'accrocha avec une telle violence que les marins ne purent la détacher. Il fallut prendre une décision radicale.

Les charpentiers qui faisaient marcher la guillotine se tournèrent vers le commissaire du gouvernement comme pour demander des instructions. Hugues, presque sans hésiter, répondit :

— Libérez-les.

— Toutes les deux ? s'étonnèrent les hommes qui tenaient la corde libérant le couperet.

— Oui.

Avant que les ténèbres naturelles ne s'emparent de la belle place, les ténèbres morales envahirent les lieux. Sur un ordre rapide, les trois jeunes cavaliers qui accompagnaient toujours Paul et Solange dans leurs sorties en campagne furent traînés sur l'estrade et « raccourcis » par le monstrueux couperet. Quand la nuit tomba enfin, les cinq exécutions du premier jour étaient terminées, et on laissa le panier plein de têtes au pied de la guillotine pour que les habitants de la ville le voient. Hugues félicita alors les hommes qui avaient mené les procès sommaires et les exécutions. Il donna des ordres pour la série du lendemain et annonça à mi-voix :

— Je résiderai ici.

Il montrait la Maison Dentelle, de laquelle Eugénie fut expulsée sans autre forme de procès tandis que le bourreau de son mari s'y installait avec une jeune femme blanche qui l'accompagnait, sur un ordre lancé par un de ses assistants :

— Occupe-toi du citoyen Hugues, sinon tu seras la prochaine à passer dans sa machine.

Les quatre années de dictature de Victor Hugues, 1794-1798, furent marquées par une brutalité extrême, une excellente administration, une législation sociale libérale très en avance sur son temps, et l'incessant défilé de femmes dans le lit du dictateur.

Il organisa de façon rapide et efficace la suppression de la caste des colons. Il traîna sa guillotine ambulante dans tous les coins de l'aile orientale de l'île, la plus peuplée, et la dressa dans les villages où il pouvait réunir toutes les personnes possédant des biens, de la terre ou des esclaves, tous les individus suspects de tendances royalistes. Il leur coupait la tête au cours de cérémonies publiques qui devinrent une sorte d'attraction, comme des fêtes champêtres.

Cent notables périrent ainsi au cours des premières semaines, sept cents à la fin de la première année. Au total plus de mille habitants de l'île, comptant parmi les meilleurs, ceux dont dépendait tout l'avenir colonial de la Guadeloupe, furent supprimés sans regrets, la tête dans un panier. Si cette méthode s'avérait trop lente et pesante, on en alignait une dizaine ou une vingtaine le long d'un mur et on les fusillait.

Traîner la guillotine dans l'aile occidentale du papillon vert et or s'avéra trop difficile et les exécutions là-bas prirent la forme non seulement de fusillades en masse mais aussi de pendaisons publiques, avec la racaille qui applaudissait quand les victimes dansaient cruellement au bout de la corde. Il se produisit des explosions vengeresses où l'on massacra les notables avec des gourdins, des râteaux et des fourches. Cette moitié de l'île subit un dépeuplement presque total de ses responsables, y compris les prêtres et les religieuses qui représentaient et défendaient l'Ancien Régime. Jamais les meurtres ne cessèrent tant que Hugues demeura commissaire du gouvernement.

Son désir effréné de vengeance ne connaissait aucune borne. Il atteignit parfois des extrêmes ridicules, comme dans le cas du cadavre du général Thomas Dundas. Dans les mois précédant l'arrivée de Hugues, au moment où les Anglais s'étaient emparés de l'île, les troupes d'infanterie dont disposait l'amiral Oldmixon se trouvaient sous les ordres d'un officier courageux et de réputation illustre, le major général Thomas Dundas, fils d'une famille écossaise dont de nombreux membres s'étaient fait remarquer dans l'histoire d'Écosse et d'Irlande — notamment : le baron Amesbury, lord Arniston, le vicomte Melville, sans parler des nombreux généraux, ministres de la Justice et autres positions éminentes qui reviennent normalement aux membres des grandes familles.

Le major général Dundas n'était pas une vieille culotte de peau, mais en dépit de la qualité de son éducation, ou peut-être à cause d'elle, il avait l'attitude supérieure grincheuse, vaguement méprisante — « qu'ils restent donc à leur place ! » — de la noblesse campagnarde écossaise. Quoi qu'il en soit, aux yeux de Dundas, toute personne ayant une goutte de couleur dans son sang ou sa peau, le moindre « coup de pinceau à goudron », ne méritait que mépris, n'était même pas humaine. Ironie du sort, quelques mois à peine après sa conquête triomphal de la Guadeloupe, il fut terrassé par une maladie et mourut entouré d'infirmières noires et mulâtres qui firent l'impossible pour calmer ses fièvres.

On l'enterra dans l'île et l'on marqua sa tombe par une petite pierre portant en anglais une épitaphe qui signalait au monde la présence d'un héros de la Grande-Bretagne. Mais quand Victor Hugues découvrit par hasard cette pierre tombale au cours de son occupation de l'île, il entra dans une fureur aveugle et lança la proclamation suivante :

> *Liberté, Égalité, Droit et Fraternité. Il est décidé que le cadavre de Thomas Dundas, enterré à la Guadeloupe, sera exhumé et jeté en proie aux oiseaux du ciel. A l'endroit de la tombe sera érigé, aux frais de la République, un monument qui portera d'un côté ce décret et de l'autre une inscription appropriée.*

On déterra donc le cadavre du héros anglais, on le pendit à une branche pour que les oiseaux le dévorent puis on le jeta à la décharge publique. On fit venir d'un des bateaux français un ancien tailleur de pierre qui grava sur le monument prévu, d'un côté la condamnation citée plus haut, et de l'autre le texte suivant :

> *Ce sol, rendu à la Liberté par la valeur des républicains, était pollué par le corps de Thomas Dundas, major général et gouverneur de la Guadeloupe au nom du roi sanguinaire George III d'Angleterre.*

Cette deuxième inscription était l'œuvre d'Hugues lui-même, et il expliqua à ses concitoyens :

— Tout honnête homme doit condamner les actes cruels de l'infâme roi anglais.

Au cours d'une action violente, où deux cent cinquante soldats anglais étaient soutenus par trois cents royalistes français hostiles au gouvernement de Hugues, ce dernier fit de nouveau la preuve de son génie militaire car il attaqua de trois côtés à la fois avec des forces inférieures et écrasa l'ennemi. A l'égard des soldats anglais il agit avec la noblesse d'un grand général : il leur permit de battre en retraite dans l'honneur, l'épée à la main, jusqu'à leur armée principale, mais pour les royalistes français, ses plans étaient fort différents. Il les jeta tous dans un camp de détention, avec femmes et enfants, puis il fit venir sa guillotine ambulante et la fit installer sous ses yeux près de la grille, à l'intérieur du camp. Aussitôt les têtes tombèrent à un rythme qui stupéfia tous ceux qui assistèrent à ce rite sinistre. A peine le tronc sanglant d'un homme était-il jeté sur le tas de cadavres, à côté de la plate-forme, que le cou d'un autre se trouvait coincé au-dessous du couperet.

Cette vitesse affolante lui permit de décapiter cinquante personnes en une heure, mais cela ne le satisfit pas, et il ordonna que l'on réunisse par groupes de deux ou trois les hommes, les femmes et les enfants qui restaient, il les fit avancer vers le bord d'une vaste fosse, où des chasseurs sans entraînement les massacrèrent en tirant à l'aveuglette. Certains moururent sur le coup, d'autres furent blessés et d'autres encore se tirèrent indemnes de la fusillade, mais sur un signal d'Hugues, tous furent jetés pêle-mêle dans la fosse, que des hommes recouvrirent de terre à grands coups de pelle, enterrant vivants ceux que les balles maladroites avaient épargnés, sans tenir compte de leurs hurlements déchirants.

Malgré ce sadisme, Hugues désirait sincèrement faire régner l'ordre dans son île. En bon homme d'État, il donna à la Guadeloupe une excellente administration, doubla la production de sucre et de rhum, produisit des denrées alimentaires en abondance alors que la disette sévissait avant son arrivée, élimina des postes inutiles et onéreux, et mit en place une force de police locale très efficace qui rendit de grands services une fois que la majorité des blancs d'origine française furent supprimés ou partis en exil dans les îles voisines.

Il instaura également ce que l'on peut appeler une « politique extérieure ». Après avoir mis de l'ordre dans son île, il décida d'exporter sa révolution dans les îles voisines, et ses petits bateaux rapides passèrent sous le nez des gros vaisseaux de guerre anglais pour envahir All Saints, Grenade et Tobago. Dans chaque île il suscita l'insurrection armée des esclaves contre leurs maîtres. A la suite de ces exploits, il envoya des agents secrets d'un bout à l'autre de la mer des

Antilles pour fomenter des révoltes d'esclaves contre les propriétaires de plantations, qu'ils fussent français, anglais ou espagnols.

Son aventure internationale la plus extraordinaire fut une sorte de déclaration de guerre à la jeune république des États-Unis, pour laquelle il n'éprouvait que mépris.

— Regardez-les. Il n'y a même pas dix ans, ils se battaient contre les Anglais, et sans l'aide de la France ils auraient été écrasés. Maintenant, ils vendent des armes et des provisions à ces mêmes Anglais qui essaient de nous détruire.

Il ordonna à sa marine, minuscule mais compétente, de capturer tout bâtiment américain qui se présenterait dans la mer des Antilles. Il réussit à s'emparer de près de cent bateaux, et un amiral américain a dit de lui :

— C'est une vermine. Mais avez-vous déjà essayé de vous débarrasser de ces moustiques invisibles qui vous attaquent pendant les nuits chaudes ?... Ce salopard sait se servir de ce qu'il a.

Une des décisions internationales d'Hugues produisit d'excellents résultats : il encouragea la contrebande des Hollandais, car depuis des siècles les Hollandais commerçaient dans la mer des Antilles. Ne possédant que de petite îles, ils se faufilaient avec leurs bateaux dans les grandes îles au mépris des lois locales et apportaient à la Barbade, la Jamaïque, Trinidad et Carthagène les produits marchands qui leur étaient nécessaires.

— Un honnête pirate hollandais n'a pas de prix, disait volontiers Victor Hugues.

Un soir où il haranguait un groupe de jeunes administrateurs, mulâtres et noirs, il s'écria avec enthousiasme :

— Je ne rêve pas de victoire, ici à la Guadeloupe ou dans la Barbade anglaise, mais du jour où la forme bienveillante de gouvernement que les Français ont introduite ici s'étendra à toutes les îles des Antilles. Non seulement à Saint-Domingue et à la Martinique, que nous possédons déjà, mais aussi à la Jamaïque, à Trinidad et dans toutes les îles Vierges. Surtout à Cuba. Un seul gouvernement, une seule langue, et comme guide spirituel, notre Culte de la Raison.

Il expliquait souvent cette vision à son entourage :

— Cette mer splendide — vous savez, je l'ai sillonnée en tous sens — doit être gouvernée par une seule puissance. L'Espagne en a eu l'occasion et elle l'a sabotée. L'Angleterre aurait pu réussir, mais elle a perdu son énergie. Ces colonies américaines essaieront peut-être de réaliser l'unité antillaise un jour. Mais le peuple dont les prétentions à cet égard sont le plus justifiées, le peuple qui détient les idées les plus conformes à cet idéal, c'est la France. Nous-mêmes. Il faut que cette mer soit française, et elle le deviendra.

A la base de cette conception de l'hégémonie française se trouvait sa conviction que les Français comprenaient mieux que tout autre pays européen l'importance des noirs aux Antilles.

— Regardez ce que nous avons déjà accompli à la Guadeloupe. Ma première décision en débarquant a été l'abolition de l'esclavage. C'est une idée dépassée, finie. Un gaspillage de l'énergie humaine. Et j'ai également mis fin aux habitudes sociales qui brimaient les mulâtres. Si les blancs sont plus intelligents et les noirs plus forts, pourquoi ne pas combiner leurs qualités et susciter une nouvelle race de dieux ? Il n'y aura ni maître blanc ni esclave noir sur une île que je gouverne.

Il accomplit exactement ce qu'il prêchait, car il annonça aux noirs :

— Vous n'êtes plus esclaves. C'est fini. A jamais. Mais vous ne serez pas non plus des propres à rien. Ou vous travaillerez, ou vous irez en prison. Et je vous avertis, je n'ai pas beaucoup de vivres à gaspiller pour les détenus.

Grâce à cette attitude éclairée, il parvint à inciter les noirs à produire davantage qu'avant, sans exhortations incessantes ni châtiments corporels.

Il s'occupa également de problèmes secondaires, et supprima les contraintes mesquines imposées aux mulâtres et aux noirs, car elles étaient humiliantes et créaient partout des animosités. Il tenait à ce que tous les enfants bénéficient d'une éducation gratuite, et il vida les prisons de tous les détenus qui n'étaient pas blancs. Dans son désir de démontrer que des anciens esclaves pouvaient accéder à des postes naguère réservés à des blancs, il recherchait sans cesse des noirs compétents. Au moment de l'amnistie, quand la mère de Solange sortit de prison, il remarqua ses talents d'administrateur et l'engagea pour l'assister. A ce poste, elle eut l'occasion de sauver de la guillotine plusieurs Français qui avaient toujours traité leurs esclaves avec respect.

Ce fut à n'en pas douter un politicien brillant, mais vers le milieu de son mandat certains de ses actes incitèrent des observateurs à douter de la sincérité de ses convictions. Quand Hugues apprit, avec presque un an de retard, que son ami et défenseur Robespierre avait été guillotiné à son tour, son ardeur révolutionnaire parut se ramollir aussitôt. Quand le Directoire assuma le pouvoir à Paris, il se déclara chaudement partisan du nouveau régime, sans même se demander quelles idées il représentait.

— Regardez donc, lancèrent les observateurs. Il a cessé de nommer des noirs à des postes élevés. Notez bien mes paroles, il ne tardera pas à rétablir l'esclavage.

Quels qu'aient été les succès ou les échecs de Victor Hugues, la Guadeloupe n'oublierait jamais sa guillotine ambulante et son regard fuyant. Et au cours des derniers mois de son pouvoir, l'île entière observa d'un œil amusé ses relations de plus en plus complexes avec les deux belles créoles, Eugénie Lanzerac et Solange Vauclain. La cour effrénée de Hugues paraissait d'autant plus divertissante, en dépit de l'horreur, que nul n'ignorait l'amour passionné des deux jeunes femmes pour Paul Lanzerac — elles ne devaient donc éprouver que dégoût pour Hugues, et leur désir de vengeance constituait même un danger.

Hugues en était conscient, mais l'idée de les avoir dans son lit en dépit de leur rancœur constituait à ses yeux un défi — il s'imaginait sous les traits du roi bossu Richard III d'Angleterre, qui avait découvert la passion charnelle parfaite dans les bras de la veuve du jeune roi qu'il venait de faire assassiner.

Ses tentatives auprès des deux femmes auraient pu faire la trame d'une de ces charmantes comédies européennes dans lesquelles un notable pompeux venu de la capitale survient dans une ville de province italienne, espagnole ou française, jette un œil concupiscent sur deux jolies bourgeoises et devient la risée de tous, victime du bel esprit de ces dames. Mais ce genre d'intrigue ne pouvait se jouer à Pointe-à-Pitre, parce que Victor Hugues le maigrichon n'était pas un gros Falstaff, mais un ogre armé d'une guillotine.

Trouvant Eugénie inabordable, trop accablée par le deuil de son mari et les soins à donner à son fils, il se consacra à Solange. Depuis la destruction de la plantation de sa famille elle vivait en ville avec sa mère, et chaque fois qu'il la voyait traverser la place, il la trouvait plus désirable. Elle incarnait dans ses fantasmes l'image idéale de la population noire et mulâtre qu'il avait libérée, elle représentait sa vision d'un avenir où toutes les îles des Antilles se trouveraient sous ce qu'il considérait comme l' « autorité bienveillante » de la France, après l'extermination de la tyrannie blanche. Elle devint à ses yeux, non seulement une jeune femme extrêmement séduisante avec son beau visage et ses gestes gracieux, mais une sorte de symbole spirituel du nouveau monde qu'il était en train de créer.

Bien entendu, sa passion de plus en plus violente pour Solange ne l'empêchait pas de conduire dans son lit chaque nuit une cohorte sans fin de toutes les femmes à qui il pouvait imposer son avidité sexuelle. Les stratagèmes auquel il avait recours pour parvenir à ses fins étaient parfois si infâmes qu'ils paraissaient antithétiques à toute notion de désir physique. Comment un homme qui prétendait aimer une femme pouvait-il faire guillotiner son mari le mardi et prendre plaisir à la contraindre à tomber dans son lit de la Maison Dentelle le jeudi suivant ? Hugues ne voyait aucune contradiction dans ce comportement. Il exerçait également des pressions sur des enfants pour obtenir leur mère, et il séparait des gamines de quinze ans de leurs jeunes amoureux de seize ans qui s'efforçaient de les protéger. Un témoin français, défenseur de la Révolution en France, écrivit dans une lettre secrète à Paris : « Dans votre ville, on parle d'un règne de la Terreur. Ici nous évoquons à voix basse un règne de l'Horreur, car toute décence semble s'être envolée. »

Le destinataire de cette lettre la lut, écœuré, et la renvoya à Hugues avec la note : « Vous avez maintenant un espion dans vos rangs. » Le soir du retour de la lettre à la Guadeloupe, les tambours battirent et l'auteur des plaintes fut guillotiné.

Hugues amorça ses assauts contre Solange en accordant à sa mère une promotion exigeant qu'elle travaille dans son bureau. Dès qu'elle fut bien en place, il lui fit comprendre qu'elle conserverait sa faveur seulement si elle s'organisait pour qu'il voie sa fille plus souvent.

— Vous pourriez lui proposer de vous aider ici, suggéra-t-il.

— Mais Solange n'est plus sous mon autorité.

D'un ton qui ne laissait place à aucune méprise, il lui répliqua :

— Elle a intérêt à vous obéir.

Quand Mme Vauclain prévint sa fille, Solange ne répondit pas. Dans l'atmosphère barbare qui régnait à la Guadeloupe, elle avait peur de confier quoi que ce soit à sa mère. Celle-ci avait obtenu la faveur de l'assassin et risquait donc d'être devenue une de ses espionnes. Solange garda donc ses pensées pour elle-même, tout en se rendant parfois le soir auprès d'Eugénie pour comploter avec son unique confidente.

— J'ai eu hier une très étrange impression, Eugénie. Je bavardais avec ma mère et elle m'a posé une question... Je ne me rappelle plus laquelle... mais je crois qu'elle voulait me sonder. Et je me suis dit : « Mieux vaut ne rien lui dire, c'est peut-être une de ses espionnes. »

Elle baissa les yeux vers le parquet, puis lança un regard furtif autour d'elle car les espions d'Hugues étaient partout, mais il lui fallait partager sa rancœur avec quelqu'un, et elle continua :

— Cet homme horrible. Nous devons aller jusqu'au bout.

La réponse d'Eugénie fut prononcée d'un ton calme, mais avec encore plus de force que les paroles de Solange :

— Un poignard, du poison, un pistolet... Mais ce sont des choses difficiles à dissimuler. Comment Charlotte Corday a-t-elle achevé le tyran ? L'a-t-elle noyé dans son bain ou poignardé pendant qu'il se baignait ?

Vers la fin de 1797 les deux femmes prirent leur décision : puisque leur proie semblait si avide de glisser Solange dans son lit, elle dissimulerait son dégoût et se laisserait entraîner.

— Seulement si tu t'en sens capable... insista Eugénie. Et il faudra que ce soit pour un certain temps... Pour que s'offrent des occasions d'accomplir ce que nous déciderons, ajouta-t-elle après un temps d'hésitation.

— Oh non ! protesta Solange. Une fois que je serai là-bas jamais je ne pourrai revenir ici, Eugénie. Ce serait trop dangereux pour toi.

Solange regarda sa précieuse amie qui l'avait si souvent aidée pendant son adolescence, puis murmura :

— Jamais je ne pourrai supporter de te perdre après avoir perdu Paul. Il faut que j'agisse entièrement seule, et j'en suis capable.

Elle voulut s'en aller mais Eugénie la retint par la main et pendant un instant les deux femmes demeurèrent figées ainsi, dans les ombres de la maison de l'apothicaire.

— L'aimais-tu si profondément que tu risquerais ta vie pour le venger ? demanda Eugénie.

— Tu es bien prête à risquer la tienne, répondit Solange.

— Bien entendu, mais nous étions mariés.

La belle mulâtresse, encore plus séduisante dans les ombres, répliqua :

— Nous l'étions aussi, quoique d'une autre manière. Et Hugues doit mourir pour l'immense tort qu'il nous a fait à toutes deux.

Sur cet aveu du passé et cet engagement pour l'avenir les deux créoles s'embrassèrent pour la dernière fois, sachant bien que si quoi que ce soit tournait mal elles ne se reverraient sans doute jamais. Au moment où elles se séparèrent dans le noir, Eugénie murmura :

— Ne t'en fais pas, sœur bien-aimée. Si tu ne réussis pas, je réussirai quand viendra mon tour.

En décembre 1797 Solange Vauclain s'installa à la Maison Dentelle avec l'homme qu'elle avait résolu d'assassiner, et pendant six semaines cette idylle grotesque se prolongea. Elle dissimula ses sentiments réels avec une telle habileté qu'Hugues éprouva le comble du plaisir, comme tout homme de trente-cinq ans qui obtient les faveurs d'une belle jeune femme de vingt-cinq ans. Mais il ne sous-estimait jamais ses ennemis en puissance, et il ordonna à ses espions :

— Trouvez-moi tout ce qu'il y a à savoir sur elle.

— Elle n'a pas vu son amie Eugénie Lanzerac depuis l'exécution, déclarèrent-ils. Aucun danger de ce côté-là. Son père était, bien entendu un Français royaliste, mais il est mort. De la fidélité de sa mère, vous êtes meilleur juge.

Ce n'était pas tout, mais rien ne pouvait rendre Solange vraiment suspecte, hormis un fait irréfutable :

— Vous devez vous en souvenir, elle était très amoureuse de

Lanzerac, mais autant que l'on sache, cet amour n'a jamais abouti à rien.

Rassuré par ces rapports et certain que Solange n'avait plus le moindre contact avec la veuve Lanzerac, Hugues se félicita de sa liaison et d'avoir si agréablement organisé son existence. Un matin, à la suite d'une soirée pendant laquelle Solange avait joué à merveille son rôle de maîtresse de maison. Hugues dut reconnaître, pendant qu'il se rasait : « Cette femme brillerait dans n'importe quel salon. J'ai parfois l'impression qu'elle est faite pour Paris. »

Il consacra le reste de la matinée à ses devoirs habituels, dont l'approbation de la série suivante d'exécutions, puis déjeuna avec Solange sur le balcon de sa demeure, qui dominait la place. Dans l'après-midi, il fit avec Solange une promenade à cheval et constata de nouveau qu'elle était capable d'agir en toute circonstance comme une femme de qualité. Cela l'impressionna beaucoup. Quand elle descendit de cheval, il se sentit dans la peau d'un mari en adoration. Dès qu'ils entrèrent dans la maison qu'elle avait si bien connue quand Paul et Eugénie l'occupaient, il la couvrit de baisers ardents.

Couvert de poussière après la promenade, Hugues se retira dans une pièce du haut où d'anciens esclaves apportèrent des seaux d'eau bouillante pour son bain. Après leur départ, il se prélassa dans la baignoire de métal qu'il avait fait venir de Paris. Il entendit des pas près de la porte.

— Solange ? Est-ce vous ?

Elle s'avança lentement d'un pas décidé, en tenant devant elle un long couteau pointu. Avec une vivacité extraordinaire, Hugues bondit de sa baignoire, esquiva l'attaque de la jeune femme et d'un coup sec fit tomber le couteau de sa main. Il se tapit dans un coin en hurlant :

— Au secours ! A l'assassin.

La première personne qui entra dans la salle de bains fut la mère de Solange. Elle comprit sur-le-champ ce que sa fille avait tenté de faire.

Et elle bondit sur Hugues pour lui arracher le couteau des mains et en finir avec lui. Elle n'en eut pas le temps. Des gardes se précipitèrent dans la pièce et se saisirent des deux femmes, tandis qu'Hugues continuait de gémir :

— Elles essayaient de me tuer.

On entraîna la mère et la fille, mais la vieille femme s'arracha à ses gardes et s'élança vers Solange pour l'embrasser.

— Tu as bien agi. Ne crains rien, lui dit-elle, le monstre sera détruit.

Le lendemain à midi, la guillotine ambulante de Victor Hugues se dressa au milieu de la belle place de Pointe-à-Pitre, et l'on vit l'esclave africaine Jeanne Vauclain, chargée de chaînes et le visage couvert de plaies à la suite de l'interrogatoire des gardes, s'avancer vers la plate-forme d'exécution. On la força à s'agenouiller, on bloqua son cou en position et le lourd couperet tomba. Quelques instants plus tard, sa ravissante fille, svelte et gracieuse comme un jeune cocotier sous une brise tropicale, fut bousculée à son tour vers les trois marches de la plate-forme et contrainte à baisser la tête jusqu'à ce que son cou se trouve parfaitement exposé. De nouveau le couperet tomba.

Mais il ne tomba pas aussitôt, car Hugues estima qu'il devait lancer un avertissement à la population :

— Voyez ce qui arrive quand des royalistes réactionnaires séduisent et détournent nos mulâtres et nos noirs. Ces femmes étaient des traîtres à la cause de la Liberté et c'est pour cette raison qu'elles doivent mourir.

Il leva lentement la main pour retenir l'attention de l'assistance, ne bougea pas pendant un instant, puis la laissa tomber en un geste dramatique et au même instant le couperet glissa en sifflant. Solange Vauclain, la plus ravissante créole de sa génération, mourut. Et quand sa tête roula sur la place, son bourreau leva les yeux vers la maison de l'apothicaire où vivait à présent Eugénie, et s'aperçut que la veuve Lanzerac le regardait.

Après la mort de Solange, Hugues se concentra sur la conquête d'Eugénie. Il ne pouvait espérer qu'elle s'installe auprès de lui, mais il exerça d'habiles pressions pour l'inciter à envisager un accord.

— Madame Lanzerac, nous avons besoin d'un nouvel apothicaire en ville, et il sera inévitable que vous quittiez votre maison. D'autres en feront un meilleur usage.

— Et où habiterai-je ? demanda-t-elle.

Il parut hésiter.

— Il y a toujours de la place dans votre ancienne maison.

Elle fit semblant de ne pas comprendre ce qu'il lui proposait. Mais un jour où il se trouvait dans un état d'irritation extrême il la mit en garde :

— Vous vous souvenez sans doute que le soir de notre arrivée vous avez été condamnée à mort ? Seule ma générosité vous a épargnée. Cette sentence demeure exécutable.

Mais elle continua de repousser sa proposition sans lui dissimuler qu'elle la jugeait odieuse. Il adopta donc des méthodes plus dures. Un matin, comme Eugénie rentrait du marché, de l'autre côté de la place, elle fut accueillie chez elle par les hurlements d'une femme.

— Eugénie ! On a volé votre enfant !

Elle se précipita dans la chambre où elle l'avait laissé. Il ne s'y trouvait plus.

Dans les journées d'angoisse qui suivirent, elle reçut un bombardement de rumeurs stupéfiantes, orchestrées par Hugues mais jamais exprimées par sa bouche, car il entendait se présenter bientôt sous les traits du sauveur.

— Le petit Jean-Baptiste a été trouvé mort !

— Le jeune Lanzerac a été retrouvé dans un marché non loin de Basse-Terre.

Et il laissa mijoter Eugénie dans ses angoisses jusqu'à ce qu'elle devienne, selon ses paroles, « sensible à mes attentions ».

N'ayant plus d'amie proche pour la soutenir, ni d'homme capable de l'aider car presque tous les jeunes royalistes de l'île avaient été exécutés, Eugénie n'avait personne vers qui se tourner dans la douleur qui la paralysait ; même les prêtres qui auraient pu la consoler avaient été guillotinés au cours des premières journées de terreur. Bien entendu, comme de nombreuses femmes dans sa situation, elle aurait pu solliciter l'assistance d'anciennes esclaves au cœur généreux qui détenaient maintenant le pouvoir, mais Jeanne Vauclain était morte et Eugénie ne connaissait personne comme elle. Elle se blottit donc, toute seule dans sa maison vide, en se demandant quand elle serait expulsée et contrainte d'accepter l'hospitalité de Victor Hugues.

Plus cette éventualité se rapprochait, plus elle était certaine que moins d'une semaine après son arrivée, elle assassinerait le dictateur, même si elle devait passer à la guillotine le lendemain.

— Il ne faut pas le laisser vivre et se vautrer dans ses crimes.

Cette phrase devint sa devise. Elle se laisserait posséder par cet homme sur les cadavres de son mari et de son fils, mais à peine jouirait-il de son triomphe qu'il signerait son arrêt de mort. A la différence de Solange, elle ne se jetterait pas sur lui en plein jour. Elle l'assassinerait pendant qu'il dormirait à ses côtés.

Mais Hugues, devinant plus ou moins ses pensées, embrouilla la situation en lui annonçant une surprenante nouvelle :

— Vous savez, Eugénie, lui dit-il un jour dans la rue, si vous venez dans la Maison Dentelle, nous pourrons peut-être retrouver votre fils.

Elle n'éleva pas la voix, ni ne l'accusa d'être un monstre inhumain. Exploiter ainsi, pour parvenir à ses fins, un enfant que l'on croyait mort ! Elle tenait à ce que personne ne voie sa colère et puisse rappeler à Hugues qu'il jouait un jeu dangereux.

— Citoyen-commissaire, lui dit-elle calmement, cela signifie-t-il que mon fils est en vie ?

Il lui adressa un sourire calculé :

— Je pense simplement que dans des circonstances favorables je pourrais ordonner à mes hommes de chercher un peu mieux.

Il la laissa réfléchir à cette offre convaincante, et elle demeura sur la place, les yeux fixés sur sa silhouette jusqu'à ce qu'il disparaisse dans la Maison Dentelle. Chaque trait de cet homme lui parut plus laid et plus repoussant que jamais : ses cheveux sans couleur, sa démarche furtive, ses jambes ridicules en tuyau de poêle, ses chaussures qui semblaient trop grandes, ses longs bras de singe et ses mains couvertes de sang. Elle le compara à ses souvenirs de Paul et crut s'évanouir à la pensée qu'un nabot pareil puisse vivre alors que Paul était mort.

Elle était plus déterminée que jamais à exécuter Hugues, mais l'éventualité que son fils soit vivant, qu'elle puisse le reprendre, la retint pendant quelques jours, où elle ne cessa d'errer dans Pointe-à-Pitre en essayant de résoudre son dilemme. Il n'y avait pas de solution. Si Jean-Baptiste était en vie, il fallait qu'elle reste en vie elle aussi pour l'élever, et donc tolérer le seul homme qui puisse lui rendre son enfant, l'infâme Victor Hugues.

Se résignant à la perspective d'une existence avec Hugues qui s'achèverait forcément par un meurtre, elle se rendit auprès de lui de son propre chef.

— Citoyen-commissaire, je ne vis que pour mon fils. Si vos hommes parviennent à le retrouver...

— Ils l'ont déjà fait, répondit Hugues, dont les yeux aux paupières lourdes brillaient déjà de désir.

D'une pièce de l'arrière apparut une servante noire avec Jean-Baptiste, âgé de quatre ans et ressemblant de plus en plus à son père.

— Maman ! cria-t-il en se jetant dans les bras d'Eugénie.

Hugues regarda avec un sourire bienveillant les retrouvailles d'un fils qui deviendrait peut-être un jour son fils adoptif, avec sa mère qui serait bientôt sa maîtresse. Puis, comme Eugénie se préparait à emmener Jean-Baptiste chez elle, de l'autre côté de la place, le dictateur la mit en garde :

— N'oubliez pas, madame Lanzerac, vous faites toujours l'objet d'une sentence de mort.

Par miracle. un événement inattendu se produisit, qui sauva Eugénie de l'emprise de Hugues et éloigna d'elle la nécessité de le tuer. Un bateau arriva de France avec des nouvelles passionnantes : « Bonaparte remporte victoire sur victoire. Il vient de partir à la conquête de l'Égypte. »

Un gouvernement beaucoup moins radical se trouvait à la tête du pays et ses membres les plus raisonnables n'éprouvaient que répulsion pour la conduite de Hugues. Ils l'avaient remplacé par un nouveau commissaire du gouvernement, qui avait reçu un ordre inespéré : « Renvoyez Hugues à Paris, aux arrêts de rigueur. » Avant la tombée de la nuit, le dictateur expulsé de la Maison Dentelle se trouvait enfermé dans une petite cabine à bord du bateau qui venait d'arriver.

Hugues, indomptable et toujours plein de morgue, apprit que le déchargement du bateau et l'embarquement du sucre à destination de Paris prendrait sept jours. Il demanda une plume et du papier et ses gardes cédèrent, car il s'agissait d'un personnage important. Il s'installa à la table de sa cabine et, grattant sans discontinuer avec sa plume d'oie, il composa un chef-d'œuvre. Il rédigea soixante pages dans lesquelles il exposa les nombreux miracles de l'excellente administration qu'il avait instituée à lui seul. Il évoqua en termes ronflants son courage dans les combats, la révolution économique qu'il avait inspirée, les nombreuses victoires de sa petite flotte agressive contre la Grande-Bretagne et les États-Unis, sa libération des esclaves et surtout sa probité sans tâche et son intuition sans pareille sur tous les problèmes des Antilles.

Son panégyrique autographe était si étincelant qu'il aurait pu s'appliquer à un Périclès ou un Charlemagne, et il remplit précisément son objectif, car à sa lecture, les responsables même de son arrestation déclarèrent :

— Ce Victor Hugues doit être un génie !

Ils le nommèrent aussitôt gouverneur de la Guyane d'où il adressa des rapports semblables sur ses succès dans ses nouvelles fonctions.

Après l'arrivée au pouvoir de Napoléon, il contribua au rétablissement de l'esclavage dans la colonie, puis revint à Paris. Il devint l'un des principaux porte-parole de l'Ordre nouveau. On l'entendit souvent donner des instructions sévères aux jeunes fonctionnaires qui partaient pour les colonies :

— Veillez à ce que ces maudits nègres restent à leur place. Ce sont des esclaves, et ne leur permettez pas de l'oublier.

Mais la plus incroyable de ses volte-face se produisit en 1816, après la chute de Napoléon et la restauration de la royauté. Il proclama aussitôt qu'il avait toujours éprouvé d'ardentes sympathies pour les royalistes, négligeant le fait qu'à la Guadeloupe, quelques années plus tôt, il en avait décapité plus de mille sans leur laisser la moindre chance de se justifier.

On lui permit de retourner sa veste de façon si stupéfiante pour plusieurs raisons. Tout d'abord, c'était un administrateur de premier ordre ; en 1794, avec seulement onze cents soldats, il en avait vaincu dix mille ; et pendant les batailles navales, avec sa poignée de petits bateaux, il avait capturé près de cent bâtiments américains et presque autant d'anglais. On raconte que même après soixante ans, il continuait de pourchasser et souvent de conquérir de fort jolies femmes, et il est mort dans son lit... couvert d'honneurs.

Cependant Eugénie Lanzerac, débarrassée de son oppresseur et réunie à son fils, devint l'une des plus désirables jeunes veuves créoles des Antilles françaises, et plus d'un bel officier réfugié des terreurs de Paris sollicita sa main, désireux de profiter pleinement de la paix qui régnait à la Guadeloupe. Elle finit par épouser un jeune homme de la vallée de la Loire, descendant d'un des châtelains de la région, et s'attacha avec lui à restaurer la beauté tranquille de Pointe-à-Pitre.

Après plusieurs mois de mariage, Eugénie retrouva le tailleur de pierre qui avait gravé l'infâme monument sur l'emplacement du tombeau de Dundas, et elle lui passa une commande étrange :

— Trouvez-moi une belle pierre et taillez-la de façon à faire deux tombes en une seule.

Quand ce fut fait, elle lui demanda d'y graver les prénoms des deux êtres qu'elle avait profondément aimés : PAUL ET SOLANGE. Puis elle fit placer la pierre dans le mur de sa Maison Dentelle, où elle resta pendant de nombreuses décennies après sa mort.

10

Un pays torturé

Saint-Dominique, 1802

En 1789, la colonie la plus florissante du monde, et à bien des égards la plus belle, n'était autre que la partie d'Hispaniola appartenant à la France. Elle s'appelait Saint-Domingue et comprenait le tiers occidental de la grande île de Colomb ; les deux tiers orientaux demeuraient aux mains des Espagnols.

Le sol montagneux, couvert de merveilleux arbres tropicaux, était arrosé par de nombreux torrents bondissants. Les précipitations annuelles correspondaient précisément aux besoins de la canne à sucre, du café et d'une profusion de fruits succulents inconnus en Europe, notamment les mangues et la banane-plantain. Nichées entre les collines s'étalaient de nombreuses aires plates, idéales pour les plantations — il y en avait plus de mille, chacune capable de faire la fortune de son heureux propriétaire.

Comment cette colonie, jadis fermement tenue dans le giron de l'Espagne, se trouvait-elle maintenant française ? Son histoire illustre bien le vieux dicton : « Rien n'est aussi permanent qu'un accord temporaire. » Au siècle précédent, quand les boucaniers contemporains de Henry Morgan prospéraient dans la petite île de la Tortue, au large d'Hispaniola, les pirates français ne cessaient d'aller et venir dans le détroit et certains s'étaient fixés sur la grande terre avec l'intention d'y rester. Ceux qui gouvernaient officieusement à la Tortue et sur les terrains de chasse au cochon de la côte ouest d'Hispaniola, étaient invariablement des Français, si bien qu'en 1697, au moment où l'on rédigea un traité général de paix entre tous les pays d'Europe, le représentant de la France déclara :

— Comme nos sujets occupent déjà la côte occidentale d'Hispaniola, pourquoi ne nous la céderiez-vous pas ?

Ce fut fait. Des pirates français têtus avaient, sans le vouloir, conquis un trésor pour leur pays d'origine.

Saint-Domingue, qui renoncerait bientôt à ce nom — version française de Santo Domingo (Saint Dominique) — pour reprendre son ancien nom indien de Haïti, produisait de telles richesses qu'un des planteurs put déclarer, avant de retourner à Paris avec sa fortune :

— On plante de la canne à sucre et le sol se transforme en or.

Les deux principaux comptoirs de la colonie — Cap-Français au nord et Port-au-Prince au sud — en fournissaient la preuve : ces deux petites villes étalaient leur opulence sans la moindre retenue.

Cap-Français était la plus grande et la plus importante ; de par sa position sur l'Atlantique elle constituait pour les navires venus de France le premier port en vue et le plus facile d'accès. Elle possédait un mouillage spacieux, un front de mer splendide et une population de vingt mille habitants. Elle s'enorgueillissait de son immense théâtre capable de recevoir mille cinq cents spectateurs, avec une scène avancée qui permettait aux acteurs de jouer au milieu du public. Comme les artistes venaient de France, on s'efforçait de les engager dans la colonie pour trois ou quatre saisons, ce qui était possible car il existait une autre salle à Port-au-Prince, de sept cents places seulement, mais encore plus belle, ainsi qu'une demi-douzaine de théâtres champêtres dans les petites villes de l'intérieur. La colonie pouvait donc se permettre d'entretenir deux ou trois compagnies complètes, et les acteurs de Paris se donnaient le mot : « Saint-Domingue est à ne pas manquer. »

Ces théâtres présentaient quatre sortes de distraction : des pièces populaires du moment, des divertissements musicaux, une forme de vaudeville et de temps en temps les grands classiques de Racine et Molière. Tous les enfants, même élevés dans de petites villes de campagne, avaient l'occasion de voir des pièces de grande qualité sur la scène locale.

Au Cap, comme on disait de préférence, des foules de magasins offraient tout ce que l'on trouvait dans des établissements semblables de villes françaises comme Nantes ou Bordeaux — beaux articles de cuir, argenterie, vêtements féminins et masculins à la dernière mode. Plusieurs pâtisseries françaises étaient vraiment excellentes et il y avait des médecins expérimentés, des avocats éloquents, des fiacres et des rondes de police. Les écoles pour garçons ne proposaient, au mieux, qu'une éducation superficielle, car tous les jeunes élèves prometteurs étaient aussitôt envoyés en France pour parfaire leurs études, mais comme la plupart rentraient ensuite à Saint-Domingue le niveau culturel de la colonie était élevé. Il n'existait aucune école pour les filles et aucun document ne mentionne le départ d'une fille dans la métropole pour son éducation, mais l'on trouvait des livres et des revues pour dames, si bien que tous les Français de la colonie savaient lire et que la qualité des conversations surprenait. Tout ce qui se passait à Paris était aussitôt connu au Cap, même si pendant la traversée de l'Atlantique les opinions avaient tendance à adopter une couleur nettement conservatrice.

Si splendide que fût la colonie — aux beaux jours (qui étaient nombreux presque d'un bout à l'autre de l'année) les brises du soir étaient agréables, le paysage imposant et la nourriture un mélange exotique de la meilleure cuisine française et de l'opulence antillaise — elle n'aurait jamais pu produire ces richesses infinies sans des êtres humains capables de les utiliser. À cet égard, Saint-Domingue semblait à la fois bénie et maudite.

La bénédiction ? Une divinité semblait avoir dit :

— J'ai donné à la colonie beauté et richesse, et je vais maintenant la peupler avec des êtres qui en sont dignes.

Ce beau pays était donc occupé par des hommes comptant parmi les plus capables des Antilles. Les colons français étaient bien éduqués, durs au labeur et de caractère bien trempé, et les noirs comptaient parmi les meilleurs ramenés d'Afrique. La colonie semblait donc promise à la stabilité et à la grandeur.

Quant à la malédiction... Les trois communautés d'habitants — blancs, sang-mêlé, noirs — se détestaient, et les insurrections forcenées qui allaient durer vingt années — de 1789 à 1809 —, loin de souder ces groupes en une entité raisonnable, les divisèrent de façon si irréductible que la tragédie devint inévitable. Le haut de l'échelle était clairement défini : propriétaires terriens, membres des professions libérales et fonctionnaires envoyés de Paris pour administrer le pays ; ils étaient invariablement blancs et riches. Ils avaient la mainmise sur tout. Ils possédaient les plantations, dirigeaient les magasins importants et subventionnaient le théâtre pour monopoliser les meilleures places. Ils étaient en principe passionnément pro-français, encore plus passionnément conservateurs, mais catholiques sans passion. La religion ne jouait pas un grand rôle à Saint-Domingue mais n'importe quel blanc aurait regardé de travers un protestant qui aurait essayé de monter un commerce ou de construire une maison à Cap-Français.

Cette classe comportait deux groupes, dont les intérêts divergeaient parfois — les grands blancs, qui tenaient le haut du pavé par leur position financière et sociale, et les petits blancs, dont certains étaient demeurés vraiment très petits sur le plan économique. Mais pendant la période qui suivit 1789, les deux sous-groupes demeurèrent plus ou moins unis.

En bas de l'échelle, et si loin au-dessous de la position occupée par les blancs qu'ils en devenaient presque invisibles, se trouvaient les noirs, les esclaves. Nés en Afrique pour la plupart — aux colonies la mort survenait vite, et il fallait remplir constamment les vides — ils étaient illettrés, sans aucune formation préalable pour les travaux des plantations et strictement exclus de la religion chrétienne par leurs propriétaires, de peur que les enseignements de Jésus-Christ les incitent à exiger leur liberté. Ils conservaient de nombreuses habitudes africaines, adhéraient à des religions enracinées dans le continent noir et s'adaptaient à la chaleur, à l'alimentation et aux conditions de travail de Saint-Domingue avec une étonnante facilité. Leur masse apparemment informe comptait à peu près la même proportion d'artistes en puissance, de bons chanteurs, de philosophes et de leaders politiques ou religieux que n'importe quel autre groupe humain dans le monde — et en tout cas, comme nous allons le voir, le même pourcentage de chefs militaires que les blancs dans leur colonie. Mais comme l'éducation et l'occasion leur manquaient, leurs talents restaient cachés jusqu'à ce que des ruptures d'une espèce ou d'une autre révèlent leur existence. L'occasion allait se produire, et les noirs de Saint-Domingue montreraient des capacités qui surprendraient le monde.

Prise entre les deux meules extrêmement puissantes des planteurs blancs et des esclaves noirs végétait une masse considérable de gens qui n'étaient ni blancs ni noirs. Toutes les îles des Antilles possédaient leurs frères et leurs sœurs de races mêlées, et partout ils se trouvaient en butte à de menus obstacles, promesses, espoirs et handicaps déchirants. Dans les autres colonies, ils portaient les noms de mulâtres, *colored,* métis, sang-mêlé, *half-castes,* créoles, *mestizos, criollos* ou bâtards, mais à Saint-Domingue on évitait tous ces termes et surtout mulâtre, jugé péjoratif. On les appelait gens de couleur et ils étaient libres.

Méprisés par les blancs, qui les considéraient comme des parvenus s'efforçant de grimper à un niveau auquel ils n'avaient aucun droit, ils subissaient la haine des noirs, qui voyaient en eux une couche intermédiaire dont l'existence empêcherait toujours les esclaves d'accéder au pouvoir. Leur histoire à Saint-Domingue ressemble trait pour trait à celle d'autres groupes métissés des Antilles anglaises, de l'Inde ou de l'Afrique du Sud : rejetés par les classes supérieures et inférieures, ils ne se sentaient chez eux nulle part, n'avaient aucun allié de confiance, aucun avenir assuré. Mais quelles que fussent les similitudes avec la situation dans d'autres colonies du monde, leur position à Saint-Domingue s'avéra particulièrement décourageante car ils parvinrent à plusieurs reprises à deux doigts d'une solution, juste avant d'être de nouveau trahis et pourchassés comme des bêtes.

En 1789, les blancs de la colonie étaient environ trente mille, les gens de couleur vingt-sept mille et les esclaves noirs pas moins de quatre cent cinquante mille. En raison du taux de mortalité effarant parmi les Noirs surmenés et sous-alimentés, il fallait importer d'Afrique chaque année environ quarante mille esclaves de remplacement, et ce commerce lucratif se trouvait entre les mains des grandes compagnies négrières établies dans les ports atlantiques de la France : La Rochelle, Bordeaux et surtout Nantes.

Dès 1770, les observateurs des relations commerciales comprirent que les colonies anglaises d'Amérique du Nord tomberaient tôt ou tard dans un état de trouble ou de rébellion, et les Espivent, grande famille d'armateurs de Nantes, décidèrent de développer fortement leur commerce traditionnel d'esclaves entre l'Afrique et le Nouveau Monde pendant la période d'activité effrénée qui précéda le début de la guerre d'Indépendance. La branche aînée de la famille, anoblie depuis des siècles, plaça au commandement de sa flotte de neuf négriers les plus audacieux capitaines qu'elle trouva et leur offrit d'énormes primes s'ils gagnaient la Virginie et la Caroline plus rapidement que jamais afin de ratisser de plus gros bénéfices tant que la traite des esclaves demeurait possible.

Ils ne trouvèrent que huit capitaines acceptables et cherchèrent alors parmi les nombreux membres de la famille employés par la compagnie. Leur choix se porta sur Jérôme Espivent, vingt-neuf ans, homme de tempérament qui avait navigué sur plusieurs bateaux de la famille. Il connaissait la côte des Esclaves en Afrique, les marchés d'esclaves de Caroline et des Antilles, et l'on pouvait compter sur son honnêteté. Ses cousins aristocrates lui confièrent l'un de leurs plus grands bateaux et lui recommandèrent :

— Faites notre fortune et la vôtre.

Il s'y appliqua avec une telle assiduité qu'au moment où la révolution américaine éclata en 1776, il avait amassé une richesse considérable et une connaissance rare de la région des Antilles. En 1780, comme la guerre touchait à sa fin, et que forcer les blocus anglais ne rapportait plus d'énormes dividendes, Espivent, afin d'échapper à l'inévitable emprise de la branche titrée de sa famille, décida de quitter Nantes pour s'installer aux Antilles. Bien entendu, il songea d'abord aux îles françaises et en particulier à la Martinique, lieu de haute culture où la vie sociale passait pour très riche mais il envisagea aussi la Guadeloupe, plus plébéienne. Au bout du compte, il se décida pour un beau versant de colline dans la ville de Cap-Français, car, à bien des égards, il jugeait l'emplacement meilleur que tous les autres.

Sur cette colline, il construisit sa résidence : de l'extérieur une sorte de forteresse grossière de pierre comme on en voit dans la vallée du Rhin ; à l'intérieur un élégant castel de la Loire avec des pièces spacieuses et une décoration coûteuse. Il bénéficiait de perspectives magnifiques sur l'Atlantique (pour apercevoir avant tout le monde les bateaux arrivant de France) et sur la ville qui s'étendait à ses pieds. Là, Jérôme Espivent régna comme un dictateur sur la vie sociale et politique du grand port et devint le symbole même de l'influence française aux Antilles.

Âgé de quarante-huit ans, sa grande taille et ses cheveux grisonnants lui conféraient une allure impériale ; il portait une moustache toujours bien taillée et une petite barbiche pointue à la Van Dyck. Malgré la chaleur tropicale, il portait volontiers les vastes capes adoptées par la noblesse française au siècle précédent, et il demandait à un marchand de la ville de faire venir de l'Inde des tissus extrêmement légers, dans lesquels les couturières taillaient des capes d'une grande finesse, d'un bleu clair ou d'un noir brillant. Quand il faisait son apparition au théâtre dans une de ces tenues, il symbolisait pour tous les habitants du Cap la gloire ancienne de la France.

Il admirait la noblesse à laquelle il était lié par le sang. On reconnaissait volontiers ses compétences en matière financière, car tout ce qu'il touchait se développait au-delà de toute attente. Comme il avait cessé de naviguer, il servait de représentant à terre de tous les bateaux qui sillonnaient les parages, et avec le passage du temps, on s'aperçut qu'il tirait de ces bateaux davantage de bénéfices que leurs armateurs. Il achetait à des plantations n'ayant pas les mêmes installations que lui du *muscovado* brut qu'il raffinait lui-même avec de l'argile importée de la Barbade. Il était très riche mais point avare, car il subventionnait le théâtre, envoyait de jeunes gens brillants continuer en France leurs études même s'il n'avait aucun lien familial avec eux, et offrait sa participation en toute circonstance, estimant que les Français d'un certain rang se devaient de faire bonne figure en public.

Il entretenait une curieuse passion qui avait débuté comme un passe-temps mais finissait par devenir une obsession, comme c'est souvent le cas. Persuadé que Dieu avait créé le « sang blanc » dans le monde pour L'aider à sauver le reste de la barbarie, il s'était laissé fasciner par ce qu'il appelait la « contamination par le noir ». Une conviction présidait à tous ses actes : « Une seule goutte de sang noir, mêlée à du blanc, demeure visible jusqu'à la septième génération. » Un enfant de la septième génération possède cent-vingt-huit ancêtres, et Espivent avait établi un tableau qui montrait toutes les combinaisons possibles de 128 « blanc pur » = 0 « noir » jusqu'à l'inverse honteux de toute la gamme : 0 « blanc » = 128 « noir ».

Il avait codifié sous une forme logique les noms populaires donnés à ces mélanges, et il se plaisait à expliquer à qui voulait l'entendre :

— Supposez qu'un blanc au sang parfaitement propre épouse une noire venue de la jungle africaine avec son sang sale. Leur enfant est un mulâtre, moitié-moitié. Supposez ensuite qu'aucun des hommes de notre exemple n'épouse une seule noire, mais des femmes blanches au sang pur. À la génération suivante, trois parts de blanc et une part de noir, l'enfant portera le nom de *quarteron.* S'il épouse une blanche pure, son fils sera un *octavon* — sept parts de propreté, une part de saleté. À la génération suivante, avec quinze blancs contre un noir, ce sera un *mamelouk.*

Bien entendu, les mélanges réels étaient beaucoup plus confus que dans cet exemple idéal, et certains noms donnés aux cent vingt-huit combinaisons possibles ne manquent pas de surprendre : un enfant ayant une part de blanc et sept de noir s'appelait *sacatra;* trois parts de blanc, cinq parts de couleur, un *marabout.* Mais Espivent considérait qu'un des mélanges les plus passionnants était le *griffe* — une part de blanc, trois parts de couleur.

Son système incroyable atteignit le nombre de huit mille cent quatre-vingt-douze catégories, représentant les ancêtres qu'un être humain pouvait avoir si l'on comptait jusqu'à la treizième génération.

— C'est seulement à cette génération-là qu'un homme peut retourner à la respectabilité de la blancheur dont un de ses ancêtres s'était dépouillé dans la honte.

Et il mettait les jeunes hommes en garde :

— Si l'on estime à vingt-deux ans la moyenne d'une génération, il faudra deux cent quatre-vingt-six ans à vos descendants pour corriger l'erreur monstrueuse que vous commettriez en épousant une femme de sang noir. Moralité ? Au moment de vous marier, évitez les femmes de couleur.

Avec des opinions aussi implacables, il était clair qu'Espivent éprouvait des sentiments hostiles à l'égard des non-blancs de sa colonie. Il ne pouvait éviter toute relation avec eux : il se faisait tailler la barbe par eux, il commandait ses gâteaux dans leurs pâtisseries, et il les engageait comme régisseurs quand il n'avait pas assez d'hommes venus de France. Où qu'il aille à Saint-Domingue, il tombait sur des jeunes gens brillants à la peau relativement claire et aux dents étincelantes qui « essayaient toujours de se faire passer pour meilleurs qu'ils ne sont ». Mais plus il en voyait, plus il les méprisait, car il croyait voir dans « leurs yeux fuyants », comme il disait, la menace d'une vengeance qu'ils exécuteraient un jour. Tout ce qui les concernait le mettait en fureur.

— Mon Dieu, certains parlent mieux le français que nos propres enfants ! Savez-vous que Prémord, le beau parleur arrogant de l'échoppe de tailleur, a eu le culot d'envoyer ses deux fils faire leurs études à Paris ? Ces gens de couleur achètent des livres, emplissent les théâtres, envahissent nos églises et font parader leurs jolies filles devant nos fils en espérant les prendre au piège. Ils sont pires que les moustiques — la malédiction de notre colonie.

Parfois, il arpentait les rues du Cap en cataloguant chaque homme et chaque femme de couleur qu'il rencontrait.

— Celui-ci a trois quarts de sang noir, marmonnait-il entre ses dents. Celui-là, seulement un huitième. Cette jolie gamine va essayer de se faire passer pour blanche un de ces jours, mais la souillure demeurera et la dénoncera tôt ou tard.

Le spectacle des ravissantes jeunes filles de couleur lui faisait de la peine et aucun plaisir, car il les imaginait toujours en train de prendre au piège quelque soldat innocent à peine débarqué de France : la donzelle le forcerait à l'épouser puis gagnerait la métropole avec son indéracinable sang noir pour contaminer la patrie. Il avait très souvent l'impression que la colonie et la métropole étaient condamnées, mais il demeurait à Saint-Domingue parce qu'il possédait en ville un château spacieux où régnait la fraîcheur, et dans la campagne une plantation magnifique. L'attitude raciste d'Espivent était diamétralement opposée à l'opinion de la plupart de ses compatriotes, et on l'accusait parfois de se montrer pire que les Anglais. Mais jamais il ne céda d'un pouce sur son dogme extrémiste. En fait, il s'y complaisait.

Jérôme Espivent avait appelé sa plantation Colibri, et pour cultiver sa belle propriété il utilisait environ trois cents esclaves — « les meilleurs des Antilles », se vantait-il auprès des autres planteurs. Il pouvait s'en flatter car au cours des années où il avait dirigé les mouvements de son navire négrier et de ceux de sa famille, il les avait fait d'abord accoster à Cap-Français pour pouvoir inspecter les nouveaux arrivages, et il avait choisi pour sa plantation les éléments qui semblaient les plus résistants et les plus intelligents. Le rebut partait vers les colonies américaines, où l'on ne pouvait se montrer aussi exigeant.

Il n'avait cependant pas trouvé son meilleur esclave, César, sur un de ses bateaux, mais par une voie détournée fort curieuse. En 1733, quand les noirs de l'île danoise de Saint-John s'étaient révoltés, la plupart des rebelles avaient été exécutés de façon horrible, mais un des meneurs de la révolte, un esclave du nom de Vavak (le père de César) s'était enfui de l'île dans une barque en compagnie de sa femme. A la rame, ils avaient discrètement contourné l'île danoise de Saint-Thomas où une mort certaine attendait tout noir en fuite, pour se rendre sur la côte nord de Porto-Rico. Ils s'étaient cachés à terre pendant sept jours, puis avaient repris leur barque vers l'extrémité orientale de la grande île d'Hispaniola. Ils étaient alors tombés entre les mains d'un planteur espagnol qui les réduisit de nouveau à l'esclavage, comme il fallait s'y attendre. Mais ils parvinrent à s'enfuir du côté français, où on les replaça encore en servitude, dans une plantation juste au nord de Port-au-Prince.

En 1780, quand Espivent commença à rassembler son cheptel humain de Colibri, il apprit qu'un esclave était à vendre — par suite de la faillite de son propriétaire. On le considérait comme « l'un des meilleurs esclaves transportés dans ces îles, intelligent et dur au labeur, actuellement dans le sud ». Espivent se rendit sur les lieux. Il trouva un jeune homme marié de vingt-quatre ans, appelé Vavak comme son père. En quelques minutes Espivent décida que malgré sa taille plutôt petite, l'homme pouvait devenir le chef de sa plantation dans le nord. Il l'acheta à un prix intéressant, et quand Vavak le supplia en bon français d'acheter également sa femme, il céda volontiers :

— C'est rationnel. Un homme travaille mieux avec sa femme auprès de lui pour le guider et prendre soin de lui.

Ils prirent donc tous les trois la route de Colibri, mais, chemin faisant, Espivent s'écria :

— Vavak n'est pas un nom français convenable.

Il réfléchit un instant, fit claquer ses doigts et décida :

— Vaval. Prénom : César. Et votre femme s'appellera Marie.

César et Marie virent pour la première fois la grande plantation qui allait devenir leur foyer, par un après-midi orageux du printemps 1780. Ils suivaient tant bien que mal le cheval ardent de leur nouveau maître, mais celui-ci s'arrêta brusquement, leur ordonna d'en faire autant et leur montra le splendide paysage.

— La maison de pierre sur la droite, la colline à l'ouest, les terres qui descendent vers l'océan caché derrière la hauteur. Tout est à moi. Tout est confié à vos soins.

La première réaction de César fut professionnelle : la canne à sucre pousserait bien, tout était en excellent état avec des chemins aplanis, de petites maisons pourvues de toits et des terres cultivées dans les règles. Mais sans lui laisser le temps d'exprimer sa pensée, Espivent se dressa sur ses étriers et désigna une hauteur lointaine qu'il apercevait mais que les deux esclaves ne pouvaient pas voir.

— Voilà le château Espivent, ma demeure. Vous viendrez y travailler parfois, quand il faudra tailler les haies.

Sur ces mots, il éperonna son cheval et se dirigea vers le groupe de cases où ses nouveaux esclaves installeraient leur foyer.

Dans les années qui suivirent, César ne vit pas son propriétaire régulièrement car Espivent venait rarement sur sa plantation, et lorsqu'il le faisait, c'était pour examiner les récoltes et non les esclaves. Au cours de ces inspections à cheval au milieu des précieux hectares, il pouvait promener son regard impérial sur des avenues et des avenues de canne à sucre sans jamais voir un seul de ses trois cents esclaves. Il ne faisait pas semblant de ne pas les voir, ses regards n'étaient pas plus arrêtés par leur présence que par celle des arbres au pourtour de ses champs.

Il se montrait raisonnablement bienveillant envers eux mais professait la théorie qu'il valait mieux les traiter comme des animaux — un pantalon, une chemise, des branchages par terre en guise de lit, la nourriture la meilleur marché — et les faire travailler à mort, quitte à les remplacer par de nouveaux corps achetés à bas prix sur un des navires de la famille. Tant qu'ils étaient en vie, il ne les insultait pas, et chaque fois qu'il surprenait un contremaître en train de le faire, il le renvoyait.

— Traitez vos esclaves de façon convenable. Non seulement ils vivront plus longtemps, mais ils travailleront mieux tout au long de leur vie.

Un esclave d'Espivent qui arrivait en bonne santé survivait environ neuf ans; et comme il remboursait son prix en cinq ans de travail, il représentait un investissement profitable.

Comme César ne pouvait pas imaginer un meilleur système d'esclavage que celui qu'il connaissait, il acceptait volontiers l'opinion souvent exprimée à Colibri :

— Notre plantation est la meilleure. Dans les autres, on donne le fouet. Personne n'est aussi bon que M. Espivent.

Puis, en cette année fatale de 1789, on se rapprocha du milieu de l'été et de fantastiques événements bouleversèrent la France métropolitaine, mais l'on empêcha les esclaves de Saint-Domingue d'en prendre connaissance. Redoutant que les désirs de liberté des noirs n'éclatent en conflagrations incontrôlables, Espivent engagea les grands blancs à mener campagne pour qu'aucune nouvelle de France ne parvienne aux esclaves, et il y réussit.

Si les Vaval n'avaient aucune idée des flammes révolutionnaires qui consumèrent la France au cours des journées de tempête consécutives à la prise de la Bastille, les métis libres n'en ignoraient rien. Xavier Prémord et sa femme Julie, par exemple, dont les deux fils étaient en France, recevaient des lettres détaillées sur les changements en cours.

— Rien ne sera plus comme avant, confia Xavier à son épouse.

Mais les améliorations qu'il souhaitait restaient superficielles comparées aux bouleversements radicaux dont Julie rêvait :

— Il faut tout changer, ne cessait-elle de répéter chaque fois que filtraient des nouvelles — soulèvement dans les campagnes françaises, émeutes à Paris, proposition de nouvelles formes de gouvernement.

A ces violences physiques et intellectuelles, Xavier réagissait plus froidement :

— Les gens de couleur comme nous obtiendront le droit de vote et un peu plus de considération à Cap-Français.

Mais son épouse aspirait à une modification complète des rapports sociaux :

— On ne nous méprisera plus et personne ne nous marchera sur la tête.

Elle se jura qu'Espivent cesserait d'être, du haut de son fameux château, l'arbitre de la vie politique et sociale de la communauté. En écoutant Xavier, on se représentait une transition lente mais régulière vers un nouveau mode de vie, mais si l'on prêtait l'oreille à Julie, on entendait des échos de révolution.

Espivent détestait cela, mais quand il voulait acheter du tissu indien de première qualité pour une cape neuve, il lui fallait s'adresser au magasin de Xavier Prémord, à côté du théâtre. Et lorsqu'il avait besoin d'un gilet, d'un pantalon d'une coupe spéciale, il ne pouvait faire appel à personne d'autre, car Prémord avait passé un contrat d'agent exclusif avec les meilleurs tisserands de Nantes et de Bordeaux et s'était organisé pour que les meilleurs tailleurs et les meilleures couturières de la ville travaillent uniquement pour lui. Tout Français du Cap qui désirait être bien habillé devait passer par Prémord, en général vêtu encore plus à la mode que n'importe quel dandy de la ville.

Xavier et son épouse constituaient le meilleur exemple de ce que les grands blancs redoutaient chez les gens de couleur. Bel homme de trente-huit ans, de grande taille, manifestement intelligent et compétent dans la gestion de ses affaires, il avait pris pour épouse le type même de femme de couleur contre lequel Espivent tempêtait — svelte, séduisante, avec une peau ambrée qui semblait irradier des reflets d'or. En plus de cette bénédiction visible de la nature, elle avait l'esprit vif et passait pour une femme d'affaires avisée, avec cet instinct de prévoyance et le goût du profit qui semblent venir facilement aux Françaises de la classe moyenne.

Elle n'aidait pas son mari au magasin, car elle dirigeait la petite plantation héritée de son père, non loin de Méduc, village situé en face de l'île pirate de la Tortue. En fait, c'était sur les terres dépendant maintenant de cette plantation que les boucaniers Ned Pennyfeather et son oncle Will étaient venus chasser les sangliers plus de cent ans auparavant.

Un jour où Espivent croisa les Prémord qui sortaient du magasin de Xavier pour se rendre à l'opéra, le doyen de la société du Cap expliqua à ses amis blancs :

— Cet impertinent doit avoir quatre-vingt-huit parts de blanc et quarante de noir : un type très présomptueux. Elle ? Je dirais quatre-vingt-seize de blanc et trente-deux de noir, et c'est une bonne chose qu'elle se soit mariée, parce que les jeunes officiers arrivant de France se seraient jetés sur elle.

Puis il proféra la plus haute louange qu'elle recevrait jamais de la bouche d'Espivent :

— Elle dirige sa plantation, à Méduc, aussi bien qu'un homme.

Comme toutes les autres personnes de couleur qui possédaient des terres et la liberté, les Prémord utilisaient des esclaves (dans leur cas une quarantaine) pour cultiver et broyer la canne à sucre, mais dès qu'elle avait assumé la direction de la plantation, Julie avait pris à leur égard des mesures différentes. Souvent, les planteurs métis traitaient leurs esclaves encore plus mal que ne faisaient les blancs. Sans doute à cause de la peur viscérale que l'esclavage leur inspirait : ils voyaient ces malheureux comme des animaux encore dans la fosse sans fond où leurs ancêtres s'étaient trouvés. Ils avaient réussi à s'en extraire mais craignaient toujours d'y retomber un jour, poussés par les grands blancs comme Espivent. Julie, au contraire, considérait ses esclaves comme des êtres humains et essayait de les traiter en êtres humains.

Par une soirée d'août, son mari définit clairement sa position, à laquelle il revenait souvent :

— Chaque année, la population noire augmente. Quand les négriers arrivent avec le contingent destiné à remplacer les morts, ils débarquent quelques centaines d'Africains en supplément. Avec le temps, ils nous écraseront, c'est forcé. Notre seul espoir est une alliance — rapide et solide — avec les blancs, pour leur faire comprendre que leur seul espoir de survie consiste dans un accord avec nous.

— Je l'ai cru longtemps, répondit Julie, puis elle marqua un temps pour bien choisir ses mots. Mais ce que j'ai vu récemment à la plantation m'incite à en douter. Nous avons dans cette colonie un nombre colossal d'esclaves. Par rapport à nous, c'est effrayant.

— Nous le savons depuis toujours.

— Je suis certaine qu'ils ne resteront pas dans la servitude. Un jour ou l'autre les troubles de France filtreront jusqu'à eux.

— Ils sont illettrés. Ce sont des sauvages. Ils ne savent rien de la France.

— Nos grands-parents étaient comme eux, mais ils ont vite appris.

Pour toute réponse, Xavier se réfugia derrière un des grands clichés de l'analyse sociale :

— A l'époque, c'était différent.

— Quand nos esclaves se mettront à suivre la même voie que nos grands-parents, et ils le feront par centaines de milliers, nous aurons tout intérêt à renoncer à de vains espoirs d'intégration au sein des blancs et à nous joindre aux esclaves, car ils l'emporteront.

Il voulut répliquer mais Julie le devança :

— Nous devons prendre cette position vite et sans ambiguïté, pour montrer aux noirs que nous le faisons de notre propre gré... et pour les aider à obtenir leur libération.

— Pas à notre génération, Julie, répondit son mari. Les gens de couleur comme nous sont civilisés, les noirs ne le sont pas.

Les Prémord s'étaient liés d'amitié avec deux couples métis, libres eux aussi et propriétaires de plantations du côté de Méduc. Parfois ces six personnes directement concernées se lançaient dans des discussions sur ces problèmes essentiels. Les opinions se partageaient ainsi :

trois partisans d'une alliance avec les blancs, Julie qui conseillait un accord avec les noirs, et les deux autres qui optaient pour une attitude d'expectative. Mais l'un de ces derniers sabota en fait son propre argument quand il ajouta :

— J'ai écouté les rumeurs du Cap. Je suis allé à Port-au-Prince. Jamais je n'ai senti de tensions aussi élevées. Les événements risquent de décider à notre place.

— Vos paroles contredisent votre attitude attentiste ! s'écria Julie, exaspérée. Expliquez-nous clairement et simplement ce que nous devons faire à votre avis.

— Justement, j'essaie de vous l'expliquer : nous ne devons rien faire, répliqua l'homme qui s'irritait. Nous ne devons permettre à aucun camp de se servir de nous. Et quand la fumée s'élèvera, car je suis sûr qu'il y aura de la fumée, nous serons en position de dicter nos conditions.

Chaque fois que le débat en arrivait là, les participants se regardaient en silence, car ils se rendaient compte qu'ils discutaient de leurs chances de vie et de mort.

Les Prémord étaient habitués à une certaine tension car les lois de Saint-Domingue, dictées et appliquées par Espivent et ses grands blancs, imposaient de nombreuses vexations mesquines aux gens libres de couleur. Quand Xavier discutait avec d'autres membres de sa caste au cours de rencontres dans son arrière-boutique, ceux-ci exprimaient souvent leur rage au vu des injustices auxquelles il leur fallait se soumettre :

— On nous interdit les bonnes places au théâtre, se plaignait l'un d'eux.

— Ce qui me met en fureur, déclarait un autre, c'est que je suis le meilleur fusil de la colonie. Je l'ai prouvé dans des dizaines de concours de tir, mais je n'ai pas le droit de m'engager dans la milice. Les Français prétendent qu'on ne peut pas se fier à un homme comme moi... à cause de ma couleur.

On leur interdisait de copier les modes de Paris et de jouer à des jeux européens. Mais ce qui scandalisait Julie chaque fois qu'elle prenait part à ces conversations, c'était la mesquinerie des règlements imposés par les femmes blanches de la colonie :

— On m'empêche d'inviter six amies de couleur à déjeuner, de peur que nous lancions une conspiration. Et nous n'avons même pas le droit d'organiser une fête de groupe quand deux jeunes gens se marient. La loi précise qu'« aucune personne de couleur n'a le droit de participer à des activités qui risquent de créer du tapage », et si un espion nous surprend à bavarder ensemble en secret, comme en ce moment, nous risquons tous la prison.

Le couple était donc ravi chaque fois que, pour une occasion ou une autre, un groupe de braves gens de couleur de Méduc, le village voisin de la plantation des Prémord, en face de l'ancienne île pirate de la Tortue, invitait des amis de la partie septentrionale de la colonie à une fête clandestine, un dîner suivi de discussions et de danses.

— Xavier, ils recommencent, annonça Julie à mi-voix.

Son mari comprit aussitôt que la courageuse famille Brugnon allait réunir de nouveau dans l'illégalité tous ses amis de couleur. Ils donnèrent rendez-vous discrètement à deux autres couples à la sortie du Cap et partirent à cheval avec trois esclaves à dos de mules qui s'occuperaient des chevaux et des bagages. Ils prirent la direction de l'ouest dans une atmosphère de fête, car ce devaient être de vraies vacances, loin du magasin et des corvées quotidiennes. Mais quand ils arrivèrent aux abords de Méduc, Julie sentit monter en elle l'appréhension et mit son mari en garde.

— Cette année, pas de bêtises pendant le bal.

— Je n'en ai pas le goût, moi non plus, la rassura-t-il, mais elle l'obligea à promettre :

— Surveille-moi du coin de l'œil, et je surveillerai ta cavalière.

Il s'y engagea. Ils entrèrent bientôt dans ce beau petit port de mer, s'installèrent chez leurs amis de couleur et passèrent le reste de l'après-midi en profondes discussions sur les événements de Paris et l'avenir de Saint-Domingue.

Un inconnu d'origine incertaine, qui avait sur le visage une balafre livide, attira beaucoup l'attention en se rendant d'un groupe d'hommes à l'autre pour annoncer discrètement :

— Vincent Ogé, l'un d'entre nous pour qui les révolutionnaires de Paris ont beaucoup d'estime, va peut-être solliciter votre aide.

— Notre aide pour quoi ? demanda Xavier.

— Tôt ou tard, répondit l'homme, il vous faudra bien tenter de conquérir votre liberté, non ? Comme nous l'avons fait à Paris.

Prémord fit comme s'il n'avait pas entendu et l'homme s'éloigna en haussant les épaules vers un autre groupe auquel il posa la même question.

Au cours du dîner, un orchestre de six esclaves joua de joyeux airs de théâtre, puis passa à une musique de danse plus animée quand on eut écarté les chaises et les tables. Les gens de couleur dansaient toujours avec beaucoup d'ardeur et quand les mouvements devinrent de plus en plus libres, Julie croisa le regard de son mari et celui-ci hocha la tête : il ne s'éloignerait pas d'elle.

En cet instant, avant que ne commence la frénésie de la nuit, il éprouvait des sentiments très contradictoires. Dans sa jeunesse, il avait ressenti un plaisir fou à ces danses de son peuple, mais à son âge, avec une jolie épouse et une position importante dans la colonie, il avait l'impression que le déchaînement sur le point d'éclater rabaissait le statut des gens de couleur et justifiait dans une certaine mesure les calomnies lancées par les blancs à leur sujet. Il éprouvait donc en même temps une excitation de plus en plus vive, comme au bon vieux temps, mais aussi de la répulsion en songeant que l'inconnu de Paris serait témoin des excès des gens de couleur.

Sur un signal des hommes qui menaient la danse, l'orchestre se mit à jouer de plus en plus vite. Hommes et femmes commencèrent à héler d'autres danseurs, et même à crier en l'air sans s'adresser à personne. Soudain, sur un cri du meneur de jeu, la musique s'arrêta, toutes les lumières s'éteignirent, et tous, hommes et femmes, se jetèrent les uns sur les autres à tâtons, en aveugles. Une jeune femme particulièrement séduisante — et il y en avait beaucoup dans la foule — se trouva alors saisie par trois ou quatre hommes, tandis que plusieurs femmes se battaient sans aucun doute pour s'emparer d'un bel homme comme Prémord.

Quand les couples de rencontre se furent formés, les hommes et les femmes les moins combatifs se contentant des restes, ils s'isolèrent dans les étages, sur des coins discrets de la pelouse ou dans les étables, partout où ils pouvaient trouver un semblant d'intimité. Les amours, les cris perçants et les jurons commençaient — et se prolongeraient longtemps dans la nuit, au milieu des échanges de partenaires et des bagarres.

Prémord, comme promis, bondit aux côtés de son épouse dès que la musique s'arrêta pour la protéger. Il la conduisit sous un porche, à l'écart.

— Merci, Xavier, murmura-t-elle.

L'inconnu à la cicatrice se dirigea vers eux, montra le parquet de danse abandonné et silencieux puis haussa les épaules.

— Ne nous étonnons pas quand ils nous jugent indignes d'un rôle plus important dans la société.

— Ces choses-là changeront quand nous obtiendrons le respect auquel chaque homme aspire.

— Pourquoi êtes-vous ici ? demanda Julie, du ton tranchant que son mari connaissait si bien.

— Je visite.

— Et qu'avez-vous chuchoté à nos hommes ?

Dans la faible lumière qu'offrait une lampe oubliée à l'autre bout de la véranda, le visiteur lança un coup d'œil interrogateur à Xavier, qui hocha la tête.

— Elle en sait aussi long que moi.

L'homme approuva.

— C'est bien. De même pour ma femme. La raison de ma présence ici, madame Prémord ? J'informe vos amis que Vincent Ogé, un homme de couleur qui possède certains talents, viendra bientôt solliciter votre aide.

— Dans quel but ? demanda Julie d'une voix égale.

— Obtenir les libertés auxquelles nous avons tous droit.

— Cet Ogé parle-t-il de révolution ? demanda Julie.

— Non ! Non ! s'empressa de répondre l'homme. Il sait comme vous et moi que votre groupe de métis est le moins nombreux de la colonie. Vous n'êtes rien, sauf que vous accomplissez tout le travail qui permet à la colonie de survivre. Si, en prenant Ogé comme porte-parole, vous présentez vos requêtes sous la forme requise...

— Nous serons massacrés, répliqua calmement Julie.

— Peut-être, acquiesça l'homme avec le même calme, ce qui surprit la jeune femme. Nous serons massacrés, mais nous ne pouvons plus attendre.

Julie remarqua que pour cette déclaration de fermeté il avait changé de pronom, passant de vous à nous.

— Êtes-vous vraiment l'un de nous ? demanda Julie.

— Depuis le jour de ma naissance.

— Où cela ? lança Julie, qui craignait non sans raison les agents provocateurs.

— Au sud. Dans le port de Jérémie.

— Comment s'appellent les propriétaires du grand magasin sur la place principale ?

— Ce sont les Lossier, répondit l'homme sans hésiter.

— Ils font partie de ma famille.

Elle l'interrogea directement sur son propre nom, mais il refusa de le lui donner. Quand l'inconnu quitta ces saturnales Julie lut du dégoût sur son visage en voyant deux hommes presque nus pourchasser deux filles à peine plus habillées.

Tant que les parents de César Vaval avaient vécu, ils n'avaient pas épargné leurs efforts pour lui enseigner ce qu'ils estimaient juste et nécessaire.

— Aucune forme d'esclavage n'est bonne. La forme danoise est de loin la plus mauvaise. La forme française passe pour la meilleure. Mais tu ne dois vivre que pour une seule chose : la liberté.

Ses parents étaient morts presque en même temps, épuisés par le propriétaire de leur plantation, mais ils avaient inculqué à leur fils, avant de disparaître :

— Étudie tout ce que font les blancs ? D'où tiennent-ils leur puissance ? Où cachent-ils leurs fusils ? Comment vendent-ils le sucre que nous fabriquons ? Et, peu importe comment, mais apprends à lire leurs livres. C'est là qu'ils dissimulent leurs secrets et si tu ne maîtrises pas les livres, tu resteras toujours esclave.

Ils passèrent leurs derniers jours sur terre à persuader un esclave éduqué d'enseigner l'alphabet à leur fils. Et ce fut ainsi que, des années plus tard, César put lire des rapports sur ce qui se passait en France et dans d'autres parties du monde. Il apprit par exemple que les colonies américaines non loin de Saint-Domingue vers le nord-ouest avaient obtenu leur indépendance de la Grande-Bretagne, à qui appartenait également la Jamaïque, colonie ressemblant beaucoup à Saint-Domingue, non loin vers le sud. Mais la nouvelle qui l'aurait intéressé le plus, les insurrections de France, ne lui était pas parvenue à cause des manœuvres d'Espivent qui continuait de prêcher autour de lui :

— Il faut empêcher les esclaves de savoir. La folie règne en France et il vaudrait même mieux que les gens de couleur n'aient aucun accès aux journaux et aux gazettes.

Mais plusieurs indices indirects convainquirent bientôt César qu'il se produisait des événements importants, en France ou dans d'autres régions de l'île, et il eut envie d'en savoir davantage.

Âgé de trente-trois ans, César ne manquait ni d'intelligence ni de fierté légitime, mais il demeurait borné sur un point précis et cela lui porterait tort pendant sa vie entière : il méprisait les gens libres de couleur. Il voyait clairement le caractère inévitable du conflit entre les grands blancs et les noirs et pour cette raison même, la présence d'un groupe intermédiaire informe entre les deux adversaires le mettait en fureur.

— Qui sont ces gens libres de couleur ? demandait-il aux esclaves les plus sensés qui voyaient en lui un chef éventuel. Ils ne sont pas blancs, ils ne sont pas noirs. Personne ne peut leur faire confiance. Et le pire, c'est qu'ils prennent les meilleures places que pourraient occuper ceux d'entre nous qui travaillent bien, les places de surveillants et de réparateurs. Nous restons donc condamnés à nous échiner dans les champs.

Chaque fois qu'on l'autorisait à se rendre au Cap il regardait avec dégoût, et même avec une certaine animosité, les gens comme Xavier Prémord qui paradaient dans des habits de blancs et avec des manières de bourgeois. Il voyait en eux une barrière empêchant les esclaves d'accéder à une existence meilleure.

Julie Prémord l'intriguait. De toute évidence, c'était une fort jolie femme, mais le fait qu'elle dirigeait une plantation avec de nombreux esclaves la rangeait dans le camp ennemi — sauf que d'autres noirs lui avaient déclaré :

— Celle-là, c'est la meilleure. Le règlement de sa plantation est sévère mais on y a assez à manger et davantage de vêtements.

Un jour où il transportait des plantes pour embellir le château Espivent, il tomba sur elle dans la rue, et sans la moindre raison précise, elle lui sourit. Ce geste chaleureux, humain, lui avait fait plaisir mais l'avait cependant déconcerté et à son retour à Colibri, le soir, il avait déclaré à sa femme :

— Elle est presque comme l'une d'entre nous. En tout cas plus noire que blanche.

Mais à peine ces mots étaient-ils sortis de sa bouche qu'il en reconnut l'absurdité.

— Non, non. Ils sont loin de nous, tous tant qu'ils sont, et en fin de compte, ils seront pires que les blancs.

En dépit de ces opinions, ni lui ni sa famille ne détestaient personne, hormis un contremaître bestial, mais ils étaient tous prêts à entreprendre tout ce qu'il faudrait pour obtenir la liberté dont son père Vavak avait si souvent parlé. Le mot révolution avec son cortège d'incendies et de meurtres était banni pour eux, mais depuis quelques mois une force nouvelle s'était introduite dans leur vie, et le concept de révolution était parvenu jusqu'au sein de leur plantation — sous la forme d'un homme, un esclave fugitif n'appartenant plus à aucun propriétaire, un brandon enflammé répondant au nom de Boukman, qui disait toujours :

— Ne me demandez pas d'où je viens. Demandez-moi seulement où je vais.

C'était un prêtre vaudou, aux intuitions vives et au verbe puissant. Au cours des assemblées nocturnes dans les diverses plantations, il prêchait une doctrine irrésistible après avoir célébré des rituels secrets qui rappelaient aux esclaves leurs origines africaines. Il entonnait de vieilles mélopées de la jungle, accomplissait des rites datant de plusieurs centaines d'années et utilisait des expressions qu'ils avaient presque oubliées. Surtout, il partageait avec eux la nouvelle exaltante qu'il avait apprise en aidant à décharger des bateaux venus de France :

— De grandes bagarres à Paris. C'est une ville de France plus grande que le Cap. Des gens comme vous et moi ont pris le pouvoir. Tout est nouveau, tout est changé. Bientôt ici aussi, au Cap, se produiront de grands changements.

Quand il avait obtenu toute l'attention de ses auditeurs de minuit, il oubliait le parler des esclaves et prêchait en bon français.

— Il faut obtenir la liberté pour tous. Il faut obtenir une véritable fraternité entre le maître et l'esclave. Et l'égalité doit régner. Savez-vous ce que signifie le mot égalité ?...

Il marquait un temps puis criait :

— Ça veut dire : « Vous valez autant que les Blancs. » Et nous devons tous joindre nos efforts, au coude à coude, pour le démontrer.

Il s'aperçut que la plupart des esclaves assistaient à ses réunions secrètes pour reprendre contact avec le vaudou ; ils s'associaient de tout cœur aux mélopées, se laissaient émerveiller par les transes et les charmes magiques et recherchaient dans la danse une sorte de joie libératrice, mais ils désiraient avant tout rétablir des liens avec un passé presque oublié. Boukman lui-même ne perdait jamais de vue sa principale mission, et grâce à ses manipulations habiles, le vaudou devint une antichambre de la révolution : mieux que tous ses fidèles, il avait compris que l'un conduirait certainement à l'autre.

Des esclaves éduqués comme les Vaval — et il y en avait quelques-uns dans chaque plantation — faisaient peu de cas des exhortations vaudoues de Boukman ; mais lorsqu'ils lui parlaient, comme César le fit après une longue séance à Colibri, ils entendaient des paroles presque identiques à celles de l'inconnu balafré pendant la débauche de Méduc :

— Le jour approche... La liberté viendra... La justice s'imposera... Je vous enverrai un message... Nous aurons besoin de vous.

A quelle date le message arriverait, Boukman n'aurait su le dire, mais César et son épouse se persuadèrent qu'il viendrait un jour et se préparèrent pour la grande expérience. Dans toutes les plantations régnait le même esprit d'attente impatiente. Les idées enivrantes de Paris s'étaient enfin glissées jusqu'au cœur même de Saint-Domingue.

En octobre 1790, un appel discret invita les gens de couleur de toutes les régions de la colonie à se rallier sous la bannière de Vincent Ogé. Métis comme eux, il avait fait ses études en France et prêchait que le moment était venu d'exiger l'égalité avec les blancs. Xavier et Julie Prémord quittèrent leur plantation pour se rendre à son appel, mais l'organisation était si mauvaise et les instructions si imprécises qu'ils tournèrent en rond dans le sud sans entrer en contact avec l'insurrection. Ce fut peut-être une chance, car toute l'affaire sombra dans la confusion : fin 1790, Ogé et son lieutenant balafré échappèrent de justesse aux poursuites et se réfugièrent à Hispaniola, toujours espagnole.

Ce soulèvement avorté ne fut pas un échec total, bien au contraire : il suscita auprès des gens de couleur, dans toute la colonie, la volonté irrépressible d'obtenir la liberté au sein d'une France libérée, et les Prémord retournèrent discrètement à Cap-Français imprégnés par ce mélange de patriotisme, de confusion et d'engagement profond à l'égard de leur caste.

Dans la ville, la demi-insurrection des gens de couleur avait exacerbé les haines, Espivent ne cessait de vitupérer :

— Nous devons nous saisir de cet infâme Vincent Ogé, et en faire un exemple. Aucun châtiment ne sera trop sévère.

Il sillonna les rues et les salles de clubs en prêchant sa doctrine de représailles sauvages, et devint bientôt le point de ralliement de tous ceux qu'effrayaient ces premiers signes d'une révolution locale.

— Vous vous rendez compte ? tonnait-il tandis que la brise de février emmêlait ses cheveux grisonnants. Qu'arriverait-il si nous les laissions faire ? Un homme de couleur mangerait à la même table que votre femme et vos filles ? Vous imaginez un poseur comme Prémord, arrivant à votre club et imposant sa présence ? Et la menace la plus grave, c'est que les gens de son espèce souilleraient le sang pur de la France.

Sa haine des gens de couleur tourna à l'obsession et quand le gouvernement obtint d'Hispaniola l'extradition d'Ogé et de ses principaux lieutenants, Espivent força ses partisans en haut lieu à imposer un châtiment qui, à lui seul, aurait suffi à déclencher l'insurrection dans toute la colonie. Les deux Prémord, personnes de couleur dont nul ne contestait l'éducation, le jugement et le patriotisme, quittèrent leur magasin pour se mêler à la foule le 26 février 1791, jour de l'exécution de la sentence, et le hasard voulut que César Vaval fût en ville pour livrer une charretée de produits de la plantation au château Espivent.

Si Espivent, Prémord et Vaval — les principaux acteurs de la tragédie sur le point d'exploser — avaient pu se rencontrer et discuter intelligemment, ces trois hommes pleins de sagesse, qui aimaient leur colonie sans réserve, seraient sans doute parvenus à une compréhension mutuelle et Saint-Domingue aurait pu subir dans la paix les transformations inévitables. S'il existe, comme le croyaient les Grecs de l'Antiquité, des dieux désireux d'aider les mortels en période de crise, on doit supposer que ces dieux les auraient poussés à s'entendre pour sauver leur patrie, car elle pouvait encore l'être. Mais ce jour-là, les dieux détournèrent probablement la tête : les Prémord se glissèrent en silence sur un côté de la foule, Vaval resta sur sa charrette du côté opposé, et Espivent, pareil à une furie vengeresse au pied de la potence dressée au centre de la place, cria :

— Faites venir les prisonniers !

Quand on les amena, les Prémord demeurèrent le souffle court, car l'inconnu de la soirée de Méduc, le provocateur à la cicatrice livide, se trouvait en tête. Derrière lui, Vincent Ogé, bel homme à la peau claire et à l'allure aristocratique — ce qui semblait mettre ses adversaires blancs en fureur car deux d'entre eux le jetèrent au sol à coups de poing puis lancèrent des coups de pied à sa tenue impeccable. L'inconnu resta debout, et dans la confusion qui suivit la chute d'Ogé il parcourut la foule du regard et aperçut les Prémord ; sans trahir leur participation à la conspiration, il leur adressa un signe sans ambiguïté : « Et voilà où nous en sommes. »

Les deux hommes allaient être pendus pour avoir défié l'autorité des blancs, c'était manifeste, mais on ne les pendit pas tout de suite car les deux geôliers d'Ogé le traînèrent sur une grande roue à laquelle on attacha solidement ses quatre membres avec des cordes. Quand on eut étiré son corps juste à la limite au-delà de laquelle il se serait déchiré, un colosse armé d'une barre de fer s'avança et lui brisa les bras et les jambes en deux endroits. L'on augmenta alors la tension sur les cordes jusqu'à ce que les membres se détachent. Les hurlements d'Ogé emplirent la place, à la plus grande satisfaction des hommes dont il avait menacé les privilèges abusifs. Les gens de couleur qui l'avaient défendu furent saisis de terreur, et les quelques esclaves parmi le public ne surent que penser. Quand on détacha les cordes, deux gardes-chiourme soulevèrent le corps, car il ne pouvait plus tenir debout sur ses jambes brisées, et le portèrent jusqu'à la potence, où on le pendit. Quand il cessa de gigoter, on coupa la corde, puis on lui trancha la tête. Vint le tour de l'inconnu balafré. Pendant les derniers pas qu'il fit vers la roue, il cria :

— Liberté pour tous !

Puis l'on commença à étirer ses membres sous les yeux de la brute qui attendait avec sa barre de fer.

Telles furent les images que les Prémord et l'esclave Vaval rapportèrent chez eux ce soir-là. Quand les premiers se retrouvèrent dans leur boutique, ils jurèrent :

— Après une telle horreur, impossible de reculer.

Quant à César, il réunit aussitôt sa femme et ses enfants :
— C'était de la brutalité pour l'amusement de la foule. Il faut s'attendre à de la folie. Et nous devons réfléchir aux meilleurs moyens de l'utiliser à nos fins quand les émeutes commenceront — et cela ne saurait tarder.

Sa prédiction se vérifia : les rancœurs qui couvaient allaient éclater très vite, mais l'explosion se produisit à l'endroit où on l'attendait le moins. Au cours de la nuit sombre du 20 août 1791, Boukman, le prêtre vaudou, revint haranguer les esclaves de Colibri avec une rage dont ni Vaval ni sa femme n'avaient encore été les témoins. Plus d'allusions religieuses obscures, plus d'incantations de la jungle : uniquement l'appel palpitant à la révolution. Pour la première fois, César entendit Boukman proposer réellement la mort de tous les blancs :
— Ils nous ont réduits à l'esclavage, et il faut qu'ils disparaissent ! Ils ont affamé nos enfants et ils doivent être châtiés !
En entendant ces invectives, César songea : « Personne dans notre plantation n'a jamais manqué de nourriture. Cet appel est injuste et ce n'est pas l'endroit où le lancer. » Ce fut cette prise de conscience simple qui le guida, ainsi que sa famille, pendant les journées tumultueuses qui allaient suivre : il détestait l'esclavage et s'opposait à Espivent, mais ne désirait nullement sa mort.
Le matin du 22 août, Boukman cessa de prêcher et lança des brandons enflammés sur les barils de poudre du nord. Il rassembla mille esclaves, puis dix mille, puis cinquante mille. Il partit assez loin de Cap-Français pour s'avancer vers la ville à la manière d'une vague détruisant tout sur son passage. Toutes les plantations furent incendiées, tous les hommes blancs massacrés ainsi que les femmes et les enfants pris dans le chaos. Une destruction totale, comme quand des hordes de sauterelles s'abattent sur un champ à l'automne. Les arbres abattus, les maisons de maître réduites en cendres — cent plantations effacées de la carte au cours du premier élan, puis deux cents, et enfin près de mille. Elles ne produiraient plus de sucre ni de café. La richesse du nord se trouva dévastée à tel point que jamais la région ne s'en relèverait.
Mais la véritable horreur, ce fut le nombre d'existences perdues à cause de la haine extrême des noirs pour les blancs. Au cours de la première journée de fureur, des centaines et des centaines de blancs cessèrent de vivre : hommes abattus à coups de massue, femmes noyées dans leurs pièces d'eau privées, enfants transpercés par des bâtons et brandis comme autant d'étendards de la révolte... Et il se produisit bien d'autres actes barbares trop affreux pour être rapportés. Une femme noire qui n'avait pas pris part à cette orgie de meurtre déclara en passant devant des tas de cadavres :
— Aujourd'hui, même la terre a été tuée.
La plantation Colibri, au cœur même de l'orage de feu, ne fut pas détruite, car Vaval et sa famille la protégèrent. Aux enragés qui se présentaient, ils disaient simplement :
— Pas ici. Nous avons un bon maître.
Et comme César était respecté de tous, la meute tournait les talons et partait détruire la plantation suivante.
Entre-temps, tous les blancs qui en avaient eu la possibilité s'étaient

rassemblés au Cap, où Jérôme Espivent organisait la défense. Sa première décision exprime bien les contradictions de cette journée terrible : comme il n'y avait pas assez de blancs pour défendre la ville, il dut solliciter l'aide des gens de couleur, et il s'adressa sans la moindre gêne aux personnes mêmes qu'il essayait de terroriser quelques jours plus tôt par l'exécution brutale d'un des leurs, Vincent Ogé. Lorsqu'il se présenta au magasin des Prémord pour les enrôler, il ne lui vint nullement à l'esprit de s'excuser de son attitude passée.

— Je vous confie les postes les plus importants. Ce sera nous, ou bien les esclaves. S'ils entrent dans la ville, nous sommes tous morts.

Et les Prémord, n'ayant pas d'autre choix, lui obéirent : ils savaient que la sécurité de leur ville dépendrait au cours des heures suivantes du courage et des talents de chef dont ferait preuve Jérôme Espivent. Ils prirent position sur le périmètre le plus exposé, à l'endroit où ils pourraient tuer le plus grand nombre de noirs.

Au cours de cette première nuit de colère, quand la ville apprit l'étendue des destructions et le nombre de vies perdues, Espivent, sans se soucier de dormir, passa d'un poste de combat à l'autre pour encourager les hommes et consoler les femmes dont les maris étaient restés dans leurs plantations.

— Oui, c'est un calvaire. J'ai des hommes braves à Colibri, et j'espère qu'ils trouveront un moyen de rester en vie. Votre mari aussi, j'en suis sûr.

Pendant plus d'une semaine la fureur continua, mais Espivent interdit aux esclaves l'entrée à Cap-Français, et César Vaval protégea Colibri. Quand les viols et les incendies commencèrent à diminuer, les meneurs noirs de l'insurrection se félicitèrent que César ait protégé la plantation, car elle devint une oasis de bon sens dans un monde déchiré. Des noirs purent y venir pour manger et boire, ou pour se reposer sous les arbres. Ironie du sort, la plantation du colon le plus détesté avait été épargnée.

Au cours de cette période, un si grand nombre de noirs dirent du bien de Vaval que sa réputation s'étendit très loin.

— C'est un homme résolu. Il sait ce que l'on peut faire et ce qui est impossible, disaient-ils.

Puis un jour de septembre, à la suite de ces excellents rapports, il reçut la visite d'un grand noir à l'allure imposante qui lui déclara :

— J'ai eu du mal à traverser les lignes. De nouvelles troupes sont arrivées de France. Elles ont pris Boukman, vous savez. On l'a brûlé.

— À quelle plantation appartenez-vous ? demanda César, supposant qu'il s'agissait d'un esclave.

— Bréda, répondit l'inconnu.

C'était le nom d'une plantation très estimée, presque aussi belle que Colibri.

— J'en suis le directeur, ajouta-t-il. À ce que l'on m'a dit, vous devriez être le directeur, ici.

— Jamais M. Espivent ne voudra entendre parler d'une chose pareille.

— S'il avait un grain de bon sens, il l'accepterait.

— Mais comment vous appelez-vous ? demanda Vaval. Et pourquoi êtes-vous venu ?

— Toussaint Louverture. Je suis venu vous voir. Pour savoir de quoi vous avez l'air.

Il resta deux nuits, au cours desquelles il fit la connaissance de tous les noirs dont il avait entendu dire du bien, et au terme de sa visite il déclara à César :

— Vous entendrez parler de moi. Pas tout de suite. Trop de confusion. Mais soyez prêt. N'oubliez pas mon nom, et quand j'appellerai, venez vite.

La terreur, le meurtre et la trahison se répandirent dans tous les coins de Saint-Domingue. Le 15 mai 1791, à Paris, avait été votée une loi, attendue depuis longtemps, qui accordait aux « gens de couleur » de la colonie les libertés politiques auxquelles ils aspiraient, mais le texte comportait tant de limitations qu'au total à peine cent quarante « gens de couleur » en bénéficièrent dans l'ensemble de Saint-Domingue. Cela aurait suffi à provoquer de vives récriminations, mais lorsque ce décret bâtard arriva au Cap, Jérôme Espivent, oubliant sans vergogne le rôle décisif joué par les hommes de couleur dans la défense de la ville, lança une attaque violente contre la nouvelle loi, en criant à toute occasion :

— Accepter ces gens au sang impur dans le gouvernement de cette colonie reviendrait à ôter tout son sens au mot France.

Il se montra si convaincant que les autorités locales refusèrent de reconnaître leurs droits même aux cent quarante qui remplissaient les conditions.

Cela signifiait sans ambiguïté que les gens de couleur n'avaient aucun espoir d'obtenir justice, pour le présent ou dans l'avenir. Personne n'en éprouva une déception plus vive que les Prémord, ostracisés et humiliés.

— Nous devons régler cette question avec Espivent ! s'écria Julie dans son désespoir. Et tout de suite.

Elle força son mari, réticent, à l'accompagner au château. Au début, on leur refusa l'entrée. Mais quand le propriétaire entendit du tapage à la porte, il sortit de son bureau.

— Que se passe-t-il ?

Reconnaissant les Prémord, il lança d'un ton bourru :

— Qu'est-ce que vous voulez ?

— La justice ! répliqua Julie.

Mais Espivent ne lui adressa pas un regard, car il se refusait à discuter d'une question importante avec une femme.

— Entrez, dit-il à Xavier.

À l'intérieur, délibérément, il laissa le couple de couleur debout, lui refusant même la courtoisie d'un siège.

— Eh bien, de quoi s'agit-il ?

— De votre refus d'appliquer ici les lois de la France, répondit Julie, avec une telle force que cette fois il dut tout de même reconnaître sa présence.

Mais sa réponse sonna le glas de tous les espoirs :

— La France est la France, bougonna-t-il. Si elle devient folle, cette colonie devra choisir elle-même.

— Et vous choisissez de nous maintenir à jamais dans un état de servitude ? demanda Julie.

— Vous avez déjà plus de libertés que vous n'en méritez, répliqua-t-il.

Il les poussa vers la porte pour bien leur signifier qu'ils ne pouvaient escompter aucune amélioration de leur sort tant que lui-même et ses amis demeureraient à la tête de l'île.

Julie ne pouvait s'y résigner :

— Monsieur Espivent, pendant les mauvais jours, quand les esclaves semblaient sur le point d'incendier tout Cap-Français, vous avez appelé les gens de couleur à votre aide. Pour sauver votre château, vos clubs, votre théâtre. Avez-vous oublié que vous nous avez confié, à Xavier et à moi, des postes d'une importance extrême ?

Il se redressa de toute sa hauteur dans sa robe de chambre bleue.

— En période de crise, un général avisé fait appel à toutes les troupes qu'il a sous ses ordres.

— Nous ne serons pas sous vos ordres à jamais ! lança la jeune femme, perdant son calme.

— Je n'en crois rien, répliqua-t-il en refermant sa porte.

Ainsi donc, tandis que la révolution conquérante menaçait de détruire la France métropolitaine, ses colonies et même sa civilisation, le peuple de Saint-Domingue demeurait divisé en trois groupes irréductibles, dont aucun ne voulait ou ne pouvait orienter la colonie vers un comportement rationnel. On a du mal à se représenter l'état lamentable dans lequel leurs querelles perpétuelles plongèrent la colonie ; mais le second maître d'un navire marchand américain en provenance de Charleston, en Caroline du Sud, a laissé le rapport suivant sur un voyage qu'il fit à l'intérieur des terres pour rejoindre à Cap-Français l'équipage qu'il avait quitté à Port-au-Prince.

> *Je suis passé chaque jour devant au moins huit plantations incendiées, cent en tout, et je n'étais qu'un seul homme sur une seule route. J'ai vu des cadavres de blancs étalés par terre avec des piquets enfoncés dans leur ventre. J'ai vu d'innombrables corps blancs et noirs, pendus à des branches d'arbre, et j'ai entendu parler de dizaine de familles blanches massacrées au cours des émeutes. Aux abords des endroits où les blancs avaient pu se rassembler pour se défendre, j'ai vu des monceaux d'esclaves, qui avaient affronté des fusils avec seulement des bâtons et des bêches. À la fin de mon voyage, quand je suis remonté à bord de mon bateau, aucune horreur ne pouvait plus me troubler, mais je me suis souvent demandé si, dans ce déchaînement de terreur et de meurtre, il y avait eu un seul esclave qui eût simplement tué son maître, ou un seul blanc qui se fût contenté d'abattre son esclave, sans profaner son cadavre par la suite. Que Dieu nous préserve de telles horreurs.*

Il termina son récit par un commentaire résumant son opinion de marin connaissant parfaitement ces eaux :

> *Il y a des années, quand nos colonies appartenaient encore à l'Angleterre, je me suis embarqué comme mousse sur un de nos bateaux de Boston. À notre arrivée à Saint-Domingue, notre capitaine nous a prévenus : « Traitez cette colonie avec respect car elle envoie chaque année en France davantage de richesses que nos treize colonies réunies ne peuvent en envoyer en Angleterre. » Après les destructions que j'ai vues, il n'en sera plus jamais ainsi.*

Ainsi Saint-Domingue, jadis perle des Antilles et enviée de toutes les autres îles, s'enfonçait-elle de plus en plus dans cet état de chaos. Mais de nouvelles décisions adoptées par la France révolutionnaire étaient en passe de reconstruire la communauté. Des ordres stricts arrivèrent de Paris : « Vous devez accorder immédiatement une égalité limitée aux cent quarante personnes de couleur désignées par le précédent décret. »

À cette nouvelle, Xavier Prémord se jeta dans les bras de sa femme.

— C'est l'aube d'un monde nouveau.

— Pour nous, oui... répondit Julie, pessimiste. Mais pour les autres ?

Et dans son club Jérôme Espivent prévint ses bons amis :

— La Révolution a fini par traverser l'Atlantique. C'est la fin de l'ordre tel que nous l'avons connu.

Mais ce n'était que le début du chambardement, car peu de temps après survint une stupéfiante nouvelle : « L'égalité juridique militaire et sociale sera accordée à toutes les personnes de couleur. » « La liberté complète sera accordée à tout esclave ayant servi dans l'armée française, ainsi qu'à son épouse et ses enfants. »

Ce dernier décret provoqua des hurlements de rage, non seulement de la part d'Espivent et des grands blancs, outrés, mais de Xavier Prémord et de ses amis de couleur. On aurait eu du mal à préciser quelle faction détestait davantage les nouvelles dispositions. Prémord y voyait manifestement la première phase redoutée d'un mouvement qui finirait par bouleverser sa vie, car, une fois les esclaves libérés, les gens de couleur deviendraient superflus. Il s'opposa donc au décret presque dans les mêmes termes qu'Espivent.

— La digue éclate !

Sa femme se montrait plus optimiste.

— Nous ne pouvons rien changer à ce qui est déjà arrivé. Il faut donc nous préparer à ce qui va survenir ensuite.

Elle déclara à son mari que, dans la gestion de la plantation, elle prendrait déjà les mesures qui leur permettraient de s'adapter à la libération de leurs esclaves quand elle leur serait accordée.

Cela se produisit avec une soudaineté stupéfiante : le 18 juin 1794, un bateau de ligne arriva de France avec les dernières instructions du gouvernement révolutionnaire : « La liberté totale sera octroyée à tous les esclaves de Saint-Domingue. »

On eut enfin l'impression que cette île splendide, pleine à craquer de promesses humaines, allait retrouver son bon sens et que les trois groupes s'uniraient en vue d'un objectif commun d'égalité et de productivité. Des optimistes calculèrent qu'en moins de deux ans les plantations remises en état fourniraient autant de sucre qu'avant. Julie, qui comprenait ses esclaves, assura aux autres propriétaires :

— Nous produirons davantage, parce que quand vos esclaves seront libres ils travailleront plus dur.

Malgré cette occasion d'un retour à la raison, Espivent et ses amis influents déclarèrent la guerre au nouveau décret et menacèrent de mort tout propriétaire qui tenterait de la mettre en application. Sachant qu'il aurait besoin d'une population unie si les noirs se révoltaient contre ce refus de leur accorder leur droit légal, il se rendit au magasin de Prémord en grande tenue militaire :

— Pouvons-nous discuter dans votre cuisine ?

Ils s'installèrent devant la robuste table rustique que Xavier avait fabriquée de ses mains.

— Nous devons unir nos efforts, dit-il d'un ton convaincu. C'est évident. Parce que si les noirs obtiennent leur liberté, ils se dresseront contre vous autant que contre nous.

Xavier acquiesça, mais Julie protesta violemment.

— C'est faux ! Non ! Il faut accorder la liberté aux noirs, et les gens de couleur doivent se rallier à eux, parce que vous...

Elle braqua l'index presque sous le nez d'Espivent.

— Jamais vous ne nous accepterez parmi vous, même si nous vous aidons à triompher encore une fois, s'écria-t-elle.

— Madame, répondit Espivent sans élever la voix, si vous aviez prononcé ces paroles dans la rue, vous auriez reçu une balle. Nous sommes en guerre, ce sera une guerre à mort, et si vous ne vous rangez pas dans notre camp vous serez tous les deux balayés par un ouragan noir.

Ce fut dans ces circonstances que les gens de couleur de Cap-Français se placèrent de nouveau ce jour-là sous l'autorité des grands blancs pour défendre la ville.

Pourquoi se soumirent-ils avec une telle passivité à cette succession d'humiliations et de trahisons ? Xavier Prémord l'avait formulé dès le début :

— Nous n'avons pas d'autre choix. Nous sommes pris au piège entre des blancs intraitables et des noirs assoiffés de vengeance. Comme les blancs possèdent les canons et les bateaux, nous devons nous allier à eux en espérant que, tôt ou tard, ils feront tout de même preuve d'une certaine générosité.

Bien entendu, Julie ne partageait pas cet avis.

— Les noirs sont si nombreux qu'ils triompheront des canons et des bateaux. C'est à eux qu'il faut nous allier.

Mais c'était la voix d'une femme, et dans les assemblées elle ne comptait guère.

Quand s'annonça la grande guerre civile qui allait détruire davantage encore les richesses de Saint-Domingue, César Vaval, certain de son autorité sur les noirs de la plantation Colibri, déclara à sa femme :

— Nous n'avons rien à reprocher à Espivent et il n'a rien contre nous. Gardons notre calme, évitons de créer une nouvelle vague de folie comme Boukman.

A eux deux, ils persuadèrent les noirs de Colibri de ne pas se mêler aux lignes de bataille qui se formaient rapidement.

Mais un beau soir, le meneur noir si convaincant de la plantation Bréda revint. Sa silhouette s'encadra, menaçante, dans l'embrasure de la porte.

— Je vous avais dit que je reviendrais. Me voici.

L'allure de Toussaint Louverture était si impérieuse, son dévouement à la révolte des noirs si passionné, que Vaval prononça un seul mot :

— Combattre ?

— Oui.

— De nouveau contre Cap-Français ?

A cette question posée si hardiment et si vite, Toussaint se montra évasif, mais César insista.

— Pas le Cap ? Nous partons au sud vers Port-au-Prince ?

Le meneur noir révéla la vérité :

— Non ! Les Espagnols nous ont fait de fabuleuses promesses si nous nous battons avec eux... contre les Français.

Vaval resta sans voix. Il avait toujours supposé que la lutte des esclaves pour leur liberté serait un combat prolongé contre des blancs français récalcitrants, comme son propre maître, Espivent. Mais entrer dans les rangs d'une armée étrangère pour se battre contre ce qu'il considérait comme son propre pays lui parut une trahison indigne, et il répondit :

— Je ne me sentirais pas bien dans ma peau.

Toussaint se baissa et le prit au collet.

— Tu as confiance en moi, oui ou non ?

Vaval leva les yeux.

— Oui.

— Alors, viens.

Ainsi donc, vers le milieu de l'année 1793, le grand meneur noir entraîna Vaval et une demi-douzaine d'autres lieutenants dans les montagnes de l'autre côté de la frontière jusqu'à des camps où les Espagnols préparaient une attaque en règle de Saint-Domingue. C'était une décision téméraire, une décision vraiment pénible, mais Toussaint avait constaté qu'aucune des lois votées à Paris n'était appliquée dans la colonie, et il estimait que le seul moyen de corriger cette injustice était de s'associer aux Espagnols pour chasser les Français, puis de conclure le meilleur accord possible avec les nouveaux vainqueurs.

Cette stratégie s'avéra efficace, en tout cas au début, car les armées espagnoles renforcées par les noirs traversèrent la frontière et s'emparèrent aussitôt du tiers oriental montagneux de la colonie française. Dans un élan de joie, Toussaint promit à ses troupes noires :

— Nous serons bientôt maîtres du pays tout entier.

Vaval, toujours prudent, l'interrogea dès qu'ils furent seuls.

— Et ensuite ? Les Espagnols ne nous aiment pas davantage que les Français.

Toussaint, qui se sentait plus fort depuis son retour en terrain familier, répondit doucement :

— Mon vieil ami, fais-moi confiance. J'ai les mêmes aspirations que toi ; mais le secret, c'est de rester malléable. Quand on reste à l'affût, on découvre toujours la décision à prendre ensuite.

César, qui devenait peu à peu la conscience de son général, le mit aussitôt en garde :

— N'essaie pas d'être trop malin.

A peine avait-il prononcé cet avertissement que des courriers venus de la côte apportèrent un renseignement effrayant :

— Toussaint ! Les Anglais ont déclaré la guerre à tout le monde : aux Français, aux Espagnols, même à nous. Ils croient avoir une chance de voler la colonie entière. Leurs bateaux de guerre se sont emparés de tous les ports de la mer des Antilles.

— Même Cap-Français ?

— Non, les Français le tiennent encore.

D'autres messagers confirmèrent la nouvelle, et tous les généraux noirs, comme ils s'appelaient entre eux, se réunirent un après-midi dans leur camp, au milieu de trois petites collines — leurs alliés espagnols occupaient la colline de l'est et, un peu plus loin, les Français attendaient sur la colline de l'ouest. Tous les chefs autour de Toussaint savaient que la réunion aurait une importance cruciale, mais aucun d'eux, même pas Vaval, ne se doutait du sujet qui y serait abordé.

Toussaint commença par esquisser par terre une carte grossière de Saint-Domingue.

— Si les Espagnols, avec notre aide, se maintiennent sur le tiers de la colonie, et si les Anglais avec leurs bateaux bloquent le tiers occidental, les Français ne peuvent contrôler que cette étroite bande centrale.

Les généraux se rendirent compte de l'immensité des territoires aux mains des étrangers.

— Mais il existe une différence importante, continua Toussaint. La partie que tiennent les Français est constituée surtout de montagnes et sera facile à défendre. Les Espagnols et les Anglais ont eu la partie belle jusqu'ici, mais la véritable bataille n'a pas encore commencé.

Pendant trois jours le leader noir, fruste mais au caractère trempé et remarquablement doué de courage et d'imagination, réfléchit dans la solitude. Ses ancêtres n'avaient quitté l'Afrique que deux générations auparavant, et c'étaient là-bas des chefs reconnus. Pour cette raison même, il respectait énormément les noirs comme Vaval dont les parents avaient connu eux aussi l'Afrique. Le troisième soir de cette longue veillée, il invita César à faire un tour avec lui. Ils montèrent sur une petite hauteur de laquelle ils dominèrent la colline plus basse occupée par les troupes espagnoles.

— Ce que tu m'as dit un jour, Vaval, continue de me tourner dans la tête : « Les Espagnols ne nous aiment pas davantage que les Français. » Que ferais-tu à ma place ?

Les deux hommes passèrent plusieurs heures à sonder l'avenir, bien qu'ils fussent à peine capables de comprendre le présent.

— Allons nous coucher, nous en reparlerons demain, lança soudain Toussaint, et il se dirigea vers son lit.

Mais à trois heures et demie du matin, la même nuit, un aide de camp réveilla Vaval avec un message impérieux.

— À la tente du général Toussaint, immédiatement !

Il arriva en même temps que les autres généraux, et le chef noir révéla ses plans étonnants :

— Ce matin même... Tout de suite... Nous allons nous joindre aux Français. Nous les aiderons à chasser les Espagnols à l'est et les Anglais à l'ouest.

— Pourquoi ? lança un vieux troupier aux tempes grises.

Toussaint se tourna brusquement vers lui.

— Une simple raison, mon vieil ami : si l'Espagne ou l'Angleterre s'emparent de notre colonie, pour nous ce sera de nouveau l'esclavage. Mais si nous aidons la France à triompher, nous avons une bonne chance. En tout cas, elle a accordé la liberté à ses citoyens !

Le même vieux soldat fit observer :

— Oui, ils ont voté à Paris une belle loi qui nous accorde la liberté, mais elle a dû traverser l'océan pour arriver à Saint-Domingue, et qu'en est-il resté ? Ni liberté ni loi.

Toussaint s'avança et donna à son ami une claque dans le dos.

— Tu as raison, vieux renard, mais cette fois, c'est nous qui ferons la loi et nous instaurerons la liberté, une vraie liberté... pour tout le monde.

Ensuite, avant que les Espagnols endormis sur l'autre colline ne se rendent compte de ce qui se passait, Toussaint, Vaval et leur armée noire au complet levèrent le camp pour s'unir aux Français.

— Je n'ai pas bien dormi une seule nuit sous l'uniforme espagnol, murmura Vaval à Toussaint.

— Moi non plus, avoua le chef. Je suis français.

Toussaint se révéla alors aussi compétent comme meneur d'hommes que comme stratège. Il lança une série de coups de main brillants, d'abord vers l'est contre les Espagnols puis hardiment vers l'ouest pour déséquilibrer les forces britanniques. Au cours de ces actions il fit preuve d'une maîtrise hors du commun, non seulement dans les raids tactiques spectaculaires contre des objectifs isolés, mais dans les opérations stratégiques à long terme qui permettent de faire reculer de quelques précieux kilomètres l'ensemble d'une armée ennemie. Il s'était métamorphosé en authentique général et, avec des lieutenants de confiance pour exécuter ses ordres, il constituait un adversaire redoutable.

Dans une série de sorties éclair vers l'est, il foudroya l'ennemi espagnol. Encore fallait-il qu'il s'attaque aux Anglais, dont les marins avaient débarqué un nombre impressionnant de soldats à Saint-Domingue dans l'espoir d'annexer à leur empire cette colonie affaiblie. Ils avaient remporté au début quelques succès épisodiques en lançant des attaques pour repousser les troupes françaises, puis avaient battu en retraite devant l'armée noire inspirée de Toussaint. Mais en 1797, ils lancèrent l'assaut final, avec un chapelet de victoires spectaculaires. Toussaint, avec une maîtrise remarquable, leur permit de saccager des objectifs secondaires tout en les tenant à l'écart des objectifs essentiels, si bien que les officiers anglais commencèrent à appeler leur irréductible ennemi noir « ce maudit Hannibal ». En effet, de même que le célèbre général carthaginois, Toussaint exploitait le relief du terrain avec un talent exemplaire.

En fin de compte, en exerçant des pressions sans relâche sur de longues périodes, Toussaint parvint, sans aucune aide des Français, à repousser les Anglais à la côte où ils avaient débarqué quatre années plus tôt. Vers la fin de l'été 1798, Toussaint avait repris tous les ports principaux et bloqué l'ennemi dans l'angle nord-ouest de l'île.

Le commandant des forces britanniques, un Écossais de famille noble, offrit au monde un de ces beaux gestes qui incitent parfois les autres à sourire des *gentlemen* mais les forcent à saluer une telle dévotion à l'action d'honneur. Se rendant compte que les généraux noirs s'étaient montrés plus malins que lui dans toutes les manœuvres, il réunit son état-major dans un port d'embarquement.

— Ces vauriens obstinés se sont montrés des adversaires de qualité. Réservons-leur un bel hommage. Ils l'ont bien mérité.

Il fit décorer la ville par ses soldats et construire un arc de triomphe de verdure, surchargé de fleurs, puis il engagea des musiciens de l'endroit pour compléter la musique militaire et réunit les cuisinières pour préparer un festin.

Au jour convenu, les officiers britanniques se levèrent tôt, revêtirent leurs plus beaux uniformes bardés de fourragères et de médailles, puis défilèrent derrière la musique jusqu'à l'entrée de la ville, où ils accueillirent en grand style les deux généraux noirs. À l'arrivée des vainqueurs, les Anglais ne purent retenir leurs sourires car Toussaint avançait à longues enjambées tandis que le petit Vaval, même en tricotant deux fois plus vite de ses grosses jambes, avait peine à le suivre. L'Écossais se plaça à côté d'eux au premier rang du défilé, et ils entrèrent ainsi dans la ville au milieu des vivats de la population noire et des applaudissements polis des blancs. Dans l'église, le prêtre remit à Toussaint une croix d'argent, qu'il porta fièrement pendant le banquet. Ensuite il écouta dans un silence solennel l'officier écossais, en adversaire chevaleresque, prononcer sa louange.

— Au début, nous avions tous les avantages : nous contrôlions tous vos ports, nous en occupions la plupart, et nous vous avions repoussés à l'intérieur du pays. L'Angleterre pouvait espérer une victoire totale.

Les officiers britanniques applaudirent.

— Mais nous n'avions pas tenu compte de l'existence de ces deux hommes, reprit l'Écossais. Le général Toussaint que nous n'avons jamais réussi à prendre en défaut en dépit de tous nos efforts, et ce petit bonhomme obstiné, ce Vaval qui n'a cessé de nous harceler.

Les officiers se tournèrent vers les deux généraux noirs et les applaudirent vivement en criant : « Bravo ! Bravo ! » Puis l'Écossais demanda :

— En toute franchise, comment avez-vous réussi ?

Les deux généraux noirs ne surent que répondre. Ils avaient les yeux pleins de larmes.

Toussaint et Vaval restèrent sur les quais jusqu'à ce que le dernier soldat britannique fût monté à bord, et quand les sept navires quittèrent le port, Toussaint déclara, presque à regret :

— Vaval, nos propres chefs français ne nous ont jamais traités avec la moitié du respect que nous a témoigné cet ennemi. Tout aurait pu se passer de façon si différente s'ils avaient agi avec nous honorablement.

— Cela n'a jamais été possible, répondit Vaval.

— Alors prenons le pays pour nous.

— Pour nous ? Tu veux dire les esclaves ?

— Nous pouvons gouverner aussi bien que les Français.

— Pourquoi courir le risque d'affronter un lion comme Bonaparte ?

Toussaint garda le silence, car ce qu'il venait de proposer — s'attaquer au génie militaire le plus éminent de l'époque — le frappait lui-même de stupeur.

— Le moment est venu de nous retourner contre les Français, dit-il.

— Pas encore ! supplia Vaval en élevant la voix, contre son habitude. Tu ne peux pas continuer ainsi. Au début nous nous battions dans le camp français, puis dans le camp espagnol, après avec les Français, et maintenant contre eux... On va te prendre pour un fou.

— Aucun homme n'est fou quand il définit la meilleure stratégie pour obtenir sa liberté. D'ailleurs nous n'aurons pas le choix.

— Et pourquoi ?

— Jamais Bonaparte ne nous laissera exercer quelque autorité que ce soit sur cette colonie. Tôt ou tard, il enverra des troupes contre nous.

Il inclina les épaules légèrement en avant comme un boxeur se préparant à l'attaque ou à la défense, puis ajouta :

— Tenons-nous prêts pour ce que Bonaparte va nous envoyer. Ce sera sans doute un rude choc.

Et les deux généraux repartirent préparer leurs hommes pour les batailles inévitables.

Au cours de ses marches forcées à travers l'Europe, Bonaparte se distrayait souvent, le soir, en lisant les rapports qui lui parvenaient de ses colonies. En ce début de l'année 1802, en ce qui concernait les Antilles en général, il n'avait pas à se plaindre.

— A la Guadeloupe, les révoltes d'esclaves sont presque maîtrisées, les Anglais vont devoir nous rendre notre Martinique. Que se passe-t-il dans cette maudite Saint-Domingue ? Pour qui donc se prennent ces esclaves ? Y aurait-il des officiers anglais à la tête de ces troupes noires ? Sans doute des mercenaires.

Et chaque fois que lui venaient ces soupçons, il concluait :

— Il va falloir donner une leçon à ces nègres. Leur montrer qui commande en France, à présent.

Un de ses collaborateurs, de retour en Europe après un séjour à Saint-Domingue, vint rendre compte au Premier Consul en personne.

— Ce Toussaint est une sorte de génie militaire local. Vous savez bien entendu qu'il s'est rangé dans notre camp après s'être longtemps battu contre nous, avec les Espagnols...

Bonaparte l'interrompit.

— Il a abandonné les Espagnols ?

— Avec un de ses lieutenants, le général César Vaval.

— C'est un nom français.

— Il est noir comme la cheminée, mais c'est un rude combattant. Il a aidé Toussaint à chasser tous les Anglais de Saint-Domingue. Maintenant, le bruit court parmi les esclaves qu'ils vont nous chasser à notre tour.

— Jamais ! grogna Bonaparte. Il est temps de les mettre au pas. De les ramener sur les plantations de canne à sucre... Tous tant qu'ils sont.

Sa décision était prise. Son entourage vit ses yeux briller d'un plaisir de conspirateur et l'on supposa qu'il avait imaginé soudain un stratagème pour surprendre et soumettre Toussaint et Vaval. Il n'en était rien. Ce qui l'enchantait, c'était d'avoir enfin découvert un bon prétexte pour envoyer loin de Paris sa jeune et turbulente sœur, Pauline Bonaparte. Depuis cinq ans elle ne cessait de lui poser des problèmes. A peine âgée de vingt et un ans, elle avait déjà été impliquée dans une demi-douzaine de liaisons plus ou moins orageuses et semblait prête à rallonger cette liste chaque fois qu'elle rencontrait un beau colonel ou un général de son frère, marié ou non.

Quelques mois plus tôt, il avait cru venir à bout de la difficulté : il l'avait mariée à un fringant jeune officier de bonne famille, Charles Leclerc, taille moyenne, port assuré, élégant et plein d'esprit d'à-propos. Bonaparte avait assisté à leur mariage, avait conduit sa sœur à l'autel, puis s'était hâté d'accorder au jeune époux le grade de général.

— Nous chargerons Leclerc de l'expédition de Saint-Domingue, dit-il. Qu'il gagne ses galons et nous ferons de lui un duc ou je ne sais quoi. Cela fera plaisir à Pauline.

Quand les ordres furent rédigés, le Premier Consul prévint ses collaborateurs.

— Rien par écrit, mais c'est très important : Pauline doit l'accompagner là-bas. Il faut absolument l'éloigner de Paris.

On organisa donc une expédition d'une ampleur sans précédent qui utilisa au moins neuf ports, de Honfleur au nord jusqu'à Cadix au sud, avec trente-deux mille soldats aguerris au combat et assez de matériel et de provisions pour une campagne d'un an sous les tropiques. Quand il lut le rapport final sur ce que l'on envoyait à Saint-Domingue — les munitions, les uniformes de rechange, les médicaments, les petits bateaux rapides pour assurer les liaisons entre les dizaines de gros bâtiments — Bonaparte fit observer :

— Le jeune Leclerc n'est peut-être pas un Soult ou un Ney, mais il aura des collaborateurs plus âgés, au mérite confirmé, pour le maintenir sur la bonne voie.

C'était une expédition impressionnante, et il faut saluer Bonaparte d'avoir pu la rassembler, et la France d'avoir réuni tant d'hommes et de moyens. Au moment où les divers éléments quittèrent les ports désignés, Bonaparte déclara :

— Nous avons pensé à tout.

Sans doute devons-nous lui pardonner sa méprise, car il ne pouvait prévoir quel genre d'ennemi ses troupes allaient affronter.

César Vaval, âgé de quarante-six ans, se trouvait sur une jetée de Cap-Français pour assister à l'arrivée de onze gros navires français. Ceux-ci jetèrent l'ancre dans le chenal et des barques firent la navette avec des messagers. Aux côtés de Vaval, le général Toussaint calculait en silence le nombre de soldats français entraînés que la flotte devait transporter.

— Peut-être douze mille, dit-il enfin, sans émotion.

Passant soudain à l'action, Toussaint entraîna Vaval vers la ville où il lui donna des ordres qui le surprirent.

— La situation a l'air dangereuse aujourd'hui. Mais nous renverrons tout ce beau monde à Paris... si tu remplis ta mission comme il faut.

— J'essaierai...

— N'essaie pas. Réussis. Demain, après-demain, le plus longtemps possible, retiens-les. Ne les laisse pas débarquer. Raconte-leur qu'il y a une épidémie... N'importe quoi, mais retiens-les à bord de ces bateaux pendant deux jours.

— Où seras-tu ?

— Je ramènerai nos troupes des montagnes. Et pendant ce temps, débrouille-toi pour que tous les blancs et tous les hommes de couleur qui restent dans cette ville en soient chassés...

Puis, à la surprise de Vaval, Toussaint se mit à courir comme un lièvre au milieu des rues vides en criant :

— Entasse du bois ! Des branches sèches ! Ici ! Fais apporter le foin des granges ! Nous allons allumer un feu qui se verra en France !

Il montra à Vaval quelles maisons il fallait brûler d'abord pour qu'un immense incendie se répande, puis il lança d'un ton sombre :

— Quel que soit le général à bord de ces bateaux, je vais lui donner un avant-goût de ce qui l'attend s'il pose le pied dans notre pays.

Toussaint ne se trompait pas : les soldats français mirent plusieurs jours à comprendre que Vaval, le courtois représentant local, leur racontait des histoires. Ces deux journées d'atermoiement lui permirent de remplir correctement sa mission. Il fit sortir de la ville les blancs et les gens de couleur qui restaient, en tout cas la plupart, et il entassa des matières combustibles à tous les carrefours. Mais dans deux cas importants, des hommes aussi braves et aussi résolus que lui réussirent à lui tenir tête. Il ne parvint pas à s'emparer des deux étages de pierre du château Espivent, où un groupe de grands blancs retranchés autour du propriétaire résistèrent à tous les assauts. Et il ne put vaincre une bande de gens de couleur prêts à vaincre ou mourir, qui s'étaient barricadés dans le grand théâtre à l'appel de Xavier Prémord et tiraient sur les noirs avec une précision redoutable.

Le deuxième soir, lorsque les échos de la fusillade à terre parvinrent à la flotte, Leclerc lança ses ordres :

— Nous débarquerons à l'aube. Toutes nos forces dans de petits bateaux pour prendre la plage.

Mais une heure avant l'aurore, Pauline Bonaparte le réveilla.

— Charles ! La ville est en feu !

Leclerc se rendit sur le pont avec les autres généraux. Des flammes sauvages s'élevaient de la cité dont il comptait faire sa capitale.

Ce fut une journée d'enfer, les maisons particulières, les bâtiments publics, tout brûla jusqu'aux fondations. La majeure partie de la belle ville se trouva rasée, et quand les braises s'éteignirent, seuls restaient debout, comme pour défier les noirs, les deux centres défendus avec tant d'acharnement par Espivent et les gens de couleur. Des murs du château, les grands blancs avaient tiré des rafales meurtrières sur tous les incendiaires qui tentaient de s'en approcher, mais au moment décisif, la défense se serait sans doute effondrée si le général Vaval en personne n'avait lancé à ses hommes l'ordre impérieux de se retirer — n'avait-il pas déjà sauvé Colibri ? Et le château fut épargné. Le beau théâtre survécut lui aussi car la fusillade résolue des gens de couleur de Prémord tint en échec les esclaves enragés, dont les brandons en feu restèrent sans effet contre les fusils.

De son poste d'observation éloigné, le général Leclerc ne pouvait pas savoir que certaines parties de la ville avaient été sauvées, mais il prit une décision courageuse :

— Messieurs, préparez-vous à débarquer sur les plages ! Je prendrai la tête des troupes !

Les combattants s'entassèrent dans les chaloupes. Avant que Leclerc s'embarque à son tour, Pauline le prit à part :

— Quand on est le chef, c'est la première apparition qui compte.

Elle lui fit mettre un de ses plus beaux uniformes, avec large ceinture de soie et chapeau à cocarde. Et quand il posa le pied sur l'île, avec Pauline à son bras — elle aussi dans sa plus élégante toilette — ils avaient tous les deux belle allure : des émissaires du grand Napoléon, venus prendre le commandement d'une capitale à partir de laquelle ils se lanceraient à la reconquête de la colonie. En voyant leur tenue et leur absence de crainte, les survivants blancs du Cap retrouvèrent le courage qu'ils avaient perdu.

Au moment où le beau couple s'engageait dans la ville désolée, un habitant sortit de son château de pierre dominant la mer et s'avança en brandissant un drapeau français.

— Soldats de France ! Venez à terre pour nous sauver !

C'était Jérôme Espivent et il avait une histoire stupéfiante à raconter à Charles et à Pauline Leclerc.

— Le général noir qui a incendié la ville a obligé ses hommes à épargner ma demeure. C'était autrefois un des mes esclaves et il me respecte en raison de la charité que je lui témoignais.

— C'est un bon présage, répondit Pauline aimablement.

Espivent ôta sa cape d'un geste élégant, s'inclina très bas et lui baisa la main.

— Ma maison vous appartient.

Puis il se tourna vers le général.

— Ma ville en cendres est votre capitale, car je suis certain que vous la reconstruirez.

Telles furent les conditions émouvantes dans lesquelles Leclerc prit possession du château et plongea dans le tourbillon de la colonie qu'on l'avait envoyé soumettre et gouverner. Pauline resta au rez-de-chaussée pour indiquer aux quatre esclaves de maison d'Espivent comment redisposer les meubles, mais son mari se retira dans une chambre de l'étage, où, loin de tous les regards, il rompit le sceau d'une lettre secrète que le Premier Consul lui avait remise à Paris huit semaines plus tôt.

C'était un des documents les plus machiavéliques de l'Histoire — un trésor pour les érudits qui chercheraient un jour à découvrir les cheminements de la pensée du futur empereur. On a du mal à comprendre comment le grand général a pu laisser subsister une copie, mais elle nous est restée et sous la lumière crue de l'Histoire, elle révèle la duplicité de l'homme.

Bonaparte donnait à Leclerc des instructions minutieusement détaillées, sans savoir qu'à bien des égards ses ordres répétaient ceux que le roi Philippe d'Espagne avait remis à Medina Sidonia, l'infortuné amiral-général de l'Armada. Si Bonaparte avait eu connaissance de cette similitude et des lamentables résultats obtenus par le roi Philippe, il aurait sans doute laissé son beau-frère et sa sœur entièrement libres de prendre leurs décisions.

La reprise de Saint-Domingue, écrivait Bonaparte, serait relativement simple si l'on suivait un calendrier strict : quinze jours pour occuper toutes les villes portuaires; peut-être un mois de plus pour attaquer les armées esclaves dans plusieurs directions à la fois, puis pas plus de six mois pour traquer les unités isolées qui essaieraient sans doute de se réfugier dans les montagnes — ensuite, la victoire serait proclamée et les troupes pourraient rentrer.

Cette stratégie militaire semblait de premier ordre, bien que les détails octroyés correspondaient davantage à l'assaut d'une principauté européenne sans montagnes, mais les ordres complémentaires étaient indignes. Leclerc devait se conduire de façon différente à chaque phase de l'occupation.

> *Dès que vous aurez assuré la vitoire, vous désarmerez seulement les noirs rebelles, vous négocierez avec Toussaint et lui promettrez tout ce qu'il réclame jusqu'à ce que vous ayez obtenu le contrôle de tous les points principaux de la colonie. Au cours de cette période tous les partisans de Toussaint, blancs ou de couleur sans discrimination seront couverts d'honneurs, et d'attentions. Vous leur assurerez que sous le nouveau gouvernement ils conserveront leur poste. Tous les noirs occupant des fonctions seront flattés et bien traités. Vous leur ferez toutes les promesses que vous jugerez nécessaires.*

Au bout de quinze jours, dès le début de la deuxième phase, Leclerc devait « serrer la vis » et exercer sur Toussaint les pressions nécessaires à lui faire comprendre l'impossibilité de s'appuyer sur des unités isolées de la montagne pour continuer la lutte.

> *Le jour même, sans scandale ni insulte mais dans l'honneur et la considération, vous l'inviterez à bord d'une frégate et l'enverrez immédiatement en France. Et le même jour, dans l'ensemble de la colonie, vous arrêterez tous les suspects sans discrimination de couleur, ainsi que tous les généraux noirs, quels que soient leur patriotisme ou leurs services passés.*
>
> *Vous ne permettrez aucun changement à ces instructions : toute personne invoquant les droits de ces noirs — qui ont versé tant de sang blanc — sera renvoyée en France sous le premier prétexte venu, quels que soient son rang ou ses services.*

La quatrième instruction infâme était si honteuse qu'il n'était pas question de la mettre par écrit. Bonaparte ne voulait pas qu'un seul regard voie les mots incendiaires : *retour à l'esclavage,* mais au cours de la dernière entrevue des deux beaux-frères à Paris, le Premier Consul avait précisé :

— Ne jamais prononcer le mot « esclavage ». Mais il faudra réinstituer le système dès que les conditions le permettront.

Les mains liées par ces principes fourbes, Leclerc descendit prendre contact avec les responsables de la colonie. Comme au bon vieux temps, il se trouva en face d'un groupe composé exclusivement de blancs. Ils lui assurèrent qu'avec ses troupes venues de la métropole, et bien entendu s'il suivait leurs conseils, il rétablirait vite l'ordre dans la colonie révoltée. Le dîner fut maigre mais Jérôme Espivent leva son verre « à nos sauveurs de France » et exposa son opinion sans ambiguïté :

— Ne vous salissez pas les mains avec les gens de couleur. Ils corrompent tout ce qu'ils touchent. Et ne faites jamais confiance à des soldats noirs. Ils sont aussi changeants que le vent. Les hommes et les femmes de cette pièce sont les seuls sur qui vous pouvez compter. Nous sommes prêts à mourir pour la France si ces émeutes scandaleuses et ces destructions de nos biens peuvent s'arrêter.

Il ne parlait pas à la légère. À chaque convulsion depuis la première insurrection horrible de 1791, Espivent n'avait pas hésité à engager sa vie pour la défense des principes dans lesquels il avait grandi. Il avait maintenant soixante ans et il n'était pas question de l'en faire démordre.

Ainsi débuta la bataille historique de Saint-Domingue. Dans les régions côtières du nord, le général Leclerc et son armée française contrôlèrent tout et, avec l'appui enthousiaste des blancs inspirés par Jérôme Espivent, tirèrent des plans ingénieux pour venir à bout de l'insurrection des esclaves et capturer Toussaint et son principal lieutenant, Vaval. Pour y parvenir, les troupes françaises repousseraient les esclaves rebelles dans des réduits de plus en plus petits, au centre et au sud de la colonie, et quand le nœud coulant serait assez serré pour que les noirs ne puissent plus se procurer d'armes, de vivres et de nouvelles recrues, Toussaint et Vaval ne pourraient que se rendre.

Leclerc accomplit superbement sa mission et fit preuve d'un talent tactique qui surprit même ses propres subordonnés. Il ne commit aucune faute et respecta presque le calendrier dicté par Bonaparte. Il chassa complètement les hommes de Toussaint des régions septentrionales et les concentra dans les montagnes. « Nous avons complètement démoralisé les esclaves, put-il écrire dans un rapport confidentiel à Paris. Nous escomptons d'un jour à l'autre la reddition de leurs généraux. »

Mais Toussaint et Vaval se refusaient ne serait-ce qu'à envisager une reddition.

— Ami fidèle, répétait le grand général noir chaque fois que la situation semblait désespérée, nous devenons plus forts à chaque pas que nous faisons en arrière... Les rangs sont plus serrés, et nous frapperons plus dur.

Mais, à la fin d'une journée au cours de laquelle Leclerc avait pourchassé ses hommes pendant dix kilomètres dans leurs refuges des montagnes, Vaval s'appuya à un arbre, épuisé, et demanda :

— Ce Leclerc ne renoncera donc jamais ?

— Oh si ! répliqua Toussaint. Le temps, les montagnes et sans doute des événements que nous ne pouvons prévoir le forceront à remonter à bord de ses bateaux et à rentrer en France.

Cependant, Jérôme Espivent, toujours le maître dans son château qui servait de quartier général à l'armée, appréciait de moins en moins les incidents peu édifiants qui s'y produisaient. Il remarqua que des officiers français, l'un après l'autre, venaient prendre une tasse de thé ou un verre de vin avec Mme Leclerc quand son mari partait en opération. Et comme les visiteurs, tour à tour, montaient dans l'appartement de la générale au premier étage, il commença à se demander si, pour le général Leclerc, cette belle jeune femme ne serait pas plus difficile à manœuvrer que les généraux noirs. Mais se rappelant à temps qu'elle était la sœur du Premier Consul, il garda ses réflexions pour lui. Après un premier incident scandaleux, il se dit : « Après tout, elle est méditerranéenne, et ceci explique cela. » Un gentilhomme comme lui ne pouvait croire que l'épouse française d'un commandant en chef puisse se conduire ainsi avec des officiers subalternes.

Un jour, en voyant Pauline batifoler avec un colonel marié, il perdit son calme et demanda à un lieutenant :

— Cette femme ne sera donc jamais rassasiée ?

— Le plus tard possible, j'espère, lui répliqua le jeune homme avec un rire gaulois.

Espivent jugea qu'en tant que membre d'une famille noble de France, il se devait d'aborder la question avec le général Leclerc, mais quand il vit cet excellent soldat rentrer épuisé de ses campagnes contre Toussaint, il n'eut pas le front de le tourmenter à ce sujet : « Ce garçon n'a pas besoin de sermons mais de sommeil. » Les deux hommes dînèrent ensemble, car Pauline sortait presque tous les soirs dans la ville dévastée avec quelqu'un d'autre, mais il ne posa de questions que sur Toussaint.

— Nous le harcelons. Il est inquiet, je le vois bien à ses mouvements.

— Comment cela.

— Je m'en suis aperçu à divers indices. Ainsi, il avait un passage libre vers le sud. Il aurait même pu nous créer de sérieux ennuis en s'y engageant. Mais il a refusé de s'élancer dans la brèche que nous lui offrions. Vous pouvez me dire pourquoi ?

— Mon esprit ne fonctionne pas comme la tête d'un nègre.

Leclerc posa sa serviette.

— Ce n'est pas un nègre, Espivent, nom de Dieu ! C'est un général à part entière. Et si je n'avais pas trois fois plus de soldats que lui sur le champ de bataille, jamais je ne l'attraperais.

En mars et en avril 1802, Toussaint entra dans l'histoire militaire en dirigeant une opération de retraite stratégique qui attira Leclerc encore plus loin dans les montagnes et força l'admiration sans réserve, non seulement de ses adversaires français mais de capitaines de vaisseau américains venus à Cap-Français avec des cargaisons de poudre et de balles en provenance des arsenaux de la région de Boston.

— Vous n'avez pas encore attrapé le nègre ? Ah bon ? Prenez garde, il vous retiendra dans les montagnes, puis viendra en douce incendier de nouveau la ville.

Un capitaine montra un journal de Charleston, dont l'éditorial évoquait la mauvaise influence des exploits de Toussaint sur les esclaves de Caroline du Sud : « Il faut que Bonaparte règle une fois pour toutes la question de cet homme, car son exemple ne doit pas contaminer nos esclaves dociles des États du Sud. »

Malgré le génie et le courage des généraux noirs, Leclerc, pareil à un bouledogue, s'accrocha à leurs talons avec une ténacité telle que Toussaint dut enfin reconnaître les faits : il ne pourrait pas continuer la campagne indéfiniment. Par une nuit sombre de fin avril, il demanda au seul homme auquel il se fiait sans réserve de l'accompagner dans le noir.

— Cher ami de tous les combats, je ne peux plus continuer celui-ci.

— Toussaint ! s'écria Vaval. Nous sommes à la veille de les mettre en fuite.

— Quelle ineptie, de la part d'un vieil ami !

— Je le pense vraiment.

— Leclerc n'a jamais relâché sa pression. Il est là en ce moment. Sur nos talons.

— Je ne songe pas aux soldats qu'il a encore sur le champ de bataille, mais à ceux qui sont dans leur tombe.

Il apprit à Toussaint le renseignement qu'il venait de recevoir de ses espions.

— Cette unité de rudes soldats qui arrivaient de la vallée du Rhin... Ceux qui nous ont donné tant de mal au début, pourquoi ne les avons-nous plus en face de nous ? Une femme noire qui aide leurs infirmiers me l'a expliqué. Il y a trois mois, ils étaient treize cents.

— Et maintenant ?

— Six cents en vie, dont quatre cents hospitalisés. À peine deux cents en état de se battre.

— Mais ils ne cessent de faire venir des renforts, répliqua Toussaint.

— Bien sûr, mais toujours des hommes du nord de l'Europe.

— Quelle importance ?

— Ils n'ont pas l'habitude de la chaleur tropicale. Tu verras, dans deux semaines, il n'en restera plus qui soient encore en état de nous attaquer.

Mais Toussaint, sentant sa vie et ses efforts proches de leur terme, ne pouvait se permettre d'attendre les deux semaines qui auraient confirmé les prédictions de Vaval. Le lendemain, il éveilla César avant l'aube.

— Vieil ami, il n'y a plus d'issue. Il faut que tu viennes avec moi.

Ensemble, précédés d'un drapeau blanc, ils se dirigèrent vers les lignes françaises pour négocier les conditions honorables dans lesquelles se rendraient Toussaint, Vaval et tous les autres des environs. Au nom de Leclerc, que cette nouvelle combla de joie, des officiers français proposèrent au chef noir les conditions précises que Napoléon avait préparées. Leclerc et Toussaint se serrèrent la main, comme deux généraux fidèles à l'honneur.

— La France accorde la liberté à tous vos soldats noirs. Plus d'esclavage, jamais. Vous serez admis ainsi que vos officiers, comme Vaval, à vos côtés, dans les forces régulières sans réduction de rang. Ou si vous préférez prendre votre retraite dans votre ancienne plantation, la France vous accordera une garde d'honneur et quatre hommes jusqu'à la fin de vos jours.

L'accord semblait plus généreux que les révolutionnaires noirs ne pouvaient l'espérer, et Vaval y vit un hommage à l'intégrité de Toussaint qui avait rarement massacré des civils et s'était résolument accroché à un seul principe : l'abolition de l'esclavage. Dans le monde entier, depuis la première tentative de Spartacus, il était le seul général esclave à avoir atteint son but — et sa peau était noire.

Le 6 mai 1802, trois mois exactement après l'arrivée du général Leclerc, les unités de l'armée française stationnées au Cap reçurent un petit déjeuner copieux à l'heure tardive de huit heures, endossèrent leur tenue numéro un à dix heures, et se rassemblèrent à onze heures pour rendre les honneurs aux généraux Toussaint Louverture et César Vaval lorsqu'ils remettraient leurs épées au représentant du Premier Consul Napoléon Bonaparte, son beau-frère Charles Leclerc. Pauline, qui assista à la cérémonie du haut d'une sorte de trône édifié sur la place, dut se dire : « Quel homme, ce Toussaint ! Soixante ans, paraît-il, mais il a le port d'un jeune étalon. »

Le 5 juin 1802, après un mois d'inactivité dans sa plantation, Toussaint reçut une invitation à un dîner de gala au quartier général du commandant français de la région, un certain général Brunet. Quelques heures de détente en évoquant des souvenirs militaires ne laissèrent pas de le tenter et il demanda à son ami Vaval de l'accompagner.

— Quand on donne aux Français une bouteille de vin, ils parlent mieux que personne et ça me plaît.

Mais au moment où ils arrivaient aux abords de la plantation où Brunet les attendait, Vaval eut une aveuglante vision d'Apocalypse. Il arrêta son cheval, ordonna à l'escorte de soldats noirs de continuer et s'écria, soudain pris de panique :

— Toussaint ! La mort t'attend si tu entres là-bas. Pour l'amour de Dieu, fais demi-tour. N'y va pas !

— Qu'est-ce qu'il t'arrive, mon vieil ami ?

— Je tremble. Je frémis de terreur.

Il lui montra ses mains dont il ne pouvait maîtriser le tremblement.

— C'est idiot, voyons. Reprends tes rênes et allons à notre petite fête.

— Je ne peux pas. L'ange de la mort plane sur cette maison.

Sur ces mots, il tourna bride et partit au galop comme s'il avait tous les diables de l'enfer à ses trousses. Jamais il ne revit son héros.

Toussaint reprit la route avec ses neuf soldats d'escorte, entra dans la plantation, ordonna à des soldats français d'apporter à manger à ses hommes puis se dirigea vers les officiers.

À peine était-il entré dans la salle que le général Brunet s'élança vers lui, l'embrassa comme un frère et s'excusa un moment — pour s'occuper des vins. À l'instant où il quitta la pièce, les officiers français autour de Toussaint dégainèrent leurs épées et dirigèrent les pointes vers le cœur et la gorge du général noir.

— Citoyen Louverture, vous êtes en état d'arrestation.

Brunet, manifestement bouleversé par l'acte honteux qu'on le forçait à commettre, revint alors dans la pièce — ce qui lui permit d'assurer au cours d'interrogatoires ultérieurs : « Je n'ai pris aucune part à l'arrestation du général Toussaint. » Les yeux baissés, il lui annonça simplement :

— Vous devez partir en France. Les pieds et les poings liés.

Trahi par un acte si déshonorant que toute l'armée dut en rougir, Toussaint fut aussitôt embarqué à bord d'un petit bateau français, le *Héros,* et honteusement traité comme un prisonnier qui avait insulté la France. On le conduisit à Brest, puis on l'incarcéra au fort de Joux, une prison-forteresse près de la frontière suisse, où des gardes-chiourme sadiques le privèrent de nourriture et tournèrent en ridicule ce nègre assez stupide pour aspirer à l'égalité avec les Français.

Pendant ces journées de dégradation, il eut souvent l'occasion de réfléchir à la façon fort différente dont l'avaient traité ses deux ennemis.

— Les Anglais que j'avais vaincus m'ont offert un banquet et salué comme un adversaire honorable. Ils m'ont embrassé quand ils ont pris la mer. Mais vous les Français ? Vous m'avez invité à une fête, votre général a failli à son honneur et vous m'avez jeté dans cette prison répugnante.

Il regarda son geôlier dans les yeux et lui demanda :

— Comment pouvez-vous faire des choses pareilles à un citoyen français qui s'est battu pour la France contre les Espagnols et les Anglais pour protéger vos droits ?

Le gardien de prison ne pouvait bien entendu comprendre aucune des implications morales de ce dilemme, et le matin du 7 avril 1803, quand il vint apporter son petit déjeuner à Toussaint, il trouva le grand général noir mort de froid sous sa mince couverture dans la cellule glacée.

Après l'arrestation et la déportation de Toussaint, le général Leclerc put croire que la victoire finale était proche, et au cours d'un dîner au château Espivent, il assura à tous les invités :

— Je n'ai plus qu'à soumettre cette vermine de Vaval et la pacification complète de Saint-Domingue sera achevée. Nos troupes pourront rentrer en France.

Si Leclerc avait pu, à cet instant-là, s'entretenir avec son dernier adversaire important sur le terrain — le général Vaval — il se serait aperçu que celui-ci évaluait la situation à peu près dans les mêmes termes. L'ancien esclave irréductible s'était enfoncé dans les montagnes avec seulement une poignée de soldats noirs, et ces maigres forces semblaient diminuer chaque semaine. Les autres généraux révoltés, le sanguinaire Jean-Jacques Dessalines et le jovial Henri Christophe, étaient passés dans le camp français, tandis que les chefs métis André Rigaud et Alexandre Pétion avaient pris la fuite à Paris où ils étaient en sécurité pour l'instant.

Vaval restait donc seul, sans aucune force méritant le nom d'armée, et un soir où la défaite et la reddition parurent inévitables, il s'assit avec sa femme à l'orée d'un bois et commença à se lamenter, non pas sur son destin, car il s'y était préparé, mais sur celui de son noble chef, Toussaint Louverture.

— Marie, il les avait tous battus. C'était un magicien, un génie. Il a battu les Espagnols avant de s'allier à eux, et ensuite il a repoussé les Anglais à la mer. Il a écrasé les armées des gens de couleur quand elles l'ont attaqué, et enfin il a vaincu les Français jusqu'au jour où ils ont lancé des milliers de soldats contre nous. Mais à quoi a-t-il abouti ? À rien. Il a gagné toutes les batailles mais il a perdu la guerre.

Sa femme refusa d'admettre cette version des faits.

— Il a obtenu notre liberté. Nous ne sommes plus esclaves.

— Si je comprends bien, nous tenons notre liberté des Français généreux qui ont voté la loi d'abolition de l'esclavage.

— Mais nous sommes libres, et même si tu es obligé de te rendre demain, personne ne peut te reprendre ta liberté.

Une victoire si nébuleuse ne pouvait guère consoler Vaval. Il songeait à la défaite imminente du reste de son armée et à sa reddition prochaine : il serait le dernier général noir, le seul qui ait tenu jusqu'au bout. Cette nuit-là il s'endormit sur sa rude paillasse entre les arbres, assailli par un cuisant sentiment d'échec.

À l'aube, des sentinelles le réveillèrent pour faire comparaître devant lui un malheureux vagabond noir qui avait essayé de s'infiltrer dans le camp. C'était un septuagénaire émacié dont le corps sec et tordu témoignait des souffrances et de la faim qu'il avait endurées pour se joindre aux esclaves révoltés de Saint-Domingue. Les sentinelles le traînèrent devant leur général et il resta devant lui, la tête baissée.

— Qui es-tu ? demanda Vaval.

Il pensait qu'une telle loque, trop effrayée pour lever les yeux, ne pouvait être d'aucune utilité dans une armée. Mais à la surprise de tous, l'homme répondit dans un français excellent :

— J'étais esclave à la Guadeloupe... Une joie sans pareille quand le peuple de Paris nous a envoyé la merveilleuse nouvelle : « Vous n'êtes plus esclaves, mais des hommes libres à jamais, exactement comme nous en France. » Nous avions enfin le droit d'acheter de la terre, de travailler pour un salaire, de nous parler librement, d'avoir des maisons comme n'importe quel être humain.

— Comme nous-mêmes ici, intervint Marie Vaval. Plus d'esclaves.

L'homme se tourna vers elle.

— Ma femme a prononcé les mêmes paroles : « Plus d'esclaves ! » Et puis ce Bonaparte a pris le pouvoir. C'est un monstre. Il a ordonné : « Vous êtes encore esclaves et le resterez à jamais. »

— Quoi ? cria Vaval.

Les soldats qui avaient capturé l'inconnu appelèrent leurs camarades pour que tous entendent l'épouvantable nouvelle.

— Oui. L'esclavage nous écrase de nouveau à la Guadeloupe. Et il sera également rétabli ici si vous ne vous battez pas contre lui jusqu'à la mort. Il arrivera par le prochain bateau... ou par le suivant. Regardez mon dos.

L'homme souleva sa chemise pour montrer les traces de coups de ceinture sur sa peau noire.

— Ils m'ont fait ça quand ils m'ont attrapé, la première fois que j'ai essayé de quitter l'île : « Tu n'iras pas apprendre aux autres îles que l'esclavage a recommencé. Ils recevront la nouvelle quand nous le jugerons bon. » Ils avaient une peur bleue que la vérité se répande à un mauvais moment pour les blancs — comme dans cette île maintenant — avec des armées noires encore en campagne. Ils craignent que cela ne vous pousse à vous battre avec plus d'acharnement.

La nouvelle mit Vaval dans un état de rage profonde, mais comment vérifier les dires de cet homme ? Il s'agissait peut-être d'un agent provocateur envoyé par les Français pour inciter la dernière armée noire à se lancer dans une action précipitée.

— Comment es-tu venu jusqu'ici ? De la Guadeloupe ?

— Avec beaucoup de mal. Il m'a fallu échapper aux chiens dressés. À ma première tentative j'ai été tabassé à mort, des camarades m'ont aidé mais quand ils ont vu l'immensité de la mer qu'il nous fallait traverser ils ont perdu courage. Rien à manger... Plus d'une bagarre dans les champs de canne à sucre... Un canot volé...

Pendant ce récit du réfugié, Vaval n'entendit qu'une faible partie de ses paroles car il croyait revivre, dans les plantations du sud de Saint-Domingue, les heures où son père l'esclave Vavak racontait à ses enfants presque la même histoire : « Un canot volé... Une plage à Porto Rico... Nous échappons aux chiens à Santo Domingo... » Les récits des réfugiés noirs à la recherche de la liberté n'avaient jamais de fin, rien ne changeait jamais... Et plus d'une fois au cours de cette rencontre à l'aube entre le vieux fugitif et le général fatigué, des paroles et des images explosèrent en une terrible violence et les hommes aveuglés en oublièrent la peur de mourir.

— Tu es des nôtres, coupa Vaval. Tu vas rester avec nous... À mes côtés parce que j'ai besoin de tes paroles : *Bonaparte va nous replonger dans l'esclavage.* Mais non, par Dieu ! Il n'y parviendra pas.

Il réunit autour de lui sa femme, le messager et tous ses lieutenants, et là, à l'orée de la forêt dominant la gorge qui les séparait de l'armée française et de Cap-Français, ils jurèrent de combattre Bonaparte jusqu'à la mort : « Jamais nous ne redeviendrons esclaves ! » À partir de ce jour-là, le général Vaval devint un ouragan militaire comparable aux *hurricanes* naturels qui ravagent périodiquement les Antilles. Dans une succession rapprochée d'engagements, il surprit les armées françaises entraînées, qui bénéficiaient d'un avantage numérique de cent contre un. Il n'avait plus que soixante fidèles.

Mais Charles Leclerc savait très bien exploiter sa supériorité numérique, et il parvint à repousser lentement l'unité de sac et de corde de Vaval dans une vallée où il n'y aurait aucune issue possible. Vaval s'en rendit compte, et se rapprocha encore plus de sa femme qui l'avait soutenu pendant tant de nuits de défaite. De nouveau, ils jurèrent :

— Jamais nous ne redeviendrons esclaves. Les Français ne nous captureront pas vivants.

Malgré les courageuses déclarations de leur général, les anciens esclaves restés fidèles à Vaval n'auraient sans doute jamais pu se dégager de la dernière vallée bloquée si un allié n'avait débarqué à Saint-Domingue pour se battre dans leur camp. Et ce fut un combattant implacable : le général Fièvre jaune. La maladie frappa les troupes françaises avec une telle fureur que tous les Européens durent reculer devant l'assaut. Transporté par les moustiques (fait ignoré à l'époque), le mal s'attaquait au foie et provoquait la jaunisse, mais aussi une fièvre affaiblissante accompagnée de douleurs atroces dans la tête et le dos. Ensuite, il se produisait de petites ruptures dans les tissus de la gorge et des poumons, ce qui entraînait d'affreuses hémorragies de la bouche.

Ces diverses manifestations se succédaient en cascade à une vitesse affolante, et la mort survenait souvent dans les trois jours de la première attaque. Une fois la maladie déclarée, il n'existait aucun remède. Parfois — juste assez souvent pour maintenir un semblant d'espoir — le mal se dissipait de lui-même. Le repos, le sommeil et un bon régime contribuaient à la guérison et le malade se trouvait alors immunisé pour le reste de ses jours. Les anciens de la colonie comme le général Vaval et ses soldats noirs jouissaient d'un avantage certain sur les nouveaux venus de France : les noirs étaient immunisés à la suite d'attaques bénignes pendant leur enfance alors que les hommes du général Leclerc, arrivant de climats froids, étaient d'autant plus sensibles.

Les pertes furent encore plus nombreuses que Vaval ne l'avait supposé le soir où il en avait discuté avec Toussaint. En moyenne, sur une unité de mille hommes, huit cent cinquante mouraient et cent se retrouvaient hospitalisés. Si le commandant de l'unité avait la chance d'être toujours valide, il disposait donc d'une cinquantaine de soldats — et uniquement pour un service limité parce que même sous sa forme la plus bénigne, la maladie les avait affaiblis. Ce fut une épidémie monstrueuse et quand l'on fit venir de nouveaux détachements d'Europe, au lieu de fournir des remplaçants pour les lignes ils offrirent de nouvelles cibles aux moustiques.

L'arrestation scandaleuse du général Toussaint n'avait donc abouti à rien, ou presque. Plusieurs unités noires étaient passées du côté français dans l'espoir d'obtenir de bons emplois à la fin de la guerre civile, mais des patriotes obstinés comme Vaval s'étaient repliés dans les sanctuaires de la forêt et en ressortaient furtivement à toute occasion pour harceler les unités françaises trop confiantes. Et ils exerçaient des pressions sans répit en lançant des ripostes pleines d'invention dès que les Français commettaient des actes de barbarie contre eux.

A Port-au-Prince, les défenseurs français de la ville — avec comme toujours l'aide des métis encore persuadés que s'ils étaient du côté des blancs à l'heure des difficultés, ceux-ci leur accorderaient l'égalité à la fin des troubles — s'imaginèrent qu'ils démoraliseraient Vaval en dressant une grande potence à l'entrée de la ville pour que les rebelles noirs puissent voir les pendaisons. Chaque jour à midi, ils y exécutèrent un prisonnier. Vaval dit aussitôt à ses hommes :

— Installez-moi une grande potence en haut de cette colline et allez chercher tous les prisonniers blancs que nous avons.

Le lendemain à midi, quand les blancs de la ville eurent pendu un noir, les noirs de la forêt firent de même pour un blanc. Au bout de trois jours, Vaval réunit tous ses prisonniers blancs :

— Inscrivez vos noms sur cette liste. Ensuite, nommez l'un d'entre vous pour apporter un message en ville. Le message sera : « Nous pouvons continuer ce jeu aussi longtemps que vous. Voici les noms des suivants... »

Les pendaisons publiques cessèrent.

Sans raison ni justification, Saint-Domingue devint un véritable pandémonium. Témoin, l'affaire du général Vaval avec le 2e bataillon de Pologne. Napoléon, craignant fort que ses troupes polonaises en Europe consacrent leur énergie à instaurer une Pologne libre et cessent de se battre pour la France, décida sur un coup de tête de les embarquer à destination de Saint-Domingue pour renforcer Leclerc. Cinq mille Polonais, sans expérience des tropiques et affolés par eux, débarquèrent à Cap-Français à la fin de 1802 et furent immédiatement lancés dans l'action contre les troupes noires des successeurs de Toussaint.

Après une série d'escarmouches au cours desquelles ils se comportèrent assez bien, les Polonais furent placés aux côtés de soldats français dans une belle ville dominant la mer des Antilles, le port de Saint-Marc, et se trouvèrent contraints de jouer un mauvais rôle dans un conflit cruel. Un général noir qui s'était allié aux Français décida qu'un avenir brillant l'attendait s'il se ralliait avec ses hommes à l'armée d'esclaves du général Vaval. C'était une décision sage, mais en partant il abandonna une unité de son armée comprenant quatre cents soldats noirs stationnés à l'intérieur de la ville de Saint-Marc, au milieu des unités françaises et polonaises.

Quand le général français commandant le bataillon polonais apprit l'acte honteux de son ancien collègue — celui-ci passait à l'ennemi avec plus de la moitié de toutes les forces réunies — il donna à ses subordonnés des ordres secrets :

— Les noirs qui restent ne savent pas encore ce qui s'est passé. Vite, désarmez-les et rassemblez-les sur la place publique.

Ses officiers subalternes, tous français, expliquèrent aux noirs :

— Le général désire vous parler de la prochaine attaque. Mettez vos fusils en faisceaux et suivez-nous.

Confiants, les noirs obéirent et quand ils furent rassemblés pour apprendre les plans du commandant en chef, ils l'entendirent crier à ses hommes et aux Polonais :

— Serrez les rangs !

Tout autour de la belle place, les soldats français et polonais formèrent une barrière infranchissable, les baïonnettes braquées vers l'avant. Puis retentit l'ordre implacable :

— Tuez-les tous !

Les Polonais, seulement les Polonais, s'avancèrent pour le massacre à la baïonnette, car les Français demeurèrent en place prêts à tirer avec leurs fusils sur les noirs qui tenteraient de fuir. Ce fut horrible et rapide. Des hommes désarmés, éventrés d'un seul coup de lame ou percés dans la poitrine... Ils tombaient à genoux et on les achevait avec des matraques. Les rares qui parvinrent à se glisser dans les maisons voisines en furent arrachés, hurlant et implorant grâce, puis traînés sur la place où on les poignarda. Aucun soldat noir ne put s'échapper et aucun soldat français ne fut obligé de tirer. Les Polonais perpétrèrent le massacre.

Quand la nouvelle parvint au général Vaval, qui attendait le détachement pour l'accueillir dans son armée, il fut révolté.

— Qui est responsable ? demanda-t-il.

— Le bataillon de Pologne.

Il garda le silence un moment puis :

— Ils ne devraient même pas être ici, dit-il. La fièvre jaune en tuera la moitié.

Il fit serment de les pourchasser l'un après l'autre jusqu'au dernier, mais son espion lui apprit :

— J'étais présent, général. C'est le général français qui a donné l'ordre, et il y avait des soldats français tout autour de la place.

— Bien entendu !

Dans les mois qui suivirent, Vaval se détourna à plusieurs reprises de la voie qu'il s'était fixée dans l'espoir de se trouver face à face avec ces Polonais sanguinaires. Il n'y parvint pas mais ses espions lui apprirent bientôt que la fièvre jaune décimait ces Européens encore plus vite qu'il ne l'avait prédit.

— Deux Polonais sur trois sont morts ou à l'hôpital.

Il ne cessa pas pour autant de suivre tous leurs mouvements.

Plus d'un an après, quand son armée d'esclaves eut remporté de nombreuses batailles et que toute la population noire le considéra comme son meilleur général, il se trouva un jour dans un repli des montagnes dépendant de son ancienne plantation Colibri. Ses ordonnances plantaient déjà sa tente, quand un éclaireur lui apporta une nouvelle inquiétante :

— Des troupes occupent le haut de la colline, là-bas. Leurs canons sont braqués vers nous.

Vaval étudia le terrain.

— Nous perdrons beaucoup d'hommes si nous essayons de prendre cette colline.

— Les soldats sont tous des Polonais du 2e bataillon, précisa l'éclaireur.

A ces mots, Vaval hésita, paralysé par l'indécision. Ces hommes appartenaient à la bande ignoble qui avait massacré les soldats noirs sans défense de Saint-Marc. Ces Polonais avaient piétiné toute décence et la loi de la guerre, ils méritaient de mourir et ils mourraient sans doute si Vaval encerclait leur colline pour empêcher toute fuite avant de se lancer à l'assaut. Mais il perdrait dans l'opération un grand nombre de ses meilleurs hommes, sans aucun effet. Pour une fois il ne sut que décider, car s'il ordonnait un assaut coûteux à l'aube, il ne ferait que solder une vieille querelle, or perdre des braves seulement par rancœur serait faillir à l'honneur.

À minuit, comme la lune tombait déjà vers l'horizon, le général noir demanda à trois volontaires de passer devant lui avec des torches pour bien montrer qu'il portait un drapeau blanc. Ils se dirigèrent tous les quatre vers la colline.

— Trêve ! Trêve ! Nous voulons vous sauver la vie !

Quand ils arrivèrent à l'endroit où le sentier commençait à grimper plus raide, ils furent arrêtés par des soldats français sous les ordres d'un lieutenant qui s'avança pour négocier, mais le fusil braqué. Aussitôt, les soldats noirs lancèrent leurs torches par terre et braquèrent leurs fusils sur les Français.

— Je suis le général Vaval...

Les torches éclairaient son visage grave et résolu.

— Je viens vous offrir des conditions honorables qui vous permettront de quitter cette colline. Qui est votre commandant en chef ?

— Je n'ai pas le droit de le révéler. Mais c'est un colonel. Un bon soldat.

— Dites-lui qu'il agira noblement s'il accepte des pourparlers avec moi.

Le lieutenant lança un ordre à ses hommes qui attendaient derrière lui dans le noir.

— Trois pas en avant. C'est une délégation de paix.

Les hommes apparurent devant les soldats noirs, puis le lieutenant partit vers le haut de la colline avec l'un des hommes de Vaval.

— Que va-t-il se passer ? demanda l'un des soldats noirs.

— J'espère que le bon sens l'emportera, répondit Vaval.

Le lieutenant français et le soldat noir redescendirent la colline peu après avec quatre soldats blancs bien armés qui entouraient un officier polonais. Il se présenta, très raide :

— Colonel Zembrowski, 2e bataillon de Pologne.

Vaval s'avança, la paume tendue, et donna au Polonais une poignée de main généreuse.

— Pouvons-nous parler sans témoins ?

Ils s'éloignèrent. De toute part des fusils étaient braqués vers eux. Vaval se rappela la dignité avec laquelle les officiers anglais l'avaient traité et sa première pensée fut : « Je ne peux pas faire moins. »

— Colonel, dit-il, comme vous l'avez sans doute constaté avant le coucher du soleil, j'ai assez d'hommes pour m'emparer de cette colline.

Zembrowski, qui approchait la quarantaine et se trouvait loin de chez lui, conserva son calme :

— Et vous avez sans doute constaté, vous, que j'ai assez d'hommes et de munitions pour vous rendre la tâche très coûteuse. C'est à coup sûr la raison de votre présence ici.

À la surprise du Polonais, Vaval changea complètement de sujet.

— Comment va le moral ?

Zembrowski, dans un élan de sincérité militaire entre soldats, répéta mot pour mot ce que Vaval avait exprimé quelques mois plus tôt :

— Jamais on n'aurait dû nous envoyer ici. Bonaparte avait peur de nous.

— Et la fièvre ?

— Nous étions cinq mille à notre arrivée. Nous ne sommes même plus un millier.

— Les Anglais ont subi le même sort quand ils ont essayé de nous vaincre.

— Et vous ? Allez-vous instaurer un État bien à vous ?

— Nous l'avons déjà.

— Jamais nous n'aurions dû essayer de vous en empêcher. Mais au bout du compte, Bonaparte y parviendra.

— Non, répliqua Vaval avec une conviction profonde. Même lui échouera. Les blancs ont essayé, et nous les avons battus. Les gens de couleur ont essayé, mais nous les avons écrasés dans la poussière. Les Espagnols ont essayé et les Anglais, même tous les Polonais, même des traîtres au sein de notre groupe. Tous ont échoué.

Puis toute dureté disparut de sa voix, et il reprit avec une nuance de regret :

— La France tente de détruire ses propres enfants. Elle a envoyé ses légions contre nous, mais elles repartiront bientôt pour toujours.

Il s'arrêta et regarda ses soldats noirs avec leurs torches, puis les Polonais avec les leurs.

— Je n'ai jamais compris pourquoi la fièvre tue les blancs et nous laisse en paix.

Puis il demanda, d'un soldat à un autre :

— Comment est-ce, de se battre dans le camp des Français ?

— Les Français n'aiment pas les Polonais, répondit Zembrowski. Mais vous le savez, ils n'aiment personne. En revanche, leurs généraux sont brillants. Bien entraînés. Ils connaissent l'Histoire. Ils étudient le terrain avec soin.

Il ne put retenir un petit rire.

— Vous permettez que je m'assoie ? Ma jambe gauche a reçu une balle.

Ils s'installèrent sur des rochers, et le Polonais éclata de rire franchement.

— Parfois, je n'en veux nullement aux Français. Un général est venu me voir avec un bout de papier : « Qu'allez-vous faire à ce sujet, Zembrowski ? » Il avait écrit les noms de deux de mes sous-officiers : Zdz'blo et Szczygiel. « On ne peut pas garder des noms comme ça. » Je lui ai répondu : « Appelez le premier Dupont et le second Kessel »... Ils ne parviennent pas à nous supporter, reprit-il après un temps de silence. Parce que nous ne faisons pas les choses à leur manière, ils nous traitent aussitôt de lâches. Ils se plaignent que nous ne faisons pas notre part des combats. Quand nos hommes l'entendent, quand je l'entends, nous nous sentons blessés dans notre honneur, et pour un Polonais l'honneur est tout.

Pendant quelques instants, à la lueur vacillante des torches, les deux combattants parurent des ombres mouvantes, puis Zembrowski se sentit obligé de parler en toute franchise, par égard pour ce puissant général noir.

— Vous savez peut-être que notre bataillon se trouvait à Saint-Marc ?

— Oui, répondit Vaval. Je vous ai poursuivi depuis lors, en espérant vous coincer un jour comme maintenant.

— Vous savez bien entendu que les ordres étaient donnés par les généraux français ? Sous la menace de leurs baïonnettes si nous ne nous servions pas des nôtres contre les noirs ?

— Je l'ai supposé, dit Vaval d'une voix sévère.

Zembrowski enfouit la tête entre ses mains.

— Le déshonneur, général Vaval, nous nous sommes déshonorés ce jour-là et je vous supplie de nous le pardonner.

— Je l'ai fait... Cette nuit... En vous rencontrant sur le champ de bataille, d'homme à homme. Mais dans cette colonie, comme vous l'avez dit vous-même, les Polonais n'ont plus d'honneur.

Il hésita, se leva puis repartit vers les soldats. Au bout de quelques pas, il se retourna vers Zembrowski :

— Demain matin, bien entendu, nous lancerons l'assaut et nous prendrons la colline.

Le colonel polonais lui fit une réponse étrange.

— Général, vous avez conservé votre honneur intact jusqu'ici. Je vous en supplie, ne lancez pas vos soldats demain. Ne le faites pas.

Il n'ajouta pas un mot, mais au moment où ils prirent congé sous les torches, Zembrowski embrassa son ennemi noir.

Le lendemain à l'aurore quand les anciens esclaves, Vaval à leur tête, gravirent la colline pour l'arracher aux Polonais, ils virent, stupéfaits, deux officiers français se précipiter vers eux en agitant des drapeaux blancs.

— Nous nous rendons ! Nous nous rendons !

À peine étaient-ils parvenus en bas, le visage blême de peur, qu'une série d'explosions titanesques secoua le sommet de la colline. Tous les soldats qui s'y trouvaient moururent, y compris Zembrowski.

L'honneur des troupes polonaises, quel que soit le sens que l'on donne à ce mot, avait été rétabli. Plutôt que de se rendre, ils s'étaient fait sauter dans l'éternité.

En dépit de l'héroïsme obstiné de généraux comme Vaval, en dépit des ravages du général Fièvre jaune, Leclerc continuait péniblement de construire les bases d'une victoire, à peu près selon les grandes lignes déterminées par Napoléon. Les unités noires, sentant l'inanité de leur opposition à l'ensemble de l'empire français avec ses ressources infinies, commencèrent à déserter en grand nombre, et même un génie de l'improvisation comme Vaval dut avouer que la défaite était proche. Les Français étaient trop forts, Leclerc faisait preuve d'un acharnement auquel personne ne s'attendait, la cause des noirs semblait perdue.

Les Français auraient probablement triomphé si Bonaparte, croyant posséder un pouvoir sans limite sur les hommes, n'avait promulgué l'infâme décret qui rétablit l'esclavage à la Guadeloupe. Malgré les efforts de Leclerc pour l'occulter, la nouvelle s'infiltra jusqu'à Saint-Domingue, et aucun noir ne put s'aveugler sur le sort qui l'attendait — surtout quand des réfugiés de la Guadeloupe, à l'autre bout des Antilles, racontèrent les troubles survenus dans leur île au moment de l'application du décret esclavagiste.

Leclerc, se croyant encore en mesure de vaincre les esclaves, réunit tous ses officiers supérieurs au château Espivent.

— Je suis certain qu'un dernier effort nous permettra d'en finir. Je vais m'enfoncer dans les montagnes pour capturer ce maudit Vaval.

Mais avant de partir pour ce qu'il considérait comme l'opération finale, il demanda à Espivent :

— Veillez sur Pauline à ma place.

Espivent, de la grille de sa demeure, regarda le général courageux s'éloigner vers les montagnes où Vaval l'attendait, et éprouva soudain des sentiments de compassion et de remords : « Nous nous sommes moqués de lui quand il a débarqué. Le beau-frère de Bonaparte, un incompétent, un général fantoche. Mais, par Dieu, il a forcé Toussaint à se rendre et il a coincé cette vermine de Vaval. Et quand il s'élance vers la bataille décisive, il laisse dans ma maison... quoi ? Un bordel, dirigé par une seule pensionnaire — son épouse ! »

A peine Pauline fut-elle certaine que son mari était bien parti qu'elle se mit à inviter une kyrielle d'officiers. Les séances au premier étage devinrent si éhontées — un homme différent tous les trois jours, semblait-il —, qu'Espivent jugea de son devoir d'intervenir. Après tout l'on souillait son château et l'honneur de son ami.

Il avait l'intention de discuter de cette situation avec Leclerc à son retour, mais alors qu'il se trouvait sur les traces de Vaval au milieu d'octobre 1802, à peine huit mois après son arrivée au Cap, le général éprouva les premiers symptômes de la fièvre.

On le transporta au château Espivent, mais pendant le trajet son corps épuisé passa à la deuxième puis à la troisième phase de la maladie. Il suffisait de voir son visage ravagé et son corps noué de frissons pour comprendre : tout espoir de guérison était vain. Aussitôt Pauline, confrontée à la certitude que cet homme d'honneur allait mourir alors qu'elle l'avait si souvent trompé, fit front à la maladie par des soins constants, sans tenir compte des avertissements de ses amis.

— Mais, madame ! Vous risquez la contagion.

— Il a besoin de moi, répondit-elle, indifférente.

Pendant les longues nuits tropicales, elle baigna son corps enfiévré et fit l'impossible pour soulager ses douleurs. Le cinquième matin, quand débutèrent les hémorragies buccales, elle appela Espivent à l'aide. Ils essuyèrent le sang de son visage, mais en vain. Charles Leclerc, qui avait prouvé sa valeur dans le coin le plus irréductible du monde colonial français, venait de mourir à l'âge de trente ans.

On désigna quatre officiers pour escorter en France le cadavre et Pauline Leclerc. Pendant la traversée, prolongée du fait que le bateau français devait éviter les vaisseaux de guerre anglais en maraude, la jeune veuve se fit consoler par les trois officiers de rang le plus élevé, qui avaient déjà été ses amants au Cap. Et le quatrième, qui n'était jamais invité dans sa cabine, déclara à un des marins :

— Quand je vois ces quatre-là, je me sens comme la cinquième roue du carrosse.

Le marin demanda ce qu'il entendait par là.

— Je ne fais jamais partie de leurs jeux.

— Ça vous plairait donc ?

— A qui cela ne plairait-il pas ? répliqua l'officier délaissé.

— Le voyage n'est pas terminé, le rassura le marin.

Quand le bateau arriva en France, on enterra Leclerc avec les honneurs que méritait ce combattant courageux. Bonaparte lui rendit hommage, mais il s'occupait déjà d'autres problèmes : comprenant qu'il risquait fort de perdre Saint-Domingue, il se débarrassa hâtivement d'une autre colonie prospère qu'il possédait sur la mer des Antilles : la Louisiane. Il la vendit à un prix ridiculement bas au président de la nouvelle république américaine, Jefferson, car il estimait, probablement à bon droit, que sans Saint-Domingue comme point d'appui, la Louisiane serait indéfendable.

Il s'occupa aussi de sa turbulente sœur. A une vitesse fulgurante, il lui trouva comme second mari un aristocrate italien, membre de la famille Borgia. Pour lui témoigner sa reconnaissance, la jeune femme vendit à son frère pour une somme dérisoire la vaste collection de tableaux et sculptures des Borgia, qui prit aussitôt la route de Paris. Sensible à ce geste, Napoléon fit de Pauline une duchesse — ce qui stimula, si besoin était, ses activités extra-matrimoniales.

Le commandement des troupes françaises à Saint-Domingue échut au fils d'un illustre général qui avait aidé les colonies américaines à conquérir leur indépendance. Mais Donatien Rochambeau s'avéra l'un des pires fléaux des Antilles, par son comportement infâme et ses tendances néroniennes.

Pour frapper de terreur les derniers noirs de Vaval qui s'opposaient encore aux Français, il fit venir de Cuba un grand nombre de chiens féroces entraînés spécialement pour attaquer les nègres, et il présenta les animaux à une soirée de gala à laquelle furent conviés tous les notables blancs. On plaça dans une enceinte fermée trois noirs dont on arracha les chemises. Ils se blottirent dans un coin, ne sachant trop ce qui allait leur arriver, puis on ouvrit les portes du chenil et les chiens s'élancèrent dans l'arène. Des cris enthousiastes des spectateurs se muèrent vite en huées, car les animaux se contentèrent de fleurer les noirs, puis de s'éloigner pour se battre entre eux.

Rochambeau, mis en fureur par les rires, ordonna à ses soldats :

— Faites couler un peu de sang. Pour les amorcer.

Plusieurs hommes entrèrent dans l'arène avec des baïonnettes pour se protéger des chiens qui voulaient les attaquer au lieu d'attaquer les noirs, et piquèrent les trois noirs au ventre jusqu'à ce que du sang coule. Aussitôt les chiens se jetèrent sur les malheureux qu'ils déchirèrent à belles dents et dévorèrent vivants. Le public applaudit.

Comme Leclerc avant lui, Rochambeau résidait au château Espivent, et chaque soir son hôte l'encourageait à continuer ses assauts contre les rebelles noirs et de couleur :

— Il faut que je vous montre mes études, général. Une seule goutte de sang noir contamine une famille sur treize générations, huit mille cent quatre-vingt-douze descendants. Donc tout ce que vous pourrez faire pour éliminer les noirs, et ceux qui le sont en partie, sera appréciable.

Ces deux « patriotes », qui représentaient à peine trente mille blancs au milieu de cinq cent mille noirs, se croyaient sérieusement capables de s'imposer aux noirs par la terreur et de les forcer à se soumettre de nouveau à l'esclavage.

— La meilleure chose que Napoléon Bonaparte ait faite à ce jour, général, c'est le rétablissement de l'esclavage, mais nous serons peut-être contraints de tuer tous ceux qui ont pris goût à la liberté sous Toussaint Louverture et cet ignoble Vaval. Ils ne se rendront jamais, donc ne leur accordez aucun répit.

Le jour où son nouvel ami Rochambeau mit au pas une brigade noire mutinée d'une manière que le général Leclerc n'aurait pas approuvée, Espivent applaudit sans réserve. On fit défiler les cent et quelques noirs prêts à se rebeller sur la place publique au milieu d'une escorte de soldats français prêts à tirer, puis, sous leurs yeux, on conduisit leurs épouses sur la place et on les exécuta l'une après l'autre, de manière différente. Ensuite, on retourna les fusils vers les hommes et on les massacra tous.

Espivent en personne participa à l'élimination générale de tout noir de Cap-Français que des mouchards blancs signalaient comme « trop contaminé par la maladie de la liberté pour pouvoir redevenir un bon esclave ». Il avait installé sur les quais une sorte de bureau provisoire d'où il envoya huit mille noirs à bord de bateaux qui les conduiraient, promettait-il, « à Cuba et à la liberté ». Les bateaux chargés s'éloignèrent à quelques encablures dans la baie, où les marins armés de fusils et de coutelas abattirent les noirs et jetèrent leurs cadavres à la mer, avec une efficacité si remarquable que les côtes voisines furent bientôt couvertes de cadavres en décomposition. Espivent pallia cet inconvénient imprévu en ordonnant aux capitaines :

— Allez donc un peu plus loin pour que les courants entraînent les corps au large.

Espivent ne participa pas, en revanche, à l'une des agressions les plus ingénieuses contre les noirs, mais il fournit un des bateaux négriers pour l'expérience et supervisa les détails de l'appareillage : on installa sous le pont une petite chaudière permettant de faire brûler du soufre humide, et l'on dirigea avec des tuyaux la quantité prodigieuse de fumée produite dans une cale où des noirs étaient entassés. Un seul seau de soufre dégageait en brûlant assez de gaz pour étouffer soixante noirs, qui mouraient ainsi sans gaspillage de balles et sans potence à construire.

Mais ces atrocités — et ce ne furent pas les seules — ne furent d'aucune utilité pour Rochambeau, car chaque fois qu'un nouveau supplice parvenait aux oreilles du général Vaval dans les montagnes, celui-ci écoutait sans interrompre, penchait la tête et serrait les poings jusqu'à ce que ses ongles entrent dans ses paumes — puis se consacrait avec plus d'acharnement que jamais à son unique objectif :

— Nous extirperons de cette colonie chaque Français jusqu'au dernier. Pas de négociation. Pas de trêve.

Dix ans auparavant, il ne connaissait même pas les mots « extirper » et « négociation », mais il les utilisait maintenant en connaissance de cause, pour bâtir une nouvelle nation.

Chaque soir, avant que ses hommes lancent une de ses opérations paralysantes contre les forces de Rochambeau, il passait au milieu d'eux et disait de sa voix douce :

— Demain, nous remporterons une nouvelle victoire pour Toussaint.

Et le lendemain quand il attaquait, son assaut était si violent, si empreint de rage froide, que les Français ne pouvaient résister aux vagues de destruction qui déferlaient sur eux. Vers la fin de 1803, Rochambeau, de plus en plus furieux, lança à ses généraux :

— Bon sang, impossible de coincer ce petit salaud !

Et le lendemain, il renonça. Purement et simplement. Sans geste de grandeur. Sans reconnaître que les noirs l'avaient emporté. Sans honneur. Il rassembla ses bateaux et passa la soirée à rédiger un rapport à Napoléon Bonaparte, dans lequel il expliqua que Vaval avait remporté par traîtrise et fourberie quelques escarmouches sans importance mais que les noirs auraient été vaincus à plate couture sans la fièvre jaune.

Au bastingage du dernier bateau français qui quitta Saint-Domingue se trouvait Jérôme Espivent, résigné à s'exiler de la colonie qu'il aimait. Il avait plus de soixante ans, ses cheveux et son bouc étaient complètement blancs. Sur les épaules, il avait jeté une de ses capes noires, et il y eut dans ses yeux une brume de profond regret quand il vit s'éloigner, de plus en plus minuscule, son beau château de pierre.

— Jamais nous n'aurions dû perdre ce pays, dit-il à un jeune officier de la vallée de la Loire. C'est entièrement la faute des gens de couleur.

Quand il se retourna pour voir une dernière fois Cap-Français, la ville et sa demeure avaient disparu.

La tentative pour soumettre de nouveau à l'esclavage les noirs de Toussaint et de Vaval avait échoué. Le grand Napoléon, après avoir perdu la plus riche colonie du monde et près de cent mille de ses meilleurs soldats d'Europe, ne pensait plus maintenant qu'à son couronnement comme empereur et à la préparation de la série éclatante de victoires qui le conduirait jusqu'aux portes de Moscou. Au cours de ces campagnes immortelles, il ferait baisser la tête à une dizaine de rois et à plus de vingt généraux, mais il ne trompha de l'esclave Toussaint que par une ruse déshonorante et ne vint jamais à bout du général Vaval.

En 1804 César Vaval, comme le général romain Cincinnatus en 458 av. J.-C., se retira sur ses terres après une série de victoires retentissantes et l'instauration de l'unique république noire du monde. Comme il avait été esclave sur les champs de la plantation Colibri d'Espivent, il aurait eu le droit de revendiquer l'ensemble de la propriété, mais il se contenta de la partie occidentale, où se trouvait la colline sur laquelle les soldats polonais avaient préféré le suicide collectif à la reddition. Il y vécut avec sa femme et ses trois enfants, à qui il racontait parfois le soir, non pas ses propres exploits — il estimait que plusieurs autres généraux de Toussaint s'étaient montrés au moins aussi braves — mais l'héroïsme extraordinaire de son père, l'esclave Vavak, de la plantation danoise. Il donnait vie au passé pour ses enfants. Ils s'imaginaient alors en Afrique ou sous le fouet des Danois à Saint-John, ou encore dans la petite barque pendant la traversée vers Porto Rico, puis vers Haïti. Vaval leur inculquait ainsi qu'ils descendaient d'hommes et de femmes d'un courage exceptionnel, il faudrait donc qu'ils perpétuent la tradition. Des actes héroïques de leur père pendant la guerre de libération, ils ne parlaient jamais, et c'était inutile car il était entendu qu'ils se conduiraient comme lui.

Au seuil de la cinquantaine, il n'était guère satisfait de ce qu'il voyait autour de lui dans la nouvelle nation. L'un des généraux de Toussaint, Jean-Jacques Dessalines, s'était récemment proclamé empereur à vie. « Quel homme détestable ! » se dit Vaval un soir, assis au sommet de la colline des Polonais. L'année précédente, Dessalines avait diffusé un décret d'amnistie dans toutes les îles des Antilles et même en Caroline du Sud : « Que tous les blancs qui ont fui Haïti rentrent chez eux. Le passé est oublié. Revenez nous aider à construire un pays neuf ! » Et ils revinrent en grand nombre, car ils regrettaient la colonie qu'ils avaient aimée. Mais que se passa-t-il à leur retour ?

Vaval, la tête basse, se rappela les scènes horribles. Quand ils furent tous dans l'île, Dessalines proclama un matin :

— A mort, tous les blancs de Haïti !

Le massacre recommença.

À Cap-Français, devenu Cap-Haïtien, il fit aligner des centaines de blancs. Ils crurent qu'il allait leur faire un sermon sur leurs devoirs de citoyens, mais non. Non ! Il les fit tous tuer, peut-être quatre cents, peut-être cinq cents. « Pour purifier la nation », dit-il. Tous les blancs de Haïti furent abattus.

Quand la nuit tomba, Vaval se tourna vers Cap-Haïtien et se

demanda : « Un pays peut-il se purifier de trahisons aussi horribles ? Existe-t-il des crimes que rien ne saurait expier ? » Puis, comme c'était un homme d'honneur, il dut reconnaître sa propre culpabilité.

Une fois les blancs supprimés, Dessalines s'occupa des gens de couleur. Il décréta leur expulsion de Haïti. Comme on savait que Vaval méprisait les métis et s'était souvent battu contre eux, on le chargea de les pourchasser dans le nord.

Il conserva de ces journées de folie une honte sans nom. Jamais il n'oublierait le siège de Méduc. Sous le commandement des Prémord, les gens de couleur de la région s'étaient réunis dans leur plantation. Le combat fut sauvage. Vaval ne parvint pas à les soumettre. Un de ses hommes lui lança avec mépris :

— Vaval, toi qui as manœuvré si facilement Leclerc, pourquoi n'écrases-tu pas cette poignée de bâtards ?

Il ne sut que répondre. Il avait en face de lui des héros.

Mais un souvenir plus humain lui revint aussi. À la fin des combats, quand Vaval dut battre en retraite sans les avoir délogés, Julie Prémord s'adressa à lui pour lui proposer une trêve qui ferait cesser dans tout le pays ces massacres insensés. Elle garantissait l'accord des gens de couleur si Vaval pouvait s'engager au nom des noirs. Mais quand il dépêcha un cavalier à Cap-Haïtien pour informer Dessalines de la proposition, celui-ci répliqua :

— Pas de trêve. Exterminez-les.

Ce fut impossible, parce que les Prémord défendirent leur plantation avec l'énergie du désespoir. Vaval dut se retirer : la dernière occasion d'imposer la raison fut perdue.

Puis ses souvenirs l'emportèrent vers une place de village bordée de palmiers. Dans tout le pays, les gens de couleur étaient traqués et massacrés. Dans le nord, les derniers se rassemblèrent à Méduc — la ville où ils se réunissaient jadis pour leurs saturnales secrètes —, réduits à l'impuissance et contraints à se rendre. Vaval, qui avait enfin appris à les respecter, supplia le gouvernement de les laisser vivre en paix dans leur refuge du nord, et cette fois on l'écouta. On le chargea de négocier les conditions de leur reddition et de leur pardon.

Et par une belle journée ensoleillée, Vaval rassembla donc à Méduc les gens de couleur vaincus et régla les derniers détails avec Prémord et son épouse.

— La guerre est finie, cria Prémord d'une voix claire et ferme qui forçait le respect.

Vaval se retourna vers lui et songea : « Quel bel homme ! Sa couleur est beaucoup plus jolie que je ne le pensais. »

— Nous avons un nouveau pays et un nouveau gouvernement, la France est partie sans retour et les blancs ne nous domineront plus. En ce jour de bonheur débute une amitié durable entre des groupes séparés depuis trop longtemps.

Sur ces mots, il donna l'accolade à Vaval et cria à ses partisans :

— Regardez comment deux anciens ennemis se lancent dans la voie de l'amitié.

Tout le monde poussa des cris de joie.

Puis, d'une maison voisine de la place où ils s'étaient réunis, sortit le nouvel empereur Dessalines. Il hurla de sa voix féroce :

— Tuez-les tous !

Et sa garde noire massacra à coups de baïonnette et de crosse les cinq cents métis venus faire la paix. Prémord et sa femme, encore aux côtés de Vaval, s'accrochèrent à ses bras.

— Vaval, que se passe-t-il ? crièrent-ils au comble de l'angoisse.

Avant même que Vaval puisse intercéder, on les arracha à lui, dix baïonnettes les éventrèrent et on les jeta dans un fossé. Aucun homme, aucune femme de couleur ne survécut. Les rares qui étaient restés cachés dans le nord furent traqués comme des bêtes et exterminés *.

Ces souvenirs étaient trop douloureux pour Vaval. Il porta soudain les mains à sa gorge, comme si le souffle lui manquait : « Mon Dieu ! De quel fardeau terrible avons-nous accablé notre pays ! En 1789 il contenait un demi-million de personnes prospères et soumises. A présent probablement moins de deux cent mille, paraît-il. Plus tous les envahisseurs morts, Anglais, Espagnols, Polonais. Un pays peut-il supporter un viol aussi brutal ? Le sang que l'on y a versé ne va-t-il pas ?... »

Il se tourna de nouveau vers le nord, mais conserva devant ses yeux l'image du château, à Cap-Haïtien, et des nombreux massacres qui avaient décimé les habitants de la ville : 1791, 1793, 1799, 1802... Non, aucun pays ne pourrait se relever après de telles destructions ; les cicatrices ne seraient jamais effacées. Il songea enfin aux individus responsables de cette tragédie sans fin : « Les grands blancs comme Jérôme Espivent qui détestaient les noirs et les gens de couleur... » Puis il se rembrunit : « Et les noirs comme moi qui ont *purifié le pays* des blancs et des gens de couleur... Nous avons notre nation noire, totalement noire, à présent. Qu'allons-nous en faire ? »

Et en voyant le nuage sombre de la nuit s'étendre sur son pays tourmenté, Vaval se demanda si les ténèbres s'éclairciraient un jour.

* Le comportement de Dessalines devint si irrationnel et si sanguinaire que ses deux lieutenants, Pétion et Christophe, décidèrent qu'il valait mieux l'assassiner, ce qu'ils firent. Ainsi débuta le cycle récurrent de dictature, abus de pouvoir et assassinat qui accablerait Haïti pendant les cent quatre-vingt-cinq années à venir.

11

La loi martiale

Jamaïque, 1865

— Si Dieu descend un jour sur terre, murmura le jeune homme, je suis sûr qu'il ressemblera trait pour trait au gouverneur Eyre.

Propriétaire de Trevelyan, la plantation de canne à sucre productrice du rhum sombre si apprécié en Europe, et membre du Conseil exécutif de la Jamaïque, Jason Pembroke représentait « ce qui se faisait de mieux » dans l'île. A vingt-huit ans, il avait l'air cassant d'un jeune homme qui entendait conserver tout ce qui l'entourait sous son autorité. Il soignait bien sa barbe brune et se montrait prudent dans ses responsabilités officielles, qui consistaient à fournir au gouverneur des conseils circonstanciés.

L'homme à qui il chuchotait cette réflexion appartenait également au Conseil, mais son caractère et son allure se situaient aux antipodes bien qu'ils fussent cousins. Oliver Croome, dont la plantation était plus vaste et plus riche que Trevelyan, avait dépassé la quarantaine. Rasé de près, rougeaud et jovial, il avait pris de l'embonpoint et se laissait aller souvent à des éclats de rire explosifs. Il ne voyait pas ses devoirs sous le même angle que Pembroke :

— La reine nous dit ce que nous devons faire et nous le faisons.

Jamais il n'aurait songé à prononcer un seul mot contre les directives provenant du Colonial Office à Londres.

— Et si nos bougres se figurent qu'ils peuvent ne tenir aucun compte des décrets de la reine, il y aura toujours les fusiliers marins pour les remettre au pas.

Ils étaient bons amis, ces cousins si dissemblables — Pembroke austère et prudent en dépit de sa jeunesse, et Croome exubérant et enclin aux déclarations ampoulées. Rarement du même avis en politique, car Pembroke exprimait des idées libérales mesurées et réfléchies tandis que Croome clamait très haut ses opinions ultra-conservatrices, ils partageaient néanmoins la plupart des attitudes caractéristiques de leur classe : loyauté envers la Couronne, amour pour l'Angleterre (où leur famille passait plus de temps qu'à la Jamaïque) et détermination farouche de protéger les intérêts des planteurs de canne à sucre. Pour parvenir à cette fin désirable, ils accordaient leur soutien à Eyre, homme de courage qui avait vraiment l'allure d'un Jupiter paternel et omniscient descendu du ciel pour redresser la situation de la grande île.

— Il sait ce qu'il fait, chuchota Oliver à son cousin.

Ils s'inclinèrent tous les deux avec déférence devant le grave personnage en train de s'asseoir au bout de la table au Conseil. Edward John Eyre, âgé de cinquante ans, en imposait ne serait-ce que par sa taille. Il avait une forte barbe et une moustache si épaisse qu'elle tombait sur sa bouche et brouillait ses paroles. Un jour, en l'entendant parler, Jason Pembroke avait observé :

— On croirait entendre parler Dieu à travers le Buisson ardent.

Eyre n'avait rien du gouverneur colonial de la tradition, et n'était nullement le fils plus ou moins dégénéré d'une famille noble d'Angleterre, parvenu à ce poste grâce à l'appui de cousins haut placés. Troisième fils d'un pasteur appauvri de l'Église anglicane, dont les ancêtres avaient jadis appartenu à la hiérarchie ecclésiastique fortunée, il s'était retrouvé à dix-sept ans nanti d'une bonne éducation mais sans perspectives d'avenir. En cette extrémité son père avait fait deux choses pour l'aider : il avait sollicité auprès d'amis une petite somme qui permettrait au jeune homme d'acheter une commission d'officier dans l'armée; puis, juste au moment où Edward se décidait à devenir soldat, il lui avait suggéré :

— Garde donc l'argent et va chercher fortune en Australie.

C'était une idée audacieuse, inattendue, et en octobre 1832 Edward John Eyre prit son billet pour le continent inconnu, où il arriva fin mars de l'année suivante après une traversée pénible de plus de cent quarante jours. A Sydney, comme tout Anglais prudent de l'époque, il se rendit de maison en maison et de bureau en bureau pour présenter les nombreuses lettres de recommandation que les amis de sa famille lui avaient données, mais ces sollicitations n'aboutirent à rien, et il se retrouva seul et sans amis sur l'immense continent.

Grâce à sa volonté de fer et à la discipline qu'il sut imposer à son corps, il se lança dans des explorations héroïques des régions les plus désertes de l'Australie et parcourut des milliers de kilomètres, souvent assisté par un seul compagnon fidèle, l'infatigable et souriant aborigène Wylie. Ils traversèrent le continent dans des conditions que, plus tard, des experts estimèrent impossibles et Eyre fut bientôt salué comme l'un des plus courageux de tous ceux qui avaient sillonné le pays. On donna son nom au plus vaste lac (intermittent) du pays et à la route qui relie maintenant les États de l'Est et l'Australie-Occidentale. Son courage personnel demeure inégalé. Il avait sur beaucoup de problèmes des idées très en avance sur son temps et son amour pour le continent austral ne se démentit jamais. S'il avait décidé de terminer ses jours en Australie, il y serait mort en héros national respecté.

Mais avide de gloire autant que de l'apparat et des prérogatives du pouvoir, il quitta l'Australie pour se mettre aux ordres du Colonial Office, bien décidé à obtenir rapidement une promotion et le titre de gouverneur d'une colonie lointaine sur laquelle il pourrait régner en empereur. Son grand dessein fut immédiatement contrarié, car on le nomma en Nouvelle-Zélande à un poste mineur où il ne put rien accomplir. Il eut un peu plus de chance aux Antilles, dans l'île de Saint-Vincent. Puis, en 1862, après un séjour presque soporifique à Antigua, on le nomma à l'âge de quarante-sept ans dans l'importante île de la Jamaïque avec le titre de vice-gouverneur, mission qu'il remplit avec enthousiasme et compétence, notamment lorsqu'un vaste incendie menaça Kingston, la principale ville de l'île. Un journal de l'époque rapporte :

> *Parti à cheval de sa résidence de Spanish Town, le gouverneur Eyre a galopé directement au cœur de notre ville pour participer de toute son énergie au combat contre l'incendie qui commençait à engendrer la panique. Jamais nous n'avons vu un représentant de la reine se comporter si vaillamment en face d'un danger réel. Toutes nos félicitations au gouverneur Eyre pour ses qualités humaines.*

Cela n'empêcha pas la noblesse terrienne de l'île de grommeler son mécontentement :

— Comment ose-t-on nous envoyer un gouverneur sans origines familiales convenables, alors que nous avons toujours été habitués aux membres de l'aristocratie ?

— Sa seule qualification pour ce poste, occupé dans le passé par des hommes de classe, des ducs et des barons, c'est qu'il a élevé des moutons dans je ne sais quel désert perdu d'Australie. Il n'a pas l'étoffe pour notre île.

Et on lança même contre lui une accusation plus grave :

— Savez-vous qu'on l'a vu plusieurs fois monter dans un moyen de transport public et non dans sa propre voiture ? Quelle honte ! Quel manque de dignité et de respect pour sa position !

Cette infraction fut évidemment signalée aussitôt à Londres, et le supérieur immédiat d'Eyre griffonna sur le rapport : « Quant à l'accusation d'utilisation de véhicules publics, j'ai connu même un ministre coupable de ce péché contre l'étiquette. » Le directeur du Colonial Office, le duc de Newcastle, ajouta sa propre caution : « J'ai fait de même. »

Au début de 1865, année critique pendant laquelle de nombreux événements allaient agiter la Jamaïque, le gouverneur Eyre était si solidement ancré à son poste que ses ardents partisans, comme Pembroke et Croome, avaient de bonnes raisons de croire qu'il y resterait jusqu'à sa mort. Parfois cependant, Jason se demandait s'il serait en mesure de maintenir l'harmonie entre les éléments si différents de l'île. Et ce jour-là, quand il regarda Eyre quitter la salle d'une allure impériale, il murmura d'un ton songeur, en tirant sur sa barbe :

— Je commence à déceler une arrogance excessive chez notre gouverneur.

— Que diable racontes-tu ? demanda Oliver.

— Il est tellement enraciné dans l'Église anglicane...

— Moi aussi. Et toi. C'est ce qu'il faut, non ?

— Mais en tant que gouverneur, il devrait prêter une oreille plus attentive aux autres religions, qui s'implantent de plus en plus dans l'île. En particulier les baptistes.

— Il faudrait tous les tuer. Surtout les baptistes.

— Voyons, Oliver, c'est une réponse ridicule. Les baptistes sont ici, et il faut en tenir compte.

— Eyre a accordé à ces maudits hérétiques plus d'égards qu'ils n'en méritent. Il se montre trop généreux. Après tout l'Église anglicane est la religion de l'île, telle est la loi. Nous payons des impôts pour notre

Église, et ses pasteurs soutiennent la reine. Les baptistes ? Qui sait en quoi ils croient ?...

Et sans laisser à Pembroke le temps de répondre, Croome ajouta, le visage soudain écarlate :

— Je te le dis tout net, Jason, le rapport que font circuler ces maudits baptistes ne me plaît pas du tout.

Pembroke comprit enfin la réaction hostile de son cousin.

Quelques années plus tôt, un pasteur baptiste itinérant répondant au nom d'Underhill avait publié à son retour à Londres un livre favorable sur la Jamaïque, mais les baptistes de l'île lui avaient adressé aussitôt une rafale de lettres pour déplorer la situation réelle dans laquelle ils se trouvaient. Ils signalaient bien entendu tous les désavantages dont souffraient les sectes non conformistes (comme les baptistes) de la part de la majorité anglicane, sans égards ni générosité pour eux :

« Nous devons payer des impôts pour entretenir leurs églises et leur clergé ivrogne, mais ils n'offrent à nos chapelles pas un sou en retour bien que nos doctrines soient plus proches de l'esprit de Jésus. Et le gouverneur déteste toute personne dont la peau présente la moindre trace de couleur. »

Tourmenté par ces appels, Underhill avait soumis, fin décembre 1864, un rapport très modéré aux autorités britanniques. Des copies parvinrent aussitôt à la Jamaïque où les prélats de l'Église anglicane, ainsi que le gouverneur et ses partisans, s'offensèrent de voir un simple baptiste oser se plaindre non seulement de l'Église élue par Dieu mais, par extension, de la reine elle-même, puisqu'elle avait désigné ses représentants dans l'île.

— Cela frise l'hérésie ! tonna Croome. Ou la trahison.

Comme il possédait ce tempérament simple et direct qui tranche au milieu des subtilités, il ajouta avec encore plus de force, en tapant sur la chaise à côté de lui :

— Neuf sur dix de ces maudits baptistes sont des nègres, et ils ont à leur tête une bande de soi-disant pasteurs dont neuf sur dix sont des sang-mêlé. Ce rapport est une agression contre l'Empire, son auteur mérite une balle dans la peau.

Croome, comme ses ancêtres, avait la détente facile.

— Du calme, du calme, Croome. Toute personne qui accuse le gouverneur Eyre d'être anti-noir, que ce soit un de ces imbéciles de baptistes ou toi-même, oublie les antécédents de cet homme. Je me suis donné la peine de les étudier parce que je vois que l'antagonisme entre nous et les noirs ne cesse de s'aggraver, avec les sang-mêlé qui oscillent d'un côté à l'autre...

— Et quels sont ces antécédents ?

— En Australie, il a occupé le poste de Protecteur des aborigènes. Au cours de ses explorations, incapable de trouver des blancs assez braves pour l'accompagner, il a confié sa vie à un jeune aborigène. Lors de sa nomination comme vice-gouverneur à Saint-Vincent, il a été un puissant champion des nègres. De même à Antigua. C'est l'homme qu'il faut à la Jamaïque.

— Il serait donc d'autant plus criminel de notre part de laisser ces maudits baptistes salir sa réputation. Qui a permis au rapport d'Underhill d'arriver dans cette île ?

Mais avant que Pembroke puisse répondre, son cousin, les joues en feu, proféra les paroles décisives qui dicteraient la plupart des comportements à la Jamaïque pendant cette année mouvementée :

— Jason, notre devoir de membres du Conseil exécutif consiste à faire tout ce que nous pourrons pour empêcher les horreurs de la grande Révolte des Cipayes et celles qui se sont produites à Haïti quand les nègres sont devenus fous.

Telles étaient les images qui prévalaient à l'époque : Cawnpore, la ville sur le Gange où des centaines d'Anglais, hommes, femmes et enfants, avaient été brutalisés, abattus et jetés dans des puits profonds ; et Haïti, à moins de deux cents kilomètres de la Jamaïque, où s'étaient produits des massacres encore plus affreux.

— Nous devons faire l'impossible pour maintenir la paix, dit Croome et son visage imberbe se creusa de rides sombres. Si je mets la main sur cet Underhill ou l'un de ses agitateurs baptistes, je le tuerai.

Le gouverneur Eyre, qui revenait dans la salle du Conseil à cet instant, remarqua les cousins et se dirigea vers eux, pareil à une divinité antique avec sa longue barbe fournie.

— C'est sur vous que je compte pour me protéger quand vous serez à Londres, dit-il avec autant d'émotion que sa nature austère le lui permettait. Vous y êtes aussi influents que dans vos plantations de sucre. Une qualité rare.

A la fin de la séance du Conseil, les deux cousins repartirent ensemble sur les pistes magnifiques qui desservaient le nord de Spanish Town, le long de ruisseaux d'eau vive qu'il fallait traverser à gué de temps en temps. Aux abords de la plantation Croome, Jason fit ses adieux à son bouillant cousin.

— Nous avons bien travaillé pour l'Empire, cette semaine..., lui répondit ce dernier, et il dirigea son cheval vers son allée.

A Trevelyan, Jason fut accueilli par une délégation qu'il n'avait guère envie de recevoir : un groupe disparate de paysans de la paroisse Sainte-Anne, plus au nord, qui avait à sa tête le plus difficile des pasteurs baptistes sang-mêlé — un certain George William Gordon, âgé de quarante-sept ans, suffisant et obstiné, d'une couleur que les blancs de la Jamaïque appelaient *bedarkened*, assombrie. Il avait forgé son regard presque insolent à la suite des incessantes batailles qu'il livrait pour ses paroissiens noirs et métis. Son visage était encadré par une sorte de collier étrange qui partait de ses cheveux crépus et faisait le tour sous son menton mais laissait le reste de son visage sans poils et lui donnait un air sévère, comme s'il avait les dents toujours serrées. Il portait des lunettes cerclées de fer et la tenue classique des pasteurs, bien que personne ne sût s'il avait été normalement ordonné. Pembroke le croyait, mais son cousin était persuadé que Gordon usurpait à la fois le titre et le costume.

Dès que Pembroke le reconnut à la tête du groupe de paysans de Sainte-Anne, dont la plupart habitaient tout près de la paroisse de Trevelyan, il comprit qu'il y avait des ennuis, car la mâchoire de Gordon semblait farouchement serrée.

Gordon était un homme dur, qui avait réussi à la force du poignet. Son père, petit blanc sans envergure, s'était amouraché d'une de ses esclaves, dont il avait eu sept enfants. Mais plus tard, après avoir accumulé un peu d'argent, il avait chassé l'esclave et sa marmaille de son toit, épousé une blanche et refusé à tous ses enfants de sang-mêlé, y compris George William, l'accès de son nouveau foyer. En dépit de cette attitude, quand le père eut des ennuis d'argent par la suite, il alla supplier son fils de l'aider financièrement. Entre-temps, en effet, le jeune homme s'était lancé dans les affaires et avait connu un tel succès qu'il put financer non seulement l'achat d'une maison pour son père mais subvenir aux besoins de l'épouse blanche de ce dernier et de leurs enfants. On ne pouvait pas éconduire ce genre d'homme avec mépris, bien que sa peau fût d'une malencontreuse couleur.

Pembroke, désireux de se montrer aimable, invita dans sa demeure les paysans noirs et de couleur, et leur fit servir des rafraîchissements pendant qu'il écoutait la douloureuse raison de leur visite.

— Monsieur Pembroke, commença l'un d'eux, vous êtes le plus sage des membres du Conseil et vous connaissez nos terres de Sainte-Anne mieux que personne, hormis peut-être le pasteur Gordon qui vient y prêcher de temps en temps. Nous sommes des hommes durs au labeur mais nous avons besoin de terres pour nos récoltes. Des milliers d'arpents sont en friche, personne ne les travaille. Au moment de l'émancipation, il y a quelques années, nous étions censés recevoir ces terres en cas de besoin... à condition bien entendu de les racheter. Nous avons donc fait des économies. Nous possédons maintenant l'argent nécessaire si le prix est raisonnable. Mais le gouvernement refuse de nous les céder. On nous dit : « Votre rôle consiste à travailler pour les blancs aux salaires de misère qu'ils décident de vous verser. » Mais il n'y a aucun planteur blanc à Sainte-Anne pour nous engager et aucune terre que nous pourrions cultiver.

Les lamentations continuèrent, et chaque paroisse de la Jamaïque aurait à les reprendre en écho. En 1834, quand le mouvement d'émancipation s'étendit aux Antilles britanniques, on avait incité les anciens esclaves à croire qu'on leur concéderait des terres, mais les assemblées législatives, composées en majeure partie de propriétaires de plantation et de leurs employés sang-mêlé, refusèrent de libérer des terres et les plus défavorisés n'eurent aucun recours. A une époque, sur les quatre cent cinquante mille citoyens de la Jamaïque, seulement sept cent cinquante-trois avaient le droit de voter — et ils n'avaient aucune intention de céder des terres aux fidèles du pasteur baptiste Gordon, qu'ils méprisaient.

Pembroke, qui comprenait la situation, écouta attentivement les paysans. Quand ils eurent terminé, il leur suggéra de se retirer et de rédiger une supplique courtoise à la reine Victoria pour lui exposer leurs problèmes et leurs suggestions. Gordon se porta volontaire pour écrire la lettre, mais Pembroke le lui déconseilla.

— N'en faites rien, monsieur. Vous avez une réputation d'extrémiste, et j'hésiterais donc à soumettre à la reine un de vos pamphlets enflammés, même si j'estimais que vous avez raison.

Les paysans rédigèrent donc leur épître avec l'aide de Pembroke, sur un ton raisonnable et contenu : un appel à l'aide en période de sécheresse et une prière respectueuse pour que la reine dégage des terres de la Couronne, qu'ils cultiveraient avec leurs cœurs et leurs mains et pour lesquelles ils verseraient les loyers exigés. Quand on la lut à haute voix, les paysans convinrent qu'elle exprimait à la fois leur cause et leur affection pour la reine, et ils se persuadèrent que Sa Majesté prêterait à leur requête une oreille favorable. Le pasteur Gordon estimait qu'elle aurait dû être plus énergique, mais Pembroke lui assura que c'était la meilleure façon de s'adresser à une souveraine dont la générosité était connue de tous.

— Je la transmettrai par la voie normale, et je peux vous garantir qu'elle y répondra.

La réunion se dispersa sur des congratulations mutuelles.

Deux jours plus tard, Oliver Croome surgit à Trevelyan, le visage blême.

— Que diable as-tu fait là, Jason ?

— Que veux-tu dire ?

— Cette pétition à la reine. Celle que ce porc de Gordon a écrite pour les gens de Sainte-Anne.

— Mais c'est moi qui l'ai écrite. Sur le ton qui convient, je pense.

— Toi ! Par Dieu, Pembroke, as-tu perdu l'esprit ? Ne comprends-tu pas que ces gens sont des baptistes répétant en écho les mensonges du rapport Underhill ? Ces gens sont des révolutionnaires. Tu veux donc avoir un autre Haïti sur les bras ?

Pembroke essaya d'ouvrir les yeux de son cousin : s'il avait aidé ces gens à rédiger leur requête, c'était justement pour éviter une révolution. Mais Croome lui coupa la parole :

— Jason, tu ne comprends rien à la question nègre et en tant que membre du Conseil, tu devrais avoir des idées plus claires. Tiens, voici pour t'aider...

Et il fourra entre les mains de Jason un des plus stupéfiants produits de l'intellectualisme britannique. Ce texte écrit seize ans auparavant — en 1849, l'année des grandes révolutions dans toute l'Europe — était manifestement influencé par les soulèvements populaires contemporains. Intitulé *Discours occasionnel sur la Question nègre,* il était l'œuvre de Thomas Carlyle, Écossais célèbre pour sa défense du culte du héros comme exemple dans la vie des individus et des nations. Il croyait fermement au droit des Anglais de gouverner tous les peuples qu'il regroupait sous le nom de races inférieures. Il estimait aussi, bien entendu, qu'il appartient aux hommes de prendre des décisions, et aux femmes et aux enfants d'obéir.

Tandis que Jason commençait à lire les discours délirants de Carlyle, Croome lança :

— Je vais voir comment tu fais marcher ta belle plantation.

Et il laissa son cousin seul avec sa lecture. Très vite, Jason comprit les deux clés du code de l'auteur. Tous les noirs, en particulier les esclaves libérés, s'appelaient Quashee, nom mélodieux qu'une des tribus africaines donnait à tout enfant né le dimanche. Apparemment ce mot plaisait à Carlyle dans la mesure où il rabaissait avec humour tout noir à qui on l'appliquait, et dans ses commentaires au vitriol, il l'utilisait presque *ad nauseam.* Il avait également adopté, peut-être à la suite d'une conversation avec un planteur de coton ou de sucre des Carolines, l'idée que les noirs passaient tout leur temps allongés à l'ombre, occupés à manger des pastèques. Mais comme Carlyle n'avait jamais vu de pastèques, il les confondait avec des citrouilles et il avait truffé son essai d'allusions « humoristiques » aux Quashees et à leurs citrouilles.

À la lecture de ce long essai, Pembroke resta plusieurs fois sans voix. Il n'arrivait pas à croire qu'un Écossais intelligent ait pu écrire de telles ignominies : « Nos beaux chéris noirs sont enfin heureux ; avec peu de travail excepté celui des dents, qui, dans leurs excellentes mâchoires de cheval, ne chômeront sans doute pas ! », « Avec deux sous d'huile, on peut faire d'un Quashee un bel objet brillant », « Non, les dieux souhaitent qu'outre les citrouilles, des épices et des produits précieux soient cultivés dans leurs Indes occidentales. Et infiniment plus, ils souhaitent que des hommes virils et industrieux occupent les Indes occidentales, et non un bétail bipède indolent, si heureux que soit celui-ci avec ses abondantes citrouilles ».

Puis Carlyle en venait au cœur même de sa solution pour la « question nègre » : « Si les Quashees refusent d'aider à la culture des épices, ils vont retomber dans l'esclavage par leur faute, et puisque aucune autre méthode n'est efficace, c'est avec l'aide d'un fouet salutaire qu'on les forcera à travailler. » En d'autres termes, Carlyle, fanatique de la race des seigneurs, réclamait le retour à l'esclavage, au moins dans les Indes occidentales où la pénurie de main-d'œuvre avait ralenti l'industrie sucrière.

Ensuite, il entonnait les louanges des braves Anglais qui avaient apporté la civilisation dans les îles : « Avant que les Indes occidentales puissent produire une citrouille pour chaque nègre, combien d'héroïsme européen a été dépensé en d'obscures batailles !... Sous le sol de la Jamaïque, avant même qu'il puisse produire une citrouille ou des épices, il a fallu coucher les ossements de milliers d'Anglais. Comme ils se seraient réjouis à l'idée que le but de tous ces sacrifices était de faire pousser des citrouilles pour maintenir les Quashees dans une oisiveté confortable ! »

Puis Carlyle exprimait sa vision du monde en phrases enflammées : « Mes obscurs amis noirs, il vous faudra rester les serviteurs de ceux qui sont nés *plus sages* que vous, qui sont nés vos seigneurs ; les serviteurs des blancs si ceux-ci (et quel mortel pourrait en douter ?) sont nés plus sages que vous. Telle est la loi du monde : le plus bête sert le plus sage. »

Jason Pembroke était si douloureusement bouleversé à la fin de cette incroyable diatribe qu'il sortit aussitôt et cria à son cousin :

— C'est ignoble ! Se moquer ainsi d'êtres humains, parler d'eux comme s'ils étaient des chevaux, réclamer le rétablissement de l'esclavage...

— Une minute ! As-tu envie que se reproduise ici ce qui s'est passé à Haïti ? As-tu envie d'une Révolte des Cipayes ? Carlyle dit la vérité, telle qu'elle est : dure et laide. Les nègres ne valent guère mieux que des animaux, c'est un fait, et s'ils refusent de cultiver nos terres aux salaires que nous leur proposons, il faudra les contraindre au travail. Si cela implique le rétablissement de l'esclavage, ma foi, tant pis. Ils l'auront voulu.

Choqué par l'adoption véhémente par son cousin de toutes les thèses de Carlyle, Jason commit l'erreur de prononcer le seul nom qui pouvait encore décupler la fureur de Croome.

— Dans ces conditions, je comprends pourquoi Gordon a tellement de succès auprès des noirs.

— Gordon ! hurla Oliver comme s'il venait de recevoir un coup de poignard dans les reins. Et tu écoutes les divagations de ce fou ? Les gens comme toi prétendent qu'il s'est montré gentil envers son père blanc. Mais sais-tu d'où il tenait son argent ? Il avait volé les terres et les maisons à son père. Il avait soudoyé tous les noirs qui travaillaient sur les fermes de son père pour que le pauvre homme soit obligé de les vendre à bas prix. Et qui a racheté ? Gordon.

Il éprouvait pour le fauteur de troubles un mépris sans nom, et il avait gardé pour la fin son grief le plus violent :

— Sais-tu, Jason, qu'il a épousé une blanche? Oui, une blanche, pour améliorer son statut de la communauté. Et sais-tu que dans ses sermons il ridiculise souvent notre Église avec ses hérésies baptistes? Sais-tu que dans ses protestations constantes, il lance des calomnies sur notre reine bien-aimée? Il faut détruire cet homme, et je suis outré que tu l'aies laissé franchir le seuil de ta maison.

— Ne penses-tu pas, demanda Jason doucement pour essayer de faire baisser la température des arguments de son cousin, ne penses-tu pas que ton Thomas Carlyle est aussi néfaste quand il prêche la haine?

— Mais enfin, Jason, répondit Oliver, ce sont des nègres!

Quand Pembroke remit la requête de ses voisins de Sainte-Anne au gouverneur, celui-ci le remercia. Mais à peine Pembroke eut-il le dos tourné qu'Eyre convoqua Oliver Croome et quatre autres planteurs partageant les opinions de Carlyle. En puisant abondamment dans le texte du *Discours occasionnel sur la Question nègre*, ils rédigèrent une note officielle de commentaire à la requête des paysans à la reine dans laquelle ils contredirent les arguments des noirs et affirmèrent que tout allait pour le mieux à la Jamaïque : la protestation ne venait que de noirs sans travail et de sang-mêlé baptistes. « Pas un seul noble de l'île, pas un seul propriétaire de plantation, ne s'abaisserait à signer une lettre aussi impertinente. » Et la requête fut présentée ainsi.

On ne saura jamais quelle main a rédigé la réplique aux paysans affamés, mais comme elle fut remise à la Jamaïque sous la forme d'une réponse personnelle de Victoria à leurs prières, elle est restée dans l'histoire comme « le Conseil de la Reine » :

> *La prospérité des classes laborieuses dépend à la Jamaïque du fait qu'elles doivent travailler en échange de leurs salaires, non par intermittence et au gré de leur caprice, mais assidûment et de façon continue, au moment où ce travail est nécessaire et aussi longtemps qu'il le demeure... Une chose est certaine, l'amélioration de leur condition dépend de leur propre industrie et de leur prudence, de leur utilisation des moyens de prospérité qui s'offrent à eux et non des machinations qui leur ont été suggérées.*
>
> *Sa Majesté considérera avec intérêt et satisfaction les progrès qu'ils obtiendront par leurs propres mérites et efforts.*

Pas un mot sur la famine, pas la moindre promesse de concessions de terres en friche, car les propriétaires des plantations avaient déclaré que si les noirs obtenaient des terres pour eux-mêmes, ils cesseraient de travailler dans les champs de canne à sucre et les distilleries de rhum. Uniquement l'ordre cruel de « travailler pour les maîtres blancs quand ils ont besoin de vous, tant qu'ils le souhaitent et pour le salaire qu'ils ont la bonté de vous offrir »! Quand Jason Pembroke termina la lecture de la lettre, il murmura :

— On la croirait écrite par Thomas Carlyle.

Bien entendu, lorsque le gouverneur Eyre montra le Conseil de la

Reine à Croome et à ses amis ultra-conservateurs, ils se félicitèrent de voir que Victoria avait adopté une bonne partie de leur phraséologie.

— Ma foi, je crois que cela répond aux menées du pasteur Gordon, déclara Eyre ; et tous en convinrent.

— Le texte est si clair, si juste, que nous devrions en faire faire des copies que nous afficherons dans toute l'île sur les arbres et sur les murs, proposa Croome.

Il reçut l'autorisation d'imprimer cinquante mille tracts, puis avec ses arrogants amis, il courut dans tous les coins pour les placer partout où on pourrait les voir, d'un air de dire : « Voilà qui met à leur place vos pétitions ridicules ! »

Mais Pembroke s'aperçut vite que les paysans, les petites gens et les mères sous-alimentées lisaient la lettre avec une rage froide, et parfois crachaient dessus. « Ce sera pire que Haïti », se dit-il. Il sauta sur son cheval et prit la route de Kingston pour parler au pasteur Gordon.

— Mon ami, lui dit-il, j'en suis venu à respecter ce que vous essayez de faire, alors pour l'amour de Dieu, regardez bien où vous mettez les pieds dans les semaines qui viennent. Et n'ouvrez pas la bouche.

— Pourquoi ? Après un message aussi insultant de la reine ?

— Parce que c'est la reine. Et parce que des hommes détenant beaucoup de pouvoir veulent vous réduire au silence.

Ensuite, pour calmer la déception et l'écœurement de Gordon, il prononça une phrase fatale qui serait répétée par les noirs et les gens de couleur révoltés et provoquerait la mort de deux cents d'entre eux :

— Vous pouvez être certain que cette lettre n'a pas été écrite par la reine.

Sur ces paroles, il retourna à sa plantation, où il essaya de convaincre ses propres ouvriers que jamais la reine ne pouvait avoir fait une réponse aussi cruelle.

Le rédacteur stupide de la lettre, le gouverneur Eyre qui lui avait fourni les éléments de base, et les nantis comme Oliver Croome qui l'avaient diffusée avec tant d'enthousiasme, s'imaginaient que les cinquante mille tracts cloués aux arbres et aux panneaux d'affichage allaient juguler toute contestation sur la manière autoritaire dont la Jamaïque était gouvernée. Au retour d'une longue visite dans les paroisses de l'ouest, Croome affirma :

— S'ils savent lire, ils applaudiront la réponse intelligente de la reine, et s'ils ne savent pas lire, on leur expliquera le sens des mots. De toute manière, cela devrait mettre fin à toute discussion stérile, à toute revendication ridicule pour des terres et des distributions de nourriture qui n'a pas été justement gagnée.

Même d'autres planteurs mieux informés que lui crurent que ce Conseil, aussitôt célèbre, allait résoudre pour dix ans tous les problèmes de leur île.

Il eut exactement l'effet contraire. Les paysans de Sainte-Anne qui avaient rédigé la pétition originale s'aperçurent aussitôt que la reine n'avait vraiment répondu à aucune de leurs plaintes.

— Comment pouvons-nous travailler, si aucun travail ne nous est offert ? Comment pouvons-nous nous montrer « industrieux » si nous n'avons pas de terres sur lesquelles faire la preuve de nos capacités ?

D'un bout à l'autre de la belle île, le long des côtes et des vallées, des hommes de volonté qui ne bénéficiaient d'aucune chance dans la vie commencèrent à discuter du message, et ses phrases insolentes, presque cruelles, provoquèrent un grand ressentiment. Plus personne ne voyait d'espoir dans l'avenir. Des voix s'élevèrent, et la plus puissante fut celle du pasteur Gordon, qui parcourut l'île entière pour haranguer ses baptistes avec des déclarations de plus en plus incendiaires : « Nous aurons un autre Haïti dans cette île » et « Je n'ai aucun goût pour la révolution, mais si elle doit se produire, j'espère qu'elle résoudra ces problèmes douloureux », ou encore : « N'est-il pas honteux qu'un émigrant allemand soit le custos de Saint-Thomas-dans-l'Est, paroisse qui m'est si chère ? » Cette dernière protestation prendrait une importance particulière dans les mois qui allaient suivre.

Selon la loi de la Jamaïque, le gouverneur nommait un chef de paroisse qui exerçait un pouvoir considérable. Il portait le titre de *custos* (gardien, en latin — ce qui donne une bonne idée de leur rôle). Le custos de la paroisse de Gordon était, comme on l'a souvent fait observer, un émigrant allemand aux idées redoutablement conservatrices, pour qui toute revendication publique était intolérable. Maximilien Auguste, baron von Ketelhodt, avait eu la judicieuse idée, en arrivant dans l'île, de faire la cour à une riche veuve qui lui avait apporté dans sa corbeille de mariage cinq grandes plantations et une place dans la faction au pouvoir. Habile manœuvrier, il avait su se concilier les classes humbles et ne se montrait nullement tyrannique bien que Gordon, qui se trouvait sous son autorité, l'en accusât parfois.

La paroisse de Saint-Thomas-dans-l'Est, dont le custos contrôlait les affaires, devait son nom curieux à deux raisons : « Elle se trouvait à l'extrémité orientale de la Jamaïque et portait le nom d'une ancienne paroisse plus au centre de l'île, qui avait déjà usurpé ce titre. » Elle était unique à d'autre égards : très éloignée de Kingston et de Spanish Town, elle se croyait libre des contraintes imposées aux autres paroisses; elle était fortement baptiste, ce qui créait de nombreux problèmes, en particulier avec le baron von Ketelhodt; et elle comptait parmi ses noirs et ses sang-mêlé un nombre exceptionnel de pasteurs, de propriétaires terriens et même d'intellectuels, tous bien éduqués et obstinés dans leurs opinions. Il semblait inévitable que George William Gordon, dépendant de cette paroisse, serait mis au pas d'une façon ou d'une autre par son custos.

Le long été de 1865 fut particulièrement chaud et humide. Les planteurs attentifs, comme Oliver Croome, s'aperçurent bientôt qu'au bas de l'échelle, on devenait d'humeur rétive — et cela lui parut si dangereux qu'il sollicita une audience auprès du gouverneur Eyre pour déposer un avertissement.

— Gouverneur, nous nous dirigeons vers un autre Haïti. Et si les choses tournent au pire, nous risquons d'avoir sur cette île une révolte comme à Cawnpore. Les planteurs qui m'ont accompagné pour la tournée annuelle des districts sont particulièrement inquiets au sujet de la situation à Saint-Thomas-dans-l'Est, et nous vous recommandons de convoquer votre custos pour qu'il vous donne son opinion.

Eyre, que les noms de Haïti et de Cawnpore emplissaient toujours d'effroi, sauta sur la proposition de Croome. Quelques jours plus tard, le baron von Ketelhodt, grand et raide, prêt à écraser tout début d'insurrection dans sa paroisse, se présenta donc devant le gouverneur.

— C'est cet âne de Gordon qui provoque les troubles. Il a contaminé un de ses acolytes, un certain Bogle. C'est un pantin...

— Un de ces prédicateurs baptistes, non ?

— Oui. Ordonné par Gordon, comme Gordon s'était ordonné lui-même. Et les affiches du Conseil de la Reine ont provoqué des outrages.

— Des outrages ? Exprimés de quelle façon ?

— Ils ont craché sur les tracts. Et au moins trois fois ils les ont déchirés.

Le visage d'Eyre devint grave, son front large se plissa et sa longue barbe trembla.

— Ils ont craché sur le Conseil de la Reine ! Nous ne pouvons permettre une chose pareille, Ketelhodt. Cela nous mènerait tout droit à Haïti. Qu'avez-vous fait pour arrêter ça ?

— Prudence, répondit le baron avec son accent germanique pesant. Ne pas échauffer les esprits. Mais observer. Observer tout et de près.

— Qu'avez-vous appris ?

— George Gordon est derrière chaque initiative. Il incite à la rébellion. Tôt ou tard, il nous faudra le prendre dans nos filets, mais en évitant de provoquer ses maudits rénégats baptistes.

Eyre demanda à Croome et à Pembroke de participer à la réunion. Le premier soutint le rapport du baron et ajouta même quelques précisions :

— Gordon ne cesse de prêcher la révolte et nous devrions le réduire au silence, tout de suite.

Pembroke, en revanche, recommanda la patience :

— Gouverneur, les gens les plus raisonnables de cette île estiment que la lettre de la reine fait preuve d'insensibilité. Il est donc compréhensible que...

Eyre se leva brusquement, toisa Pembroke de toute sa hauteur et lança sèchement :

— Osez-vous dénigrer la reine ?

— Certainement pas, gouverneur, répondit Pembroke humblement. Mais sa lettre a déçu la population, car elle ne répond pas à...

— La reine a parlé, tonna Eyre, et le peuple n'a plus qu'à obéir.

Les basses classes semblaient l'agacer comme des mouches harcelant un noble animal.

— Bien parlé ! s'écrièrent Croome et le baron en même temps, et la réunion s'acheva.

Mais cela ne mit pas fin à l'agitation à la Jamaïque, car six jours plus tard, alors que Gordon prêchait à Kingston, son ami Bogle de Saint-Thomas-dans-l'Est lança un soulèvement au cours duquel des noirs furieux, las d'attendre que l'on écoute leurs plaintes, abattirent de la façon la plus atroce dix-huit blancs dont des représentants de la reine, des propriétaires de plantation, des fonctionnaires subalternes et, avec une frénésie particulière, leur custos, le baron von Ketelhodt dont ils mutilèrent le corps. Ils lui coupèrent les doigts, qu'ils distribuèrent en souvenir de leur insurrection réussie. Et l'on entendit au cours de l'émeute certains noirs crier .

— Comme à Haïti ! C'est notre tour...

La rébellion menaçait l'île entière.

Les deux protagonistes de la tragédie jamaïcaine, le gouverneur Eyre et le pasteur Gordon, se trouvaient incontestablement à Kingston quand l'émeute sanguinaire éclata à Saint-Thomas-dans-l'Est à l'autre bout de l'île.

En cette extrémité, où son gouvernorat se trouvait menacé d'un massacre à l'échelle de l'île, Eyre se comporta magnifiquement. Froid, résolu, toujours attentif à la situation stratégique, il donna peu d'ordres mais toujours ceux qu'il fallait. À la tombée du jour, l'après midi où il reçut la nouvelle de la rébellion, il expliqua :

— Je ne peux pas déclarer la loi martiale de moi-même. Cela ne peut être fait que par votre Conseil de guerre.

Croome, membre de ce Conseil, proposa de passer la nuit à le rassembler et, anticipant la décision collective, se mit à rédiger le décret.

Pendant ce temps, dans un sursaut de l'énergie dont il avait si souvent fait la preuve en Australie, Eyre partit à Spanish Town pour remplir certains devoirs, puis revint au galop à Kingston où il présida, à l'aube, la réunion qui déclara la loi martiale à Saint-Thomas-dans-l'Est et dans les paroisses limitrophes. En ces circonstances, Eyre montra à la fois beaucoup de bon sens et de fermeté dans ses décisions. En effet, tous les membres du Conseil de guerre, et notamment Croome, réclamèrent que la loi martiale soit étendue à Kingston mais le gouverneur s'y opposa :

— Non ! La loi martiale dans une ville aussi populeuse risque de provoquer des brutalités atroces.

Il ne se laissa pas manœuvrer. Et une fois seul avec Croome et Pembroke, il demanda à Jason :

— Votre ancêtre ne s'est-il pas rendu célèbre pour avoir pacifié les marrons, il y a un siècle ?

Jason acquiesça.

— N'est-ce pas lui qui a pacifié tous ceux de l'est de l'île ?

Jason inclina de nouveau la tête. Prenant une décision rapide qui allait avoir des conséquences essentielles, Eyre s'écria :

— Pembroke, partez en toute hâte auprès des marrons de Hayfield et suppliez-les de ne pas se ranger du côté des nègres dans cette affaire.

— Oui, gouverneur, répondit Jason.

— Faites toutes les concessions. Offrez-leur ce qu'il faudra. Mais empêchez-les de se joindre à la rébellion.

C'était la première fois qu'il prononçait ce mot mais au cours des quarante années suivantes il le prononcerait constamment pour tenter de justifier ses actes : « La rébellion avait éclaté et il fallait que je la mate. »

Avant sept heures ce matin-là, Jason galopait donc vers l'est et la dangereuse région montagneuse dans laquelle son arrière-arrière-grand-père s'était engagé dans des conditions comparables, pour tenter d'établir une paix durable.

À huit heures, le Conseil de guerre proclama la loi martiale pour l'est de l'île, et dès que cette décision lui eut conféré l'autorité requise, le gouverneur Eyre accompagné par Oliver Croome réquisitionna un bateau français pour le conduire par mer jusqu'à la région troublée. À dix heures du matin, il appareilla. Il croisa un autre bateau qui se dirigeait vers Kingston chargé de réfugiés de la rébellion, et il apprit pour la première fois les détails révoltants de ce qui s'était passé dans une de ses paroisses les plus paisibles et les plus prospères :

— Le révérend Herschell de l'Église anglicane : ils lui ont arraché la langue, puis ils l'ont tué à coups de hachoir et des femmes noires ont essayé de lui arracher la peau. Price, un membre de l'Assemblée, un noir : ils lui ont ouvert le ventre et ils l'ont étripé vivant. Le lieutenant Hall, un brave : ils l'ont enfermé dans des chiottes, ils ont fermé la porte et ils ont mis le feu. Brûlé vif. Partout des yeux arrachés, des crânes ouverts, des cervelles écrasées. Le baron allemand, au hachoir... mais il s'est défendu jusqu'à la mort.

Eyre remercia les réfugiés de leurs rapports horribles qui lui soulevèrent le cœur, et il leur ordonna de continuer vers Kingston tandis qu'il se rendait à Saint-Thomas.

À son arrivée, les cours martiales militaires étaient déjà en place, avec de jeunes officiers enthousiastes des régiments de l'armée stationnés à la Jamaïque ou débarqués des bateaux qui avaient convergé vers la baie. La procédure fut expéditive : on fit comparaître les prisonniers en petits groupes que l'on condamnait de façon uniforme. Tout noir arrêté pour « conduite anormale », quelle qu'elle soit (un simple regard en coin à un soldat), était condamné sans la moindre chance de se défendre.

— Pendez-les tous, décidait l'officier président.

Et aussitôt, une demi-douzaine de noirs étaient pendus aux murs encore debout du tribunal incendié. C'était une mort horrible, car on passait une corde autour du cou du prisonnier, innocent ou coupable, puis on le hissait le long du mur — au lieu de le laisser tomber pour lui briser le cou, comme dans une pendaison normale. La strangulation était lente.

Pendant trois journées sans sommeil, Eyre patrouilla le long des côtes pour s'assurer que l'insurrection de Saint-Thomas ne se répandait pas dans les paroisses voisines. À son retour sur les lieux du soulèvement, quand il vit les cours martiales pendre chaque matin des dizaines de noirs sans jamais en déclarer un seul innocent, il déclara à Croome :

— Nous avons brisé les reins de la rébellion. Restez ici avec les troupes pour veiller à ce que la pacification continue.

Puis il embarqua sur le bateau français réquisitionné et retourna à Kingston, d'où il envoya sur-le-champ un rapport à Londres : il avait réussi à contenir la rébellion avec un minimum de pertes pour les blancs et sans avoir plongé toute la Jamaïque dans des convulsions en imposant la loi martiale dans l'île entière. Enfin, il se coucha, persuadé non sans raison qu'il avait agi avec célérité et dans la grande tradition des gouverneurs coloniaux britanniques. En fait il était si enchanté de son comportement qu'il se releva pour ajouter un post-scriptum à son rapport :

« Par mon action ferme et prompte contre les ennemis de la reine, je crois avoir étouffé dans l'œuf une autre Révolte des Cipayes ou un soulèvement du type Haïti. »

Pendant onze heures, Eyre resta dans son lit, presque immobile, comme s'il savourait le sommeil d'un héros au lendemain d'une grande crise résolue. Mais à son réveil, il sentit une certaine amertume dans sa bouche, car il comprit qu'il était loin d'avoir remporté une victoire réelle. « Où est George Gordon ? » se demanda-t-il. L'instigateur de la rébellion avait disparu.

— Il est trop malin pour se montrer à Saint-Thomas, parce qu'il sait bien que je le pendrais si je l'attrapais.

Dans les réflexions silencieuses qui suivirent, le gouverneur n'envisagea pas une seule fois que Gordon ne se soit pas trouvé sur les lieux des meurtres, ni ne soit impliqué de façon directe ou indirecte. Pour Eyre, Gordon était responsable de tout : « Il a donné l'ordre de déclencher l'émeute, et il faut le pendre. » Son obsession prit de telles proportions qu'il ne songea même pas aux raisons à invoquer pour condamner Gordon, ni au tribunal civil qui jugerait ce prédicateur dérangeant. Aucun tribunal civil de Kingston ne le condamnerait, pour la simple raison qu'il n'existait aucune inculpation valide contre lui selon une procédure normale. Il n'avait assassiné personne. Il n'avait pas pris les armes contre la reine. Rien ne prouvait qu'il eût incité à l'emeute. Son mécontentement déclaré concernant la fameuse lettre ne suffirait pas. Même le témoin le plus tendancieux ne pourrait jamais prétendre que l'on avait vu Gordon à Saint-Thomas pendant l'émeute ou dans les semaines précédentes. Mais Eyre savait que si l'on parvenait à attirer le pasteur baptiste à Saint-Thomas, la cour martiale se saisirait de lui et personne ne serait tenu d'observer les subtilités de la logique et de la tradition juridique.

Eyre fit donc le vœu de retrouver Gordon et de le faire conduire à Saint-Thomas. Mais personne ne put lui dire où se trouvait le criminel. « Aurait-il quitté l'île ? Échapperait-il au châtiment qu'il mérite ? »

Pendant deux jours, Eyre ne cessa de fulminer.

— Il me faut ce criminel ! Trouvez-le !

Mais l'on ne put trouver Gordon et Eyre en perdit le sommeil, car la vision du pasteur Gordon debout au pied de la potence avec une corde au cou le tourmentait à toute heure. Sa déception même décuplait sa rage, mais aucun espion, même parmi la population noire, ne savait où il se trouvait. Eyre convoqua le custos de la paroisse et lui ordonna de signer un mandat d'arrêt, ce qui fut fait mais en vain, et la colère du gouverneur continua de bouillir.

Puis soudain, le matin du troisième jour, George William Gordon, avec toujours le même air de pasteur contestataire, entra paisiblement au quartier général de l'armée, à Kingston, et déclara doucement :

— Je crois que vous me recherchez. Je suis le révérend Gordon.

L'officier, fort étonné, appela son supérieur qui en resta pantois. Puis il se précipita au bureau d'Eyre pour lui apprendre la nouvelle.

Eyre contint sa joie.

— C'est un heureux hasard. Nous le recherchions.

On l'accompagna auprès du prisonnier.

— Il faut que vous veniez avec moi à Saint-Thomas-dans-l'Est, dit-il à Gordon.

Gordon s'inclina légèrement et répéta ce qu'il avait expliqué à ses amis noirs et de couleur pendant les jours où il se cachait.

— Si je passe devant une cour martiale, je serai condamné à mort.

— Peut-être, murmura Eyre, les dents serrées.

On ordonna au bateau *Wolverine* d'appareiller dans l'heure, mais le départ fut retardé car à la dernière minute un homme possédant les références les plus valables se précipita dans le bureau du gouverneur, couvert de poussière et au bord de l'épuisement.

— Non, gouverneur ! Ne l'envoyez pas à Saint-Thomas. Il ne faut pas !

Et comme le gouverneur se devait d'écouter cet homme, l'envoi de Gordon à une mort certaine se trouva retardé.

Une semaine plus tôt, le matin où on lui avait demandé d'utiliser le bon renom de sa famille pour empêcher les marrons des montagnes de se joindre aux noirs rebelles, Jason Pembroke s'était engagé dans une aventure qui allait le plonger dans un autre siècle. Il quitta la région de Kingston, traversa la paroisse turbulente de Saint-Thomas-dans-l'Est puis s'engagea résolument dans les Monklands où il constata des signes d'insurrection. Un planteur blanc qui le reconnut lui cria :

— N'allez pas plus loin. Les risques sont trop grands.

— Affaire d'État, lui répliqua Jason.

Et il s'engagea dans les montagnes Bleues. Elles ne font guère d'effet comparées à l'Himalaya ou aux Andes, mais sont tout de même plus élevées que les plus hauts sommets de Grande-Bretagne et dépassent régulièrement deux mille mètres. Partout des ravins profonds et une forêt dense. Quand Jason arriva à mi-distance de la côte est, il obliqua soudain vers le nord sur un sentier difficile, desservant quelques cases d'esclaves perchées en des lieux solitaires. Il reçut une nouvelle mise en garde — de la part de noirs.

— Pas plus loin, *massa !* Là-bas gros ennuis. Marrons !

— C'est eux que je cherche, cria-t-il.

— N'y va pas, *massa*. Bientôt tu entends les cors.

Peu après avoir dépassé la dernière case, dans le ravin qu'il suivait, Jason entendit effectivement le son grave et mélancolique qui terrifiait les Jamaïcains : la plainte en écho de trois ou quatre grands cors dans lesquels on souffle à l'unisson — le cri solitaire des marrons, esclaves en fuite qui menaient depuis deux cents ans la même existence sauvage dans les montagnes de la Jamaïque. La loi ne s'appliquait pas à eux. Jamais la police n'osait se risquer dans leur territoire, et même les corps d'armée les mieux entraînés préféraient éviter ces guerriers redoutables. Aucun blanc ne pouvait deviner comment ils vivaient. Ils descendaient de temps en temps de leurs montagnes pour travailler contre argent, ils cultivaient des champs et effectuaient des incursions dans les environs, mais ils battaient aussitôt en retraite vers leurs repaires secrets... Ils survivaient.

Leurs cors étaient fabriqués avec des matériaux divers : coquillages précieux transmis de père en fils, cornes de bétail, curieux instruments taillés dans le bois. Parfois, ils se contentaient de modifier avec leurs mains le son de la voix humaine, mais ils obtenaient des effets effrayants, car l'écho des cors des marrons annonçait des ennuis : les noirs de la montagne se lançaient à l'attaque.

Mais depuis des années les ennuis tombaient surtout sur d'autres noirs, rarement sur des blancs. En effet, comme souvent dans d'autres parties du monde où des esclaves renégats s'étaient enfuis dans la jungle en quête de liberté (à Panama et au Brésil, par exemple), ils considéraient que leurs ennemis les plus dangereux, à qui ils ne pouvaient jamais se fier, étaient les autres noirs. Les marrons avaient obtenu des blancs les plus grandes concessions en leur servant de chiens de chasse humains : ils traquaient, capturaient et rendaient à leurs propriétaires les nouveaux esclaves qui fuyaient. Mais ils conservaient aussi certains esclaves dans leurs rangs, en particulier les femmes noires, pour maintenir leur nombre et leur force.

C'étaient de redoutables guerriers qui étaient parvenus à se défendre pendant plus de deux siècles en maintenant vivantes les traditions héritées de l'Afrique. Ils constituaient une sorte de toile de fond mythique de la vie jamaïcaine. Ils comprenaient l'anglais mais préféraient utiliser leur indéchiffrable patois, riche de vocables africains. Et ils étaient extrêmement noirs, ce qui rendait leurs visages d'autant plus terrifiants pour les blancs. Dans l'île entière, même pas un blanc sur dix avait vu un marron, mais tous avaient conscience de leur présence depuis l'enfance — « Sois sage ou les marrons viendront te chercher ! » — et c'était au cœur même de leur citadelle mystérieuse que Pembroke se proposait de pénétrer.

Il prit bientôt de l'altitude et s'aperçut que les marrons l'avaient repéré, car il entendit d'abord la plainte d'un cor dans le lointain, puis son écho. Mais il se souvint de son courageux ancêtre, sir Hugh, le principal agent de la pacification des marrons, et il continua sa route en espérant qu'à un moment ou un autre, il aurait l'occasion de se faire connaître d'un homme encore respectueux du nom des Pembroke. Il courait un grand risque, et il le savait. Quand le sentier devint plus raide, sans doute aux abords de l'endroit où les marrons avaient établi leurs demeures, il mit pied à terre et marcha le long du flanc droit de son cheval pour se protéger au moins d'un côté.

Puis, à intervalles réguliers, il se mit à crier :

— C'est Pembroke.

Les cors retentirent de plus belle.

Près de la crête d'un repli de terrain, deux noirs bondirent soudain devant son cheval, s'emparèrent des rênes d'une main et menacèrent Jason de leur massue.

— Arrêtez ! cria-t-il tandis qu'ils continuaient de brandir leurs armes.

Ce n'était pas des sauvages de la jungle. Ils portaient un pantalon en lambeaux et une chemise déchirée. Ils étaient bien rasés. Sachant que ses premiers gestes décideraient de ses chances de survie, Pembroke les laissa prendre le cheval, ne fit aucun mouvement susceptible d'une interprétation hostile et se contenta de répéter :

— Pembroke, votre ami. Pembroke, votre ami.

Ne comprenant absolument rien, les deux noirs se regardèrent comme s'ils se demandaient : « Qu'allons-nous faire de celui-ci ? Il a l'air brave. » Sans doute prirent-ils une décision informulée, car l'un des hommes entraîna le cheval tandis que l'autre continuait de menacer Pembroke avec sa massue. Ils terminèrent l'ascension ainsi.

Ils arrivèrent bientôt dans une sorte de village entouré de petits champs que cultivaient les femmes. Les vingt et quelques maisons n'étaient guère que des cases grossières, mais la plus vaste, au centre, possédait un toit métallique et appartenait manifestement au chef, un vieillard dont les ancêtres avaient gagné la montagne en 1657, deux ans après avoir été débarqués comme esclaves par William Penn, l'amiral anglais qui avait pris l'île aux Espagnols. Quand le chef vit ce blanc s'avancer vers lui, sa première impulsion fut de l'abattre pour son impudence ou de le renvoyer des montagnes en gardant son précieux cheval. Mais Jason, espérant éviter ces deux mésaventures, se mit à parler à toute vitesse en espérant bien qu'une des personnes présentes comprendrait l'importance de ce qu'il racontait.

— Je suis Pembroke. De la même famille Pembroke qui vous a apporté la paix, il y a des années.

Ces paroles eurent un effet magique. Le chef des marrons sursauta, s'avança pour inspecter le visiteur, puis lui donna l'accolade.

— Nous connaissons Pembroke. Il y a bien longtemps. Un homme bon. Un homme de confiance.

Il tendit la main droite et ajouta :

— Je suis le colonel Seymour... Responsable ici.

Jason le salua comme s'il s'agissait d'un vrai colonel, puis ce dernier réclama un banc, le fit placer à côté du sien et invita Jason à s'asseoir près de lui. Après quelques paroles aimables, Jason aborda l'objectif de sa visite :

— Des troubles graves à Morant Bay.

— Nous sommes au courant.

— D'anciens esclaves qui tuent et qui sont tués.

— Il nous l'a appris.

Le colonel montra l'un de ses hommes, qui s'était glissé à Morant Bay dès le début des émeutes pour observer ce qui se passait, et quelles en seraient les conséquences pour les marrons des montagnes.

— Le gouverneur, notre chef, m'a envoyé pour vous demander de ne pas vous joindre aux rebelles.

— Je connais le gouverneur. Il s'appelle Eyre. C'est un homme assez bon. Qu'est-ce qu'il nous promet, si nous restons en dehors ?

— Des chevaux. Comme celui-ci. Peut-être davantage de balles pour vos fusils.

Après de longs marchandages, le colonel stupéfia Jason en lui annonçant d'un ton ferme :

— Nous étions prêts à marcher sur Morant Bay.

— Oh, non ! supplia Jason la gorge nouée par le désespoir. Si vous vous joignez aux rebelles...

— Nous n'allons pas nous joindre à eux, répondit le colonel. Nous allons les tuer.

— Non, non ! supplia Jason. Ne les tuez pas. Ne tuez pas les noirs. Ne tuez personne.

— Les anciens esclaves, pas bon. Ils vous écrasent, et aussitôt ils tombent sur nous. Nous les tuons d'abord.

Les prières les plus insistantes de Jason restèrent sans effet sur le colonel. Il avait décidé longtemps avant l'arrivée du blanc qu'une attaque de la région révoltée et le massacre des émeutiers noirs serviraient au mieux les intérêts des marrons.

À une vitesse qui stupéfia Pembroke, le colonel Seymour fit signe aux cors de se remettre à sonner, et en quelques minutes, deux cents noirs venus de divers villages se trouvèrent rassemblés avec un nombre surprenant de bons chevaux. Le colonel ordonna aux hommes qui gardaient le cheval de Jason de le rendre à son propriétaire.

— Vous nous accompagnez. Vous expliquerez aux officiers blancs ce que nous faisons.

Jason se dirigea vers son cheval, mécontent de participer à ce qui risquait de devenir une horrible razzia.

— À la fin de la bataille, vous pourrez repartir, lui lança Seymour.

Il jugea préférable de ne pas protester.

La cavalerie marron descendit de la montagne à une allure qui laissa Jason pantois, parvint sur la grand-route et prit à l'est vers les régions colonisées où les émeutes s'étaient produites. La première demi-heure de l'assaut apprit à Pembroke quel serait le caractère de l'expédition : à l'arrivée au village noir de Conari, qui avait emprunté son nom à un ancien village d'Afrique, Seymour divisa ses forces en deux groupes, l'un pour encercler les lieux, l'autre pour s'élancer avec des torches enflammées et mettre le feu à toutes les cases. Les habitants terrifiés tentèrent de fuir pour échapper au supplice.

— Tuez ! Tuez ! cria-t-il.

Et tout le monde fut pourchassé à travers la fumée. S'ils se faisaient prendre, hommes, femmes et enfants étaient assommés à coups de massue ou poignardés avec de longs coutelas à canne à sucre. S'ils s'enfuyaient, des balles dans le dos les arrêtaient. Pas un seul ne survécut.

— Seymour ! cria Jason quand les cavaliers recommencèrent dans le deuxième village qui se trouva sur leur route. Seymour, plus de meurtres !

Le colonel n'en tint aucun compte.

— Les nègres, pas bons. Tuez-les tous.

Il encouragea ses hommes à détruire tous les noirs qu'ils rencontraient. Des femmes et des enfants furent brûlés vifs dans leurs cases ou abattus s'ils essayaient de s'échapper. Et cela dura jusqu'aux abords de Morant Bay, la ville principale.

Par bonheur un soldat, le colonel Hobbs, assumait le commandement. Prévoyant la grande confusion qui régnerait s'il laissait les marrons entrer dans la ville déjà déchirée par les émeutes puis les pendaisons, il forma avec ses soldats un cordon pour empêcher les sauvages des montagnes de pénétrer dans les rues. Nullement ébranlé, le colonel Seymour tourna bride et entraîna ses hommes vers d'autres zones rurales où ils purent tout saccager sans obstacle. Pembroke, épouvanté par la tempête qu'il avait déclenchée et ses sinistres séquelles d'incendie, de mort et de destruction, expliqua à Hobbs :

— Je suis venu sur l'ordre du gouverneur. Pour essayer de persuader les marrons de ne pas faire cause commune avec les émeutiers noirs. Jamais je n'aurais pensé qu'ils les assassineraient...

Hobbs fit un geste de la main gauche comme si tous ces cadavres ne comptaient pour rien.

— Oubliez ça. C'étaient des nègres rebelles, et il y aura des centaines d'autres morts avant que nous en ayons terminé.

Il fit pivoter son cheval et ajouta :

— Avant de repartir à Kingston, voulez-vous voir fonctionner une de nos cours martiales ?

Il conduisit Jason vers une cabane, aux murs couverts d'herbe, dans laquelle de jeunes officiers de l'armée et de la marine tenaient les audiences de ce jour-là.

Un groupe de noirs, vingt-sept hommes et deux femmes, se trouvait enchaîné dans un coin de la pièce, sous la garde de marins armés et de chiens. Le procès dura exactement neuf minutes. Le président de la cour, un officier d'infanterie d'à peine vingt ans, demanda :

— Quelle inculpation contre ces criminels ?

Pembroke crut que Hobbs, officier de rang supérieur, allait s'élever contre cette abominable formule, qui supposait les accusés coupables avant même la présentation des preuves. Mais il découvrit qu'il n'y avait pas besoin de preuves.

— Ils ont tous participé à la rébellion, dit un blanc à la cour.
— Même les femmes ?
— Oui.
— Verdict ? demanda le juge à ses deux assesseurs.
— Coupables.
Et le juge prononça la sentence :
— Pendez les hommes. Pour les femmes, soixante-quinze coups de fouet.

On emmena aussitôt les hommes pour les pendre. Mais sur la poutre où l'on effectuait les pendaisons, il n'y avait de place que pour vingt cordes et le sergent responsable, sans consulter la cour, abattit les autres au pistolet. Il passa d'un homme à l'autre, lui tira une balle dans la tête puis écarta le corps d'un coup de pied à mesure qu'il tombait.

En un sens ces sept-là eurent de la chance, car la forme de pendaison adoptée ne permettait pas une chute brusque et la rupture du cou. On hissait simplement les hommes à la poutre, et ils gigotaient et se débattaient pendant la durée de la strangulation progressive. Quand tous étaient en l'air, le sergent criait :
— Tirez-leur sur les jambes.

Les soldats s'avançaient, soulevaient légèrement les corps des agonisants puis tiraient vers le bas d'un coup sec, avec autant de force qu'ils pouvaient. Comme cela n'avait que peu d'effet, la plupart des pendus continuaient de tourner au bout de leur corde jusqu'à ce que le sergent, dégoûté, passe le long de la file et leur tire une balle à bout portant, du dessous du menton vers le haut du crâne.

Ces actes barbares perpétrés au nom du gouverneur Eyre et de la reine Victoria écœurèrent Jason Pembroke ; mais il comprit vraiment les horreurs dont peut se rendre coupable un tribunal militaire qu'aucune loi n'entrave quand il vit la façon dont furent traitées les deux femmes : on leur arracha leurs vêtements à partir de la taille vers le bas, on les jeta par terre les fesses nues, et on les fouetta ainsi, non avec un fouet ordinaire mais avec un chat à neuf queues dans lequel on avait entrelacé des fils de métal. Les marins chargés de fouetter ces femmes semblaient y prendre plaisir, car ils frappaient avec une telle force, qu'après cinq coups de cet instrument presque mortel, le dos et les cuisses des victimes étaient à vif, couverts de sang. Les jeunes soldats qui s'étaient rassemblés pour assister au supplice comptaient les coups en chœur. A la fin des vingt-cinq premiers coups, quand les fouets s'arrêtèrent, les femmes avaient perdu conscience et ne sentaient plus la douleur.

Mais le châtiment n'était nullement terminé. On les ranima en aspergeant leur visage d'eau froide puis on les jeta de nouveau à terre et les marins, plus énergiques que jamais, leur appliquèrent vingt-cinq coups de plus avec une vigueur redoublée. Les soldats qui comptaient applaudirent. De nouveau Jason crut que Hobbs interviendrait, mais il demeura à côté des femmes, le sourire aux lèvres, les poings serrés, et il continua de compter les coups.

Quand le cinquantième coup de fouet déchira la chair en lambeaux, le châtiment s'arrêta. Jason se sentit contraint de protester :
— Colonel Hobbs, faites cesser ces cruautés, je vous prie.
— Vous avez entendu le verdict. Coupables de rébellion. Vous avez entendu la sentence.

Sans cesser de sourire, il regarda les marins jeter ces femmes à terre pour la troisième fois, puis l'horrible chat à neuf queues renforcé de métal hacha leur chair sanguinolente. Pembroke dut faire un violent effort de volonté pour ne pas s'élancer à leur défense, mais il eut raison de se dominer, car s'il s'était risqué au moindre geste de compassion dans cette atmosphère de vengeance forcenée, les jeunes soldats présents, qui ne voyaient rien à redire à ces châtiments, se seraient retournés contre lui et l'auraient tué.

À la fin du « spectacle », quand les femmes flagellées furent abandonnées sans connaissance près des cadavres des sept hommes abattus, au-dessous des jambes ballantes des vingt pendus, Pembroke n'eut qu'une envie : s'enfuir. Au moment où il montait en selle pour prendre la route de Kingston, quinze accusés de plus entraient dans la cabane où la même cour « impartiale » les attendait... Il entendit alors le colonel Hobbs lancer une phrase qui l'incita à se hâter :

— Bonnes nouvelles de Kingston. On vient d'arrêter ce salaud de Gordon, et le gouverneur Eyre va nous l'envoyer. C'est nous qui le jugerons.

En entendant ces mots, Jason en comprit toutes les implications et ne songea plus qu'à se démarquer de Hobbs le meurtrier. Il fila discrètement et prit la route de l'ouest au galop dans l'espoir de convaincre le gouverneur Eyre de revenir sur sa décision, qu'il jugeait mal inspirée et même dangereuse.

Jason força jusqu'à la limite un cheval déjà fatigué mais arriva à la résidence d'Eyre à Kingston avant que la décision d'envoyer Gordon comparaître devant la cour martiale de Saint-Thomas n'ait été mise à exécution. Il s'élança dans le bureau d'Eyre sans se faire annoncer et s'écria :

— Gouverneur, pour l'amour de Dieu et du bon sens, n'envoyez pas Gordon devant une cour martiale de l'est. Ils sont tous pris de folie, làbas.

— Ils font leur devoir, répliqua Eyre sévèrement. Ceux qui se sont révoltés contre la reine doivent en payer le prix.

— Mais le comportement de la cour est inhumain. Fouetter des femmes avec des fils de métal dans un chat à neuf queues !

— Les femmes sont souvent les plus coupables. Il faudrait les pendre aussi.

— Gouverneur Eyre, je me suis rendu auprès des marrons. Je les ai empêchés de se joindre aux émeutes dans le camp des noirs.

— Du beau travail, Jason. Et dangereux pour vous.

— Mais les marrons se sont mis en campagne contre les noirs. Ils brûlent et ils massacrent tout. Femmes et enfants.

— Quand un homme comme Gordon lance une rébellion, il devrait en prévoir les conséquences.

— Mais il n'était pas à Saint-Thomas. Il n'a joué aucun rôle dans le déclenchement de l'émeute.

Le gouverneur Eyre, furieux de voir Pembroke défendre l'homme qu'il avait résolu de pendre, faillit renvoyer le planteur. Mais le courage dont il avait fait preuve en se rendant tout seul en territoire marron méritait des égards, et Eyre le reconnut.

— Vous vous êtes conduit comme un authentique Anglais, Pembroke. Le devoir vous appelait et vous avez répondu.

— Maintenant, gouverneur, mon devoir m'oblige à vous dire une vérité élémentaire. Tout ce que vous avez fait jusqu'ici, chacune de vos décisions, a été irréprochable. Vous faites figure de gouverneur exemplaire. Les émeutes ont été matées. Des troubles à l'échelle de l'île entière ont été évités.

— Merci. J'ai essayé d'agir au mieux... en dépit de grandes difficultés, je dois dire. Tout le monde voulait que je déclare la loi martiale dans l'ensemble de l'île.

— Dieu merci, vous n'en avez rien fait. Et maintenant vous devez la suspendre là où vous l'avez déclarée.

A ce conseil, Eyre eut du mal à se contenir.

— Gordon a commis une erreur terrible en lançant cette rébellion. Les châtiments doivent continuer pour donner une bonne leçon aux rebelles. Et lui-même doit en subir sa part.

— Mais vous ne pouvez pas l'envoyer à Saint-Thomas. Ce serait un meurtre.

— Il doit payer.

— Gouverneur Eyre, plaida Jason d'une voix angoissée, jusqu'ici, vos actes portent la marque de la grandeur. Mais si vous traitez Gordon ainsi, et laissez fonctionner les cours martiales plus longtemps, l'Histoire considérera que vous avez souillé les voies de la justice. L'Angleterre vous condamnera.

Ces mots blessèrent Eyre, car ils le touchèrent à son point le plus faible : dans son désir de vengeance personnelle, le gouverneur semblait oublier les traditions de la justice anglaise. Il savait que Gordon n'était pas légalement responsable des soulèvements spontanés, qu'il qualifiait de rébellion. Il savait qu'aucun tribunal civil de Kingston n'aurait condamné le prédicateur, en tout cas à la pendaison. Plus grave encore, il savait qu'il n'avait aucun droit d'enlever Gordon à la juridiction civile de Kingston pour le remettre aux mains d'une cour martiale ne possédant aucune autorité judiciaire sur cet homme. Cela revenait vraiment à un meurtre. Mais son hostilité sourde envers ce pasteur difficile était devenue si vive qu'en voulant se défendre, il fit un aveu effarant :

— J'ai toujours détesté ce George Gordon. Un homme de couleur qui épouse une blanche pour obtenir des avantages. Un sectaire baptiste qui ne cesse de dénigrer notre religion nationale. Et pire : un paysan illettré qui ose ridiculiser notre reine.

— Je ne crois pas qu'il l'ait fait, répondit Pembroke. Il a simplement protesté contre la lettre stupide qui a été diffusée sous le nom de la reine.

— Il a craché dessus, insista Eyre.

— Quelques idiots ont craché sur l'affiche. Pas lui.

— Il a encouragé ces gestes, et il doit le payer. Venez, nous partirons pour Saint-Thomas aujourd'hui.

— Gouverneur, je continue de protester. Vous faites courir un risque grave à votre réputation. Tous les hommes de bonne foi s'apercevront que vos actes sont illégaux et entachés par un désir de vengeance personnelle. Pour l'honneur de votre nom, ne faites pas une chose pareille.

Mais Eyre ne se laissa pas influencer. George Gordon, frêle, l'air sérieux avec ses lunettes cerclées de fer, monta menottes aux poings à bord du *Wolverine*. Eyre embarqua à son tour, accompagné par Pembroke qui espérait encore dissuader le gouverneur de commettre cette erreur odieuse. La traversée fatale vers Saint-Thomas-dans-l'Est commença. Malgré sa brièveté ce fut un épisode de drame antique où les dieux et la nature conspirèrent contre les forces du mal, car une grande tempête se leva. Dérouté pendant trois jours et trois nuits, le bateau ne put remettre le pasteur entre les mains de la cour martiale qui l'attendait. Au cours de l'orage, Jason Pembroke eut une dernière occasion de parler à Gordon et celui-ci lui déclara avec le plus grand calme :

— Je serai pendu demain, et la Jamaïque n'oubliera jamais ce jour-là, car ce sera un meurtre.

Quand la tempête se calma, on conduisit le pasteur à terre sous une escorte de marins, et on le fit défiler dans les rues jusqu'à l'endroit où siègeait la cour martiale. Sur son passage soldats et marins, convaincus de sa culpabilité, lui lancèrent des insultes.

— Voilà le pasteur Gordon qui vient se faire pendre, cria une voix.

Et une autre :

— J'aimerais te faire goûter du chat à neuf queues avant que tu crèves, espèce de traître !

L'atmosphère était si hostile qu'un témoin nota, sans doute à bon droit : « Si l'on avait laissé la troupe agir à sa guise, il aurait été haché menu avant d'arriver au tribunal. »

Dans la cabane de fortune d'où tant d'innocents n'étaient sortis que pour être pendus, la cour martiale se composait de deux jeunes officiers de marine et d'un officier de l'armée encore plus jeune. Ils n'avaient aucune notion de jurisprudence, ils ne se demandèrent même pas s'ils avaient le droit de juger une personne qui ne se trouvait pas à Saint-Thomas, et l'idée qu'ils se faisaient d'une preuve recevable devait être fort vague. On leur avait ordonné d'assigner en justice des criminels, et reconnaître dans le pasteur Gordon le principal instigateur des émeutes ne posait pour eux aucun problème puisqu'on le leur avait dit.

Et il y avait des preuves : des lettres écrites au tribunal par des gens habitant ailleurs et qui n'étaient pas présentes pour un éventuel contre-interrogatoire. Plusieurs personnes déclarèrent que Gordon était responsable de la rébellion et l'on attesta même qu'il avait raillé le Conseil de la Reine. La postière de Morant Bay déclara sous serment que comme elle lisait toujours tout ce qui passait par son bureau, imprimés ou manuscrits, et qu'elle pouvait affirmer que Gordon avait envoyé des tracts subversifs — mais elle ne se rappelait plus exactement quoi.

Le jeune juge autorisa Gordon à faire une déclaration pour sa défense. Il répéta seulement ce qu'il avait toujours dit à Pembroke et à ses amis : il cherchait seulement à améliorer le sort des habitants de la Jamaïque. Les trois juges firent peu de cas de cette idée saugrenue et n'eurent aucune difficulté à le déclarer coupable ni à le condamner à le pendaison.

Le procès avait eu lieu le samedi après-midi, et comme le sous-officier chargé de l'exécution des sentences jugea peu convenable de pendre un pasteur le dimanche, la pendaison fut repoussée au lundi matin. Le dimanche soir, il plut. Le lundi de gros nuages lourds, auréolés par le soleil qui se cachait derrière eux, jetèrent une ombre sur l'arche de pierre à laquelle la corde était accrochée. Le pasteur monta sur une caisse de bois, tenu de tous les côtés de peur qu'il essaie de s'enfuir, puis on retira soudain la caisse et il plongea lentement dans la mort. Le gouverneur Eyre était vengé de l'affront dont il s'imaginait la victime.

Jason Pembroke, impatient de rentrer a Trevelyan, espéra que la pendaison de Gordon marquerait la fin de la loi martiale à Saint-Thomas et que toutes les cours martiales, sur lesquelles nul n'exerçait aucun contrôle, seraient enfin dissoutes. Mais les ordres désirés ne furent pas donnés. A la place, le gouverneur Eyre affecta Jason auprès du colonel Hobbs qu'il avait déjà rencontré quand il se trouvait avec les marrons. Hobbs, qui s'était battu en Europe et notamment au siège de Sébastopol pendant la guerre de Crimée, savait se faire aimer de ses hommes car il les traitait bien et avait un sens aigu de ses devoirs militaires. Jason s'attendait donc à ce que Hobbs tienne ses jeunes recrues bien en main et réclame lui aussi l'abrogation de la loi martiale dès qu'il n'y aurait plus le moindre signe de troubles.

Mais Jason se trompait dans son analyse : la loi martiale ne s'était pas encore montrée sous son aspect le plus horrible. Les marrons, se jugeant libres de piller et d'incendier, abattirent environ deux cents noirs avec le sourire, comme s'ils participaient à une joyeuse partie de chasse. Les tireurs d'élite du colonel Hobbs organisèrent des concours pour déterminer qui pourrait tuer un noir à la plus grande distance possible, dans les collines. Jason voulut protester contre ces actes barbares, mais Hobbs lui montra la lettre reçue du quartier général dont il dépendait.

> *Continuez! Le colonel Hobbs fait un travail splendide : il tue chaque noir qui ne peut expliquer sa présence où il se trouve — soixante au cours d'une seule marche. Le colonel Nelson pend à tour de bras. J'espère que vous ne ramènerez aucun prisonnier. Le châtiment doit être exemplaire.*

C'était pour ainsi dire un permis d'exterminer, et Hobbs se chargea de sa mission avec enthousiasme. Il prenait un plaisir particulier à pendre les hommes ou à fouetter les femmes dès qu'on lui affirmait :

— Ils se sont moqués de la reine.

Il ne pouvait admettre que des noirs aient lancé des calomnies sur la reine, et son regard se fermait, buté, dès que Jason essayait de lui faire entendre raison.

— Hobbs, ne comprenez-vous pas que leur protestation ne comportait aucun irrespect envers la reine ?

— Comment cela ?

— Jamais ils n'ont cru qu'elle ait pu écarter leurs revendications aussi froidement. Parce qu'ils l'aiment.

— Mais vous l'avez entendu. Ils se sont moqués de l'affiche. Pendez-les.

Jamais Jason n'aurait pu imaginer ce que le colonel Hobbs fit ensuite. Un jour sur une route à l'écart, ils rencontrèrent un noir qui n'avait manifestement rien à voir avec les émeutes. Mais Hobbs apprit que l'homme, appelé Arthur Wellington, avait une réputation d'*obeah*, de sorcier, et il entra dans une rage folle.

— Comment un nègre ose-t-il s'arroger le nom d'un grand homme comme le duc ? Comment ose-t-il prétendre qu'il possède des pouvoirs surnaturels ? Je vais lui donner une leçon.

Il fit ligoter Wellington à un arbre, au fond d'une gorge. Puis il rassembla tous les noirs de la région et leur ordonna de regarder

Ensuite, il aligna ses hommes pour fusiller le sorcier depuis une distance de plus de quatre cents mètres. Plusieurs balles atteignirent leur but et Wellington mourut. Aussitôt Hobbs cria aux Noirs

— Alors ? Quels pouvoirs surnaturels a-t-il, à présent ?!

Ils durent reconnaître la supériorité des fusils des blancs sur les pouvoirs du noir.

Un soldat sous les ordres de Hobbs montra à Jason une lettre qu'il envoyait à ses parents en Angleterre :

> *Je vous assure que jamais nous ne nous sommes aussi bien amusés. Nous ne laissons derrière nous aucun noir, homme, femme ou enfant. Nous les tuons tous, parfois cent par jour. Nous mettons certains de côté pour nous distraire : nous les attachons à un arbre, leur donnons cent coups de fouet, puis nous les traînons jusqu'aux bateaux pour les pendre à une vergue. En moyenne cinquante à soixante pendaisons par jour. C'est la joie.*

Révolté par ces excès, Pembroke supplia Hobbs de mettre fin aux massacres, mais le valeureux capitaine de la guerre de Crimée semblait transformé en sauvage dément. Il répondit seulement :

— C'est comme en Inde... la révolte contre les blancs... intolérable.

Tandis que Pembroke souffrait ainsi de voir des Anglais tomber dans la barbarie, son cousin Croome réagissait à la loi martiale de façon fort différente. Il était devenu le commandant en second d'un authentique héros, Gordon Dewberry Ramsay, qui avait pris la tête de la Brigade légère à Balaklava et obtenu pour son action la plus haute distinction militaire existant en Grande-Bretagne : la Victoria Cross. Devenu inspecteur de police à la Jamaïque, c'était un homme chaleureux et Croome s'entendit bien avec lui. Il l'aida pour les coups de fouet, les fusillades et les pendaisons. Comme Ramsay, Croome croyait que les noirs avaient fait affront à l'Église officielle et que presque tous les noirs avaient insulté la reine. Dans ces circonstances pas question de miséricorde, et presque tous les châtiments ordonnés par Ramsay lui parurent justifiés.

Ce dernier, qui portait un petit jonc en guise de bâton de maréchal, traversait un village et ordonnait à ses hommes d'un ton sec :

— Douze coups à celui-ci.

On sortait aussitôt le chat à neuf queues renforcé de métal. Un peu plus loin il grognait :

— Celui-ci a vraiment l'air d'un salaud. Vingt coups.

Et l'homme était fouetté. Un jour où Ramsay assistait à l'application de cinquante coups sur le dos d'un nègre tout maigre qui n'avait rien fait de mal, la douleur insupportable, au quarante-septième coup, fit grimacer la victime.

— Cet homme m'a montré les dents ! cria Ramsay saisi de rage. Pendez-le.

Croome ne trouvait rien à redire à ces excès, et si absurdes que fussent les réactions de vengeance de Ramsay, comme la pendaison de dizaines d'hommes sans même un semblant de procès, il les approuvait car il ne cessait de répéter à Ramsay :

— Ils ont pris les armes contre la reine. Ils méritent ce que vous leur réservez.

Chaque fois qu'un noir dont la tête ne lui revenait pas recevait son châtiment, il applaudissait.

— Celui-ci a vraiment une sale gueule, lançait Ramsay en braquant son jonc. Pendez-le.

Jason Pembroke, témoin du comportement de Hobbs, s'était aussitôt posé des questions sur son équilibre mental, mais Oliver Croome ne vit rien de mal dans les actes de Ramsay et l'aida même à sillonner Saint-Thomas pour distribuer sa vengeance aveugle. Un jour où les deux hommes regardaient une noire recevoir cent coups de chat, Ramsay déclara :

— Trois personnes l'ont entendue dire du mal du Conseil de la Reine.

— Vous faites bien de mettre un terme à ces trahisons, répondit Croome.

Un journaliste qui passa plusieurs jours avec Ramsay et Croome exprima son admiration en ces termes :

> *Ces deux hommes inflexibles, qui veillent à la sécurité de tous les blancs de l'île, se font accompagner d'un marin, un colosse devenu expert en flagellation. Chaque coup qu'il applique retentit avec un bruit considérable et une douzaine appliquée par son bras droit puissant vaut bien une cinquantaine donnée par quelqu'un d'autre. Je lui ai vu donner soixante-dix de ses meilleurs coups à un homme, et quand ce fut terminé le criminel avait du mal à tenir sur ses jambes. « Il restera estropié jusqu'à la fin de ses jours », a dit une voix près de moi.*

Quant aux pendaisons banales, sans jugement, Hobbs et Ramsay en ordonnèrent environ deux cents.

Le dernier jour d'octobre 1865 le gouverneur Eyre, dont les profondes qualités humaines sont indéniables et qui n'avait aucune idée des abus perpétrés par Hobbs et Ramsay dans son dos, mit fin à la loi martiale, sauf pour les personnes déjà arrêtées. Plus important encore, il accorda une amnistie générale. Ensuite, le 8 novembre, pour bien montrer ses talents d'homme d'État, il persuada l'inepte assemblée législative, qui s'était avérée impuissante à juguler la rébellion, de se dissoudre elle-même — ce qui mit fin à la démocratie à la Jamaïque et rétablit le statut de colonie de la Couronne, gouvernée depuis Londres par décret.

Cette décision fut approuvée avec enthousiasme d'un bout à l'autre de l'île. La presse publia des articles élogieux qui portaient aux nues l'héroïsme et la sagacité du gouverneur, et les manifestations de satisfaction arrivèrent en foule. A la fin de l'année, la Jamaïque de nouveau sous l'autorité directe de la Couronne, on oublia les meurtres et une paix honorable s'étendit sur l'île. Eyre put prétendre à bon droit, comme il le fit, que son action audacieuse et décisive, suivie d'une prompte abolition de la loi martiale et accompagnée par un souci du bien-être de toutes les classes de la Jamaïque, avait rétabli dans l'île une tranquillité qu'elle n'avait pas connue depuis des années. Débarrassé de Gordon, le fauteur de troubles, il pouvait espérer en toute confiance régner pendant vingt autres années fertiles, certain de l'amour de son peuple, qui le considérait comme un véritable héros. Mais alors même qu'il exprimait ces espérances — dans l'intimité car il se croyait modeste — une tempête couvait en Grande-Bretagne, et les remous violents de l'orage allaient s'emparer du gouverneur et faire de lui pendant trois ans l'un des hommes les plus controversés du royaume.

N'est-il pas surprenant que quelques événements sinistres dans un coin reculé d'une île des Caraïbes aient pu soulever tant de passions dans la métropole ? Mais la Jamaïque n'était pas une colonie ordinaire. Depuis deux siècles elle constituait la source non seulement des fortunes sucrières, mais aussi du pouvoir politique. Des lois égoïstes votées sous la pression des « Jamaïcains » du Parlement avaient été une des principales causes de la Révolution américaine et ce qui se passait dans les grandes plantations de l'île concernait toujours Londres.

Or les rumeurs les plus regrettables se répandaient dans toute l'Angleterre :

— Un soulèvement des noirs dans les colonies ! clamaient les uns.

— Un gouverneur anglais se conduit comme s'il se trouvait dans une île de sauvages il y a un siècle, murmuraient les autres.

Avant la fin de l'année deux camps nettement distincts s'étaient formés en lignes de bataille. Du côté du gouverneur Eyre, et prêts à le soutenir envers et contre tout, se trouvaient cinq écrivains comptant parmi les plus grands du pays : Thomas Carlyle, le moraliste qui méprisait les nègres ; John Ruskin, l'esthète aux idées populistes ; Charles Dickens, que tout le monde lisait ; Charles Kingsley, qui prêchait le « christianisme viril » et écrivait des romans à gros tirages ; et surtout Alfred Tennyson, le « poète lauréat » acclamé de tous. Ces cinq hommes constituaient une sorte de bataillon sentimentalo-patriotique autour du nom d'Eyre ; ils remportèrent les batailles de la publicité et défendirent jusqu'à la douloureuse fin le droit d'Eyre d'abattre des nègres si pour une raison quelconque ils prenaient les armes contre des blancs. Les implications de la Révolte des Cipayes les avaient terrifiés et ils jugeaient les décisions prises par Eyre pour éviter un drame du même ordre à la Jamaïque, non seulement justifiées mais vraiment mesurées. Ils le considéraient non comme un héros de hasard mais comme un protecteur de la race blanche contre une race noire peut-être sur le point de contre-attaquer. Ils ne toléraient pas que d'autres l'accusent de légèreté et d'imprudence pour sa déclaration et son instauration de la loi martiale. Ces cinq grands auteurs estimaient que les noirs n'avaient eu que ce qu'ils méritaient.

Mais un autre groupe d'Anglais influents, plus rationnels et moins sentimentaux, déploraient le comportement d'Eyre sur son île lointaine, loin du contrôle du Parlement, et parmi eux se trouvaient aussi de grands noms : Charles Darwin, dont l'ouvrage sur l'*Origine des Espèces* faisait grand bruit ; Herbert Spencer, le philosophe ; Thomas Huxley, le savant ; John Bright, le puissant réformateur quaker ; et surtout John Stuart Mill, sans doute l'homme le plus sage et le plus brillant du monde à l'époque. Ces hommes, qui ne cessaient de s'interroger sur la question du bien et du mal, croyaient qu'en approuvant la conduite abusive du gouverneur Eyre dans la paroisse reculée de Saint-Thomas-dans-l'Est, la Grande-Bretagne mettait en péril la sécurité de l'Empire. Ils avaient résolu qu'il fallait le faire comparaître devant la justice pour qu'il s'explique de ses actes. Ils interprétaient sa cruauté envers les noirs comme un effrayant retour à l'époque de l'esclavage, une tentative de dernière heure lancée par les riches propriétaires terriens pour protéger leurs intérêts, un affront à tous les chrétiens de bon aloi, une insulte à tous les partisans de la liberté.

Aucun des deux camps ne se fit remarquer par sa retenue ou son désir d'accepter un compromis.

L'arène était donc prête pour un combat farouche entre deux groupes d'hommes qui se représentaient l'avenir de deux manières radicalement différentes. Les romanciers désiraient se ressaisir des gloires du passé ou du moins s'accrocher à ce qu'il en restait dans l'empire; les savants et les philosophes souhaitaient bâtir un monde nouveau, un monde meilleur. Les romanciers plaçaient la loyauté à la Couronne au-dessus de tout; les savants ne se reconnaissaient de loyauté qu'à la raison et au progrès, jugé inévitable. Les écrivains défendaient les blancs et le pouvoir bienveillant qu'ils exerçaient sur les autres races; les savants invoquaient la fraternité des peuples — seule base, à leur avis, sur laquelle construire l'avenir. Et curieusement chaque groupe restait ardemment loyal au concept d'Empire britannique : les écrivains estimaient que seuls des actes audacieux comme ceux du gouverneur Eyre pourraient le protéger; les savants déclaraient qu'une poignée de gouverneurs comme lui suffiraient à le désagréger.

Ce fut un débat honorable concentré sur le comportement peu honorable d'hommes comme Hobbs et Ramsay, un vaste affrontement intellectuel et moral axé sur un personnage historique relativement mineur comme Eyre. Il se traduisit notamment par des articles de journaux, des discours au Parlement et l'intervention décisive des plus grands juristes de Grande-Bretagne. Le *Punch*, dont les articles satiriques étaient déjà appréciés, publia dès le début des vers prouvant que les humoristes, comme la majorité de la bourgeoisie en place, soutenaient Eyre sans réserve.

Dans tous les coins des îles Britanniques, le public se rangea ou bien dans le camp d'Eyre, ou bien dans le camp opposé — mais une autre question de première importance agitait l'opinion à l'époque. Le pays essayait de faire voter une loi de réforme qui accorderait enfin aux petites villes une juste représentation parlementaire. Cela impliquait le retrait de sièges dans les régions rurales conservatrices pour les attribuer aux régions urbanisées libérales. Les leaders du groupe anti-Eyre, Mill et Bright en particulier, défendaient énergiquement cette réforme, tandis que les partisans d'Eyre s'y opposaient. Puis toute l'attention se concentra non sur le Parlement mais sur ce qui s'était passé à Saint-Thomas-dans-l'Est, et comme dans les années 1760 quand les planteurs de la Jamaïque dominaient la politique anglaise, les petits-fils de ces hommes mêmes jouèrent de nouveau un rôle majeur dans l'histoire britannique.

Par une journée ensoleillée du début de l'année 1866, Oliver Croome, le visage toujours en feu, quitta l'hôtel particulier que ses ancêtres enrichis par le sucre avaient fait édifier sur Cavendish Square lorsqu'ils avaient acheté leurs sièges au Parlement. Il s'étonna de voir sortir de l'hôtel Pembroke, de l'autre côté de la place, son cousin Jason, toujours aussi barbu. Il se précipita vers lui.

— Jason ! s'écria-t-il, enchanté. Quel bon vent t'amène ?...

Sous les arbres de la place, ces deux hommes qui avaient collaboré longtemps et en bonne entente révélèrent les événements surprenants qui les avaient conduits à Londres par des sentiers différents. Oliver parla le premier :

— Quand le comité des plus grands écrivains du monde s'est réuni pour défendre le gouverneur Eyre contre ses ennemis — et c'est une sale bande, crois-moi ! —, les membres se sont demandé : « Qui pouvons-nous faire venir de la Jamaïque pour contrer les mensonges que racontent les autres ? » Eyre leur a répondu que je connaissais les faits mieux que la plupart et me voici, tous frais payés, bien que j'aurais été fier de venir à mon compte pour sauver la réputation de cet homme.

Jason inclina la tête, regarda ses mains fermées et dit doucement :

— Désolé de te l'apprendre, Oliver, mais les hommes qui ont résolu de traîner Eyre devant les tribunaux m'ont demandé de venir les aider. Une affaire lamentable.

Pour dissimuler le choc, Oliver demanda :

— As-tu amené ta femme de la Jamaïque ?

— Non. Beth en a déjà jusque-là d'Eyre et de ses problèmes.

— Nell a refusé de venir pour la même raison.

— Bah, nous n'en aurons pas pour longtemps, répondit Jason pour consoler son compagnon de célibat.

Toujours généreux, Oliver proposa à son cousin de s'installer chez lui.

— Économie de temps et d'ennuis.

Mais Jason avait un bon prétexte pour refuser :

— Mill vit à l'étroit et il aimerait tenir les réunions de notre comité chez moi. Il y a toute la place.

Les deux hommes se séparèrent, en jurant de ne pas laisser l'affaire Eyre gâcher leurs relations personnelles. Quand Croome, de son côté de la place, regarda les plus grands savants et penseurs de l'époque se réunir à l'hôtel Pembroke, il se dit : « Quelle sale bande de prétentieux, pas un seul ne sourit ! »

Dans tous les groupes dont John Stuart Mill était membre, il devenait automatiquement le président car les autres s'inclinaient devant son intelligence incisive. C'était un homme sculpté dans le marbre. Ce jour-là il arriva en retard et, en son absence, John Bright prit place avec Jason entre les deux statues colossales qui ornaient le salon depuis les années 1760 : *Vénus résistant aux avances de Mars* et *La Vertu récompensant l'Héroïsme.* Au début, Bright s'était assis en face de la *Vénus,* mais les courbes voluptueuses troublèrent tellement l'austère quaker qu'il dit :

— Mieux vaut que je change de chaise avec toi, Jason.

Mais il se trouva en face d'une glorification éclatante de l'héroïsme qu'il jugea tout aussi intolérable.

— Cela me rappelle les absurdités de Carlyle, les héros et compagnie. Asseyons-nous là.

Ayant échappé à l'envoûtement des statues, il demanda :

— Je suppose que tu sais, Pembroke, à quel point notre Mill est un homme prodigieux.

— J'ai vu qu'il impose le respect.

— Mais as-tu entendu parler de son éducation ?

Jason secoua la tête.

— Jamais on ne lui a laissé suivre un seul jour d'école ou d'université, lança Bright avec enthousiasme et sans doute quelque envie.

— Ah bon ?

— Son père, un homme extraordinaire, très autoritaire, jugea l'enfant trop prometteur pour être soumis à une éducation normale. « Je l'éduquerai moi-même. » À trois ans, John parlait grec. À six, il lisait la plupart des auteurs faciles comme Hérodote et Xénophon et il s'était lancé dans Platon. À huit, il commença l'étude du latin et maîtrisait Euclide. À onze, il se mit à écrire une histoire de Rome, excellent traité qu'il termina à douze ans. À partir de là ce fut un remplissage massif : toutes les connaissances de l'humanité y passèrent, les mathématiques, la science, le français, l'allemand, tout.

— Et cela ne l'a pas rendu pédant ?

— Au contraire. Son père ne l'a pas permis. Il l'emmenait en voyage, lui donnait à lire des livres amusants, lui présentait des personnages importants. Tout ce qu'il fallait pour le forger en un homme de savoir et de jugement. Au cours de mes efforts en faveur d'autrui, j'ai connu beaucoup d'hommes de grand talent. Si je devais noter Mill dix sur dix, je donnerais quatre au meilleur d'entre eux. Moi-même, je me note trois.

— Voici ce qui m'a fait le plus d'effet, répondit Jason. En apprenant que j'étais de la Jamaïque, il s'est élancé vers moi, s'est assis à mes côtés et m'a dit en me regardant dans les yeux : « Nous avons désespérément besoin de connaître la vérité. Il paraît que vous êtes allé partout dans l'île. Que s'est-il passé ? Je veux savoir non pas ce que vous avez entendu dire, mais ce que vous avez vu. »

— Que lui avez-vous répondu ?

— Que le rapport officiel mentionne quatre cent trente-neuf morts, six cents personnes fouettées et mille maisons incendiées. Il m'a demandé : « Mais que s'est-il passé en réalité ? » Je lui ai répondu que j'avais vu au moins six cents morts, dont beaucoup tués par des marrons dans des coins reculés. « Jamais tous les cadavres n'auraient pu être comptés, lui ai-je assuré. J'ai vu moi-même plus de trois cents personnes fouettées, des femmes pour moitié. Et comme je suis passé personnellement devant au moins mille maisons détruites, le nombre réel doit être le double. »

— Qu'a-t-il répondu ?

— Il a porté les mains à sa tête, puis il m'a regardé et il a dit d'une voix grave : « Un terrible carnage. Et une terrible erreur. »

Puis Mill entra dans la pièce, comme une lune froide et claire se lève soudain un soir d'automne. En voyant Bright il se hâta vers lui.

— Mon bon ami, l'affaire Eyre a avancé d'un pas. Nous avons contraint les tribunaux à délivrer des mandats d'arrêt contre deux des officiers qui ont présidé à ces infâmes cours martiales.

Tous les autres s'en félicitèrent, sauf Bright qui fit remarquer :

— Mais Eyre lui-même continue de nous échapper...

— Sans doute, répondit Mill avec dégoût. Il s'est enfui à Market Drayton, une bourgade au nord-ouest de Birmingham, où il ne peut être assigné par les cours de Londres... Mais nous allons l'enfumer comme un renard, ajouta-t-il d'un ton résolu. Le gouverneur Eyre paiera pour ses crimes, car nous ne renoncerons jamais.

Des vivats saluèrent cette nouvelle déclaration de guerre et Jason ne put s'empêcher de penser : « Comme il ressemble à Eyre lorsqu'il traquait Gordon ! » Puis la voix de Mill s'adoucit et Pembroke eut l'occasion d'entendre pour la première fois cet oracle de soixante ans faire montre de la sagesse qui lui avait valu tant de célébrité. Complètement chauve et rasé de près, sauf pour les favoris qui encadraient son visage buriné de Romain, il parlait lentement comme s'il calculait le poids précis de chacun de ses mots.

— Les réflexions d'un savant allemand versé dans le fonctionnement de l'esprit humain m'ont beaucoup influencé et j'en suis venu à m'interroger sur l'erreur qui a incité Eyre à persécuter Gordon en bafouant la loi, les convenances et les principes de la justice militaire. Le professeur a inventé un mot nouveau pour cette maladie : monomanie, d'après deux mots grecs : *mono,* qui signifie seul ou un et *mania,* la folie, bien entendu. Eyre est un exemple classique de cette aberration. Il a été poussé par une seule impulsion : se venger de Gordon, et quand nous prouverons cela devant la cour, ce sera... sa fin.

— Pouvons-nous l'attirer hors de Market Drayton ? demanda Bright.

— Si nous n'y parvenons pas, nous irons l'attaquer là-bas dans son jardin.

Mais Bright, qui fréquentait depuis longtemps les sentiers défoncés de l'opinion publique, le mit aussitôt en garde :

— Les juges campagnards de Market Drayton ne se soucieront guère de ce qui s'est passé à la Jamaïque. Ils seront affolés de nous voir rudoyer un homme de valeur qui essayait seulement de faire son devoir pour le mieux.

Jason écouta, perplexe, ces bouledogues de la justice poursuivre leurs débats. Comme Stuart Mill, il voulait qu'Eyre soit publiquement dénoncé ; il n'était pas normal qu'un homme avec un aussi flagrant défaut de caractère devienne un héros national. Mais il ne désirait pas aller plus loin. Il désirait que l'on condamne Eyre en paroles, non par des sanctions juridiques ; et ces doutes l'incitèrent à réfléchir. « Quand je suis arrivé à Londres, je pensais comme Oliver qu'il s'agissait de cinq ou six mois au plus. L'autre jour, j'ai entendu un avocat prétendre que s'il y avait un procès, il durerait trois ans... Il faut que Beth soit à mes côtés. »

Il consulta Croome et le trouva du même avis. Ils envoyèrent donc des lettres urgentes à la Jamaïque. « Venez tout de suite à Londres. Nous avons besoin de vous. » Et quand les deux épouses arrivèrent pour prendre en main les hôtels particuliers, Cavendish Square crut revivre l'époque révolue où les familles jamaïcaines passaient neuf mois de l'année à Londres.

À la fin de la première semaine, Nell Croome reconnut les symptômes :

— Beth, nos hommes ne comptent pas rester ici des mois mais des années.

— Tant mieux pour nous, répondit Beth. J'adore notre maison.

Et elle accueillit chez elle les réunions du comité de John Stuart Mill, dont le programme était : « Le gouverneur Eyre à la potence pour meurtre. »

L'amitié des deux femmes incita Croome à croire qu'il avait une chance de détourner son cousin de la folie de Mill, et de le rallier à la cause des patriotes responsables qui défendaient Eyre.

— Il faut seulement que tu rencontres les nôtres, Jason. Ils constituent l'âme même de la Grande-Bretagne. Viens, je vais te présenter le meilleur du lot, Thomas Carlyle. Il te remettra les idées en place.

— Ce ne serait pas convenable, répondit Jason. Je ne peux pas le rencontrer sous un faux pavillon, si je puis dire. Je suis contre Eyre, tu le sais.

— Tu ne le seras plus demain, lui lança Oliver et Jason l'accompagna, car il avait envie de voir cet homme redoutable dont les écrits recommandant le rétablissement de l'esclavage l'avaient tellement stupéfait, et qui défendait maintenant le gouverneur Eyre avec une obstination implacable.

Les deux cousins se rendirent dans une maison modeste de Londres où les accueillit un homme de taille moyenne qui portait un costume de gros tweed d'Écosse. Ses cheveux épais tombaient jusque sur les sourcils, sa barbe et sa moustache grisonnantes semblaient mal tenues mais ses yeux enfoncés brillaient de cette intelligence qui émerveillait tous ceux qui avaient affaire à lui.

Reconnaissant en Croome l'un de ses partisans dans l'affaire Eyre, Carlyle lui tendit la main, puis demanda :

— Ce jeune homme est-il des nôtres ?

— Oui, mentit Croome. Je vous l'ai amené pour renforcer sa résolution.

Sur ces paroles Carlyle les invita à l'accompagner dans son bureau. Dans le couloir, ils croisèrent Mrs. Carlyle qui, sans présentations, leur lança le plus naturellement du monde :

— Alors c'est vous qui allez protéger des nègres ce cher gouverneur Eyre ?

— Oui, s'empressa de répondre Croome.

— C'est un juste combat, jeunes gens, dit-elle. Les esprits du mal sont sur le sentier de la guerre.

Ils s'assirent confortablement tous les trois, et Carlyle fit un récit animé de ses récents efforts en faveur d'Eyre. Il termina par une nouvelle passionnante :

— Le comte de Cardigan, le héros de la *Charge de la Brigade légère* — l'excellent poème de notre ami Tennyson —, vient de passer dans notre camp. Un garçon valeureux, le public l'adore et l'écoutera.

Son esprit d'acier, dur et effilé comme un rasoir, passait aussitôt d'un sujet à un autre. Jason dut prendre son courage à deux mains pour lui demander :

— Adhérez-vous encore aux idées exprimées dans votre essai sur les nègres ?

— Plus que jamais depuis la rébellion en Jamaïque... Si vous lisez mon essai attentivement, ajouta-t-il avant que Jason puisse protester, un essai écrit en 1848 ou 1849, me semble-t-il, vous vous apercevrez que j'avais prévu presque tout ce qui s'est passé. Les Quashees, incapables de se contenter des citrouilles gratuites pour satisfaire les désirs de leur cœur, ont lancé une rébellion contre la loi et l'ordre. Ils en ont payé le prix. Nous devons mettre en garde toute la Grande-Bretagne contre les dangers impliqués si l'on continue de persécuter Eyre parce qu'il a fait son devoir.

Jason remarqua que Carlyle, Écossais résolu, ne prononçait jamais le mot Angleterre.

Carlyle énuméra ensuite les accusations lancées par John Stuart Mill et son comité, les qualifia de « démentes et corrompues », et les dénonça avec feu.

— Ces gens ne semblent pas comprendre ! Ils menacent l'existence même de l'Empire britannique et l'œuvre colossale de nos hommes pour civiliser les sauvages, dans le simple but de protéger le droit des Quashees à manger davantage de citrouilles.

Puis avant que ses visiteurs ne puissent l'interrompre, il se lança dans un sermon sur la rationalité de la position britannique :

— Au cours des années troublées qui viennent de s'écouler, tous les hommes raisonnables ont soutenu le camp sudiste dans la rébellion américaine parce qu'il incarnait la stabilité et la force de caractère. Seuls ceux que ne concernaient ni la liberté de leur nation ni le bien-être de l'humanité ont pris le parti des nordistes. Les mêmes facteurs entrent en jeu dans l'affaire Eyre. Tous ceux qui apprécient la vertu et la force morale défendent le gouverneur. Ceux qui se moquent de l'avenir de l'Empire l'attaquent.

Jason aurait aimé le contredire sur ce point mais l'Écossais aigri continua de vitupérer, la barbe presque étincelante du feu de ses paroles.

— Retenez bien ceci, jeunes gens : des troubles couvent dans toute l'Europe, et si jamais la Grande-Bretagne s'aligne un jour avec la France contre l'Allemagne, l'Empire sera condamné.

— Pourquoi ? demanda Jason.

La réponse jaillit comme un coup de fouet :

— Parce que l'Allemagne est l'image même du comportement viril, des plus hautes aspirations du nationalisme, alors que la France louvoie comme une femelle pusillanime.

— Mais la France est une nation et l'Allemagne ne l'est pas.

— Pour l'instant. Des dirigeants lamentables. Mais des hommes forts vont entrer en scène, de vrais héros au sens ancien du terme, et l'Allemagne régnera sans partage sur le continent. Nous devrons alors la soutenir et nous allier à elle.

Il déclara également que les pays d'Europe pouvaient encore attendre jusqu'au siècle suivant avant de prendre les États-Unis au sérieux :

— Ils manquent d'hommes forts. Lincoln a été une catastrophe.

Puis il retourna brusquement à Eyre :

— Si nous unissons bien nos efforts, pas un seul de ses beaux cheveux noirs ne sera touché par les chiens qui aboient dans les allées sombres. Il s'est comporté en homme de caractère, et il a rappelé aux Quashees que la vie ne consiste pas seulement à manger des citrouilles à l'ombre indolente d'un arbre. Le travail. C'est le travail qui sauve l'homme, et nous avons du travail à faire, du travail d'honnête homme, en repoussant ces imbéciles qui attaquent un homme pour avoir fait son devoir.

— Comment le défendrez-vous si la preuve est faite qu'il a autorisé des actes barbares ? demanda Jason.

Carlyle, certain de son bon droit, lui lança un regard noir.

— Dans la perspective de l'Histoire et de la défense du progrès humain, jeune homme, ne vous attardez jamais à plaindre quelques Quashees et leurs amis mangeurs de citrouilles. Nous nous battons pour le salut de la race humaine, comme Eyre lui-même. Les Quashees n'ont rien à voir avec ça, jamais ils n'y apporteront la moindre contribution. Eyre en revanche y a contribué pour beaucoup en pacifiant la Jamaïque. Oubliez les Quashees. Défendez Eyre.

Sa voix s'éleva et il répéta sa tirade contre les Quashees. Croome l'applaudit :

— Monsieur, vous rendez la vérité si limpide !

Mais Jason songea à part lui : « Quel est donc le mot employé par Mill pour définir la rage aveugle d'Eyre ? Monomanie ? Carlyle n'en fournit-il pas un autre exemple ? »

Sur le chemin du retour vers Cavendish Square, Oliver Croome se méprit sur le silence perplexe de son cousin : il crut que la logique puissante de Carlyle avait modifié l'opinion de Jason sur Eyre, et qu'il lui suffirait d'écouter les propos persuasifs du principal défenseur du gouverneur, Alfred Tennyson, pour se laisser convaincre. Il ordonna donc à son cocher de s'arrêter devant la maison où séjournait le grand poète pendant les réunions du comité Eyre, puis il griffonna quelques mots au dos d'une enveloppe et demanda au maître d'hôtel de remettre le billet à Mr. Tennyson.

— Très cavalier, murmura le serviteur très guindé.

Croome insista :

— Nous sommes membres de son comité, vous savez.

L'homme leur referma la porte au nez, mais non sans avoir promis : « Je vais me renseigner. » Et ce fut ainsi que les deux cousins de la Jamaïque furent admis en présence du plus célèbre poète de l'époque.

Ils furent reçus par un homme de grande taille, à l'air languissant, vêtu de noir comme il se doit, avec une grosse barbe qui recouvrait presque tout son visage. Son front très haut s'achevait en une calvitie presque totale, et les quelques cheveux qui couronnaient son crâne, devenus très longs, cachaient son col blanc impeccable. Signe particulier qu'aucun de ses visiteurs n'oubliait jamais, il avait un nez anormalement fort entre deux yeux enfoncés que le spectacle du monde semblait angoisser et attrister. Dans tout son aspect extérieur, il était un poète dans la grande tradition des Byron, Shelley et surtout Keats.

— Vous me faites honneur, dit-il d'une voix encore. Deux messieurs de la Jamaïque !

— Vous vous souvenez peut-être de moi, dit Croome. Dans votre comité. Tout à fait partisan du gouverneur Eyre.

— Inutile de me le rappeler parce que je me souviens très bien du rôle important joué au siècle dernier, dans cette ville et au Parlement, par votre ancêtre ce vieux grincheux de Pentheny Croome.

Puis il se tourna aimablement vers Jason.

— Aurais-je tort de supposer que ce jeune homme s'appelle Pembroke ? Les « deux pois dans la même gousse » comme on disait à l'époque.

— Comment pouvez-vous savoir cela ? demanda Jason stupéfait.

— J'en sais long sur le passé... Les valeureux combattants pour la bonne cause... Les ancêtres de ceux qui mènent le bon combat aujourd'hui, dit-il d'une voix aiguë, qui chevrotait un peu.

Il les invita à s'asseoir, fit servir du thé. Il montra une tasse qui était restée vide.

— Vous êtes venu au bon moment, dit-il. Le comte de Cardigan va passer. Vous devez absolument faire sa connaissance. C'est le héros de la charge de Balaklava, un véritable lion en faveur d'Eyre.

Quand il prononça ce nom sa voix baissa légèrement, devint plus grave et plus incisive.

— Nous avons beaucoup à faire, messieurs. John Stuart Mill et ses savants montent un formidable assaut contre l'homme magnifique que nous devons défendre.

Gardant ses principaux commentaires jusqu'à l'arrivée de Cardigan, il se tourna vers Jason et lui demanda :

— Recevez-vous suffisamment de livres à la Jamaïque ?

— Oh oui ! Je me rappelle très bien mon enthousiasme à l'arrivée du premier exemplaire de *Locksley Hall*. Je devais avoir quatorze ans à peine et ma mère croyait que ce serait trop compliqué pour moi, mais je l'ai lu quand même et des larmes me sont montées aux yeux quand j'ai compris qu'il n'obtiendrait pas la jeune fille qu'il aimait.

— Il est bon de connaître les larmes quand on est très jeune et que l'on essaie de classer ses découvertes du monde. Puis quand on est très vieux et que l'on se rend compte de tout ce que l'on a manqué... Mais pas de larmes à l'âge moyen. C'est là que l'œuvre doit s'accomplir et il faut qu'un homme soit un homme.

— Plus âgé, un de vos vers les plus puissants m'a fasciné : « Mieux valent cinquante ans d'Europe qu'une ère entière de Cathay. »

— Vous avez une bonne oreille. Ce vers a été efficace parce qu'il exprime une idée importante avec clarté, en termes simples et faciles à comprendre.

— Ce vers vient souvent me hanter quand j'essaie de décider, à l'instar de votre héros, si je dois vivre à Londres comme mes grands-parents ou à la Jamaïque comme mon père et ma mère.

— Vous voyez, la vie imite l'art. Le problème se pose à chaque génération : où faut-il exercer ses talents ?

— Mais pensez-vous sincèrement que cinquante ans au Luxembourg, par exemple, valent mieux que mille ans en Chine et au Japon ?

— C'est injuste ! Injuste ! Jamais je n'ai parlé du Luxembourg, qui doit être d'ailleurs un endroit très beau. Mais cinquante années dans l'Europe de Paris, Berlin, Rome et Londres ont-ils plus de sens et de portée pour la race humaine qu'une ère de la Chine et du Japon ? Oui, mille fois oui, parce que la grande œuvre du monde a été accomplie ici. C'est ici que toutes les idées valables ont été forgées, la contribution de l'Asie a très peu d'importance.

Il avait parlé avec une très grande fermeté, mais il ajouta cependant :

— Bien entendu, les échanges entre les diverses parties du monde s'amélioreront dans l'avenir, et il faut s'attendre à ce que cela évolue. Même l'Inde, sous notre tutelle bienveillante, développera la capacité de participer au progrès, mais pour l'instant je m'en tiendrai à l'idée qu'incarne le vers qui vous trouble tant.

Ces réflexions s'achevèrent quand le valet annonça l'arrivée d'un des hommes les plus extravagants de l'époque, l'incomparable comte de Cardigan, svelte et beau, déjà proche de la septantaine mais le pas encore sûr, une toison de cheveux blancs parsemés d'or, des favoris spectaculaires, un menton rasé piqueté de taches de rousseur et une moustache de Gargantua, lourde sur la lèvre, majestueuse par la longueur de ses bouts cirés qui s'étendaient tout droit jusqu'à la hauteur de ses oreilles. Il portait un uniforme simple et net, avec seulement trois des deux douzaines de médailles qu'il aurait eu le droit d'exhiber. Avec sa large ceinture de cuir qui serrait sa taille fine, c'était un vrai soldat, méritant l'admiration, et il le savait.

Tennyson parla le premier :

— Ah, Cardigan, notre bras droit. Voici deux de nos jeunes amis de la Jamaïque. Ils connaissent l'affaire Eyre dans tous ses détails et sont venus nous aider à protéger notre héros.

Cardigan, assis très raide, tint sa tasse de thé en équilibre dans sa main gauche, répondit avec le ton bafouilleur et grondeur qu'il affectait avec les jeunes officiers du régiment dont il avait acheté la charge de colonel et pour lequel il dépensait, disait-on, dix mille livres par an de sa propre fortune :

— Sale affaire. Traîner un gouverneur dans la boue comme ça. Il aurait dû fusiller non pas quatre cents de ces bougres de nègres, mais quatre mille. On envoie un homme au bout du monde pour gouverner, il faut bien qu'il gouverne, non ?

À la surprise de Pembroke, Croome souleva une objection. Non sur la question des exécutions mais sur l'expression « au bout du monde ».

— Je vous demande pardon, mylord, mais il y a cent ans les planteurs de sucre de la Jamaïque contrôlaient un tiers du Parlement, et ils ont fait passer d'excellentes lois.

— Des braves, m'a-t-on dit. Où ont-ils perdu leur courage pour laisser insulter ainsi leur magnifique gouverneur ?

Jason changea de sujet.

— Que ressent-on, mylord, quand on est le héros d'un poème que tout le monde cite, avec une telle admiration à la fois pour le poète et pour son sujet ?

Cardigan, approuvant à la fois l'idée et l'élégance avec laquelle elle était exprimée, s'inclina d'abord vers Tennyson puis vers Pembroke, et murmura à travers son impressionnante moustache :

— L'homme offre à l'artiste une matière sur laquelle travailler, et s'il est un génie il en fait quelque chose de bien, pas vrai Tennyson ?

Il donna au poète une claque sur le genou. Tennyson acquiesça.

— Progressons-nous dans notre lutte contre ceux qui veulent déchirer l'Empire ? demanda Cardigan.

— Nous avons mille hommes comme ces deux-là parfaitement d'accord avec nous, déclara Tennyson au guerrier vieillissant. Nous donnerons nos vies plutôt que de laisser insulter Eyre, car nous savons que nous nous battons pour l'âme et l'avenir de l'Angleterre.

— Bravo ! cria Cardigan en faisant claquer sa soucoupe et sa tasse sur la table. Il n'est pas question de laisser des athées comme Mill, ce quaker de Bright et cet hérétique de Darwin, corrompre notre gouvernement au-delà des mers. Par le diable, on aurait pu croire que la Révolte des Cipayes aurait servi de leçon. Laissez donc les petits nègres lever un seul doigt aujourd'hui, demain ils voudront gouverner le monde. On arrête ces bêtises-là par la force. La force, je dis.

Et son coup de poing fit cliqueter toutes les soucoupes. Tennyson enchaîna, d'une voix plus calme :

— Lord Cardigan a raison. Nous ne pouvons permettre aux classes inférieures de dicter leur volonté aux hommes désignés pour gouverner. Cela aboutirait au chaos. Nous devons maintenir la discipline sacrée qui a permis à Cardigan de conduire ses hommes sous la gueule des canons russes, et encouragé ceux-ci à le suivre. Quand l'esprit de noblesse se perd dans le monde, le monde est perdu.

— Toutes les nations, dans tous les temps, déclara Cardigan, doivent imposer des tâches aux hommes dignes de ce nom, puis soutenir ces hommes quand ils les accomplissent. Eyre ne sera pas persécuté tant que j'aurai un bras droit pour le défendre.

— On ne combat pas le feu avec le feu, Cardigan, répondit Tennyson d'un ton grave. On combat la déraison par la raison, en faisant appel aux qualités éternelles de patriotisme, de loyauté et d'amour de la reine. Un retour à la foi nous ferait le plus grand bien.

Cardigan fit de nouveau cliqueter sa soucoupe puis s'écria :

— Que pensez-vous de la proposition de Charles Kingsley ? Il suggère que nous demandions à la reine d'élever Eyre au rang de pair. Pourquoi ne pas faire de lui un comte ? Je serais fier de l'accueillir d'égal à égal. Très fier.

— N'allons pas trop vite, répondit Tennyson. Ne faisons rien qui provoque des questions ou nous place dans une position ridicule. Après tout, Eyre n'a guère, par sa naissance et sa vie privée, le droit d'aspirer à un titre. Le nommer comte ? Non. Trop tôt. Cela attirerait l'attention. Notre tâche consiste au contraire à éteindre les incendies.

Le reste de l'après-midi s'écoula en discussions sur les stratégies capables d'éviter au gouverneur Eyre les tribunaux et la prison, et, au cours de la conversation, Jason remarqua que la force agissante était bel et bien Tennyson. Ce poète presque efféminé montra à plusieurs reprises, sur des points difficiles, qu'il avait le courage de prendre des décisions et la valeur nécessaire pour les mettre à exécution.

— Il se considère comme un des preux chevaliers qui combattent dans ses ballades du passé, déclara Pembroke à son cousin. Un seul but, une seule voie — l'honneur — et un seul bras fort pour frapper au nom de la justice. Il va être redoutable, et il sauvera le gouverneur Eyre.

Ces rencontres fortuites avec Carlyle et Tennyson désorientèrent tellement Jason que pendant le trajet de retour à Cavendish Place, il écouta attentivement Oliver, qui était bien décidé à convaincre son cousin d'abandonner le camp des persécuteurs d'Eyre pour se rallier à la majorité des patriotes qui le défendraient.

— Jason, Eyre est l'un d'entre nous. Il représente tout ce qu'il y a de bien en Angleterre, tout ce qui est sûr et convenable : notre Église, notre reine... Comment peux-tu tourner le dos à toutes les valeurs défendues par les Pembroke au cours des siècles ? Eyre nous représente, il nous défend contre les hordes... et nous devons serrer les rangs autour de lui.

Le matraquage continua ainsi sans répit et Jason se trouva contraint de se demander s'il n'était pas mal venu de mettre au pilori un homme que tant de personnes raisonnables tenaient pour un courageux gouverneur injustement traité. Dans un effort pour se justifier, il demanda :

— Mais les atrocités pendant la loi martiale ? Tu as vu agir Ramsay. J'étais avec Hobbs. Ces hommes, qui se disaient des officiers, se sont conduits comme des bêtes.

— Jason, c'était la guerre. Des brutes noires contre tout ce qui nous est précieux. Je n'ai vu aucun excès. Un châtiment sévère pour des actes malfaisants. Rien d'autre.

— Tu manques de jugement si tu n'as vu aucun excès dans le comportement de Ramsay.

— Voyons, même si je te l'accordais, cela ne toucherait en rien le gouverneur. Il n'était pas là-bas. Il n'a pas approuvé leur comportement. Et il ne l'a sûrement pas ordonné.

— Que veux-tu dire ? Il n'était pas coupable ? Personnellement coupable ?

— Non ! Non ! Et il a mis fin à la loi martiale le plus tôt possible. Il n'est nullement coupable et tu dois rappeler tes chiens.

Au moment où Oliver prononçait cette phrase, ils arrivaient à Cavendish Square, et Jason dut avouer que l'argument de son cousin n'était pas sans valeur. Ils restèrent un moment sur la pelouse entre leurs maisons, et Oliver put assener la conclusion de son raisonnement :

— Quelques noirs ont été tués après l'assassinat des représentants de la reine. Voilà ce qui s'est passé, rien de plus. Demain, tu dois m'accompagner auprès de Tennyson et lui annoncer que tu te rallies à sa croisade pour sauver un innocent.

Jason, déconcerté, traversa sa demeure solitaire où les statues colossales se tordaient dans leurs souffrances de marbre. Il s'assit entre elles, vraiment perplexe. D'un côté le gouverneur Eyre était moralement responsable d'une terrible succession de crimes, mais d'un autre côté Oliver n'avait-il pas raison ? Eyre n'avait pas ordonné à Hobbs et à Ramsay d'accomplir les horreurs qu'ils avaient perpétrées, et il n'était pas présent sur les lieux.

— Aucun tribunal ne le condamnera, dit-il à Mars et à Vénus. Nos efforts pour le châtier seront vains.

Cette conclusion l'attrista à tel point qu'il quitta son hôtel particulier, siffla un fiacre et se rendit en toute hâte à la maison modeste où John Stuart Mill tenait son quartier général pendant la bataille. Il exprima aussitôt toutes ses craintes :

— Eyre ne peut pas être tenu personnellement responsable pour des actes qu'il n'a ni ordonnés ni contrôlés personnellement. J'ai bien peur que nos efforts demeurent infructueux.

Le puissant cerveau se conduisit comme toujours quand on plaçait devant lui un problème nouveau : il s'arrêta pour soupeser les faits impliqués.

— Mon ami Jason, quel événement a donc inspiré cette conclusion défaitiste ?

Il écouta Pembroke lui rapporter ses conversations avec Carlyle, Tennyson, le comte de Cardigan et son cousin Oliver Croome.

Au terme du long récit Mill garda le silence, les mains jointes devant sa poitrine, puis d'une voix ferme, sans trahir ni mêpris ni colère, il prononça son verdict mordant :

— Jason, vous savez d'après ce que vous avez lu et entendu dire de Thomas Carlyle qu'il possède un esprit perverti, sensible seulement au pouvoir et incapable de pitié, de distinction morale ou de respect pour les droits des opprimés. Aucun homme qui s'est permis, comme lui, de plaisanter au sujet de l'esclavage et de recommander son rétablissement ne saurait être un témoin crédible dans l'affaire du gouverneur Eyre. Pour Carlyle, les fautes les plus graves de cet homme deviennent des témoignages d'honneur, uniquement parce qu'il est intervenu pour la défense de ce que Carlyle appelle « l'obligation sacrée envers la loi et l'ordre ». Quelle loi? Quel ordre? Les siens ou ceux de l'humanité?

— Mais Tennyson s'est montré convaincant. Vous ne pouvez accuser ce poète immortel de convictions aussi basses.

— Dans cent ans, Jason, on découvrira Tennyson tel qu'il est en réalité : un vieux gâteux en pantoufles qui a joué le rôle de sycophante pour tout ce qui se trouvait au-dessus de lui sur l'échelle sociale. Sa poésie immortelle, comme vous dites, ne résistera pas aux railleries de tous ceux qui savent ce qu'est la vraie poésie : un cri du cœur humain. Mon père recommandait que les poètes soient bannis de la société parce qu'ils rendent agréables au goût les contre-vérités et les inconséquences, parce qu'ils trompent le public par leur esprit et leur manque de raison. Tennyson avec ses pâtes de guimauve symbolise parfaitement ce que mon père méprisait chez les poètes. Ne le prenez pas pour guide moral en cette année troublée où vont se décider tant de choses importantes.

— Le comte de Cardigan a exprimé à peu près le même avis que Tennyson : il faut louer Eyre et non le condamner.

En entendant Pembroke citer en référence ce héros au mérite douteux, Mill se pencha en arrière, leva le visage vers le plafond, ferma les yeux et réfléchit un instant.

— Comment pourrais-je m'exprimer pour rendre justice à la vérité et au débat actuel?... Je vais essayer.

Il ouvrit les yeux, se tourna face à Pembroke et dit calmement :

— Cardigan est un âne. A Balaklava, loin d'agir en héros il a démontré son ânerie, car il a sacrifié la Brigade légère à sa stupidité... Et il est le parfait exemple des insanités que débite Carlyle sur les héros et le culte du héros. En général, les héros ne sont que des contrefaçons et Cardigan plus que tout autre.

— Mais il s'est lancé lui-même à la tête de ses hommes, personne n'est plus brave que lui. Tennyson l'a confirmé.

— Jason, je vais vous faire le portrait de Cardigan en quelques phrases. D'une incroyable stupidité à l'école. N'a pu entrer dans un régiment qu'en achetant sa charge. Colonel, donc, mais sans le moindre talent militaire. Commandant ses officiers à la manière d'un tyran déraisonnable, et si mal que la plupart l'ont quitté. L'un de ses hommes, qui ne manquait pas d'esprit, a provoqué le vieil idiot en duel pour tenter de le supprimer. A Balaklava, avec son beau-frère le comte de Lucan, aussi stupide que lui, il a reçu ses ordres d'un incompétent notoire : lord Raglan. Il a confondu tout et les conséquences ont été un désastre. Ces trois misérables auraient dû passer en cour martiale et être fusillés; à la place, un poème ridicule a fait du pire des coupables un héros national. Jason, je vous en prie, ne prenez pas Cardigan pour modèle!

— Vous englobez tous les membres de l'autre camp dans le même mépris?

— Charles Kingsley voudrait que la reine fasse d'Eyre un comte, n'est-ce pas? Vous désirez vraiment que je vous donne mon avis sur lui? Je crois que même Caryle et Tennyson lui ont demandé de ne plus ouvrir la bouche — et ce n'était pas trop tôt.

— Mais enfin, Dickens...

— C'est un grand conteur que le temps ne traitera pas très bien. Il sait tirer les ficelles qui manipulent les cœurs mais il manque de profondeur.

Il porta le bout de ses doigts à sa lèvre inférieure, inclina la tête en un geste de désarroi puis leva les yeux avec un sourire triste.

— Notre pays n'est pas en de bonnes mains, ces temps-ci.

Jason ne répondit pas et Mill ajouta, d'une voix de plus en plus résolue :

— Mais nous luttons sur de nombreux champs de bataille, Jason. Nous perdons une escarmouche individuelle ici et là, mais à la longue nous gagnerons la guerre. Nous perdrons peut-être le combat pour livrer Eyre à la justice, mais chemin faisant nous éduquerons le peuple aux questions essentielles de la justice sociale, et ce sera dans notre guerre pour la réforme du Parlement que nous triompherons. Quand nous en aurons terminé, la Grande-Bretagne sera un plus beau pays.

— Donc, vous êtes prêt à renoncer en ce qui concerne le gouverneur Eyre ?

La réponse à cette question pénétrante survint d'une curieuse façon — non en paroles mais en acte : un messager du reste du Comité de la Jamaïque apporta sur ces entrefaites une surprenante nouvelle :

— Les magistrats de Market Drayton ont refusé d'inculper le gouverneur Eyre ! Il est libre !

Mill ne se leva pas de son siège, ne prononça pas un seul mot avant d'avoir sonné un domestique, à qui il donna ses instructions :

— Partez vite rassembler tous les autres.

Et en cette soirée de défaite, avec Bright à ses côtés et le soutien d'hommes puissants comme Huxley et Darwin, Mill révéla sa stratégie audacieuse :

— Quand les juridictions ordinaires refusent de statuer sur une affaire détestable, notamment en cas de meurtre, le droit anglais permet à tout citoyen outragé par cette décision de porter plainte à son tour, et les tribunaux sont alors contraints de juger. Demain je déposerai une accusation formelle de meurtre contre le gouverneur Eyre et je demanderai à Jason Pembroke de m'accompagner pour établir un lien avec la Jamaïque.

Plusieurs membres jugèrent cette décision trop radicale et vouée sans doute à l'échec. Ils préférèrent se désolidariser de la tentative ; mais la détermination glacée de Mill emporta l'adhésion de Jason et de la majorité. Le lendemain matin, Mill se rendit auprès des autorités judiciaires et entreprit les premières démarches pour déposer une accusation de meurtre contre le gouverneur. Aussitôt, la Grande-Bretagne tout entière se trouva impliquée dans le débat.

Cela dégénéra en une lutte féroce. Carlyle lança les bombes incendiaires de sa prose ampoulée à la face de tous ceux qui s'élevaient en paroles ou en actes contre son héros, et Mill, pareil à un bouledogue obstiné tirant sur sa chaîne, mit en fureur la partie de la population d'opinion modérée qui voyait d'un mauvais œil toute attaque contre « un brave homme qui faisait simplement son devoir ». Jason accepta de s'occuper du torrent de lettres qui se déversa sur Mill, et en ouvrit chaque semaine des quantités promettant de « vous chasser du Parlement à la prochaine élection », ainsi que deux ou trois dont les auteurs anonymes menaçaient d'assassiner l'austère philosophe.

Un soir où il rentrait à Cavendish Square à pas lents, il songea : « J'ai vu trois hommes excellents pris au piège de leur monomanie comme un pécari de la jungle sud-américaine étouffé par un python.

Eyre était si décidé à châtier Gordon que son jugement en a été troublé. Le désir de faire passer Eyre pour un héros et de le protéger contre toute accusation a rendu Carlyle presque fou. Et Mill, en dépit de sa froideur, se considère comme un ange vengeur... » Puis Jason éclata de rire : « Quant aux fanatiques de l'Église anglicane, ils jugent toute l'affaire comme un juste châtiment pour les dissidents baptistes ! Le monde est fou ! »

En arrivant sur le seuil de sa demeure, il se retourna vers l'autre hôtel particulier jamaïcain et ressentit douloureusement la faille que cette affaire avait ouverte au sein même des familles. « Oliver et Nell restent seuls dans leur salon, Beth et moi dans le nôtre, c'est inadmissible. » Malgré l'heure tardive, il résolut d'en parler avec son cousin. Il traversa rapidement la place et frappa à la porte d'Oliver. Une lumière apparut, et le valet de pied demanda d'un ton endormi :

— Que se passe-t-il ?

Jason l'écarta d'un geste et monta l'escalier quatre à quatre. Il trouva Oliver et Nell dans leur chambre, fatigués par une journée d'allées et venues dans Londres à organiser la campagne en faveur d'Eyre.

— Jason ! s'écria Oliver, stupéfait par cette apparition soudaine. Que viens-tu faire ici ?

— Mon comité va traîner le gouverneur Eyre devant les tribunaux... En l'accusant de meurtre.

— Bon Dieu ! s'écria Oliver en sautant du lit comme un ressort qui se détend. C'est affreux. Tes amis ont perdu l'esprit ? Ne voient-ils donc pas que toute l'Angleterre est contre eux ?

— Pour Mill, cela ne signifie rien. Il en fait une question de principe.

— Dans ce cas, qu'il écrive un livre, mais qu'il ne détruise pas un homme de valeur.

Oliver prit son cousin par le bras et lui dit avec une grande ferveur :

— Eyre est un homme bon, Jason. Peut-être s'est-il fourvoyé sur des détails, mais c'est un homme excellent.

— Je commence à m'en rendre compte. Mill m'a forcé la main quand j'ai déposé la plainte, mais je refuserai de témoigner contre le gouverneur. Tu peux le lui dire.

— Tu le lui diras toi-même.

Il demanda à Nell de lui apporter son pantalon, et il descendit sur la place avec son cousin. Il attendit pendant que Jason prévenait Beth qu'il en avait encore pour un moment.

— Mais pour quoi faire ? voulut-elle savoir.

Il l'embrassa.

— C'est important. Une erreur à corriger.

Il se hâta de monter dans le fiacre que son cousin avait fait attendre. Dans la nuit de Londres, ils se rendirent à la maison modeste où Eyre s'était installé en quittant son refuge de Market Drayton. Les deux cousins le réveillèrent et il descendit en chemise de nuit écouter les explications de Jason.

— J'ai soutenu Mill et ses hommes parce que j'ai senti, comme je vous l'ai fait observer à Kingston, que vous persécutiez Gordon seulement pour des raisons personnelles. On vous l'a reproché de toute part. Mais je ne peux pas supporter de voir un haut fonctionnaire loyal accusé de meurtre à cause d'atrocités commises par des subordonnés à moitié fous, atrocités dans lesquelles il n'était nullement impliqué.

Le héros des explorations australiennes, dont la vie se trouvait ruinée bien qu'il n'ait guère plus de cinquante ans, s'inclina avec déférence vers le jeune homme qui s'était rangé dans le camp de ses ennemis. Ses cheveux étaient encore très noirs mais des filets blancs apparaissaient dans sa barbe fournie, et son regard naguère farouche avait perdu beaucoup de son ardeur.

— Merci, Pembroke, pour votre noble appui. Je passerai en justice et je justifierai mes motifs. Mais je peux vous assurer ceci : jamais je n'ai douté du peuple anglais et de ses remarquables tribunaux. Je sais qu'au bout du compte ils reconnaîtront que, confronté à une crise douloureuse, je l'ai résolue au mieux de mes possibilités. Est-ce que je regrette les cruautés perpétrées par d'autres pendant ma proclamation de la loi martiale ? Bien entendu. Mais est-ce que je regrette un seul de mes actes personnels pour sauver la Jamaïque au sein de l'Empire ? Jamais. Jamais.

Il remercia Croome de lui avoir apporté la nouvelle, s'inclina gravement vers Pembroke et retourna au lit.

Mill alla jusqu'au bout et à la suite des pressions qu'il exerça, un tribunal de Londres inculpa Eyre de meurtre — un frisson passa dans toute la population. Le nombre de menaces de mort lancées contre Mill tripla, mais avant que l'affaire passe en jugement, les magistrats décidèrent en consultation privée de rejeter comme invalides les accusations contre Eyre en s'appuyant sur un précédent : une affaire semblable impliquant des officiers de l'armée associés aux cours martiales jamaïcaines avait été jugée irrecevable. On libéra donc Eyre et toute accusation fut abandonnée, à la plus grande joie des foules qui s'étaient ralliées pour sa défense. Par deux fois Mill avait essayé d'envoyer Eyre en prison, et par deux fois il avait échoué.

Quand Jason se rendit auprès de Mill pour lui apporter la mauvaise nouvelle, il vit le grand philosophe à la fois sous son meilleur et sous son plus mauvais jour. En apprenant qu'il avait de nouveau perdu, Mill ne fit preuve ni de rage ni de déception passive.

— Les tribunaux ont parlé et nous devons tous nous incliner, dit-il.

Puis son front s'assombrit et ses poings se serrèrent.

— Ces tribunaux-là ont parlé. Mais il y en a d'autres et nous le traînerons devant eux.

— Oh, monsieur ! Vous n'allez pas recommencer...

— J'ai résolu qu'Eyre serait puni, humilié en public pour le tort immense qu'il a fait au concept de gouvernement colonial équitable.

Tel un bouledogue rongeant un os, il prit aussitôt des mesures pour traîner Eyre devant une autre juridiction, en portant contre lui une série d'accusations entièrement nouvelles. A regret, le tribunal ordonna à Eyre de se présenter devant la justice une fois de plus, sous ces inculpations. On fixa une date pour la première audience : le 2 juin 1868, presque trois ans après les émeutes et les cours martiales. Un avocat de la défense, en termes passionnés, demanda aux membres du grand jury préliminaire de « se mettre à la place d'Eyre » et de réfléchir aux mesures que devait prendre pour sauver son île, son Empire et l'honneur de sa reine, un homme confronté à une rébellion sauvage. Le public de la salle d'audience applaudit et le lendemain matin le jury annonça qu'aucune accusation n'était retenue. Enfin, Eyre se trouvait vraiment libre, et lors de l'élection suivante, John Stuart Mill perdit son siège au Parlement.

Il ne se lamenta pas sur sa défaite. En apprenant que son jeune partisan Jason Pembroke et son épouse repartaient à la Jamaïque, il s'arrêta devant leur hôtel particulier pour leur faire ses adieux. Dans la salle de réception où les Pembroke de 1760 avaient contribué à faire passer les lois déterminantes pour l'avenir de la Grande-Bretagne, il lança un regard ironique aux immenses statues et dit :

— Jason, nous avons perdu toutes les batailles. Nous avons laissé un criminel échapper sans châtiment à notre filet. Je vais sans doute perdre mon siège au Parlement, alors que Carlyle, Tennyson et Cardigan triomphent. Vous-même repartez à la Jamaïque sans avoir rien accompli, en tout cas aux yeux du public. Mais en réalité, mon jeune ami, nous avons remporté une éclatante victoire. A l'avenir, les gouverneurs coloniaux qui se prennent pour des soldats de plomb y regarderont à deux fois avant de soumettre leur île à la loi martiale et de permettre à leurs subordonnés de terroriser des gens parce que leur peau est plus sombre. La réforme du Parlement a été votée. Grâce à nos efforts, la Grande-Bretagne sera un pays meilleur.

Il toucha du bout de sa canne la silhouette torturée de Mars en train de se débattre contre Vénus, et il avoua :

— Si le jury avait reconnu Eyre coupable de meurtre, comme il l'aurait dû, j'aurais été le premier à réclamer la clémence et un pardon sans réserve. Ce qui comptait c'était l'idée : établir un principe.

Jason, ne sachant trop que penser de tout ce dont il avait été le témoin au cours de ces trois années, demanda :

— Professeur Mill, à propos d'un mot intéressant que vous avez utilisé... Ne croyez-vous pas que traquer ainsi le gouverneur Eyre était un exemple de monomanie ?

Mill sentit la pertinence de la question, et laissa un sourire adoucir son expression glacée.

— Quand les autres le font, nous l'appelons monomanie. Quand il s'agit de moi, nous disons qu'il s'agit d'une adhésion inébranlable à un principe.

En se levant pour repartir, il donna un coup de canne à l'une des colossales statues et lança d'un ton bourru :

— Débarrassez votre maison de ces monstruosités, Jason. Laissez ces images démodées à Tennyson et à Carlyle.

Jason suivit son avis. Le dernier jour de son séjour à Londres, des tailleurs de pierre découpèrent les statues, les traînèrent dehors, puis les portèrent dans un parc à l'entrée d'un zoo.

Le dernier mot sur ces heures mouvementées ? Si on avait pu le prévoir, on aurait épargné à la Jamaïque bien des souffrances et à la Grande-Bretagne l'amertume d'un débat enflammé. Peu après les troubles de Saint-Thomas-dans-l'Est, le colonel Hobbs, ce monstre ricanant que Jason Pembroke avait vu à l'œuvre, et l'inspecteur de police Ramsay, dont Croome avait approuvé le comportement sauvage, se suicidèrent l'un et l'autre : le premier d'une balle dans la tête, le second en sautant d'un vapeur en plein océan. Des experts médicaux plus ou moins compétents « établirent » que ces deux hommes étaient déjà fous quand ils avaient accompli leurs atrocités mais que personne ne l'avait remarqué — pour une raison très simple : quand règne la loi martiale, la folie devient la norme.

12

Lettres d'introduction

All Saints, 1938

Le 8 janvier 1938, Dan Gross, rédacteur en chef du *Detroit Chronicle*, remarqua sur le télétype de l'Associated Press une dépêche, sans intérêt pour la majorité des journalistes américains, mais qui excita tout de suite son intérêt car elle tombait comme une pièce manquante, longtemps recherchée, de l'un de ses puzzles.

Le *Chronicle* était confronté à un problème unique. À cause des tours et des détours que fait la frontière séparant le Canada des États-Unis au milieu du système des Grands Lacs, le Canada s'enfonce à cet endroit profondément dans les États-Unis. Les habitants de Detroit appelaient l'importante ville canadienne de Windsor « notre banlieue sud » et les journaux de Detroit, largement diffusés à Windsor, essayaient toujours de publier des articles intéressants pour leurs lecteurs canadiens.

La dépêche qui attira l'attention de Gross disait ceci :

> *Aujourd'hui, le roi d'Angleterre a nommé l'ancien capitaine de l'équipe nationale de cricket, le célèbre lord Basil Wrentham, gouverneur général de l'île d'All Saints* dans les Îles-au-vent des Indes occidentales. On s'attend à ce que cette nomination soit bien accueillie à All Saints car lord Wrentham se trouvait à la tête de la première équipe anglaise de cricket qui ait jamais joué dans l'île. L'élégance avec laquelle il avait alors accepté l'unique défaite de sa remarquable équipe dans les Indes occidentales lui avait valu la sympathie générale. L'Angleterre avait finalement gagné par trois matchs contre un, mais la stupéfiante victoire des îliens demeure à All Saints un événement historique. Le nouveau gouverneur général prêtera serment le 10 février 1938.*

Gross dégagea la dépêche et se dirigea vers la petite bibliothèque où il rangeait ses livres de référence : un dictionnaire analogique, deux gros atlas, un dictionnaire français pour les questions liées au Canada et un ouvrage fort précieux sous une couverture déchirée et tachée de graisse, le *Manuel d'Histoire Universelle* de Ploetz. Il ouvrit le volume à

* L'île d'All Saints est entièrement imaginaire.

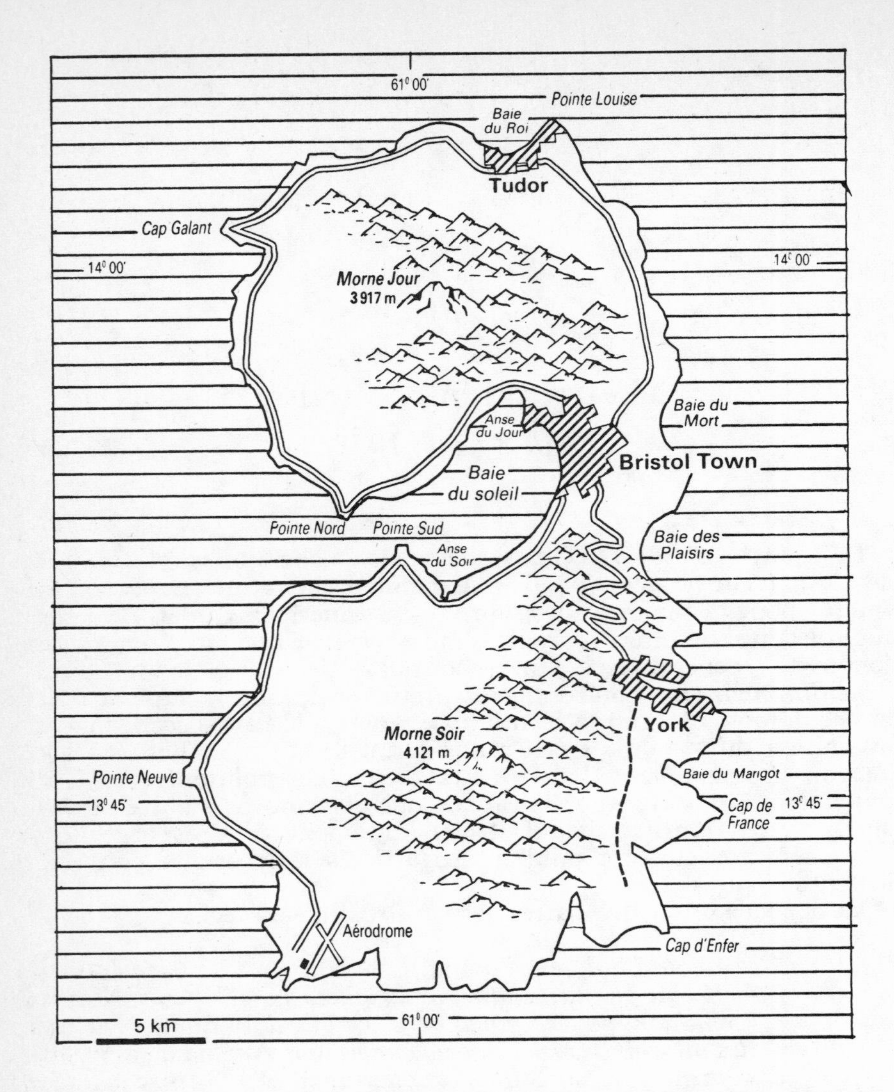

l'index et y trouva confirmation des souvenirs qu'avait éveillés la lecture de la dépêche. Au traité de Paris de 1763, qui avait mis fin à la guerre appelée en Europe guerre de Sept Ans, et en Amérique du Nord guerre franco-indienne, les grandes puissances s'étaient posé très sérieusement la plus incroyable des questions : « La Grande-Bretagne devait-elle s'approprier l'ensemble du Canada ou la petite île caraïbe d'All Saints ? » Telle était la réalité historique, mais quel parti Gross pourrait-il en tirer pour son journal ?

Il avait dans son équipe un jeune reporter sérieux du nom de Millard McKay, qui venait de terminer ses études à l'École de journalisme de l'université de Columbia et faisait preuve d'un solide talent malgré un certain manque d'imagination. Depuis son arrivée au journal il ne cessait de progresser et Gross jugeait qu'avec le temps il deviendrait l'un des piliers du *Chronicle*, un homme sur lequel on pourrait compter pour couvrir n'importe quel sujet.

Après l'avoir observé un an, Gross s'était aperçu que McKay avait un défaut fréquent chez les jeunes gens amis des livres et qui avaient fait leurs études dans les universités de la Côte Est : il regrettait de n'être pas né anglais, de ne pas fréquenter les théâtres londoniens et de ne pas posséder une maison dans la campagne décrite par Thomas Hardy, ou peut-être dans la région des Lacs chère aux poètes. Il n'avait pas encore eu les moyens de se rendre en Angleterre, mais il avait pris auprès de ses professeurs une pointe d'accent d'Oxford et il s'insurgeait violemment dès qu'on le soupçonnait d'être irlandais.

— Non ! se récriait-il. En fait je suis anglais. Ma mère s'appelle Cottsfield.

Pour débuter à Detroit, il avait envisagé de changer son nom en Malcolm Cottsfield, qu'il jugeait plus aristocratique et anglais, mais les formalités semblaient si compliquées et onéreuses qu'il avait dû y renoncer.

— Comment vous est née cette passion pour tout ce qui est anglais ? lui avait demandé Gross un jour.

McKay lui avait fait un invraisemblable récit :

— J'ai été élevé dans un village de trois cents habitants dans les Pines Barrens, au sud du New Jersey. Vraiment le bled. J'ai obtenu une bourse pour la Rutgers University et je suis tombé sous le charme d'un professeur qui avait bénéficié d'une bourse Cecil Rhodes pour faire ses études à Oxford. Il ne vivait que pour l'Angleterre et serait mort pour elle. Il nous faisait écrire des dissertations sur tous les aspects de la vie anglaise, en lançant les sujets au hasard. Un trimestre, j'ai eu : « Le fonctionnement du Parlement anglais »; le suivant : « Six romanciers anglais de Thomas Hardy à Graham Greene »; et pour le troisième cours, croyez-le ou non, j'ai rédigé une dissertation sur : « Les championnats régionaux de cricket. » Quand on étudie de cette façon-là, on apprend quelque chose.

— Mr. Gross veut vous voir, lui lança le grouillot.

McKay se demanda aussitôt quelle erreur il avait pu commettre. Mais le rapide inventaire de ses articles récents le rassura. Il entra dans le bureau du rédacteur en chef avec une confiance mitigée et se retrouva aussitôt le communiqué arraché au télétype entre les mains.

— Vous qui vous passionnez pour l'histoire d'Angleterre, dit Gross, vous avez une idée là-dessus ?

Millard étudia les éléments du communiqué et n'y trouva rien qu'il pût associer à ses vastes connaissances de l'histoire et des mœurs anglaises. Le nom de Wrentham ne suscita aucun écho, et il ne voyait pas l'importance que pouvait prendre le cricket dans ces circonstances.

— La question m'échappe, répondit-il.

— Je ne m'attends pas à ce que vous compreniez mieux la suivante, mais la date à laquelle Wrentham doit arriver à All Saints, le 10 février, évoque-t-elle quelque chose pour vous ?

— Absolument rien.

— Et le traité de Paris ?

— Mr. Gross, vous me parlez par énigmes.

— Je le sais bien, répondit Gross en riant. Mais cherchez donc traité de Paris, 1763, ajouta-t-il en tendant à son journaliste le manuel de Ploetz.

Millard lut aussitôt le texte surprenant sur le traité complexe qui avait mis fin aux longues guerres d'Europe et aux conflits moins importants dans les Caraïbes. La France confirmait qu'elle se proposait déjà de céder la Louisiane à l'Espagne, l'Angleterre laissait la Guadeloupe et la Martinique à la France, l'Espagne la Floride à l'Angleterre. Puis venaient les phrases qui avaient enflammé l'imagination de Gross : « La France et l'Angleterre désiraient toutes les deux l'île stratégique d'All Saints dans les Caraïbes, mais ni l'une ni l'autre ne voulait du Canada. Les amiraux anglais considéraient que la flotte ne pouvait se passer de cette île vitale, clé de la mer des Caraïbes et de l'Amérique du Sud. Par contre l'abandon aux Français d'étendues glaciales et sauvages comme le Canada n'était en rien une perte à leurs yeux. Ils ne purent cependant imposer leur avis. La Grande-Bretagne obtint le Canada et la France All Saints que la Grande-Bretagne allait lui reprendre à la première occasion. Si bien que la France se trouva abusée sur tous les plans. »

— Je ne le savais pas ! s'écria Millard. Tout le Canada en échange d'une petite île !

— Et remarquez la date : 10 février 1763. Lord Je-ne-sais-qui va prendre le pouvoir à All Saints à l'occasion de cet anniversaire.

— Vous voulez que je rédige un article là-dessus, pour nos lecteurs canadiens ?

— Non. Mieux que cela. Je veux faire les choses bien. Je vais vous envoyer à All Saints. Vous ferez le tour de l'endroit et vous composerez un grand article de fond, peut-être une série. Une comparaison entre All Saints et le Canada aujourd'hui. Pour donner à vos amis canadiens l'occasion d'un gros rire.

Il prit un livre dans sa bibliothèque.

— Oui... Tout est là. Superficie... Canada : 10 108 622 km^2 ; All Saints : 775 km^2. Population... Canada : 11 120 000 ; All Saints : 29 779. Gardez ces chiffres en tête et sortez-nous une belle histoire.

Il s'arrêta brusquement, se pencha sur son bureau et demanda :

— Vous connaissez le Canada, n'est-ce pas ?

— Oui, monsieur. Je suis allé à Calgary pour la Stampede. Et de Winnipeg à la Nouvelle-Écosse, je connais assez bien.

— Parfait. En route. Prenez le train pour Miami ce soir, et vous aurez peut-être une semaine et demie avant que Son Excellence arrive dans l'île. Restez aussi longtemps que nécessaire, mais il s'agit d'un voyage professionnel, pas de congés payés.

En quittant le bureau de Mr. Gross, McKay se dirigea aussitôt vers la bibliothèque du *Chronicle,* où il demanda le *Burke's Peerage.* Il y découvrit que les Wrentham avaient accédé à l'aristocratie au milieu du XVIIe siècle : un membre de la famille résidant à la Barbade avait été fait chevalier avec le titre de sir Geoffrey pour avoir défendu les prérogatives royales du roi Charles contre les partisans extrémistes d'Oliver Cromwell. Quelques années plus tard, il avait été élevé à la pairie à la suite d'une audacieuse expédition avec un mauvais bateau et soixante et un Anglais sous ses ordres. Ils avaient débarqué sur la côte occidentale, sauvage, battue par les vents, de l'île d'All Saints, alors aux mains des Français. En une campagne héroïque, sir Geoffrey avait conduit ses hommes à travers les montagnes pour redescendre vers la baie où les Français avaient fondé une ville. Wrentham tomba sur les Français par surprise et les chassa vers les promontoires de l'ouest, d'où ils évacuèrent l'île.

Le troisième lord Wrentham avait quitté les Caraïbes pour rentrer en Angleterre où ses exploits au service de la Couronne lui avaient valu le titre de comte de Gore, qu'avaient porté successivement ses sept héritiers.

Les comtes de Gore n'avaient rien accompli de méritoire en dehors de l'exploitation de leurs énormes plantations de canne à sucre à la Barbade et à All Saints. Propriétaires toujours absents, ils avaient accumulé de vastes fortunes qu'ils dépensaient à Londres de la façon la plus ostentatoire. Un de leurs petits-fils, Alistair Wrentham, était revenu aux Caraïbes comme premier lieutenant à bord de l'*H.M.S. Boreas* avec le grand Horatio Nelson et se trouvait aux côtés de l'amiral à Trafalgar. En récompense de son héroïsme, il avait reçu le titre d'amiral de la flotte des Caraïbes. À ce poste, il avait remporté plusieurs victoires retentissantes sur les Français.

McKay, sensible aux règles complexes qui président aux relations de l'aristocratie anglaise, apprit dans le *Burke's* que tout comte de Gore portait également le titre subsidiaire de lord Wrentham. Il réfléchit un instant. « Le communiqué précisait : lord Basil Wrentham. Chaque fois qu'on cite le prénom, cela signifie que la personne n'a pas hérité du titre. Ce doit être un fils cadet appelé lord par politesse. Le titre disparaît à sa mort. Lord Basil ne pourra devenir comte de Gore qu'à la mort de son frère aîné. Quand même..., ce doit être bien agréable d'être un lord. »

Au cours de ses recherches, il découvrit une histoire intéressante sur l'origine du nom d'All Saints et se proposa de l'utiliser dans son premier article.

> *Comme Colomb a connu des journées difficiles lors de son voyage de 1492, avec seulement trois petits bateaux, on suppose souvent aujourd'hui qu'il a rencontré les mêmes difficultés au cours de ses voyages ultérieurs. Pas du tout ! Lors de son deuxième voyage, en 1493, il se trouvait à la tête d'une véritable flottille de dix-sept bâtiments, dont certains fort grands. La première traversée avait pris, des Canaries, cinq longues semaines et deux jours, mais elle se déroula cette fois-là en seulement trois semaines, sans aucun problème.*
>
> *Un des bateaux battit même ce remarquable record. Une grande caravelle neuve, baptisée* Todos Los Santos, *avait pour navigateur un prêtre italien érudit répondant au nom de fra Benedetto. Il était tellement compétent en matière de vents et de courants qu'il persuada son capitaine de suivre une route plus au sud que celle choisie par le gros de la flotte.*
>
> *Colomb et ses seize bateaux passèrent entre les petites îles de l'Est et entrèrent dans la mer des Caraïbes le 3 novembre 1493, mais le* Todos Los Santos *était arrivé quelque part dans le sud deux jours plus tôt, puis avait rejoint Colomb vers le nord. Pendant la dernière semaine d'octobre, fra Benedetto n'avait cessé de se dire : « Ne serait-ce pas la preuve de la faveur de Dieu, si le bateau* Todos Los Santos *tombait sur une île inconnue le jour même de Todos Los Santos, le 1er novembre ? »*
>
> *Les calculs de fra Benedetto le convainquirent que le jour de Toussaint la terre serait proche. Il fit poster des vigies, mais toute la journée et toute la soirée s'écoulèrent sans que l'on*

aperçoive une île. Peu avant minuit, fra Benedetto renversa le sablier pour rajouter un peu de sable dans la partie supérieure et obtenir de cette manière un peu plus de temps pour découvrir quelque terre avant la fin du jour de Toussaint. Il monta aussitôt sur le pont, impatient, et quinze minutes après le début de son heure « volée », un mousse à l'avant repéra ce qu'il prit pour un scintillement de lumière. On alerta l'équipage. La lune sortit de derrière un nuage et révéla les deux sommets majestueux que les habitants de l'île appelleraient plus tard le morne Jour et le morne Soir.

« Nous avons trouvé notre nouvelle île! cria fra Benedetto en dansant sur le pont. Et elle s'appellera Todos Los Santos. »

Au début du XVIe siècle, les Espagnols firent quatre timides tentatives pour arracher l'île aux féroces Caraïbes, mais furent honteusement repoussés à la mer par ces redoutables guerriers. Ensuite, les Anglais s'y risquèrent par deux fois, sans meilleurs résultats. Enfin, en 1671, ils réussirent — mais se firent chasser promptement par les Français. Au cours des quatre cent soixante-quatorze ans qui suivirent cette île manifestement désirable changea de mains dix-huit fois : Caraïbes, Espagnols, Français, Anglais et Hollandais se la disputèrent. Treize fois, le changement fut le résultat de campagnes militaires : les Anglais essayèrent de déloger les Français; les Hollandais de faire sauter les Anglais; les Caraïbes de chasser les Hollandais. Les Français exercèrent une autorité reconnue et durable, qui fit de Todos Los Santos une île française. Cinq changements furent la conséquence non pas d'actions dans les Caraïbes mais de traités conclus en Europe, où l'on disposait des îles comme de pions sur un échiquier. All Saints figura dans onze de ces traités, et plus d'un diplomate et d'un historien a pensé et pense encore que les dernière mesures prises — l'île est britannique depuis 1814 — constituaient une aberration. All Saints devrait être française.

Dans un petit ouvrage qu'il trouva à la dernière minute, Millard découvrit le fait le plus surprenant : « En dépit de tous ces divers changements d'allégeance, une branche mineure de la famille Wrentham demeura obstinément à All Saints et certains de ses membres eurent la peau de plus en plus sombre à chaque génération à la suite d'alliances de leurs parents avec des esclaves noires. Mais quelle que soit la couleur de leur peau, ils sont tous des parents éloignés du comte de Gore. »

Avant de filer chez lui pour faire sa valise, McKay démontra qu'en dépit de sa jeunesse il était fort prudent, car il retourna dans le bureau de Mr. Gross pour lui soumettre un problème.

— Monsieur, c'est une colonie anglaise, et mes professeurs d'Oxford m'ont inculqué un grand principe : « Ne débarquez jamais dans un groupe social anglais sans l'appui de lettres d'introduction qui précisent qui vous êtes et attestent de vos bonnes mœurs. » Pouvez-vous, je vous prie, me fournir ces lettres ?

— Pas question! D'abord c'est une colonie britannique et non anglaise. Et puis vous connaissez notre principe. Nous ne nous abaissons devant personne et ne sollicitons aucun privilège. Vous arriverez à All Saints comme un touriste ordinaire. Et vous verrez les choses d'un œil neuf, sans parti pris.

— Je sais évidemment que depuis 1603 il faut dire normalement

Grande-Bretagne, mais anglais sonne mieux, et je sais aussi que dans une colonie anglaise, des lettres d'intro...
— Non ! Vous ferez les choses à *notre* manière.

McKay arriva à All Saints, dans le plus beau décor de la mer des Caraïbes, par une matinée ensoleillée. De la proue du bateau il vit apparaître les deux splendides montagnes.
— Le morne Jour au nord, lui expliqua un compagnon de voyage, et le morne Soir au sud.
— Je ne connais pas le mot morne, avoua Millard.
— Probablement l'équivalent de montagne. Tous les noms de lieux dans l'île sont en français.
— Je m'en doutais, puisque l'île est restée plus longtemps française qu'anglaise.
Le voyageur, un Anglais, n'apprécia pas cette dernière remarque et prit congé de McKay. Celui-ci était seul quand le bateau passa entre les deux bastions de roches qui gardent l'entrée de la baie du Soleil. Mais McKay l'entendit montrer à un autre passager les beautés de cette arrivée :
— Les pointes Nord et Sud, dit-il en prononçant le français avec aisance.
L'accès à cette île tropicale était en effet étonnant, car les deux rochers protecteurs étaient disposés de telle sorte que de nulle part on ne voyait la mer derrière eux.
— Nous sommes dans la baie du Soleil, *the Bay of the Sun*, exulta le passager non loin. Et regardez-moi ce soleil !
Juste en face, au fond de la baie, perchée sur une hauteur qui lui assurait un panorama splendide, se trouvait la ville coloniale de Bristol Town, ensemble de maisons blanches, grises et ocre, de deux ou trois niveaux.
— Quelle harmonie ! s'écria McKay.
Mais l'Anglais ne l'entendit pas car ses yeux s'étaient fixés sur un bâtiment majestueux au sommet d'une petite colline derrière la ville. Protégée par de grands arbres, la grande bâtisse semblait fraîche, distante et paisiblement efficace.
— Government House, dit l'homme en se tournant vers McKay, et son ton déférent évoquait la grandeur de l'Empire britannique. Bristol Town est peut-être l'une des plus petites capitales de l'Empire, mais elle laisse des souvenirs impérissables.
La fermeté de ces paroles impliquait une mise en garde : « Les noms des lieux et la culture des habitants sont peut-être français, mais le gouvernement est britannique... et ne l'oubliez jamais. »
Les quais de Bristol étaient animés, avec des dizaines de dockers noirs se déplaçant d'un pas lent et régulier pour décharger le bateau et déposer les bagages des passagers à terre.
— Hep, là-bas ! cria McKay à l'un des porteurs qui s'éloignait avec deux valises. Elles sont à moi !
— Je sais, Mr. McKay. Nous vous attendions.
Et Millard remarqua que l'homme portait un macaron du *Belgrave Hotel.*
— Suivez-moi.
Avec une assurance déconcertante, il plongea au milieu de la

circulation envahissant les quais. Il se dirigeait vers un immeuble branlant à deux étages, protégé par des vérandas à chaque niveau, et comme ces vérandas tenaient en place sur de minces colonnes de bois, il émanait de l'hôtel une élégance de conte de fées malgré son côté vaguement miteux. « On peut tomber amoureux d'un endroit pareil », se dit Millard.

Mais au moment d'entrer dans l'intérieur sombre, McKay se tourna brusquement vers le porteur :

— Puis-je remplir les formalités plus tard ? Rangez donc mes bagages dans un coin. J'ai envie de faire le tour de la ville tout de suite.

Presque comme s'il s'attendait à ces paroles, le porteur répondit :

— Je m'occupe de tout. Attendez-moi ici.

A son retour, il prit Millard par le bras et l'entraîna vers la rue principale.

— Suivez-moi, je vais vous montrer le meilleur de Bristol Town.

Il conduisit McKay vers une maison banale, d'un seul niveau, qui aurait pu abriter un restaurant bon marché mais qui s'avéra un bar sympathique, appelé *Waterloo,* avec une demi-douzaine de tables à l'ancienne, à pied de fonte, où les clients prenaient paresseusement leur café du matin. Le patron, souriant derrière le zinc, était manifestement un mulâtre, mais pas particulièrement sombre. La moitié de la clientèle était métisse mais plus claire que lui, et l'autre moitié remarquablement plus sombre. Les deux garçons, très noirs, ne trahissaient pas une goutte de sang blanc. McKay était le seul blanc. Étonnante assemblée, réunie par hasard — et une introduction instructive à une île où la couleur de la peau jouait un rôle essentiel.

Le patron, un aimable costaud dans la quarantaine, fit un clin d'œil au porteur de McKay, pour lui signifier : « Tu m'amènes un client, tu auras un pourboire. » Le porteur donna un coup de coude à McKay.

— Le *Waterloo* lui appartient. C'est un brave type. Il s'appelle Bart Wrentham, mais on l'appelle Black Bart, comme le célèbre pirate.

Il s'en fut avec un large sourire après s'être assuré que le patron se souviendrait bien de lui, pour le pourboire.

— Et vous vous appelez comment ? demanda Black Bart Wrentham avec la familiarité spontanée d'un patron de café.

McKay se présenta puis ajouta, pour que nul ne se méprenne sur ses intentions :

— Journaliste. Detroit.

A ces mots, Wrentham se fit encore plus sympathique, car la mention de son nom dans un journal américain ne pouvait lui faire que du bien. McKay passa du statut de touriste ordinaire à celui de visiteur important à qui il convenait de présenter l'île dans toute sa gloire. Au demeurant, cet homme de couleur, dont les ancêtres avaient vécu dans l'île pendant près de trois cents ans, avait des opinions bien arrêtées qu'il désirait faire comprendre à un journaliste américain. Il se rapprocha de l'endroit où McKay se tenait, se pencha lourdement sur le bar et dit en bel anglais, avec l'accent légèrement chantant des îles :

— Tout nouveau venu qu'Hippolyte amène dans mon établissement a droit à un « bouquet tropical ».

McKay fut enchanté par l'apéritif gratuit — une boisson au rhum décorée par trois fleurs des îles et un quart de tranche d'ananas —, par l'atmosphère de l'endroit et la découverte surprenante que le patron portait le même nom que le futur gouverneur général.

— Vous avez un nom remarquable, le même que le nouveau grand chef.
— La branche anglaise de la famille est venue ici en...
— Je sais, coupa McKay.
Et ce fut l'interruption la plus efficace de toute sa carrière de journaliste !
— Vos ancêtres sont arrivés de la Barbade en 1662 avec sir Geoffrey Wrentham.
Il sourit à l'homme, bouche bée devant cet Américain qui avait fait à All Saints l'honneur d'étudier son histoire. Il frappa le zinc d'une claque retentissante et cria à un des garçons :
— Un autre bouquet tropical gratuit pour cet Américain qui en sait long ! Mais sans ananas, ils sont trop chers en ce moment.
Surtout, il fit le tour du bar pour entraîner McKay et son deuxième breuvage vers une table.
— Alors dites-moi, murmura-t-il d'un ton de conspirateur en prenant une chaise à côté de McKay, vous êtes venu ici pour quoi ?...
McKay esquiva la question en prenant une longue lampée.
— Vous faites de bons cocktails.
— On essaie, dit Wrentham en se rapprochant du journaliste pour le regarder dans les yeux. Eh bien, répondez à ma question.
Ses paroles constituaient une sorte de défi. Millard se pencha en arrière, fit tourner son verre entre ses doigts et opta pour la prudence
— Je travaille pour le *Chronicle*, un des meilleurs journaux du Midwest. Un grand nombre de lecteurs au Canada.
Il porta le verre à ses lèvres pour laisser à Black Bart le temps d'assimiler les faits.
— Tout à fait clair. Vous êtes venu rendre compte de la prise de pouvoir de notre nouveau G-G.
— Est-ce ainsi que vous appelez votre gouverneur ?
À cette question, Wrentham aspira l'air entre ses dents et fit claquer sa langue. Puis :
— Pas facile à expliquer. Sauf si vous connaissez les îles. En tant que colonie de la Couronne, nous avons droit à un gouverneur. Sur d'autres îles on l'appelle H-E, *His Excellency*. Mais notre gouverneur exerce le pouvoir sur une demi-douzaine d'autres îles, alors c'est un gouverneur général, et nous abrégeons en G-G. Nous l'écrivons toujours ainsi, même dans les lettres. Il vous faudra faire la même chose dans votre article.
McKay braqua l'index vers Black Bart comme s'il tirait un coup de pistolet.
— Vous êtes un malin, Wrentham.
— Appelez-moi Bart.
L'aisance avec laquelle Wrentham se présentait et surtout son intelligence manifeste incitèrent McKay à le considérer comme un précieux informateur.
— À mon départ de Detroit pour cette enquête, lui dit-il, j'ai demandé des lettres d'introduction à mon patron, mais il m'a répondu que dans notre journal, nous ne procédions pas ainsi. Il m'a recommandé de plonger sous la vague. Votre bar est ma première plongée.
Wrentham se pencha en arrière, examina le jeune journaliste et tapa deux fois sur la table comme pour signifier que sa décision était prise.
— Vous êtes libre ?
— Je n'ai pas encore rempli ma fiche à l'hôtel.

— Hippolyte s'en occupera. Prêt pour un petit tour ?

— Ça me va.

Ils se dirigèrent vers l'endroit où le patron du bar avait garé sa voiture, un coupé Chevrolet 1932, conduite à gauche.

— Montez. Nous ferons le circuit nord. Revoir mon île dans toute sa beauté me met toujours de bon poil.

Il démarra vers l'est — plutôt vite — et quitta la ville par une route sinueuse qui grimpait en terrain boisé. D'une hauteur, la vue se dégagea sur l'océan Atlantique, sombre, rugissant.

— Mes ancêtres ont débarqué là-bas, sur cette plage dangereuse, la baie du Mort. Je suppose que vous comprenez le français ?

— Depuis mes reportages au Canada, j'ai fait quelques progrès.

Pendant le reste de la promenade vers le nord, à peine vingt kilomètres, les deux hommes parlèrent du paysage, mais Millard sentit vite que tel n'était pas le but de la randonnée.

— Notre île n'est pas plate comme la Barbade. Elle ne convient pas pour de grandes plantations comme à la Jamaïque. Mais si on traite son sol avec respect, il vous rend la pareille. Nous n'avons jamais crevé de faim.

Quand la route obliqua vers l'ouest, vers la mer des Antilles, Wrentham murmura :

— Nous aurions dû prendre un panier de pique-nique.

Il entra dans l'étrange bourgade endormie de Tudor, où un commerçant, répondant lui aussi au nom de Wrentham mais beaucoup plus sombre que Bart, garnit un grand sac de victuailles, de quoi préparer un festin champêtre.

— Sans oublier de quoi boire, dit Bart.

Et son lointain cousin répondit avec deux bouteilles de bière anglaise et une boîte de jus de fruit.

Munis de cette cargaison réconfortante, les touristes se dirigèrent vers l'ouest à travers les hauteurs d'All Saints. McKay n'avait encore aucune idée des motifs pour lesquels Wrentham l'avait emmené si loin. Sûrement par pure gentillesse. Quand ils furent loin de Tudor vers l'ouest, le mulâtre commença à décrire avec un mélange d'amertume et d'amusement la structure sociale de son île, et Millard s'aperçut vite qu'il avait envie d'en dire très long, surtout à un journaliste d'Amérique. Il commença de façon désarmante :

— Vous devez comprendre, monsieur de Detroit, que presque tout le monde sur cette île vous détestera. En tout cas, juste un peu.

— Je n'ai offensé personne.

— Oh, mais vous êtes américain ! Comme elle.

— Qui ?

— Wally Simpson. Nous aimons la famille royale dans cette île. Tous, quelle que soit la couleur de notre peau. Et nous adorions le roi Edouard. Quel beau jeune homme quand il est venu nous voir... Il était alors prince de Galles. Si vous visitez cent de nos maisons, comme celles-ci là-bas, vous en trouverez soixante ou soixante-dix avec un chromo d'Édouard. Jamais nous ne pourrons pardonner à votre Mrs. Simpson de l'avoir détourné du trône.

— J'ai toujours cru qu'il avait abdiqué volontairement.

A peine Millard avait-il achevé sa phrase que Wrentham ralentit et se tourna pour mettre son invité en garde :

— Ne dites jamais une chose pareille à All Saints. Toutes les portes se refermeraient sur vous. Nous vénérons son souvenir.

— Je vous prie de m'excuser.
— Vous faites bien. Votre sorcière a failli détruire un empire par ses enchantements.
Cet éclat surprenant fut suivi de plusieurs instants de silence, mais Bart avait d'autres problèmes en tête et tenait à les évoquer. Il serra le volant à deux mains, se pencha en avant jusqu'à ce que sa tête touche presque le pare-brise, et dit d'un ton conciliant :
— Même si le volant à gauche complique un peu les choses, les voitures américaines sont supérieures.
— Est-ce difficile ? demanda Millard. Je veux dire, rouler du mauvais côté, pour ainsi dire ?
— Très difficile, répliqua Wrentham avec l'agréable ton chantant particulier aux Antillais. Parce que le conducteur ne peut pas voir à l'avant comme il le devrait. Mais il vaut tout de même mieux avoir une bonne voiture qui tient la route et braque bien.
Une fois la glace de nouveau rompue, il se lança dans le discours dont la conversation précédente n'était qu'un prélude.
— Ne mentionnez pas mon nom dans vos dépêches, mais vous pourrez me citer comme un commerçant de couleur, bien informé de la situation. Au dernier recensement, la population d'All Saints s'élevait à vingt-neuf mille personnes réparties en plusieurs centaines de niveaux sociaux différents, tous déterminés par la couleur de la peau. Je suis sur un échelon plus élevé dans la société qu'un homme légèrement plus sombre que moi. Et n'oubliez surtout pas : seule compte la couleur du *visage*, pas ce qui se passe ici, lança-t-il.
Il se tapa sur le ventre.
— Mais pour vos analyses, une douzaine de niveaux différents suffira. Au sommet suprême : toute personne née d'un Blanc pur en Angleterre, avec un titre ou suffisamment près de l'aristocratie. Autrement dit : le G-G et son cercle d'intimes. En un million d'années, aucun homme de ma couleur ne pourra attendre ce Walhalla. Deuxième niveau, toute personne qui peut prouver qu'elle vient d'une bonne famille provinciale d'Angleterre. Écossais et gallois, s'abstenir.
— Qu'entendez-vous par « bonne famille provinciale » ?
— Personne ne le sait rationnellement, mais en pratique, nul ne l'ignore.
— Par exemple ?
— La fille d'un pasteur respecté, mais jamais s'il est baptiste ou méthodiste. Le fils d'un fonctionnaire qui a obtenu de l'avancement. « Bonne famille provinciale »... Pour nous, ça explique tout.
Millard posa trois ou quatre questions rapides, preuves que son éducation universitaire l'avait mis au fait des subtilités de la vie provinciale anglaise, et après avoir répondu, Wrentham poursuivit :
— Ce groupe provincial est assez restreint, mais le troisième niveau est bien plus étendu : c'est celui auquel vous pourriez aspirer si vous émigriez ici, à condition de bien vous tenir et d'avoir voté républicain en Amérique. Soit : tous les blancs de bonne réputation, en particulier les familles rurales françaises qui sont ici depuis plus longtemps qu'aucun d'entre nous, les Anglais.
Il fit claquer sa langue.
— Mais après, la fracture est brutale. Et implacable comme le coup de faux de la Mort. Niveau quatre, l'aristocratie de couleur : ces dames et ces messieurs. Ils écrivent *colour* à l'anglaise et non *color* comme vous. Peau claire, beaucoup plus claire que la mienne. Études à

Oxford, sans doute. Ou à la London School of Economics. Parfois Harvard. Ils travaillent pour le *Gommint.*

— Le quoi ?

— Le Gommint. Vous avez intérêt à apprendre ce mot. Nous le disons tous, à All Saints, même le G-G. C'est ce que vous appelleriez le gouvernement. Dans une île comme All Saints, le Gommint est tout-puissant et les hauts fonctionnaires peuvent appartenir à cet insigne groupe quatre, ainsi que quelques commerçants fortunés, plusieurs riches veuves et de temps à autre une personne dont on a du mal à justifier la présence. Mais vous pouvez en tout cas être certain d'une chose, monsieur de Detroit, sa peau sera beaucoup plus claire que la mienne. Telle est la marque de l'honneur.

Wrentham n'éprouvait manifestement que dégoût pour le système qu'il venait de décrire, mais il pouvait cependant en parler d'un ton léger.

— Les niveaux cinq, six et sept sont tous plus clairs que moi... Retenez-le bien, parce que je suis du niveau huit.

Il le décrivit comme composé « d'hommes et de femmes durs au labeur, qui économisent leur argent, envoient leurs enfants à l'école et savent se servir d'un couteau et d'une fourchette ».

— Mais si vous êtes relégué au niveau huit, demanda McKay, comment pouvez-vous maîtriser un vocabulaire si élégant ?

Bart ricana.

— Dites donc, nous avons des écoles. Des professeurs merveilleux et dévoués qui adorent chaque centimètre carré de l'Angleterre et chaque mot que Shakespeare a écrit. Jamais je n'ai lu un livre américain. En existe-t-il ? Mais Walter Scott, Charles Dickens, Jane Austen... Oui, oui...

» Il y a encore à peu près six niveaux de sang-mêlé plus sombres de peau que moi, expliqua-t-il. Et au-dessous de ces mulâtres, il n'y a rien. Les noirs aux grosses lèvres, aux belles dents et à la tête vide. Des esclaves, des esclaves à perpétuité.

— Et si un noir émigre ici de Caroline, par exemple ? Ou un hindou de l'Inde ?

— S'il est noir, il est noir.

— Peut-il espérer pénétrer dans le groupe le plus élevé ?

Wrentham regarda la route en silence comme s'il n'avait pas entendu la question.

— Monsieur le journaliste, dit-il un instant plus tard, nous allons arriver au cap Galant où vous verrez la grande beauté de notre île. Nous pique-niquerons là-bas, sur la couverture que j'emporte toujours dans ma Chevrolet. Votre premier pique-nique et il sera donc inoubliable.

Mais avant d'installer le repas, il tint à exprimer le principe de base d'All Saints, que tous les jeunes comprenaient :

— Il explique tout et vous sera utile si vous décidez de vous rendre dans les autres îles des Antilles. Un jeune homme de couleur, s'il veut avoir un avenir, doit absolument épouser une jeune fille à la peau plus claire. Pour y parvenir il se battra, mentira, volera et tuera s'il le faut. Et une jeune fille de couleur, si elle est belle et désire devenir quelqu'un, doit épouser un jeune homme à la peau encore plus claire que la sienne. Et c'est l'observation de ces données incontournables qui fournit les plus belles occasions d'hilarité de la vie antillaise, ainsi que ses tragédies et ses suicides.

Ils tournèrent vers le sud-ouest, en s'éloignant de l'Atlantique puis parvinrent à une petite péninsule orientée vers l'ouest, où la vue était incomparable. Au nord, dans le lointain, l'océan ; vers l'est, les pentes du morne Jour s'élevaient à presque quinze cents mètres dans le ciel sans nuage ; au sud, une petite baie parfaite avec son arc de sable clair ; enfin et surtout, à l'ouest, la paisible mer bleue des Caraïbes qui s'étalait jusqu'aux ruines mayas de Cozumel.

— Quelle vue préférez-vous ? demanda Millard.

— Tout est si splendide, répondit Wrentham. Je ne peux jamais me décider.

Il était manifestement très fier de ce panorama.

Pendant qu'il étalait la couverture et disposait les victuailles achetées à Tudor, Millard parcourut le décor des yeux, du bout du cap jusqu'à l'anse qui abritait la plage. Ce qu'il vit confirma l'analyse de l'île par Bart : huit ou neuf groupes pique-niquaient, mais chacun séparé des autres, et toujours de couleur homogène. Les blancs mangeaient avec les blancs, les métis clairs avec leurs pareils, et les noirs chantaient en groupes de la même peau. Il n'existait aucune ségrégation sur le cap et sa plage ; chacun pouvait manger n'importe où, mais il avait intérêt à manger avec sa propre couleur.

Wrentham avait disposé la couverture de façon que son invité puisse s'appuyer confortablement à un gros rocher. Les deux hommes burent une bière, engloutirent des sandwichs et grignotèrent de bons biscuits anglais et des tartelettes. Entre deux bouchées, Bart reprit son exposé :

— Sur la colline derrière Gommint House, que vous avez dû voir depuis votre bateau, se trouve un bâtiment sans rien de bien remarquable, entouré de courts de tennis, de terrains de boules et de pelouses de croquet. C'est le *Club* strictement réservé aux blancs. La plupart des gens des niveaux un à trois, y compris notamment les Français... A propos, les Français parlent peu le français. On les repère à leur nom. Qu'est-ce que je disais ?

— Le *Club*.

— Ah oui. Supposons un instant que vous émigriez ici. Vous remplissez les paperasses et tout ça. Vous vous conduisez correctement et vous payez vos factures. Vous traitez vos supérieurs avec respect. Ce n'est pas pour cela que vous serez forcément accepté.

— Pourquoi ?

— Vous n'êtes pas anglais. Et vous êtes américain. Cela signifie que vous devez être un péquenot sans culture.

— Je ne verrai donc jamais ce fameux *Club* ?

— Oh si ! Vous y serez invité. Mais jamais vous n'en deviendrez membre.

— Est-ce vraiment select ?

— Grands dieux, non ! Cotisation minime. Cadre lamentable, m'a-t-on dit. Jamais je n'y ai mis les pieds, vous comprenez. Mais il exerce une fascination incroyable. Comme un cocon, ou le ventre d'une mère. On y est entre soi. Avec sa couleur.

— Qui le dirige ?

— Les femmes. Et d'une manière féroce. Les épouses des hauts fonctionnaires. Aidées bien entendu par le major Leckey. C'est lui qui veille au maintien de la pureté.

— Qui est-ce ?

— Le bras droit du G-G. Il est ici depuis des années. Excellente réputation en Inde, bon régiment et tout. Major Devon Leckey. Et s'il vous prend en grippe — lui ou madame, la divine Pamela —, vous avez intérêt à prendre votre valise et à filer. C'est lui et Pam qui règnent sur la basse-cour.

— Comment ?

— Ils décident plus ou moins à quel groupe vous appartenez. A quelles réceptions il sera possible et convenable de vous inviter. Qui répondra à vos invitations si votre fille se marie dans l'île.

— Un sale type ?

— Non, pas du tout ! Les Leckey sont le sel de la terre — de la terre anglaise. Il n'a pas obtenu ses trois médailles et une citation en étant une cloche. Et il est capable de vous régler votre compte au tennis, j'en suis sûr.

Il hésita, prit une grosse bouchée de pâté en croûte puis reprit son portrait de l'ineffable major.

— Je n'éprouve aucune sympathie pour les hommes qui pèsent cinq kilos de moins que leur poids normal et qui ont les cheveux de la même couleur que vingt ans auparavant...

Puis il ajouta une note de mise en garde :

— Pour voir All Saints sous son meilleur jour, il vous faudra construire un pont pour accéder jusqu'au major Leckey. Si vous y parvenez, toutes les portes s'ouvriront : invitations à Gommint House, bals au *Club*, les interviews que vous solliciterez. Sinon... la Sibérie !

— Et comment construire ce pont ?

— Ce ne sera pas facile, mon vieux. Je vous le dis sans blaguer. Nos bateaux de touristes regorgent de foules d'Américains et de Canadiens comme vous... Souvent fortunés et puissants. Ici, ce sont des ploucs. Ils refusent de faire les choses à l'anglaise, ils essaient de s'imposer de force. Et ils tombent sur des rebuffades. Le major Leckey et sa femme refusent même de les voir. Jamais ils n'ont accès au G-G. A leur retour chez eux, ils maudissent All Saints et la traitent d'île inhospitalière où les noirs sont exploités. Voilà ce qui va vous arriver, mon vieux, si vous traînez partout avec des types comme moi au lieu de vous lier aux Leckey.

— Mais comment faire ?

— Avant tout suivre la tradition, incrustée depuis longtemps, de la vie coloniale britannique. Le jour de votre arrivée, avant la tombée de la nuit, vous devez vous rendre à Gommint House signer le livre des visites, pour signaler à qui de droit votre présence en ville et présenter vos respects dans les formes. Ensuite, il vous faut remettre vos lettres d'introduction pour confirmer que vous êtes bien qui vous prétendez : quelqu'un plus haut que vous sur l'échelle sociale, dans notre pays, doit se porter garant de vous. Enfin vous vous retirez dans votre chambre d'hôtel, vous vous comportez correctement en public aux repas, et vous attendez.

— Le fait que l'on m'ait vu dans votre bar sera-t-il un avantage ou un inconvénient ?

Wrentham éclata de rire.

— Vous êtes malin, McKay. Pour ceux qui comptent, cela signifiera que malgré votre peau blanche vous ne valez pas mieux que sept ou huit, comme moi.

— Mais si je fais ce que vous suggérez — visite à Gommint House, les lettres et cætera... — serai-je accepté... disons au niveau trois ?

— Tu parles ! Le gouvernement de cette île n'est pas stupide. Il a besoin de bons articles dans la presse américaine. Ne serait-ce que pour développer le tourisme. Si vous vous conduisez bien, le major Leckey vous fera la cour. Mais pas si vous essayez de vous imposer à lui. Si vous adoptez cette attitude, vous serez coupé de tout, comme une branche morte.

— Mais si je rends compte de tout ce snobisme dans mes articles ?

— Vous vous en garderez bien, voyons ! Parce que vous ferez partie du système. Je m'aperçois à notre petite conversation que vous serez du pain béni pour le *Club*. Vous appréciez déjà les charmes de cette île plus que moi.

Un couple à la peau claire qui pique-niquait non loin reconnut Wrentham et se dirigea lentement vers eux.

— Salut, Bart. Nous te verrons au *Tennis*, ce soir ?

— Bien sûr. Gardez-moi une place à votre table. Je vous présente un ami qui débarque d'Amérique. M. Detroit, journaliste.

L'accueil fut cordial.

— Si nous pouvons faire quoi que ce soit pour vous aider pendant votre séjour, n'hésitez pas, dit la femme. Roger dirige une affaire d'import-export non loin du *Waterloo* de Bart.

Après leur départ, Millard demanda :

— Qu'est-ce que c'est que ce tennis ? Vous avez des courts éclairés pour jouer le soir ?

— Ah... Nous en arrivons au deuxième volet de l'analyse. Le *Tennis* n'a emprunté au jeu que le nom : il est pour les noirs à la peau claire ce que le *Club* représente pour les blancs. Un assez joli bâtiment en face de l'anse du Jour. Accès aussi exclusif que le *Club*, à sa manière. Il réunit les hommes et les femmes de valeur qui ne seront jamais admis au *Club* parce que leur peau est... Voyez vous-même, dit-il en montrant son visage. Je suis trop sombre pour que l'on songe à m'accepter au *Club*, ajouta-t-il en riant. Je n'ai pas fait d'études supérieures en Angleterre, mais plus d'un garçon de mon âge a des diplômes pour le prouver. S'ils ont de bons résultats en sport, et c'est souvent le cas, ils sont bien vus en Grande-Bretagne. Ils appartiennent à de bons clubs. Ils sont invités partout, fréquentent des cercles passionnants. S'ils sont capables d'écrire, ils deviennent des personnages connus du milieu littéraire. Pendant quatre ans, cinq ans, ils mènent ainsi leur vie au cœur de l'Empire. Puis bang ! La fête s'achève. Le bateau et le retour à All Saints. Dès qu'ils posent le pied sur notre quai, le bal de Cendrillon se termine. Ils sont de nouveau des « coloured ». Ils obtiennent de bonnes places dans l'administration mais jamais ils n'accèdent au *Club* où, le soir venu, les vrais chefs font la fête. Jamais ils ne sont invités à l'un des bals. Alors ils vont au *Tennis*.

Il se tut, ramassa les restes du pique-nique, jeta les détritus dans un bidon d'huile peint en vert placé près de la route à cet effet, puis se remit au volant et descendit vers la moitié occidentale de l'île. McKay admira la mer des Caraïbes, si belle à cette latitude, et ses yeux se posèrent sur un détail qui l'enchanterait pendant tout son séjour : une haie d'arbustes bas aux larges feuilles multicolores, avec six feuilles éblouissantes sur chaque tige et cinq couleurs radicalement différentes sur chaque feuille.

— Quelle est cette plante magnifique ? s'écria-t-il.

— Le croton, symbole des Caraïbes. Une tige centrale, de nombreuses couleurs contrastées.

— On peut tomber amoureux d'une route en corniche décorée de cette manière, avoua Millard.

Quinze kilomètres de route bordée de crotons les conduisirent à la plage d'or de l'anse du Jour, et au *Tennis*. Lorsqu'ils passèrent devant le bâtiment bas, au milieu de jardins splendides, Wrentham murmura :

— Il est vraiment mieux tenu que le *Club*. Et c'est bien normal : son objectif réel est de cacher de profondes atteintes du cœur

— Il y a donc deux clubs, à l'accès très limité, dit Millard. Où sont les clubs pour la masse de la population ?

— Et que croyez-vous que soit mon *Waterloo* ? Un endroit où peuvent se rencontrer et s'amuser ceux qui n'ont pas accès aux deux autres. Vous serez le bienvenu au *Waterloo*. Et vous y trouverez beaucoup de gens que vous aurez vraiment plaisir à connaître.

— Mais les vrais noirs. Ceux que vous avez appelés les esclaves ? Où se réunissent-ils ?

— Sur les quais. Dans un bar : *Chez Tonton*.

— Donc quatre clubs. Serai-je le bienvenu au *Tennis* et *Chez Tonton* ?

— Pour le *Tennis*, il vous faudra une invitation. Et à votre place, je ne traînerais pas *Chez Tonton*. Ils sont fiers, ils prendraient sans doute votre présence pour de la curiosité populiste de mauvais goût.

A leur retour au *Waterloo*, McKay invita son hôte à prendre le thé et des petits gâteaux multicolores, dans le goût anglais.

— Est-il bien nécessaire, sur une île où la population est si faible, d'avoir un système de castes aussi rigoureux ? demanda le journaliste.

— Nous l'avons voulu ainsi, répondit Bart. Chaque groupe est farouchement résolu à protéger son petit coin de privilèges... Bien entendu, ajouta-t-il au bout d'un instant, les habitants des îles françaises ne l'ont pas jugé nécessaire. Ni les Hollandais, les Brésiliens ou même en un sens les Espagnols. Mais nous sommes une île anglaise — même pas britannique — et nous sommes jaloux de nos traditions anglaises.

Millard se leva pour rentrer enfin à son hôtel, et Wrentham lui dit :

— Quelle que soit notre couleur de peau, nous tenons à conserver ces traditions.

McKay était resté sept heures dans l'île sans voir l'intérieur de son hôtel et il ne savait pas à quoi il devait s'attendre. Il poussa la double porte battante du *Belgrave* et se trouva dans un hall vieillot sur lequel s'ouvrait une salle à manger spacieuse meublée de teck. Au-delà s'étendait une charmante véranda aux fauteuils de rotin, avec une large vue sur la baie du Soleil.

— Ils ont employé Joseph Conrad et Somerset Maugham comme décorateurs ! s'écria-t-il à haute voix.

Il comprit aussitôt qu'il passerait des heures agréables et profitables sous les sept grands ventilateurs qui tournaient lentement pour maintenir l'air frais sans refroidir les plats servis dans de l'argenterie éblouissante sur des tables aux nappes de lin blanc.

La jeune fille du bureau (peau claire) lui dit avec le doux accent chantant de l'île :

— Mr. McKay, votre Hippolyte a monté vos bagages dans la chambre six, qui a une de nos plus belles vues sur la baie.

La chambre six avait non seulement une vue splendide sur la baie, mais des échappées sur la mer des Caraïbes, au-delà ; une femme de chambre au sourire immense (peau noire) vint lui annoncer qu'elle avait défait ses bagages et indiqua où il trouverait ses chemises et ses chaussettes.

— Mon devoir, maître, est de vous satisfaire. Vous me sonnez pour me dire quand vous désirez de l'eau chaude dans votre bain.

— L'eau du robinet est-elle bonne à boire ?

— Bonne pour moi, peut-être pas pour vous. J'apporte des bouteilles.

Il demanda à quelle heure on servait le dîner.

— Huit heures juste, monsieur. Très précises.

Après un bain chaud et une brève sieste, McKay s'assit sous la véranda avec un apéritif pour admirer le soleil tropical qui tombait brusquement dans la baie.

— Trois semaines de soirées comme celle-ci, et All Saints commencera à me plaire vraiment.

Il descendit dans la salle à manger, qu'il trouva beaucoup plus animée ; un escadron de serveurs noirs aux pieds nus, en uniformes verts quasi militaires, se déplaçaient nonchalamment dans la salle pour remettre aux clients qui arrivaient de grands menus imprimés. La carte proposait les plats lourds typiques d'une petite auberge de campagne au nord de Londres — les mêmes d'un bout à l'autre de l'année. Aucune concession ou presque à la situation d'All Saints ou aux innombrables poissons des eaux environnantes. Se demandant où une île sans ressources agricoles notables pouvait trouver le bœuf, le porc et l'agneau du menu, Millard opta pour un poulet rôti farci. Quand il leva les yeux de la carte, il remarqua qu'un jeune homme l'observait attentivement — belle allure, bien vêtu, peau très claire, peut-être un niveau quatre. Cet examen continua si longtemps que McKay en fut gêné. Puis l'homme se leva de table et se dirigea vers le bureau de l'hôtel, manifestement pour s'enquérir de l'identité du nouveau venu.

A son retour dans la salle à manger, il se dirigea aussitôt vers la table de McKay.

— Excusez ma grossièreté, dit-il avec un accent anglais soigneusement étudié, mais n'êtes-vous pas McKay, l'homme que je cherche ?

Il toussa modestement et ajouta :

— Je pensais que vous auriez cherché à me voir.

McKay se leva, tendit la main et se présenta :

— Millard McKay, *Detroit Chronicle.*

— Je sais. Asseyez-vous, je vous en prie. Je suis Étienne Boncour. Bijoutier et président de l'Office du Tourisme. Accueillir des journalistes comme vous fait partie de mes attributions. Pour vous faciliter la tâche, quelle qu'elle soit. Car nous apprécions l'importance de votre visite.

— Voulez-vous vous joindre à moi ?

— Ah non, il n'est pas question que je m'impose à un visiteur. Mais si vous acceptiez de venir à ma table, ce serait un honneur.

Comprenant que ce serait s'imposer de la même manière, il éclata de rire et ajouta :

— Nous sommes plus ou moins dans la même branche, n'est-ce pas ?
McKay parut fort surpris, incapable de voir le moindre lien entre la bijouterie et le journalisme.
— Je veux dire, poursuivit le jeune homme, il m'arrive souvent d'écrire de la publicité pour notre île, et vous écrivez aussi.
L'explication était si charmante et partait d'un si bon sentiment que McKay n'y résista pas. Il prit sa serviette et s'installa à l'autre table.
— Je m'étais presque décidé pour le poulet, mais dites-moi, d'où vient toute la viande qui se trouve sur le menu ? Le bœuf et le porc ?
— De Miami, par bateaux frigorifiques, mais oubliez le bœuf et le poulet. Le chef a toujours un poisson ou deux qu'il prépare pour des clients particuliers. C'est ce que je prends, et si vous l'aimez je vais lui demander d'en préparer un plus gros.
— D'accord.
Et ils attendirent leur bar au fenouil.
— Que mon accent ne vous induise pas en erreur, dit Boncour. Je fais partie du contingent français d'All Saints. Mes ancêtres sont ici depuis 1620, à peu près. La famille n'en est jamais repartie. Mais j'ai fait mes études à Durham, en Angleterre.
— Une bijouterie, l'Office du Tourisme...
— Et membre du Conseil exécutif du G-G. Ce qui est le plus drôle.
— Comment est-ce arrivé ?
— L'affaire ? Mon grand-père l'a lancée quand les touristes ont commencé à venir. Les études ? Je me débrouillais bien au lycée et j'ai obtenu une bourse conséquente. Le Conseil ? Dans le temps, seuls des blancs aux antécédents irréprochables et de naissance anglaise. Mais récemment les autorités ont tendu la main à quelques hommes de couleur et je suis un des heureux élus.
« J'avais raison, se dit McKay. Caste quatre. »
— Est-ce que votre Conseil exerce un pouvoir réel ? Ou bien s'agit-il de simple « poudre aux yeux », comme on dit ?
— Bonne question. Disons qu'on nous fait croire que nous exerçons un certain pouvoir, mais en réalité, le G-G décide presque selon son bon plaisir.
Puis, craignant que sa phrase soit reproduite noir sur blanc, il se corrigea :
— Un souffle de liberté nous arrive de la mer. Nous avons hâte de voir comment notre nouveau G-G réagira à cette situation.
Craignant de prendre trop de temps à McKay, Boncour regarda sa montre, ce qui orienta la conversation sur une voie entièrement nouvelle.
— Est-ce une Rolex ?
Le bijoutier acquiesça.
— C'est la première fois que j'en vois une, s'écria McKay avec une admiration d'écolier. Que vaut une Rolex ordinaire, celle que j'achèterais si j'en avais les moyens ? demanda Millard.
— Mr. McKay, je ne suis pas venu à votre table pour vous « refiler » une montre. Mais si vous désirez passer au magasin demain matin, sans engagement, vous serez sans doute fort surpris.
Quand le poisson arriva, peau croustillante sur un lit de fenouil, Boncour commanda une bouteille de vin et cela devint un dîner de gala. Boncour décrivit l'île comme si c'était un endroit complètement

différent de la société fermée dont avait parlé Wrentham dans l'après-midi.

— Il y a une grande liberté d'esprit. Beaucoup de bonheur et d'humanité.

Après le poisson, McKay s'arma de tout son courage, et demanda :

— Un homme comme vous, qui a fait des études supérieures et connaît bien les pays et les coutumes d'Europe, subit-il une sorte de... discrimination ?... Je suis journaliste, ajouta-t-il aussitôt. Mais je ne citerai pas vos paroles.

— Aucune censure, ici.

— Dans les autres îles des Antilles ? demanda McKay.

— Toutes les îles anglaises se ressemblent beaucoup. J'ai deux autres magasins, vous savez. A la Barbade et à Trinidad. Pas grande différence... Dans les îles où se trouvent mes magasins, tout le monde connaît mes idées, ajouta-t-il. Il existe de la discrimination, bien entendu, mais elle est tempérée par les valeurs morales. Et les blancs ont assez de bon sens pour nous consentir des concessions, sans doute infimes à vos yeux, mais très importantes pour nous.

— Par exemple ?

— Je vais vous expliquer. Pour nous, les non-blancs, une invitation à Gommint House constitue l'honneur social suprême. Le major Leckey vous appelle au téléphone et vous tremblez d'espoir : malgré votre statut inférieur, vous allez être invité Et de sa voix claire, hésitante, il dit : « C'est vous, Boncour ? Bien. Ici Leckey. Pourrez-vous vous libérer pour venir à une petite réception que donne le G-G ? Jeudi soir ? Parfait. »

— Et que se passe-t-il ?

— Je saute au plafond, vais me faire couper les cheveux et demande à la bonne de repasser mon smoking blanc. Puis je monte à Gommint House, où je m'aperçois que je suis l'un des sept hommes de couleur reçus — pas plus. Et en toute sincérité je suis enchanté d'avoir été admis ainsi dans le saint des saints. Et le G-G, en tout cas le dernier que nous avons eu, n'est pas bête du tout : perdu au milieu de la foule il y aura un homme noir comme la suie, pour prouver que Gommint House est ouvert à tous.

Puis le ton léger disparut et Boncour ajouta, lentement et doucement :

— Mais à la fin du gala, les taxis arrivent pour emporter les blancs importants au *Club,* où ils dîneront. Les hommes de couleur prendront leur voiture pour se rendre au *Tennis.* J'irai au *Waterloo* et le noir tout seul s'arrêtera *Chez Tonton,* où ses copains se moqueront de lui parce qu'il est allé faire le gandin là-haut — mais sans dissimuler leur envie.

All Saints, comme Trinidad et les autres, était une colonie de la Couronne, et personne dans l'île ne risquait de l'oublier. Jamais l'île n'avait possédé de législature propre, comme la Barbade et la Jamaïque — bien que la Jamaïque eût perdu son autonomie après l'affaire du gouverneur Eyre pour revenir au statut de colonie de la Couronne. A All Saints existaient deux petits corps consultatifs, auxquels blancs et bruns avaient l'ambition d'appartenir, mais comme l'île appartenait en théorie à la Couronne, le pouvoir réel était exercé par le représentant du monarque, le gouverneur général. S'il était prudent, il écoutait ses conseillers et évitait les décisions heurtant de plein fouet leurs convictions les plus fermes. Mais tous savaient qu'en cas de friction le gouverneur avait assez de pouvoir pour réduire à néant les désirs des conseils.

Seul le bon sens empêchait le système de tomber dans la tyrannie, et la coopération entre le Conseil exécutif, composé essentiellement de hauts fonctionnaires blancs désignés d'office, et le Conseil législatif de douze membres, dont cinq élus, alimentait surtout l'illusion que l'ensemble du peuple participait en quelque manière au gouvernement.

Étienne Boncour était l'un des cinq membres élus ; officiellement il représentait les commerçants de Bristol Town, mais sur le plan des sentiments, il était connu pour ses liens étroits avec la communauté française. Dans tous les votes importants, les deux autres Français et lui-même étaient souvent mis en minorité par ce que l'on appelait « l'alliance des bons Anglais », situation qui n'engendrait aucune animosité parce que, selon la boutade d'un des Anglais du *Club :*

— Nos Français ? Ce sont de vrais Anglais depuis quatre cents ans.

Le lendemain matin, mais pas trop tôt pour éviter de trahir son impatience, Millard se rendit à la bijouterie de Boncour. C'était incroyable. Une Rolex en or massif pouvait coûter jusqu'à deux mille cinq cents dollars ; la même montre, avec toutes ses caractéristiques mais en métal ordinaire, valait encore cent vingt-cinq dollars. Millard se fit montrer les modèles les moins chers et comprit vite qu'il n'avait pas les moyens de se les offrir. Puis Boncour alla chercher dans un autre tiroir une copie de belle allure, fabriquée à Hong Kong, semblable en tout point à la Rolex mais vendue dix-sept dollars cinquante.

— Stupéfiant ! s'écria Millard. Comment voit-on la différence ?

— La copie se détraque en trois mois. L'authentique dure toujours.

McKay découvrit alors l'un des secrets du commerce dans les Antilles : le magasin de Boncour vendait des bijoux et des cadeaux de qualité pour la clientèle blanche de l'île, mais aussi des monceaux d'imitations à bas prix pour les noirs de l'endroit et les marins de passage.

Un client entra et Boncour se dirigea vers lui. Millard, resté seul, étudia le magasin. Mais avant même de parcourir des yeux les vitrines d'articles onéreux ou à bas prix, son attention se concentra sur les deux jeunes filles à la peau d'or qui tenaient la boutique. Elles étaient si fraîches, si gracieuses avec des fleurs dans leurs cheveux qu'il songea : « Quelle tentation pour les jeunes Anglais célibataires, toutes ces filles si jolies mais de la couleur interdite... »

A son retour, Boncour lui dit sérieusement :

— Vous avez envie d'une montre vraiment bonne ? Je sais ce que c'est. C'est pour cela que j'ai repris l'affaire. J'ai une Rolex, ici. Pas neuve mais presque. Un homme me l'a apportée pour la faire réparer. Peut-être l'avait-il volée parce que deux semaines plus tard, il a été assassiné. Je l'ai signalé à la police et nous avons passé des annonces, même dans d'autres îles, mais le propriétaire ne s'est jamais présenté. J'aimerais m'en débarrasser. Pour récupérer mes frais : les pièces détachées et les annonces. Je vous la cèderai pour trente-deux dollars.

Millard recula d'un pas et dévisagea Boncour. Journaliste à Detroit, il avait enquêté sur toutes sortes de combines : le prétendu millionnaire mort sans testament dans les mines d'or du Nevada, les ventes à l'esbrouffe, les fonds de placement bidons où les veuves déposaient leurs économies. Non seulement il connaissait les anciennes arnaques, mais il avait appris à se méfier des nouvelles.

— C'est une bonne montre. Elle vaut beaucoup plus de trente-deux dollars, dit-il.

— Exact.

— Mais avant de m'y intéresser, il me faudra un certificat de la police.

— Pas de problème ! répondit Boncour à la vive surprise de McKay. J'en ai besoin aussi... Pour que l'affaire soit réglée.

Il mit la montre dans sa poche, alla chercher deux ou trois papiers dans son bureau puis conduisit McKay au commissariat de police.

— Le chef est là ? demanda Boncour.

Un des agents indiqua d'un mouvement d'épaule la porte du bureau, entrouverte. McKay entra et se trouva en face d'un sergent de police de couleur, en uniforme de gabardine claire.

— Où est le coupable ? lança-t-il d'un ton jovial.

Boncour posa la montre et les papiers sur le bureau.

— C'est la montre que m'avait laissée le type assassiné. J'ai dépensé trente-deux dollars sur cette montre, entre les pièces détachées et les petites annonces. M. McKay, un journaliste de Detroit, a besoin d'une montre et accepte de payer ces trente-deux dollars.

— En quoi ça me concerne ?

— Il voudrait une attestation prouvant que je ne l'ai pas volée. Et un reçu pour l'emporter aux États-Unis.

— Pourquoi n'avez-vous pas essayé de la vendre ici ?

— Trente-deux dollars, c'est beaucoup d'argent pour la plupart de mes clients. Et cela reste une montre d'occasion.

Le sergent inclina la tête d'un air entendu et feuilleta les papiers. Au moment où il allait signer l'attestation réclamée, il leva les yeux vers la porte et s'écria d'un ton débordant d'affection :

— Sir Benny ! Entrez donc !

L'homme n'était pas ordinaire : d'un noir de jais, un mètre soixante-cinq, légèrement bedonnant, aussi parfaitement détendu qu'un pur-sang de course, le visage épanoui en un sourire charmant.

Il s'inclina avec grâce quand on le présenta à McKay, et traita Boncour et le sergent comme de vieux amis.

— Sergent, dit-il d'une voix grave et douce, avec un accent anglais impeccable, je suis venu vous le dire avant que vous n'alliez plus loin, ma sœur a retrouvé la brouette.

Le sergent éclata de rire.

— Je vous l'avais bien dit... Ce criminel est sir Benny Castain, annonça-t-il à McKay.

Celui-ci, prenant sir Benny pour un de ces chanteurs de calypso qui se donnent des titres comme Lord Invader ou Emperor Divine, fit une monstrueuse gaffe.

— Vous avez enregistré certaines de vos chansons ?

Le sergent s'esclaffa de plus belle.

— Non ! Non ! C'est un vrai noble. Sacré chevalier par le roi en personne. Sir Benny est notre plus grand joueur de cricket.

— Il ne sait pas ce qu'est le cricket, voyons ! lança sir Benny, modeste.

Millard s'en défendit :

— Mais si, mais si. Don Bradman. Douglas Jardine.

Les trois îliens demeurèrent bouche bée.

— Je ne peux pas le croire ! dit sir Benny.

Tous s'assirent et le sergent rappela les grandes heures du cricket à All Saints.

— Lord Basil Wrentham, notre futur G-G, a fait venir aux Indes occidentales une équipe anglaise de premier ordre. Ce devait être en 1932. Quatre matchs. Ils ont gagné haut la main à la Jamaïque, moins facilement à Trinidad et avec une belle avance à la Barbade. Jamais nous n'avions eu un seul match international de haut niveau à All Saints, mais pour l'occasion, nous avons construit un nouveau stade et préparé un terrain impeccable.

Le sergent, voulant faire comprendre à cet Américain intéressé par le cricket la grandeur de sir Benny, se mit à raconter dans tous ses détails ce match mémorable de quatre jours, mais McKay eut une heureuse inspiration :

— Pourquoi n'allons-nous pas en discuter tranquillement au *Waterloo ?* Je vous invite.

La proposition fut acceptée d'emblée.

— N'oubliez pas votre montre, lança le sergent à McKay.

— Oui, elle est à vous, confirma Boncour.

Au *Waterloo,* Bart Wrentham les accueillit avec enthousiasme, s'inclina devant sir Benny et leur demanda la faveur de se joindre à eux.

— D'accord, si vous nous commandez le même genre de pique-nique qu'hier à midi, répondit McKay en lui tendant plusieurs billets d'une livre.

— Vous payez la nourriture, j'offre la bière, répondit Bart.

Bientôt un autre festin débuta et le sergent raconta l'immortelle série de lancers de Benny :

— Il a fait appel à trois techniques différentes : une balle rapide, une balle à effet à gauche et une balle à effet à droite. Croyez-moi ou non, il a éliminé sept des meilleurs batteurs anglais pour un score de seulement 57 contre nous. La journée s'est terminée avec 409 pour l'Angleterre et 291 pour les Indes occidentales, mais avec une bonne chance de combler l'écart. Et nous avons gagné. Nous avons battu l'Angleterre.

Impulsivement, Boncour et le sergent se levèrent pour embrasser Benny, le noir qui avait donné une majesté noire à l'île.

— Le moment dont je me souviens le mieux, dit Wrentham, c'est celui où les joueurs ont quitté le terrain. Lord Basil a cherché des yeux Benny, a posé son long bras droit sur ses épaules et a quitté le stade avec lui.

Il s'arrêta, regarda McKay et dit :

— Je prédis que ce sera un G-G très populaire.

On aurait pu beaucoup apprendre sur la vie dans une colonie de la Couronne en observant les lois sociales qui présidaient au comportement du onze de lord Wrentham, comme on appelait l'équipe anglaise de cricket, car Wrentham avait choisi ses hommes et pris à sa charge leur salaire, qui s'élevait à environ sept cents dollars américains par homme pour l'ensemble de la tournée, sans compter le prix des voyages et des repas.

Bien entendu, seuls les joueurs professionnels recevaient un salaire, car l'équipe était strictement divisée entre les *gentlemen* (c'est-à-dire des amateurs de bonne famille) et les *players* (les professionnels qui jouaient pour vivre). La distinction entre eux était rigide. Pendant la traversée, les *gentlemen* voyageaient en première classe, les *players* en seconde. Dans les clubs, il y avait une entrée pour les *gentlemen* et une entrée pour les *players*. On mentionnait un *gentleman* par ses initiales et son nom de famille, par exemple : W.H.B. Wicknam, et on l'appelait *sir*. On désignait un joueur simplement par son nom de famille, souvent même sans le faire précéder de Mr.

Dans les réceptions, l'équipe était également divisée. Les *gentlemen* étaient souvent invités dans les grandes familles, et les *players* dînaient à leur hôtel, où les plus anciens découpaient le rôti et servaient les plus jeunes joueurs en dernier. Mais ces discriminations étaient tellement ancrées dans les mœurs qu'on les tenait pour naturelles et n'en ressentait aucune rancœur.

Il y avait d'autres subtilités mineures, entre membres de l'équipe « à casquette » et « sans casquette ». Tout joueur qui avait déjà été sélectionné dans l'équipe officielle de son pays avait reçu sa « casquette ». Ainsi, il était tout à fait improbable qu'un professionnel « sans casquette » ose s'adresser directement à un *gentleman* « à casquette ». Seul le caractère pragmatique des Anglais permettait à ces différences de caste de ne jouer aucun rôle sur le terrain, et il faut leur en rendre hommage. Le cricket était à la fois un gardien farouche des principes sociaux et une arène où les hommes se rencontraient d'égal à égal. Un lanceur professionnel qui faisait tomber le wicket du plus huppé *gentleman* batteur de l'équipe adverse était aussitôt applaudi... par les deux camps.

Le jour vint où des noirs s'élancèrent dans les rues en criant :

— Le G-G, son bateau dans la baie !

Quand le navire venant de Southampton accosta, McKay se trouvait sur les quais pour assister à l'arrivée du nouveau gouverneur général. Il aperçut le gouverneur encore en place (grand et mince, belle allure d'officier supérieur approchant de la soixantaine) qui attendait dans l'unique Rolls-Royce de l'île, une impressionnante Silver Ghost. La foule poussa des vivats : lord Basil Wrentham venait d'apparaître en haut de l'échelle de coupée. Il ressemblait trait pour trait à l'homme de la Rolls : grand, maigre, sévère, démarche militaire et allure hautaine. « Il doit y avoir quelque part en Angleterre une usine où l'on fabrique ces bonshommes à l'emporte-pièce pour faire de l'effet sur les colonies », se dit McKay.

Le nouveau G-G, très raide, salua le bateau qu'il quittait et descendit l'échelle de coupée d'un air impérial. Il ne se dirigea pas vers la Rolls qui attendait : il s'inclina seulement vers son prédecesseur, rendit le salut de la garde et parcourut la foule du regard. Il trouva bientôt le visage qu'il cherchait et s'avança rapidement vers lui, sans s'occuper de personne. Il se campa devant sir Benny Castain, ouvrit les bras tout grands et donna l'accolade au noir comme il l'avait fait des années auparavant, à la fin du match mémorable.

— Je crois qu'il y a dans le jeu de cricket certaines choses dont on ne parle jamais dans les livres, dit McKay à haute voix.

Mais il entendit à peine ses paroles, car la foule s'égosillait de joie.

Le troisième jour après l'arrivée de lord Wrentham, le texte du premier article de Millard McKay, publié à Detroit, arriva dans l'île et provoqua un remous favorable. Après avoir expliqué qu'en 1763 de nombreux Anglais de bon sens auraient préféré garder All Saints et renoncer au Canada, l'auteur décrivait l'île telle qu'elle était à présent, et il en faisait un portrait fidèle et sympathique. Toute personne qui connaissait All Saints devait reconnaître que McKay avait repéré les points faibles, observé les mérites et compris le rôle joué par la couleur de la peau dans la hiérarchie sociale.

Les gens qui avaient lu les extraits publiés dans l'*All Saints Journal*, une faveur de l'Associated Press, inclinaient aimablement la tête quand McKay passait dans la rue, et comme la population de Bristol Town ne s'élevait qu'à six mille personnes, tout le monde sut vite qui était McKay et ce qu'il avait écrit. Le passage le plus fréquemment commenté résumait les données que lui avaient fournies Bart Wrentham et Étienne Boncour.

> *La population d'All Saints, au dernier recensement, s'élève à 29 779 personnes, et si un visiteur fréquente seulement les sphères du gouvernement — le Gommint, comme on dit ici — il a l'impression que tout le monde est blanc. Mais si l'on entre dans les magasins des rues principales, on croit aussitôt que tout le monde a la peau légèrement « colorée ». Et quand on descend dans les rues latérales ou la campagne, on peut jurer qu'All Saints est toute noire, et je dis même très noire, juste arrivée d'Afrique.*
>
> *Selon les meilleurs échos, la population se divise ainsi : blancs, Anglais et Français réunis : environ neuf cents ; hommes et femmes de couleur : à peu près sept mille ; le reste est noir : vingt-deux mille. Il s'agit donc bien d'une île noire, mais il peut se passer une journée entière sans qu'un visiteur en prenne conscience.*
>
> *C'est la deuxième « classe » qui provoque la confusion, parce qu'elle contient de nombreuses personnes de belle allure, bien habillées et de bon niveau d'études, qui passeraient pour blanches aux États-Unis ou au Canada... Mais ici tout le monde connaît jusqu'au énième degré les antécédents de son voisin, et un trente-deuxième de sang noir suffit à classer un homme ou une femme dans la catégorie des gens de couleur.*
>
> *Que se passe-t-il quand un homme d'All Saints particulièrement doué désire entrer dans le monde blanc ? Ou qu'une belle jeune femme désire se marier dans un cercle social plus élevé ? Ils émigrent dans une autre île, où ils peuvent repartir à zéro. Bien entendu, plus tard, la rumeur les suit et la vérité est connue, mais s'ils ont déjà accédé à un nouveau statut, la situation ne peut être inversée.*
>
> *Ainsi donc, All Saints contient une vingtaine de charmants nouveaux venus de la Barbade, la Jamaïque et Trinidad, qui*

mettent de l'animation dans la vie sociale de l'île mais qui suscitent des ragots. Et sur la ligne ténue qui divise les noirs et les gens de couleur, il se produit le même genre de mobilité restreinte. Le visiteur apprend ainsi qu'une jeune fille, réputée « de couleur », fera l'impossible pour empêcher ses nouveaux amis de rencontrer sa sœur à la peau beaucoup plus sombre qu'elle.

Cette explication dure mais exacte de la façon dont la couleur de la peau déterminait le statut se trouvait tempérée par la description rhapsodique des beautés naturelles de l'île, y compris le croton, et par une évocation émue des « relations de cricket » entre sir Benny Castain et le nouveau gouverneur général. L'article s'achevait par ces mots : « Si vous envisagez des vacances dans une île des Antilles l'hiver prochain, essayez donc All Saints. Vous ne pouvez pas mieux tomber. »

L'article de McKay plut à Étienne Boncour et à Bart Wrentham, qui le lui dirent.

— Flatteur sans tomber dans l'excès, lança Bart d'un ton bourru.

— Le Gommint est ravi, lui assura Boncour. Quand le G-G l'a lu, il a dit : « C'est un bon départ », mais le major Leckey l'a mis en garde : « Il a écrit ça avant votre arrivée. Attendons. C'est un Américain, et ils nous ont déjà brûlé le bout des doigts. »

Un mystérieux couple anglais qui se trouvait au *Belgrave* nourrissait des sentiments plus circonspects à l'égard de McKay et de son article. Les Ponsford, qui devaient approcher de la soixantaine et venaient d'un quartier huppé de Londres, étaient arrivés à All Saints sur le même bateau que lord Wrentham et sa fille Delia. Rigoureusement bien élevés, ils ne s'étaient pas imposés à Son Excellence à bord du bateau, mais dès qu'ils avaient débarqué à All Saints ils avaient retenu un taxi et s'étaient rendus à Government House pour signer le livre. Comme il se devait, le major Leckey était passé les inviter à un thé, où ils dirent à lord Wrentham et à sa fille qu'ils avaient voyagé sur le même bateau mais n'avaient pas voulu s'immiscer dans leur vie privée. Cette courtoisie fut appréciée, et le major Leckey se chargea en personne de remettre leurs autres lettres d'introduction à qui de droit, si bien qu'au bout de quelques jours, les Ponsford se trouvaient intégrés à ce que l'on appelait « la crème d'All Saints », le cercle restreint des Britanniques de bonne famille qui gouvernaient l'île. Au bout de cinq semaines dans l'île, McKay n'avait pas rencontré une seule personne de ce groupe.

Les Ponsford savaient qui était McKay et ce qu'il avait écrit, mais pour rien au monde ils ne l'auraient abordé pendant sa journée de travail car ils n'avaient pas été présentés. McKay n'arrivait pas à les situer, car ils restaient strictement à l'écart. La rencontre se produisit seulement le jour où, en arrivant au *Belgrave* pour déjeuner, Étienne Boncour vit les Ponsford à leur table et McKay à la sienne. Le bijoutier eut l'audace de dire aux Ponsford :

— Je crois que vous aurez plaisir à connaître ce garçon, là-bas.

Et ils autorisèrent Boncour à conduire McKay à leur table. Après les présentations, le bijoutier alla déjeuner et Millard resta en face de deux personnes plutôt glaciales, qui n'avaient pas aimé ce qu'ils appelaient « le côté irrévérencieux » de ses articles de Detroit et qui le lui dirent.

— Je ne vois aucune raison d'insister sur le côté noir de l'île, dit Mr. Ponsford avec une auguste condescendance.

— Je n'ai pas l'impression d'avoir insisté, s'étonna McKay.

Mrs. Ponsford, bien conservée et impeccablement coiffée, dont le nez aquilin semblait toujours sur le point de flairer, lui répliqua sèchement :

— Vous ne cessez de répéter qu'All Saints est en majorité noire.

— Mais c'est un fait ! lança McKay, visiblement désireux d'exprimer la vérité. Regardez donc autour de vous.

— Si c'est le cas, répondit Mr. Ponsford avec son air de directeur de banque, c'est bien dommage, et il est donc préférable de ne pas le crier sur tous les toits. Des hommes et des femmes excellents gouvernent cette île avec les meilleures intentions du monde, et ils méritent le soutien que nous pouvons leur offrir.

— Rien n'est plus beau, ai-je dit à mon mari l'autre jour, que de voir un homme distingué comme lord Basil parcourir les rues dans sa Rolls-Royce, symbole de tout ce qui est bon et juste dans l'Empire britannique.

McKay réprima un sourire et se dit : « Il faut que je me souvienne de celle-là... Les gens se moquent des Américains en voyage et j'imagine que nous le méritons bien, mais vraiment, rien n'est plus exécrable qu'un couple anglais comme ces gens-là. » Sachant qu'il se trouverait dans la même salle à manger pendant plusieurs semaines, il se tourna vers Mrs. Ponsford et lui demanda :

— Et les gens de couleur qui tiennent tellement de place ici même, à Bristol Town ? Devrais-je en parler ?

— Avec le temps, l'accession aux études et l'ascension sociale, ils deviendront de plus en plus comme les blancs, dit Mr. Ponsford d'un ton doctoral. On leur a déjà attribué trois places au Conseil exécutif.

— Est-ce que leur peau deviendra plus claire parallèlement à cette ascension ? demanda McKay sans la moindre trace d'ironie.

— N'est-ce pas ce qui se produit déjà ? répondit sérieusement Mrs. Ponsford. Pas plus tard qu'hier, j'ai appris que les trois mulâtres du Conseil étaient aux trois quarts blancs.

— C'est l'évidence même, dit son mari.

Mais avant d'avoir pu s'expliquer davantage sur son interprétation de la vie à All Saints, le couple fut interrompu par l'arrivée d'un jeune et bel Anglais vêtu d'un complet blanc impeccable, qui mettait en valeur son allure athlétique et sa minceur. Il avait des cheveux blonds coupés à la mode et le sourire professionnel des personnes habituées à accueillir les gens.

— Le major Leckey, déclara Mrs. Ponsford d'un ton approbateur. Le précieux bras droit du gouverneur... Et Mr. McKay, qui a écrit sur votre île pour ce journal des États-Unis.

L'instant suivant resterait gravé à jamais dans l'esprit de Millard : le major Leckey, qui connaissait l'identité et la profession de McKay depuis l'instant où ce dernier avait posé les pieds sur l'île, mais qui s'était senti contraint par l'honneur d'ignorer sa présence jusqu'à ce qu'il ait présenté ses lettres de créance dans les règles, détourna légèrement la tête des Ponsford et accorda à l'intrus américain un bref sourire glacé de demi-politesse. Puis, sans même tendre la main, il reprit sa conversation avec le couple anglais, qu'il était venu chercher pour les accompagner à une réception de Government House. Un instant plus tard, ils s'étaient éclipsés tous les trois, sans même se soucier de s'excuser auprès de McKay.

McKay rencontra de nouveau Leckey le lendemain dans la bijouterie de Boncour, et comme Étienne était occupé avec une touriste anglaise, les deux hommes durent rester côte à côte, mais le major se refusa de nouveau à reconnaître l'Américain. Il fallut qu'un autre client les bouscule pour que le major soit contraint de lui adresser un sourire — un sourire hautain, bien entendu, auquel McKay répondit avec la plus petite inclinaison de tête imaginable, sans mouvement d'épaules. McKay comprit que la guerre venait d'être déclarée.

Elle n'explosa pas sur-le-champ, parce que Leckey était venu dans le magasin pour une affaire plus importante.

— On m'a dit que l'Honorable Delia m'attendrait ici, déclara-t-il à Boncour, d'un ton sec et supérieur, comme s'il s'abaissait en parlant au bijoutier.

— Elle n'est pas arrivée, répondit Boncour.

McKay, qui avait l'intuition vive, crut déceler dans l'attitude de Boncour, au moment où il prononçait le nom de la fille du G-G, un degré inhabituel d'intérêt. Il comprit bientôt pourquoi. La jeune femme de vingt-deux ans qui entra emplit aussitôt le magasin de son rayonnement. Elle portait une de ces robes légères de dentelle et de mousseline, symphonie délicate de blanc et d'ivoire, digne de la beauté de la jeune femme.

Les cheveux d'or, qui n'étaient pas entièrement disciplinés — sans doute se refusait-elle à leur imposer des normes strictes —, formaient une sorte d'encadrement à un visage aux proportions et aux traits merveilleusement harmonieux. Elle semblait sourire à part soi des folies du monde qui l'entourait. Ses grands yeux pétillaient, sa bouche exprimait de la générosité, et elle penchait la tête d'un air qui révélait de la sympathie pour tous ceux qu'elle regardait. Elle constituait l'image idéale de la jeune aristocrate anglaise de son temps et l'on ne pouvait éviter de se poser deux questions : « Pourquoi n'est-elle pas mariée ? » et « Pourquoi diable son père l'a-t-il emmenée dans un endroit comme All Saints ? »

— Oui, Miss Wrentham, s'écria Boncour en se précipitant pour la servir. J'en ai trois à vous montrer.

Il allait lui présenter un plateau de bijoux fantaisie, mais le major Leckey l'interrompit :

— Delia, je suis tout à fait désolé mais votre père attend. Il m'a envoyé vous chercher.

Sur ces paroles, sans un mot d'excuses à Boncour ou à McKay, il l'entraîna vers la porte et la voiture dans laquelle un chauffeur attendait.

Après son départ, qui créait comme un vide, McKay siffla entre ses dents pour rompre la tension.

— Jamais je n'aurais cru que les filles des G-G aient une telle allure.

Pendant un moment, les deux hommes bavardèrent de sa beauté et de ses manières.

— Elle est venue à l'improviste la semaine dernière, la plus charmante cliente que nous ayons rencontrée. Pas de chichis, pas d'exigences, des questions raisonnables sur de petites breloques pour bracelets.

— Et qu'est-ce que c'est ?

— La mode a été lancée en France, je crois. Un bracelet d'or et d'argent, à maillons, et à chaque maillon on fixe... Irène, lança-t-il en se tournant légèrement, montrez-lui les photos.

Une jolie fille à la peau très claire alla chercher dans l'arrière-boutique un magazine de Londres où étaient présentées des photos de ces ravissants bracelets. Mais après les avoir regardées brièvement, McKay feuilleta la revue et s'exclama soudain :

— Eh ! Regardez donc !

La jeune fille qui était allée chercher le magazine répondit :

— Oui, vraiment ! Rien d'étonnant à ce que lord Basil se soit hâté de l'emmener ici.

L'article, illustré de photos provocantes, racontait l'escapade de l'Honorable Delia Wrentham avec un homme marié plus âgé qu'elle et faisait allusion à d'anciennes aventures avec plusieurs jeunes gens d'Oxford et de Cambridge. La jeune vendeuse qui avait apporté le magazine de l'arrière-boutique semblait très au fait des incartades de l'Honorable Delia, et lança d'un ton impertinent, sans qu'on lui ait rien demandé :

— Il était grand temps que son père la fasse filer. Si vous voulez mon avis, il a accepté ce petit poste minable uniquement pour avoir l'occasion de la calmer un peu.

McKay en resta bouche bée. Il ne s'attendait pas à ce qu'une vendeuse de couleur parle avec autant de liberté et de hardiesse. Il posa alors à la jeune fille une série de questions. Il apprit que l'Honorable Delia était un astre dans le tourbillon de la vie londonienne : « Une fille fantastique, si vous voulez mon avis, et de grand secours pour son père qui est veuf. Il l'adore, paraît-il. Et il suffit de la voir un instant pour comprendre pourquoi. »

Dans les jours qui suivirent, tout à All Saints parut tourner autour de sir Basil et de sa charmante fille. Au *Waterloo,* on ne parlait guère d'autre chose, et au *Belgrave* l'Américain McKay découvrit un sujet que les Ponsford ne se lassaient jamais d'évoquer : l'histoire des Wrentham anglais, et surtout les faits et gestes du comte de Gore et de sa proche famille.

— Très distingués, déclara Mrs. Ponsford. La famille remonte très loin dans notre histoire. Célèbre pour la beauté de ses filles.

— La Delia du G-G doit être l'une des plus belles, renchérit McKay.

Les deux Ponsford acquiescèrent.

Une fois la glace rompue, McKay trouva le couple assez intéressant : de bons Anglais de la classe moyenne qui adoraient la classe supérieure. « Ils sont tellement guindés ! se disait-il. Cela doit venir de leur éducation, mais quand on l'oublie, ils ne sont pas si mauvais bougres. » Il se demanda plus que jamais ce qu'ils faisaient à All Saints, mais ne put leur soutirer aucun indice.

Ils commencèrent à lui plaire, parce que pendant les repas, qu'il prenait de plus en plus souvent à leur table, ils parlaient volontiers des Wrentham.

— En fait, nous avons connu le père de lord Basil avant qu'il ne devienne comte de Gore. Un bel homme affable, excellent cavalier.

— Comment était-il ?

— Vous comprenez, quand il a hérité du titre nous avons cessé de le voir. Nous n'appartenons pas à des cercles aussi huppés.

McKay, désireux de percer le rideau de réticences dont le couple s'entourait, demanda avec la double impertinence d'un Américain et d'un journaliste :

— Que faisiez-vous... dans la vie privée... avant la retraite ?
Une question aussi directe fit tiquer Mr. Ponsford : on n'interroge pas les gens ainsi dans la bonne société anglaise, mais son respect croissant pour la sincérité et l'honnêteté de McKay l'encouragea à répondre :
— Assurances maritimes, dans une petite compagnie...
Et son épouse ajouta avec une fierté manifeste :
— À ses débuts, mais à sa retraite... En fait il n'a pas pris sa retraite parce qu'il était devenu le patron de la compagnie et avait fait d'elle la plus importante de Liverpool.
— Et que pensez-vous de la fille du G-G ?
— C'est un amour, dit Mrs. Ponsford.
Son mari se montra plus réticent :
— Elle donne de vraies migraines à son père.
La conversation libre sur Delia s'arrêta sur ces mots, car le major Leckey apparut en costume tropical gris et casque de liège pour conduire les Ponsford à un pique-nique au cap Galant avec le G-G et sa fille. McKay expliqua aussitôt aux Ponsford qu'il avait pique-niqué au cap Galant lui aussi, mais avant qu'il puisse terminer sa phrase, Leckey avait entraîné le couple. Pour lui, un homme sans références comme McKay demeurait inexistant.
Dans les jours qui suivirent, McKay interrogea les Ponsford, Bart et Étienne au sujet de l'Honorable Delia.
— Lord Wrentham, le vrai, celui qui a hérité du titre, n'a pas très bien pris le comportement de sa nièce, lui dit Bart. Delia a refusé des conseils de lady Gore et il a fallu que Sa Seigneurie lui fasse de vives remontrances pour qu'elle rompe avec un colonel allemand dont elle s'était entichée. Elle a vingt-deux ans, vous savez. Et elle n'en fait qu'à sa tête.
Un homme qui consommait à une table voisine ajouta son grain de sel :
— Cette aventure avec le colonel allemand a failli tourner à la tragédie.
— Ah bon ? s'étonna McKay. Mais dans quel genre de tragédie peut tomber une jeune fille de son âge ?
L'homme se refusa à toute explication et McKay prit congé :
— Je dois aller à la bijouterie faire graver mes initiales sur la Rolex que Boncour m'a vendue l'autre jour...
Quand il entra dans le magasin, Delia elle-même s'y trouvait, en train de terminer l'achat interrompu le jour où le major Leckey l'avait si impérieusement entraînée.
— Bonjour, dit-elle d'un ton léger quand McKay regarda par-dessus son épaule les pendeloques qu'elle avait choisies pour son bracelet. Je suis Delia Wrentham, et vous êtes... Je sais qui vous êtes. C'est vous qui avez écrit cet article sur nous.
Mais la porte s'ouvrit en coup de vent, le major Leckey se précipita, lui prit le bras et l'entraîna dehors sans adresser un seul mot à personne. McKay, qui regardait Boncour, vit celui-ci rougir comme s'il avait été giflé. Le journaliste se demandait encore le sens réel de l'incident, et la vendeuse bavarde qui lui avait montré la revue lui murmura, pendant que Boncour s'occupait d'un autre client :
— Elle vient ici tout le temps.

Quand le deuxième article de McKay arriva dans l'île, il fit de lui un héros car il avait décrit avec une délicatesse charmante la vie sociale d'All Saints, et avait tracé un portrait avantageux du nouveau G-G et de son style. L'Honorable Delia était présentée comme un bienfait pour toute île où elle déciderait de se rendre, et son père, sans doute incroyablement rigide et guindé selon les normes américaines ou canadiennes, semblait exactement ce dont l'île avait besoin selon la tradition britannique. McKay dépeignait également sous leur meilleur jour le *Club*, le *Tennis*, le *Waterloo* et *Chez Tonton*, invitant chaque lecteur à choisir à quel niveau il jugerait bon de visiter l'île.

Certains cyniques anglais demandèrent :

— Comment ose-t-il parler du *Club* et du *Tennis*, alors qu'il n'y a jamais été invité ?

Mais ils concédèrent qu'il avait le droit de décrire le *Waterloo* et *Chez Tonton* puisqu'il traînait toujours dans le premier et s'était rendu deux fois au second avec sir Benny Castain.

— Comment pouvez-vous en savoir si long sur le *Club ?* lui demandèrent sèchement les Ponsford, qui y avaient été invités à plusieurs reprises.

McKay leur donna l'explication favorite des journalistes :

— Je sais écouter.

— Il faudra que vous y alliez un jour, dirent-ils en toute sincérité.

— J'aimerais beaucoup.

Le deuxième article suscita à Government House une attention si favorable que le major Leckey ne put plus ignorer la présence de son auteur sans tomber dans le ridicule. Mais l'invitation attendue depuis longtemps ne vint pas de Leckey mais d'une origine plus surprenante.

— Allô, McKay, le journaliste américain ? Bien. Ici le gouverneur général. J'ai lu vos articles, McKay. Excellent. Nous sommes enchantés de ce que vous avez dit de notre île, même quand vous la flattez le moins. Je donne une réception jeudi à six heures. Aurez-vous le temps de vous joindre à nous ?... Parfait. Je vous fais déposer un carton.

Le G-G n'était pas stupide. Sa longue fréquentation des journalistes qui couvraient les matchs de cricket et les événements politiques lui avait enseigné la valeur inestimable d'un bon article de presse, et il se doutait que sa réception du jeudi lui vaudrait un article entier dans le journal de McKay.

Par une merveilleuse soirée de jeudi, au début de mars 1938, lord Basil Wrentham, gouverneur général d'All Saints, l'île britannique des Antilles, invita chez lui pour une réception de gala tous les autres Wrentham de l'île. On en avait trouvé trente-neuf : des hommes comme Black Bart Wrentham, le patron du *Waterloo*, des femmes comme Nancy Wrentham, l'infirmière-chef de nuit aux urgences de l'hôpital. Ils vinrent dans toutes sortes de costumes et ils avaient toutes les nuances possibles de couleur. Deux seulement étaient blancs : un couple qui dirigeait une ferme près de l'anse du Soir ; et plus de la moitié avait la peau très sombre, presque noire, car le noble sang des Wrentham s'était de plus en plus mélangé.

Mais ils formaient un groupe remarquable : des hommes et des femmes dont les ancêtres avaient vécu les triomphes et les tragédies de cette île. Quatre d'entre eux avaient fait de la prison, et le major Leckey l'avait signalé au G-G.

— Ils n'y sont plus, n'est-ce pas ? avait-il répliqué.

Les plats servis étaient un peu plus consistants que d'habitude et les cocktails moins alcoolisés, mais le même orchestre jouait que pour les réceptions « entièrement blanches » et les fleurs étaient placées avec le même soin dans les grandes salles. Lord Basil se fit présenter tout le monde, salua en chacun un cousin, et la soirée prit le tour d'une véritable réunion de famille.

Une demi-douzaine de membres de chaque groupe social d'All Saints avaient été également invités : des hommes d'affaires blancs, sir Benny Castain, des commerçants à la peau claire et des hommes politiques comme Étienne Boncour. Le G-G se donna la peine de présenter McKay dans les diverses salles :

— Un éminent journaliste américain honore notre île de sa visite et partage avec ses lecteurs les vérités de notre vie quotidienne...

Quand il passa dans la dernière salle, il murmura à McKay :

— Je prendrai un petit souper au *Club* après le départ de tous, je serais ravi de vous avoir avec nous.

La soirée aurait dû s'achever sans une fausse note, car même le major Leckey, sachant qu'il fallait suivre sur la lancée du G-G, avait accueilli McKay comme un ami de longue date. Mais alors qu'ils se rendaient ensemble vers le grand salon, ils traversèrent un couloir sombre et se figèrent soudain, stupéfaits. Dans un renfoncement, l'Honorable Delia embrassait le bijoutier Étienne Boncour avec une passion presque animale.

Au même instant tous les regards se croisèrent. Personne ne put prononcer un mot. Leckey saisit le bras de McKay et l'entraîna. Ils ne se dirent rien. Jamais ils ne feraient la moindre allusion à l'incident. Mais chacun savait que ce qu'il avait vu était chargé de sens et extrêmement important : pour le major Leckey, la scène déchirait la trame même de l'ordre social à All Saints; pour Millard McKay, le choc était plus personnel — il était tombé amoureux de Delia Wrentham.

Le souper au *Club* fut assez tendu car Delia, Leckey et McKay se trouvaient à la même table de douze, présidée par lord Basil. Ils osèrent à peine se regarder. Étienne Boncour, homme de couleur, n'avait évidemment pas accès au restaurant du *Club*, même si la fille de G-G s'était entichée de lui.

Plusieurs autres clients du *Club* s'arrêtèrent pour féliciter McKay de son deuxième article.

— Beaucoup mieux que le premier avec toutes ces histoires de blancs et de noirs.

— Le *Club* est-il tel que vous l'imaginiez ? demanda un couple.

McKay oublia la pique et sourit :

— C'est un merveilleux refuge tropical, dit-il en montrant les fleurs luxuriantes.

En réunissant tous ses « cousins » de l'île, lord Wrentham avait fait preuve d'imagination, ce qui avait frappé McKay, mais les amours téméraires de Delia avec Boncour le déconcertaient. Ce soir-là, il se tourna et se retourna longtemps dans son lit, incapable de s'endormir, et il commença à voir l'ensemble de la situation avec les yeux de n'importe quel journaliste ordinaire : « C'est une petite garce trop gâtée. Elle a fait la foire dans toute l'Europe. C'est devenu une habitude. Et quand elle arrive au bout du monde, comme à All Saints, elle cherche le premier bonhomme qui ne soit pas trop mal. N'importe qui ferait l'affaire. Ça ne durera pas longtemps. Elle passera bientôt à un autre. Comme en Angleterre. » Sur ces pensées, il s'endormit sans avoir songé un instant à la façon dont il rendrait compte de cette chaleureuse réunion de tous les Wrentham de l'île.

Quatre jours plus tard, alors qu'il terminait un déjeuner solitaire, les Ponsford entrèrent dans la salle et s'installèrent à une table assez éloignée de celle de McKay. Peu après, Mrs. Ponsford quitta discrètement sa place pour échanger quelques mots avec son ami américain .

— Mr. McKay, ne faites aucun geste. Ne dites rien. Mais Delia Wrentham va passer dans peu de temps devant la porte d'entrée dans une voiture de Government House. Elle vous demande de l'attendre.

Le cœur battant, il sortit de la salle à manger d'un pas nonchalant, se plaça près des arbustes fleuris qui le dissimulaient et attendit l'ensorcelante jeune femme. Quel pouvait être le sens de ce rendez-vous ? Que voulait donc de lui la petite-fille d'un comte ? Il n'avait même pas commencé à envisager les possibilités qu'une petite MG s'arrêta. Il courut aussitôt.

— J'ai besoin de votre aide, dit-elle brusquement au moment où la voiture bondit en avant.

À la surprise de McKay, elle prit la direction du sud-est de Bristol Town, où la célèbre route de montagne montait d'abord en une série de virages serrés, puis redescendait par un chapelet d'épingles à cheveux effarantes jusqu'à la petite ville d'Ely, sur l'océan. Delia roula sur la première ligne droite à la vitesse maximale, puis freina brusquement à l'entrée même du virage et fit déraper la voiture... McKay, assis à ce qui était pour lui la « mauvaise » place, en eut une peur bleue.

— Les quinze kilomètres les plus affreux de ma vie, avoua-t-il plus tard.

Mais il s'habitua vite et eut le temps de penser (surtout pendant les lignes droites) : « C'est magnifique ! Je pars pour une destination inconnue avec une jeune Anglaise titrée, d'une beauté sublime ! Quelle aventure pour un journaliste de Detroit ! » Et il rit de lui-même. Il se sentait comme un collégien en vacances.

— Où allons-nous ? demanda-t-il enfin.

— Vous verrez.

Il ne chercha même pas à deviner ce qui allait se passer.

Il s'attendait un peu à ce qu'elle s'arrête à Ely, dont il désirait voir le petit port abrité sur l'Atlantique, mais elle fonça dans les rues étroites en faisant voler les poulets et sauter en l'air les habitants terrifiés.

— Ralentissez, criminelle ! cria-t-il. C'est une ville habitée.

Elle n'en tint aucun compte. Elle quitta Ely par une piste étroite en direction du sud, vers les falaises qui dominaient l'océan.

Après une ahurissante ascension ils parvinrent en haut d'une longue descente au pied de laquelle se trouvait la ville d'York, pittoresque et isolée — un gros village en fait, qui s'étirait sur les deux côtés de la baie de Marigot, belle indentation où pénétrait l'Atlantique. Il avait lu qu'à la saison des *hurricanes,* York se trouvait parfois sous de violentes tempêtes : de grandes vagues se précipitaient dans la baie fermée et submergeaient impitoyablement les routes et les maisons du bas. Mais en général quelques journées de soleil suffisaient à sécher les dégâts et York reprenait son existence paisible.

— Que faisons-nous à York ? demanda McKay.
Delia remonta simplement ses cheveux avec sa main droite, puis posa la main gauche sur le genou du jeune homme comme pour le rassurer.
— Patientez...
Elle était adorable — McKay ne trouva pas d'autre mot. Ils continuèrent à pleine vitesse sur le bras sud de la baie, où se terminait la route de l'île. Elle s'engagea impatiemment dans une succession de culs-de-sac et fut chaque fois obligée de faire demi-tour au bout. Elle arrêta enfin la voiture, fit signe à un paysan noir de s'avancer à la portière et lui demanda d'un ton presque furieux :
— Où est la route du cap d'Enfer ?
L'homme expliqua ce qu'elle savait déjà :
— Il n'y a pas de route, madame. Seulement un chemin.
— Je sais. Où est-il ?
Il lui montra une piste qui se dirigeait vers l'est, sans doute bonne pour du bétail mais non pour une voiture habituée à des routes goudronnées et bien entretenues. Mais l'homme était très aimable et il assura à Delia :
— En conduisant lentement, si votre voiture est solide, vous pourrez y arriver.
Elle le remercia d'un charmant sourire et démarra sur la piste de terre beaucoup plus vite que l'homme ne l'avait conseillé.
McKay insista pour être mis dans la confidence.
— Dites-moi ce que nous faisons ici, ou je descends.
— Peu probable, lança-t-elle avec une pointe d'ironie. Si vous sautez à cette vitesse, vous êtes mort.
— Est-ce lié à ce que Leckey et moi avons entrevu l'autre soir ?
— Disons simplement que vous êtes mon alibi.
Elle rougit, quitta le chemin des yeux, lui lança un regard presque angoissé et lança, juste au bord des larmes :
— Vous savez ce qu'a fait ce salaud de Leckey ? Parce qu'Étienne a osé embrasser une blanche, il a été renvoyé du Conseil, il a perdu sa place à l'Office du Tourisme, et sa bijouterie commence à en souffrir.
— Je ne peux pas le croire. Quelle sale affaire...
Elle se pencha sur le volant, comme pour prendre ses distances par rapport à McKay
— Avez-vous songé qu'à Londres Étienne ferait sensation avec sa beauté, ses bonnes manières, son éducation accomplie ? Cet homme est un trésor. À Paris, il serait le roi de la rive gauche. Mais ici, à All Saints...
— Ou à Detroit, ajouta McKay.
Elle voulut répondre, mais sa gorge se serra et elle dut se mordre la lèvre inférieure, geste qui la rendit encore plus désirable. McKay s'avança soudain et l'embrassa. Elle s'était visiblement déjà trouvée dans la même situation, car elle lui dit d'un ton léger :
— Faites ça encore une fois, et vous bousillez la voiture.
Mais pour le remettre en confiance, elle posa de nouveau la main sur la jambe de McKay et murmura :
— Mais j'apprécie le vote de confiance.
— D'accord. Et maintenant, expliquez-moi.
Elle ralentit pour éviter les ornières qui rendaient la route dangereuse.

— Je ne suis jamais venue par ici, dit-elle et elle ajouta brusquement : J'ai besoin d'aide. De quelqu'un à qui je puisse me fier.

Elle contourna habilement les trous.

— Vous semblez vraiment la dernière fille au monde qui ait besoin d'appeler au secours.

Elle éclata de rire.

— Mais il faut que vous gardiez le secret, Millard. Je vous fais confiance. Il le faut.

Le mauvais chemin s'acheva, mais un sentier pour piétons continuait sur la gauche vers le cap d'Enfer, la pointe rocheuse à l'extrême sud de l'île où plus d'un bateau à voile avait jadis rencontré sa fin. Delia conduisit avec précaution au bord d'une falaise profonde, puis, d'une main sûre, ralentit la voiture au pas. Elle était parvenue tout au bout de la terre et Étienne Boncour l'attendait à côté de sa camionnette Ford bleue.

Delia bondit de son siège et s'élança vers le promontoire sombre pour embrasser Étienne et l'entraîner derrière la pile de rochers qui marquait la fin de l'île. Ils y restèrent près d'une heure et McKay ne cessa de se tourmenter. Puis ils réapparurent, Étienne était plus beau que jamais, Delia éblouissante dans le vent, sur le fond violent de l'Atlantique. Un couple magnifique.

De l'arrière de sa MG, Delia sortit un pique-nique surprise dans un de ces paniers d'osier qui agrémentent les repas en plein air des Anglais et des Français, en démontrant par leur présence qu'il s'agit là d'une chose sérieuse, organisée avec soin. Mais ce fut un repas triste qu'ils partagèrent là, au bout du monde, avec une falaise pour table et un océan furieux comme toile de fond, car ils étaient, au fond, trois inconnus désemparés : une jeune Anglaise entêtée qui rejetait les contraintes imposées aux femmes, un bel îlien qui essayait de trouver sa juste place dans un monde aux valeurs mouvantes, et un intrus américain audacieux et sensible, héritier du système des valeurs anglaises et respectueux des traditions de l'île. Preuve de la confusion dans laquelle ils se trouvaient, chacun d'eux se contenta de grignoter l'excellente nourriture apportée par Delia, les yeux perdus sur l'océan sombre, vers l'est.

— Comment Leckey possède-t-il le pouvoir de vous pénaliser ainsi, Étienne ? demanda McKay.

Delia devança la réponse.

— Nous ne sommes pas venus ici pour vous offrir le sujet d'un article, Millard.

Boncour tint cependant à expliquer :

— Leckey continue simplement d'agir comme il l'a fait depuis neuf ans. Il détruit tout ce qui menace de près ou de loin l'autorité du gouverneur général, même si c'est une chose banale. Cette île est à la veille d'un conflit de races entre blancs et noirs comme toutes les îles des Antilles, croyez-moi. Je m'en rends compte quand je vais dans mes autres magasins.

— Même la Barbade ? demanda McKay.

— Surtout la Barbade ! répliqua Étienne. Mais à All Saints nous allons éviter ce conflit-là en intégrant les noirs et les gens de couleur au pouvoir politique. Peut-être même installerons-nous un gouvernement autonome... Et plus tôt que vous ne le croyez.

— Je crois que tu as raison, dit Delia. Et la façon dont je vois mon père agir, pour cette soirée Wrentham par exemple...

Elle s'interrompit, posa le bras autour des épaules de Boncour puis continua :
— Le soir où l'on nous a découverts...
Elle ne termina pas sa phrase au sujet de son père.
— Donc, reprit Boncour, si la fille du G-G et un homme de couleur de l'île devaient devenir le sujet de ragots...
Du tranchant de la main il fit le geste de faucher une tête.
— On l'abat.
Il regarda Delia et l'embrassa.
— Lui, ou même elle si nécessaire. Vous aurez autant d'ennuis que moi, lady Delia.
— Je m'en suis aperçue pendant l'incident d'Allemagne. Les deux camps ne songeaient qu'à une chose : lancer la petite Delia par-dessus bord.
Elle se leva, se dirigea au bord de la falaise et essaya de lancer des cailloux dans l'océan. L'eau était trop loin.
Pendant la demi-heure qui suivit ils abordèrent de nombreux sujets, puis Millard dit :
— J'aimerais beaucoup prolonger mon séjour. Je pourrais télégraphier au patron, lui demander l'autorisation de prendre mes vacances ici, à All Saints. J'aime cette île... les gens comme vous... les paysages comme celui-ci.
— Pourquoi pas ? lança Delia. Vous pourriez écrire un livre sur nous.
— Il faudrait en savoir beaucoup plus long...
— Étienne et moi vous fournirons tout le gros œuvre. Il connaît All Saints et je connais le gouvernement des colonies anglaises.
McKay dévisagea ce beau couple qui était devenu soudain si important pour lui.
— Il y a une question beaucoup plus grave, dit-il. Qu'allez-vous faire ?
— Si nous étions en France, avec l'intention d'y rester, nous pourrions nous marier tout de suite, répondit Delia sans hésiter. Mais dans un territoire anglais... Si nous vivions à Detroit, serait-ce plus facile ? ajouta-t-elle en posant la main sur celle de McKay.
— Vous seriez mis au ban. Mon journal ne passerait même pas un article sur votre mariage. Trop incendiaire.
— Qu'est-ce qui est incendiaire ? lança-t-elle, irritée.
— Noir et blanc. Personne n'est encore prêt pour ça.
— Mais cet homme n'est pas noir ! Regardez-le. Il est presque aussi blanc que vous.
— Est-ce l'avis du major Leckey ?... C'est cela qui compte vraiment.
Quand vint le moment de quitter ce petit refuge, Delia monta dans la camionnette de Boncour et lança les clés de la MG à McKay.
— Je passerai la prendre au *Belgrave*.
Mais Étienne ne voulut rien entendre. Il se devait de protéger la jeune femme contre elle-même.
— Delia, il faut que vous repartiez avec lui.
Il la força à descendre et insista pour qu'elle parte la première avec McKay.
— Je vous suivrai de loin et j'entrerai dans York par une route différente, que personne ne prend. Si le major Leckey a mis des espions en place pour nous surveiller, je brouillerai les pistes.
Bien entendu, Delia entra dans York dans un nuage de poussière et

le tonnerre de son pot d'échappement prévint tout le monde de son passage.
— Ne conduisez pas comme une folle ! lui cria McKay.
Mais cela ne fit que l'encourager à rouler plus vite.

Quand McKay publia son troisième article de fond, une évaluation impartiale de l'avenir de la Grande-Bretagne dans les petites îles comme All Saints, son rédacteur en chef de Detroit supposa qu'il allait rentrer rapidement, mais McKay avait pris à cœur le sort probable de Delia et Étienne, les chances de succès de lord Wrentham et du major Leckey, l'avenir de ses deux amis à la peau sombre Bart Wrentham et le joueur de cricket sir Benny, et même, oui, ce qu'il allait advenir du couple banal des Ponsford. Il décida de câbler au journal pour demander l'autorisation de prendre ses congés 1938 à All Saints avec quelques semaines d'avance. Gross répondit que ses articles ayant augmenté la diffusion du journal au Canada, la rédaction souhaitait qu'il continue ses reportages à la Barbade ou à Trinidad, avec son salaire normal et non en vacances.

Il répondit qu'il prendrait le bateau pour Trinidad puis la Barbade le soir même et partit aussitôt voir Étienne dans son magasin et Delia à Gommint House pour leur expliquer son absence et leur souhaiter bonne chance. Au moment de quitter le *Belgrave*, il rencontra le major Leckey, venu l'escorter au bateau.

— McKay, vos articles nous ont fait un immense plaisir. Remarquable qu'un Américain ait pu pénétrer nos mystères de façon si exacte. Le G-G vous transmet son bon souvenir.

Pendant le bref trajet jusqu'au bateau assurant la liaison entre les îles, Boncour les rattrapa. Il allait à la rencontre d'un client important d'une île voisine. McKay renouvela ses adieux d'un ton distant, pour ne pas trahir leur amitié :

— Bonne chance pour vos divers projets, Mr. Boncour.

— Bonsoir, Boncour, lança le major, très raide, sans tourner la tête vers le bijoutier.

Étienne continua son chemin, et aussitôt Leckey reprit McKay, comme si l'Américain était un nouveau venu désireux de s'installer dans l'île.

— Il ne faut jamais appeler « Mr. » un homme comme ça. Il est dans le commerce.

Millard voulut comprendre.

— Dans toute île britannique, lui expliqua Leckey, les classes supérieures comportent deux genres d'hommes, nettement séparés, les gentlemen et les commerçants. On peut avoir des relations avec ces derniers sur le plan politique et en affaires, mais jamais sur le plan social.

— Qu'est-ce que cela signifie pour un homme comme Boncour ?

— S'il réussit vraiment, il a tout de même une chance que sa fille épouse un gentleman. Puis, en fonction de l'attitude du père de la mariée...

Il fit de la main un geste nébuleux.

— Il pourra très bien se faire accepter dans les meilleurs cercles, et sur la fin de sa vie passer pour un gentleman... bien entendu si son commerce lui a valu une fortune respectable.

— Boncour a donc une chance ? demanda McKay.
— Sûrement pas lui ! J'ai bien peur qu'il ait fait des taches sur sa copie.
Sur le bateau, Leckey lui déclara, d'un ton parfaitement sincère :
— Quand vous aurez terminé à la Barbade et à Trinidad, revenez ici. Nous vous apprécions beaucoup, vous savez.
Puis il s'écria :
— Bonté divine ! Regardez qui vient.
C'était le gouverneur général et sa fille Delia. Ils renouvelèrent l'invitation du major.
— Nous serons enchantés de vous revoir.
McKay passa six jours à Trinidad, où son bateau s'arrêta d'abord et où il trouva assez d'éléments étranges et passionnants pour rédiger non pas un article mais deux. Il ne savait pas, par exemple, qu'il y avait un si grand nombre d'hindous à Trinidad et qu'à certains égards, l'île était davantage une colonie de l'Inde que de l'Angleterre. Il écrivit : « Les hindous et les musulmans, introduits à Trinidad au siècle dernier pour travailler dans les grandes plantations sucrières, perpétuent les tensions qui existent dans leur pays d'origine ; mais dans un avenir prochain, s'ils parviennent à concilier leurs divergences, ils constitueront très probablement une nouvelle force politique dans l'ensemble de l'île. »
Son deuxième article traitait de la proximité de Trinidad et du Venezuela : « En fait, l'île est une extension géographique du Venezuela et c'est seulement l'indifférence de l'Espagne impériale qui lui a permis de tomber, très tard dans l'Histoire, aux mains des Anglais. Comme l'île possède de riches gisements de pétrole, il faut s'attendre à ce que le Venezuela la revendique à un moment ou un autre, surtout si Trinidad obtient son indépendance de l'Angleterre puis ne parvient pas à gérer sa liberté. Des observateurs qualifiés estiment que si l'île sombre dans le chaos, le Venezuela se hâtera d'intervenir. » Cette information surprit de nombreux lecteurs américains et surtout canadiens.
Son premier article sur la Barbade trahit l'affection qu'il ressentait pour l'ordre et la propreté régnant dans l'île : « À diverses périodes de l'Histoire, les États-Unis ont envisagé d'occuper telle ou telle île des Antilles : Cuba, Santo Domingo, les îles Vierges, le Nicaragua sur le continent ou Haïti. Nous avons eu la sagesse de ne pas négocier avec ce groupe-là. Mais ce que nous aurions dû faire, en revanche, c'est acheter dès le début la Barbade à la Grande-Bretagne. Nous aurions eu un paradis, et un paradis autonome. Nous devrions encore y songer. »
Il envoya cet article le mercredi, et le jeudi soir il câbla à Detroit :
ANNULEZ ARTICLE MERCREDI. L'ENFER S'EST DÉCHAÎNÉ À LA BARBADE. ARTICLE SUIT.
Le lendemain à l'aurore, il envoya le premier de six longs articles sur les émeutes raciales qui venaient d'éclater dans cette île apparemment paisible et dans diverses autres îles anglaises des Antilles, notamment la Jamaïque. Le paternalisme condescendant dont McKay avait été le témoin à All Saints était devenu si humiliant pour les noirs qu'ils ne pouvaient plus le tolérer. Des foules animées par une colère et une haine féroces saccagèrent les villes et les villages tandis que des bandes plus restreintes essayaient d'incendier les plantations. À la Barbade le soulèvement, d'une violence sauvage, fit de nombreux morts et les connaissances acquises par McKay à All Saints lui

permirent de faire le point, avec perspicacité, des causes latentes des événements.

À Detroit, dès que Dan Gross lut les dépêches de McKay il comprit qu'elles constituaient un scoop international et il les fit passer sur les téléscripteurs de l'Associated Press. Cela assura aux articles une diffusion dans l'ensemble de la presse américaine, avec des entrefilets dans le monde entier. Du jour au lendemain, McKay devint un personnage et tout le monde commença à apprécier son talent.

Quand les émeutes de la Barbade s'apaisèrent, McKay put regarder l'île sans passion et il écrivit un beau *mea culpa :* « Comme j'avais été témoin d'un bon gouvernement colonial à All Saints et de raisonnables progrès vers une forme de gouvernement autonome à Trinidad, je croyais avoir compris les îles. Et bien entendu, en voyant pour la première fois la beauté discrète et tranquille de la Barbade, j'ai eu envie d'écrire un poème en prose sur son charme irrésistible. Ce que je n'avais pas vu, et que je n'aurais pas compris même si je l'avais vu, c'était la haine profonde, dévorante, ressentie par de nombreux noirs pour un système qui les maintenait dans une sorte d'esclavage spirituel. Je regrette d'avoir induit mes lecteurs en erreur. Je me félicite vraiment de voir la paix rétablie sur ces îles admirables. Et j'espère que le gouvernement commencera à corriger ses anciennes erreurs ! »

Six jours plus tard, quand son bateau, sur le chemin de retour, relâcha dans la baie du Soleil, All Saints somnolait encore comme si aucun soulèvement ne s'était produit dans les autres îles. Ici régnait la paix. Ici le gouvernement colonial anglais se montrait sous son meilleur jour, et quand les multiples beautés de la baie s'offrirent de nouveau à ses regards, McKay comprit que son cœur demeurerait attaché à jamais à cette île. A son arrivée au *Belgrave,* il s'élança joyeusement vers les Ponsford, geste qu'il aurait cru impossible naguère. Dès que ses bagages furent déposés dans sa chambre, il se précipita au *Waterloo,* où Black Bart quitta le bar pour l'embrasser et écouter ses aventures pendant les émeutes.

Puis, d'un pas plus mesuré, il se rendit à la bijouterie d'Étienne Boncour, où il trouva le jeune homme impatient de discuter. Ils passèrent dans l'arrière-boutique et échangèrent leurs confidences. McKay avait peu de nouvelles à offrir, puisque Boncour avait des succursales à la Barbade et à Trinidad, mais ce dernier avait beaucoup de choses à avouer.

— Delia songe sérieusement à m'épouser. Nous nous établirons dans une autre île. Ce magasin continuera de tourner, bien entendu, parce que c'est mon principal gagne-pain. Elle croit que nous pourrons être heureux.

— Et vous, qu'en pensez-vous ?

Boncour lui adressa un sourire doux et ouvrit les bras en un geste de résignation.

— Impossible. C'est une fille d'Europe. Elle me l'a dit un jour.

— Elle me l'a dit aussi... Vous savez, Étienne, dit-il après un temps de silence. Cette jeune femme me plaisait beaucoup. Elle me plaît encore.

— A qui ne plairait-elle pas ? Elle a brisé les cœurs sur toute la rose des vents.

— Que va-t-il se passer ?

Boncour se raidit comme si les décisions difficiles avaient renforcé sa fermeté.

— On ne peut pas dire. On ne peut rien dire, mais une chose me paraît certaine : cette jeune femme ne pourra jamais vivre heureuse dans une petite île anglaise.

Ces paroles préoccupèrent McKay pendant la journée qui suivit : « Intéressant. Pour moi, pour les autres Américains, ce sont des îles caraïbes. Mais pour Delia, Étienne et les autres Anglais, ce sont les Indes occidentales britanniques, comme si les îles françaises, Cuba et Haïti n'existaient pas ! » Ensuite, ses pensées s'orientèrent vers une autre anomalie : « Même les Hollandais possèdent des îles par ici. Quel est le seul absent? L'authentique propriétaire : l'Espagne. Comme il serait intéressant d'avoir une des grandes îles franchement et totalement espagnole pour pouvoir observer ce qui se serait passé sous son autorité... » Il connaissait mal l'Espagne et la culture hispanique mais regrettait cependant cette perte.

Ce sentimentalisme momentané sur la grandeur disparue de l'Espagne ne voila pas son plaisir de se retrouver dans l'atmosphère sécurisante d'All Saints. En fait tout lui plaisait dans cette île, sauf le major Leckey et la nourriture lourde. A la réflexion, une des choses qu'il appréciait le plus était l'efficacité du gouvernement du G-G. Il agissait comme autrefois sur le terrain de cricket. Il se présentait à l'entraînement avec son ancien blazer de l'équipe d'Angleterre et courait sur le terrain à la recherche des balles frappées par les batteurs noirs, puis il prenait son tour à la batte et en lançait deux ou trois au-delà des limites. Tous, joueurs et spectateurs, adoraient le voir ainsi. Ils sentaient qu'il était des leurs.

McKay appréciait aussi l'habileté avec laquelle lord Basil parvenait à mettre les noirs à l'aise lors de ses réceptions — ils n'étaient exclus que des dîner à Gommint House et des soirées au *Club*. Le G-G ne montrait aucune animosité envers les noirs et prêchait aux blancs de son entourage que le moment approchait où il faudrait les accepter dans les cercles du pouvoir. Mais il défendait de façon très stricte la dignité de sa charge et n'avait jamais plus belle allure qu'en uniforme sur la banquette arrière de sa Rolls-Royce lorsqu'il allait, revêtu de toute son autorité, inaugurer une école neuve ou un nouveau service dans un hôpital. C'était la première fois que McKay voyait un gouverneur général anglais dans l'exercice de ses fonctions, et cela l'impressionnait beaucoup : « Il donne une image du pouvoir plus noble et plus crédible que, par exemple, le gouverneur du Dakota du Sud. »

Le lendemain de son retour, une surprise agréable attendait le jeune journaliste, car Delia s'arrêta au *Belgrave* avec sa MG pour l'inviter à une randonnée dans le nord. Quand ils arrivèrent à l'incomparable terrain de pique-nique du cap Galant, allongés dans l'herbe sous le soleil d'avril, il se sentit autorisé à aborder la question critique :

— Delia, si un mariage avec Boncour est impossible dans cette île...

— Qui a dit ça ?

— Lui-même. Il n'est pas idiot.

— Il devrait me laisser prendre mes décisions moi-même.

— Pourquoi n'allez-vous pas vous marier et vous installer à la Barbade ?

Elle éclata d'un rire presque insolent.

— Êtes-vous jamais allé à la Barbade ?

— J'en viens, répondit-il. Vous le savez.
— Vous ne vous êtes donc pas aperçu que l'île est tout juste la moitié de celle-ci.
— Mais avant les émeutes, la vie y était si... si belle... si rassurante.
Elle se mit en colère.
— McKay, vous êtes un imbécile. Vous avez eu du bon temps ici et une réception sympathique à la Barbade. Mais sur ces deux îles, avez-vous seulement rencontré une famille noire ? Je veux dire : les gens qui travaillent dans les champs et qui constituent les quatre cinquièmes de la population ? Comme on dit au cinéma : « Mon petit, tu n'as encore rien vu ! » Alors ne me demandez pas d'aller *vivre* à la Barbade.
Il réfléchit à ces paroles tout en la regardant lancer les restes de leur pique-nique dans le panier d'osier.
— Vous semblez tout réduire à une question de race, dit-il.
De nouveau elle rit.
— Voyons, Millard, n'avez-vous pas encore compris que toute relation humaine dans cette île est réellement une question de race ? Invitez donc à dîner une des jolies vendeuses d'Étienne, et vous verrez : cela deviendra une affaire d'État. Elle demandera : « Où allons-nous dîner ? Il faut que je fasse attention à l'endroit où l'on me verra avec un homme blanc. » Pourquoi croyez-vous que je vous ai emmené l'autre jour jusqu'au cap d'Enfer ?
— Je me le suis demandé.
— Je ne connaissais pas la route car je n'y étais jamais allée. Mais la principale raison c'était pour protéger *Étienne.* Il ne fallait pas qu'on le voie avec *moi.*
McKay refusa d'admettre ce raisonnement paradoxal.
— Pas de boniment, Delia. Au retour, vous vouliez monter dans sa voiture. Tout le monde vous aurait vue.
— C'était au retour. Parfois, l'amour vous libère et l'on se moque alors de tout.
Elle posa les yeux sur la mer, puis ajouta :
— Comme avec le colonel allemand, l'autre fois. J'aurais pu me faire tuer.
— Vous avez eu peur ?
— Non ! s'écria-t-elle d'une voix passionnée. Je me moque de ce qu'il peut m'arriver. Depuis toujours. Demandez à mon père. Il m'a soignée après plus d'une égratignure.
— Je reviens donc à ma question : « Qu'arrivera-t-il à Boncour ? »
— Tôt ou tard, nous nous ferons beaucoup de mal. Il le sait, mais nous savons aussi que le jeu en vaut la chandelle. Vivre pleinement, tout est là.
Elle chassa brusquement ses pressentiments sombres, adressa à McKay un regard intense et répéta :
— Vivre, c'est tout le problème, n'est-ce pas ?
Et elle s'élança vers la voiture.
Ils filèrent vers le sud, accompagnés par les panoramas époustouflants sur la mer des Caraïbes dont les vagues scintillaient dans le soleil, et par les haies de crotons qui bordaient la route. « Une des plus belles routes du monde, se dit McKay, et Delia est vraiment l'une des femmes les plus éblouissantes. Mais l'une et l'autre sont en danger. Les émeutes de la Barbade ont démontré à quel point la stabilité apparente est précaire. Quant à Delia !... Qu'adviendra-t-il de sa

merveilleuse joie de vivre ? Elle est pareille au vif-argent qui glisse de tous les côtés pour éviter qu'on le saisisse. »

— Delia, que va-t-il vous arriver ? s'écria-t-il soudain. Des ennuis partout où vous allez, si j'ai bien compris. Presque une tragédie en Allemagne, à Malte, ici à All Saints... Un de ces jours, la chance vous abandonnera.

Elle se pencha pour lui donner un baiser furtif.

— C'est gentil de vous en soucier. Mais en réalité, qu'importe ?

Le regard trouble qu'elle lui lança en prononçant ses mots l'incita à se dire : « Mon Dieu ! Elle me laisse entendre qu'elle ne m'en voudrait pas si je désirais faire l'amour moi aussi avec elle. » Ne sachant que penser, il se rencogna sur son siège et croisa les doigts si fort que ses phalanges devinrent blanches.

— Delia, vous savez que je suis tombé amoureux de vous ? dit-il à mi-voix.

— C'est sympa, répondit-elle d'un ton presque désinvolte, comme si cet aveu ne méritait pas plus de considération.

— Et j'ai vraiment envie que vous fassiez ce qui sera le mieux.

Comprenant qu'il devait avoir l'air naïf, il termina de façon bancale par un cliché qui aggrava les choses :

— Je voudrais que vous trouviez le bonheur.

Elle le remit en place en le taquinant, comme s'il s'agissait d'un aimable gamin :

— Voyons, McKay ! Vous parlez comme ma tante qui est restée vieille fille. Celle qui a perdu sa vie sans voir passer le temps en rêvant du garçon d'épicerie dont elle était tombée amoureuse à treize ans.

La conversation sérieuse qu'il avait essayé d'amorcer s'arrêta sur ces mots.

A leur retour à Bristol Town, Delia déposa McKay au *Belgrave*, où le major Leckey les attendait, manifestement outré.

— Sincèrement, Delia, vous devez nous signaler où vous allez. Un visiteur important est arrivé à Government House. Votre père...

— Je suis ici, non ? Alors, allons-y.

— Pas avec cette robe. C'est l'ambassadeur d'Allemagne. Il est arrivé de la Barbade avec le vaisseau de la Royal Navy que vous verrez dans la baie... Si vous vous donnez la peine de regarder.

Et ils démarrèrent à vive allure, Leckey dans sa grosse voiture, suivi à quelques mètres par Delia dans son petit cabriolet.

Quand McKay descendit dîner, il trouva les Ponsford impatients de l'accueillir à leur table, car ils désiraient lui apprendre une surprenante nouvelle.

— Le gouvernement allemand a sollicité la permission officielle de faire relâcher dans la baie du Soleil un de ses grands croiseurs, le *Graf von Spee*. Visite de courtoisie pendant des exercices dans l'Atlantique Sud.

— Permission accordée ?

— Bien entendu. Jamais nos relations avec l'Allemagne n'ont été meilleures. Nous avons appris qu'il va y avoir aussi un pacte d'amitié mutuelle avec l'Italie. Les gens de mauvaise volonté qui ont essayé de diviser nos pays sont battus sur toute la ligne.

McKay avait de vagues idées sur les divergences qui se faisaient jour entre les pays d'Europe, et il était au courant des rumeurs de violence qui couraient sur Adolf Hitler ; mais dans les quartiers de l'ouest de Detroit, habités par de nombreux Américains d'origine allemande, on se moquait de tous ces bruits. Il avait également appris, de façon encore plus vague, que depuis son départ de Detroit l'Allemagne et l'Autriche s'étaient unies à la suite d'une sorte d'accord, mais l'insuffisance des renseignements à sa disposition l'avait incité à croire qu'il s'agissait d'un pas en avant vers la paix dans cette partie du monde.

Les deux Ponsford partageaient cette opinion.

— Nous ne pouvons pas soutenir les Français. Hitler a sans doute ses défauts, mais les juifs ont failli ravager l'Allemagne et l'Autriche, expliqua Mr. Ponsford. Quant à moi, je serai ravi de voir le *Graf von Spee* dans le port. Les Allemands vont être nos alliés un de ces jours et j'aimerais savoir ce qu'ils apporteront dans l'association.

Le soir même, vers neuf heures moins le quart, on appela Millard au téléphone.

— Allô, McKay ? Ici Leckey. Le G-G aimerait savoir si vous pourriez vous joindre à nous... Oui, tout de suite... Bien ! Je vais passer vous prendre, auriez-vous la bonté de m'attendre dehors ?

On le fit entrer dans le bureau de lord Wrentham, où se trouvaient seulement quatre îliens, tous blancs, avec Wrentham et un Européen d'une quarantaine d'années, raide comme une baguette, l'ambassadeur Freundlich.

— Monsieur l'ambassadeur, voici l'éminent journaliste américain qui vient de la région même des États-Unis que vous évoquiez. Je suis ravi que vous puissiez vous rencontrer. Pour un échange d'idées, n'est-ce pas...

La conversation n'aborda pas directement le sujet, car l'ambassadeur apprenant que McKay revenait de la Barbade voulut connaître la portée des émeutes de l'île. Un coup d'œil du G-G sollicita McKay de ne rien dire qui puisse mettre en cause les autorités britanniques, et le journaliste ne fournit qu'une explication banale. La conversation se poursuivit sur un ton aimable, en profondeur mais dans les limites de la discrétion, grâce aux interventions diplomatiques du G-G.

Ce dernier parut désireux de présenter sa fille car il ordonna à Leckey de demander à Delia de faire servir du café. Elle parut, impeccable dans sa robe pastel, avec deux servantes noires qui donnèrent les tasses et offrirent les biscuits. Elle incarnait vraiment la jeune fille anglaise de bonne éducation, pour qui ses parents commencent à chercher un mari, mais quand elle passa à la hauteur de McKay avec la verseuse, elle lui fit un clin d'œil furtif.

Il profita de l'occasion pour demander, comme s'il se sentait lié par l'honneur de le faire :

— Pourrai-je câbler à Detroit, à l'avance, que le *Graf von Spee* fera escale à All Saints ?

— C'est l'ambassadeur qui a suggéré de vous inviter malgré l'heure tardive, répondit lord Wrentham.

— Je trouve que ces visites de courtoisie sont une idée magnifique, avança McKay. Elles construisent l'amitié...

Il s'arrêta, sentant qu'il devenait plus démonstratif que les circonstances ne l'autorisaient, mais le major Leckey renchérit, sans dissimuler sa satisfaction :

— Vous savez, j'en suis certain, que le nom de l'ambassadeur évoque justement l'amitié. Espérons que ce sera un bon présage !

Et l'on porta un toast.

On convint de se retrouver sur les quais le lendemain à dix heures quand le grand croiseur allemand pénétrerait lentement et majestueusement entre les rochers protégeant l'entrée de la baie. Quand le puissant navire de guerre se rangea à quai, des vivats le saluèrent et l'on tira des salves, mais McKay ne partagea pas la joie générale, parce que Bart Wrentham, qui appartenait à la brigade de sauveteurs de l'île, lui souffla à l'oreille :

— Ce n'est pas un croiseur. C'est un véritable cuirassé de petit format.

Effectivement, le bâtiment était immense pour un simple croiseur, et hérissé de canons braqués en tous sens.

Le *Graf von Spee* se trouvait sous le commandement du capitaine Vreimark, qui descendit à terre en fanfare après avoir salué sa passerelle. Tous les officiels de l'île l'attendaient en bon ordre pour lui souhaiter la bienvenue. Il se montra particulièrement charmant à l'égard de lord Wrentham, qu'il avait rencontré en Allemagne et à qui il présenta un jeune civil qui se trouvait à bord du *Spee* pour une raison non précisée.

— Excellence, j'ai l'honneur de vous présenter un membre éminent de notre délégation, le baron Siegfried Sterner.

Le baron s'avança d'un pas, claqua les talons avec élégance, salua, et dit dans un anglais impeccable :

— Je vous apporte les salutations personnelles, mylord, de mon ancien partenaire au tennis, le baron Gottfried von Gramm, qui est resté chez vous un an quand il a joué la finale de Wimbledon.

— Ah, oui ! Il est venu jouer trois ans. Chaque fois il est monté jusqu'en finale mais il n'a pas eu de chance. La dernière fois, il a dû s'incliner devant un Américain, Don Budge.

— Il vous envoie son meilleur souvenir.

Puis, voyant Delia au deuxième rang, Sterner supposa qu'il s'agissait de la fille du gouverneur, marqua un temps et inclina la tête. Delia lui rendit son salut. Sterner arriva ensuite à la hauteur du major Leckey, qu'il reconnut comme l'aide de camp du gouverneur à l'aiguillette d'or qu'il portait accrochée à l'épaule. Il le salua d'un geste sec, en claquant les talons et dit :

— Voudriez-vous avoir l'amabilité de remettre cette lettre d'introduction ?

Leckey sentit que le baron le traitait avec insolence, mais il ne pouvait faire autrement qu'accepter la lettre. Il baissa les yeux vers l'enveloppe : elle était adresée à « Fraulein l'Honorable Delia Wrentham » et un cachet indiquait qu'elle venait du baron Gottfried von Cramm.

Les huit jours du printemps 1938 où le *Graf von Spee* resta à All Saints comptèrent parmi les trois moments mémorables de l'histoire récente de l'île : la visite du prince de Galles en 1929, le match avec le onze de cricket de lord Wrentham en 1932, et maintenant la présence fabuleuse de cet énorme vaisseau de guerre gris-bleu. A côté de lui, les minuscules contre-torpilleurs britanniques, jugés naguère si puissants, auraient paru ridicules.

Le jeudi, tous les habitants de l'île que la visite intéressait furent invités à bord. Plusieurs milliers de personnes se présentèrent. Elles purent faire le tour du bateau en suivant un itinéraire marqué par des cordes tendues, mais tous les « secrets militaires » restèrent à l'abri de leurs regards — ils n'en virent pas plus que sur une carte postale. McKay remarqua cependant que les Allemands, de façon discrète mais fort habile, offraient à leurs visiteurs trois itinéraires différents. Les blancs étaient invités à passer par les quartiers des officiers et voyaient une partie de la passerelle. On conduisait les gens de couleur par d'autres coursives, où ils traversaient les quartiers des matelots et certains postes d'artillerie. Et les personnes à la peau vraiment noire étaient entraînées dans de longs couloirs sinueux où ils ne pouvaient guère voir plus qu'ils n'auraient aperçu du quai.

McKay chercha un officier anglophone pour l'interroger à ce sujet, et l'Allemand lui répondit en toute sincérité :

— Ce sont des bêtes. Je ne comprends pas comment vous pouvez respirer, vous les Anglais, sur une île où il y en a tant.

— Je suis américain, dit McKay.

L'officier sourit.

— Alors, vous savez ce que je veux dire.

Quatre soirs de suite, il y eut des dîners de gala. Le G-G invita les principaux officiers à Government House pour une réception fleurie, suivie par un dîner officiel de vingt personnes. Dans l'une comme dans l'autre, trois hommes tranchèrent sur le reste, trois hommes au sommet de leur carrière : lord Wrentham, grand, mince, droit, et très beau dans sa tenue officielle avec les trois rubans de couleur indiquant les distinctions qu'il avait reçues ; le capitaine Vreimark, type même de l'officier de marine allemand, à la poitrine bardée de décorations indiquant sa valeur et ses années de service ; et le baron Sterner, jeune, de belle allure, raide dans sa tenue de soirée avec un seul ruban sur sa poitrine, du côté gauche. Des trois, l'Anglais faisait le plus d'effet, jugea McKay, et le lendemain soir, quand les officiers du *Spee* reçurent à bord de leur bateau, le G-G parut vraiment éblouissant quand il se présenta dans l'uniforme d'apparat d'un des plus grands régiments britanniques.

Le troisième soir, l'administration civile d'All Saints invita les Allemands à un buffet avec musique de l'île, mais l'après-midi et la soirée du quatrième jour furent une réussite sans précédent : un long cortège d'automobiles de l'île, de toute marque et de toute sorte, emporta les officiers allemands jusqu'à la vieille ville de Tudor, dans le Nord, où les attendait une fête champêtre, avec discours et musique. Puis tout le monde partit au cap Galant où l'on avait dressé des tentes pour les protéger contre la pluie. Quatre chanteurs de calypso de Trinidad, qui se trouvaient de passage, donnèrent du relief au pique-nique traditionnel de l'île. Les Allemands qui comprenaient l'anglais se sentirent gênés par les impertinentes allusions sociales et politiques des chanteurs, vraiment sans inhibition.

— Une chose pareille ne serait jamais permise en Allemagne, déclara un officier à McKay. Je peux vous le garantir.

Ce fut au cours de ces journées de rêve que McKay remarqua pour la première fois le curieux comportement de Delia : tantôt elle apparaissait, tantôt elle disparaissait. Ne connaissant parmi les officiels personne à qui poser la question, il se rabattit sur les Ponsford. Au cours du déjeuner froid que McKay prit à leur table, Mrs. Ponsford lui confia, d'un ton de conspirateur :

— Elle va voir le beau jeune baron à la moindre occasion, et je crois qu'elle a passé la nuit à bord avec lui une ou deux fois.

— Que savons-nous de lui ? demanda McKay, du ton d'un oncle inquiet. Je veux dire, que sait-on *vraiment* ?

— Oh ! il est irréprochable ! dit Mr. Ponsford, aussi amateur de ragots que sa femme. Je crois savoir que le G-G a vérifié en câblant au Foreign Office.

— A propos de câble, que puis-je dire à mon journal sur l'objectif de cette visite du *Spee* ? Cela me paraît très inhabituel.

— Ils « montrent les couleurs », comme on dit. Herr Hitler veut faire savoir au monde qu'il dispose d'un bateau comme le *Spee*.

— Vous pensez que le G-G envoie des dépêches à Londres au sujet de cet énorme bateau ?

— J'en suis certain. Il n'est pas idiot.

— S'il est si malin, que fait-il à propos de sa fille et de ce baron d'opérette ?

Mrs. Ponsford éclata de rire en voyant son ami américain si furieux contre l'Allemand.

— Ce n'est nullement un baron d'opérette. Il est authentique, issu d'une famille militaire prussienne distinguée. Mais je réponds à côté de votre question. Le G-G ? Je le crois soulagé d'apprendre que son adorable fille ne va pas épouser un homme de couleur ou un Américain.

Mr. Ponsford renchérit par une lourde plaisanterie :

— Et il se gardera bien de vous en parler.

Cherchant quelque consolation dans son malheur, McKay se rendit au magasin de Boncour où, en l'absence du bijoutier, il songea sérieusement, pour la première fois, aux paroles prononcées par Delia au cap Galant : « Si vous invitiez à dîner une des belles vendeuses de Boncour... » Il regarda les deux jeunes filles, minces, souples, gracieuses et souriantes, et comprit soudain à quel point il serait facile de tomber sous leur charme et difficile de s'en dégager. Oui, où pourrait-il les emmener dîner ? Dans quels cercles sociaux pourraient-ils évoluer ensemble ? Et ces deux jeunes filles étaient presque blanches. Que se passerait-il s'il devait rester à All Saints et tomber amoureux d'une de ces adorables créatures à la peau nettement plus sombre que celle de Black Bart ? Oui, cela poserait un vrai problème.

Quand Boncour revint d'un rendez-vous à bord du *Spee* avec des officiers de marine qui désiraient acheter des montres à prix réduit — objectif des marins de tous les pays — il n'était pas d'humeur à discuter de ragots ni de frivolités. Il entraîna McKay dans l'arrière-boutique, aussi propre et nette que tout ce qu'il touchait, et s'écroula dans un fauteuil, visiblement désespéré. Il leva les yeux, et sans même que McKay lui pose une question, il s'écria :

— Elle commet une erreur terrible ! Une jeune Anglaise, avec ce nazi...

— Voyons, c'est un baron de province, pas un nazi tel que les représentent les caricatures. Le G-G a pris des renseignements auprès du Foreign Office.

Boncour s'étonna :

— Vous n'avez donc pas compris ce qu'il fait sur ce bateau de guerre ? C'est le *gauleiter* nazi...

— Pardon ?

— Le *gauleiter*. L'espion du Parti qui tient l'équipage à l'œil... Qui veille à ce que les ordres d'Hitler soient suivis.

— Vous êtes fou.

— McKay, elle va l'épouser. Tout le monde en parlait à bord. Peut-être une grande noce militaire, avec le capitaine Vreimark qui célébrera le mariage.

— Oh.

McKay prononça ce mot sans point d'exclamation : c'était le grognement d'un homme qui vient de recevoir, d'un ennemi supérieur, un coup de poing dans le ventre. Il se trouvait impliqué dans des questions qu'il connaissait mal et sur lesquelles il n'exerçait aucun pouvoir.

— Ne devrions-nous pas parler de tout ça à Delia ? Franchement ? Cartes sur table ?

— Elle va venir ici. Me faire ses adieux.

Les deux jeunes gens gardèrent le silence. En toute sincérité, ils essayaient de ne pas songer à eux-mêmes mais à l'erreur dangereuse que Delia risquait de commettre.

Puis ils l'entendirent qui entrait en coup de vent dans le magasin et demandait :

— Où est Étienne ?

Les vendeuses lui répondirent et elle se dirigea vers l'arrière-boutique.

— Oh, vous êtes tous les deux là ! Comme c'est pratique !

Boncour refusa de prendre les choses à la blague.

— Delia, vous ne devez pas épouser cet Allemand. C'est un nazi convaincu. Votre vie au milieu de cette bande serait un enfer...

Elle se raidit et dévisagea ces deux hommes — l'amant et l'admirateur — d'un regard noir. Puis elle décida de couper court à toutes ces sottises.

— Siegfried est exactement ce qu'il paraît être : un représentant loyal du nouveau gouvernement allemand.

— Ce qu'il paraît être ? explosa McKay. Personne ne sait au juste qui il est ni ce qu'il fait à bord de ce bateau.

Boncour, éduqué en Angleterre et plus perspicace, voyait les choses plus clairement :

— Delia, ne comprenez-vous pas ce qui va se passer ? Hitler et la Grande-Bretagne s'affronteront tôt ou tard.

Mais l'argument sonna faux parce que tous les trois — Delia, Étienne et Millard — percevaient l'absurdité de la situation : un homme de couleur ordinaire de cette petite île essayait de rivaliser, pour l'amour d'une jeune Anglaise titrée, avec un baron allemand manifestement en faveur auprès du leader de son pays. Le combat était trop inégal, et d'ailleurs les chances de McKay ne seraient pas bien meilleures : un scribouillard américain de province qui essayait à la force du poignet de se hisser dans une grande famille au-dessus de son niveau.

Tout était si absurde que McKay ne put s'empêcher de rire, mais Boncour n'en avait nulle envie, car il se battait pour sa vie.

— Delia, pour l'amour de Dieu, ne faites pas une chose aussi téméraire...

Il avait choisi le mot qu'il fallait éviter.

— Téméraire ? lança-t-elle en élevant la voix. J'ai été téméraire toute ma vie, et c'est cela qui m'a apporté tout ce que je désire : la passion et la joie. Je ne vais sûrement pas changer maintenant.

— Mais pas avec un officiel du parti nazi. Un jour, nous entrerons en guerre contre l'Allemagne.

— Avez-vous perdu l'esprit ? Voici deux fois que vous le dites. L'Allemagne et la Grande-Bretagne ont signé un pacte de non-agression et je désire participer à cette union.

Elle fit quelques pas nerveux dans la pièce minuscule, puis se tourna vers McKay comme si Boncour ne comptait plus.

— La première fois que je suis allée en Allemagne, la vitalité du pays m'a enthousiasmée. C'est la naissance d'un monde nouveau. « La vague de l'avenir », a-t-il dit. Et je le crois.

Boncour voulut lui répliquer, car il désirait plus que tout le monde sauver d'elle-même cette jeune femme merveilleuse, mais elle le coupa d'un geste.

— Il faut que je m'en aille. Je voulais que vous l'appreniez tous les deux de ma propre bouche : Oui, Siegfried et moi allons nous marier. Après-demain. À bord du *Spee*.

Elle embrassa McKay sur la joue et essaya de faire de même avec Boncour, mais celui-ci se détourna. Comme pour le rendre plus malheureux, elle ajouta :

— Et pour notre lune de miel, nous partirons au Brésil !

Le mariage eut lieu à cinq heures de l'après-midi, la veille du départ du *Spee*. On avait construit sur la dunette une chapelle décorée de centaines de fleurs de l'île, et le capitaine Vreimark, plus austère et plus raide que jamais dans son grand uniforme, célébra l'union dans ce sanctuaire improvisé. A ses côtés se tenaient trois officiers subalternes solennels et très militaires, et derrière eux l'orchestre de l'île étoffé par des musiciens du *Spee*. Sous une batterie de canons fleuris, Delia attendait dans une robe légère couleur pastel, au côté de son père.

L'orchestre joua Mendelssohn et la charmante épousée s'avança au bras de lord Basil Wrentham à la rencontre du baron Sterner. McKay ne put réprimer ses inquiétudes : « Que va-t-il advenir d'elle ? » Ce serait passionnant à observer. Et il remarqua aussitôt que l'homme qui aimait sans doute le plus Delia n'était pas présent. Humilié par son renvoi du Conseil exécutif et de l'Office du Tourisme, Étienne n'avait pas voulu apparaître devant les habitants de l'île au courant de son sort. McKay ne savait pas où Étienne s'était réfugié, mais il comprenait son désir de solitude et son amertume.

L'épousée et son père passèrent, s'arrêtèrent pour se joindre au baron, en uniforme militaire, puis s'avancèrent au-devant du capitaine Vreimark, qui les salua, lut un rituel bref en allemand, puis en anglais, et les déclara mari et femme. Quand les invités s'avancèrent pour signer le document attestant le mariage, Delia remarqua McKay et demanda au major Leckey d'aller le chercher.

— Je vous en prie, je vous en prie, Millard, signez la feuille et dites-moi que tout est pardonné.

— Vous avez ma bénédiction, lui répondit-il.

Le soleil se couchait sur la baie splendide, à l'entrée protégée par les deux immuables rochers, et McKay se demanda pendant un instant si Delia n'avait pas raison. Peut-être la visite de ce bateau marquait-elle le début d'une alliance entre l'Allemagne et la Grande-Bretagne. Il ne connaissait pas suffisamment l'histoire récente pour comprendre à quel point c'était improbable, mais il en exprima l'espoir, pour porter bonheur à Delia. C'était une jeune femme exceptionnelle, il était tombé amoureux d'elle et ne le nierait jamais. Son choix du baron allemand lui déplaisait, mais il avait perdu et jamais il ne se laisserait atteindre par cette perte.

Comme aucune femme n'était autorisée à rester à bord d'un vaisseau de guerre allemand, le jeune couple, les invités et de nombreux habitants de la ville se rendirent en voiture à l'anse du Soir où l'on avait aménagé un quai provisoire pour hydravion. L'énorme bateau volant de la Pan-American avait accepté de décoller en retard pour emmener le couple — vers Rio de Janeiro. L'orchestre joua un chant d'adieu hawaiien, *Alcha Oe,* le capitaine Vreimark et lord Basil saluèrent, Delia embrassa tout le monde et le baron Sterner parut ravi d'avoir épousé la petite-fille d'un comte anglais. McKay agita le bras au moment où Delia monta dans l'appareil.

— Bonne chance, esprit de la mer qui a éclaboussé mon cœur, murmura-t-il à part lui.

Puis il s'écarta soudain de la foule en délire, car des larmes menaçaient de perler dans ses yeux.

Il rentra au *Belgrave* très tard pour dîner, et quand il monta à sa chambre du premier pour faire sa toilette, il entendit des voix étouffées en passant devant la porte des Ponsford. Ne reconnaissant pas les voix, il soupçonna un incident et essaya spontanément d'ouvrir. La porte était fermée de l'intérieur, mais il donna un coup d'épaule — et se trouva en face du major Leckey, encore en uniforme, de Mr. Ponsford et de Mrs. Ponsford qui braquait un revolver sur lui, McKay. Dans un angle de la pièce, le long des deux murs, se trouvaient les éléments d'un poste de radio de grande puissance, devant lequel était assis un homme de couleur que McKay n'avait jamais vu auparavant. Une voix autoritaire, à Londres, donnait des instructions que McKay ne put comprendre.

— Fermez la porte, ordonna le major Leckey d'un ton sec.

— Qu'est-ce que c'est ?

— Taisez-vous ! lança Mrs. Ponsford, lèvres serrées,

Puis McKay comprit des fragments des messages envoyés et reçus, et en déduisit que le hautain major Leckey dirigeait en fait les services secrets de l'île et rendait compte directement à des bureaux de renseignements de Londres. Par une raison obscure, Leckey et son équipe avaient jugé nécessaire d'éviter le G-G et l'émetteur ondes courtes officiel.

Les paroles prononcées indiquaient que les Ponsford, agents de longue date dans divers pays, avaient été envoyés par le quartier général pour renforcer l'opération de Leckey. Le fait qu'ils aient complètement induit McKay en erreur prouvait qu'ils avaient abusé tout le monde.

Bouche bée, il regarda les Ponsford et essaya de rassembler les indices qu'ils avaient révélé au sujet de leur mission mais qu'il n'avait pas su interpréter : « Ils m'ont assuré qu'ils connaissaient le comte de Gore ; on les a sans doute lancés sur la piste du G-G pour cette raison. Ils avaient réuni un dossier complet sur Delia, j'aurais dû me demander pourquoi ils s'étaient donné ce mal. En apprenant que j'étais journaliste, ils se sont mis à me jouer le rôle de stupides Anglais d'opérette. Mais ils étaient toujours au bon endroit au bon moment. Quelle bêtise de ma part : je la prenais pour une brave commère et voici qu'elle braque un revolver sous mon nez ! »

Leckey s'adressa à l'homme qui manipulait les boutons :

— Dites-leur que nous leur enverrons les renseignements militaires dès que notre homme sera de retour. En attendant, Mrs. Ponsford, comme notre Delia va sans doute réapparaître quelque part comme agent de l'Allemagne, voulez-vous transmettre au quartier général les détails de ce mariage révoltant ?

Elle tendit son revolver à son mari, qui continua de le braquer sur McKay et envoya son rapport d'une voix glacée, sans commentaire superflu.

— Delia s'est conduite à peu près comme l'an dernier à Malte, mais cette fois elle s'est compromise avec un respectable commerçant mulâtre qu'elle a pour ainsi dire ruiné. Peut-être à la suggestion de son père, elle a pris la peine d'éblouir un journaliste américain un peu niais dans l'espoir qu'il oriente ses articles en faveur de Hitler. Ce soir elle a épousé le baron Sterner, dont vous connaissez bien les antécédents, ancien partenaire au tennis de cet autre baron allemand, le respectable Gottfried von Cramm qui a effectué de nombreux gestes d'amitié envers la Grande-Bretagne.

Elle rendit le micro, reprit son arme et se remit à surveiller McKay, mais l'émission fut interrompue par l'arrivée, à bout de souffle, de l'homme de Leckey chargé d'étudier et de photographier le *Graf von Spee* : Bart Wrentham du *Waterloo*. Voyant McKay sous la menace il s'exclama :

— Mais qu'est-ce qu'il fiche ici ?

— Il vient d'entrer, lança Leckey sèchement. Et nous ne pouvons pas lui permettre de sortir tant que le *Spee* n'est pas parti.

Sans s'occuper davantage de son ami, Black Bart se dirigea vers l'émetteur et demanda au radio :

— Passez-moi Brazil.

Pendant dix minutes, il fournit à un agent de l'Amirauté britannique une description professionnelle de la puissance redoutable du cuirassé. Ensuite Leckey prit le micro à son tour et s'adressa à Londres d'une voix mesurée, sans émotion.

— Pourquoi le *Graf von Spee* a-t-il effectué cette visite extraordinaire ? D'après des paroles prononcées par le capitaine Vreimark accidentellement, mais de façon que nous puissions bien les entendre, ils désirent que notre gouverneur général fasse un rapport favorable sur l'amitié germano-britannique. Sachant qu'un groupe comme le nôtre essaierait de déterminer la capacité de leur bateau, ils nous ont invités à le visiter en long et en large. Ils cherchaient à nous faire peur pour que nous vous fassions peur. Ils ont gagné la partie : c'est un bateau redoutable et j'ai très peur.

Ces paroles fascinèrent McKay, mais il ne s'attendait nullement à ce que Leckey allait déclarer ensuite :

— Lord Wrentham est complètement prisonnier de leur propagande. Il porte Hitler aux nues. Il a observé la montée des nazis au pouvoir, dit-il, et il croit maintenant que rien ne pourra arrêter le Führer. Il essaie de convaincre tous ses interlocuteurs officiels que l'Allemagne est destinée à gouverner l'Europe centrale et davantage. Il dédaigne la France et n'éprouve que mépris pour l'Amérique, mais il est assez rusé pour faire la cour aux journalistes américains et leur dissimuler ses convictions. Nous savons que c'est un imbécile, mais un imbécile dangereux car il plaît beaucoup à tout le monde. All Saints est un bon endroit pour le maintenir à l'écart des capitales d'Europe, à condition de le surveiller sans répit.

Ayant transmis leurs rapports, les cinq conjurés démontèrent rapidement leur radio et rangèrent les éléments dans plusieurs petites valises. Puis Leckey se tourna vers les Ponsford.

— Que faisons-nous de lui ? demanda-t-il.

— Il a entendu trop de choses, déclara Mrs. Ponsford. Et c'est un journaliste.

— Que recommandez-vous ? De le tuer ?

— Dans d'autres circonstances, sans doute. Nous ne pouvons pas le laisser se ruer sur sa machine à écrire avec tout ce qu'il sait.

— Je suis sûr qu'on peut lui faire confiance, dit Black Bart. Regardez ses articles.

— Oui, lança Leckey avec un regard de mépris pour McKay. regardez-les ! La brosse à reluire... Il tombe amoureux d'une petite traînée comme Delia et écrit des chants de louange.

— D'accord, mais qu'allons-nous faire ? demanda Ponsford.

— Il faut le garder ici jusqu'à ce que le *Graf von Spee* appareille. Et nous devons laisser croire à lord Wrentham que son intimité avec l'ambassadeur allemand n'a pas été remarquée.

Il se tourna vers McKay et s'adressa directement à lui :

— Vous resterez donc dans cette pièce sous bonne garde jusqu'à demain matin. Nous déciderons ensuite... Pouvez-vous le garder jusqu'à demain ? demanda-t-il à Mrs. Ponsford.

Elle inclina la tête, le revolver toujours braqué.

Les quatre hommes, Leckey, Ponsford, Black Bart et le radio, allèrent dissimuler les valises de l'émetteur dans une autre planque. Ils ne reviendraient pas de la nuit.

Sans se détendre un instant, Mrs. Ponsford continua de menacer McKay de son arme et repoussa toutes ses tentatives de lancer une conversation révélatrice. Elle fit observer simplement :

— Tout cela peut vous paraître un sale boulot, mais l'ennemi est vraiment innommable.

— Vous croyez donc qu'il y aura une guerre avec l'Allemagne ?

— Ne le croyez-vous pas vous aussi ? Après ce que vous avez vu à bord du *Spee* ?

— Tireriez-vous sur moi si j'essayais de fuir ?

— Essayez toujours !

Il se tut jusqu'au moment où il eut envie de se rendre aux toilettes.

— Allez-y.

Mais elle le suivit dans la salle de bains.

— Pas question de filer par la fenêtre comme on voit dans les romans policiers.

— Écoutez, protesta-t-il au bout d'un instant. Un homme ne peut pas pisser avec une femme debout derrière lui qui pointe un pistolet sur sa tempe.

— Continuez d'essayer.

Peu après elle lui suggéra :

— Essayez donc assis.

Il se percha sur le trône et elle fit couler bruyamment de l'eau dans le lavabo — ce qui l'encouragea à surmonter ses inhibitions.

Vers le matin, il demanda :

— Pourquoi avez-vous joué avec moi ce rôle de petits bourgeois anglais ?

— Dès le début, je me suis dit que nous aurions sans doute besoin de vous. J'ai agi comme vous vous attendiez à me voir agir. Pour vous inciter à m'accepter.

— Mais pourquoi Leckey fait-il l'idiot ?
— Depuis huit ans, il exécute l'une des missions les plus difficiles du monde : il surveille les véritables idiots. S'il cessait de jouer son rôle une seule minute, ils le prendraient au piège.
— Est-il le chef de votre réseau ?
— Je ne vous le dirai pas. C'est peut-être Bart, du *Waterloo*, ou mon mari, ou moi.
— Mais Leckey donne les ordres.
— À ce qu'il paraît. Peut-être est-ce le secret de sa longue réussite.
Quand l'aube lança ses reflets, à l'est sur la pointe Nord et la pointe Sud, le major Leckey et Bart revinrent.
— Allez dormir, dirent-ils à Mrs. Ponsford.
Elle remit son revolver à Bart.
Elle s'endormit en quelques minutes.
— Dans quelles conditions pouvons-nous vous laisser vivre ? demanda Leckey à McKay.
Ce fut Bart qui fit une suggestion raisonnable.
— Il faut lui faire comprendre que son Amérique va entrer en guerre contre l'Allemagne aussitôt après nous. S'il l'admet, nous pourrons lui faire jurer de ne rien écrire sur ce qu'il a vu cette nuit... ni sur notre stupide G-G... ni sur le *gauleiter* nazi Sterner.
— Accepterez-vous sa parole ? Pour une question d'importance aussi vitale ?
— Nous y sommes contraints, non ?
— Nous donnerez-vous cette assurance, McKay ? demanda Leckey, et sans laisser à l'Américain le temps de répondre il ajouta : Avant de lancer en l'air une promesse que vous ne pouvez pas tenir, n'oubliez pas que si vous nous trahissez nous avons des gens comme les Ponsford prêts à vous retrouver discrètement à Detroit et à organiser pour vous un banal accident.
— Je crois que je commence à voir l'ensemble du tableau, répondit McKay. Je ne sais pas si vous avez raison au sujet de l'Allemagne, mais je suis sûr de votre sincérité.
Il passa la langue sur ses lèvres sèches.
— Je vous donne ma parole.
— Rien sur la complicité du G-G avec les Allemands, qu'il soit au courant ou non ? Rien sur le baron Sterner ? Rien sur notre radio ? Rien sur Bart ou moi, puisque nous devons rester ici ?
L'accord fut conclu et couvrit chaque incident de l'affaire d'All Saints ; McKay jura qu'il oublierait tous les aspects importants de la visite du vaisseau de guerre et ne mettrait nullement en danger la couverture de Leckey, de Bart Wrentham ou des Ponsford. Mais presque aussitôt la question se trouva éclipsée par les échos de cris venant de la rue. Ils se précipitèrent dehors. Le soleil se levait.
Un attroupement s'était réuni devant la bijouterie d'Étienne Boncour.
— Que se passe-t-il ? lança Leckey.
Deux femmes, muettes d'horreur, lui montrèrent l'entrée du magasin.
Ils se frayèrent un chemin parmi la foule et entrèrent dans le beau magasin aux vitrines toujours impeccables. McKay regarda le comptoir de verre où étaient exposées les plus belles Rolex : Étienne Boncour était allongé dessus, ses bras et ses jambes retombaient de

façon grotesque. Le bijoutier s'était tiré une balle dans la tête. Dans sa chute, le cadavre avait étoilé la plaque de verre.

Cette vision horrible de son ami mort frappa McKay de stupeur, mais le major Leckey ne jeta qu'un coup d'œil rapide de professionnel puis prit sa pose habituelle d'aide de camp. D'un geste large, il dispersa les badauds, tout en lançant une cascade d'ordres :

— Allez vous occuper de vos affaire. Écartez-vous ! Partez. Laissez le passage...

Il repoussa les gens tandis que s'avançait la camionnette qui emporterait le cadavre à la morgue.

13

L'étudiant

Trinidad, 1970

À cinquante et un ans, Michael Carmody commençait à se demander s'il trouverait un jour dans ses classes un seul de ces jeunes garçons brillants qui rendent supportable le métier d'enseignant.

— Jusqu'ici aucun, gémit-il en se présentant tôt un lundi matin pour sa corvée hebdomadaire. Des étudiants acceptables, oui, mais jamais un de ces talents enflammés qui explosent en vous faisant songer au jeune Raphaël ou à Mozart. Le moule doit être cassé.

Immigrant irlandais à Trinidad, Michael Carmody était professeur au Queen's Own College dans l'agréable ville de Tunapuna, à une douzaine de kilomètres de la capitale, Port of Spain.

Queen's Own portait le titre de « College » à la manière anglaise, qui définit un établissement d'enseignement supérieur, mais n'était en fait qu'un « collège » au sens français — si un jeune garçon brillant désirait poursuivre ses études, il lui fallait viser l'université. Le niveau de l'enseignement était de qualité et les meilleurs élèves n'avaient aucun mal à obtenir des bourses pour les traditionnelles universités de Grande-Bretagne. Une fois là-bas la plupart réussissaient. Carmody continuait donc d'espérer qu'un jour entrerait dans sa classe un futur Isaac Newton.

Ce lundi de 1970, au moment où il posait ses livres sur son bureau, il vit une feuille de papier blanc avec seulement les mots *Master Carmody.* Il la souleva et découvrit au-dessous une deuxième feuille avec quatorze vers en forme de sonnet. Il s'assit, se pencha en arrière, posa les pieds sur le bureau, lut le sonnet, leva les yeux vers le plafond et murmura :

— Ça, par exemple !

Au cours des quinze minutes qui précédèrent l'entrée des étudiants, il relut le poème et se dit : « Ce doit être Banarjee. » Il crut voir aussitôt le timide Indien de quinze ans, mince branche d'ébène — et aussi noir que le cœur de ce bois sous sa masse de cheveux brillants comme du jais. Ranjit Banarjee était si timide qu'il semblait craindre de montrer aux gens ses yeux lumineux — surtout aux filles. De toute évidence il possédait un esprit d'une capacité et d'une profondeur étonnantes, mais il n'excellait en aucune des matières traditionnelles. Ses professeurs le classaient « enfant difficile quoique jamais indiscipliné » et il avait fait ainsi son chemin dans le système scolaire —

toujours un peu à part des autres : hindou dans une école catholique et indien parmi les noirs et les *mestizos*.

La cloche signalant le début des cours se mit à sonner, et la merveilleuse jeunesse de Trinidad se précipita dans la classe — uniquement des garçons car il s'agissait d'un collège catholique non mixte, fondé à l'époque où l'île était encore espagnole. La gamme complète des couleurs était représentée, du noir le plus noir des nègres descendants d'esclaves, en passant par le demi-noir demi-blanc des *mestizos*, les nuances du marron clair des hindous et des musulmans et les hâles délicats des familles espagnoles et françaises conservant du passé quelque influence noire, jusqu'aux blancs purs comme Carmody, originaires principalement des îles Britanniques et immigrés de fraîche date. Tandis qu'ils s'élançaient dans la classe, l'Irlandais songea : « Un bouquet tropical ! Tellement plus sympathique que les visages de plâtre dans ma classe de Dublin... »

Quand ses élèves firent le silence, il brandit les deux pages dans sa main gauche et lança :

— Ce matin, nous commencerons par une surprise, et la plus agréable qui soit, je vous le garantis. À mon arrivée, j'ai trouvé un poème sur mon bureau. À sa forme même vous pouvez me dire de quel genre de poème il s'agit.

— Un sonnet, répondit un élève.

— Comment le savez-vous ?

— Huit vers, puis six vers. Ou deux quatrains et deux tercets.

— Très bien. Et le poème est très bien, lui aussi.

Il se mit à le lire avec l'accent irlandais qui met si bien en valeur la poésie. Les vers parfaitement scandés évoquaient l'arrivée des « immortelles caravelles dans le croissant des îles caraïbes » et la joie des marins à la découverte de cette « mer des sourires » où « les vagues sont plus douces et la brise légère ». Les oiseaux aux couleurs vives chantèrent aussitôt pour célébrer cette « subtile victoire ». Colomb l'inflexible trouva un étrange trésor ce jour-là, continuait le sonnet. Ni or ni argent, ni « la fortune facile / Espérée par sa reine qui rêvait de Cathay », mais de nouveaux pays « d'argile ordinaire / Deux continents d'espoir pour toute humanité ».

Trahissant le plaisir qu'il éprouvait à la lecture du poème, Carmody demanda doucement :

— Vous croyez que nous pourrons deviner l'auteur de ces vers remarquables ?

Presque automatiquement les enfants se tournèrent vers Ranjit Banarjee, embarrassé et ravi de l'accueil fait aux premiers fruits de son talent.

— Oui, c'est Ranjit, notre poète en herbe.

Toute la classe applaudit, mais Carmody les arrêta en lançant une discussion qu'aucun des enfants n'oublierait jamais.

— Ce poème n'est cependant pas parfait, et dans notre enthousiasme nous ne devons pas laisser passer les erreurs. Étudions d'abord le premier octet.

Mais après un long exposé circonstancié sur les règles du sonnet, Carmody s'arrêta brusquement, posa les mains sur son bureau et se pencha en avant.

— Mes enfants, que suis-je en train de faire ?

Personne ne répondit, car aucun n'avait compris où le maître voulait en venir avec ses critiques.

— De la pédanterie, dit Ranjit Banarjee à mi-voix.

— Oui ! s'écria Carmody en faisant claquer ses mains sur son bureau. De la pédanterie. Rappelez-vous ce que nous avons dit de Beckmesser dans *Die Meistersinger.*

— Il connaissait toutes les règles pour écrire une chanson mais n'avait jamais su en écrire une seule.

— Oui ! Notre Ranjit a fait fi de toutes les règles mais a écrit un petit sonnet parfaitement charmant qui immortalise un grand explorateur.

Et avec un sourire approbateur à l'adresse de Ranjit, il conclut :

— Moi qui connais toutes les règles, je n'aurais pu en cent ans composer un poème aussi beau. Ranjit, tu es un poète et je ne le serai jamais.

Ayant enfin découvert un génie en puissance, Carmody décida de frapper vite et fort. L'après-midi même, il demanda à Ranjit de rester dans la classe pendant que les autres garçons filaient vers le terrain de cricket.

— Ranjit, tu es un garçon discret mais tu as en toi de grandes ressources. Que comptes-tu faire plus tard dans la vie ?

Le jeune Indien lança un regard innocent au maître qu'il avait appris à respecter.

— Je ne sais pas encore.

La réponse irrita Carmody, qui tapa sur son bureau.

— Bon Dieu, petit ! Tu dois prendre une décision. Le temps passe vite. Regarde donc Dawson : il veut être médecin, et, à la fin de l'année prochaine, il aura terminé, ici même au Queen's, la plupart des cours dont il aura besoin pendant sa première année d'université. Toi, qu'auras-tu accompli ? Quels sont tes projets ?

Ranjit se mit sur la défensive.

— Mais je ne sais pas. Tout est tellement compliqué.

Carmody décida alors de prendre les choses en main. Après avoir obtenu l'autorisation du doyen, il embarqua le garçon dans sa petite Austin, prit la route de Port of Spain et demanda à Ranjit de lui indiquer le chemin du magasin de son grand-père :

— Grand-père s'appelle Sirdar Banarjee. Sirdar est un titre indien, comme duc ou lord. C'est lui qui se l'est donné, parce qu'il trouvait que cela faisait bien en anglais.

Sirdar s'agitait en tous sens malgré ses cheveux blancs, et son magasin, Portugee Shop, rendait deux services essentiels : il fournissait aux habitants de la ville des vêtements bon marché et bien faits, et aux touristes de la camelote hors de prix — ce qui satisfaisait parfaitement les deux groupes. Il tendit aussitôt la main et lança avec effusion :

— Ranjit m'a dit que vous étiez son professeur préféré, et un homme vraiment très intelligent. De Trinity College à Dublin, n'est-ce pas ? Que puis-je faire pour vous ?

— Pouvons-nous parler de votre petit-fils ?

— Qu'a-t-il fait de mal ? demanda Sirdar en lançant un regard noir au jeune homme.

— Rien. Au contraire, il a fait de si bonnes choses que j'aimerais parler sérieusement de son avenir.

— Son avenir ? Son avenir est ici, répondit Sirdar avec un geste large qui enveloppait sa boutique.

— Ne pourrions-nous pas demander à sa mère de se joindre à nous ? C'est une question d'importance, Mr. Banarjee.

— Les questions d'importance se règlent entre hommes, répondit-il en insistant sur ce mot.

Il conduisit Carmody et Ranjit dans son bureau minuscule et envahi de paquets.

— Expliquez-moi le problème et en raisonnant ensemble, en hommes de bon sens, nous pourrons le résoudre.

— Votre petit-fils a des capacités latentes.

— *Latentes* veut dire *en sommeil*, non ?

Carmody acquiesça. Sirdar flanqua une taloche à son petit-fils.

— Réveille-toi !

— C'est vous, Mr. Banarjee, qui devez vous réveiller, s'écria Carmody.

— Moi ? On ne tient pas un magasin comme celui-ci, à Trinidad, les yeux fermés.

— Où avez-vous pris le nom de votre boutique : Portugee ? demanda Carmody pour calmer le bonhomme.

— Quand les premiers hindous sont arrivés ici en 1850 ou dans ces eaux-là, pour travailler dans les plantations de canne à sucre, la plupart des magasins appartenaient à des Portugais, et comme ils avaient la réputation d'offrir la marchandise aux meilleurs prix, toute personne qui ouvrait un magasin, comme mon arrière-grand-père, l'appelait Portugee Shop.

— Très rationnel et pratique. J'aimerais que maintenant aussi vous vous montriez rationnel et pratique.

— Ça va me coûter de l'argent, n'est-ce pas ?

— Oui. Je veux que vous envoyiez Ranjit à l'université. Il le mérite.

— À l'université ? Où ?

— Je suis certain qu'il pourra obtenir une bourse pour une excellente université. Vous avez un petit-fils très intelligent, Mr. Banarjee. Il mérite qu'on lui offre sa chance.

Carmody constata aussitôt qu'il avait utilisé les mots efficaces : *bourse, intelligent, excellente, chance.* La conversation s'était placée à un niveau que le grand-père reconnaissait et appréciait.

— Le mot *bourse.* Signifie-t-il ce que je crois ?

— L'université paiera la majeure part des frais d'études. Oui.

— Quelle université, par exemple ?

— Cambridge, Oxford, notre université antillaise de la Jamaïque.

Pour la première fois Ranjit intervint dans la conversation :

— Columbia, à New York.

Sirdar se pencha en arrière, puis sourit. D'abord à Carmody, puis à Ranjit.

— Vous voulez dire que ce gamin pourrait entrer dans ce genre d'endroits ?

— Oui, répondit Carmody, catégorique. Si vous l'aidez financièrement et s'il concentre tous ses efforts sur un objectif précis.

— Quels sont ses points faibles ?

Carmody expliqua que, pour les petites choses, Ranjit se montrait excellent, mais qu'il butait toujours pour les grandes, comme l'orientation de sa vie ou la préparation d'un grand dessein. Le vieux commerçant ne se mit nullement en colère.

— Je savais depuis un certain temps que Ranjit ne se contenterait jamais de prendre ma place. Et j'ai prévu autre chose : un de ses cousins qui travaille en ce moment dans une sucrerie. Il en a envie...
Il se tourna vers Ranjit.
— Le temps est un chariot qui vole à travers le ciel. Il disparaît si vite au crépuscule derrière les nuages ! Parle avec Master Carmody. Découvre ce que tu peux faire, et si tu as vraiment de l'avenir comme l'assure ton maître, nous trouverons l'argent pour t'aider. Oxford ! Bonté divine...
Pendant le trajet de retour au collège, Carmody fixa les objectifs :
— Tu as prouvé que tu es capable d'écrire, mais tu n'as pas encore prouvé que tu peux t'attaquer à un sujet important et t'y tenir. Si tu fais preuve de cette capacité, je suis certain que tu décrocheras une belle bourse, parce que, n'oublie pas, Ranjit, toutes les universités recherchent des garçons vraiment brillants. Les étudiants moyens se présentent à la pelle.
— Que voulez-vous que je fasse ?
— Moi ? Rien. C'est à toi de vouloir. Choisis un sujet important et montre-moi ce dont tu es capable.
Le jeune homme ne répondit pas, mais quatre jours plus tard, Carmody trouva sur son bureau neuf feuilles de papier qui lui étaient adressées. Le titre général de l'essai était : « Les Enseignements de mon grand-père Sirdar », et avant même d'être parvenu à la quatrième page du texte, si indien par son sujet et si adulte par ses observations, Carmody murmura entre ses dents :
— Il peut réussir. Mon Dieu ! Ce petit Indien sorti de nulle part peut réussir !

Qui sont les Indiens de Trinidad ? *En 1845, les propriétaires des plantations de Trinidad prirent enfin conscience de la dure réalité : « Depuis que les Sentimentalistes d'Angleterre ont banni l'esclavage, nous n'avons plus de nègres d'Afrique, et ceux qui sont déjà là dansent en chantant : Liberté ! Plus de travail ! » Les propriétaires envoyèrent donc des bateaux à Calcutta pour importer d'énormes quantités de paysans indiens. À leur arrivée, on les appela dans leur dos « nos esclaves à la peau claire » et on les traita en conséquence.*

Mon ancêtre le premier Sirdar : *Dans l'un des bateaux qui amenait des hindous à Trinidad se trouvait un jeune homme à l'esprit vif, de caste inconnue. Voyant que les propriétaires anglais du bateau avaient besoin de quelqu'un pour maintenir l'ordre parmi les hindous, il se déclara sirdar de caste distinguée et devint une sorte d'intendant général pour tout. Il se rendit si indispensable que les responsables l'acceptèrent vraiment comme sirdar. Le titre lui plut et il le garda. Nous l'avons conservé depuis.*

Plus tard dans la vie, quand son Portugee Shop rapporta beaucoup d'argent, il fit à ses petits-enfants une déclaration qu'ils se gardèrent bien de divulguer : « Je ne m'appelle pas Banarjee. J'appartenais à la plus basse caste. Je ne viens pas de Calcutta. Et j'ai appris le français quand on m'a exilé à la Réunion. » Mon grand-père m'a raconté qu'à la fin de son récit, notre premier sirdar (son grand-père) avait déclaré : « Et je suis le meilleur commerçant qu'il y ait jamais eu à Trinidad, de quelque couleur que ce soit. »

Carmody fut ravi de voir comment Ranjit avait fort bien défini ses ancêtres en deux paragraphes, mais ce que le jeune homme révéla sur les Banarjee de ce siècle fit encore plus d'effet sur le professeur irlandais.

Le choix d'une épouse : *Une des premières choses que mon grand-père m'a enseignée est l'importance du choix d'une bonne épouse : « Aucun Indien ne peut épouser une noire. Impossible. » Depuis 1845, depuis l'arrivée des premiers Indiens à Trinidad jusqu'à ce jour, jamais une chose pareille ne s'est produite dans les familles indiennes que nous connaissons. Et il en est de même, m'a-t-il dit, pour les Chinoises, les Portugaises et surtout les Blanches, anglaises ou françaises. « Un Indien ne peut épouser qu'une Indienne. Telle est la loi qui passe avant toutes les autres lois. » Des hommes comme lui ont attendu des années pour se marier — jusqu'à ce que de bonnes épouses indiennes arrivent des Indes.*

Les bijoux comme preuve d'amour : *Grand-père m'a dit que si un Indien aime vraiment sa femme, il lui donne des bijoux pour le prouver. J'ai trouvé dans le journal d'un voyageur français de passage en 1871 ces mots qui se rapportent à l'épouse de mon arrière-arrière-grand-père : « À Port of Spain, dans la Boutique Portugaise bien connue, j'ai rencontré Mrs. Banarjee, une femme fort charmante qui portait sur chaque bras douze ou quatorze gros bracelets d'or massif auxquels étaient fixés de larges médaillons d'argent ornés de pierres précieuses du Brésil. Sur son nez même, elle portait un énorme diamant. Quand elle s'avança pour me saluer, elle représentait une fortune prodigieuse. »*

Comment traiter les voleurs de tombes : *À la mort de son épouse, mon arrière-arrière-grand-père l'enterra avec tout son or et son argent. Un fonctionnaire anglais protesta : « Vous jetez une fortune ! » Mon aïeul répondit : « Elle m'a apporté une fortune et je ne veux pas la savoir dans un autre monde plus pauvre qu'elle n'était à son mariage. » Trois jours plus tard la police se rendit au Portugee Shop pour lui apprendre que des voleurs de tombes avaient sorti sa femme du cercueil et emporté les métaux et les pierres précieuses. « Ils étaient à elle, répondit-il. Elle les a dépensés comme elle a jugé le mieux. » Mais un peu plus tard, quand certains bijoux refirent surface dans les bazars de Trinidad, il s'enquit des personnes qui les possédaient et de la façon dont ils les avaient obtenus, et peu après on trouva plusieurs hommes morts... l'un à la suite de l'autre.*

Carmody lut ces aperçus sur la vie des Indiens dans l'île avec un intérêt croissant. Non seulement Ranjit avait une profonde connaissance de ses origines, mais il comprenait les complexités et les contradictions fascinantes de la vie à Trinidad.

Musulmans : *À Trinidad, trois Indiens sur quatre sont hindous, les autres sont musulmans et les hindous ne les aiment pas. Quand on apprend qu'un Indien a coupé le nez ou les oreilles de sa femme, on peut être certain qu'il s'agit d'un musulman — il l'a surprise en train de faire les yeux doux à un autre homme et il l'a défigurée pour qu'elle ne soit plus assez jolie pour attirer les autres. Les hindous agissent autrement. Un jour, le frère de mon grand-père s'imagina que son épouse accordait un intérêt excessif à un autre homme : il lui trancha la gorge. Arrêté pour meurtre, il ne comprit pas pourquoi tout ce fracas, et quand le juge anglais le condamna à la pendaison, il lui lança d'une voix forte d'aller se faire pendre lui-même. Je trouve la méthode musulmane bien meilleure, car le mari conserve son épouse, avec ou sans nez, tandis que mon grand-oncle a perdu et sa femme et sa vie.*

Carmody avait hâte de voir ce que Ranjit avait à dire sur les talents des Indiens pour les affaires, quelle que soit la partie du monde où ils émigrent. Son élève ne le déçut nullement.

Diriger un commerce : *Grand-père m'a dit : « Comme les blancs ont la majeure part de l'argent, il faut être aimable avec eux quoi qu'il arrive, même s'ils se plaignent à tort. S'ils disent que le tissu n'est pas bon, reprends-le. Et continue de le reprendre jusqu'à ce qu'ils soient satisfaits. Mais n'oublie pas que les blancs ne sont pas nombreux dans l'île, et tu dois aussi te montrer attentif aux désirs des anciens esclaves. Ils ne dépensent que de petites sommes, mais les petites sommes d'un grand nombre permettent de gagner beaucoup d'argent. Il ne faut jamais faire confiance aux musulmans, mais leur argent est bon. Quant aux gens qui descendent des bateaux seulement pour quelques heures, il faut les traiter avec des attentions spéciales, parce qu'ils se déplacent beaucoup et parlent à d'autres. Parfois tu recevras une lettre de gens que tu n'as jamais vus, mais tu as été aimable avec quelqu'un qui leur a parlé de toi. La lettre contient souvent de grosses commandes. » Grand-père m'a dit, ainsi qu'à ses autres petits-fils : « L'intégrité est tout. Tu dois vivre de sorte qu'on parle de toi comme d'un homme dont la parole est un lien d'honneur. »*

En lisant ces propos Carmody ne put s'empêcher de sourire car il avait entendu, à son club, deux avocats et un juge affirmer : « Sirdar Banarjee est le plus grand fichu menteur de Trinidad, et vous pouvez ajouter Tobago et la Barbade dans la balance ! » Une autre personne, entendant ce jugement, avait lancé de sa table : « Si Sirdar vous jure qu'on est jeudi, vérifiez votre calendrier. Ce sera vendredi, mais il aurait dit n'importe quel autre jour si c'était dans son intérêt. » Carmody se demanda vraiment ce qu'allait dire son élève à ce sujet.

La Loi : *Comme les Indiens de Trinidad ont la mauvaise réputation de mentir, voire de porter de faux témoignages devant les tribunaux, j'ai voulu savoir comment mon grand-père l'expliquerait. Voici ce qu'il m'a dit : « On raconte que nous sommes parjures, nous les hindous, parce que nous ignorons le sens d'un serment sur la Bible. Il n'en est pas ainsi.*

Je sais très bien ce que cela signifie, Ranjit. Cela signifie : Dieu, dans le ciel, te regarde et t'écoute, et Il désire que tu dises la vérité. Seulement le juge est ici-bas, n'est-ce pas ? Et je dois donc lui dire ce qu'il a besoin d'entendre pour prononcer la décision juste. Il faut donc que je choisisse entre les deux personnes en face de moi. La meilleure règle est celle que j'ai adoptée il y a des années : Ce qui est bon pour un membre de la famille Banarjee est bon pour l'île de Trinidad. *Cela m'aide à choisir ce que je dois déclarer devant les tribunaux. » Plus tard il m'a fait un bref résumé de son sentiment sur le problème que les blancs appellent faux témoignage : « Tu donnes à Dieu ce qu'il espère et au juge ce dont il a besoin. »*

Carmody jugea l'écriture de Ranjit incisive et ses commentaires fort sensés et pleins d'esprit. Il décida en conséquence d'inciter le jeune homme à prendre une décision précise pour ses études supérieures. Un après-midi à la fin des cours, il l'invita à l'accompagner dans les collines dominant Tunapuna et les champs verdoyants de Trinidad.

— Ranjit, ton grand-père est prêt à contribuer financièrement à ton éducation et je suis convaincu que tu peux obtenir une bourse, mais tu dois prendre deux décisions importantes. Choisir une université puis, après ton admission, une matière particulière. D'abord l'université. Oxford ou Cambridge ?

— Je préférerais New York.

— Ce serait une erreur.

— Pourquoi ?

— Tu vis aux Antilles. Ton avenir est dans ces colonies anglaises — je veux dire anciennes colonies — au milieu de cadres éduqués selon les normes anglaises.

— Peut-être ces normes ont-elles perdu de leur efficacité. Peut-être devrais-je aller au Japon. Comme tous les Banarjee, j'ai des facilités pour les langues.

Cette idée stupéfia Carmody. Aucun de ses amis, en Irlande ou aux Antilles, n'avait jamais ne serait-ce qu'envisagé des vacances au Japon. Et ce jeune homme hésitant parlait d'aller y passer les années où se formerait sa vie ? Ridicule !

— Et l'université des Indes occidentales à la Jamaïque ? Pour les premières années.

Il s'arrêta brusquement.

— Tu comptes bien poursuivre au-delà d'une simple licence, faire un doctorat...

— Oui, si c'est possible... peut-être.

Agacé par l'indécision du jeune homme, Carmody lança d'un ton bourru :

— Pourquoi pas la Jamaïque pour sentir d'où vient le vent ? Tu t'en sortiras haut la main, j'en suis sûr. Et tu décideras ensuite vers où te diriger. Oxford... Je suis sûr que tu pourrais y accéder... Peut-être la London School of Economics, si tu as du goût pour la politique.

— Je continue de croire que j'aimerais mieux aller à Columbia, à New York.

— Ranjit, je te l'ai déjà expliqué. Des études dans une université américaine ne t'aideront en rien si tu désires faire ta vie dans ce qui est essentiellement une île anglaise.

Le jeune homme ne répondit pas.

— Vraiment, reprit Carmody, tu dois me dire ce que tu désires être.
— Un érudit. Comme John Stuart Mill ou John Dewey. J'aime étudier les choses. Peut-être étudierai-je l'histoire et les peuples des Antilles.
Presque sur un ton de défi il ajouta :
— Je peux étudier le français et l'espagnol.
Carmody réfléchit au tour inattendu que prenait la conversation, et finit par céder au jeune homme.
— Tu pourras réussir dans ces domaines, Ranjit. Tu pourras continuer tes études et te spécialiser dans les deux voies : l'écriture ou l'érudition.
— Pourquoi faites-vous toujours passer l'écriture en premier ?
— Parce que si un homme a une chance de devenir écrivain et la repousse, c'est un fichu imbécile.
Il donna des coups de pied dans les cailloux du sentier puis se tourna vers Ranjit.
— As-tu lu les auteurs irlandais ? Yeats, Synge, *Junon et le paon ?* Il faut que tu les lises. Ils ont pris une masse amorphe et l'ont forgée en une nation. Quelqu'un doit faire de même pour les Indes occidentales. Ce pourrait être toi.
— Non. Je serai celui qui réunira pour lui tous les faits.
— Dans ce cas tu dois passer tes trois premières années à l'université des Indes occidentales, à la Jamaïque.
— Pourquoi ?
— Tu y rencontreras des étudiants de toutes les autres îles. Ils te feront découvrir le caractère propre des Antilles.
— Mais pourquoi ?
— Bon sang ! fulmina Carmody.
Il se baissa pour ramasser des cailloux qu'il lança vers la vallée en un geste rageur.
— Ne fais pas semblant d'être indifférent. Tu as dit toi-même que tu désirais étudier les Antilles. C'est un sujet pour lequel tu es parfaitement qualifié. Tu es un homme de Trinidad, une île qui a sa propre personnalité et son propre avenir. Tu es un Indien avec des perspectives sur les îles anglaises et françaises. Tu es un hindou avec un point de vue unique sur les autres religions de l'île. Et tu as été doté d'un sens très rare de la langue et de la phrase anglaises. Cela t'impose des obligations envers autrui.
Sans laisser à Ranjit le temps de réagir, l'Irlandais passionné fit une chose dont les professeurs sont toujours conscients mais révèlent rarement : il impliqua le jeune homme dans sa carrière personnelle :
— Ranjit, il ne s'agit pas seulement de toi, mais de moi. Un professeur ne rencontre qu'un ou deux étudiants vraiment prometteurs dans sa longue carrière. Beaucoup de bons élèves, oui, mais un grand avenir... pas souvent. Tu es ma seule chance. Je t'ai donné des leçons, j'ai observé tes progrès, j'écrirai les lettres pour que tu obtiennes tes bourses. Dans quel but ? Pour que tu puisses utiliser ton cerveau au maximum pendant le reste de ta vie. Tu n'as pas le droit de ne songer qu'à toi, parce que je t'accompagnerai sur les cimes et dans les bas-fonds. Si j'ai passé des années à Trinidad, c'est dans l'attente de quelqu'un comme toi, et tu dois aller de l'avant parce que tu m'entraînes avec toi.
Jusqu'à cet instant, jamais Ranjit ne s'était jugé important ou capable de jouer un rôle — jamais en fait il ne s'était représenté en

adulte faisant quoi que ce soit. Les propos de Carmody le frappèrent de stupeur et il garda le silence, les mains jointes sous son menton. Pour la première fois il regarda Trinidad vraiment : les champs de canne à sucre sur lesquels ses ancêtres du milieu du siècle précédent avaient trimé comme des esclaves, et très loin dans le sud, au-delà de la portée de ses yeux, les gisements de pétrole et les puits d'asphalte dont dépendait la richesse de l'île. Il se vit alors comme une sorte d'arbitre qui réunissait des données sur cette île et les autres, formait des jugements à leur sujet et partageait ses découvertes avec le monde.

— J'irai à la Jamaïque, dit-il d'une voix ferme.

Le jour où Ranjit Banarjee, jeune hindou précoce de quinze ans, prit l'avion de Trinidad à la Jamaïque pour s'inscrire à l'université des Indes occidentales, la distance entre les deux îles le stupéfia : plus de mille six cents kilomètres. Il regarda de nouveau la carte : la Barbade, plus à l'est, se trouvait à deux mille kilomètres de la Jamaïque et il dit à un des nouveaux étudiants qui faisaient la queue avec lui :

— C'est vraiment l'endroit le plus mal choisi pour une université.

— Il aurait mieux valu l'installer dans mon île, répliqua le jeune homme, un noir d'All Saints. Sauf qu'elle est trop petite... Dans les Caraïbes, la géographie et l'histoire ne s'associent pas bien, ajouta-t-il.

— Que veux-tu dire ?

— Il vaudrait mieux que la Jamaïque se trouve quinze cents kilomètres plus à l'est, où l'on a besoin d'elle.

Ranjit eut de nombreuses discussions de ce genre pendant son premier trimestre à l'université. L'extrême diversité des étudiants l'étonna : garçons d'un noir de jais comme celui d'All Saints, jeunes filles juives pâlottes de New York, Chinois de l'ouest de la Jamaïque, francophones de la république Dominicaine, et splendides créoles à la peau claire d'Antigua et de la Barbade. Et tous semblaient parfaitement cultivés. Ils affichaient une confiance calme, comme s'ils étaient venus à la Jamaïque pour apprendre quelque chose, et Ranjit se dit : « Je parie qu'ils sont aussi doués que moi. » Ses premières journées de cours le confirmèrent dans cette opinion.

Oui, c'étaient des jeunes gens capables, tous formés par la remarquable série de collèges fondés par l'Angleterre dans ses colonies, chacun avec au moins un professeur remarquable comme Carmody du Queen's Own. Mais Ranjit remarqua que son université ne comptait aucun étudiant de Cuba, la plus grande île antillaise, et apparemment aucun de la Guadeloupe ou de la Martinique.

Dans les premiers jours, Ranjit ne rencontra aucun étudiant indien venu d'autres îles, et seulement deux jeunes originaires de Trinidad comme lui. Il se trouva donc mêlé à des jeunes gens de toutes les origines, et en les écoutant parler il prit conscience de son appartenance antillaise — qui deviendrait son « image de marque ». Quand un jeune homme à l'accent hollandais déclarait qu'il venait d'Aruba, Ranjit voulait tout savoir sur cette île et sur ses relations avec les autres îles hollandaises du groupe, Curaçao et Bonaire. Il se passionna aussitôt pour la langue particulière d'Aruba, le *papamiento*, avec ses emprunts aux langues africaines des esclaves, au hollandais, à l'anglais et même à l'espagnol.

— Moins de cent mille personnes le parlent dans le monde entier, lui dit le garçon d'Aruba, mais nous avons nos journaux.

Ranjit attaqua donc avec ardeur ses trois années de travail assidu — pendant les congés, il préparait des mémoires qui lui permettraient d'obtenir son diplôme plus vite. Il découvrit vite le véritable trésor de son université : la qualité de ses maîtres, et il se sentit aussitôt attiré par plusieurs disciplines différentes, comme naguère — ethnologie, histoire, littérature.

Le Dr Evelyn Baker, sociologue blanche « prêtée » par l'université de Miami, avait effectué des recherches remarquables dans quatre îles différentes avant de passer son doctorat à l'université de Columbia, à New York. Sa vision « œcuménique » des Antilles attira beaucoup Ranjit car elle correspondait à ses aspirations. Âgée de quarante ans et auteur de deux ouvrages sur les îles, c'était un professeur sévère qui enseignait comme si chacun de ses étudiants devait devenir sociologue ou ethnologue. Elle reconnut vite les capacités de Ranjit et lui accorda une attention spéciale.

Mais Ranjit suscita aussi l'intérêt d'un autre professeur, qui le jugeait idéalement doué pour les études d'histoire : Philip Carpenter, petit noir sec et revêche originaire de la Barbade, docteur de la London School of Economics.

— J'ai lu votre contribution à l'anthologie, Banarjee. Remarquable intuition historique à propos des sirdars de votre famille. Vous pourriez vous lancer dans quelque chose d'ambitieux. Une histoire des Indiens à Trinidad... ou dans toutes les Antilles. Les raisons de leur prospérité à Trinidad. Et de leur échec à la Jamaïque.

Il fit quelques pas de long en large et demanda :

— A-t-on essayé d'employer des Indiens dans les champs à la Barbade ? Je l'ignore. J'aimerais que vous jetiez un coup d'œil de ce côté-là, Banarjee. Rédigez-moi un petit texte là-dessus. Nous avons besoin de savoir.

Son professeur le plus intéressant était une noire d'Antigua qui avait fait d'excellentes études supérieures à l'université de Chicago et à Berkeley en Californie. Spécialiste de la littérature des régions colonisées, le professeur Aurelia Hammond avait écrit des essais sur les écrivains religieux de Nouvelle-Angleterre au XVIIe siècle et sur les premiers écrivains d'Australie. Elle possédait le talent unique d'associer la littérature à la réalité et de situer toute colonie, indépendamment de son degré de servitude ou de liberté, à son niveau exact de développement :

— C'est en lisant les propos des rêveurs et des poètes, que l'on apprend ce qui se passe vraiment dans la société, expliqua-t-elle à Ranjit.

Méprisant presque tout ce qu'elle voyait autour d'elle dans les Antilles, elle ne mâchait pas ses mots :

— La Barbade et All Saints demeurent, spirituellement parlant, des colonies anglaises. La Guadeloupe et la Martinique ? On leur fait croire qu'elles font partie de la France métropolitaine, mais elles devraient avoir honte de se laisser duper ainsi. La république Dominicaine ne s'est pas encore aperçue qu'elle pensait. Quant à Haïti, c'est une honte.

Elle éprouvait beaucoup de respect pour Trinidad.

— Son mélange unique de noirs d'Afrique et d'hindous d'Asie avec quelques hommes d'affaires blancs d'Europe a une bonne chance de servir de modèle pour toute la région.

Mais elle réservait toute son affection personnelle à la Jamaïque.

— Vous ne pouvez imaginer mon émotion quand je suis arrivée, toute jeune et toute noire, de la minuscule Antigua aux idées étriquées dans cette université où j'ai trouvé un environnement de création... La musique, l'art, la politique, l'évolution sociale, tout survenait en même temps dans cette île où explosent l'énergie et l'espoir.

L'éducation de Ranjit ne se borna pas aux leçons de ses professeurs ; ses camarades s'avéraient eux aussi instructifs, et notamment un Jamaïcain dont les parents travaillaient maintenant à Londres.

— Ils m'ont payé le voyage l'an dernier. Quelle ville merveilleuse ! Il y a à Londres des centaines d'Indiens de Trinidad, Ranjit. Tu t'y sentirais chez toi.

Ranjit prit ses vacances au sérieux, comme tout le reste, et pour réunir des éléments sur ses essais en cours, il visita plusieurs îles de la mer des Caraïbes en profitant des tarifs touristiques des compagnies aériennes. Il vit la belle Cozumel au large de la côte de Yucatán, mais ne se sentit aucune affinité avec les Mayas disparus.

— A ce que j'ai pu lire, les Égyptiens me semblent beaucoup plus intéressants.

Avec deux jeunes étudiants d'autres îles, il fit un séjour rapide à Haïti, qui le terrifia.

— Quelle différence avec une île anglaise civilisée ! fit observer l'un de ses compagnons. Bon Dieu ! Ils vivent sur des sols de terre battue, avec un seul meuble dans une case d'une seule pièce pour une famille de huit.

Aucun étudiant noir ou de couleur venant d'une autre île ne comprenait pourquoi les noirs de Haïti gouvernaient si mal leur beau pays.

Un des plus beaux voyages qu'il fit avec les fonds limités que pouvait lui envoyer son grand-père fut une sorte de pèlerinage aérien dans sept îles différentes, organisé pour les étudiants par une compagnie aérienne antillaise. Il put voir non seulement de petites îles passionnantes comme Saint-Martin, à moitié hollandaise et à moitié française, mais aussi les grandes îles françaises. La Guadeloupe le fascina.

— En fait, il s'agit de deux îles, leur fit remarquer le guide, séparées par un chenal si étroit qu'on pourrait presque le sauter à pieds joints.

Quand les étudiants se réunirent à Basse-Terre pour comparer leurs notes, une très jolie jeune fille de Saint-Vincent s'assit à côté de Ranjit. Il en fut ravi, car jamais il n'aurait osé lui faire des avances. Il apprit qu'elle s'appelait Norma Wellington, était la nièce du médecin de Saint-Vincent, appartenait à l'Église anglicane, finissait sa deuxième année à l'université des Indes occidentales et comptait se rendre aux États-Unis pour continuer ses études et devenir administrateur d'hôpital. Elle trouvait ce jeune étudiant hindou visiblement intéressant, ou peut-être exotique, car elle ne cessa de bavarder avec lui pendant le voyage.

Anormalement timide avec les jeunes filles, Ranjit avait beaucoup de mal à se lancer dans les conversations banales des jeunes gens de son âge désireux d'épater leurs amies. Mais un jour où il se promenait avec Norma sur un chemin tranquille de Grenade, il prit son courage à deux mains :

— Norma, vous êtes si belle, pourquoi n'êtes-vous pas fiancée... ou bien... ou bien même mariée ?

Elle éclata de rire, nullement gênée.

— Voyons, Ranjit, j'ai tellement de choses à terminer avant de penser à tout ça !

Interprétant cette réponse comme une rebuffade, alors que Norma voulait seulement lui dire qu'elle désirait d'abord finir ses études, il se replia sur lui-même, oublia son intérêt naissant pour les jeunes filles et se consola dans son travail avec ses trois professeurs.

— Vous savez écrire, jeune homme, lui déclara Aurelia Hammond, son professeur de littérature. En tout cas vous savez ce qu'est un paragraphe, et je ne peux pas en dire autant de tous mes étudiants.

— Excellentes perceptions, Mr. Banarjee, lui dit le Dr Baker, la sociologue de Miami. A un moment ou un autre de vos études, vous aurez peut-être envie d'en écrire plus long sur le syndrome de la Barbade.

— Qu'est-ce que c'est ?

— La croyance que si on le désire assez fortement, on peut arrêter le cours de l'évolution.

Mais ce fut le professeur Carpenter qui fournit à Ranjit l'élan moteur de ses travaux suivants : il fit un cours inspiré par un personnage historique qu'il appela « l'homme le plus efficace produit à ce jour par les Indes occidentales et le principal architecte de la constitution ». Son cours débuta par un récit dramatique d'un hurricane typique des Antilles :

> *En 1755 naquit dans l'île insignifiante de Nevis un garçon illégitime dont la mère très pauvre eut beaucoup de mal à assurer la survie. Espérant améliorer son sort, elle se rendit dans l'île danoise de Sainte-Croix où, dans la nuit du 31 août 1772, son fils subit pour la première fois la violence d'un grand hurricane. Six jours plus tard il rédigea un remarquable récit de l'orage que publia la* Royal Danish American Gazette.

Sans révéler le nom du jeune homme, le professeur lut les premiers paragraphes, en faisant observer la concision du texte et la précision des données scientifiques. Après cela seulement, il révéla qui était l'auteur :

— Alexander Hamilton écrivit ces lignes à quinze ou dix-sept ans, nul ne le sait car toute sa vie il a menti sur son âge réel.

Puis il se lança dans une critique violente de la partie centrale du texte, trop longue et entachée de présomption :

> *Acceptons cependant ses dires et accordons-lui qu'il avait seulement quinze ans. Imaginez-vous un texte plus pompeux ? « Mes réflexions et sentiments sur cet événement effrayant et désolant se sont exprimés par ce discours à moi-même... » Et sur cette déclaration modeste, il se lance dans huit paragraphes de divagations ampoulées comme personne n'en lira jamais. Permettez-moi de vous en lire des extraits.*

Au bout de quelques lignes, les étudiants éclatèrent de rire, mais il les fit taire :

Ce sont les dernières lignes de cette lettre extraordinaire qui nous intéressent en fait, car elles révèlent, comme des phares dans la nuit, le futur politicien et financier Hamilton. Il pousse un cri sincère en faveur des pauvres que la tempête a dépossédés de tout et demande à tous les gens riches de consacrer une juste part de leurs biens à l'assistance des familles démunies. Je suis très fier de Hamilton lorsqu'il s'écrie : « Mon cœur saigne, mais je n'ai aucun moyen de soulager. Ô, vous qui vous pavanez dans l'opulence, regardez les malheurs de l'humanité et offrez votre superflu pour les soulager. » Ici, c'est l'homme Hamilton qui parle, le futur génie financier d'un pays qui va naître. Imposer les riches pour secourir les pauvres.

Oui, le dernier paragraphe m'enchante vraiment. Ce jeune homme de quinze ans se sent obligé de formuler un jugement sur le gouverneur de Sainte-Croix, et nous voyons le futur politicien déployer ses capacités et sa volonté d'intervenir. « Notre gouverneur général a promulgué plusieurs décrets très salutaires et humains ; par les mesures publiques qu'il a prises ainsi qu'à titre privé, il s'est montré un Homme. » C'est vraiment la rigueur de caractère qui parle.

Il termina son cours en précisant que Hamilton, à la suite de cette lettre, fut invité aux frais d'hommes plus âgés, qui devinaient en lui une étincelle de génie, à se rendre dans leur Amérique, où lui serait dispensée gratuitement son éducation dans un établissement du New Jersey puis au King's College de New York.

— Donc si vos dissertations de fin de semestre sont bonnes, termina le professeur Carpenter, nul ne peut dire quelles en seront les excellentes conséquences.

Ses étudiants l'applaudirent pour sa verve.

Tout comme Michael Carmody l'avait fait à Trinidad, les trois professeurs de Ranjit le recommandèrent pour plusieurs bourses de recherche. Il reçut trois propositions. Et il dut choisir entre trois spécialisations — en fonction du professeur qui l'avait recommandé à l'université : Chicago lui proposait des études d'histoire ; Iowa, de littérature ; Miami, de sociologie.

Il hésita. Il élimina les études de littérature car il était persuadé que ce n'était pas son fort. Il écrivait avec facilité, bien entendu, mais non avec ce feu intérieur qu'il jugeait nécessaire pour entreprendre une carrière dans cette voie.

— J'aime bien les mots, expliqua-t-il à son professeur de littérature, qui avait sollicité la bourse de l'université d'Iowa. Mais sincèrement, il me manque la conviction.

S'appuyant sur sa profonde connaissance de la littérature du Tiers Monde, elle lui dit dans l'argot local :

— Si t'as pas le feu aux tripes, Ranjit, t'as rien dans la caisse.

Mais elle lui souhaita de réussir.

— Vous êtes peut-être destiné à quelque chose de plus important, Ranjit. À cause de votre intégrité dévorante. Et peut-être avons-nous besoin de cela plus que de toute autre chose, dans nos Antilles.

Ses années de formation et d'éveil à l'université des Indes occidentales touchaient à leur fin au printemps de 1973, et toute précision quant à son avenir restait en suspens. Il demanda conseil à Norma Wellington.

— Que dois-je faire ? Que ferais-tu à ma place, Norma ?

Ils partirent se promener dans la campagne, à l'est du campus, pour discuter de leur avenir.

— J'ai reçu une proposition de la meilleure école d'infirmières des États-Unis, dit-elle.

— Pourquoi leur choix se porte-t-il sur une jeune fille de notre université ? demanda Ranjit.

— Les hôpitaux américains se sont aperçus que les jeunes Antillaises deviennent les meilleures infirmières du monde. Si l'on supprimait les infirmières antillaises, la moitié des hôpitaux de la Côte Est fermeraient leurs portes.

Puis, gênée de se vanter ainsi, elle ajouta :

— Ils acceptent de me former pour l'administration des hôpitaux. C'est à Boston.

— Tu vas accepter ?

— Je ne sais vraiment pas. J'ai peur de ne pas me sentir en sécurité si loin de chez moi. Et puis, aux États-Unis, il y a le problème de couleur.

— Allons donc ! Tu es aussi jolie que Lena Horne. Elle s'est déjà battue pour toi et elle a gagné.

— Tu vois toujours les choses en termes historico-sociologiques, n'est-ce pas ?

— Oui. J'essaie de prévoir comment les diverses combinaisons vont fonctionner.

— Mais bon sang, Ranjit ! Il va falloir que tu te décides. Histoire ou sociologie ?

— Je ne sais pas.

Sur cette note empreinte de tristesse, les deux jeunes gens, l'hindou à la peau ambrée de Trinidad et la belle à la peau claire de Saint-Vincent, s'éloignèrent au milieu des collines entourant leur université. Ils savaient tous les deux qu'une fois leur diplôme en poche, leur amitié éphémère et à peine avouée allait se terminer. Jamais il ne pourrait ramener une jeune fille de couleur — si belle qu'elle fût — dans son cercle d'amis et de parents indiens, et surtout une anglicane. Quant à elle, présenter à sa famille un hindou, si cultivé qu'il fût, serait également impossible.

En marchant sous les arbres, il lui demanda, d'une voix pressante :

— Franchement, Norma. À ma place que ferais-tu ?

Elle hésita.

— Tu me connais depuis plus d'un an, insista-t-il.

— Entre Chicago et Miami... Pour l'université, je prendrais Chicago, avec un léger avantage. Pour la ville, Miami, sans aucun doute.

— Pourquoi ? demanda Ranjit.

La réponse de Norma exprima en quelques phrases claires l'opinion de la plupart des jeunes Antillais qui ont réfléchi à la question.

— Que nous soyons d'accord ou pas, Miami est destinée à devenir la capitale *de facto* des Antilles. Nos échanges commerciaux se font avec Miami, pas avec Londres. Notre argent vient de là. Notre musique nous parvient par l'entremise des émetteurs radio de Miami. Quand nous voulons des soins dentaires ou médicaux de premier ordre, nous prenons l'avion pour Miami. Nous y faisons nos achats et nous y passons nos vacances. Nous n'allons ni à Paris ni à Londres. Bref, la plupart de nos idées efficaces viennent de là-bas. Si tu as la chance de passer ton doctorat à Miami et si tu n'en profites pas, tu n'as pas la tête sur les épaules.

Elle hésita, car ce qu'elle avait à dire ensuite était douloureux, surtout pour une jeune femme originaire d'une île aussi radicalement britannique que Saint-Vincent.

— Et surtout, je suppose, parce que mètre par mètre les Antilles vont tomber sous la coupe des Américains. Apprends à connaître ton ennemi : va à Miami.

Elle s'arrêta brusquement, s'appuya à un arbre et le regarda.

— C'est affreux. Vraiment. Tellement affreux.

— Que veux-tu dire ? demanda Ranjit.

— Tu vas partir à Miami, tu trouveras une chaire de professeur aux États-Unis, et tu ne reviendras jamais aider Trinidad. Et je suis pire, parce que j'en suis consciente. Je vais aller à Boston, je serai première de ma classe, j'obtiendrai des propositions dans les meilleurs hôpitaux américains. Et tu connais Maurice ? Il travaillera pour Du Pont dans le Delaware, jamais pour une compagnie qui aurait besoin de lui dans sa Grenade natale...

Elle se détourna et murmura :

— Quel gaspillage ! Un gaspillage déplorable chaque année, les Antilles sont dépouillées de leurs meilleurs éléments. Comment une région peut-elle survivre dans ces conditions ?

À leur retour sur le campus, leur séparation ne fut nullement une tragédie du genre Roméo et Juliette. C'étaient deux jeunes gens raisonnables, au niveau intellectuel le plus élevé des Antilles ; ils comprenaient très bien que jamais leurs deux cultures divergentes ne s'associeraient et cette impossibilité ne provoquait en eux aucun déchirement. Norma appréciait l'occasion qu'elle avait eue de sonder la pensée d'un hindou et Ranjit était reconnaissant à Norma de lui avoir ouvert des horizons plus vastes que son univers étriqué de Trinidad. Ils ne s'embrassèrent pas. Norma en aurait eu envie, pour marquer leurs adieux, mais Ranjit était beaucoup trop intimidé.

Trois jours plus tard, ils se croisèrent dans la hall.

— C'est Miami, lui dit-il.

Il allait s'éloigner mais elle le retint par le bras.

— Je suis vraiment contente que tu aies choisi Miami. C'est de là que tout partira dans les années qui viennent. Je t'envie.

— Tu descendras me voir quand il neigera à Boston...

— Tu peux y compter ! lança-t-elle.

Mais le départ de Ranjit de la Jamaïque ne devait pas se passer de façon aussi sereine qu'il l'escomptait. Deux jours avant son départ en vacances à Trinidad, d'où il s'inscrirait pour son doctorat de sociologie à l'université de Miami, alors qu'il se trouvait dans le centre de Kingston pour un dîner d'adieu entre étudiants dans un restaurant bon marché, une émeute éclata. Une bande de noirs effrayants, portant de longues mèches de cheveux tressés qui leur tombaient presque jusqu'à la taille, sillonnaient les rues en hurlant des cris incompréhensibles. Certains tenaient des machettes qu'ils brandissaient sauvagement. D'autres se précipitaient sur le premier touriste blanc venu et lui criaient sous le nez :

— *Go home,* gros porc blanc !

Dans la confusion, Ranjit vit deux blancs, un homme et une femme, s'écrouler sur le trottoir avec du sang qui jaillissait de leurs blessures.

Au plus fort de la mêlée, il eut envie de crier :
— Ils n'ont rien fait de mal !
Mais la peur le retint, la peur de ce que ces noirs en révolte pourraient faire à quelqu'un comme lui : un hindou ne jouissant d'aucun privilège à la Jamaïque et détesté par la plupart des Jamaïcains, noirs ou blancs.
Il resta donc près de la porte du restaurant en essayant de se rendre invisible jusqu'à ce que l'émeute gagne un autre quartier de la ville. Les étudiants jamaïcains qui se trouvaient avec lui expliquèrent :
— Ce sont de faux rastafarians. Des voyous qui font peur aux gens.
Mais le lendemain dans l'avion qui le ramenait chez lui, il lut en gros titres dans le journal de Kingston : ÉMEUTE RASTA : QUATRE MORTS.

Des années plus tard, Banarjee raconta :
— Quand je suis descendu de l'avion, à Miami, pour le semestre d'automne, mes poumons se sont dilatés comme s'ils réagissaient à l'atmosphère de liberté, d'enthousiasme. C'était l'époque où les Cubains émigrés partisans d'un libéralisme sauvage transformaient en capitale internationale une paisible station balnéaire pour riches. Ah ! Vivre à Miami ces années-là était extraordinaire !
Heureusement pour Ranjit, lorsqu'il débarqua à Miami un jeune noir assis non loin de lui remarqua qu'il ne savait trop où aller et lui lança :
— Alors, Jamaïca ! Tu cherches l'université ?
Ranjit acquiesça.
— Reste avec moi. Ma petite amie m'attend avec ma voiture.
Quand ils arrivèrent près de la voiture sport, Ranjit découvrit que la jolie fille au volant était blanche. Il s'étonna davantage quand il la vit embrasser le jeune noir avec passion, puis se glisser sur l'autre siège pour le laisser conduire, en disant gaiement :
— Votre voiture est avancée, monsieur.
Puis elle se retourna vers Ranjit et lui expliqua :
— Quand on est capable de courir le cent mètres en neuf quatre et d'attraper un ballon ovale contre son épaule gauche, vos admirateurs vous donnent des voitures comme celle-ci... Et Paul peut faire les deux, ajouta-t-elle en embrassant de nouveau son ami. Où allez-vous ? demanda-t-elle.
— Miami University, répondit Ranjit.
Elle poussa un cri d'horreur feinte, montra Ranjit du doigt et lança :
— C'est un neu-neu ! Il dit des cochonneries !
Elle demanda à Paul d'expliquer.
— *Miami University* est un petit endroit de rien du tout en Ohio. Il n'en sort que des *entraîneurs* de football. *L'University of Miami* c'est le paradis sur terre et il en sort des *joueurs* de football. Et tu te feras casser les deux bras si jamais tu lui donnes son ancien surnom : *Suntan U.* *.
— Au début, ajouta la jeune fille, c'était un établissement pour gosses de riches qui ne faisaient pas le poids pour les grandes universités du Nord. Plongée sous-marine et tennis. L'université des

* *Suntan :* bronzage.

coups de soleil. Maintenant, c'est un endroit formidable. Des bons profs et des cours solides.

— Quelles sont vos matières ? demanda Ranjit, surpris de la voir si bien informée.

— Histoire et philosophie. Super.

— Où vas-tu t'installer, Jamaïca ? lança Paul.

— Je suis de Trinidad, répondit Ranjit. Et je n'en ai pas la moindre idée.

— Règle numéro un, expliqua l'athlète. Dixie Highway, connue sous le nom de Nationale I, va de Key West au sud jusqu'à la frontière canadienne dans le Maine. C'est elle qui sépare les moutons des chèvres, et tu as l'air d'une chèvre.

— Ce qui veut dire ?

— Quand on a du fric et une bagnole, on vit à l'ouest de Dixie, sur le campus, dans des bâtiments neufs. Quand on est fauché et sans voiture, on s'entasse dans des vieux logements surpeuplés à l'est de Dixie pour aller aux cours à pied. Je connais des tas de piaules sympas. Pleines de jeunes Antillais. Ça va te plaire.

Ranjit trouva l'université aussi passionnante que la ville de Miami. Elle effectuait sa transition : de Suntan U. elle allait devenir un pôle de premier ordre pour l'océanographie, la médecine, le droit, la musique, les études latino-américaines et les sciences humaines en général. Elle était en train de réunir une vaste bibliothèque et un groupe de professeurs énergiques. Elle n'avait pas encore le rayonnement d'une université majeure, mais ce n'était pas non plus une voie de garage. Pour un étudiant doué comme Ranjit, l'endroit semblait idéal.

Il n'avait alors que dix-huit ans, mais son intelligence naturelle, son organisation et son application lui permirent de franchir vite l'étape des cours obligatoires pour pouvoir se consacrer à des études plus poussées. Comme à l'université des Indes occidentales, il avait un programme de trois sessions occupant l'année entière, sans grandes vacances. Les étudiants du Nord se lamentaient à l'approche de l'été, avec ses fortes chaleurs et son humidité accablante, mais c'était le moment où Ranjit s'épanouissait, comme si sa peau noire chassait les rayons du soleil.

— Tout simplement, Miami en été est mille fois plus frais que Trinidad ! expliquait-il aux autres étudiants qui s'étonnaient.

— Plus chaud qu'ici ? On doit cuire !

— Exactement.

Mais la vitesse à laquelle il travaillait et les encouragements de ses professeurs allaient le précipiter vers un écueil dont étaient souvent victimes les étudiants étrangers. Ranjit aurait complètement ignoré le danger s'il n'avait rencontré en 1974 un grand étudiant pakistanais cadavérique qui préparait un doctorat en philosophie. Mehmed Muhammad le prit à part et le mit en garde.

Ranjit avait vaguement remarqué cet homme d'environ trente-cinq ans qui flânait souvent à la bibliothèque, se montrait extrêmement déférent envers les autorités et affichait un demi-sourire indélogeable jusque dans les catastrophes. D'après son nom, Ranjit l'avait jugé pakistanais musulman, ce qui était le cas.

— Je viens de Lahore. Mon pauvre père était prêteur sur gages, mais à la petite semaine...
Sans élever la voix, sur le ton de la confidence, il ajouta :
— J'avais un oncle, qui a payé mes sept premières années à Miami. Mais il est mort, à présent.
— Vous êtes resté ici sept ans ?
— Oui. Montrez-moi les papiers d'immigration que vous avez...
Ranjit lui donna un formulaire F-1 qu'il avait obtenu au consulat américain de Trinidad. Il était autorisé à séjourner aux États-Unis avec le statut de non-immigrant. Il ne pouvait donc pas travailler et la durée de son séjour ne compterait pas plus tard dans les années de résidence nécessaires pour obtenir la nationalité américaine. À l'aéroport, un formulaire I-94 avait été agrafé à son passeport pour signifier à Ranjit et à toute autorité qui vérifierait ses papiers que son permis de séjour demeurait valide uniquement pendant la durée de ses études. Enfin l'administration de l'université lui avait remis un formulaire I-20 pour confirmer qu'il était bien étudiant et préparait un diplôme : dans son cas, un doctorat en sociologie.
— Vos papiers sont en règle, cher ami, mais vous êtes assis sur une bombe à retardement.
— Que voulez-vous dire ?
— Vous ne pouvez rester légalement aux États-Unis qu'en conservant votre statut d'étudiant. À la minute où vous terminez vos études, il vous faut filer.
Il parlait avec cet accent chantant irlandais qu'ont acquis les hindous et les musulmans du sous-continent indien il y a plusieurs siècles, du fait que les premiers professeurs d'anglais venus aux Indes étaient des Irlandais pauvres. Un accent musical, élisabéthain en un sens, et tout à fait charmant.
— Le problème, mon jeune ami, c'est que si vous avalez tous vos cours au sprint comme vous le faites, vous obtiendrez votre doctorat dans deux ans. Et ensuite ? Vous perdrez votre statut d'étudiant et il vous faudra repartir à Trinidad.
Il frissonna. Jamais il n'était allé à Trinidad et ne connaissait presque rien de l'île, sauf qu'elle était envahie d'hindous.
— Mais j'ai envie d'y revenir, lui répondit Ranjit. Pour travailler avec mon peuple.
Voyant l'étonnement se peindre sur le visage de Muhammad, il lui demanda naïvement :
— Vous n'avez pas envie de retourner au Pakistan ?
Mehmed le retarda comme s'il avait affaire à un gamin idiot, posant une question incompréhensible mais pardonnable. Très lentement il demanda, les yeux baissés vers le bout de ses doigts :
— Qui peut vouloir rentrer au Pakistan s'il a la possibilité de rester aux États-Unis ?
— Dans ce cas pourquoi n'y restez-vous pas ? demanda Ranjit.
— J'aimerais. Des milliers de Pakistanais aimeraient. Mais à la minute où j'obtiens mon doctorat, il faut que je parte.
— Alors pourquoi l'obtenir ? demanda Ranjit.
La duplicité de la réponse de Mehmed le surprit.
— Je ne vais pas l'obtenir. Je vais terminer tous les cours, écrire à peu près la moitié de ma thèse puis changer de matière. Je choisirai peut-être la sociologie.
— Avec vos antécédents, pourquoi pas l'histoire ?

— Il y a trois ans, je suis arrivé à six semaines de mon doctorat en histoire de l'Asie. Je suis passé juste à temps à la philosophie.

— Vous ne pourrez pas rester ici jusqu'à la fin des temps. Qui paie l'inscription... votre chambre ?

— J'ai un autre oncle.

— Pourquoi faites-vous ceci ?

— Parce que tôt ou tard il se passera quelque chose, répondit Mehmed. Une nouvelle loi... Une extension des droits à l'immigration.

— Vous ne comptez pas rentrer chez vous un jour ?

— L'Amérique a besoin de moi et croyez-moi, Banarjee, quand vous serez à six semaines de votre doctorat et qu'il vous faudra affronter la perspective du retour à Trinidad, vous comprendrez vous aussi que l'Amérique a besoin de vous.

Quelques semaines plus tard, à la session de printemps, il rencontra de nouveau Mehmed Muhammad. Le Pakistanais lui annonça une bonne nouvelle :

— Votre département a accepté mon sujet de thèse. Sociologie du conflit islam-hindouisme. Je pourrais la rédiger pendant ce week-end, s'il le fallait.

— Mais vous aviez les cours de base pour qu'on vous permette ce changement ?

— J'ai passé sept années dans les universités de Bombay, répondit Mehmed. J'ai obtenu tous les certificats pour n'importe quelles études au niveau supérieur. Même en calcul différentiel et intégral.

Pendant l'été 1976, Ranjit interrompit sa longue plongée dans sa thèse de doctorat pour effectuer un voyage bon marché, avec les autobus Greyhound, dans les États américains qui s'ouvrent sur le Canada. Le Glacier National Park l'enchanta, ainsi que la beauté rafraîchissante de ses montagnes. Un de ses compagnons de voyage lui proposa de visiter avec lui la partie canadienne du parc, supposée encore plus pittoresque, mais Ranjit refusa, l'air manifestement effrayé.

— Qu'y a-t-il ? demanda le voyageur.

— Si je sors des États-Unis, expliqua Ranjit, j'aurai peut-être des ennuis pour y rentrer.

— Je comprends. Avec votre peau sombre, un des trous-du-cul de la frontière sera enchanté de vous barrer le passage. Ma foi, il faut de tout pour faire un monde, et les trous-du-cul n'ont jamais manqué à l'appel.

Ils se séparèrent. Ranjit resta dans la moitié américaine du parc. Il sillonna le piémont en admirant les cimes blanches des Rocheuses et dut avouer enfin qu'il était en train de tomber amoureux des États-Unis. Il appréciait particulièrement Miami et acceptait maintenant le jugement de Norma Wellington : « C'est la capitale *de facto* des Antilles. » Elle ne s'était pas trompée. La plupart des idées réalisables qui se répandaient dans les Caraïbes venaient de Miami et il songea, non sans chagrin : « Les Caraïbes forment un magnifique groupe de petites îles. Mais le monde réel, c'est l'Amérique. » Pour la première fois, au milieu des montagnes Rocheuses, il envisagea sérieusement de s'installer aux États-Unis. « C'est ici que se prendront les grandes décisions. L'Espagne, l'Angleterre, la France... Elles ont eu leur chance mais n'ont pas su imposer leur suprématie. Maintenant, pour le meilleur ou pour le pire, c'est le tour des États-Unis. » Cynique, il ajouta : « Cela durera peut-être cinquante ans, ou soixante-quinze. Et ensuite ?... » Il haussa les épaules.

À son retour à Miami, à l'automne 1977, c'était un autre homme, bien décidé à se tailler une place dans la vie universitaire américaine. Il prit évidemment conscience de sa situation : il se trouvait à deux doigts de son doctorat en sociologie, sans avoir trouvé un poste quelconque dans une université. Sentant son statut d'étudiant en péril, il s'aiguilla aussitôt sur l'histoire et, cette fois, ne se hâta pas de suivre les cours requis. Il les étala sur quatre sessions et prit de longues vacances chaque été dans des endroits comme Yellowstone et le Grand Canyon. En espaçant méticuleusement son travail et en économisant sou par sou les fonds que lui envoyait son grand-père, il pourrait prolonger ses études pendant au moins trois ans.

Ce fut en 1981, chez un coiffeur de Dixie Highway, que sa vie d'étudiant et d'être humain prit un tournant imprévu. Après avoir réussi à ne pas obtenir son doctorat en histoire, il s'était laissé aller à la routine fort agréable de la vie d'étudiant perpétuel, qui hantait régulièrement la bibliothèque, rédigeait de temps à autre un article érudit et servait de remplaçant non rétribué quand ses professeurs devaient se rendre aux conférences réunissant les maîtres de leur spécialité. De toute évidence — il en était certain mais la plupart des autres étudiants le pensaient aussi —, il en savait beaucoup plus long sur les sujets des cours que les professeurs en titre. Et il était incontestablement beaucoup plus compétent sur les relations subtiles entre les diverses matières. Comme il avait adouci son accent trop sec de Trinidad, les étudiants américains le comprenaient parfaitement bien.

Ranjit dut attendre pendant les interminables coupes de cheveux de deux étudiants hispaniques avant de s'asseoir enfin dans le fauteuil du coiffeur, un grand gaillard qui parut content de voir le jeune Indien.

— D'où venez-vous, mon ami ? D'un pays du soleil, j'imagine ?

Ranjit lui répondit, et le coiffeur fut plus ravi que jamais.

— Trinidad ? C'est là où il y a un lac d'asphalte, non ? C'est mon institutrice qui me l'a appris. Mais nous, les gosses, nous avions vu goudronner les routes et nous savions ce que c'est, l'asphalte. Alors nous ne l'avons pas crue.

— C'est bien Trinidad.

— Et ils sont tous de la même couleur que vous, là-bas ?

Le ton de sa voix indiquait qu'il n'avait aucun préjugé. Il désirait seulement s'informer.

— Je sors un peu de l'ordinaire. Je suis hindou.

— Eh, une minute ! Ceux-là, ils viennent de l'Inde. Les cobras, Gandhi et tout.

— Vous avez encore raison.

Ranjit commençait à apprécier la chaleur et l'intérêt du coiffeur, quand celui-ci ajouta :

— Ma foi, je suis content que vous ne soyez pas un de ces maudits Cubains.

Ranjit se figea. Dans le Portugee Shop de son grand-père où il fallait traiter avec respect les clients de toutes les couleurs, il avait appris la tolérance.

— J'aime bien les Cubains, dit-il doucement.

— Et comment ! Moi aussi, enchaîna le coiffeur d'un ton manifestement sincère. Ils ont refait Miami. Les Cubains sont la meilleure chose qui nous soit arrivée.

— Alors, que vouliez-vous dire ?

— Les Cubains en tant que groupe, parfait. Je les aime même beaucoup. Mais le Cubain individuel, dans mon fauteuil de coiffeur, je ne peux pas le piffrer.

— Je ne comprends pas.

Au même instant, Ranjit prit vaguement conscience de la présence d'un autre homme qui venait de s'asseoir sur les chaises d'ordinaire réservées aux clients faisant la queue. Il n'aurait pas su dire de quel genre d'homme il s'agissait.

— Vous entrez ici, reprit le coiffeur. Un hindou présentant bien. Vous me dites : « Elmer, une coupe. » Quinze ou vingt minutes plus tard, vous vous levez du fauteuil et vous me payez. Mais prenez un Cubain, surtout un jeune de votre âge, plus ou moins. Il s'assoit dans mon fauteuil et il passe peut-être cinq minutes à m'indiquer comment je dois lui couper les cheveux. Et il veut ci, et il veut ça...

Il imita l'accent des Cubains. De toute évidence il avait répété son numéro.

Abandonnant Ranjit un instant, il s'adressa à l'autre homme, sur la chaise :

— Et quand je lui présente le miroir, toujours la même chose : « Pouvez-vous dégager un peu plus ici ? À peine plus par là ? Faire bouffer un soupçon sur ce côté ? » Encore dix minutes de conseils, et en tout, il reste dans mon fauteuil trente-cinq minutes. Dont quinze avec le miroir à la main : « Un peu par-ci, un peu par-là. » Il ne veut pas une coupe de cheveux, il lui faut un chef-d'œuvre.

Il arrêta son imitation et s'adressa à Ranjit.

— Vous savez pourquoi il fait toutes ces simagrées ? Parce que pour un jeune Cubain de votre âge, la chose la plus importante au monde, c'est son apparence. Et il croit au fond de son cœur, sans l'ombre d'un doute, que si je lui fais la coupe la plus parfaite du monde ce matin à dix heures trente, à la sortie du salon une jeune fille de l'université en Cadillac décapotable va remarquer son parfum, sauter en l'air, s'arrêter le long du trottoir et lui lancer en roucoulant : « Où veux-tu que je te dépose ? » Il montera alors dans la voiture et sa journée, sa vie entière sur la Terre, en seront métamorphosées.

Il termina la coupe de Ranjit avec un salut de mousquetaire, lui présenta le miroir pendant une fraction de seconde, et conclut :

— Voilà ce que peut faire une de mes coupes de cheveux pour un Cubain. Mais pour un paumé comme vous, venu de Dieu sait où, ce n'est qu'une coupe de cheveux. Vous étiez un paumé quelconque en franchissant la porte du salon et vous en ressortirez un paumé quelconque, lança-t-il en riant. Vous n'espérez pas de miracles.

Il brossa Ranjit avec soin et lui dit d'un ton chaleureux :

— Tout de même, un beau petit gars comme vous, ça serait gentil qu'à la sortie du salon une de ces riches héritières de l'université arrête sa Cadillac décapotable au bord du trottoir pour vous inviter à monter. Parce que si vous l'épousiez, plus besoin de retourner à Trinidad à la fin de vos études.

Deux des clients sur les chaises applaudirent la fin du monologue, et le coiffeur ajouta :

— Les Cubains en général, *sí, sí !* Les Cubains dans mon fauteuil, *no, no !*

Quand Ranjit quitta le salon de coiffure, ragaillardi par le bavardage jovial d'Elmer, l'inconnu qui était entré pendant sa coupe de cheveux se leva pour le suivre.
— Plus que deux avant vous! lui lança le coiffeur, mécontent de perdre un client.
— Je reviens de suite, lança l'homme d'une voix râpeuse, curieusement grave, avant que la porte ne se referme.
Ce fut dans ces circonstances que Ranjit fit la connaissance de Gunter Hudak.
Ce n'était pas un homme à prendre à la légère. Il avait environ quarante ans, un torse musculeux, des bras puissants et un visage sombre à la mâchoire dure sous des cheveux très noirs qui recouvraient presque tout son front. Ranjit sentit qu'il avait l'habitude de parvenir à ses fins.
Puis il entendit la voix rauque, menaçante.
— Puis-je vous parler un instant ?
Aussitôt Ranjit comprit qu'il ferait mieux de refuser toute relation avec cet homme, mais il eut l'impression qu'il courrait un danger plus grand s'il le repoussait.
— Oui, répondit-il d'une voix faible.
— Je suis Gunter Hudak. Je vonnais votre nom. Ranjit Banarjee, Jamaïque et Trinidad.
— Comment savez-vous ?
— C'est mon affaire. Chaque fois qu'un étudiant étranger travaillant sur une thèse de doctorat change de discipline, des gens le remarquent et ils m'appellent.
Il parlait d'un ton de conspirateur et son accent indiquait qu'il avait dû être étranger lui aussi.
— Vous permettez que je fasse quelques pas avec vous, Ranjit ?
Banarjee aurait préféré l'éviter, mais il eut peur de le dire, car l'homme lui avait pris le bras.
— Ce que je veux, c'est vous rappeler que le coiffeur avait raison de vous raconter cette histoire.
— Je n'ai rien contre les Cubains.
— Oh ! je songeais à la façon dont vous éviteriez de retourner à Trinidad si une Américaine tombait amoureuse de vous et vous épousait !
Sans laisser à Ranjit le temps de protester, il poursuivit :
— Elle vous épouse. Parfaitement légal. Vous obtenez le statut de résident légal, en tant que mari immigrant d'une Américaine. Plus personne ne peut désormais vous forcer à quitter le pays. Six mois plus tard, elle divorce et vous restez en place, prêt à obtenir la nationalité américaine après les délais.
Sans lâcher le bras de Ranjit, il murmura :
— Le tout pour cinq mille malheureux dollars. Citoyen américain pour la vie.
Ranjit se dégagea.
— Je ne suis pas idiot.
— Vous l'êtes si vous ne m'écoutez pas. Posez des questions dans votre piaule. Demandez combien de jeunes comme vous ont obtenu la nationalité par mariage de convenance suivi de divorce. C'est inattaquable.
Avant de quitter Ranjit, il glissa une feuille de papier dans sa poche. Il disparut aussitôt au milieu de la circulation du Dixie Highway.

Seul dans sa chambre, Ranjit lut la feuille : « Gunter Hudak, 2119 San Diego, Coral Gables. Possible pour quatre mille dollars. »

Dans les mois qui suivirent, Ranjit tomba sur Hudak environ une fois tous les quinze jours. Si Hudak lui adressait la parole, c'était toujours de la même voix grave et râpeuse, et pour annoncer une mauvaise nouvelle, comme :

— Bonsoir, Mr. Banarjee. Vous avez entendu parler des trois étudiants renvoyés en Iran la semaine dernière ? Formulaire I-94 expiré.

En septembre 1981, une nouvelle annoncée par son camarade pakistanais Mehmed Muhammad détourna Ranjit de ses problèmes personnels.

— C'est magnifique ! Le gouvernement américain vient d'ajouter les professeurs de mathématiques à la liste des professions préférentielles.

— Qu'est-ce que cela signifie ?

— C'est la règle depuis des années. Aucune chance d'émigrer aux États-Unis. Des listes d'attente longues de plusieurs kilomètres. Mais si tu es tailleur, par exemple, le gouvernement dit : « Bravo ! Nous avons justement besoin de tailleurs. » Et on t'accueille à bras ouverts. On te recherche parce que dans ce pays nous n'engendrons pas assez de tailleurs.

Ranjit remarqua que Mehmed disait *nous* en parlant des États-Unis. Dans la semaine, le Pakistanais se fit inscrire à Georgia Tech pour se lancer dans un doctorat de sciences.

— Avec mes diplômes des Indes, dit-il à Ranjit, je peux m'inscrire en formation accélérée. Dans un an je serai professeur de maths et accepté.

Il s'en alla.

Après son départ Ranjit s'informa discrètement sur les catégories préférentielles et apprit que Mehmed avait raison. On avait besoin de tailleurs, de souffleurs de verre pour fabriquer des instruments scientifiques et de toute une gamme de professions rares et curieuses — il n'était malheureusement qualifié pour aucune. Cette avenue vers la liberté lui était barrée.

Se refusant à songer à la proposition de Gunter Hudak bien que l'homme eût baissé son prix à trois mille dollars, il passa l'automne 1981 dans une sorte d'euphorie aveugle. Ses travaux pour son doctorat d'histoire avancèrent soudain, et l'un de ses essais sur l'esprit de la colonisation hollandaise dans les Antilles fut accepté par une revue érudite d'Amsterdam, ce qui provoqua l'envie d'un jeune professeur diplômé de Yale.

— Banarjee, dit-il, vous devriez passer un doctorat de tout. Vous seriez le premier à l'obtenir. Comment avance votre thèse ?

Ranjit fut tenté de répondre :

— Je l'ai sagement mise en veilleuse, merci.

Avant Toussaint, Mehmed revint au campus, dans le même état d'enthousiasme qu'à son départ pour Georgia Tech.

— Merveilleuse nouvelle, Ranjit ! Les mathématiques sont plus difficiles que je ne croyais. Faisable, bien sûr, mais pas en un an. Que crois-tu qui s'est passé ?

— Quelque chose d'intéressant, j'en suis sûr.

— Plus qu'intéressant ! s'exclama Mehmed. Le salut à portée de la main, sur un plateau d'argent.

— Raconte.

— Le gouvernement a ajouté une autre catégorie à ses professions préférentielles. Infirmier ! Oui, ils en manquent. Je me suis inscrit pour une formation accélérée ici même, et avec mes références diverses... J'ai beaucoup étudié les sciences à Bombay. On m'assure que j'obtiendrai mon certificat en juin. Et quand je l'aurai... Urinals, me voici !

Ranjit vérifia la nouvelle liste, et les infirmiers étaient effectivement demandés. Mais il n'avait aucune aptitude pour ce travail, et comme il arrivait dangereusement près de son doctorat en histoire, il changea de matière et passa à la philosophie — juste à temps. Bien entendu il était toujours intéressé par l'étude des valeurs permanentes de l'humanité et par les méthodes selon lesquelles les hommes organisent leur pensée.

Soulagé par ce sauvetage de dernière minute, il passa une bonne partie de l'année 1981-1982 à explorer les systèmes de valeurs de Miami. Il commença à comprendre les complexités de cette ville et apprécia de plus en plus les adaptations radicales qu'elle avait dû opérer. Le flot des Cubains avait été absorbé avec une relative facilité. Ils étaient maintenant sur le point de prendre le pouvoir politique dans la ville et sans doute l'État, ce que certains Anglo-Saxons n'appréciaient pas, mais les mécontents étaient libres de s'installer dans les communes fortunées plus au nord, comme Palm Beach sur l'océan.

Le taux de criminalité le troubla, et un jour où il rentrait du centre de Miami, il se prit à rire de lui-même : « A Trinidad, les blancs trouvaient barbare que des Indiens frappent les gens à coups de couteau, en particulier leur femme, et cela m'irritait ; et me voici à Miami, où je trouve déplorable que des Hispaniques tuent souvent leurs femmes ou leurs meilleurs amis à coups de couteau. Plus ça change, plus c'est la même chose. » Mais il n'était pas question qu'il prenne à la blague la menace de la drogue qui planait presque sur tous les aspects de la vie en Floride du Sud. Il ne comprenait pas que l'on puisse introduire volontairement dans son corps des substances destructrices, nicotine, alcool, médicaments qui provoquent une accoutumance et, bien entendu, drogues injectées directement dans le sang.

Miami avait donc ses côtés sombres, mais restait dans l'ensemble une ville magique avec ses kilomètres de bord de mer, ses tours d'appartements et de bureaux de plus en plus belles et le charme permanent de la Calle Ocho, comme on appelle maintenant la 8e Rue, où se manifeste pleinement toute la saveur de la vie antillaise, avec ses carnavals, ses fêtes et l'expression quotidienne de l'enthousiasme hispanique.

— Pas si bien que le vrai carnaval de Trinidad, disait-il à ses amis. Mais ça peut aller quand même.

Mais la réalité l'obligea vite à ouvrir les yeux. Il n'était pas à Miami pour participer au carnaval mais pour obtenir un doctorat à l'université, ce qui n'était pas si facile. Le bruit courut sur le campus que tous les étudiants inscrits depuis un nombre raisonnable d'années allaient recevoir un ultimatum :

« Finissez votre thèse de doctorat et empochez votre diplôme, ou bien partez. »

Pour lui ce dernier mot signifiait « partez du pays ». Il était arrivé à Miami en 1973 et l'on était en 1984 : il comprit que ses jours étaient comptés. L'université avait déjà chassé Mehmed Muhammad, qui traînait sur le campus depuis 1967 — dix-sept joyeuses années — mais celui-ci avait échappé à l'expulsion en s'inscrivant dans une autre spécialité recherchée, cette fois l'école d'infirmiers. Mehmed s'avéra entreprenant, car après être entré dans les bonnes grâces d'un des internes de l'hôpital où il faisait un stage bénévole, il le convainquit de lui prêter sa voiture pendant son tour de garde et il invita Ranjit à participer avec lui à l'une des aventures les plus civilisées que Miami peut offrir : regarder les bateaux partir en mer. Les deux hommes, Mehmed au volant, engagèrent la voiture de l'interne dans la circulation chaotique de Dixie Highway, une des grandes artères les plus fréquentées d'Amérique où de jeunes vacanciers, des étudiants irresponsables et des Cubains anarchistes, qui se figurent qu'un feu rouge signifie « le pied au plancher et bang... », roulaient à plus de cent dix à l'heure dans des quartiers très peuplés.

— Tu sais conduire ? demanda Ranjit.

— J'ai bien regardé les autres. Je suis sûr que ce n'est pas difficile.

— Tu as ton permis ?

— Non. Mais qui va nous arrêter ?

Avec un aplomb qui stupéfia Ranjit, le Parkistanais émacié s'élança au milieu de la circulation de Miami en criant des insultes en ourdou à tous ceux qui refusaient de lui laisser le passage. Il arriva par miracle à l'endroit magique où les gens au courant garent leur voiture chaque samedi à cinq heures pour assister au départ des grands bateaux de croisière des diverses lignes européennes, pour le grand tour des Antilles.

Aucun endroit d'Amérique n'est comparable. Le chenal est si incroyablement étroit que les spectateurs à terre voient nettement les visages alignés le long des bastingages des énormes bateaux blancs qui glissent l'un après l'autre en une file majestueuse. Les sirènes graves et enrouées retentissent, les orchestres jouent, les passagers poussent des vivats, les spectateurs dans les voitures klaxonnent, et pendant presque une heure entière ce défilé unique au monde se poursuit. Mehmed était enchanté.

— En tendant la main, je pourrais toucher celui-ci.

Ranjit dut avouer que l'illusion était saisissante.

— Ah, les voilà tous partis ! s'écria Mehmed. Quand j'aurai mon diplôme d'infirmier, je ferai des études de médecine et j'obtiendrai une place de médecin sur un de ces bateaux. « Madame, votre appendice a éclaté, je le crains. Question de vie ou de mort. Il faut que j'opère immédiatement. » Le bateau tangue dans tous les sens, peut-être même les lumières s'éteignent. Clac, clac. Je coupe l'appendice fatal. Encore une vie de sauvée !

Malgré son désir de rester aux États-Unis, Ranjit éprouva une bouffée de mal du pays.

— Comme j'aimerais être à bord d'un de ces bateaux ! La Jamaïque. Saint-Vincent. Trinidad.

— Les îles sont si belles que ça ?

— Oui.

Impulsivement, Mehmed sauta de la voiture, courut au bord du chenal et cria au dernier bateau, encore à quelques mètres :

— Gros bateau, arrête ! Arrête ! Emporte mon ami Ranjit avec toi.

Et du bastingage, au-dessus de sa tête, des passagers applaudirent le Pakistanais qui faisait de grands gestes.

Puis Ranjit ne put éviter plus longtemps ce que Mehmed appelait le destin implacable. Le jour vint où il dut se résigner. Il suivit à pas lents les rues à l'est de Dixie Highway et parvint à l'adresse indiquée sur la feuille de papier qu'il gardait dans son portefeuille. Il s'arrêta sur le trottoir d'en face pour regarder la maison banale, à un étage, au numéro 2119 de la rue San Diego, et imagina que toutes sortes de choses laides se passaient à l'intérieur. Il allait revenir sur ses pas quand une main ferme lui saisit le bras droit.

— Bonsoir, Mr. Banarjee. Je vous attendais. Discutons.

Gunter Hudak ne fit pas entrer Ranjit chez lui. Il le pilota vers un restaurant *Burger King* de Maynada Street, près de l'université de Miami. Sans expliquer ses raisons, Hudak le poussa dans la queue jusqu'au comptoir où une femme aimable, approchant de la cinquantaine, lui demanda :

— Oui ? Qu'est-ce que ce sera ?

Comme Ranjit hésitait, Hudak répondit à sa place :

— Un double, des frites et un lait frappé vanille.

Il commanda pour lui un hamburger plus petit et un lait fraise, puis tous deux se perchèrent sur des tabourets tournants fixés au sol.

— Ma sœur travaille ici, expliqua Hudak de sa voix râpeuse et insinuante. Devinez laquelle.

Ranjit observa le groupe des jeunes filles qui apportaient les commandes prêtes. L'une d'elles, peut-être sur un signe de son frère, se plaça de sorte que les consommateurs puissent bien la regarder.

Une jeune femme tout à fait remarquable sous la lumière vive. Quel âge ? Impossible de le préciser. Elle devait avoir un ou deux centimètres de plus que Ranjit, avec la ligne d'une jeune fille de dix-neuf ans et un beau visage régulier couronné de cheveux bruns bien coiffés. Mais ce visage intriguait autant qu'il attirait, car l'impression en était si dure qu'il aurait pu être celui d'une femme de quarante ans. C'était néanmoins une jeune femme digne d'attirer le regard de n'importe quel homme et Ranjit la regarda.

— Celle-ci, je pense, dit-il.

Et Hudak lui serra la main en guise de félicitations.

— Bravo. Et elle a envie de vous épouser.

Il fit signe ouvertement et sa sœur quitta son poste, à la livraison des frites, pour s'avancer d'un pas vif et décidé vers son frère et son nouveau client.

— Salut, lança-t-elle en s'avançant vers le tabouret de Ranjit. Je m'appelle Molly.

Elle le dévisagea avec un regard qui semblait dire : « Mon Dieu, comme vous êtes sexy ! » Ranjit, qui n'avait jamais été regardé de la sorte, fut trop déconcerté pour répondre.

— Mon frère m'a raconté des choses tellement intéressantes à votre sujet, Mr. Banarjee. Ce ne serait pas seulement un plaisir. Ce serait passionnant. Un prince hindou. Des éléphants. Des tigres. Le Taj Mahal. Ce serait merveilleux.

— Je ne suis pas un prince hindou, il s'en faut, balbutia Ranjit. Je ne viens même pas des Indes, mais d'un magasin « portugais » de Trinidad.

— Je suis sûre que c'est un endroit très bien, dit-elle.

Une clochette sonna : les frites s'accumulaient. Aussitôt Molly s'excusa.

— Vous savez, ici, les gens se font mettre à la porte s'ils ne font pas leur travail. Mr. Banarjee, cela me ferait honneur.

Rien n'avait été dit sur ce qui ferait honneur à la jeune femme, mais dès qu'il se retrouva dans la rue avec Gunter, celui-ci attaqua.

— Banarjee, je sais très bien que vous êtes obligé de faire quelque chose avant fin juin. Vous ne pouvez plus changer de matière, cette fois. Et votre thèse est terminée. Je connais la fille qui l'a dactylographiée. Donc le diplôme et retour à Trinidad. Sauf si vous épousez Molly comme je vous l'ai suggéré. Aucun risque. C'est rapide, et Molly et moi jouerons notre rôle pour deux mille cinq cents tickets. Décidez-vous vite !

Il lança ces derniers mots avec une telle force que Ranjit resta sous l'impression qu'il n'avait pas d'autre choix. Ne voyant aucune autre issue possible, il accepta. Dès que l'affaire fut entendue, Hudak ne perdit pas une minute. Il emmena Ranjit chez lui, le présenta à ses parents et annonça qu'ils attendraient le retour de Molly. Dès qu'elle apparut, son frère entra dans les détails du programme.

— Chaque mot que je vais vous dire est d'une importance décisive. A partir de ce soir, vous allez vous comporter tous les deux comme si vous étiez amoureux. Les gens que nous utiliserons comme témoins plus tard doivent vous voir ensemble. Banarjee, vous irez à ce *Burger King* cinq soirs par semaine, vous lui ferez la cour et la raccompagnerez ici. Vous vous arrêterez sous des réverbères pour que les gens puissent vous voir. Trois fois par semaine vous viendrez déjeuner ici. Vous irez ensemble au cinéma sur Dixie Highway. Vous êtes profondément, passionnément amoureux et vous le montrerez.

Il donna à Ranjit d'autres instructions pour les démarches à faire à l'université, les conversations avec ses professeurs, un entretien avec le conseiller religieux sur les problèmes de mariage entre un hindou et une catholique, deux entretiens avec le prêtre de la paroisse de Molly, l'achat des alliances. « Vous garderez le reçu avec la date. » Il avait déjà organisé plusieurs mariages de ce genre et acquis une certaine expérience pour fabriquer les preuves que les noces Banarjee-Hudak seraient un acte de pur amour. Il donna aux protagonistes toutes les indications nécessaires à créer et à maintenir cette illusion.

Pendant six semaines Ranjit vécut dans un monde de rêve sur tous les plans. Il fit galoper son doctorat en philosophie vers une heureuse conclusion, tout en faisant sa cour à Molly Hudak. Quatre ou cinq soirs par semaine, il s'asseyait au *Burger King* et ne la quittait pas des yeux comme s'il l'aimait, et à la fin de la deuxième semaine il l'aima vraiment, car c'était une jeune femme ravissante. Parfois il imaginait quelle joie ce serait d'être son mari, ne serait-ce que pour un temps bref. Il la raccompagnait chez elle comme prévu, mais elle ne le laissait jamais l'embrasser. Et quand il donna les deux mille dollars sur lesquels ils avaient fini par s'entendre, ce fut Gunter qui les prit, et non Molly.

— Même pas l'ombre d'un sou doit passer entre tes mains, Molly. Ils enquêteront sur tout l'argent que tu as reçu ou dépensé.
— Ils enquêteront ? s'étonna Ranjit.
— Et comment ! Ils fouineront partout. Pareils à des chiens enragés. Mais nous savons couvrir nos traces. Faites seulement ce que je vous dis.
Jamais il ne précisa, comme il était sûrement tenté de le faire : « Je sais que je peux faire confiance à Molly, ce n'est pas la première fois. Mais toi, stupide hindou, je me demande si tu tiendras vraiment le coup. »
Cette cour très particulière suivit son bonhomme de chemin et Ranjit convainquit tout le monde qu'il était non seulement amoureux mais ravi qu'une jeune femme si séduisante se soit intéressée à lui. Il n'avait guère besoin de se forcer pour paraître sincère, et le jour vint où les Hudak, Ranjit Banarjee et Mehmed Muhammad — le témoin du marié, maigre comme un épouvantail à moineaux — montèrent les escaliers du palais de justice de Miami où serait célébré leur mariage civil.
Le reste de la journée fut un tel enfer que pendant des années Ranjit essaierait de le supprimer de son souvenir. Les époux arrivèrent chez les Hudak, 2119, San Diego, en faisant du tapage pour que les voisins puissent jurer, si besoin était, que le couple vivait bien ensemble. Mais quand la porte d'entrée se referma, Gunter imposa les règles :
— Banarjee, vous vivrez dans cette maison jusqu'à ce que Molly demande le divorce, mais vous dormirez dans la cave. Pour votre toilette, vous utiliserez l'évier de la buanderie. Vous ne mangerez jamais avec nous, et si vous touchez une seule fois à ma sœur, que Dieu m'entende : je vous casserai les deux jambes au-dessus du genou. Compris ?
Il s'avança d'un air si menaçant vers son beau-frère terrifié, que celui-ci recula d'un pas.
— Compris, sale hindou répugnant ? Si tu touches à ma sœur, je te tue.
La vieille maison des Hudak se trouvait sur une légère hauteur et, malgré les risques d'infiltration dans un terrain aussi imprégné d'eau, le maçon avait prévu une cave. Elle était pleine de moisissures et fétide. Gunter avait installé une plate-forme de bois sur laquelle sa mère avait placé deux couvertures en guise de matelas. Une autre couverture complétait la literie. Aucune ventilation. Un robinet d'eau froide et une cuvette de fer-blanc rouillé faisaient office de salle de bains. On donna à Ranjit un seau hygiénique émaillé, en lui recommandant d'aller aux toilettes ailleurs quand il en aurait l'occasion mais de ne jamais, sous le moindre prétexte, utiliser les toilettes des Hudak.
Supplice suprême, il dut se rendre au *Burger King* au moins cinq soirs par semaine pour raccompagner sa femme à la maison après la fermeture. A bien des égards, ce fut l'épreuve la plus cruelle. Il lui fallait regarder Molly faire son travail, puis attendre qu'elle vienne le rejoindre, si belle, si tentante, et enfin marcher à côté d'elle en silence, car elle se refusait à lui parler. Un jour où ils se trouvaient sur Dixie Highway, avec la masse des bâtiments de l'université non loin, il s'écria, au désespoir :
— Molly, comment t'es-tu laissée prendre dans cette sale combine ?
Elle ne répondit pas. Elle apprit sans doute à son frère que son mari

commençait à se montrer difficile, car le soir même Gunter saisit Ranjit au collet et se mit à lui cogner la tête contre le mur du salon.

— Je t'avais prévenu de ne pas toucher à ma sœur.

— Je n'ai rien fait, balbutia Ranjit.

— Tu lui as crié dessus. Si tu recommences, je te tue.

Comme c'était la deuxième fois que Gunter lançait cette menace, Ranjit la prit au sérieux, et chaque nuit dans sa cave humide, il s'éveillait en sursaut au moindre bruit inhabituel, craignant non sans raison que les Hudak descendent l'assassiner.

Une visite inattendue divertit Ranjit de l'horreur de sa situation : une amie arriva à Miami — comme arrivent souvent les amis — au moment où sa présence était le plus nécessaire mais — ce qui se produit souvent aussi — dans des circonstances vraiment gênantes. Il s'agissait de l'administratrice des hôpitaux Norma Wellington, de Saint-Vincent, que Ranjit avait connue à la Jamaïque. Elle était naturalisée américaine, avait terminé ses études à Boston et occupait un poste de responsabilité dans un hôpital d'importance moyenne à Chicago. Elle se trouvait à Miami, avec un comité de quatre personnes, pour faire une étude sur les relations souhaitables entre les quatre établissements hospitaliers de la ville. Sachant que son ami Banarjee se trouvait à Miami, elle s'était renseignée à l'université et avait appris qu'il occupait en permanence un local à la bibliothèque, où étaient groupés les ouvrages qu'il utilisait pour ses divers travaux.

La petite pièce n'avait pas de téléphone. Une bibliothécaire accompagna Norma à la porte et l'ouvrit. Ranjit était assis au milieu de ses piles de livres et elle s'écria, sincèrement ravie :

— Ranjit, comme je suis contente !

Le passage des années et le poste important qu'elle occupait avaient mûri la jeune femme beaucoup plus que Ranjit ne pouvait le prévoir. La bibliothécaire s'en fut et elle resta seule en face de cet homme de trente et un ans. Les différences sautaient aux yeux. C'était une femme adulte et responsable, qui était en contact quotidien avec des gens aussi compétents qu'elle, car elle avait accepté et digéré les années à mesure qu'elles passaient, sans se battre contre l'inévitable, mais sans céder du terrain non plus. A Chicago, sa peau de couleur claire n'était ni un handicap ni un atout, mais elle l'avait aidée à éviter les aventures faciles avec les médecins ou ses collègues de l'administration. Norma Wellington était aussi parfaitement équilibrée que pouvait le souhaiter, à vingt-neuf ans, une jeune femme de la petite île de Saint-Vincent.

Ranjit, en revanche, avait toujours été un garçon difficile, renfermé dans son enfance, timide à l'âge où les jeunes filles prennent de l'importance, et maintenant totalement désorienté à cause de cette horrible famille Hudak. Il accueillit Norma en bredouillant, sans trop savoir par où commencer son récit.

Ils bavardèrent à bâtons rompus pendant un moment, puis, d'une manière subtile que ni l'un ni l'autre n'aurait pu expliquer, elle laissa entendre qu'elle n'était pas venue à Miami seulement pour des raisons professionnelles. Son expérience salutaire à l'air libre de Chicago avait éliminé la plupart des préjugés qu'elle avait entassés à Saint-Vincent et à la Jamaïque. Elle se moquait maintenant comme d'une guigne des différences entre hindous et anglicans, entre Indiens et Antillais. Souvent, quand tel ou tel homme lui avait fait la cour à Chicago, elle l'avait comparé à Ranjit Banarjee — toujours à l'avantage de Ranjit car elle se souvenait de lui comme d'un étudiant ayant assez de cœur pour aimer la race humaine dans son ensemble, un homme de mérite. Plus elle avait songé à lui pendant ces années où elle avait assis sa propre personnalité, plus il lui avait paru intéressant, et plus elle avait désiré renouer connaissance.

Quand Ranjit eut compris la démarche de la jeune femme, presque aussi claire que si elle avait ouvertement déclaré ses intentions, il fut pris de peur. « Mon Dieu ! Elle est venue ici pour moi. » Elle songea : « J'ai fait tout ce chemin vers lui, et il est encore trop timide, il faut que je dise autre chose. » Ce qu'elle ajouta n'était peut-être pas très habile, mais venait du fond du cœur d'une jeune femme qui n'avait plus de longues années à perdre :

— J'ai eu si souvent envie de te revoir, Ranjit. Nos conversations à l'université... Ce sont vraiment les meilleurs moments de mes études.

Il ne répondit pas et elle poursuivit :

— A l'époque je croyais... Nous pensions tous les deux qu'un hindou et une anglicane... seraient incompatibles. Mais après avoir travaillé à Chicago...

— Norma, s'écria-t-il avec sa maladresse habituelle, je suis marié.

Elle n'hésita qu'une seconde, puis fit appel à sa désinvolture antillaise.

— C'est merveilleux, Ranjit. Puis-je vous inviter tous les deux à déjeuner ?

Il n'eut pas le courage de lui raconter dans quel traquenard il était tombé, mais le ton pathétique avec lequel il balbutia ; « Désolé, mais elle travaille » était tellement révélateur que Norma songea : « Pauvre Ranjit, il lui est arrivé une sale histoire ! » Sans chercher à percer à jour la vérité, elle rentra dans sa coquille et commença à envisager sous un jour favorable un jeune gynécologue de l'Iowa. Mais Ranjit et elle ne pouvaient ignorer qu'une demande en mariage avait été lancée, et refusée.

Le passage de Norma à l'université ne fut cependant pas une pert[illegible] de temps totale, car Ranjit, pour échapper à son profond désarro[illegible] songea soudain à son ami Mehmed Muhammad.

Il envoya chercher Mehmed dans la chambre que celui-ci occupa[illegible] depuis dix-neuf ans. Le grand Pakistanais arriva en traînant s[illegible] pantoufles.

— Mehmed ! Une occasion merveilleuse pour toi, lui lança Ran[illegible] Voici le Dr Norma Wellington, directrice d'un hôpital important[illegible] Chicago. Norma, je te présente mon ami fidèle Mehmed Muhamm[illegible] qui va obtenir son diplôme d'infirmier... Et il sera excellent.

Norma et Mehmed s'entendirent aussitôt. Elle le catalogu[illegible] quelques secondes : « J'en connais des masses comme lui ! L'étu[illegible] perpétuel. Qui sait combien d'années à l'université ? Céliba[illegible] sympathique, généreux. Prêt à tout pour rester aux États-Unis. [illegible] États-Unis ont besoin de lui. » Elle lui dit :

— Quand pensez-vous obtenir votre diplôme ?

— En juin.

Ranjit, qui observait attentivement ses deux amis, remarqu[illegible] tôt l'aimable dédain avec lequel Norma — efficace et travail[illegible] traitait Muhammad, l'étudiant errant et sans but. Aussit[illegible] demanda : « Mon Dieu, est-ce que les gens me regardent ainsi, moi aussi ? Un brave hindou tranquille sur une voie de garage. Qui ne fait de mal à personne. Qui traînasse au fil des années... » La voix claire de Norma le tira de ses pensées.

— Mr. Muhammad, nous recherchons toujours des hommes comme vous, à qui nous pouvons faire confiance.

Pour aider un ami qui lui avait souvent rendu service, Ranjit ajouta :

— Tu sais, Norma, Mehmed a suivi beaucoup de cours importants qui ne figurent pas dans son dossier.

— J'en suis certaine, répondit la jeune femme.

Ce soir-là, l'esprit en feu à la suite de la visite de Norma, Ranjit ne put supporter de jouer la comédie du *Burger King* et du retour à la maison. Deux fois il partit directement vers la maison des Hudak, mais il rebroussa chemin et continua le long de Dixie Highway pour se rendre sagement à son rendez-vous. D'une part, il avait peur que Gunter le frappe s'il ne se soumettait pas à la règle, mais surtout, il était sincèrement amoureux de Molly et désirait être près d'elle, même si elle le traitait très mal.

Au moment où il allait entrer dans le restaurant, un homme le poussa dans l'ombre à l'abri des regards. C'était un Hispanique d'environ trente-cinq ans, un beau brun avec une petite moustache et s yeux qui lançaient des éclairs, un peu plus grand que Ranjit. Il rlait en bon anglais mais avec un accent chantant qui donnait ne à ses menaces une allure légère et aérienne.

C'est toi, l'hindou dont on m'a parlé ?

Je suis indien, oui.

'est toi qu'elle a épousé, cette fois ?

ui, répondit Ranjit à mi-voix, conscient que sa réponse sincère de lui valoir de graves ennuis.

vrai mariage ? Un mariage bidon comme les autres ?

compris qu'il s'agissait d'un piège. L'homme avait l'air is devait ête un mouchard des services d'immigration. levait-il répondre ? Il n'eut guère le temps de calculer un onge, car l'homme fit claquer un couteau à cran d'arrêt et ntre la gorge de Ranjit.

on vrai mari. Si tu la touches, je te tue. Prends ton aturalisation comme les autres, obtiens le divorce et ami. Sinon...

me un peu plus.

us ? demanda Ranjit quand l'autre eut rangé son

Du Nicaragua. J'ai un bon boulot, beaucoup d'ar-avoir.

nplexité de la jungle dans laquelle il était pris au son assaillant ne plaisantait pas quand il l'avait jit essaya de prévenir Molly pendant son retour

.

t-elle avec mépris.

davantage et à leur arrivée Ranjit prévint

, celui du Nicaragua, m'a menacé.

différences entre hindous et anglicans, entre Indiens et Antillais. Souvent, quand tel ou tel homme lui avait fait la cour à Chicago, elle l'avait comparé à Ranjit Banarjee — toujours à l'avantage de Ranjit car elle se souvenait de lui comme d'un étudiant ayant assez de cœur pour aimer la race humaine dans son ensemble, un homme de mérite. Plus elle avait songé à lui pendant ces années où elle avait assis sa propre personnalité, plus il lui avait paru intéressant, et plus elle avait désiré renouer connaissance.

Quand Ranjit eut compris la démarche de la jeune femme, presque aussi claire que si elle avait ouvertement déclaré ses intentions, il fut pris de peur. « Mon Dieu ! Elle est venue ici pour moi. » Elle songea : « J'ai fait tout ce chemin vers lui, et il est encore trop timide, il faut que je dise autre chose. » Ce qu'elle ajouta n'était peut-être pas très habile, mais venait du fond du cœur d'une jeune femme qui n'avait plus de longues années à perdre :

— J'ai eu si souvent envie de te revoir, Ranjit. Nos conversations à l'université... Ce sont vraiment les meilleurs moments de mes études.

Il ne répondit pas et elle poursuivit :

— A l'époque je croyais... Nous pensions tous les deux qu'un hindou et une anglicane... seraient incompatibles. Mais après avoir travaillé à Chicago...

— Norma, s'écria-t-il avec sa maladresse habituelle, je suis marié.

Elle n'hésita qu'une seconde, puis fit appel à sa désinvolture antillaise.

— C'est merveilleux, Ranjit. Puis-je vous inviter tous les deux à déjeuner ?

Il n'eut pas le courage de lui raconter dans quel traquenard il était tombé, mais le ton pathétique avec lequel il balbutia ; « Désolé, mais elle travaille » était tellement révélateur que Norma songea : « Pauvre Ranjit, il lui est arrivé une sale histoire ! » Sans chercher à percer à jour la vérité, elle rentra dans sa coquille et commença à envisager sous un jour favorable un jeune gynécologue de l'Iowa. Mais Ranjit et elle ne pouvaient ignorer qu'une demande en mariage avait été lancée, et refusée.

Le passage de Norma à l'université ne fut cependant pas une perte de temps totale, car Ranjit, pour échapper à son profond désarroi, songea soudain à son ami Mehmed Muhammad.

Il envoya chercher Mehmed dans la chambre que celui-ci occupait depuis dix-neuf ans. Le grand Pakistanais arriva en traînant ses pantoufles.

— Mehmed ! Une occasion merveilleuse pour toi, lui lança Ranjit. Voici le Dr Norma Wellington, directrice d'un hôpital important de Chicago. Norma, je te présente mon ami fidèle Mehmed Muhammad, qui va obtenir son diplôme d'infirmier... Et il sera excellent.

Norma et Mehmed s'entendirent aussitôt. Elle le catalogua en quelques secondes : « J'en connais des masses comme lui ! L'étudiant perpétuel. Qui sait combien d'années à l'université ? Célibataire, sympathique, généreux. Prêt à tout pour rester aux États-Unis. Et les États-Unis ont besoin de lui. » Elle lui dit :

— Quand pensez-vous obtenir votre diplôme ?

— En juin.

Ranjit, qui observait attentivement ses deux amis, remarqua aussitôt l'aimable dédain avec lequel Norma — efficace et travailleuse — traitait Muhammad, l'étudiant errant et sans but. Aussitôt, il se demanda : « Mon Dieu, est-ce que les gens me regardent ainsi, moi aussi ? Un brave hindou tranquille sur une voie de garage. Qui ne fait de mal à personne. Qui traînasse au fil des années... » La voix claire de Norma le tira de ses pensées.

— Mr. Muhammad, nous recherchons toujours des hommes comme vous, à qui nous pouvons faire confiance.

Pour aider un ami qui lui avait souvent rendu service, Ranjit ajouta :

— Tu sais, Norma, Mehmed a suivi beaucoup de cours importants qui ne figurent pas dans son dossier.

— J'en suis certaine, répondit la jeune femme.

Ce soir-là, l'esprit en feu à la suite de la visite de Norma, Ranjit ne put supporter de jouer la comédie du *Burger King* et du retour à la maison. Deux fois il partit directement vers la maison des Hudak, mais il rebroussa chemin et continua le long de Dixie Highway pour se rendre sagement à son rendez-vous. D'une part, il avait peur que Gunter le frappe s'il ne se soumettait pas à la règle, mais surtout, il était sincèrement amoureux de Molly et désirait être près d'elle, même si elle le traitait très mal.

Au moment où il allait entrer dans le restaurant, un homme le poussa dans l'ombre à l'abri des regards. C'était un Hispanique d'environ trente-cinq ans, un beau brun avec une petite moustache et des yeux qui lançaient des éclairs, un peu plus grand que Ranjit. Il parlait en bon anglais mais avec un accent chantant qui donnait même à ses menaces une allure légère et aérienne.

— C'est toi, l'hindou dont on m'a parlé ?

— Je suis indien, oui.

— C'est toi qu'elle a épousé, cette fois ?

— Oui, répondit Ranjit à mi-voix, conscient que sa réponse sincère risquait de lui valoir de graves ennuis.

— Un vrai mariage ? Un mariage bidon comme les autres ?

Ranjit comprit qu'il s'agissait d'un piège. L'homme avait l'air cubain mais devait ête un mouchard des services d'immigration. Comment devait-il répondre ? Il n'eut guère le temps de calculer un habile mensonge, car l'homme fit claquer un couteau à cran d'arrêt et le brandit contre la gorge de Ranjit.

— Je suis son vrai mari. Si tu la touches, je te tue. Prends ton certificat de naturalisation comme les autres, obtiens le divorce et disparais de Miami. Sinon...

Il avança la lame un peu plus.

— Qui êtes-vous ? demanda Ranjit quand l'autre eut rangé son couteau.

— José Lopez. Du Nicaragua. J'ai un bon boulot, beaucoup d'argent. Et je veux la ravoir.

Terrifié par la complexité de la jungle dans laquelle il était pris au piège, convaincu que son assaillant ne plaisantait pas quand il l'avait menacé de mort, Ranjit essaya de prévenir Molly pendant son retour en silence à la maison.

— Il avait un couteau.

— Oh, celui-là ! lança-t-elle avec mépris.

Elle refusa d'en dire davantage et à leur arrivée Ranjit prévint Gunter.

— Le vrai mari de Molly, celui du Nicaragua, m'a menacé.

— Il vaut mieux que tu disparaisses d'ici au plus vite, répondit l'organisateur de la combine.

Le lendemain, Molly engagea auprès des tribunaux de Miami une procédure de divorce, en invoquant la cruauté de son époux.

Larry Schwartz avait une curieuse réputation auprès de ses collègues des services d'immigration de Miami.

— Ce n'est peut-être pas le meilleur cerveau de l'équipe mais il a un estomac fabuleux.

Ils faisaient allusion à l'habileté exceptionnelle avec laquelle Larry traitait le dossier d'un mariage dissimulant une tentative d'immigration illégale.

— Je l'ai vu faire des dizaines de fois. Il étudie les papiers, repère la combine, lève les yeux vers moi et me dit : « Aïe, ça y est, j'ai l'estomac noué. » Dix-neuf fois sur vingt, s'il se lance sur l'affaire, il arrive à prouver que le couple est... Quelle est son expression déjà ? « Aussi bidon qu'un titre de mine du Nevada. »

Dans son bureau, Larry avait fixé au mur devant ses yeux un rectangle de carton portant trois gros nombres soulignés en rouge : 31-323-41. Il les montrait à chaque nouvel agent nommé à Miami.

— Chaque fois que vous enquêtez sur un mariage qui paraît frauduleux, souvenez-vous que 31 est le nombre moyen des autres étrangers que cet homme sera autorisé à faire entrer légalement si vous lui accordez la nationalité. Donc, s'il est illégal, rendez service à votre pays : chassez-le. Pourquoi 323 ? C'est le plus mauvais cas qui se soit produit dans le service, et j'en suis responsable. J'ai été obligé de donner le feu vert à un type qui avait contracté un mariage bidon. Je le savais, mais je n'ai pas pu le prouver. Et ce type a réussi à nous faire passer légalement sous le nez ses frères, ses sœurs, leurs femmes, leurs maris et leurs enfants : 323 en tout, un village entier.

Mais le chiffre qui lui nouait vraiment l'estomac était le dernier, 41.

— Dans ce bureau, dès que nous avons reçu notre ordinateur, nous avons identifié en Floride du Sud huit femmes qui avaient en moyenne — je dis bien en moyenne et chacune d'elles — contracté 41 mariages bidon.

— Comment définissez-vous un mariage bidon ? demanda l'agent stagiaire Joe Anderson.

— Chaque fois qu'une Américaine, possédant légalement la nationalité de notre pays, épouse un étranger dans le seul but de lui faire obtenir une carte de résident étranger, sans l'intention d'établir des relations normales de couple... nous considérons le mariage frauduleux et intentons une action.

— Pourquoi agit-elle ainsi ?

— Pour l'argent, tiens ! répondit Larry. A l'heure actuelle le tarif évolue entre cinq cents et cinq mille dollars.

L'agent qui repéra le premier une fraude probable dans le dossier assez épais sur le mariage et le divorce en instance Ranjit Banarjee-Molly Hudak consulta aussitôt Larry Schwartz. Celui-ci parcouru les pages d'un œil expérimenté et sentit son estomac se nouer sans ambiguïté.

— Elle est plus âgée que lui. C'est toujours un signe. Regardez donc : neuf ans de différence ! Non seulement ils sont de religion différente, mais il est hindou et elle, catholique : on ne peut pas être plus éloigné sur ce plan. Et il s'agit d'un étudiant au niveau du doctorat qui a changé trois fois de matière... Quelles étaient ses notes à ses débuts ? Toujours les meilleures. Bien entendu c'était dans une des universités d'opérette qu'il y a dans les Antilles... Mais vous pouvez presque jurer qu'il a changé de matière pour éviter d'avoir son doctorat. Depuis combien de temps à Miami ? De 1973 à 1986. Ce ne sont pas des études, c'est une carrière.

Il continua ainsi jusqu'à ce que son estomac fût tellement noué qu'il se rendit dans le bureau de son patron, lança le dossier sur la table et assura :

— Sam, celui-ci est aussi bidon qu'un titre de mine au Nevada.

— Foncez, Schwartz, répondit Sam.

L'enquête commença. Les agents spéciaux affectés à l'affaire suivirent une des deux procédures traditionnelles, comme Larry Schwartz l'expliqua au stagiaire Anderson :

— Certains préfèrent convoquer le couple, l'interroger, lui flanquer une trouille du diable, puis l'acculer à un aveu de la fraude. Ce n'est pas une mauvaise technique. Ça marche souvent, mais je préfère la deuxième méthode. Laisser les deux tourtereaux tranquilles mais vérifier discrètement leur comportement, leurs habitudes de travail, leurs problèmes de religion, les commentaires de leurs amis, tout. Ces petites touches isolées peignent souvent un étrange tableau d'ensemble. Et quand on a terminé, le mot BIDON est écrit en plein au milieu et en majuscules. A ce moment-là, on les fait venir.

Au cours de l'été 1986, Larry Schwartz, trente-quatre ans, et son assistant Joe Anderson, vingt-sept ans, passèrent de nombreuses heures du côté de l'université, de Dixie Highway et du quartier où étaient censés vivre Mr. et Mrs. Ranjit Banarjee. Ils ne parlèrent à aucun officiel de l'université de peur qu'ils ne mettent Banarjee en garde. Après tout, ce n'était pas lui leur véritable objectif.

— Ce n'est même pas la femme, expliqua Schwartz à Anderson, bien qu'elle ait sûrement participé à trois ou quatre coups du genre... C'est le salopard qui organise les combines. Je veux coincer ce barbeau !

Il donna un coup de poing sur la table, puis se détendit et sourit :

— Quand je serai vraiment sûr...

Il observa évidemment les allées et venues autour de la maison sordide des Hudak, à quelques rues de l'université, remarqua l'Indien mais s'intéressa davantage à un autre homme, assez jeune, qui se conduisait comme le maître des lieux. Il interrogea discrètement les voisins.

— Agent de recensement. Combien de personnes vivent sous votre toit ? Et dans la maison d'en face ?

— Les gens dont la fille a épousé l'Indien ? Cinq. Lui, elle, les parents et leur fils Gunter.

— Et il travaille, ce Gunter ?

— Il cherche. Il ne reste jamais longtemps dans le même emploi.

Schwartz et Anderson procédèrent à d'autres vérifications mais ne découvrirent aucune incohérence entre les faits tels qu'ils les observaient et les documents du dossier. Schwartz passa au *Burger King* où Molly travaillait, et comprit en la voyant que l'Indien avait très bien pu tomber amoureux d'elle en allant prendre son dîner dans le self-service. Son extrait de naissance attestait qu'elle avait trente-huit ans mais elle conservait une très belle ligne. Son uniforme vert et la petite coiffe posée en bataille semblaient conçus pour mettre en valeur ses charmes. « Ce n'est pas un boudin », se dit Larry en terminant son bifteck haché sans relever les yeux vers elle.

Larry Schwartz, originaire de Boston, avait travaillé sur la frontière du nord avant d'obtenir ce poste en Floride. Il appréciait le climat et détestait tellement le froid qu'il portait en général une veste légère infroissable sur sa chemisette blanche sans cravate. Cette veste attirait bien entendu les regards dans la chaleur torride de Miami, mais il se sentait mal à l'aise dès qu'il la quittait. Il alla manger trois ou quatre fois au *Burger King*, mais il ne remarqua pas que s'il surveillait Molly, quelqu'un le surveillait à son tour : Gunter Hudak, alerté par sa sœur, beaucoup plus intelligente que ne le supposaient les hommes autour d'elle.

— Gunter, l'homme à la veste infroissable est venu plusieurs fois.

— Beaucoup d'hommes viennent manger tous les soirs.

— Celui-ci est différent.

Gunter observa l'inconnu et conclut qu'il s'agissait d'un célibataire parmi tant d'autres, qui fréquentait le *Burger King* parce que la salade était bien servie et bon marché. Il persuada sa sœur de cesser de se tracasser à son sujet.

Puis, un soir où Schwartz et Gunter se trouvaient par hasard dans le self-service en même temps, un grand Hispanique de belle allure entra, commanda un hamburger sans quitter Molly des yeux un seul instant et attendit qu'elle termine son service. Quand elle sortit, en vêtements de ville, il s'avança vers elle, la prit par le bras et l'attira vers lui en se comportant exactement comme s'ils étaient amants. Dès qu'il avait appris la présence à Miami de José Lopez, du Nicaragua, l'homme auquel sa sœur était légalement mariée, Gunter s'était inquiété et avait prévenu sa bande. Lopez avait reçu, en même temps qu'une poignée de dollars, l'ordre strict de se tenir à l'écart de sa femme jusqu'à ce qu'elle obtienne son divorce de l'hindou. Cette intervention mettait tout le projet en péril, mais ce qui inquiéta le plus Hudak, ce fut ce qu'il remarqua à l'intérieur du restaurant : l'homme à la veste infroissable observait attentivement les amants.

Un peu plus tard, quand Schwartz quitta le *Burger King*, deux membres de la bande de Hudak se jetèrent sur lui et commencèrent par le tabasser.

— Qui es-tu, cador ?

Il bredouilla la réponse qu'il donnait à tout le monde :

— Inspecteur d'assurances.

L'un des truands lui fouilla les poches pendant que l'autre le maintenait. Aucun signe révélant son véritable métier, mais deux formulaires d'assurances. Après quelques baffes de plus, ils le laissèrent filer. Puis ils se rendirent chez les Hudak pour intercepter Molly à son arrivée, la firent monter dans leur voiture et la menacèrent.

— Le divorce avec ce maudit Indien n'est pas encore terminé.

Elle promit de ne plus courir le risque de revoir son mari avant que les formalités soient réglées, mais deux jours plus tard, Mr. et Mrs. Ranjit Banarjee reçurent une lettre recommandée les convoquant au bureau de l'agent d'immigration Larry Schwartz. Le soir venu, Gunter Hudak leur fit la leçon, avec l'aide d'un membre de sa bande qui avait l'expérience de ce genre de situation.

— C'est très grave. Vous avez entamé une procédure de divorce et c'est ce qui a attiré l'attention des agents fédéraux. Il va falloir prouver que même si vous désirez vous séparer maintenant, vous vous êtes mariés en toute légalité l'an dernier.

L'homme, qui venait du quartier de Gainesville et avait organisé de nombreux mariages factices pour des étudiants étrangers de l'université de Floride, les mit en garde.

— Il faut que vous ayez l'air sincères et nous allons vous expliquer comment. Molly connaît la musique. Ce n'est pas la première fois. Mais vous..., lança-t-il avec un regard de mépris pour Ranjit. Vous êtes bien capable de faire capoter tout si vous n'apprenez pas bien votre rôle.

D'un porte-documents graisseux, il sortit une photocopie cornée du Titre VIII du Code pénal fédéral, Section 1325 (b), brutal et menaçant dans sa clarté parfaite.

> Mariage frauduleux : *Toute personne qui, en pleine conscience, contracte un mariage pour se soustraire aux termes de la loi sur l'immigration sera passible d'une peine de prison inférieure à cinq ans, d'une amende inférieure à 250 000 dollars, ou des deux.*

Quand Ranjit comprit qu'il pouvait être condamné à une amende d'un quart de million de dollars, il s'écria :

— Où me suis-je fourré ?...

Mais Gunter, d'une gifle en plein visage, ne le laissa pas terminer.

— Ferme-la, connard. C'est toi qui as demandé ça. Et tu m'as payé pour que je m'en charge.

Ranjit voulut protester qu'il ne connaissait pas cette loi, mais Gunter le frappa de nouveau.

— Tu dois te défendre, mais tu dois aussi protéger ta femme. Et surtout me couvrir, moi. Si tu commets une seule gaffe, sale hindou, tu es mort. Parce que c'est mon cou que je risque

Il vérifia que Ranjit avait bien compris la gravité de la situation, puis se montra plus conciliant.

— Tout se passera à merveille. Nous avons l'expérience de ces choses-là, et nous connaissons toutes les combines pour sauver le coup.

Il leur expliqua que Schwartz — « à dix contre un, c'est le type en veste infroissable » — les interrogerait séparément, Molly dans un bureau, Ranjit dans un autre.

— Nous savons quelles questions il va vous poser pour vous prendre au piège. Alors, apprenez les réponses par cœur.

Il sortit la feuille utilisée par la bande pour préparer les couples à ce genre d'interrogatoire et leur fit répéter les réponses qu'ils devaient donner tous les deux pour décrire leur année de mariage heureux.

— Dormiez-vous dans le même lit ? Oui.

— Qui dormait du côté droit, quand on regarde de la tête du lit ?... Vous. (Il indiqua Ranjit.)

— Qui se couchait le premier ? (De nouveau Ranjit.)

— Vous utilisez la même salle de bains ?... Oui. Et je veux que la brosse à dents et le rasoir de Ranjit soient dans la salle de bains ce soir.

— Combien de personnes à table le soir, la plupart du temps ? Cinq. Il doit savoir que je vis ici.

— Combien vont à l'église le dimanche ? Où ?

Il les entraîna à répondre à une soixantaine de questions de ce genre que posaient les enquêteurs pour prendre au piège les couples soupçonnés de fraude. Quand il fut certain que sa sœur et son Indien connaissaient les bonnes réponses, il aborda la question de l'argent.

— Est-ce que tu lui as donné de l'argent ? rugit-il.

Ranjit bafouilla.

— Écoute, nom de Dieu ! Ce Schwartz sera sûrement très dur. Il connaît un million de pièges. Alors, est-ce que tu lui as donné de l'argent ? La réponse est : Non ! Non ! Non !

— Est-ce que tu lui as offert une alliance ? Oui ! Oui ! Oui ! Où est-elle à présent ? Vous répondrez tous les deux qu'elle l'a mise au clou quand vous avez eu besoin d'argent pour t'acheter un complet, salopard d'Indien.

Et il remit à sa sœur un reçu de prêteur sur gages à la date voulue.

— Si tu peux pleurer en racontant ça, ce sera efficace, Molly. Et toi, l'hindou, tu prendras l'air honteux, vu ?

Quand il les crut capables de se défendre, il les laissa partir à Miami affronter l'épreuve que Schwartz leur réservait. Dès qu'elle entra dans le bureau, Molly remarqua la veste infroissable suspendue à une patère. Schwartz surprit le regard de la femme et le combat s'engagea donc à égalité — mais pas tout à fait, car il ne sépara pas le couple pour l'interrogatoire, comme Gunter l'avait escompté. Il leur montra deux fauteuils confortables et appela Joe Anderson.

— Je vous présente Joe, mon assistant. Joe, je voudrais que vous expliquiez à ces aimables personnes ce que vous avez fait ce matin après vous être assuré qu'elles avaient quitté, ainsi que le frère Gunter, la maison du 2119 San Diego, à Coral Gables, non loin de l'université.

Joe, un costaud qui avait l'air capable de se défendre en cas d'ennuis, répondit aussitôt :

— J'ai frappé à la porte et j'ai montré à la femme qui est venue m'ouvrir cet ordre de perquisition.

Il leur montra le document, qui l'autorisait à fouiller la maison des Hudak.

— Ensuite ? demanda Schwartz.

— J'ai fouillé les lieux comme vous me l'aviez demandé.

Les Banarjee tressaillirent. Ranjit davantage que Molly.

— Dites-leur ce que vous avez trouvé, Joe.

Anderson alla dans la pièce voisine et revint avec les couvertures sur lesquelles Ranjit avait dormi depuis son mariage.

Aussitôt Schwartz matraqua de questions le couple abasourdi et la préparation minutieuse de Gunter ne servit à rien, car l'agent fédéral n'aborda aucun des sujets prévus. Quand il les eut presque acculés à l'aveu de leur fraude, il fit signe à Anderson. Celui-ci fit entrer dans la pièce Gunter Hudak et un des truands qui avaient participé à l'agression contre Schwartz. L'agent fédéral prit alors un autre dossier et lut les résultats de deux ans d'enquête sur les activités du réseau auquel appartenait la famille Hudak.

Il évoqua les circonstances de trois mariages précédents contractés par Molly, en précisant les sommes d'argent échangées et le sort subi par les malheureux étrangers impliqués. Puis, après l'exposé de ces faits irréfutables, il lança à Gunter et au truand :

— Il ne faut jamais taper sur la gueule d'un agent fédéral. Il y a des lois sévères pour ce genre de choses. J'ai dépensé trois cent vingt dollars pour me faire arranger les dents. Ça vous coûtera à chacun quinze ans de prison.

Les deux hommes sortirent entre deux gendarmes. Schwartz était certain de son fait en ce qui concernait Gunter et son complice, mais il se sentait beaucoup moins sûr dans le cas de Molly.

— Nous avons expulsé ses trois précédents maris illégaux, et nous n'avons personne pour témoigner contre elle. Sauf son mari légal, mais il ne le fera jamais.

— Reste l'hindou, répondit Anderson.

Schwartz le mit en garde.

— Ce type, c'est un rêveur. Il est encore amoureux d'elle. Il ne dira pas un mot susceptible de lui faire du tort.

— Mais songez à la façon dont elle l'a traité, insista Anderson. Elle ne lui a jamais permis de l'embrasser. Elle l'a obligé à coucher dans la cave. Elle l'a fait tabasser par son frère au moins deux fois. Croyez-moi, Banarjee la fera condamner.

— Je n'en suis pas si sûr, répondit Schwartz, n'écoutant que son « fabuleux estomac ».

Convoqué à une audience deux semaines plus tard, Ranjit refusa effectivement de témoigner contre une femmme dont il se considérait réellement le mari.

— Dr Banarjee, lui dit le juge d'instruction fédéral, avancez-vous pour que nous puissions parler d'homme à homme.

Ranjit s'avança, frêle hindou dans un costume de confection qui semblait trop grand pour lui, et attendit les questions.

— Vous continuez d'affirmer que votre mariage était un mariage d'amour, sans autre intérêt ?

— Oui.

— Et vous aimez encore votre femme ?

— Oui.

— Et si j'ordonne votre expulsion, vous désirez être renvoyé à Trinidad.

— Oui.

— Vous serez envoyé aujourd'hui même au dépôt du centre de détention de Krome Avenue, et vous serez expulsé sous quarante-huit heures vers l'aéroport de Port of Spain, à Trinidad. Approchez-vous, je vous prie.

Ranjit fit deux pas de plus, et le juge se pencha vers lui pour que personne d'autre n'entende.

— Vous avez l'air convenable. Je suis désolé que vous ayez traité les États-Unis aussi mal... Et vice versa.

Au mois d'octobre 1986, après l'annulation de son mariage pour fraude, Ranjit Banarjee quitta les États-Unis dans un état d'accablement voisin de l'hébétude. Quand il prit sa place dans l'avion de la British West Indies à destination de Trinidad, l'hôtesse lui tendit un journal de Miami qui portait en manchette : L'AMANT JALOUX DU NICARAGUA ASSASSINE LA BELLE SERVEUSE.

Au-dessous, une photo prise des années auparavant de la belle Molly à sa sortie d'école. Dans les pages intérieures il trouva deux clichés de José Lopez, le mari, mais pas une seule de Gunter Hudak, la cause réelle de la tragédie.

Quinze ou vingt fois pendant le vol, Ranjit déplia le journal pour regarder la première page et lire l'article à l'intérieur. Quand l'avion arriva à Port of Spain, il demanda à l'hôtesse la permission de prendre les journaux que les autres voyageurs laissaient sur leur siège. Elle l'aida à en réunir plusieurs. Il les plia avec soin, car ils contenaient la seule photographie qu'il posséderait jamais de la femme qu'à sa manière hésitante il avait aimée.

À Trinidad ses amis, au courant de son arrestation mais non du meurtre de Molly, l'accueillirent avec des larmes de joie, soulagés de savoir qu'il avait évité une peine de prison. Il possédait un splendide doctorat en philosophie de l'université de Miami, mais bien entendu, il n'y avait aucun poste disponible sur le campus principal de l'université des Indes occidentales, ni sur l'annexe de Trinidad. Son expulsion des États-Unis l'empêchait de retourner là-bas solliciter un emploi. Les établissements d'études supérieures de Port of Spain l'estimaient beaucoup trop qualifié pour leurs besoins.

Il traîna à Trinidad plusieurs mois sans trouver le moindre travail, puis prit l'avion de la Jamaïque, demanda que l'on transfère son dossier de Miami à l'université et entreprit un second doctorat, en histoire. Au début, il se sentit mal à l'aise car il était beaucoup plus âgé que les autres étudiants, mais il s'habitua vite et il trouva la vie agréable.

On l'appelait Dr Banarjee et les jeunes étudiants qui désiraient suivre des études littéraires lui demandaient conseil. Bien entendu, les étudiants des facultés de commerce et de science souriaient de ses manières excessivement courtoises, de son habitude d'éviter toute confrontation directe et de son « auréole livresque » comme disaient certains.

Les étudiants en sciences humaines qui l'appréciaient ne surent que penser le jour où, avant le début d'un cours, on lui remit une lettre portant de nombreux timbres et plusieurs adresses rayées. Ranjit la prit, étudia l'écriture sur l'enveloppe et murmura clairement :

— Eh bien !

Mais ses mains tremblaient quand il l'ouvrit, et quand il eut fini de la lire, il resta immobile sous le soleil de plomb, et tous ses os parurent fondre dans son corps. Il accepta enfin l'aide d'un jeune étudiant qui l'entraîna vers un banc. Il s'assit, petite ombre frêle, déterminé à ne pas pleurer malgré les larmes qui lui montaient aux yeux.

La lettre venait de Norma Wellington. Elle le mettait au courant de son mariage récent avec un grand patron de son hôpital de Chicago. Elle s'occuperait des deux enfants que son mari avait eus avec sa première épouse, morte d'un cancer. La lettre donnait quelques détails puis en venait au cœur du sujet :

« Ranjit, j'ai appris le désastre de Miami. N'oublie pas : ceux d'entre nous qui t'ont le mieux connu ont aimé le parfait gentleman que tu es, et je t'aime avec une tendresse particulière. Continue d'étudier et un jour tu pourras peut-être partager ta vaste compréhension du monde avec autrui. Norma. » Un post-scriptum signalait : « Medmed Muhammad a fait sensation dans notre hôpital et toute l'équipe l'aide à obtenir sa naturalisation. »

À son retour à Trinidad avec son deuxième doctorat, il fréquenta les bibliothèques et se plongea dans les archives des compagnies d'armateurs qui avaient importé des esclaves. Il y eut quelque émoi quand on apprit que plusieurs universités britanniques envisageaient de l'engager comme professeur. Bien entendu, cela l'intéressait, et trois fois il fut soumis à l'odieux rituel anglais qui porte le nom de « liste réduite ». L'université annonce les trois ou quatre candidats dont les noms ont été retenus pour une chaire ; des photos apparaissent dans les journaux de la ville universitaire, et bien entendu, ces journaux parviennent dans la ville du pressenti. La presse de Trinidad put donc annoncer fièrement : RANJIT BANARJEE SUR LA LISTE RÉDUITE DE SALISBURY.

Jamais il n'obtint une nomination, mais en dépit de ses échecs successifs, ses amis indiens de Port of Spain l'accueillaient avec une déférence accrue.

— Tu dois être fier, Ranjit. Salisbury ! Pas moins...

Mais il se contentait d'en rire, et cette capacité qu'il avait de masquer ses déceptions sous des plaisanteries à ses propres dépens lui valut la sympathie de tous, et à Trinidad il devint « notre érudit ».

Le seul homme que n'abusait pas l'indifférence apparente de Ranjit était son ancien professeur Michael Carmody qui venait le voir chaque fois que la chaire était attribuée à un autre.

— Ce doit être vexant de traverser toutes ces épreuves, mais ne perds pas courage. J'ai lu l'autre jour qu'il y a plus de mille bonnes universités. L'une d'elles aura besoin d'un véritable érudit comme toi.

— La plupart d'entre elles sont aux États-Unis, et même si l'on a besoin de moi là-bas, je ne pourrai jamais y aller.

Ce fut Carmody qui se rendit en secret d'un riche marchand indien à l'autre et leur déclara :

— La façon dont Trinidad traite cet homme remarquable est une véritable honte. Son cousin ne lui donne qu'une misérable pension bien qu'il aurait dû hériter du Portugee Shop de son grand-père. Le pauvre diable ne peut même pas s'offrir un complet neuf. Vous devriez organiser quelque chose avec vos amis pour lui allouer une somme correcte chaque mois. Je vais lancer ce fonds avec deux cents dollars, que voici. Dans les années qui viennent, vous serez tous fiers de cet homme. C'est un grand intellectuel.

Il les convainquit également de réunir les fonds qui permirent à l'université des Indes occidentales de publier dans d'excellentes conditions un recueil des essais académiques de Ranjit.

Ce fut la publication de ces œuvres qui incita l'université de Yale à lui demander pour sa prestigieuse maison d'édition son importante étude *Perspectives antillaises*. Bien entendu, l'ouvrage ne rapporta pas un sou et Ranjit continua de vivre des largesses de sa famille et des sommes que Carmody parvenait à réunir ici et là. Et de temps à autre un couple américain entre deux âges, qui débarquait d'un bateau de croisière avec un jour d'escale à Trinidad, se rendait au Portugee Shop et demandait :

— Croyez-vous qu'il nous serait possible de rencontrer l'éminent Dr Banarjee, l'érudit ?

— Il habite à côté, répondait l'employé. Je lui téléphone.

Ranjit accourait aussitôt, saluait le professeur de Harvard, d'Indiana ou de San Diego puis entraînait le couple vers la vieille maison Banarjee, construite par ses ancêtres. Il offrait de la limonade et des pistaches, tout en discutant aimablement avec ses pairs.

14

Le rasta

All Saints, 1981

Les gens qui le virent s'avancer tressaillirent. Une femme se figea brusquement et s'écria : « Oh ! mon Dieu ! » Tous s'écartèrent pour lui laisser le passage, et on les comprend, car personne n'avait jamais vu un être comme lui dans l'île d'All Saints.

Il devait avoir vingt-cinq ans et mesurait un mètre quatre-vingt-cinq. Il semblait aussi mince que des pattes de cigogne. Ses habits faisaient sensation : il portait sur la tête un bonnet rouge, jaune et vert ; à ses pieds de grandes semelles plates de cuir, comme un centurion romain, retenues par des lanières croisées sur les jambes de son pantalon, d'un violet affreux — le tout rehaussé par un T-shirt très vague sur lequel s'inscrivaient en capitales bien formées trois phrases : I-MAN RASTA, DEATH TO POPE et HELL DESTRUCTION AMERICA.

Mais ce qui lui donnait un air vraiment sauvage et féroce, c'était sa chevelure, car il n'avait pas dû la couper ni la peigner depuis cinq ou six ans. L'emmêlement naturel avait modelé ses cheveux en de longues mèches qu'il avait séparées et tressées sur soixante à quatre-vingts centimètres de long ; elles lui tombaient presque jusqu'à la taille, pareilles à des vipères sinueuses. Il s'était métamorphosé ainsi en une méduse mâle, dont l'aspect effrayant était accusé par une épaisse barbe en broussaille, aussi emmêlée et feutrée que ses cheveux. Et comme si cela ne suffisait pas, il avait un regard cruel, pénétrant et de très grandes dents blanches qui luisaient dans sa bouche entrouverte. Un air terrifiant.

À l'aéroport d'All Saints, il prit dans son unique bagage (un grand sac informe) son passeport qui annonçait : Ras-Négus Grimble. Né en 1956. Cockpit Town, Jamaïque. Dès que l'officier de l'Immigration le vit, il se glissa dans un bureau voisin pour téléphoner au commissaire de police de Bristol Town.

— Colonel Wrentham ? Un rastafarian de la Jamaïque vient de débarquer. Ses papiers sont en règle. Il prend l'autobus vers la ville.

Les autres voyageurs s'assirent prudemment à l'écart de l'homme, intrigués par son allure sauvage et son odeur étrange, mais dès que l'autocar prit la route du nord, le long de la corniche splendide d'où l'on aperçoit à tout instant la mer des Caraïbes, ils accordèrent davantage d'attention au paysage sans pareil qu'à leur compagnon à tête de Gorgone. Il n'avait pas l'air de se rendre compte qu'il faisait peur, et il se pencha même vers l'allée centrale, regarda dans les yeux deux femmes entre deux âges de Miami et leur décocha le plus aimable et le plus chaleureux des sourires qu'elles aient jamais vu — regard pétillant et dents éblouissantes.

— Ah, les frangines, jamais vu un océan comme ça !

Elles n'avaient pas compris ses paroles, à cause de son accent accusé et de sa syntaxe insolite, mais le ton amical les encouragea et l'une d'elles lui demanda :

— Pourquoi avez-vous fait ça à vos cheveux ?

Il répondit comme s'il s'attendait à la question :

— *Dreadlocks.*

Oui, ces mèches feutrées portaient à la Jamaïque le nom de *dreads* (les mèches de terreur) mais ce mot n'avait aucun sens pour les deux Américaines, et elles demandèrent :

— Vous êtes prédicateur ?

— Je suis Jah, répondit-il. Mon nom, Négus. Égale Ras-Tafari, roi d'Éthiopie, Seigneur Tout-Puissant, Lion de Judas, Souverain de toute l'Afrique, Sauveur du Monde, la Mort du Pape.

Sous cette fusillade d'idées, les deux femmes fixèrent le jeune homme avec des yeux ronds, mais il avait éveillé leur curiosité et il se montrait si ouvert qu'elles s'enhardirent.

— Pourquoi voulez-vous tuer le pape ? demanda l'une d'elles en montrant le slogan sur le T-shirt.

Il répondit par le plus chaleureux des sourires :

— Il est la Grande Babylone. Il faut qu'il meure et tous les hommes seront libres.

— Mais pourquoi : Enfer et destruction en Amérique ?

Son sourire disparut, car la question était d'une importance extrême pour lui, et il répondit à voix basse, sur le ton de la confidence :

— L'Amérique est la Grande Babylone, la Grande Prostituée du Monde, la Bible le dit.

Du sac de toile qui contenait tous ses biens il sortit une bible qu'il feuilleta d'un doigt habile, pour retrouver le chapitre XIV,8 de l'Apocalypse. D'une voix de Jugement dernier qui porta dans tout l'autobus, il lut :

— « Elle est tombée, elle est tombée, Babylone la grande, elle qui a abreuvé toutes les nations du vin de sa fureur de prostitution. »

Ces paroles semblèrent l'enivrer. Il se leva et se mit à arpenter l'allée en montrant les blancs du doigt et en criant d'une voix satanique :

— Le pape est Babylone, l'Amérique est la Grande Babylone, la police, le shérif, le juge sont Babylone la Prostituée. Tous seront détruits, Marcus Garvey, le grand empereur Haïlé Sélassié. L'Afrique régnera sur le monde entier. Parole de Négus. Vous périrez tous.

Ainsi prêcha-t-il, inspiré par le texte de l'Apocalypse, comme saisi de folie. Mais à peine eut-il démontré la nécessité de détruire le pape, l'Amérique et la race blanche, qu'il retourna à sa place, se pencha de nouveau à travers l'allée et se remit à murmurer avec un sourire doux et engageant. Les deux femmes, terrifiées l'instant précédent, retombèrent sous son charme.

— Ah, les frangines, par l'empereur Sélassié, roi de Juda, moi, je sauve les bonnes gens.

Quand l'autocar s'arrêta à Bristol Town, le chauffeur réussit — maladroitement — à empêcher les voyageurs de descendre le temps que le commissaire de police de l'île, le colonel Thomas Wrentham, sorte de son bureau et s'avance nonchalamment vers l'autocar, comme si de rien n'était. Quand Grimble descendit, avec une demi-noix de coco qui pendait au bout d'une ficelle passée autour de sa taille, un luth bricolé sous le bras et son sac à la main, le colonel Wrentham se plaça de façon que le soi-disant rastafarian ne puisse l'éviter.

— Salut, lança aimablement le flic noir. Qu'est-ce qui t'amène à All Saints ?

— Moi ? Je vais ici et là. Jah en direct.

— Tu as des amis dans cette île ?

Le nouveau venu secoua ses mèches reptiliennes et sourit comme s'il accueillait dans son cœur toute la population de l'île.

— Tous ceux qui aiment Jah sont mes amis.

— Bien...

Wrentham s'inclina devant le jeune inconnu comme s'il lui souhaitait la bienvenue au nom de l'île entière, mais dès que le rastafarian eut disparu dans la direction de la petite jungle des taudis du quartier du port, il retourna à son bureau et passa en toute hâte plusieurs coups de téléphone.

— Tom, câble à la Jamaïque. Demande-leur des renseignements complets. Ras-Négus Grimble, vingt-cinq ans, Cockpit Town.

À un instituteur, il demanda :

— Vous pouvez passer au commissariat tout de suite ? Non, non, vous n'avez aucun ennui. C'est moi qui risque d'en avoir.

Et au pasteur de l'Église anglicane, il proposa :

— Chanoine Tarleton, j'aimerais profiter de votre sagesse et de vos bons conseils pendant environ une heure.

Quand l'instituteur, l'opérateur radio et le ministre de Dieu se trouvèrent réunis — le premier était un noir de l'île, les deux autres des blancs d'origine anglaise, Wrentham aborda le sujet sans perdre un instant en formules de politesse :

— J'ai deux problèmes sur les bras et j'espère que vous pourrez m'aider à les résoudre. Qu'est-ce qu'un rastafarian, au juste ? Et comment puis-je me débarrasser de celui qui vient de débarquer de l'aéroport ?

— Vient-il de la Jamaïque ? demanda l'instituteur.

— Oui. Et il a un billet valide à destination de Trinidad. J'ai appelé la compagnie aérienne. Un billet « open », donc nous risquons de l'avoir sur le dos un certain temps.

— Existe-t-il un moyen de le contraindre à repartir ? demanda le pasteur. Pour qu'il quitte l'île. Nous avons appris que les personnes de cette espèce causent toujours des ennuis.

Wrentham refusa pour l'instant d'envisager une expulsion de force, car il ne voulait pas lancer les autorités dans des manœuvres juridiques interminables s'il existait une autre solution. Pour gagner du temps il demanda à l'instituteur :

— On m'a dit que pendant vos études à l'université, vous vous êtes beaucoup... intéressé au mouvement rastafari. Racontez-nous comment cette maudite affaire a débuté ?

— C'est tout simple, si vous me permettez de négliger les nuances. Au cours des années vingt, Marcus Garvey, un noir de la Jamaïque, s'est mis à prêcher le renouveau de la race noire, le retour des noirs en Afrique et le triomphe imminent de l'Afrique sur toutes les nations blanches. De quoi tourner les têtes. Il s'est rendu aux États-Unis, a pris possession d'un bateau illégalement et a proposé de renvoyer tous les noirs en Afrique. Il s'est retrouvé en prison pour vol... Et les esprits des noirs ont pris feu. Mon grand-père croyait en chaque mot prononcé par Garvey, et il a essayé de ramener un contingent de noirs en pays Yoruba. Il a fini en prison lui aussi.

Le commissaire hocha la tête.

— Mais quel rôle joue Haïlé Sélassié dans le tableau ? N'était-ce pas l'empereur d'Éthiopie ?

— Si, répondit le pasteur. Marcus Garvey annonçait qu'un roi rédempteur noir serait bientôt couronné, or peu après Haïlé Sélassié était proclamé empereur... C'est d'ailleurs par référence au Négus, dont l'un des noms est ras Tafari, que le mouvement a été nommé rastafari. Quoi qu'il en soit, les ınirs de la Jamaïque ont conçu l'idée fantastique qu'Haïlé Sélassié était la dernière en date des réincarnations de Dieu. Ils l'appellent Jah. Comme dans les psaumes.

— Haïlé Sélassié est Dieu ? demanda le commissaire perplexe.

Le pasteur hésita.

— J'imagine que certains illettrés croient que Sélassié est Dieu. Les fidèles les plus évolués doivent le comparer plutôt à Jésus, à Mahomet ou à Mary Baker-Eddy *. Pour eux, il a reçu son pouvoir de Dieu, qui doit conduire les noirs à la conquête du monde.

— Mais Haïlé Sélassié est mort, protesta Wrentham.

À peine eut-il prononcé ces paroles qu'il adressa aux autres un regard interrogateur.

— Il est bien mort, n'est-ce pas ?

— Oui, répondit l'instituteur. Il y a environ six ans.

— Alors pourquoi tous ces gens sont-ils persuadés qu'il va les sauver ?

Sa question, qu'il croyait de pure rhétorique, provoqua une vive réplique de la part du pasteur anglican :

— Jésus est mort depuis longtemps et les chrétiens croient qu'il fera la même chose pour eux. Mahomet est mort depuis plus de mille ans et cela n'empêche pas les musulmans de croire qu'il les protège. Je pense que les mormons et les scientistes ont des croyances similaires...

Comprenant que ses paroles pourraient paraître blasphématoires, il toussa et conclut, de façon plutôt boiteuse :

— De même les rastafarians avec leur négus.

— Que veut dire ce nom ? demanda Wrentham. Ce jeune homme s'appelle Ras-Négus Grimble.

— Négus signifie *roi*, répondit l'instituteur. On appelait Sélassié simplement Négus, ou le Négus.

— Le mouvement rastafari stupéfie les uns et fait rire les autres, expliqua le pasteur, reprenant le fil de la discussion. Mais pour beaucoup d'entre nous, dans les îles, c'est une affaire extrêmement sérieuse à plusieurs titres. Il prêche que les noirs prendront un jour le pouvoir sur le monde et redresseront les injustices commises autrefois envers leur race. Il enseigne qu'il faut détruire le pape.

— Pourquoi ?

— À les entendre, il symbolise le pouvoir mondial qui les a opprimés ouvertement au temps de l'esclavage, et qui continue de les opprimer à présent de façon plus subtile et sournoise. Et bien entendu, il faut également détruire les États-Unis, qui constituent le centre et l'origine du pouvoir visible dans cette partie du monde : radio,

* Fondatrice en 1879 de l'Église scientiste.

télévision, automobiles, aliments de luxe. Ces objectifs paraissent assez « exotiques » et les rastas ne peuvent pas faire grand-chose pour les atteindre. Mais quand ils se mettent à lancer leur anathème favori contre la Grande Babylone, les ennuis commencent pour vous, commissaire. Parce que la Grande Babylone, ce n'est pas seulement le pape et l'Amérique, mais c'est aussi la police de ces îles, et la Bible ordonne de la détruire...

Ils gardèrent le silence un instant. Chacun avait en mémoire tel ou tel incident survenu aux Antilles au cours desquels des noirs, l'esprit troublé par Babylone, avaient attaqué des agents de police isolés, des commissariats, des mairies ou d'autres symboles du pouvoir répressif.

— Quelle politique faut-il adopter ? demanda enfin le commissaire Wrentham. Sur cette île, autant que je sache, c'est notre premier rastafarian.

L'opérateur radio, qui avait gardé le silence jusque-là, lança d'un ton bourru :

— Il faut s'attendre à des ennuis. Je suis en relation avec les gens des autres îles. Les rastas ne valent rien.

Le colonel Wrentham ne savait que penser.

— J'ai peut-être intérêt à mettre la main dessus et à lui ordonner de quitter l'île.

— Pas trop vite..., conseilla l'instituteur. S'il n a rien fait de mal, il peut intenter un procès. Et il ne s'en privera pas.

— Il faut consulter le conseiller juridique de l'île, dit le pasteur. En attendant, surveillez-le de près.

— Merci, messieurs, répondit aimablement le commissaire.

Mais après leur départ il lança à son sergent :

— Je ne suis guère plus avancé !

Il s'enferma dans son bureau pour téléphoner au conseiller juridique du Premier ministre, qui alluma aussitôt toutes sortes de signaux d'alarme :

— Écoutez, Wrentham ! Nous ne voulons pas de troubles religieux dans cette île. Ne faites surtout pas un martyr de ce rasta. N'y touchez pas.

— Puis-je le placer sous surveillance ?

— De loin, oui. Mais nous n'avons pas besoin de querelles de religion ici. Soyez très prudent.

Quand le commissaire Wrentham eut confié son commissariat aux deux hommes de l'équipe de nuit, il rentra chez lui avec seulement un programme vague concernant ce rastafarian : le traiter convenablement, mais le chasser de l'île.

Selon son habitude, il reprit à pied le chemin de son domicile, en suivant un itinéraire qui le conduisait devant le célèbre café de son père, le *Waterloo,* où il s'arrêta pour voir comment se débrouillait son propre fils, le nouveau patron de l'endroit. Lorsqu'il était devenu commissaire, il s'était senti obligé de renoncer à ce qui était somme toute un bistrot. Lincoln, alors âgé de trente ans et fier de porter pour prénom le nom du Libérateur, avait amélioré l'affaire à plus d'un égard : le *Waterloo* attirait plus que jamais les touristes. Thomas sourit au souvenir des ennuis qu'avait subis Black Bart dans l'île : il n'avait pas eu de rastafarians, il n'en existait pas à l'époque, mais il avait connu pis... L'histoire faisait partie du folklore de la famille. Le cousin même de Bart, le gouverneur lord Basil Wrentham, était un ami de cœur des Allemands. Mais Bart, avec l'aide d'un rusé petit

Anglais du nom de Leckey, avait réussi à coincer lord Basil de façon efficace. Dans sa sottise, le noble lord n'avait même pas deviné qui l'avait frappé.

Le commissaire n'entra pas au *Waterloo*. Par la devanture du café brillamment éclairé, il vit son fils lui faire signe que tout allait bien. Il lui rendit son salut et repartit aussitôt.

Sa maison, fort modeste, appartenait à sa famille depuis presque un siècle. À son arrivée, Wrentham fut déçu d'apprendre que sa fille Sally, âgée de vingt-deux ans, ne partageait pas le dîner avec lui. Il appréciait l'efficacité avec laquelle son fils avait pris le café en main, mais il avait toujours éprouvé une affection particulière pour Sally. Elle était intelligente et elle avait obtenu de si bonnes notes pendant ses études secondaires qu'elle aurait pu envisager Oxford ou Cambridge si elle avait pu se résoudre à passer quelques années en Angleterre. Elle possédait la beauté et la souplesse de gestes qui rendent certaines jeunes femmes des îles tellement séduisantes. C'était un être tout à fait remarquable, estimait son père. Et il commençait à s'inquiéter du mari sur lequel elle allait tomber.

Le poste qu'elle avait obtenu dans les bureaux du Premier ministre, son excellent salaire et son intérêt pour les questions politiques la rendaient encore plus attirante. En fait la liste des prétendants s'étendait sur toute la gamme : depuis un jeune conseiller blanc, envoyé par Londres pour aider l'île à surmonter ses problèmes économiques, en passant par plusieurs nuances de café au lait, plus claires et plus sombres qu'elle, jusqu'à un garçon vraiment très noir mais qui s'avérerait peut-être le meilleur mari de la bande. Malgré son modernisme et le fait que les distinctions de couleur perdaient maintenant de l'importance à All Saints, le commissaire Wrentham était fier du fait que Sally avait la peau nettement plus claire que la sienne ou celle de son père. Le choix qu'elle ferait l'intéressait fort mais ne l'inquiétait pas, car presque tous les prétendants dans la course, comme il appelait les jeunes qui bourdonnaient autour de la jeune femme, étaient des garçons acceptables.

Le système des castes qui régnait avant la Seconde Guerre mondiale — aristocratie, bonnes familles bourgeoises, autres blancs, brun clair, brun foncé et noirs — s'était désintégré avec l'indépendance. Londres ne choisissait plus les gouverneurs généraux dans la noblesse, et cette classe s'était donc trouvée éliminée. Certaines familles conservaient encore des liens avec la bourgeoisie provinciale anglaise, mais elles jouaient un rôle beaucoup moins important dans la vie sociale. De sorte que les trois anciennes divisions entre les blancs s'étaient fondues en une seule, les blancs.

Il en allait pour ainsi dire de même avec la classe des « bruns », toujours difficile à analyser. Il n'existait plus aucune situation où des bruns à la peau claire puissent régenter des bruns à la peau foncée : les expressions « brun clair » « brun foncé » tombaient en désuétude. À All Saints, on était simplement blanc, brun ou noir, et un visiteur ne sachant rien des distinctions d'autrefois aurait eu du mal à préciser, à la simple observation des faits et gestes des îliens, quelle catégorie dominait les autres. La reine d'Angleterre nommait encore le gouverneur général, mais c'était un homme d'All Saints, et il avait la peau vraiment très noire. Le Premier ministre, élu par la population, aurait été naguère classé « brun foncé ». Quand au troisième détenteur du pouvoir, le commissaire de police, il avait la peau claire.

— Où est Sally ? demanda Wrentham à la vieille femme qui tenait son ménage depuis la mort de son épouse.

— Elle m'a dit : « Réunion sur la question noire. »

Thomas Wrentham ne put retenir son rire, car depuis plusieurs mois Sally s'était intégrée à un groupe dynamique de jeunes qui discutaient d'un problème préoccupant pour les habitants de toutes les îles des Antilles, sauf Cuba : « Comment le principe de la négritude, l'essence spirituelle liée au fait d'être noir, devrait-il modifier la vie personnelle et la vie politique de la région ? »

Le commissaire approuvait la participation de sa fille à ces discussions, parce que comme son père Black Bart il croyait fermement au pouvoir noir et à sa mise en œuvre immédiate. Les noirs et les bruns d'All Saints parlaient encore avec admiration de la façon dont Bart avait résolu le problème du *Club*, rendez-vous ultra-exclusif sur la colline derrière Gommint House. Jusqu'aux premières mesures d'autonomie restreinte en 1957, seuls les blancs avaient l'autorisation de franchir les portes sacrées, et ce caractère sélectif était non seulement compris par tous mais en général approuvé : « Chacun dans son groupe. »

L'autonomie réelle était survenue en 1964, avec un gouverneur général blanc qui représentait encore la reine, mais un Premier ministre noir élu dans l'île et détenant le pouvoir effectif. Aussitôt Black Bart décida qu'un changement s'imposait. Un soir d'avril où les restes de la bourgeoisie blanche s'étaient réunis au *Club* pour discuter des dernières bévues des nouveaux hauts fonctionnaires bruns et noirs, Bart Wrentham, préfet de police de l'île, gravit la colline dans sa vieille Chevrolet, entra au *Club* d'un pas digne et annonça d'un ton respectueux :

— Je pose ma candidature

Cette insolence laissa bouche bée plusieurs membres âgés, mais d'autres applaudirent, et une demi-douzaine de jeunes invitèrent Bart à prendre un verre au bar. La révolution sociale que tant d'habitants d'All Saints avaient crainte se produisit sans une seule insulte, sans une seule protestation publique.

En tant que premier membre non blanc du *Club*, Bart paya ses cotisations régulièrement mais n'imposa jamais sa présence, sauf dans les circonstances où le préfet de police devait recevoir des dignitaires d'autres îles. Il arrivait alors impeccablement habillé dans son uniforme quasi militaire, présentait ses invités aux personnes qui se trouvaient au bar, puis dînait tranquillement dans un coin, où il discutait des problèmes des Antilles sur un ton discret.

A sa mort, le *Club* envoya à ses obsèques une délégation de sept membres. Dans les éloges funèbres qu'ils prononcèrent, ils évoquèrent avec fierté leur premier adhérent de couleur qui avait si bien servi le *Club* et l'île entière. Son fils Thomas, l'actuel commissaire, avait hérité de lui les mêmes dispositions d'esprit raisonnables sur les relations entre les races et les avait transmises à ses enfants. Deux jours plus tôt, quand sa fille lui avait appris qu'elle se proposait de participer aux discussions du groupe sur la négritude, il lui avait répondu :

— Très bien. Ton grand-père a affronté le problème quand il vivait dans une colonie de la Couronne aux principes rigides, et il m'a appris à le résoudre au cours de ses années d'indépendance. Tu dois maintenant te préparer pour l'avenir et les changements qui surviendront.

Tandis que Wrentham réfléchissait à ces questions en prenant son dîner tout seul, Sally se trouvait plongée dans une réunion tendue de son groupe : seize des jeunes hauts fonctionnaires comptant parmi les plus brillants, tous bruns ou noirs de peau, discutaient de la portée d'un livre essentiel sur la négritude, écrit par un Antillais comme eux, le Martiniquais Frantz Fanon. Les idées de son grand ouvrage *les Damnés de la terre* ne pouvaient manquer d'influencer l'élite noire d'une île comme All Saints.

La discussion s'anima très vite, puis une jeune femme brune, Laura Shaughnessy, qui travaillait dans les services du gouverneur général, arriva très en retard mais avec le jeune Anglais venu de Londres sept ans auparavant comme conseiller économique du gouvernement de l'île. Certains membres du groupe de discussion n'appréciaient pas la présence d'un blanc parmi eux, car ils redoutaient que cela ne restreigne la libre circulation des idées, mais la jeune femme qui l'avait amené apaisa leurs craintes :

— Je vous présente Harry Keeler. Vous l'avez croisé dans les couloirs. Je l'ai invité parce qu'il faisait partie de la délégation britannique à Alger pendant les troubles. Il a vu de ses yeux les données économiques et sociales sur lesquelles Fanon a édifié la plupart de ses concepts.

Après cette présentation, Keeler fit une brève déclaration sur ses expériences personnelles en Algérie et à Tunis pendant les guerres de libération, puis offrit de répondre aux questions. Il lut sur les visages sombres des participants un intérêt intense, et refusa donc de tempérer ou d'adoucir en quelque manière ses conclusions personnelles :

— La négritude est une force unificatrice puissante quand il s'agit de lutter pour obtenir l'indépendance, mais je ne crois pas que le concept soit très efficace à l'heure où il faut gouverner le territoire conquis.

Il s'accrocha à cette conclusion, que la plupart des membres du groupe n'avaient guère envie d'entendre, et répéta que Frantz Fanon aurait constitué un guide admirable pour les bruns et les noirs d'All Saints quinze ans auparavant, mais qu'à présent ils avaient plutôt besoin de comprendre comment fonctionnaient dans la pratique General Motors et Mitsubishi.

— Quand vos îles des Caraïbes ont refusé de se fédérer en 1962, des larmes me sont montées aux yeux. Vous aviez là une occasion de construire une véritable union de toutes les îles anglophones, grandes et petites, et vous l'avez laissée passer. A présent, le problème est de définir une autre possibilité rationnelle.

Ces paroles suscitèrent une tempête de commentaires. Keeler les écouta attentivement, nota les points les plus importants puis demanda la parole. Il prit soin de parler seulement en économiste, et uniquement des questions sur lesquelles il avait acquis des connaissances précises. Puis il conclut avec détermination :

— Je ne suis pas certain que vous comprenez mes paroles, car la discussion est devenue trop passionnée. Elle ne devrait pas l'être. Il y a quinze ans, sur cette île, j'aurais suivi Frantz Fanon. Pour une raison simple : « Il était grand temps ! » Mais nous avons déjà gagné cette bataille, vous et moi — je me suis battu pour l'indépendance dans un pays d'Afrique — et la bataille qui s'offre à présent est de nature essentiellement différente. Frantz Fanon n'a rien de pratique à nous enseigner sur les prochaines mesures à prendre.

Ses paroles étaient si convaincantes dans leur sincérité qu'à la fin de la réunion, Sally Wrentham se dirigea vers lui, se présenta comme une des fonctionnaires des services gouvernementaux, et lui dit :

— Mr. Keeler, votre opinion de blanc qui regarde les choses d'en haut ne manque pas de sens. Mais qu'en est-il pour nous, les noirs, qui devons regarder les choses d'en bas ?

Il remarqua qu'elle aurait pu passer pour blanche dans la plupart des sociétés qu'il avait connues mais qu'elle préférait se considérer noire — et à ses yeux c'était un bon signe.

— Attendez une minute, miss Wrentham. N'êtes-vous pas la fille du commissaire de police ?

— Si.

— Il me semble que nous ne devons regarder ni d'en haut ni d'en bas, mais à hauteur d'œil... la réalité telle qu'elle est, dit-il avec une désinvolture charmante, comme s'il n'avait pas le droit de concevoir une opinion arrêtée sur un sujet qui l'intéressait intellectuellement alors que la jeune fille était touchée dans ses émotions mêmes.

Sally ne sut que répondre et il ajouta :

— Dans le passé, à All Saints, les hommes comme moi se trouvaient en haut de l'échelle et les noirs comme vous en bas. Votre question aurait été pertinente. Mais aujourd'hui, je crois que sur cette île il n'y a ni haut ni bas. Seulement des yeux qui doivent regarder l'horizon... à l'horizontale.

Avec les doigts de sa main droite il lança un pont imaginaire entre leurs yeux, et dans ce geste il effleura la joue de la jeune fille. Ce fut entre eux comme une décharge électrique.

Ce soir-là à travers le monde, à l'heure où le soleil se préparait pour le sommeil du côté du couchant, des milliers de jeunes hommes célibataires, dans cent pays différents, participaient à des groupes d'activités pour avoir l'occasion de parler à des jeunes femmes célibataires; et avec une fréquence rassurante, l'un des hommes percevait en un éclair l'intelligence, la compréhension, la sympathie ou la pure séduction de l'une des femmes, sa gorge se nouait et il se trouvait aussitôt assailli par des idées qui ne lui seraient pas venues à l'esprit dix minutes plus tôt. Toute sa vie en était changée.

— Vous vous intéressez à ces questions ? commença-t-il.

Elle l'arrêta.

— Mon grand-père, Black Bart Wrentham, comme on l'appelait...

— Je sais. Il a organisé la lutte pour l'indépendance. Un homme remarquable, m'a-t-on dit.

— Absolument. Il s'est démené pour fonder un café qui rapporte, un bistrot si vous voulez. Et au moment de l'indépendance il est devenu le premier préfet de police. Une force de la nature. À sa mort il était sir Bart Wrentham, parce que son intégrité forçait le respect, et Londres ne l'ignorait pas.

— Vous devez être fière d'appartenir à cette famille.

— Oh oui !

— Vous avez fait vos études en Angleterre ?

La question fit l'effet d'une douche sur Sally, car malgré les meilleures intentions de Keeler, elle ne put lui donner qu'une seule interprétation : comme vous êtes manifestement une personne de premier ordre, vos parents ont dû économiser assez d'argent pour vous envoyer en Angleterre.

Cela l'irrita et elle faillit lui répliquer vertement, mais la porte de la salle s'ouvrit à la volée et deux hommes apparurent. Le premier mesurait environ un mètre soixante-quinze et avait la peau très noire ; il avait acquis dans les îles une excellente réputation pour ses compétences en matière de comptabilité et de contrôle budgétaire, mais ce soir-là personne ne le salua, car il avait à ses côtés le rastafarian de la Jamaïque dont le T-shirt proclamait : MORT AU PAPE. ENFER ET DESTRUCTION EN AMÉRIQUE. Quand il s'avança vers le groupe, sa noix de coco vide claqua contre son luth.

— Je vous présente mon ami Ras-Négus Grimble, dit le comptable. Il nous apporte des messages de la Jamaïque.

Et la discussion de salon sur la négritude dans l'abstrait cessa aussitôt, à l'apparition en chair et en os de ce symbole d'une certaine forme concrète de négritude.

Serein avec ses *dreadlocks* encadrant son visage barbu, le nouveau venu lança un des sourires les plus ouverts que Sally ait jamais vus.

— Je suis venu aider, dit-il.

Il parcourut la pièce du regard.

— *I-man come this I-land help I & I. I cover things to happen,* ajouta-t-il dans son jargon rastafarian.

Puis comme aucune personne présente ne semblait suivre ce qu'il disait, il passa à l'anglais normal, avec un accent chantant jamaïcain très plaisant :

— Je suis venu de la Jamaïque pour vous aider à découvrir et à réaliser ce que vous estimez qui doit arriver.

— Qui vous a envoyé ? lança une voix.

Grimble repassa au rastafarian :

— I-man vision : « Cherche I & I d'All Saints. Apporte I-vin, aide I-alogue. » I-man venu.

— Vous feriez mieux de parler de façon compréhensible, recommanda l'homme qui avait posé la question.

Le visiteur essaya :

— J'ai reçu l'inspiration de venir ici provoquer l'I-alogue avec vous.

— Vous voulez dire le dialogue ? demanda un homme dans le fond de la salle.

Avec un large sourire le rasta répondit :

— Oh ! oui, absolument !

— Et quel est votre message ? demanda une femme.

Il posa par terre, avec précaution, sa noix de coco et son luth, puis il prit une chaise, s'assit avec élégance et enroula ses jambes fines deux fois l'une autour de l'autre, exploit totalement impossible pour un homme gros ou pour la plupart des personnes de poids moyen. Avec un nouveau sourire de générosité et de pardon, il expliqua :

— Rastafari est une foi en la paix, la tranquillité, l'amour de toutes les personnes...

— Et le pape ?

Sans changer de rythme ni d'expression, il conclut :

— ... sauf celles dont les intentions sont mauvaises.

— Nous avons appris qu'à la Jamaïque, les gens comme vous ont lancé des émeutes, suscité la violence.

Il se tourna sur sa chaise, regarda aimablement la personne qui l'accusait et dit d'une voix basse et douce :

— C'est Babylone qui nous a violentés. Jamais l'inverse.

— Mais ne proclamez-vous pas que Babylone doit être détruite ?

— Par l'amour. A la manière de Gandhi qui a détruit la Grande Babylone qui l'opprimait.

Sally prit la parole.

— Pourquoi dites-vous toujours « *I* », « Je » ? qu'est-ce que cela signifie ?

Il fit un tour presque complet sur sa chaise et garda le silence longtemps, en tordant ses jambes l'une contre l'autre, sans quitter Sally des yeux jusqu'à ce qu'elle se sente hypnotisée par la barbe en bataille, le bonnet rouge, vert et jaune et les mèches terrifiantes, pareilles à des serpents, qui tombaient sur ses genoux quand il se penchait en avant. Puis vint la voix fluide, apaisante d'un jeune homme totalement engagé.

— En rastafari, nous employons notre propre langue. *I* est droit, grand, beau, fort, décent et sans tache. *You* est penché, tordu et laid ; il perd son chemin et ne va droit vers rien. Donc *I-man* signifie « moi ». Si vous parlez vous devez vous appeler *I-woman.*

— Mais qui est « *I & I* » ?

— Vous, tous les gens ici, tout ce qui se trouve dans cette salle, le monde entier à part moi.

— Je ne comprends pas.

— Quand Rasta-Man veut dire « vous » *(you),* il ne se sépare pas de vous. Il conçoit vous et lui comme unis. Vous, lui, et toutes les autres personnes de la salle formons une équipe. C'est donc forcément « *I & I* », parce qu'en rastafari tous les hommes sont égaux. *Vous* ne peut pas exister sans être une partie de lui. *Rasta-Man* ne peut pas exister sans que vous tous l'aidiez à livrer ses batailles contre les ténèbres. C'est *I & I,* toujours l'équipe immortelle.

Sally frissonna à l'intensité de cette réponse, et elle fut soulagée quand une autre femme demanda :

— Mais j'ai entendu beaucoup d'autres *I* dans ce que vous avez dit.

Grimble braqua sur elle son regard inquisiteur.

— Vous devez comprendre. Nous, les rastas, menons une vie simple et pure. Nous ne mangeons que des aliments naturels, dans notre noix de coco. Pas de viande. Les vêtements que je porte doivent être tissés à la main, en fibres naturelles. Il en va de même pour les paroles. Dans tous les mots qui ont des éléments moralement fautifs ou des syllabes négatives, nous enlevons ces éléments et mettons *I* à la place, parce qu'*I* est propre et pur.

— Comment une syllabe peut-elle être moralement négative ?

Il se pencha en avant, comme impatient d'expliquer ce crédo de base du mouvement rasta.

— Les mots contenant *ded* comme *dédier,* évoquent *dead,* l'idée de mort. La vie terminée. Le mot doit donc devenir *I-dier.* De belles idées comme *divin* ou *diviser ses biens,* au sens de partager, contiennent eux aussi la mort *(to die).* Il faut les purifier, les changer en *I-vin et I-viser.*

— Vous soumettez tout le dictionnaire à cette épreuve ?

— Oui. De beaux mots comme *sincère* ou *sinus* doivent être purifiés.

— Pourquoi ?

— Ils contiennent le mot *sin,* « péché » et doivent donc devenir *I-cère* et *I-nus.* Mais les mots avec *sin* qui sont laids et cruels, comme *sinistre,* par exemple, peuvent rester comme ils sont. Ils mettent le monde en garde contre leurs mauvaises intentions.

— La conversation entre vous doit être assez pénible, suggéra un comptable noir, debout à côté d'Harry Keeler.

Le rasta pivota brusquement pour s'adresser à lui mais supposa à tort que son interlocuteur était le blanc, l'unique blanc de la salle. Il parla à Keeler sur un ton encore plus « inspiré », et dans l'éclairage de la salle cela lui conféra une aura de sainteté.

— Vous faites une observation profonde, mon ami. La conversation avec nous est parfois lente et pénible, les idées à moitié exprimées, à moitié comprises. Mais il ne s'agit pas de bavardages en l'air. Nous parlons pour mettre l'âme à nu, et les paroles de ce genre doivent être choisies à bon escient, puis soigneusement protégées.

Il parcourut la pièce du regard puis se lança dans une sorte de prière rasta, une mélopée composée de tous les mots clés, avec le nom d'Haïlé Sélassié qui revenait fréquemment, ainsi que Négus, Jah et Lion de Juda, l'ensemble orné par un torrent de mots débutant par I, qu'il faisait ressortir avec élégance, dignité et puissance.

Sally, qui ne comprit pas un mot, chuchota à sa voisine :

— C'est comme la messe en latin. On ne vous demande pas de comprendre. Chaque religion a son langage mystique.

Quand Grimble se tut, elle leva la main et demanda :

— Partagez avec nous, je vous prie, ce que vous venez de dire.

— Exactement ce que j'ai dit dans votre langue : les mots sont importants et nous devons les nettoyer de temps en temps... pour maintenir leur pureté.

Pour les membres du groupe, ce premier contact verbal et visuel avec les rastafarians avait élargi leurs perspectives, mais avec son don inné pour le spectacle, Grimble avait gardé son atout le plus puissant pour la fin. Il se pencha pour ramasser son « luth ».

C'était une caisse de bois fermée, à part une ouverture au-dessus de laquelle passaient quatre cordes. En guise de manche, une planche avec sept agrafes métalliques à la place des touches. Une simple barre de métal servait de chevalet. Quand on pinçait les cordes, le son était d'une qualité surprenante, et quand on tapait sur la caisse, elle résonnait bien.

Les jambes toujours entortillées, il fit quelques accords, puis captiva son public avec l'une des plus émouvantes chansons de Bob Marley, *Slave Driver,* qui évoquait les journées d'Afrique et les nuits à bord des négriers. Une musique puissante et des images encore plus puissantes. Bientôt, ces descendants d'esclaves chantaient avec lui : « *Slave driver, slave driver...* »

Le rythme obsédant, la répétition des phrases et l'imagerie de la jungle natale et du bateau négrier bouleversèrent Sally, mais elle avait l'esprit trop analytique pour ne pas remarquer l'un des faits saillants de la démonstration du rastafarian : ce vaurien possédait trois modes de discours différents. Le langage coloré de la rue jamaïcaine, la glossolalie rasta et, dans ces chansons à succès, l'anglais. Et il passait de l'un à l'autre de façon presque machinale.

À la fin de *Slave Driver,* le chanteur entonna l'un des succès les plus provocants de Marley, composé par un autre homme mais adopté par Marley comme cheval de bataille : *Four Hundred Years.* Un tempo lancinant, la répétition sans fin du titre qui faisait allusion aux années d'esclavage, et une invitation à ne jamais oublier cette servitude. Tout le monde dans la salle, y compris Harry Keeler qui avait toujours aimé la musique de Marley, devint un esclave assigné à une plantation de canne à sucre.

La soirée s'acheva. Une douzaine de jeunes se regroupèrent autour de Grimble, car par la musique et les images, il leur avait rappelé que trois ou quatre ans plus tôt il était sans doute comme eux, un noir ordinaire portant un nom ordinaire. Les questions qu'ils lui posèrent n'avaient pas de fin, et Sally n'eut pas l'occasion de lui dire au revoir ; mais Grimble était si grand que leurs regards se croisèrent par-dessus les têtes au moment où elle se dirigeait vers la sortie.

Harry Keeler l'attendait près de la porte.

— Puis-je vous raccompagner chez vous ? lui demanda-t-il quand elle s'avança.

Dans son désir de se débarrasser au plus vite de la mystique rastafarian, elle ne dissimula pas sa joie :

— Avec plaisir.

Dans la nuit tiède de leur belle île, les étoiles brillaient, pareilles à des fanaux de bateaux perdus au loin.

— Un numéro remarquable, dit-elle. Quelles sont ses intentions profondes, à votre avis ?

— Je ne crois pas qu'un blanc soit qualifié pour tirer une leçon.

— Mais vous connaissez les îles. Vous connaissez les mouvements révolutionnaires, Frantz Fanon... Et ce genre de bonhomme.

— C'est un mouvement puissant, sans doute nécessaire. Si j'étais un jeune noir — sans éducation supérieure, bien entendu — je crois que frère Grimble exercerait sur moi une influence puissante et peut-être positive.

Il s'arrêta, puis résuma l'ensemble de la soirée en une seule phrase dense :

— Les noirs sont vraiment « les damnés de la terre » comme l'a proclamé Fanon.

— Vous pensez donc que les rastafarians...

— Ne sautez pas trop vite aux conclusions. Je suis un conseiller technique blanc qui souhaite à cette société de conserver sa stabilité, et je sais que les rastafarians assimilent la police à la Grande Babylone.

Il se tourna pour regarder le visage adorable de la jeune femme, et la mit en garde :

— Je prends le risque de prédire que dans les semaines qui viennent votre père, le commissaire de police, va avoir un gros paquet d'ennuis.

Irritée par ce qu'elle interprétait comme le sabordage « blanc » d'une idée « noire », bien que ce fût grotesque, elle s'écarta légèrement de lui. À cet instant, ils auraient pu être n'importe quel couple « mixte » sur n'importe quelle île des Antilles : un homme très noir faisant la cour à une Martiniquaise très pâle rêvant de monter plus haut sur l'échelle de la couleur, ou un Cubain dont la famille prétendait avec vigueur et imagination descendre en ligne directe de soldats de Ponce de Leon qui avaient emmené leurs épouses espagnoles (« Et jamais une seule union avec des esclaves noires n'a été permise »). Ils ressemblaient beaucoup, également, à la jeune hindoue hésitante de Trinidad soumise à l'admiration d'un homme d'affaires anglican presque blanc de Port of Spain.

Mais à All Saints par cette nuit d'hiver, c'était Sally, la fille du commissaire de police, qui rentrait chez elle à pas lents avec Harry, le jeune économiste à l'avenir prometteur, venu d'Angleterre et destiné à y retourner un jour avec tout un monde d'expériences vécues en Algérie, au Ghana et aux Antilles. Il était précieux pour la société mondiale, ce soir-là auprès d'elle, si précieuse elle aussi en tant que jeune Antillaise noire capable d'accomplir presque tout dans la société de son île. Deux jeunes gens d'une valeur immense, à la fois retenus par des tabous hérités du passé et libérés par des révolutions récentes... Ils marchèrent quelques instants en silence, puis le préjugé de la jeune fille contre un ennemi d'autrefois s'atténua. Elle changea de sujet.

— Qui va être nommé à l'Office du Tourisme, à votre avis ?

— Il devra se surpasser, répondit-il très vite. Pendant les dix ou douze années qui viennent, cette île nagera ou coulera selon la manière dont elle réglera la question du tourisme.

Il fit quelques pas puis se tourna vers Sally.

— Parlez à votre père. Nous ne pouvons pas nous permettre d'exploser à cause de ce rastafarian. Rappelez-lui qu'il y a quelques années, les rastas ont presque anéanti le tourisme à la Jamaïque. J'ai vu les chiffres. La Jamaïque a perdu des millions de dollars.

— Serons-nous toujours condamnés à vendre notre âme aux bateaux de croisière américains ?

— Je corrige : pas un seul paquebot qui fait escale ici n'appartient à des Américains. Ils battent pavillon anglais, hollandais, suédois, français...

— Mais ce sont des touristes américains qu'ils amènent, avec des dollars américains... Vous êtes intelligent, Keeler, dit-elle.

— Je fais de mon mieux.

Et de la fenêtre de son salon, le commissaire de police Wrentham regarda sa fille souhaiter bonne nuit au jeune économiste... avec un baiser.

Harry Keeler était, avec le chanoine Essex Tarleton et l'Église anglicane, le seul citoyen blanc occupant un poste important. Tous les autres détenteurs du pouvoir, du gouverneur général jusqu'en bas de l'échelle, étaient noirs ou bruns. Keeler, qui avait aimé ses expériences antérieures en Afrique, travaillait sans problème avec les leaders noirs et n'éprouvait aucune difficulté à s'adapter à leurs manières parfois arbitraires. Jamais il ne les laissait le dissuader d'une décision juste, mais il se montrait plein d'égards et toujours prêt à passer beaucoup de temps à expliquer pourquoi il valait mieux éviter telle ou telle mesure et adopter un meilleur plan d'action.

Ainsi ses innovations parfois radicales concernant le tourisme avaient produit des résultats plutôt meilleurs que ses propres prévisions, et l'île était maintenant équipée d'un aéroport où pouvaient se poser les avions à réaction gros porteurs et d'un hôtel de tourisme de premier ordre situé dans le site spectaculaire de Pointe-Neuve, sur la nouvelle route de l'aéroport. Deux douzaines de pensions de famille avaient ouvert leurs portes à York, qui n'avait jamais auparavant vu la couleur d'un seul dollar de touriste à cause de l'impossible route de montagne qui la séparait de Bristol Town.

— Redressez les épingles à cheveux de cette maudite route, avait dit

Keeler, ou annoncez publiquement que vous allez laisser York mourir de faim.

Ces paroles firent de lui un héros à York. Et de nombreux touristes déclarèrent que leur séjour dans les maisons de familles noires toutes simples sur la côte de la baie de Marigot avaient constitué « le plus grand moment de leur voyage, non seulement à All Saints mais dans l'ensemble des Caraïbes ». Bien entendu il s'agissait des voyageurs les plus hardis; les autres préféraient le luxe de Pointe-Neuve.

Keeler était très fier de son apport à la société d'All Saints.

— C'est peut-être le pays noir le mieux gouverné de la terre, l'ensemble de l'Afrique compris.

Mais chaque fois qu'il se livrait à cette comparaison il en précisait les limites — pour deux raisons :

— Un pays? Une île de seulement cent dix mille habitants est-elle vraiment un pays, même si elle est représentée aux Nations unies? Et sa prospérité actuelle ne tient qu'à un fil fragile : le tourisme.

Or le succès en matière de tourisme s'avère souvent volage. Il fallait absolument satisfaire les riches Américains.

Tel était le danger qu'il avait perçu ce soir-là, lors de sa rencontre avec le premier rastafarian de l'île :

— Qui peut oublier ce qui s'est produit à la Jamaïque quand cette bande aux affreuses *dreadlocks* a commencé à molester, avec une animosité féroce, les femmes blanches et les millionnaires entre deux âges? Le tourisme a été balayé pour des années. Des pertes colossales et un changement de gouvernement. Nous ne pouvons pas nous permettre un chambardement de ce genre.

Mais alors même que ces appréhensions le rongeaient, il éprouvait une euphorie qu'il n'avait pas connue depuis des années. Miss Sally Wrentham était aussi passionnante sur le plan intellectuel que séduisante sur le plan physique; elle avait le sens de l'humour, connaissait l'histoire de son île, et sa position sur la question raciale semblait fort judicieuse. Elle ne croyait pas, comme certains de ses pareils, que les noirs possédaient une compréhension supérieure des problèmes des Caraïbes, mais jamais elle n'admettrait qu'ils puissent être inférieurs. L'efficacité paisible avec laquelle son grand-père Black Bart et son père Thomas avaient agi sur leurs supérieurs blancs pour obtenir l'indépendance totale avait prouvé que des noirs pouvaient gouverner un pays — et de manière si convaincante qu'elle n'avait jamais eu envie de quitter All Saints pour Londres ou New York. Keeler appréciait cette fermeté d'esprit.

Et tout en faisant sa cour, plus ou moins sérieuse, à Sally il s'était dit : « Je serais vraiment heureux de faire ma vie ici, d'aider l'île à devenir autosuffisante, puis de m'effacer plus tard, quand les noirs que j'aurai formés prendront le relais. Si je faisais ce choix, pourquoi n'épouserais-je pas une femme de qualité comme Sally? »

Trois bonnes raisons, qu'il n'avait nul besoin de passer en revue, justifiaient ces conclusions. Il n'avait aucun désir réel de revenir dans le village banal de Yorkshire d'où il était sorti et où il avait mené une vie déprimante et sans horizon. Les souvenirs de son mariage manqué avec Elspeth suffisaient à le faire gémir, la nuit, quand ils lui revenaient à l'esprit, et il ne désirait pas recommencer une expérience du même genre; le jour de leur divorce il avait eu l'impression qu'on lui enlevait une lourde charrette de la poitrine.

Quant à la troisième raison de son bonheur à All Saints, seul un

Anglais pouvait l'apprécier pleinement. Au cours des siècles précédents et dans la première moitié de celui-ci, les diverses parties de l'Empire britannique avaient été gouvernées par de jeunes Anglais disciplinés, produits des meilleurs collèges, puis d'Oxford ou de Cambridge. On les envoyait en Inde, en Afrique ou dans les Antilles comme jeunes administrateurs, et ils daignaient perdre quelques années à apporter la civilisation aux enfants du Bon Dieu avant de retourner dans la métropole jouir de leur gloire, de leur retraite et de leur titre de lord Ceci ou de sir Cela (ou en tout cas avec une jolie médaille). Les jeunes gens des classes moyennes qui s'étaient frayé un chemin dans les collèges anglais de second ordre, « les universités de brique rouge » comme on les appelait, ou les universités d'Écosse, ne pouvaient occuper dans l'Empire que des postes mineurs. Et à l'époque la présence britannique se composait donc presque invariablement d'un Anglais de grande famille à la tête du gouvernement, flanqué de jeunes collaborateurs issus du même milieu social que le sien et soutenu par un bataillon d'hommes comme Keeler qui pouvaient rarement espérer des postes de commandement.

Ce système restrictif avait handicapé la Grande-Bretagne. En Inde, bien entendu, il avait fonctionné : une succession de vice-rois nobles avait institué un gouvernement stable et parfois remarquable, mais dans des endroits moins importants comme All Saints, la mise en place d'hommes de bonne naissance mais incompétents à des postes de responsabilité avait souvent engendré des catastrophes. Le dernier gouverneur général en était un exemple. Juste avant la Seconde Guerre mondiale, le ministère des Colonies avait décrété : « Il est temps de donner au brave Basil Wrentham un poste ou un autre. » Et on l'avait envoyé à All Saints où il avait débarqué avec la majesté d'un monarque et seulement trois qualifications : il était si svelte et droit qu'il représentait l'archétype même du gouverneur général anglais ; il avait été un joueur de cricket remarquable ; et c'était le deuxième fils du comte de Gore. Il avait eu beaucoup de succès sur le plan social, mais sur le plan politique, quel désastre ! Jusqu'en juin 1939 il avait essayé de promouvoir une alliance entre la Grande-Bretagne et l'Allemagne nazie. Sa fille Delia s'était mariée avec un baron allemand qui allait devenir le cruel *gauleiter* d'une province de Belgique (des résistants le pendirent peu avant Noël 1945).

Keeler appartenait à la nouvelle génération de fonctionnaires coloniaux britanniques, celle d'après la guerre. Petite bourgeoisie, écoles ordinaires et une « université de brique rouge ». Il avait réussi à cause de ses compétences naturelles et de son travail acharné. Il trouvait la vie sous les tropiques si agréable qu'il n'avait nulle envie de l'abandonner. Par conséquent, le mariage avec une jeune fille de l'île comme Sally n'était pas seulement acceptable à ses yeux, mais inévitable ; il avait déjà fait l'expérience d'une femme ne s'intéressant à rien en dehors des revenus de son mari et de ses propres succès en société.

À mesure que sa cour avança, il prit l'habitude de considérer Sally Wrentham comme une épouse possible. Si bien qu'un samedi matin, il endossa sa plus belle tenue blanche, se rendit chez elle en voiture et l'invita à l'accompagner à un tournoi de cricket à York, tout au bout de la route de montagne. Elle répondit :

— Je prépare un pique-nique ?

— Ce serait magnifique, lança-t-il.

Et ils filèrent dans sa Volkswagen.

Il prenait toujours plaisir à rouler sur cette route spectaculaire dont l'état actuel était le résultat de ses propres efforts.

— Vous devez être ravi que votre nouvelle route ait tant de succès. À un moment, j'ai cru qu'ils allaient tous vous faire la peau.

— Elle était nécessaire, répondit-il.

Ses hommes avaient dégagé à travers la forêt des panoramas qui s'étendaient jusqu'à l'Atlantique, dans le lointain.

Le tournoi de cricket avait provoqué de nombreux commentaires, car il s'agissait de Bristol Town contre une sélection des autres communes de l'île. L'équipe de la capitale attirait traditionnellement les meilleurs joueurs de toutes les parties de l'île, mais cette année-là, la sélection avait apparemment une chance de l'emporter. La ville de Tudor, au nord, avait envoyé deux frères qui détenaient des records de lanceurs. York avait plusieurs batteurs durs à éliminer, et l'équipe serait renforcée par deux excellents joueurs de Londres, en séjour temporaire pour installer un nouveau radar pour l'aéroport de l'île — ils étaient citoyens anglais, mais comme ils travaillaient depuis un certain temps dans l'île tout le monde avait accepté leur participation.

Quand Keeler et Sally entrèrent dans la ville d'York à dix heures moins le quart, le car de touristes de Bristol Town venait d'arriver, ainsi que six autres du nord de l'île et deux de l'aéroport.

— J'espère qu'aucun avion de la Barbade n'aura d'ennuis cet après-midi ; tout le personnel au sol est ici ! fit observer Keeler en descendant de voiture.

Dans les îles anglaises des Antilles, rien n'est aussi important que le cricket. Trinidad, la Jamaïque et la Barbade ne sont pas toujours d'accord sur les questions économiques, les tarifs des voyages aériens entre les îles, la gestion de leur université et les taxes à prélever sur le carburant de Trinidad, mais au moment de composer une équipe des Indes occidentales pour une tournée de cricket en Angleterre, en Inde, au Pakistan ou en Australie, toutes les divergences sont aplanies et l'on trouve mystérieusement les fonds nécessaires au voyage. Les préjugés locaux divisent les îles, le cricket les unit.

Ce jour-là la partie s'annonçait passionnante : un samedi bleu ciel avec tous les arbres en fleurs, des quantités de fruits sur le marché en plein air, et des gens de toute couleur de peau perchés sur les minuscules tribunes ou allongés dans l'herbe — et chacun pris par les passions du match.

L'un des deux arbitres était toujours le chanoine Essex Tarleton — visage rougeaud, cheveux blancs et silhouette ronde comme un pichet de bière. Quand il se présenta sur le terrain, d'un pas digne, des applaudissement le saluèrent car c'était un personnage très aimé, qui rappelait à tous John Bull et d'autres aspects de l'Angleterre qu'ils continuaient d'apprécier.

Ce qui le rendait particulièrement remarquable était sa tenue, car selon la tradition les arbitres de cricket portent par-dessus leur pantalon et leur chemise blanche une sorte de blouse de toile grise qui tombe jusqu'à mi-mollet ; mais le chanoine — ce titre honoraire mais inexact lui avait été décerné par ses camarades de carré sur un croiseur pendant la guerre — portait à la place de la blouse un gros chandail à côtés tricoté en laine des Hébrides, les îles au large de la côté orientale de l'Écosse. Dès que la chaleur augmentait, c'est-à-dire très tôt dans les Indes occidentales, Tarleton ôtait son chandail et en nouait les manches sur sa grosse bedaine de sorte que la majeure partie du tricot couvrait son derrière. On avait pris de nombreuses photos de ses activités d'arbitre, et le plus souvent, le chandail était en train de glisser de sa taille.

Au cricket, l'arbitre n'a aucune décision à rendre sauf en cas d'appel formel, et cet appel prend toujours la même forme, celle d'une question criée :

— *Howzzat?*

Les opinions sont partagées sur le sens de ce mot curieux. Signifie-t-il : « How was that? » (Comment était-ce?) ou « How is that? » (Comment est-ce?) Mais quand six ou sept joueurs sur le terrain criaient en même temps « Howzzat? » le chanoine Tarleton apparaissait dans toute sa gloire : il se dressait aussi haut qu'il en était capable, et prononçait son jugement, toujours sans appel. Sa parole faisait loi.

L'équipe de Keeler prit la batte en premier, mais ni lui ni les autres batteurs ne firent de miracle. Un des lanceurs de Tudor surprit Harry avec une balle rapide à effet qu'il renvoya en l'air. Elle fut facilement attrapée et il se trouva éliminé après avoir marqué seulement 13 points. A l'interruption du déjeuner, Bristol Town se trouvait en mauvaise posture. Sally Wrentham et Laura Shaughnessy apportèrent un petit festin que des joueurs des deux camps partagèrent dans une atmosphère agréable de camaraderie.

— Je crois que nous vous tenons à la gorge, déclara à Keeler l'un des hommes de Tudor. Il paraît que les deux types de l'aéroport sont des batteurs de premier ordre.

— Nous verrons, répondit Harry. Si les choses semblent désespérées pour nous, Sally priera pour nous faire venir de la pluie.

S'il pleuvait, le match serait déclaré nul même si Bristol Town jouait aussi mal après le déjeuner.

Bristol joua assez mal et les frères de Tudor prouvèrent qu'ils étaient des lanceurs de classe internationale. Tous les joueurs furent éliminés pour seulement 133 points en laissant à la sélection largement le temps de gagner.

Harry et Sally furent parmi les derniers de Bristol Town à quitter York. A six heures et quart, la nuit tomba comme un rideau sur une scène de théâtre; ils s'arrêtèrent dans une des niches creusées à flanc de montagne pour faciliter le passage des autocars, et ils s'embrassèrent avec passion. Quand ils arrivèrent devant chez elle, Sally lui dit :

— Entre dîner avec nous.

La femme de ménage avait préparé pour eux et pour le commissaire un ragoût composé de légumes de l'île, de pommes de terre en provenance d'Irlande et de bœuf venu de Miami. Après avoir pris des nouvelles du match, le commissaire Wrentham déclara :

— Ces deux frères de Tudor se retrouveront dans l'équipe internationale, c'est certain, s'ils parviennent à surmonter le changement de rythme.

— Si tu avais vu le jeu défensif d'Harry, tu le sélectionnerais aussi.

Après le dîner, Wrentham annonça :

— J'ai du travail au commissariat.

Il laissa les deux jeunes gens seuls, satisfait à tous points de vue : il avait élevé une fille splendide qui était courtisée par un homme digne d'elle.

Mais cette cour, si prometteuse aux yeux de tous, ne se déroula pas sans problème, car deux semaines après le match de cricket, Laura Shaughnessy proposa à Sally :

— Prenons un jour de congé demain. Le rastafarian veut voir le nord de l'île et j'ai promis de l'y conduire avec ma voiture.

Pour Sally, ce qui avait débuté comme une excursion banale s'avéra une journée d'une importance capitale, où ses valeurs se trouvèrent ébranlées. Rien de commun avec l'aimable balade à York avec l'Anglais Keeler pour un tournoi de cricket — en fait un voyage en arrière en Angleterre, avec pause pour le thé et un respect presque fanatique pour les subtilités infimes du jeu...

Elle fit une plongée violente, presque brutale, dans les réalités d'une jeune république noire dont l'héritage africain dominant éclatait sous une douzaine de formes inattendues. Laura, la peau nettement plus sombre que Sally, prit le volant de sa petite voiture et installa Ras-Négus Grimble à côté d'elle à l'avant tandis que Sally se coinçait sur la banquette arrière.

La différence entre les deux excursions apparut aussitôt car au lieu de prendre la route de montagne du sud, Laura se dirigea vers le nord. Dès la sortie de la ville, le rasta prit le commandement, comme s'il était un jeune roi avec ses concubines. Ce qu'il désirait voir, c'était la terre même, son potentiel agricole, les récoltes qui poussaient déjà et la situation des petites fermes disséminées dans cette partie apparemment vide de l'île. Par deux fois, il ordonna à Laura d'un ton péremptoire :

— Stop ! Je veux aller voir ce paysan.

Il descendit de voiture pour parler aux noirs qui occupaient la case, et il discutait des cultures avec une autorité si manifeste que Sally songea : « Je parie que ses ancêtres inspectaient leurs champs de la même manière en Afrique. »

À trois kilomètres environ de Tudor, Sally l'accompagna à pied chez un troisième paysan dont les champs étaient éloignés de la route. Le tour que prit la conversation la surprit.

— Pourriez-vous faire pousser de la bonne *ganja* dans vos champs de derrière ?

— Jamais essayé.

— Si je vous apportais des semences, vous essaieriez ?

— Et à qui je la vendrais, si j'en faisais pousser ?

— La Grande Babylone d'Amérique a toujours faim de *ganja*. Elle la paie cher.

— Nous n'en plantons pas beaucoup, ici à All Saints. On n'en utilise pas énormément.

— Tout ça va changer. Souvenez-vous. Je vous le dis. Et le grand Dieu Haïlé Sélassié le dit.

Au cours du bref arrêt de Tudor, Sally demanda :

— La *ganja*, n'est-ce pas ce que l'on appelle marijuana à Londres ?

— La *ganja* est l'herbe sacrée de rastafari. Elle ouvre toutes les portes.

A Tudor, il se montra survolté. Il se mêla aussitôt à la population noire, déconcertée par ses mèches fantastiques, son T-shirt pittoresque et son assurance. Sally remarqua qu'il avait tendance à éviter les gens de couleur claire comme elle ; il apportait son message au paysan noir, au petit commerçant noir, à la femme qui lavait son linge, et ce message était toujours le même :

— Les noirs vont se soulever dans l'ensemble des Antilles. Dieu va revenir sur terre en Éthiopie et reconquérir le monde pour nous.

Quand on l'interrogeait sur les messages inscrits sur son T-shirt, il montrait le portrait de Haïté Sélassié et disait :

— Un grand souverain. Il a conquis toute l'Afrique.

Il expliquait aussi que le lion de son emblème était celui que mentionnait la Bible.

— Le Lion de Juda. Venu nous donner le pouvoir total.

Il déclarait aussi que le pape de Rome serait bientôt détruit car il était l'esprit de Babylone, mais la Grande Babylone elle-même demeurait l'Amérique, et elle serait détruite elle aussi. Il prédisait en outre des châtiments accablants pour la reine Elisabeth II :

— C'est la fille d'Elisabeth Ire, qui a envoyé son capitaine John Hawkins en Afrique pour s'emparer de nos mères et de nos pères et les réduire en esclavage dans ces îles.

Quand les gens cessaient d'écouter ses divagations coupées de longs passages en rastafarian incompréhensibles, il baissait la voix et concluait, soudain très sérieux :

— L'Amérique est la Grande Babylone au-delà des mers. Mais qui est la Grande Babylone ici, à All Saints ? La police.

Chaque fois qu'il prononçait ces paroles, il s'arrêtait et adressait à son public un regard féroce, en exploitant sa grande taille et l'apparence inquiétante de sa coiffure et de sa barbe pour les terrifier. Puis il baissait la voix en un murmure :

— La Grande Babylone doit être détruite. La Bible le dit. Dans l'Apocalypse.

La bible apparaissait soudain entre ses mains.

— Chapitre XVIII. Verset 2. Regardez. Lisez vous-mêmes. « Il s'écria d'une voix forte : Elle est tombée, elle est tombée Babylone la grande, elle est devenue demeure de démons... » Et lisez maintenant le verset 21. « Alors un ange puissant saisit une pierre comme une lourde meule et la précipita dans la mer en disant : Avec la même violence sera précipitée Babylone, la grande cité. On ne la retrouvera plus. »

Sally remarqua qu'il évitait toujours de prêcher carrément la révolution ou une attaque de la police, mais tel était à coup sûr le sens profond de ses paroles, et ceux qui l'écoutaient le savaient. Mais quand la tension parvenait à son comble, il redevenait aussitôt l'aimable messager de paix qu'elle avait vu le soir de la réunion politique. La chaleur de son regard, le côté rassurant de son visage placide encadré par sa barbe de Christ exprimaient alors son amour pour tous — et invitaient chacun à se joindre à sa croisade pour sauver les noirs de cette terre.

Quand des citoyens du village invitèrent Ras-Négus et les deux jeunes femmes à déjeuner avec eux, tout le monde remarqua qu'il choisissait seulement certains aliments et les mettait dans sa noix de coco avant de les manger. Remarquant leur curiosité, il expliqua :

— Pas de conserves. Pas de viande. Uniquement les aliments tels que Jah les a envoyés, tout droit du champ et de l'arbre. Ni assiette ni cuillère de métal. Seulement les doigts que Jah nous a donnés.

Il n'était pas toujours appétissant de le regarder plonger ses longs doigts osseux dans son bol puis de les porter, tout dégoulinants, à ses lèvres cernées de barbe.

Il profita du repas pour expliquer à ses hôtes, en termes bénins, les principes rasta.

— Est-il vrai que la *ganja* est votre herbe sacrée ? demanda l'un des hommes.

— C'est l'herbe que Jah a envoyée sur terre pour réjouir le cœur des noirs. Quand on fume la *ganja* comme Haïlé Sélassié, on entrevoit le paradis.

Et les paysans demeurèrent éblouis par sa description de ce que serait la vie quand Haïlé Sélassié, en tant que soixante-douzième incarnation du Dieu unique, reviendrait se mettre à la tête des cent quarante-quatre mille âmes destinées à être sauvées...

Sur la route de l'ouest, en direction du cap Galant, Ras-Négus exposa avec une ferveur paisible ses certitudes : l'idée que toutes les femmes étaient impératrices, que les enfants constituaient l'une des bénédictions du monde, que pour demeurer bons hommes et femmes ne devaient manger que des aliments naturels et non les poisons en boîtes envoyés dans les îles par les cargos appartenant à la Grande Babylone de Miami.

Le murmure de sa voix basse et agréable faillit endormir Sally et, pour se maintenir éveillée, elle voulut lui poser une question :

— Mr. Grimble...

Il la coupa.

— Pas Mr. Grimble. Ras-Négus, le saint Jean-Baptiste des Iles-au-vent et Sous-le-vent.

— Ras-Négus, qui sont ces cent quarante-quatre mille âmes sauvées dont vous avez parlé ?

Pour la première fois en s'adressant directement à elle, il sortit sa petite bible reliée cuir, l'ouvrit instantanément au chapitre XIV de l'Apocalypse, et se mit à lire d'une voix grave et douce :

— « Et je vis : L'agneau était debout sur la montagne de Sion, et avec lui les cent quarante-quatre mille qui portent son nom et le nom de son père inscrits sur leurs fronts... Ils ont été rachetés d'entre les hommes en prémices pour Dieu et pour l'agneau. »

Il referma la bible et dit en regardant Sally :

— Toi et moi devrions vivre notre vie de façon à appartenir à ces cent quarante-quatre mille.

— Vous voulez dire que de tous les gens de la terre, seulement cent quarante-quatre mille seront sauvés ?

— Pays par pays. Groupe par groupe...

— Aux États-Unis, dont la population est immense ?

— Personne. C'est Babylone.

A leur arrivée au cap Galant, ils découvrirent un spacieux belvédère de pierre et de bois, où une douzaine de groupes séparés pique-niquaient ou se reposaient en profitant du magnifique panorama. L'apparition de Ras-Négus fut si surprenante qu'elle força l'attention de tous et il se trouva bientôt entouré d'un petit groupe de curieux qui l'encouragèrent à exposer les beautés du mouvement rastafari. Mais Sally remarqua que devant ce public il ne fit aucune allusion à la révolution, à la supériorité des noirs sur les blancs ou à l'utilisation rituelle de la *ganja*, et elle en conclut que Grimble était beaucoup plus malin qu'elle ne l'avait imaginé, car il savait d'instinct adapter son discours à son auditoire. Elle le respectait davantage quand il s'adressait aux noirs, parce qu'à ce moment-là, il se montrait sincère Mais quel que soit son public, en tout ce qu'il disait il exprimait un sens pénétrant de l'Afrique et Sally songea : « Comme c'est intéressant ! Harry Keeler a travaillé des années en Afrique et l'Afrique ne l'a jamais touché. Ce rastafarian n'a jamais mis les pieds là-bas, mais il émane de lui l'odeur des grands fleuves, les bruits de la brousse et de la savane, et même la cacophonie des oiseaux. Bon Dieu, cet homme est l'Afrique même ! »

Quand il eut prêché un certain temps, une femme qui avait assisté à la réunion de la première soirée s'avança pour lui demander d'évoquer le curieux vocabulaire des rastafarians. C'était apparemment un des aspects pour lequel il se considérait particulièrement compétent, car il s'emballa soudain. Il expliqua, avec parfois un humour involontaire, comment la langue anglaise serait modifiée quand les rastas prendraient le pouvoir. Entre ses suggestions remarquables :

— *Politics* (la politique) est le moyen par lequel les blancs oppriment les noirs. Nous l'appellerons par son vrai nom : *polytricks* (multiples mauvais coups).

— *Understand* (comprendre) est un mot trop beau pour qu'on le laisse handicapé par le préfixe négatif *under* (au-dessous). On lui donnera *over* (au-dessus) et comprendre deviendra *overstand.*

— *Divine* (divin) possède un des sens les plus nobles mais la première syllabe rappelle trop *die* (mourir). Il deviendra *Ivine* et toute la divinité sera reportée sur le *I*, le Je immortel.

— A Tudor, je viens de voir la nouvelle bibliothèque *(library)*. Un merveilleux endroit pour les enfants, mais il les corrompt par la fausseté de la première syllabe, *lie* (mensonge). Le mot deviendra *truthbrary* (*truth* : vérité).

— L'une des plus belles choses qu'un rasta puisse faire est se consacrer *(dedicate)* à autrui. Mais une fois de plus le début du mot, *ded* (*dead* = mort), tue son pouvoir. Nous dirons *livicate* (*live* = vivant).

Il continua ainsi à disséquer la langue comme s'il s'agissait d'un jeu d'enfant et à opérer sur les mots des corrections démentes. Quand il vit des pique-niqueurs manger le plus merveilleux fruit des îles, une mangue mûre, juteuse et parfumée, il s'écria :

— *Mango* (mangue) signifie qu'un individu est en train de mourir : *man* (homme) *go* (s'en va). Notre mot sera *I-come* (Je viens).

Sally ne put deviner s'il faisait des convertis ou non, mais il se produisit un événement remarquable qui démontra que Grimble considérait son séjour à All Saints comme un voyage de missionnaire, car il lança une double attaque fort bien conçue. Tout d'abord, il réunit la foule autour de lui en jouant de son instrument de musique bricolé et en chantant une des meilleures chansons de Bob Marley, *One Love*. Ensuite il examina attentivement les visages pour voir qui serait le plus sensible à sa manœuvre suivante. Avec une intuition psychologique extraordinaire, il détecta une demi-douzaine de jeunes qui semblaient capables d'imiter ce qu'il se proposait de faire. Avec Sally et Laura à sa suite, il entraîna son groupe vers un endroit retiré du cap et il sortit de son sac une provision des meilleures feuilles de *ganja* venues des régions montagneuses de la Jamaïque.

Sally n'avait jamais vu l'herbe célèbre, illégale à All Saints. Son arôme, dans son état naturel, lui plut beaucoup, mais elle fut encore plus surprise quand elle vit comment Ras-Négus la fumait. D'après ce qu'elle avait lu dans le *Time*, elle s'attendait à ce qu'il roule une sorte de cigarette ; il n'en fit rien. Il prit un bout de journal et en fit un petit cornet, pointu comme un cigare du côté de la bouche et large de sept bons centimètres à l'ouverture. Il l'emplit d'herbe, alluma les feuilles et se mit à fumer en inspirant profondément. On aurait dit qu'il essayait de faire de la musique avec une de ces anciennes conques ou coquilles de Triton.

Il aspira longuement, ferma les yeux, laissa une expression de sainte bienveillance se peindre sur ses traits, puis il fit passer l'étrange corne d'abondance à son voisin le plus proche, qui aspira à son tour quatre fois. Comme le cornet contenait une quantité énorme de *ganja*, une dizaine de jeunes purent le partager. Puis vint le tour de Laura, qui conduisait la voiture. Apparemment, Ras-Négus lui avait déjà fait apprécier les vertus de son herbe magique, car elle prit le cornet, inspira sans hésiter, poussa un soupir d'aise et tendit la marijuana à Sally.

Cela posa un problème. Fille du commissaire de police, Sally savait pertinemment qu'à All Saints, le simple fait de posséder de la marijuana, et à plus forte raison d'en fumer, était illégal. Mais tout ce qu'elle avait découvert ce jour-là avait éveillé en elle un tel intérêt pour le mouvement rastafari, en tant que religion authentiquement noire, qu'elle était tentée de participer à tous ses rituels — et elle accepta la *ganja* des mains de son amie Laura.

— Tu dois prendre de longues goulées, précisa Ras-Négus.

Elle le fit, et elle sentit la fumée subtile se diffuser dans ses poumons et, apparemment, dans son cœur et sa tête. Huit inspirations profondes entraînèrent une euphorie positive, et elle éprouva la présence en elle de l'Afrique.

Quand ils reprirent la route de Bristol, l'après-midi s'achevait. Sally n'avait pas l'esprit tout à fait clair, mais elle s'aperçut de la surprise de Laura quand Ras-Négus monta non pas sur le siège avant mais à l'arrière avec Sally. Il s'installa et alluma un autre « cigare » de *ganja* qui emplit aussitôt la voiture de son arôme douceâtre. Sally se trouva invitée de façon pressante à prendre une bouffée chaque fois que Grimble en prenait trois ou quatre. Laura, au volant, demanda aussi sa part et la petite voiture bondit joyeusement vers la capitale.

Ras-Négus, au comble de l'euphorie, se mit à trouver dans sa bible, au hasard, des passages qui confirmaient plus ou moins les enseignements rastafari. De nouveau dans l'Apocalypse :

— « Mais l'un des anciens me dit : Ne pleure pas ! Voici, il a remporté la victoire, le lion de la tribu de Juda, le rejeton de David... »

Cela prouvait, expliqua-t-il, qu'Haïlé Sélassié, descendant du roi David en ligne direct, prendrait bientôt le pouvoir dans l'Afrique entière.

— Mais il est mort, protesta Sally.

— Son esprit ! Pas ses fidèles comme toi et moi. L'Afrique nous appartiendra.

Pour démontrer sa conviction, il s'adressa au psaume LXVIII, dont il lut les versets 31 et 32.

— « De riches étoffes arrivèrent d'Égypte, l'Éthiopie accourt vers Dieu, les mains pleines. Royaumes de la Terre, chantez pour Dieu... »

Cela signifiait clairement, prétendit-il, que la Grande Babylone d'Amérique tomberait bientôt sous la coupe de l'Éthiopie.

Il continua ainsi à galoper à travers la Bible à la recherche de telle ou telle révélation occulte, mais en revenant toujours à l'Apocalypse de saint Jean.

— La victoire sur la Grande Babylone ne sera pas facile. Lisez le verset 19, chapitre XIX : « Et je vis la bête, les rois de la terre et leurs armées, rassemblés pour combattre le cavalier et son armée. »

Cela paraissait très nébuleux à Sally, mais Grimble sortit de son sac de cuir une petite photo de Haïlé Sélassié perché sur un cheval blanc et sauta aussitôt au chapitre XX, verset 11 :

— « Alors je vis un grand trône blanc, et celui qui y siégeait : devant sa face la terre et le ciel s'enfuirent sans laisser de traces... »

Sally, dans son état de douce confusion, ne put voir aucune relation entre un cheval blanc et un trône blanc, mais il en existait apparemment une, car l'idée inspira Grimble : il pencha la tête en arrière et se mit à réciter de longs passages de la Bible, sans aucun rapport direct avec le rastafari, mais qui le faisaient glisser dans un état euphorique. Et lorsque Sally se mit à dériver sous le charme des mots magiques et des herbes séductrices, elle s'aperçut vaguement que Ras-Négus palpait sous sa robe puis dégrafait son propre pantalon, mais ses paroles étaient si persuasives et sa présence si impérieuse qu'elle n'éprouva aucun désir de résister jusqu'au moment où elle s'éveilla brusquement à la réalité : cet homme effrayant aux mèches de Méduse avait l'intention de faire l'amour avec elle tout de suite sur la banquette arrière de la minuscule voiture pendant que Laura conduisait.

Elle ne cria pas. Elle essaya de le repousser, mais il était trop fort et il la força à laisser la main dans le pantalon jusqu'à ce qu'il parvienne à une satisfaction partielle.

C'était effrayant mais non repoussant, parce que l'être entier de Grimble — son comportement, son verbe qui berçait, son dévouement à sa cause — exprimait un monde qu'elle n'avait pas connu auparavant, et dont la vitalité sauvage donnait corps à ce beau mot dont elle avait si souvent discuté avec ses amis dans le vide : négritude. Épuisée et désemparée dès que cessèrent les effets de la marijuana, elle se tassa dans son coin et pria qu'ils arrivent vite à Bristol Town. Quand Laura s'arrêta devant la maison du commissaire Wrentham, Sally sauta de la voiture et courut à l'intérieur comme si elle cherchait un refuge. Sous son toit, en la personne de son père compétent et de son frère équilibré, l'Afrique noire et l'Angleterre blanche s'étaient rencontrées en une paisible et respectable harmonie, établie d'un commun accord.

Sally avait été tellement secouée par sa journée avec le rastafarian et sa *ganja* qu'elle se rendit le lendemain midi au petit presbytère attenant à l'église anglicane. Elle désirait parler au chanoine Tarleton, et son épouse aux cheveux blancs répondit :

— C'est pour cela qu'il est ici, ma chère enfant.

Elle partit le chercher.

Le révérend Essex Tarleton n'avait fait que des études secondaires moyennes en Angleterre et n'avait guère brillé à l'université. En théologie, il était manifeste qu'il ne deviendrait jamais un des phares de son Église. Mais tous ceux qui l'avaient connu à l'époque avaient été frappés par la profondeur de sa vocation pour le ministère de Dieu. En 1939, il s'engagea dans la marine comme aumônier et ses amis s'en réjouirent : il avait trouvé sa place. Il servit dans plusieurs bases et sur plusieurs vaisseaux de guerre importants, puis reçut à la fin de la guerre la charge d'une petite paroisse de la Barbade, où il fut pendant de nombreuses années à la fois heureux et efficace. Mais quand la communauté augmenta en nombre, elle eut besoin d'un homme plus jeune et plus énergique. On le muta dans l'île moins peuplée d'All Saints. Il y terminerait sa vie de pasteur blanc aux intentions pures qui aidait sa congrégation noire. Le samedi, il arbitrait des matchs de cricket, le dimanche il prêchait, et tous les jours il était à la disposition des fidèles qui désiraient le consulter. Il aurait été fort surpris si quelqu'un avait remarqué en sa présence qu'il était un de ces humbles serviteurs de l'humanité qui ont maintenu jadis la cohésion de l'Empire britannique et qui justifiaient les liens affectifs puissants qui unissent encore à l'Angleterre les jeunes nations insulaires des Caraïbes. Les Indes occidentales continuent d'utiliser les banques de Londres, d'envoyer leurs jeunes gens les plus brillants faire leurs études en Angleterre et achètent leurs livres et leurs revues au pays que même les patriotes noirs les plus ardents appellent encore *The Homeland*. En matière de cricket, la venue d'une bonne équipe d'Australie ou du Pakistan emplissait tout le monde de joie, mais l'on encerclait sur le calendrier la date d'arrivée de l'équipe d'Angleterre.

— Et qu'est-ce qui t'amène dans ma petite retraite ? demanda le pasteur à Sally.

Il lui offrit un verre de xérès. Elle l'accepta et expliqua aussitôt que le rastafarianisme l'avait fortement troublée. A ce mot, la main du révérend s'arrêta de verser, et il dit :

— Oui, j'ai appris qu'il parle beaucoup, ce type de la Jamaïque.

— En tout cas il m'a parlé, et de façon convaincante.

— Voyons, voyons, Sally ! Tu es beaucoup trop raisonnable pour te laisser prendre à ces sottises.

— Mais il cite la Bible de façon si révélatrice ! Dites-moi, le texte de l'Apocalypse a-t-il vraiment ce sens ?

Le chanoine Tarleton prit une gorgée de xérès puis éclata d'un rire vigoureux :

— Sally, je vais répondre à ta question avec une franchise que certains jugeraient impie, mais pour l'amour de Dieu, écoute-moi bien. Les tordus et les zinzins religieux de ce bas monde — et j'emprunte ces deux mots merveilleusement appropriés à un numéro récent du *Time* — se servent depuis deux mille ans de deux livres de la Bible pour démontrer les idées les plus démentes qui leur passent par la tête : le Livre de Daniel et l'Apocalypse de saint Jean. Ces livres ont fait autant de mal au monde que le rhum de la Jamaïque et le genièvre de Hollande.

— Que voulez-vous dire ?

— Ils sont apocalyptiques. Des divagations inspirées. Nous pouvons nous plonger, toi et moi, dans ces deux livres pendant quelques heures et démontrer tout ce qui nous plaira.

Il prit sa bible, l'ouvrit à l'Apocalypse et se mit à lire toute une kyrielle de mots et de symboles sans queue ni tête.

— Eh bien, dis-moi, je te prie, ce que cela signifie ?

Et il se mit à attribuer un sens arbitraire à chaque mot, à chaque symbole, si bien qu'en faisant appel à quelques versets apocalyptiques, il « prouva » qu'en l'an 2007 le Canada envahirait les États-Unis et le Mexique.

— En se fondant sur Daniel et l'Apocalypse, on peut prouver n'importe quoi.

Il se frotta le menton, en riant d'une scène absurde dont il avait été le témoin.

— L'an dernier, quand je suis allé à Washington pour le congrès de notre Église, j'ai écouté la nouvelle génération de prédicateurs de la radio et de la télévision... La moitié d'entre eux déclamaient sur des passages insondables de l'Apocalypse.

— Donc tout ce que les rastafarians racontent est à jeter aux orties.

— C'est toi qui l'as dit, pas moi. Et je ne te répondrai pas, parce qu'une religion n'a jamais le droit d'en accabler une autre ; mais je vais regarder par la fenêtre et hocher la tête.

Sally, soulagée de voir ses soupçons confirmés, changea de sujet.

— Voulez-vous, je vous prie, regarder le verset 6 du chapitre V des Nombres. J'ai retenu la référence parce qu'au moment où il a lu le passage, cela m'a paru justifier la façon étrange dont il coiffe ses cheveux. Dites-moi, avez-vous vu ce rasta ?

— Oui. L'autre jour à la tombée de la nuit, et il m'a flanqué une peur bleue.

Il trouva le verset et le lut.

— J'ai bien peur qu'il n'y ait rien sur les cheveux dans ce texte.

— Essayez chapitre VI verset 5. J'ai peut-être retenu les chiffres dans l'ordre inverse.

— Ah, ah ! s'écria-t-il en riant sous cape. C'est le fameux verset que les jeunes rebelles de Londres citent à leurs parents pour les convaincre que la Bible ordonne aux hommes de porter des cheveux longs : « Pendant tout le temps de son vœu de naziréat, le rasoir ne passera pas sa tête... il sera saint et laissera croître librement les cheveux de sa tête. »

Il referma la bible et se tourna vers Sally en souriant.

— Cela justifie sans doute... Comment appelle-t-il cette infâme coiffure ? Les *dreadlocks ?*

— Cela le justifie, n'est-ce pas ?

— Mais, chère jeune femme, on peut se tromper de façon lamentable si l'on choisit un seul verset de la Bible pour trancher sur tout. Quand les jeunes loubards ont cité ce verset à leurs aînés, des érudits de notre Église ont recherché dans la Bible d'autres instructions précises sur les coupes de cheveux ordonnées aux hommes. Et dans le Lévitique, le grand recueil des lois, ils ont trouvé au chapitre VIII, versets 8 et 9, les paroles suivantes : « Voici comment tu agiras à leur égard pour les purifier : fais sur eux une aspersion d'eau lustrale ; qu'ils se passent un rasoir sur tout le corps, qu'ils lavent leurs vêtements et qu'ils se purifient... » Ton rastafarian pourrait tirer profit de ces admonestations.

Sally prit la Bible, lut les passages et sourit, mais le chanoine n'en avait pas terminé.

— Mais comme il arrive souvent dans la Bible, c'est le vieux saint Paul qui a réglé la question avec son solide bon sens, dans la première Épître aux Corinthiens, si je me souviens bien. Le passage a été souvent cité quand les cheveux longs ont apparu dans les rues. Oui, chapitre XI, verset 14 : « La nature elle-même ne vous enseigne-t-elle pas qu'il est déshonorant pour l'homme de porter les cheveux longs ? »

Sally voulut voir le texte, et le pasteur lui dit avec compassion :

— Un ministre de Dieu de mon âge a vu des dizaines de sectes apparaître et disparaître. Celles qui s'appuient sur des versets choisis dans Daniel et dans l'Apocalypse sont les plus pernicieuses. Mais leur erreur est compréhensible. Certaines personnes ont du mal à se soumettre aux enseignements rigides des catholiques romains et des baptistes d'Amérique. Les gens ne sont pas tous prêts à s'imposer une discipline conforme à la vérité telle qu'elle a été distillée au cours de vingt siècles. Et ils bâtissent alors leurs propres religions apocalyptiques — feu, enfer, chariots d'or, cent quarante-quatre mille ceci ou cela — et je suppose qu'à long terme, ils ne font guère de mal à la société dans son ensemble. Mais, bon Dieu, sur le moment, comme ils peuvent parfois être destructeurs !

Au moment où Sally se leva pour partir, il ajouta :

— J'ai entendu parler des prédictions de ce type concernant l'Éthiopie, et on peut sans doute trouver des versets qui confirmeraient ses rêves les plus fous, mais dans Sophonie, un des douze « petits » prophètes et l'un des moins connus, le sort de l'Éthiopie de ton rastafarian se trouve réglé : « Le Seigneur se montrera terrible à leur égard, il abaissera tous les dieux de la terre... Et vous aussi, les Éthiopiens ! — Mon épée les a transpercés. »

Il la raccompagna à la porte.

— Sally, lui dit-il aimablement, nous pourrions à tous les deux, avec nos ciseaux et notre colle, construire une nouvelle religion merveilleuse. Nous n'utiliserions que les parties nobles de la Bible : le Deutéronome, les Psaumes de saint Luc, les Épîtres de saint Paul. Mais bien entendu cette religion d'aujourd'hui existe déjà. On l'appelle le christianisme.

Dans les semaines qui suivirent la balade dans le nord de l'île, le rastafarian fit l'objet de soupçons à Bristol Town. Harry Keeler, responsable du développement touristique, s'arracha les cheveux quand une femme blanche un peu grassouillette, venue de New York sur un bateau de croisière scandinave, fut bousculée dans la rue par un grand gaillard couleur de charbon qui lui lança : « Retourne chez toi, grosse truie ! » Comme elle le toisait du regard, suffoquée, il avait ajouté : « On ne veut pas de gros porcs blancs dans notre île. »

L'incident provoqua un tollé général, car chacun comprit sur-le-champ le mal que cela pouvait faire à la principale activité du pays. Quand on lui rapporta les faits, Keeler sauta à la conclusion que le noir en question devait être le rasta, mais l'enquête prouva qu'il n'en était rien. Plusieurs îliens avaient reconnu le coupable et celui-ci nia toute relation avec Grimble.

Keeler passa aussitôt à l'action sans solliciter l'approbation de quiconque. Il se rendit à bord du bateau de croisière, le *Tropic Sands* d'Oslo, et présenta des excuses au capitaine, au directeur de la croisière et à tous les officiels qu'il rencontra.

— Ce genre d'incident ne se produit jamais à All Saints. C'est une attitude honteuse, une aberration qui ne sera pas tolérée. Vous pouvez en être certains.

Un officier le conduisit à l'infirmerie du bateau où la touriste de New York se reposait après avoir pris un sédatif léger. Keeler prit sa décision sans hésiter :

— Madame, je comprends la frayeur que vous avez eue. Bousculée et insultée ainsi par un inconnu ! Je partage vos sentiments et je suis écœuré, parce que nous ne tolérons pas ce genre de chose dans notre île. Voici ce que nous allons faire pour obtenir votre indulgence : les habitants de l'île vont vous rembourser les frais de votre croisière. Et comme le *Tropic Sands* n'appareille pas avant onze heures ce soir, le gouverneur général vous invite à dîner à la résidence du gouvernement, ainsi qu'un ami de votre choix. À sept heures précises. J'enverrai un taxi vous chercher.

Il retourna auprès du capitaine, l'invita également à dîner, puis descendit à terre en toute hâte pour prévenir le gouverneur général de ce qu'il venait de faire et s'excuser de ce qu'il appela sa « décision unilatérale ».

Le dîner fut une réussite totale. La femme offensée, une certaine Mrs. Gottwald, responsable du comité des voyages d'une importante synagogue de New York, avait organisé la croisière aux Antilles à bord du *Tropic Sands* pour un groupe de quarante-sept personnes. Et elle devint soudain une personne de grande importance, non seulement pour le bateau mais pour l'île, car elle se révéla fort bien informée.

— Les gens comme moi, expliqua-t-elle, et nous sommes très nombreux à choisir les endroits où nos groupes partiront en vacances, sont extrêmement (elle insista sur le mot) attentifs aux comptes rendus de la presse. Les prises d'otages dans les avions ont tué la Méditerranée. Nous ne pourrions convaincre nos habitués d'y aller en croisière. Personne ne va plus à Haïti à présent. Les troubles déplorables de la Jamaïque ont détruit le tourisme pendant quelque temps, mais nous commençons à y revenir : nous conduisons les gens seulement sur la côte nord de l'île, jamais dans une ville comme Kingston, où ils pourraient avoir des ennuis.

Le capitaine Bergstrom précisa :

— Nos compagnies de navigation trouvent de plus en plus avantageux d'acheter ou de louer une île déserte ou un coin isolé dans une île où l'on peut s'attendre à des troubles, comme Haïti ou la Jamaïque. Nous y construisons une oasis de rêve pour les vacanciers. Ils ne quittent pas cette enceinte de murs et voient seulement les noirs qui font partie du personnel...

Le ton avec lequel il décrivait cette nouvelle forme de tourisme indiquait qu'il ne l'appréciait guère, mais Mrs. Gottwald l'élimina d'emblée comme solution valable des problèmes :

— Jamais je n'emmènerai les membres de mon groupe dans un de ces endroits isolés. Et ils n'auraient pas envie de s'y rendre. Ils aiment voir la vie telle qu'elle est : le mélange merveilleux comme celui de votre rue principale. Ils veulent rencontrer des noirs et des café-au-lait. Sinon ils préfèrent rester chez eux.

Ces paroles provoquèrent un commentaire favorable, en particulier du gouverneur général noir. Mais elle ajouta un avertissement dont devait tenir compte toute île désireuse de maintenir ses activités touristiques :

— Jamais je n'oublierai ce qui s'est passé il y a quelques années à Sainte-Croix dans les îles Vierges américaines. Mon groupe, soixante à soixante-dix personnes, se trouvait à Saint-Thomas ce jour-là, et nous avons été terrifiés quand la nouvelle s'est répandue sur les quais et sur tous les bateaux de croisière amarrés. Des voyous noirs armés de pistolets-mitrailleurs avaient attaqué les invités du club de luxe *Rockefeller* à Sainte-Croix. Des cadavres partout. Cela a tué les îles Vierges pour la saison, et même maintenant nous ne parvenons pas à convaincre les gens d'y faire une excursion d'une journée.

Le gouverneur prit la parole :

— J'espère vraiment, Mrs. Gottwald et capitaine Bergstrom, que vous pourrez nous aider à éviter toute publicité désastreuse.

Il avait fait ses études à Oxford et parlait avec le plus charmant accent du monde : de l'oxford pur adouci par le soleil des Caraïbes.

— Bien entendu, si des incidents comme celui d'aujourd'hui devaient se reproduire, il faudrait les mentionner, et nous serions tenus par l'honneur de les publier malgré le tort que cela porterait sans doute à notre île. Mais je vous donne ma parole que nous ne permettrons pas que pareille chose se reproduise.

Le capitaine Bergstrom sourit et leva son verre.

— Vous avez sur nous un avantage fantastique, gouverneur. Nos grands bateaux doivent s'arrêter quelque part. La Méditerranée nous est pratiquement fermée et l'Orient est trop loin. Quel choix nous reste-t-il pour attirer les voyageurs comme Mrs. Gottwald et son groupe ? Trois destinations seulement : l'Alaska en été, le Mexique et le canal de Panamá à la mi-saison et vos Antilles en hiver... Mais si la situation dégénère, ajouta-t-il, si nos passagers sont insultés quand ils descendent à terre, nous sauterons votre île, tout comme nous avons été contraints de sauter Haïti.

Quand le groupe fut parti, le gouverneur retint Keeler.

— Cher ami, vous m'avez rendu un fier service en invitant à dîner ces personnes qualifiées. Elles m'ont appris beaucoup de choses. Je suis certain qu'en tant que responsable de ces questions dans notre île, vous avez bien écouté. Prenez toutes les mesures nécessaires à la protection de nos visiteurs et au maintien du bon renom de notre île.

Le lendemain matin à sept heures, Keeler était déjà dans le bureau du commissaire de police Thomas Wrentham.

— Avez-vous arrêté le coupable ?

— Facilement.

— Quelqu'un l'a interrogé ?

— Moi-même.

— Résultat ?

— Je suppose que vous voulez savoir s'il a été influencé d'une manière ou d'une autre par le rastafarian ?

— Exactement.

— À l'entendre, je suis enclin à le croire, il n'a jamais vu le bonhomme.

— Était-il sous l'effet de la marijuana ?

— La marijuana n'a jamais posé de problème dans cette île, vous le savez.

— Mais avec le rastafarian qui prêche ses doctrines, cela ne tardera pas.

— J'en conviens. Mais dans ce cas, probablement aucune relation.

— Alors pourquoi a-t-il attaqué cette femme blanche et lancé des paroles insultantes ?

Wrentham se pencha en arrière et réfléchit à la question.

— Parfois les choses sont dans l'air... Des bruits qui courent en provenance d'autres îles, des émissions de radio sur le terrorisme, un article dans le *Time* ou dans *Newsweek*...

— Ou la visite d'un rasta, suggéra Keeler.

— À notre époque, dans une île comme celle-ci, c'est en général ce qu'il se passe, répondit le commissaire.

Il prit dans un tiroir de son bureau un rapport que lui avait adressé son homologue de la Jamaïque.

— Jetez un coup d'œil là-dessus.

Keeler prit le dossier.

> *Une étude détaillée des antécédents de Ras-Négus Grimble révèle que son grand-père était un marin anglais qui avait déserté son bateau à Kingston en 1887, à l'âge d'environ trente-neuf ans. Il s'est mis en ménage avec une noire qui lui a donné trois enfants. Un des petits-fils a épousé une noire qui a mis au monde Hastings Grimble, connu maintenant sous le nom de Ras-Négus.*
>
> *Dans son adolescence, il est tombé sous le charme du célèbre chanteur jamaïcain de reggae Bob Marley et de son groupe, The Wailers. À plusieurs reprises il a remplacé l'un des chanteurs du groupe mais sans obtenir la place à titre permanent. Nous l'avons soupçonné de fournir la* ganja *à l'équipe de Marley et il a apparemment organisé une assez importante opération de vente en gros de marijuanua jamaïcaine sur le marché des États-Unis. On sait que de petits avions rapides se sont posés dans les hautes vallées proches de son village natal, Cockpit Town. Mes hommes n'ont jamais pu appréhender les pilotes de ces avions, ni Grimble, mais nous sommes certains qu'il les approvisionnait.*
>
> *Nous pensons qu'il a quitté la Jamaïque pour une seule raison : nous étions sur le point de le coincer. S'il a décidé d'installer son « affaire » sur votre île, attendez-vous à un commerce important de marijuana. Mais il prêche également la guerre raciale et nous pensons qu'il se trouvait à l'origine des incidents les plus odieux de notre déplorable affaire, il y a quelques années. Prenez garde.*
>
> *Quant à son engagement profond dans les questions religieuses, nos indicateurs nous assurent qu'il est sincère. Il croit vraiment que Haïlé Sélassié est l'incarnation de Dieu et que les noirs prendront bientôt le pouvoir dans toute l'Afrique et le reste du monde.*
>
> N.B. : *Non seulement il prêche, mais il croit absolument que la police est la Grande Babylone qu'il faut détruire. Je n'ai pas pu découvrir d'où il sort cette idée, mais des amis m'ont assuré que c'est du livre de l'Apocalypse, dans la Bible. Quoi qu'il en soit, partout où ses pareils apparaissent, la police est certaine d'avoir des ennuis. Mon conseil : chassez-le de votre île.*

Quand Keeler lui rendit le rapport, Wrentham lui demanda :

— Votre impression ?

— J'ai très peur. Et pour deux raisons. L'incident d'hier avec Mrs. Gottwald aurait pu être dévastateur pour notre tourisme ; s'il se répète, nous sommes finis. D'autre part, j'ai l'impression que la maladie rasta fait surface dans de nombreux domaines inattendus.

— Que faire ?

— L'expulser.

— Ce n'est pas si facile. Il y a des règles à respecter. Il faudrait qu'un juge rende un arrêt, et aucun juge noir n'aime faire une chose pareille à un autre noir. Cela rappelle trop l'époque où les blancs pouvaient décider de l'endroit où chacun devait vivre.

— Alors essayons de prouver qu'il existe une relation entre le rasta et l'homme d'hier. Si nous y parvenons, nous pourrons porter plainte en justice et requérir l'expulsion. Le juge pourra me citer à comparaître et je confirmerai que notre industrie touristique serait compromise si on laisse cet homme dans la nature plus longtemps. Cela devrait suffire.

Trois mois s'écoulèrent sans que le colonel Wrentham et Harry Keeler puissent concevoir une tactique pour se débarrasser du rastafarian qu'ils avaient sur les bras. Et le problème avait pris entretemps un tournant spectaculaire dans deux voies complètement nouvelles, si bien que le chanoine Tarleton et son épouse se trouvaient maintenant impliqués. Un jeudi matin de la fin mars, ils avaient reçu dans leur presbytère et tenté de consoler sans succès une jeune femme membre de leur Église qui semblait complètement désemparée. Il s'agissait de Laura Shaughnessy, charmante petite-fille d'un jeune aventurier irlandais venu dans l'île au siècle précédent. Après une querelle avec le prêtre catholique, il s'était converti à l'Église anglicane, s'était marié à une noire et avait engendré une ribambelle d'enfants et de petits-enfants qui faisaient honneur à son nom.

Laura, secrétaire de confiance dans les services du gouverneur, avait toute une cour de prétendants et l'embarras du choix — les Tarleton se demandaient parfois qui elle épouserait. Mrs. Tarleton estimait que la jeune fille se montrait trop hardie : elle acceptait par exemple des rendez-vous avec les jeunes officiers des navires de croisière et chacun sait que « ce genre d'aventures n'aboutit jamais à rien ». Mais le chanoine la défendait : « C'est une bonne jeune fille qui essaie seulement de chercher sa voie. Tu verras, elle épousera le meilleur jeune homme de l'île. »

Et quand il devint manifeste que Harry Keeler s'établirait à All Saints, Tarleton prédit : « Ne t'étonne pas si Laura lui met le grappin dessus. Un couple parfait. »

Cela ne s'était pas produit — et Laura se trouvait maintenant en face d'eux, en larmes. Elle était enceinte, n'avait aucun désir d'épouser l'homme responsable, dont elle n'avait pas révélé le nom, et les options entre lesquelles elle devait choisir l'atterraient. Mais elle s'était adressée aux deux personnes les plus susceptibles de l'aider.

— La première chose dont tu dois te souvenir, lui assura Mrs. Tarleton, c'est que Dieu a toujours voulu que tu aies des enfants. Peut-être pas dans ces conditions, mais tu es à présent engagée dans un processus sacré, un des plus magnifiques de la nature, et cela doit t'emplir de joie. Tu accomplis ton destin.

— Mais...

— Tout le reste passe après, Laura. Crois-moi, car je parle en femme qui a enfants et arrière-petits-enfants : Dieu te sourit en ce moment. Le fruit que tu portes Le remplit de joie. Essex, ne voudrais-tu pas dire quelques mots de prière ?

Il prit les mains de son épouse et celles de Laura, puis pria que Dieu bénisse l'enfant dans le sein de Laura et lui donne vie. Il parla des joies de la maternité en dépit de difficultés temporaires et assura à Laura que Dieu, les Tarleton et tous les gens raisonnables la soutiendraient sans réserve. Ensuite, sans lâcher la main de la jeune femme, il lui dit d'un ton rassurant :

— Tu dois comprendre, Laura, que ma femme et moi avons eu de nombreuses visites du même genre dans le passé. Ce n'est pas la fin du monde. Simplement un problème à affronter, et comme pour tous les problèmes de ce genre il existe des solutions.

Les Tarleton lui expliquèrent qu'elle avait plusieurs options. Elle pouvait mettre l'enfant au monde ici, à All Saints et laisser le scandale s'éteindre lui-même, car il s'éteindrait en peu de temps, mais cela lui compliquerait la tâche de trouver un mari dans l'île ; dans ce genre de cas, les jeunes filles devaient presque toujours se marier « plus bas qu'elles dans la hiérarchie de la couleur de peau ».

— Mais elles trouvent toujours un bon mari si ce sont vraiment des braves filles, assura Mrs. Tarleton.

— Et tu es une brave fille, ajouta son mari.

Ou bien elle pouvait agir comme plus d'une l'avait fait dans le passé : quitter All Saints sur-le-champ, prendre un emploi, n'importe lequel, à Trinidad, la Barbade ou la Jamaïque, mettre son bébé au monde le plus discrètement possible, le confier à un service d'adoption puis revenir dans l'île au bout d'environ deux ans, se marier et mener une vie normale.

— Tu n'imagines pas le nombre de jeunes femmes qui ont agi ainsi. Et trois d'entre elles se trouvent maintenant à la tête de notre Église. Sais-tu pourquoi ? Parce que Dieu les a bénies dès le départ, exactement comme Il te bénit.

Ils explorèrent d'autres possibilités, mais au bout du compte, le chanoine revint à celle qui demeurait la plus proche de sa foi :

— Sans aucun doute, Laura, la meilleure voie, celle que Dieu a toujours désiré que tu prennes, serait d'épouser ce jeune homme et de mener une existence chrétienne dans...

— Impossible, coupa-t-elle.

— Pourquoi ? s'écrièrent les deux Tarleton.

— Parce qu'il refuserait de m'épouser. Jamais ce ne serait possible.

— Qui est-ce ? J'irai lui parler.

— Le rastafarian.

Le révérend Tarleton resta sans voix. Pas plus tard que la veille il avait reçu un rapport de l'Église de la Jamaïque sur Ras-Négus Grimble, et les renseignements lui brûlaient encore l'esprit.

> *Nous nous félicitons que vous ayez demandé des renseignements supplémentaires sur cet individu. Il y a quelques années, il s'est plus ou moins lié d'amitié avec notre célèbre chanteur de reggae Bob Marley et ils ont « découvert » ensemble plusieurs textes bibliques comme le verset fondamental de la Genèse : « Il les créa mâle et femelle. Et Dieu les bénit, et Dieu leur dit : croissez et multipliez. » Ils utilisèrent ces citations pour bâtir une doctrine qui prêchait : « Le rasta doit avoir le plus grand nombre possible d'enfants et aider les femmes à faire de même. » Votre homme, Ras-Négus Grimble, a fait ce qu'il a pu, car nous connaissons huit enfants qu'il a engendrés en dehors du mariage. Quand nous l'avons interrogé à ce sujet, il a répliqué à une de nos assistantes sociales, en ma présence : « Dieu m'a ordonné d'avoir des enfants. C'est mon affaire. Et c'est la vôtre de trouver les moyens de les élever. »*

Tarleton se tourna vers sa femme.
— Devons-nous lui montrer la lettre ?
— Je crois.
Il la tendit à Laura sans commentaire, et il vit, à mesure qu'elle lisait, son beau visage passer de la surprise à la colère.
Quand elle eut terminé, elle replia la lettre avec soin et demanda d'une voix très calme :
— En tant qu'homme de Dieu, où pouvez-vous m'envoyer pour que je puisse avorter ?
Aucun des Tarleton n'esquiva la responsabilité impliquée par cette question. Le pasteur prit la main de Laura et lui dit :
— Il vaudrait mieux, mon enfant, que tu gardes le bébé. Mais à deux reprises dans mon ministère j'ai été contraint de donner le conseil de le supprimer. La première fois, la jeune fille était enceinte de son père ; et la deuxième fois c'était une enfant de quatorze ans seulement, violée par son frère idiot. Aujourd'hui, tu es enceinte d'un démon. Je te donnerai une adresse où tu pourras te rendre, à Port of Spain, Trinidad. Maintenant, prions.
Cette fois, ils s'agenouillèrent, et il dit simplement :
— Dieu du ciel, qui as assisté à notre conversation depuis le début, pardonne-nous tous les trois de nous départir de Tes enseignements, mais nous nous trouvons confrontés à des problèmes entièrement nouveaux, et nous nous efforçons en toute sincérité de faire de notre mieux. Bénis Ta servante Laura. C'est une femme bonne et elle a devant elle une vie qui représente un grand potentiel. Bénis mon épouse et moi-même, car nous n'avons pas souhaité ces difficultés et nous ne les avons pas abordées à la légère.
Laura se leva pour prendre congé. Les deux Tarleton l'embrassèrent.
— Si tu as besoin d'argent pour le billet d'avion nous pouvons t'aider, dit le chanoine.
— Je me débrouillerai, répondit-elle.

La présence du rastafarian posa un dilemme à une autre personne : Lincoln Wrentham, le frère de Sally et son aîné de huit ans, propriétaire du *Waterloo*. Au cours du premier mois du séjour de Grimble à All Saints, Lincoln avait à peine remarqué sa présence. Une ou deux fois il avait aperçu sa silhouette longiligne particulière se glisser de façon plus ou moins furtive dans les petites rues, et après le scandale de la touriste américaine du *Tropic Sands*, il avait entendu raconter que l'incident avait été déclenché par les prédications du rasta. C'était un homme dont les affaires dépendaient de plus en plus de l'afflux incessant de voyageurs américains, et il s'inquiéta au point d'aller voir Harry Keeler pour lui demander d'intervenir :
— Vous devez faire quelque chose au sujet de ce type.
Harry en convint, mais lui fit observer :
— N'est-ce pas davantage le travail de votre père que le mien ?
Lincoln dut en convenir, et se rendit tout de go au bureau de son père. Il y apprit avec plaisir que la police tenait le Jamaïcain à l'œil.
— La moindre agitation, le moindre ennui, il file de cette île, assura le commissaire Wrentham à son fils.
Les choses en restèrent là. Mais quelques jours plus tard, alors qu'il

servait au bar du *Waterloo,* Lincoln surprit une conversation entre deux clients au sujet du rastafarian.

— Je crois qu'il sort avec Sally Wrentham, lança l'un d'eux.

Lincoln se rapprocha pour mieux entendre, mais les deux hommes ne firent plus aucune allusion à sa sœur.

Profondément troublé, il passa au bureau de son père pour lui demander s'il était au courant des sorties de Sally.

— Sally est allée à plusieurs endroits, à des matchs de cricket par exemple, avec le jeune Harry Keeler, et j'en suis ravi. Le rastafarian ? Sally n'est pas le genre de fille à sortir avec lui, voyons !

L'enquête de Lincoln s'arrêta là, mais la confiance dans le bon sens de Sally que son père et lui-même avaient exprimée se trouvait fort mal placée, car au moment même où ils en discutaient, elle était de plus en plus liée à Ras-Négus, pas sur le même plan que Laura Shaughnessy, mais parce qu'elle sondait avec lui la profondeur et l'importance de sa vision sur l'avenir des noirs du monde et en particulier des Caraïbes.

Elle le rencontrait après son travail et ils discutaient parfois jusqu'à minuit. D'autres fois, elle fermait simplement les yeux et écoutait son interprétation de quelque reggae de Bob Marley — les échos de la caisse vide résonnaient dans sa tête quand Ras-Négus marquait le rythme. Mais presque toujours, que leur rencontre ait commencé par des discussions ou de la musique, elle s'achevait par *Four Hundred Years.* Régulièrement il essayait de faire l'amour avec elle, mais ce qui s'était passé à l'arrière de la voiture de Laura avait mis fin à toute dérive de ce genre. Ce qui attirait Sally et l'incitait à revenir discuter avec lui était ses conceptions extraordinaires sur la vie en général, sa conviction que les noirs étaient capables de gérer leurs propres affaires, et sa certitude que la domination par la race blanche touchait à sa fin. Sans expérience en dehors de ce qu'il avait vécu à la Jamaïque, il ne savait pas que plus de la moitié du monde n'est composée ni de noirs ni de blancs anglo-américains, mais d'Asiatiques, pourtant l'intensité de ses pensées relatives au petit monde des Antilles lui conférait une certaine autorité, que Sally désirait partager.

Elle avait été élevée sans aucun préjugé racial ou social. Son grand-père Black Bart avait été anobli en raison de sa conduite exemplaire pendant la Seconde Guerre mondiale et le bruit courait que son père, le commissaire, serait sans doute proposé pour les fonctions de gouverneur général. Elle avait donc pu observer les effets de la libération dans sa propre famille, et l'acceptation de la peau noire ou plus ou moins foncée. Mais qu'allaient faire les noirs de leur liberté ? C'était une tout autre histoire, et Sally s'était souvent demandé depuis quelque temps si une île minuscule comme All Saints, avec seulement cent dix mille habitants — moins qu'une ville moyenne d'Amérique ou d'Angleterre —, pourrait exister longtemps sans s'associer à huit ou neuf îles de taille semblable pour constituer une sorte de fédération. Et si cela se produisait, ce qui semblait hautement improbable, de quoi vivrait-on ? Quelle industrie pourrait s'épanouir dans une arène aussi exiguë, à part le tourisme — et le tourisme constituait-il une base viable pour une société ?

Ces questions avaient de quoi vous tourner la tête, et l'on aurait pu croire que Sally s'adresserait à son ami Harry Keeler pour en connaître les réponses. Elle n'en fit rien pour une excellente raison : elle avait déjà abordé ces questions avec lui et tous les commentaires du jeune homme portaient la marque de l'expérience coloniale britannique. Elle n'avait pu tirer de Keeler que les idées classiques des blancs. Elle ne pouvait pas non plus discuter sérieusement de ces problèmes avec son père ou son frère, parce qu'ils s'étaient laissé entraîner dans la continuation du colonialisme blanc sous une forme plus subtile : son père à cause de sa nomination à un poste élevé avec promesse d'une promotion encore plus brillante; son frère parce qu'il avait besoin des touristes pour que son affaire fasse des bénéfices.

Ce dont elle avait besoin en fait, à ce moment-là de sa vie, c'était de six heures pleines avec Marcus Garvey, le farouche philosophe noir de la Jamaïque, mais il était mort depuis longtemps; ou bien avec Frantz Fanon, le penseur révolutionnaire de la Martinique, mais il était mort lui aussi. Ces deux hommes auraient compris à la fois où elle en était et ce à quoi elle aspirait, même si leurs écrits ne donnaient pas de réponses spécifiques à la galaxie de problèmes nouveaux qui s'étaient déclarés depuis leur mort. À leur place elle avait le rastafarian dont la vitalité sauvage était à un niveau beaucoup plus bas d'intellectualisme. Elle n'ignorait pas que le comparer à Garvey ou à Fanon était ridicule, mais elle sentait que ses paroles contenaient parfois une vérité subtile, et notamment sa déclaration : « Je suis le saint Jean-Baptiste des Îles-au-vent et Sous-le-vent. » Elle ne croyait guère qu'il pourrait passer pour le précurseur d'un mouvement religieux sérieux, mais elle était beaucoup moins pessimiste sur sa capacité d'inspirer une action politique ou au moins une remise en cause des valeurs, et elle avait besoin d'en apprendre davantage sur sa pensée.

Donc, sans même procéder à un choix conscient, elle se lança dans un double jeu dangereux, bien entendu sans aucune intention perverse. Dans le cadre de sa vie normale, au bureau, et pour les sorties ordinaires de chaque semaine, elle encouragea les assiduités d'Harry Keeler qui l'intéressait dans la perspective d'un mariage sérieux; mais tard dans la nuit ou bien quand Harry était retenu par son travail, le soir, elle recherchait le rastafarian pour discuter avec lui. Elle repoussait facilement ses avances incessantes, et ayant bien précisé ce qui l'intéressait dans leurs rencontres, elle trouvait ses réactions aux problèmes de l'île tout à fait raisonnables et saines — chaque fois que la religion et la sexualité n'étaient pas en cause.

Un matin en s'habillant, elle songea qu'il serait sans doute utile d'inviter Ras-Négus à visiter le sud de l'île avec Laura Shaughnessy comme ils avaient fait pour le nord, mais lorsqu'elle alla voir Laura pour lui en parler, elle apprit que son amie venait de quitter l'île pour un séjour prolongé chez des cousins, à la Jamaïque ou à la Barbade.

Elle alla donc chercher Grimble toute seule, dans la maison minuscule où il vivait avec la famille d'une de ses compagnes d'occasion. Sally découvrit, fort étonnée, que le prophète ne savait pas conduire. Pour expliquer cette carence il passa à l'argot jamaïcain de la rue, et Sally se dit : « Cela le touche profondément. Il redevient enfant. »

— À l'époque, j'avais rien. La mère travaillait tout le temps. Pour gagner peau de balle. Jamais pu conduire une bagnole, jamais appris.

— Peu importe, je conduirai, lui répondit-elle.

Ils prirent la nouvelle route qui reliait York à l'aéroport et dès le départ, elle dut le repousser vivement quand il essaya de glisser la main sous sa robe.

— Garde ça pour les autres, Grimble.

Puis elle amorça la longue conversation qui se prolongerait presque sans interruption jusqu'à leur retour à Bristol Town.

— Que crois-tu qu'il va se produire aux Antilles, Grimble ?

Il tenta de répondre en citant certains passages obscurs de l'Apocalypse, mais elle coupa court :

— Pas de ces salades ! Tu le sais aussi bien que moi : dans deux cents ans les États-Unis existeront toujours et fonctionneront d'une manière ou d'une autre. Tu sais aussi qu'il y aura encore à Rome un pape disposant de plus ou moins de pouvoir. Et nos îles seront encore ici, peuplées en majorité de noirs, avec peut-être cinq cent mille Indiens de plus, venus d'Asie. Ce que j'aimerais savoir, Grimble, c'est le genre de monde que nous aurons, nous les noirs.

Il protesta, presque avec colère :

— Je n'aime pas « Grimble ». Je m'appelle Ras-Négus.

Elle s'excusa.

— Désolée, cher ami. Un homme a le droit de se faire appeler comme il le désire. Mais tes prédictions ?

— Au bon vieux temps, beaucoup de noirs des îles sont allés travailler dans les champs de canne à sucre de Cuba, ont participé à la construction du canal de Panamá, sont partis vivre dans les jungles d'Amérique centrale, ont coupé du bois de campêche pour la teinture ou de l'acajou pour les meubles. La plupart ne sont jamais revenus. Ensuite le même genre d'hommes est allé à New York ou à Londres, et a travaillé dur pour envoyer le plus d'argent possible à la maison. Mais comme les autres, ils ne sont jamais revenus. Dans les îles, tout restait en équilibre. Des enfants naissaient, les hommes s'en allaient, il y avait de la place pour chacun. Mais à présent...

— Ras-Négus, demanda Sally, quel âge as-tu ?

— Vingt-cinq ans.

— Tu es intelligent et capable. Je m'en suis aperçue dès le premier abord. À l'époque dont tu parles, tu aurais quitté la Jamaïque pour l'aventure à Panamá ou tu serais parti à Londres.

Il en convint.

— Si quelque chose de grand démarre au Brésil, j'y vais demain

Elle n'accepta pas ce faux-fuyant.

— Il ne se passera rien de « grand » au Brésil, à Cuba ou aux États-Unis. Et si c'était le cas, on verrait l'Amérique centrale s'y ruer pour s'emparer des emplois.

— Tu as sans doute raison. Londres est fermé, trop de chômeurs. Impossible d'aller à Trinidad, ils ne laissent entrer personne.

— Alors ?

— Bob Marley... Le Jésus-Christ des Antilles. Un grand bonhomme. Allé en Afrique...

Le souvenir de Marley le fit retomber dans l'argot jamaïcain et Sally cessa de comprendre. Elle protesta.

— Beaucoup d'effet sur lui, dit-il. Formidable, l'Afrique. Il me l'a avoué à son retour : « Nous devrions tous partir en Afrique. Comme le disait Marcus Garvey. Je veux dire tout le monde à la Jamaïque. On se lève et on s'en va. » Je commence à penser comme lui.

— T'es-tu demandé combien de paquebots il faudrait pour déménager la Jamaïque en Afrique ?

— Avec de l'énergie, oui, peut-être avec beaucoup d'énergie ce serait possible.

Lorsqu'ils arrivèrent à l'aéroport, situé à l'extrémité sud de l'île, elle interrompit le dialogue par une proposition qu'il accepta de grand cœur :

— Allons prendre un sandwich. Je t'invite.

Mais devant le comptoir, il commanda non seulement un sandwich à la viande, mais un grand bol de chili, une portion de frites, une tranche de gâteau au chocolat et un grand verre de lait. Sally s'étonna :

— Je croyais que tu prenais seulement les aliments naturels.

— C'est la fête ! Et avec une jolie fille, expliqua-t-il.

Elle remarqua qu'il versait cependant tout ce qu'il mangeait dans sa noix de coco avant de le porter à ses lèvres. Il ne proposa pas de participer financièrement à ce qu'il appelait « la fête », car il n'avait pas d'argent, comme d'habitude. Mais il mangea comme un affamé et voyant que Sally ne finirait pas son copieux sandwich, il l'engloutit également.

Sur le chemin du retour, vers le nord, ils s'arrêtèrent de nouveau, à l'hôtel de luxe de Pointe-Neuve, où Sally lui offrit un citron pressé. Puis elle en revint à sa question :

— Qu'allons-nous devenir dans les Antilles ?

Toutes les autres options étant exclues, il répondit :

— La population augmentera. C'est certain. Puis les gens iront à Trinidad, même si l'on ne veut pas de nous là-bas. Peut-être au Venezuela et aussi en Colombie. A Cuba, bien entendu. Peut-être aux États-Unis comme les gens de Haïti.

— Tu crois que ces pays nous laisseront entrer ?

— Ils auront intérêt, répliqua-t-il. Ils n'auront pas le choix.

— Je crois que tu découvriras, au contraire, qu'ils ont beaucoup d'autres choix. Des canons le long des côtes, par exemple.

— Possible. Mais je me suis laissé dire que les canons de Floride n'ont arrêté ni les Cubains ni les Haïtiens.

— Et qu'avez-vous d'autre en tête, Bob Marley et toi ?

— Marley n'est pas un homme politique, mais la pure voix rasta de Jah. C'est certain.

— Je veux savoir, Ras-Négus. Quoi d'autre ?

Au moment où elle posa la question, ils roulaient lentement le long de la côté splendide de la mer des Caraïbes, un monde de soleil, d'arbres penchés, avec des aperçus soudains sur le morne Jour, au nord...

— Nos îles sont trop belles pour qu'on les perde ! s'écria Grimble brusquement.

Et Sally remarqua qu'il parlait un anglais parfait.

— Bien sûr, confirma-t-elle. Mais qu'allons-nous faire pour les conserver ?

— Tu as des idées sur le communisme ?

— Guère. Sauf que ça ne semble pas bien marcher à Cuba. Pourquoi ?

— Je me le suis demandé. Peut-être avons-nous besoin de quelque chose de différent, dans nos îles. Les choses que nous faisons maintenant, comme le sucre et le tabac autrefois, appartiennent peut-être à un passé... révolu. Sans retour, comme la bauxite à la Jamaïque. Quand j'étais enfant, tous les hommes de mon village cherchaient des emplois dans les mines de bauxite. De gros bateaux venus du nord accostaient à la Jamaïque, chargeaient notre bauxite et l'emportaient vers les grandes fonderies d'aluminium de Philadelphie, pour faire des poêles à frire et le reste. A présent, terminé. Suppose que tu sois paysanne. Tu ne veux pas travailler dans la bauxite, tu veux cultiver des bananes dans les collines. Autrefois, de gros bateaux venaient dans les mêmes ports que pour la bauxite, Fyffe & Elder transportaient nos bananes à Liverpool et à Marseille. A présent, terminé. A l'époque, tout le monde avait du travail, tout le monde était content. Maintenant, plus rien.

Il leva la mains en un geste de désespoir puis prit son luth et se mit à chanter *Four Hundred Years*. Sally se joignit au chant et ils arrivèrent au charmant promontoire de la pointe Sud, l'un des rochers qui gardent la baie du Soleil. De là ils regardèrent les bateaux passer de la mer des Caraïbes dans la baie, avec Bristol Town qui semblait scintiller au loin, le toit ensoleillé de Government House sur la colline et le *Club* à peine visible, derrière. Une vue qui réjouissait le cœur de tous les citoyens d'All Saints : même un étranger d'une autre île, comme Grimble, apprécia la grandeur sans pareille du décor.

Sally gara sa voiture sur un parking pavé proche du belvédère, d'où ils purent voir en même temps la ville vers l'est et la mer vers l'ouest. Poursuivant sa réflexion, elle lui demanda :

— Si le communisme cubain n'est pas la réponse — et je crains que ce ne le soit pas, ne serait-ce qu'à cause de la petite taille des autres îles et de leur éloignement qui les empêche de fonctionner comme un ensemble uni — que reste-t-il ?

Le rasta avait épuisé ses options : négritude, rastafarianisme, communisme. Il n'avait rien de plus à offrir aux îles antillaises dont les peuples n'étaient pas encore capables d'effectuer leur choix dans un monde complexe, ni de les mener à bien s'ils parvenaient à se décider. Aucun citoyen des Caraïbes n'avait franchi les étapes de formation qui avaient permis aux Japonais de s'écrier hardiment : « Nous pouvons construire des automobiles meilleures que celles de Detroit ! » Et aux Coréens de prétendre dix ans plus tard : « Nous pouvons fabriquer de l'acier de meilleure qualité et à meilleur prix que le Japon. » Les Antilles n'avaient aucun industriel noir, aucun ingénieur noir capable d'imiter l'entrée de Taiwan dans la concurrence internationale, dans la foulée des deux cités-États de Hong Kong et Singapour. Les habitants de cette mer enchantée demeuraient des paysans. Sans doute les plus sympathiques du monde mais avec un horizon qui se limitait aux travaux des champs : bêcher, tailler, transporter.

Sally, déconcertée de voir cet homme, au fond plein de bonne volonté, se perdre dans ses idées simplistes, essaya d'injecter un peu de sens pratique dans leur discussion.

— Ne pourrions-nous pas servir, par exemple, de « zone manufacturière » pour les grosses compagnies d'Angleterre et d'Amérique ?

— Elles sont Babylone. Il faut les détruire.

Sally se mit en fureur et ne s'en cacha pas.

— Grimble ! Pour l'amour de Dieu, arrête ce genre de salades. Fais travailler ta tête. Crois-tu que nous pourrions attirer des ateliers de confection de vêtements ou de montage de machines ?

— La Jamaïque avait de la bauxite. Ils sont repartis. A présent nous n'avons plus rien.

— Mais nous avons le peuple. Des hommes et des femmes capables, qui pourraient apprendre n'importe quoi.

— Nous avons des bananes, mais depuis que Fyffe & Elder sont partis, nous n'avons plus rien.

Sally voulut savoir si les îles des Antilles ne pourraient pas promouvoir des industries de montage, des techniques de pointe, en employant des femmes aux machines-outils. Ras-Négus lui expliqua que jamais les femmes ne seraient heureuses s'il leur fallait travailler dans des espaces clos :

— Elles aiment la vie au dehors.

Cette objection méprisante à sa proposition agaça Sally.

— Les femmes de Haïti fabriquent toutes les balles de base-ball utilisées dans les grands championnats des États-Unis. Pourquoi ne pourrions-nous pas lancer une industrie du même genre ?

— Les noires ont trop de fierté pour se rendre esclaves des blancs d'Amérique. Jamais.

Alors, comme beaucoup de gens raisonnables des îles, elle demanda :

— Pouvons-nous développer nos hôtels et nos plages pour attirer un nombre vraiment important de touristes, avec leurs dollars, leurs livres et leurs bolivars ?

Il écarta la proposition sans hésiter :

— Les noirs ont trop de fierté pour servir de domestiques à ces gros porcs blancs...

Sally explosa.

— Salaud ! Ce sont tes paroles que ce cinglé a criées en bousculant la touriste de New York. « Grosse truie blanche ! » Tu n'es venu dans cette île que pour créer des ennuis, et tu devrais avoir honte de toi. Je ne veux plus entendre parler de toi.

Et elle ajouta, en haussant le ton :

— Si je raconte ça à mon père, il te fera arrêter.

Elle descendit brusquement de voiture.

D'un pas hésitant, il la suivit vers le cap. Bientôt la colère de Sally s'apaisa. « À quoi bon lui poser des questions ? se dit-elle. Cela ne mènerait à rien. » Elle avait sondé les fonds de sa compréhension du monde, et l'avait trouvée fort mince. Mais il vint s'asseoir près d'elle pour lui parler des valeurs auxquelles il tenait vraiment, et elle fit une découverte essentielle : c'était lui, et non elle, qui se trouvait en harmonie avec la réalité fondamentale des Antilles. Elle se préoccupait seulement de la politique à court terme et de l'économie de l'avenir immédiat ; alors que Grimble se trouvait, d'une manière sans doute très primaire, en contact avec l'Afrique, les plantations de canne à sucre du passé, la lutte pour la liberté et les manifestations de la négritude, à un niveau fondamental auquel elle ne parviendrait jamais. Elle s'aperçut, en pleine lumière et dans la brise pure qui soufflait de la mer, qu'elle se trouvait à peu près dans le même état que dans la voiture de Laura Shaughnessy, dans le noir et enveloppée des vapeurs de la marijuana. Son analyse rigoureuse de la réalité antillaise, quelques minutes plus tôt, contenait au mieux une vérité métallique ; dans les paroles du rasta se trouvait une beauté porteuse de rêve et Sally se demanda si, par la musique, la *ganja* et les songes, cet homme ne comprenait pas mieux qu'elle les problèmes de leurs îles.

Il se mit à parler, comme pour lui-même, dans un redoutable mélange de glossolalie rasta, d'ancien vocabulaire africain et d'anglais révisé, mais Sally comprit le message :

— Les Antillais sont différents. Leur origine africaine les rend différents dès le départ. Les années terribles dans les plantations de canne n'ont fait qu'accentuer la différence entre eux et les blancs. Nous pensons de façon différente. Nos valeurs sont différentes. Nous vivons différemment. Et nous devons organiser notre existence d'une autre manière. Les blancs n'ont rien à nous apprendre. Nous menons la belle vie ici, nous trouvons l'argent pour acheter leurs radios, leurs télévisions, leurs Betamax Sony, leurs Toyota.

— Tout cela vient du Japon, non des blancs.

Ras-Négus, toujours contrarié quand on projetait la réalité sur ses rêves, fit la sourde oreille.

— Ainsi notre existence restera simple : des noirs qui vivent et travaillent avec des noirs. Nous réunirons toutes les îles, y compris Cuba et la Martinique, et nous dirons au monde : « Ceci est notre petit univers. Nous le gouvernons à notre manière. Restez à l'écart ! »

Et Sally dut poser la question redoutable et sans réponse :

— Où prendrons-nous l'argent pour vivre ?

Mais Grimble détenait une réponse, une réponse qui étonna Sally car il l'exprima avec une telle force poétique et des images si riches qu'elle ne put s'empêcher de lui accorder quelque créance :

— Quand nous étions en Afrique, nous existions, non ? Quand nous sommes venus ici dans les abominables bateaux des négriers, la plupart d'entre nous ont survécu, non ? Et quand nos parents ont travaillé comme des bêtes de somme, de l'aurore au crépuscule dans les champs de canne à sucre, nous avons réussi à demeurer des êtres humains, non ? Comment peux-tu croire que nous serions ici, toi et moi, si nos ancêtres noirs n'avaient pas eu une puissante volonté de vivre ? Je possède cette même volonté, Sally, et je crois que toi aussi.

Puis se produisit la vive étincelle qu'elle n'oublierait jamais, indépendamment de ce qu'il adviendrait de Ras-Négus et de ses rêves confus. Un groupe de pique-niqueurs venus auparavant sur ce promontoire avait ramassé du bois à droite et à gauche pour faire griller le pain et chauffer l'eau du thé. Quelqu'un avait traîné une branche beaucoup trop longue pour aller sur le feu, et elle était restée là.

Ras-Négus sentit que sa conversation avec Sally était parvenue à sa fin. Il prit le morceau de bois d'un geste presque machinal, le soupesa plusieurs fois et jugea que malgré sa finesse de manche à balai, il ressemblait par ailleurs à une batte de cricket : la longueur, le poids et la forme générale étaient justes. Après plusieurs moulinets il prit la position classique du batteur devant des wickets, se mit à renvoyer plusieurs balles imaginaires — et parla alors des véritables Indes occidentales :

— J'ai vu mon premier match de cricket à Kingston. J'avais neuf ans, un oncle m'a conduit au stade. Pour la première fois j'ai vu les joueurs dans leur tenue blanche impeccable, l'arbitre avait sa blouse de toile, la foule colorée. Et j'ai été captivé.

Il renvoya deux ou trois balles à effet.

— Veux-tu savoir ce que nos îles font le mieux ? Le cricket.

Il cita les noms des joueurs immortels et, sans cesser de frapper avec sa batte improvisée sur une balle invisible, il revécut les journées de gloire. Des voitures qui passaient sur la route s'arrêtèrent pour observer cet immense rastafarian coiffé de son béret rouge, jaune et vert, *dreadlocks* au vent, T-shirt trop large et pantalon fripé, incarner dans sa danse devant la mer la seule chose dans laquelle leurs îles excellaient incontestablement. Ce fut l'un des conducteurs de ces voitures qui reconnut Sally Wrentham assise sur un rocher pour admirer cette danse — et il alla aussitôt prévenir son frère Lincoln à Bristol Town.

— Souviens-toi, lança Ras-Négus à Sally. C'étaient tous des noirs, non des blancs. Ils sont vite passés maîtres dans un jeu nouveau et devenus des champions. Si nous avons réalisé cet exploit une fois, nous pouvons recommencer. Dans le domaine qui sera nécessaire. Tu as envie que nos femmes apprennent ce que savent les Japonais sur la construction de téléviseurs ? Elles en sont capables. Nous pouvons réussir n'importe quoi, nous les noirs.

Il s'éloigna d'elle en dansant comme s'il était vraiment un champion de cricket, puis il lança la batte et retourna à la voiture.

— Je le pense vraiment. Nous sommes capables de faire n'importe quoi, toi et moi. N'importe quoi... Avec ta tête, tu dois me dire quoi, ajouta-t-il. Avec mon cœur, je te dirai comment.

Il était tard quand Sally déposa Ras-Négus à son logement puis rentra chez elle. Mais quand elle s'engagea dans sa rue, une de ses jeunes collègues qui habitait non loin lui fit signe de s'arrêter.

— Je t'attendais, Sally.

— J'ai fait une grande balade. Nous nous sommes arrêtés à la pointe Sud pour bavarder puis je l'ai déposé chez lui.

— Qui ?

— Le rastafarian. Il a des tonnes d'idées.

La femme se rembrunit.

— C'est ce que je craignais. Ton frère t'a cherchée partout. Je lui ai répondu que je ne savais pas où tu étais ni avec qui. Mais un peu plus tard ton père est passé et il avait l'air drôlement furieux.

— Que lui as-tu dit ?

— La même chose.

La jeune femme hésita un instant puis haussa les épaules comme si elle prenait une décision à regret.

— Je crois qu'il vaut mieux que tu saches, Sally.

— Quoi ? Ils étaient vraiment en colère ?

— C'est autre chose. Au sujet de Laura.

— Un accident ?

— Non. Elle serait partie à Trinidad, pas à la Barbade.

— Mais pourquoi aurait-elle menti ? Dans quel but ?

— Un avortement.

— Bon Dieu ! Et qui est le père ?

— Ton rasta.

Sally demeura sans voix. Puis les images défilèrent dans sa tête, pêle-mêle, en un ouragan : « Pauvre Laura... Quelle situation horrible... Faut-il faire une collecte pour l'aider ?... Pas étonnant que Lincoln et père soient fous de rage s'ils ont cru que... Pauvre Laura, n'a-t-elle donc pas vu que ce type n'est que l'ombre lamentable d'un vrai homme ? »

— Sally ?... Ça va ?... s'inquiéta la jeune femme.

— Je crois que je vais faire un petit tour à pied. Pour laisser les choses se décanter un peu.

— Bonne chance, lui répondit son amie. Quand ils sont venus me poser des questions, on aurait dit une paire de requins.

Comme elle avait besoin de temps pour mesurer les conséquences de ce qu'elle venait d'apprendre sur Laura, elle prit un chemin détourné et partit lentement, la tête basse, dans la nuit tiède d'avril, pour mettre de l'ordre dans ses idées à la dérive. Elle se concentra d'abord sur son amie : « Pauvre Laura. Nous devons tout faire pour l'aider. Je me demande ce qu'elle a ressenti le soir de notre virée dans le nord, quand le rasta est monté à l'arrière pour me faire des avances. Était-elle déjà enceinte ?... »

Puis elle songea à elle-même : « Jamais il ne m'a prise sous son charme... Je veux dire vraiment prise. Je me suis méfiée dès que j'ai eu la tête claire. Mais si c'est la vérité, pourquoi ai-je désiré lui parler ? Parce qu'il détient un message vital... Je n'apprécie peut-être pas son message, et il ne me concerne sans doute pas, mais il peut compter beaucoup pour d'autres. »

Elle parvint enfin au point principal de son analyse : « Il sait absolument ce qu'est une personne noire. Il pense comme un noir. Il détient la vision. Qu'on le veuille ou non, c'est un fait. »

Mettant en doute ces conclusions faciles, elle s'aperçut qu'elle se donnait un trop beau rôle : une jeune femme, aux idées aussi rationnelles qu'elle désirait en avoir, devant se montrer judicieuse, équitable envers les autres et consciente des grands problèmes sociaux et raciaux. Mais deux autres pensées surgirent alors dans son esprit, et à leur lumière elle cessa de paraître parfaitement innocente : si elle s'intéressait tellement à Harry Keeler comme tout le monde pouvait le voir, pourquoi avait-elle traîné avec le rasta, dans quelques circonstances que ce fût ? Ce qui l'unissait à Keeler était-il de si peu d'importance ou reposait-il sur un tel malentendu, que l'apparition du premier venu plein de vitalité constituait une menace malgré son allure effarante ? A l'instant où elle se posait cette question, elle tourna au coin d'une rue et aperçut, dans la lumière de la lune qui se levait, le promontoire de la pointe Sud où Ras-Négus avait dansé en l'honneur de ses héros de cricket. Elle s'arrêta un instant pour reprendre son souffle et essayer de se représenter les deux hommes côte à côte. Elle en fut incapable.

Sa dernière question frappa le coup décisif. Elle soupçonnait que l'expression « gros porc blanc » avait été importée dans l'île par Ras-Négus. Il l'avait apprise à son public de sympathisants, la nuit dans les faubourgs, et elle s'était fixée dans la tête de l'homme qui avait attaqué la touriste de New York. Mais si elle le soupçonnait vraiment, n'était-elle pas obligée de le signaler à son père, responsable de la sécurité de l'île, ou à Harry Keeler, chargé de veiller aux intérêts du tourisme ?

Elle se mordit la lèvre inférieure et reprit sa marche, prête à affronter les inévitables critiques que provoquerait son comportement. Mais quand elle aperçut sa maison dans l'ombre, elle ralentit le pas en songeant à ce qui l'attendait à l'intérieur. Elle respira à fond et se dit à mi-voix :

— Allez, coccinelle ! Tu t'es envolée et ta maison a pris feu. Tu l'as bien cherché, non ?

Elle ouvrit la porte. Pas un cri. Pas un mot pour savoir d'où elle venait. Elle vit à la place quatre hommes graves réunis dans la salle de séjour : son père et son frère ; Harry, son prétendant en titre ; et le chanoine Tarleton, son pasteur. A son entrée, ils se levèrent, restèrent debout jusqu'à ce qu'elle s'assoie, puis se tournèrent vers le commissaire.

— Sally, dit-il, nous étions terriblement inquiets à ton sujet.

— Je suis allée faire un tour à l'aéroport avec le rastafarian.

— Nous sommes au courant. Une personne qui vous a vus à la pointe Sud est passée au café de Lincoln et l'a prévenu.

— Ce n'était qu'une balade. Pour discuter de certaines choses.

— Si tu nous avais avertis, interrompit Lincoln, nous aurions pu te mettre en garde.

— A quel sujet ?

— Le chanoine Tarleton et papa ont reçu des lettres de la Jamaïque au sujet de ton rasta.

— Ce n'est pas mon rasta.

— Dieu merci ! répliqua Lincoln.

Il fit signe à leur père de donner à Sally la longue lettre de la police jamaïcaine qui précisait les relations de Ras-Négus avec la justice. Quand Sally finit de la lire, elle changea de couleur. Prise isolément, chacune des accusations était crédible, et Sally avait des indices susceptibles de les confirmer, mais jamais elle n'avait pris le temps de les rapprocher les uns des autres pour parvenir à l'inévitable conclusion. La police de la Jamaïque avait noué les fils et le résultat n'était pas engageant.

Voyant qu'elle était sous le choc de la lettre, les quatre hommes lancèrent aussitôt leurs qustions incisives et pertinentes :

— L'as-tu vu avec de la *ganja ?*

— Oui, au cap Galant.

— L'as-tu vu parler de *ganja* à un habitant d'All Saints ?

— Oui, à un paysan, au sud de Tudor.

Son père et son frère se regardèrent d'un air entendu, et Lincoln dit :

— C'est là-bas que se trouve leur terrain d'atterrissage, je pense.

La question suivante fut plus personnelle :

— L'as-tu entendu parler de la police comme de la Grande Babylone ?

— Oui, souvent.

— L'as-tu entendu dire que cette Grande Babylone devait être détruite ?

— Plusieurs fois.

— L'as-tu jamais entendu parler de fomenter des troubles contre la police dans cette île ? demanda ensuite son père.

Elle garda le silence. Ses soupçons sur l'expression « gros porc blanc » lui revinrent bien entendu à l'esprit, mais pouvait-on condamner un homme sur une coïncidence réduite à trois mots ?

L'interrogatoire prit ensuite un tour plus délicat, et le chanoine Tarleton y participa. Les hommes désiraient connaître l'étendue exacte de ses relations avec le rastafarian. Au début elle crut les satisfaire en avouant qu'elle trouvait nouveaux et passionnants certains éléments de sa philosophie sur l'avenir des noirs, mais ils insistèrent.

— Étais-tu personnellement liée à lui ? voulut savoir son frère.

Elle se raidit. C'était une question stupide et elle n'avait nullement l'intention de se soumettre à un interrogatoire de moralité. Les choses auraient sans doute mal tourné si le téléphone n'avait pas sonné à ce moment-là. C'était pour le commissaire. Après six ou sept grognements approbateurs, sans prononcer un mot, il raccrocha et se tourna vers son fils.

— Ils ont trouvé la piste d'atterrissage. Du côté de Tudor.

Il s'élança vers la porte en entraînant Lincoln, mais se retourna vers le pasteur avant de sortir :

— Tarleton, montrez-lui donc l'autre lettre.

La voiture partit en trombe, et le chanoine tendit à Sally sans un mot la lettre qu'il avait reçue du pasteur de la Jamaïque. Sous le regard de Keeler, elle la lut.

Ce texte révoltant, qui expliquait la grossesse de Laura et sa décision d'aller se faire avorter à Trinidad, souleva le cœur de Sally. Elle le relut en soulignant de son index droit les mots essentiels, et elle comprit pourquoi les quatre hommes l'attendaient au retour de sa balade.

— Je suis vraiment désolé, dit Keeler en rapprochant sa chaise de celle de la jeune femme. Je suppose que tu es au courant, pour Laura Shaughnessy. Je m'en doutais.

Sally regarda longuement les deux hommes blancs qui ne lui voulaient que du bien.

— Mettons les choses au point, dit-elle. Je n'ai pas eu de liaison avec le rastafarian. Il m'a fait des avances, deux ou trois fois, mais je les ai repoussées car je le tiens pour un clown.

Elle s'arrêta, sentant bien que ses paroles n'exprimaient qu'une partie de la vérité. Puis elle ajouta :

— Mais comme je vous l'ai déjà dit, je le trouvais stimulant sur le plan intellectuel. Peut-être représente-t-il l'avenir.

— Dieu nous en garde ! répondit le chanoine Tarleton.

Puis Sally s'adossa à son fauteuil, complètement détendue et lança presque en plaisantant :

— Et quant à la question qui vous préoccupe le plus... Non, je ne suis pas enceinte, et pour la raison la plus évidente du monde.

L'interrogatoire aurait sans doute continué si le téléphone n'avait pas sonné de nouveau. Keeler répondit.

— Keeler ? Ici, Lincoln. Dans le nord de l'île. Nous avons trouvé la piste d'atterrissage du trafic de *ganja*. Et capturé un avion à deux places. Les pilotes et l'homme qui entretient la piste ont mis le rasta dans le coup. Il faut le rechercher et l'arrêter. Tout de suite !

Keeler prit Sally par le poignet.

— J'ai besoin de ton aide pour le retrouver.

— Qui ? demanda-t-elle.

— Ton rasta.

Ils filèrent aussitôt, emmenèrent trois agents pour les aider, mais ne purent trouver leur homme malgré les indications de Sally.

Comme bien souvent dans le trafic de marijuana, les malins qui organisent les itinéraires essaient de cloisonner leurs contacts et d'éviter de participer directement aux opérations. Grimble agissait ainsi. Aucun mouchard de la police ne le pincerait jamais sur une piste d'atterrissage secrète ou près d'un avion. Il avait appris à ne jamais dormir trois nuits de suite au même endroit. Quand Sally conduisit les agents au taudis où elle avait déposé Ras-Négus, plus tôt dans la soirée, ils ne trouvèrent rien car l'oiseau s'était envolé du nid depuis longtemps.

Elle se rappela un autre endroit où elle était allée le chercher un soir.

— Nous ne l'avons pas vu depuis plus de quinze jours, dirent les gens à la police.

Le troisième logement dont elle se souvenait était vide, et elle n'avait plus de pistes. Son père et son frère, dans le nord, détenaient la preuve d'un trafic de *ganja*, mais le cerveau de l'opération se cachait quelque part, se riant des efforts infructueux de la Grande Babylone. Enfin, après plus d'une heure d'allées et venues ils tombèrent sur un gamin de dix ans qui leur dit :

— Vous cherchez le type aux cheveux longs ? Il est sans doute avec Betsy Rose.

Betsy Rose était une femme des îles Vierges britanniques venue à All Saints comme servante. Elle avait eu des ennuis avec sa maîtresse parce que le maître couchait avec elle. Betsy Rose, jetée à la porte, avait dérivé d'un emploi à l'autre pour finir avec un marin qui ne se formalisait pas des visites qu'elle recevait. Quand les agents entrèrent chez elle, ils la trouvèrent au lit avec le rasta.

Au début, Keeler songea à protéger Sally du spectacle de l'arrestation du Jamaïcain, mais il n'en fit rien.

— Il faut que tu voies ton héros comme il est vraiment.

Il l'emmena dans la chambre au moment où la police tirait le rasta aux longues jambes de sous les couvertures. Nu, il avait l'air tout en poils, car ses *dreadlocks* lui tombaient à la taille.

Une vision écœurante, et Sally se demanda : « Où est passée l'âme profonde de la négritude ? » Elle le regarda se débattre avec son pantalon et quand Keeler le prit par l'épaule elle éprouva soudain de la pitié pour ce malheureux garçon : « Il parlait haut, ses chansons étaient belles, et voici qu'il finit capturé par un blanc. Rien n'a beaucoup changé depuis l'Afrique, il y a quatre cents ans. » Et les paroles de la chanson de Bob Marley retentirent dans son esprit.

Quand Keeler et Sally arrivèrent, seuls, au commissariat de police, le Premier ministre les y attendait.

— Bonne nouvelle. Le rasta est coincé.

— Où ?

— Dans un entrepôt du côté de l'anse du Soir. Que faisons-nous de lui ?

Après un coup d'œil par-dessus son épaule pour s'assurer que personne ne pouvait l'entendre, le Premier ministre lança :

— Le mieux serait une balle dans la tête... Dans cinq ou six semaines, quand personne ne pensera plus à lui. Mais il doit y avoir des moyens plus raisonnables. Vous avez une idée ?

— Je le mettrais dans le premier avion en partance.

— Pour où ?

— N'importe où.

— Très bien. Payez son billet et mettez-le dans l'avion.

— Quand il est arrivé, la compagnie nous a dit qu'il avait un billet pour je ne sais où, dit Keeler.

— Oh oui ! répliqua un sergent. Mais il se l'est fait rembourser le lendemain. Il est complètement fauché.

— Nous lui payerons son billet. La dépense se justifie largement, dit le Premier ministre. Vous me promettez, messieurs, qu'il n'a aucun os brisé ? Aucune blessure visible ?

— Aucune, lui assura un agent. Pas un accroc à ses vêtements. Rien.
— Je vous fais confiance. Mais quand vous le conduirez à l'avion, je veux dans l'aéroport des témoins capables de déposer en justice plus tard qu'il a quitté l'île sans une égratignure. Au cas où il porterait plainte contre nous. Il vaudrait même mieux avoir des photos, c'est plus sûr.
La main sur la poignée de la porte, il ajouta :
— Demandez au chanoine Tarleton et à sa femme. Les hommes de Dieu font toujours beaucoup d'effet sur les juges.
Dès qu'il fut parti, Keeler passa à l'action.
— Sally, va chercher ton appareil.
À son retour, une voiture avec trois agents attendait. Presque aussitôt Keeler arriva avec une autre voiture contenant le chanoine Tarleton et son épouse. Sally y monta pour le bref trajet jusqu'à l'aéroport. On mit des menottes aux poignets et aux chevilles du rasta, puis on le traîna sur le siège arrière de la voiture de police.
Dans la voiture de Keeler, les Tarleton, ignorant les circonstances de l'arrestation du rasta, bombardèrent Sally de questions.
— Et qui est Betsy Rose ? demanda Mrs. Tarleton.
— Une malheureuse prostituée, répondit son mari.
— Es-tu contente d'avoir fait arrêter ce vaurien ? dit la femme du chanoine.
Sally eut trop honte pour lui révéler les détails.
— Il était temps de l'expulser de l'île, murmura-t-elle, mais elle se sentit presque contrainte d'ajouter : Quand ils lui ont passé les menottes, il m'a fait pitié. C'est un esprit libre, vous comprenez...
— Tu parles comme si tu avais été amoureuse de lui, répondit Mrs. Tarleton avec la franchise désarmante qu'acquièrent souvent les épouses de pasteurs anglais.
Sally éclata de rire.
— Non. Jamais. Mais il avait des choses intéressantes à dire. Des choses que nous devrions tous écouter... Rien de plus.
Cette réponse évasive ne pouvait satisfaire Mrs. Tarleton et elle demanda à la jeune femme :
— Quelles idées de ce rastafarian as-tu trouvées acceptables ?
Sally réfléchit à la meilleure façon de lui faire partager ses intuitions et détermina une stratégie avant de parler.
— Regardez : je suis la seule personne noire dans une voiture de blancs. Exactement comme il y a cent ans... Aujourd'hui ce devrait être l'inverse : trois noirs et vous, Mrs. Tarleton.
Il se fit un silence tendu.
— Mais vous êtes tous les trois des amis très chers, des gens que nous sommes heureux d'avoir dans l'île, et je répondrai donc à votre question, que j'aurais jugée pleine de condescendance si elle ne venait pas de vous.
Elle expliqua que Ras-Négus, quel que fût son comportement avec les femmes, parlait comme un authentique noir, avec toutes les carences en éducation et en connaissance de l'histoire que cela impliquait. Elle leur accorda que ses jeux de langage, ses créations de mots comme *overstand* à la place de *understand* semblaient puérils. Et bien entendu, considérer Haïlé Sélassié comme la soixante-dixième incarnation du Seigneur était absurde.
— Et que reste-t-il ? demanda Mrs. Tarleton.
— Il parle des frustrations des anciens esclaves... Et j'en fais partie,

comme tous les responsables de notre île. Il parle de notre héritage africain, dont je ressens très fort la réalité en moi à certains moments — et que des gens comme vous n'évoquent jamais. Avec vous, tout tourne autour de l'Angleterre. L'Angleterre ? Mais qu'y a-t-il donc pour nous en Angleterre ? Et il parle de ce mot mystique que nous essayons tous de définir et de préciser : négritude. En dix minutes, il m'a appris plus de choses sur la négritude que vous ne pourriez le faire en dix ans, parce qu'il sait et qu'il ne vous sera jamais donné de savoir, si généreux que vous soyez dans vos tentatives d'apprendre.

Elle remarqua que les Tarleton, sur la banquette arrière, se gardaient de répondre. Mais elle vit aussi que Harry, à côté d'elle, semblait de plus en plus tendu, les mains crispées sur le volant. Elle posa alors la main sur le genou gauche du jeune homme, donna une tape amicale et sourit pour le rassurer : même s'il ne devait jamais comprendre les choses que Ras-Négus savait de façon intuitive, il avait du moins le mérite d'essayer.

Lorsqu'ils arrivèrent à l'aéroport elle vit une chose qui la fit éclater de rire. Son père et son frère, revenus du nord de l'île, avaient conduit le rasta dans le hall de départ sous un déguisement qui masquait son appartenance à la secte de Haïlé Sélassié. Ils avaient remonté ses *dreadlocks* sur le haut de sa tête et les avaient dissimulées sous un turban qui lui conférait l'allure d'un Sikh. Sa barbe était coincée sous un poncho qui recouvrait son T-shirt rasta et les menaces de mort à l'adresse du pape. Au lieu de ses sandales de cuir, il portait d'énormes tennis blancs, bon marché. Le peu de dignité que lui conférait son costume sauvage de rastafarian se trouvait gommé par ces vêtements ordinaires. Plus qu'à toute autre chose, il faisait penser à un corniaud à poils longs qui sort d'un orage, et Sally songea : « Tu as engendré huit enfants à la Jamaïque et probablement deux ou trois ici, et regarde-toi !... »

Mais elle entendit au même instant les rires des Tarleton et de Keeler, et elle se rendit compte que Ras-Négus allait quitter All Saints accompagné par les échos de la dérision des blancs. Il ne fallait pas le permettre. Elle passa devant ses amis, courut vers la porte de départ, prit le rasta dans ses bras et l'embrassa.

— Merci pour ce que tu as partagé avec moi, murmura-t-elle.

Elle s'écarta. Il prit son sac de toile, coinça son luth sous son bras et suivit comme un enfant obéissant les policiers qui lui avaient enlevé les menottes pour l'escorter à l'avion.

15

Les jumelles

Miami, La Havane, 1988

— Docteur Steve Calderon, de Miami ? Le président de *Win with Reagan 1984 ?...* La Maison-Blanche à l'appareil. Ne quittez pas, je vous passe le président.

— Qui est-ce ? demanda Kate en remarquant le regard ahuri de son mari, qui s'était mis à pianoter nerveusement. La banque a refusé ta demande de prêt pour rajouter une aile à la clinique ?

— Rien à voir... Tu ne devinerais jamais ! lança-t-il du coin des lèvres.

Puis il se raidit et écarta le téléphone de son oreille pendant un bref instant : ils entendirent tous les deux la voix éraillée qu'ils connaissaient si bien par les émissions de télévision et de radio.

— Steve Calderon ? Je ne vais pas vous faire le numéro classique de l'homme politique et prétendre que je me souviens parfaitement de vous. Mais on me dit que vous avez fait un excellent travail pour le parti la dernière fois. J'espère que vous accorderez à George Bush le même coup de pouce en novembre.

— Il enlèvera la Floride avec une écrasante majorité. Nous n'oublions pas, nous les Cubains, qui nous a aidés quand nous en avions besoin.

— Dr Calderon, plusieurs d'entre nous aimerions avoir un entretien avec vous demain, dans mon bureau, à quatorze heures.

— J'y serai, répondit Steve sans hésitation.

Le président prononça alors sa première mise en garde :

— Ne parlez de ceci à personne. C'est d'une importance extrême.

— Très bien, monsieur le président. Je n'en dirai rien...

— Eh bien ? demanda Kate dès que Steve raccrocha. C'est à quel sujet ?

— Tu m'as entendu répondre. Pas un mot à qui que ce soit.

— Je ne suis pas « qui que ce soit ».

Elle obtint gain de cause, comme à l'accoutumée. Steve devait avoir cinquante-cinq ans mais il était aussi amoureux de Kate que trente ans plus tôt, lorsqu'ils étaient partis à minuit dans une voiture, tous phares éteints, à trente et quelques kilomètres à l'ouest de La Havane prendre le petit bateau avec lequel ils s'étaient enfuis du Cuba de Fidel Castro. Elle l'avait soutenu à ce moment-là.

— Tu trouveras un emploi quelque part, Estéfano. Le monde entier a besoin de médecins.

Quand, au dernier moment, il avait failli succomber à ses appréhensions, elle ne lui avait pas permis de revenir en arrière.

— Ce bateau-là ! Même si nous y sommes aussi serrés que des sardines. Ce bateau-là !

La volonté même de Kate avait paru propulser la frêle embarcation vers le nord, jusqu'aux cayes de Floride et la liberté.

Et jamais son courage ne s'était démenti pendant les premières années de détresse à Miami quand on n'avait pas reconnu ses références de médecin. Les diplômes d'infirmière étaient acceptés plus facilement, et Kate, après avoir prouvé qu'on pouvait compter sur elle pour ne négliger aucun détail, convainquit l'administration de l'hôpital de donner à son mari un emploi de gardien. Pendant trois ans, il porta patiemment la tenue bleue des travailleurs manuels et regarda de jeunes Américains beaucoup moins compétents que lui prendre des décisions de vie et de mort. Comme Kate gagnait plus que lui, elle payait les cours qu'il devait suivre pour faire la preuve de ses capacités, et elle continua jusqu'au jour où il obtint enfin son diplôme américain.

Quand il ouvrit son cabinet sur ce qui allait devenir la Calle Ocho — la 8e Rue Sud-Ouest, dans le centre de Miami — ce fut elle qui paya le loyer, et les trois premières années elle lui servit d'assistante, pour économiser un peu. Ce fut elle encore qui l'encouragea à prendre les décisions hardies qui allaient faire de lui le directeur de sa propre clinique privée avec quatre associés sous ses ordres, puis l'administrateur d'une des premières banques cubaines, et enfin son président.

Steve n'était nullement un agent passif dans cette réussite spectaculaire. Ils constituaient tous les deux la preuve de ce qu'un couple de Cubains cultivés pouvait accomplir dans un monde nouveau. Steve était un excellent médecin aux manières rassurantes : grand, un peu trop maigre, cheveux grisonnants aux tempes, sourire confiant et l'habitude de dire à chaque malade, en espagnol :

— Écoutez, señora Espinosa, je ne suis pas sûr de connaître toutes les réponses dans votre cas, mais une chose est certaine, je saurai les découvrir et nous ferons tout le nécessaire pour vous.

Il obtenait de si bons résultats que les patients en parlaient à leurs amis, et dès qu'il eut acquis une parfaite maîtrise de l'anglais, il se mit à soigner des Anglos et certains jours sa salle d'attente était pleine à craquer.

Jusqu'à l'âge de quarante-huit ans, Steve Calderon avait été un excellent médecin et un administrateur de banque, mais quand une des plus grosses banques de l'État racheta sa petite banque — en lui faisant faire un bénéfice énorme —, il devint banquier à plein temps. Kate cessa d'exercer comme infirmière et devint vice-présidente de la banque, chargée de recruter la clientèle féminine dans la communauté hispanique. Elle supervisa aussi la construction d'une aile supplémentaire de la clinique dans laquelle son mari conservait des intérêts financiers mais sans plus y exercer.

Les Calderon étaient souvent cités, non sans raison, comme d'excellents exemples de la rapidité avec laquelle les Cubains de la vague d'immigration de 1959 s'étaient intégrés à l'existence en Floride — dans leur cas, en grimpant jusqu'au sommet, car le Dr Steve, comme on l'appelait, était devenu un élément essentiel de la vie sociale, économique et politique de Miami. Et comme les Cubains étaient farouchement républicains — persuadés que John F. Kennedy et Jimmy Carter les avaient laissés tomber en période de crise et que les démocrates en général se montraient conciliants avec le communisme quand ils n'étaient pas carrément crypto-communistes —, les Calderon s'étaient naturellement ralliés au parti républicain, au sein duquel ils jouaient désormais un rôle important. Kate était présidente du mouvement Femmes pour une République forte, et Steve avait dirigé la campagne *Win with Reagan.* On remarquera qu'aucune des deux organisations ne comportait le mot *Cubain* dans son nom, pour ne pas s'aliéner les vieux habitants de la Floride, vexés par l'efficacité avec laquelle les Cubains avaient rallié au parti républicain une région traditionnellement démocrate.

Ainsi donc, quand Kate lança un regard souriant mais résolu à son mari qui raccrochait le téléphone, elle s'attendait à ce qu'il lui rapporte les paroles du président. Il esquiva.

— Tu as entendu ce que j'ai dû promettre. Je ne peux parler à personne.

— Ne me dis qu'une petite chose : Cuba ?

— Comme je n'en sais rien, je suppose que j'ai le droit de lancer une conjecture. Probablement.

Elle se rapprocha de lui, visiblement inquiète.

— Steve, en aucune circonstance, quoi qu'il arrive, tu ne dois te mêler de la question cubaine. C'est trop brûlant.

Il lui prit les deux mains.

— Je sais.

Et il savait : si une succession d'incidents récents ne lui avait pas rappelé l'intensité du danger, une visite déplaisante de ce fou de Máximo Quiroz aurait suffi.

Les incidents en question étaient significatifs de la tension dans laquelle vivait la communauté cubaine de Miami. Quand un officier supérieur qui servait sous Castro était passé à l'ouest dans un petit avion qu'il avait piloté non sans risques de Cuba à Key West, le gouvernement américain s'était félicité d'avoir entre les mains un homme capable de fournir des renseignements essentiels ; mais avant même la fin des explosions de joie, les experts avaient averti Washington :

— Ne le laissez pas en Floride un instant de plus. Sa vie est en danger. Les fanatiques vont penser : « S'il est resté avec Castro si longtemps, il a dû être impliqué dans l'affaire de la baie des Cochons. Il faut tuer ce salopard. »

Le général cubain quitta aussitôt la Floride et quatre jours plus tard le FBI apprit que, s'il avait osé poser le pied à Miami, le groupe Quiroz avait prévu de l'assassiner.

Máximo Quiroz posait un problème particulier aux Calderon parce que, dès 1898, quand Cuba avait obtenu son indépendance de l'Espagne, les arrière-grands-pères de Steve Calderon et de Quiroz, qui descendaient de la même famille, s'étaient liés d'une amitié fidèle, prolongée et épanouie au cours des générations suivantes. En 1959, Steve et Máximo avaient fui Cuba de la même façon, compagnons en quête de la même liberté, jeunes gens aussi intelligents et résolus l'un que l'autre. Mais à Miami leurs vies avaient divergé : Steve et son épouse avaient suivi la voie de l'intégration totale dans l'élite de la Floride, alors que Máximo était devenu le leader turbulent des

Cubains qui pensaient : « Au diable l'Amérique et la vie américaine, nous voulons rentrer dans un Cuba libre. » Sa détermination était si profonde qu'il s'était porté volontaire parmi les premiers pour l'invasion de la baie des Cochons — il comptait parmi les derniers à battre en retraite à la suite du fiasco. L'échec de cette mission valeureuse, mais gâchée par un cafouillage honteux, avait mis Quiroz dans une rage folle. Habité par son idée fixe, jamais il ne connaîtrait le repos tant que Cuba ne serait pas libéré et Castro envoyé dans un autre monde. Le FBI le tenait bien entendu à l'œil, car l'on racontait dans les milieux cubains :

— S'il existe à Miami un seul réfugié capable de monter dans un petit pneumatique et de ramer jusqu'à La Havane pour essayer d'assassiner Castro, c'est Máximo Quiroz.

Pas plus tard qu'en juillet, quand des organisations caritatives avaient invité des enfants handicapés de Cuba à participer à des Olympiades spéciales, Quiroz avait conduit un groupe d'ultra-patriotes cubains à l'aéroport pour manifester contre la présence de ces jeunes gens touchants avec leurs grands yeux éblouis : cette intervention lui avait aliéné beaucoup de sympathies. Parfois en revanche, ses activités engendraient une réaction populaire. Ainsi, fin août, le jour de l'inauguration des grands Jeux panaméricains à Indianapolis, il avait fait voler au-dessus du stade à basse altitude un avion qui traînait une longue banderole disant : « CUBAINS, CHOISISSEZ LA LIBERTÉ ! » pendant qu'au sol ses volontaires distribuaient des milliers de tracts expliquant en espagnol comment n'importe quel membre de l'énorme délégation cubaine pouvait procéder pour réclamer l'asile politique aux États-Unis. Bien entendu, le FBI l'avait surveillé de près.

Plus troublant pour les Calderon semblait le cas de l'artiste cubain vivant en exil à Miami, qui avait été invité à exposer plusieurs œuvres à La Havane, parmi d'autres provenant de tous les pays hispaniques de l'hémisphère occidental. Ce peintre avait eu la « malchance » d'obtenir le deuxième prix, et lors de la distribution des médailles et des chèques, la presse l'avait photographié avec Castro, le bras posé sur ses épaules. Quand les journaux de Miami avaient publié ce cliché, quelqu'un avait mis le feu au studio de l'artiste. Et après l'inspection des décombres les pompiers avaient trouvé sur un mur voisin l'avertissement : « PAS DE FRATERNISATION AVEC LES TYRANS. » On n'avait rien pu prouver, mais beaucoup soupçonnaient Quiroz d'être responsable de cet incendie volontaire.

Il n'était absolument pas impliqué, par contre, dans l'attentat à la bombe contre un bureau de tabac qui vendait des cigares cubains, car au moment de l'incident il manifestait à Chicago. Mais les Cubains informés de la Calle Ocho chuchotaient néanmoins :

— Il a dû monter le coup par correspondance.

— Pour Quiroz et ses pareils, remarqua un membre de la communauté hispanique, si tu n'es pas prêt à lancer une bombe atomique sur La Havane, tu es un communiste.

Les Calderon, pleinement conscients de ces tensions, avaient pendant leur long séjour en Amérique suivi une règle fort simple : « Nous sommes catégoriquement opposés à ce monstre de Castro et nous ne lui voulons aucun bien, au contraire. Mais qu'il croupisse sur son île. »

Jamais ils ne prononçaient un mot en faveur de Castro ou du parti démocrate, et leur position était donc claire aux yeux de tous, mais jamais ils ne s'abaissaient à la haine pathologique qui poussait Quiroz à des actions excessives. Quoique cousins éloignés, ils ne le fréquentaient pas.

— Máximo s'est fait juge et partie en ce qui concerne l'orthodoxie cubaine, avait remarqué Kate au cours d'une des manifestations anticastristes, et elle avait mis son mari en garde. Méfie-toi de lui. Laisse-le conduire son cheval où il veut, mais tenons-nous-en à notre choix raisonnable.

La veille du départ de son mari à Washington, elle renouvela sa mise en garde :

— Steve, ne te mêle à rien de ce qui touche Cuba. Laisse Castro tranquille. Ne t'occupe que de ton travail ici, chez nous.

Il était du même avis :

— Je redoute Máximo autant que toi.

Sur cette promesse, ils s'endormirent.

Le lendemain, à l'aurore d'une très chaude matinée de septembre, Kate conduisit Steve en voiture à l'aéroport de Miami, toujours bondé de monde. Il prit un vol Eastern à destination de Washington et après un déjeuner hâtif se présenta à la Maison-Blanche, où des gardes le fouillèrent, ainsi que sa serviette, avec un soin particulier. Le président ne participa pas à la réunion mais passa plusieurs minutes à accueillir les invités.

— Oui, je me souviens, à présent ! dit-il à Calderon. C'est vous qui avez présidé ce grand dîner à Miami. J'espère que nous pouvons compter de nouveau sur votre coopération.

Et sur ces mots il s'esquiva, en lançant par-dessus l'épaule :

— Je vous vois quand vous aurez terminé.

La discussion n'impliquait que six personnes : deux membres du Département d'État, deux du Conseil de la Sécurité nationale, un collaborateur du président chargé des questions politiques, et Steve Calderon. Son intuition ne l'avait pas trompé : il s'agissait bien de Cuba.

Le plus âgé des diplomates prit la parole :

— Nous avons entendu, chez nos amis d'Amérique latine, des rumeurs persistantes indiquant que Castro aimerait recevoir des gestes de bonne volonté de notre part — des prêts de développement, la promesse d'une politique de détente. N'importe quoi.

— Mais, lui, a-t-il fait des gestes ? demanda Steve.

— Vaguement. Rien de consistant, dit un des hommes de la Sécurité nationale.

Le diplomate reprit :

— Quand nous avons mis bout à bout tous ces éléments nouveaux, nous avons conclu qu'il serait sans doute bon de lui envoyer un signal discret — rien de bien voyant, rien qui puisse faire les manchettes des journaux du soir : un petit signe pour lui faire comprendre que nous sommes prêts à jouer le jeu... Vous savez qu'il adore le base-ball ? ajouta-t-il en riant de son propre humour.

— À quoi avez-vous songé ? demanda Steve.

L'un des hommes de la Sécurité nationale répondit :

— Rien de spectaculaire, comme disait Tom.

Il ouvrit un classeur contenant une liasse de documents.

— Je vois ici que vous êtes cousin de Domingo Calderon Amador, l'un des conseillers de Castro, et également son beau-frère.

— C'est exact. Nos grands-pères étaient frères, et nous avons épousé deux sœurs jumelles.

— Ah bon ?

Il plongea le nez dans ses papiers.

— Oui. Votre épouse Caterina est la sœur jumelle de sa femme Plácida. Vous êtes-vous mariés le même jour ?

— À deux ans de distance. J'ai été attiré par Kate à cause de la beauté étonnante de Plácida. Deux femmes extraordinaires.

— Donc si vous alliez faire un tour à Cuba... vous pourriez rencontrer votre cousin... pour que vos épouses renouent leurs relations d'enfance...

— Cela paraîtrait tout à fait normal, non? intervint l'homme du Département d'État.

— Oui, sauf que Domingo et moi, comme vous le savez sans doute, ne nous sommes pas revus depuis que j'ai quitté Cuba avec Kate en 59. Pourquoi témoignerais-je d'un intérêt soudain ?

— C'est là que vos épouses interviennent. Les sentiments. Les liens anciens de deux jumelles. Quoi de plus naturel ?

On passa quelques minutes à se congratuler d'avoir trouvé une « couverture » parfaite, mais quand un des hommes de la Sécurité nationale utilisa le mot, le diplomate le mit en garde :

— Ne parlez pas de couverture. Il n'y a rien à couvrir. En fait, le Dr Calderon ne fera rien. Rien du tout.

— C'est exact ! confirma son collègue. Le mot « couverture » risque de provoquer un malentendu total.

— Que faut-il dire dans ce cas? demanda l'homme de la Sécurité nationale, agacé.

— Sûrement pas « prétexte ». Pourquoi ne pas parler simplement de la « raison » de sa visite ?

— Et votre raison d'aller là-bas, carillonna le deuxième homme du Conseil de la Sécurité nationale, c'est de faire savoir discrètement, presque accidentellement, à votre influent cousin qu'au moment où vous avez travaillé pour Ronald Reagan pendant la campagne 1984, bla-bla-bla, que si le moment devait venir d'assouplir la position des États-Unis vis-à-vis de Cuba, bla-bla-bla, bon, et que le moment est maintenant venu.

De nouveau l'homme du Département d'État intervint :

— Et si, comme il semble extrêmement probable, vous pouvez obtenir de votre cousin qu'il vous présente à Castro... ma foi, il serait avantageux pour nous que vous fassiez la connaissance du personnage.

— Que lui dirai-je ? demanda Steve.

Le blablateur de la Sécurité nationale le mit aussitôt en garde :

— Rien de définitif. Une conversation à bâtons rompus. Vous direz que d'après vos entretiens avec des hommes de Reagan à Washington, vous avez glané la nette impression que c'était bien le moment, bla-bla-bla. Uniquement cela, rien de plus, et vous ajouterez une chose indéniable : « Bien entendu, cette détente n'aboutira peut-être à rien, je ne saurais trop le souligner, bla-bla-bla. » Mais faites-lui bien comprendre que vous pensez personnellement à des possibilités réelles.

— Ces possibilités existent-elles vraiment ? demanda Steve.

Le jeune collaborateur du président, manifestement opposé à cette réunion et aux propositions qui s'ensuivraient, se sentit obligé d'intervenir, et il le fit avec une fermeté glacée :

— Comprenez bien, Dr Calderon, l'opinion de la Maison-Blanche n'a pas changé. Nous continuons de considérer Fidel Castro comme une menace communiste et nous déplorons ce qu'il essaie de faire en ce moment au Nicaragua. Si vous le rencontrez, vous devez le souligner sans ambiguïté.

— Ce sont, en gros, mes opinions personnelles, répondit Steve.

Le diplomate précisa cependant, le plus calmement du monde :

— De toute évidence, nous ne serions pas dans ce bureau avec vous si les choses n'avaient pas quelque peu changé au sommet, n'est-ce pas, Terence ?

— Naturellement, répondit l'homme du président. Mais je ne voudrais pas que le Dr Calderon se rende à Cuba avec des impressions fausses ou naïves : Castro demeure l'ennemi.

Le diplomate eut cependant le dernier mot :

— Si votre signal est compris, ne vous étonnez pas si, d'ici un mois ou deux, votre cousin Domingo vient à Miami pour que sa femme revoie la vôtre — et pour vous glisser un signal-réponse.

Steve, s'apercevant que ces hommes jouaient serré et n'étaient pas encore parvenus à s'entendre entre eux, sentit qu'il devait parler net.

— Vous savez, bien entendu, que pour un Cubain de Miami avoir quelque relation que ce soit avec Castro et son régime représente un danger ? Il y a des têtes chaudes, à Miami.

Trois des hommes considéraient que Steve exagérait et le dirent, mais les deux hommes de la Sécurité nationale connaissaient les faits et l'un d'eux reconnut :

— Un danger, certainement. Mais pas un danger de mort. D'autre part, pourquoi y aurait-il à Miami quelqu'un au courant de votre voyage ?

Cet argument facile ne dissipa nullement les craintes légitimes de Steve, car l'homme qui l'avançait ne connaissait visiblement pas Miami. La réunion se termina cependant et le président réapparut.

— Tout est réglé ?

— En bonne voie..., répondit Steve, contraint et forcé.

Les deux minutes suivantes furent consacrées à la logistique de son voyage, et à un rappel des limites strictes de sa mission :

— Vous devez prendre contact avec votre cousin. Rien de plus. Mais s'il vous propose lui-même de voir Castro, sautez sur l'occasion... sans vous montrer trop enthousiaste.

Pendant le vol de retour, Steve réfléchit à sa curieuse relation avec les États-Unis, dont il était à présent un des citoyens, en particulier à sa position ambivalente à Miami, capitale de l'immigration cubaine dans le pays. Au cours des premières semaines de la prise de pouvoir de Castro dans l'île, il avait prévu avec une précision étonnante ce qui allait se produire à Cuba : la dérive vers le communisme serait inévitable et irréversible. Il avait également compris que, dans un pays de ce genre, il n'y aurait pas de place pour lui : ses opinions étaient trop fortement marquées par les concepts de liberté et de démocratie.

Kate et lui avaient été parmi les premiers à quitter Cuba, longtemps avant l'émigration massive de 1961, et jamais ils n'avaient regretté leur décision. Comme Kate l'avait déclaré à l'époque :

— Tout le monde à Cuba sait que ta branche des Calderon a toujours été en faveur du rattachement de Cuba aux États-Unis. Depuis 1880, pour être précis. Alors autant aller là-bas tout de suite, tant que nous pouvons encore sortir de l'île.

Dès qu'ils avaient accosté à Key West, les deux Calderon s'étaient félicités de leur choix, et même dans les jours sombres où Steve ne parvenait pas à faire reconnaître ses diplômes de médecin, leur loyauté n'avait pas été ébranlée. Ils avaient été le premier couple marié du groupe initial d'émigrants à obtenir la nationalité américaine, et pas une seule fois, même aux inévitables moments de nostalgie, ils n'avaient envisagé de rentrer à Cuba. Jamais ils n'avaient perdu de temps à rêver de la mort de Castro et du retour dans l'île de tous les Cubains de Miami ; pour eux Cuba était un fait historique, une île où leurs ancêtres avaient vécu pendant près de cinq siècles et où eux-mêmes avaient connu des heures de bonheur — mais qui appartenait désormais au passé : un souvenir, pas un pôle d'attraction.

« J'ai échangé une petite île pittoresque pour un grand continent, se dit Steve. Et quand on effectue un changement de cette dimension, l'esprit se dilate pour répondre au défi d'une arène plus vaste. »

Mais jamais il n'avait songé à renier ses antécédents cubains, comme le faisaient certains émigrés, et en 1972 il avait participé au mouvement en faveur de bilinguisme dans le comté de Dade, auquel appartient Miami. Hélas, en 1980, des citoyens anglos frustrés, se sentant poussés le dos au mur par la marée des Cubains, avaient lancé une contre-attaque pour que l'anglais redevienne l'unique langue officielle du comté — « et au diable tout ce cirque espagnol », avait crié l'un d'eux.

Steve, incapable d'accepter ce qu'il considérait comme un recul dangereux, avait de nouveau pris la tête du combat en faveur de « Miami, ville bilingue ». Le soir où sa résolution fut votée avec une large majorité, faisant de Miami une ville où les affaires seraient traitées à la fois en anglais et en espagnol, il désigna un comité pour suggérer de donner des noms espagnols aux rues de la Little Havana. Le courage dont il fit preuve dans ce combat en faveur des intérêts hispaniques avait fait de lui un héros parmi les Cubains, bien qu'il eût perdu plus tard la campagne pour restaurer le bilinguisme dans le comté de Dade.

Il s'était également concilié les Anglos au cours d'une conférence de presse, le soir où l'anglais avait retrouvé son statut d'unique langue officielle.

— L'opinion publique a parlé. Acceptons sa décision dans un esprit de bonne entente, et apprenons l'anglais le plus vite possible.

Puis il avait ajouté avec un clin d'œil à l'adresse des caméras de télévision :

— Bien entendu, tous ceux qui parlent espagnol dans cette ville posséderont un avantage formidable, car nous savons tous que Miami est destinée à devenir une ville hispanique.

Il démontra également son habileté politique quand les noirs de Miami s'insurgèrent de voir les emplois qu'ils détenaient traditionnellement — portiers, veilleurs de nuit, manœuvres, assistants vendeurs — monopolisés par des immigrants cubains. Les noirs de la ville étaient condamnés au chômage et devenus inemployables. Des leaders noirs réclamèrent aux représentants du gouvernement local un traitement plus équitable. L'un d'eux, très âgé, se plaignit en présence de Calderon :

— Nous sommes en Floride, nous les noirs, depuis plus de quatre cents ans, et au cours de cette période nous sommes parvenus à certains accords avec les blancs. À présent, si nous voulons conserver les emplois que nous avons depuis toujours, nous devons apprendre l'espagnol, et à notre âge c'est impossible. Vous nous avez volé notre ville.

Conscient des dangers que représentait cette impasse, Steve avait immédiatement engagé deux assistants noirs dans sa clinique. Il avait également pris la parole en public en faveur de la protection des emplois des noirs, et persuadé un groupe d'hommes d'affaires et de cadres supérieurs cubains de financer des cours du soir où les noirs pourraient apprendre l'espagnol. Mais cette idée charitable avait été abandonnée sur les protestations des leaders noirs :

— Vous voyez, cela prouve ce que nous disions. Miami est en train de devenir une ville espagnole, et le travailleur noir n'y a aucune place s'il n'apprend pas leur langue.

Le tout assorti de la plainte perpétuelle :

— Et nous sommes ici depuis plus de quatre cents ans.

Les avions qui vont de Washington en Floride traversent en général la Virginie en direction de Wilmington (Caroline du Nord) puis se dirigent vers l'Atlantique et descendent vers Miami en ligne droite, au-dessus de l'eau. Le Dr Calderon, perdu dans ses pensées, ne remarqua pas la beauté du paysage. Il compatissait vivement avec les noirs de Miami. Il voyait bien que leur monde était en mutation sous leurs pieds et qu'ils avaient énormément de mal à s'adapter. Mais il n'éprouvait aucune sympathie pour les Anglos qui se lamentaient de l'invasion cubaine. Ils avaient laissé stagner leur ville quand ils la monopolisaient. Les neuf dixièmes des facteurs positifs qui avaient fait de Miami une véritable métropole en deux décennies étaient l'œuvre de Cubains comme lui.

Il méprisait les citoyens anglophones de la ville qui déménageaient vers Palm Beach, au nord, pour éviter les Cubains. Ce mouvement, qualifié d'*Hispanic panic*, trahissait à ses yeux le fait que les Anglais en déroute se sentaient incapables de nager dans la ville espagnole que Miami était destinée à devenir. « Ils n'apprécient pas non plus que nous soyons à présent une ville catholique, et républicaine pour couronner le tout. En fait ils n'aiment rien en nous et dans nos nouvelles façons d'être... » Il secoua la tête, écœuré, en se rappelant l'autocollant insultant que l'on voyait sur un si grand nombre de pare-brise : « Que le dernier Américain à quitter Miami veuille bien ramener le drapeau. »

Puis, les mains croisées sur la boucle de sa ceinture de sécurité, il songea à sa propre ambivalence à l'égard de certains Cubains immigrés de fraîche date. Il estimait que la première vague de Cubains, en 1959 et 1961, avait valu à l'Amérique une de ses meilleures moissons d'immigrants. Pour n'importe quel pays, recevoir coup sur coup deux groupes aussi admirables sur le plan humain était une aubaine : « Pas un seul de nous n'est resté sans emploi. Pas un seul n'a négligé les études de ses enfants. Et je n'en connais pas un seul sans économies à la banque. » Il sourit à lui-même : « Et pas un seul qui vote démocrate ! Nous sommes devenus du jour au lendemain de bons bourgeois américains, et les Anglos ont tort de nous repousser, parce que nous sommes exactement comme eux. »

Il se racla la gorge et se rembrunit. Il ne pouvait pas en vouloir aux Anglos de mépriser les gangsters qui étaient arrivés en 1980, quand Castro avait vidé les prisons cubaines et envoyé chez son voisin du nord cent vingt-cinq mille délinquants. Ils avaient ramené les Cubains plus de dix ans en arrière. Steve baissa les yeux vers l'océan gris et se représenta cette deuxième vague d'immigration cubaine : les trafiquants de drogue et les spécialistes du hold-up, les voleurs de voiture et les escrocs... tous les jeunes sans bagage scolaire.

A regret, il dut avouer qu'il se posait une question déplaisante, une question qui envenimait la situation depuis un certain temps : « La vraie raison pour laquelle nous méprisons les Cubains de la deuxième vague n'est-elle pas le fait qu'ils sont en majorité noirs ? Nous n'avons guère envie que les États-Unis découvrent que les hordes de Cubains de cette génération sont des noirs, et non des blancs comme notre premier groupe. » Un problème épineux, cette discrimination raciale qui hantait Cuba depuis quatre siècles ! Les gens qui dirigeaient les hôtels de tourisme, au bon vieux temps, étaient tous blancs ou presque. De même les hommes au pouvoir, les diplomates qui charmaient Paris et Washington, les planteurs millionnaires... Tous blancs. Mais la masse des gens dans les campagnes et les montagnes, ceux qui faisaient les travaux et menaçaient de devenir la majorité, étaient des noirs, descendants des esclaves que les barons du sucre avaient importés d'Afrique. « Cuba, songea-t-il, le tiers supérieur blanc, le tiers inférieur noir, et le tiers médian de sang mêlé. » Il fit la grimace. « Jamais je n'ai aimé les noirs à Cuba, et je ne les aime pas davantage ici. Ce sont des voleurs et des assassins, et il est bien normal que les Américains commencent à avoir peur de tous les Cubains. A lire les articles de la presse sur les crimes de ces gens, on croirait que notre principale contribution à l'essor de Miami a été la corruption publique, à l'espagnole. »

Le front plissé, il songea à plusieurs incidents récents qui avaient fait la une des journaux. Un groupe important d'officiers de police, tous des Hispaniques blancs, s'était associé pour commettre une série de délits pour de l'argent. Deux Cubains de la vague de 1980, qui travaillaient dans un atelier de soudure d'aluminium, avaient fait pour un client anglo un travail si mauvais que celui-ci avait exigé un rabais ; les deux soudeurs, furieux, s'étaient introduits de force chez l'Anglo, l'avaient tabassé puis avaient renversé sa femme avec leur voiture : il avait fallu lui amputer la jambe... La litanie de la délinquance continuait, écœurante, et Steve comprenait que les Anglos en soient venus à détester même les Cubains honnêtes et rangés. Pour neutraliser ces impressions négatives, il avait créé avec d'autres notables cubains un club appelé « Dos Patrias » — allusion à la patrie du cœur que les Cubains avaient abandonnée, et à leur nouvelle patrie légale à laquelle ils étaient liés pour le reste de leur vie. Il s'agissait d'un club très ouvert, sans règlement, sans réunions régulières, sans appartenance strictement définie ; un simple lieu de rencontre pour des gens intelligents qui voulaient étudier l'évolution de leur communauté et qui désiraient l'orienter dans la bonne voie. Tous ceux qui en faisaient partie étaient des Hispaniques, dont quatre-vingt-quinze pour cent de Cubains. La plupart partageaient les opinions éclairées de Calderon. Ils admettaient deux faits de base : Miami était destinée à devenir une ville hispanique ; et ce serait une société plus vivante si les Anglos qui l'avaient construite pouvaient être persuadés de rester au lieu de s'enfuir vers les agglomérations de riches, plus au nord. La plupart des membres de Dos Patrias avaient adopté une position pragmatique :

— Si les imbéciles qui ne peuvent pas supporter d'entendre la langue espagnole prennent peur, encourageons-les à filer et qu'ils aillent au diable. Ce ne sera pas une grosse perte. Mais nous devons tout faire pour garder des gens intelligents, parce que nous avons besoin d'eux.

Dos Patrias faisait en sorte que Miami reste une ville où des Anglos pouvaient se sentir chez eux, et à la fin d'une des réunions du club, Steve déclara :

— Je vois une ville qui sera peut-être aux trois quarts espagnole et anglo pour un quart. Et pour qu'un bon Anglo se sente à l'aise dans ces conditions, ce ne sera pas facile.

Puis Steve frissonna : il se rappelait la visite lamentable que lui avaient faite récemment les Hazlitt. La bataille n'était-elle pas déjà perdue ? Norman Hazlitt était le genre d'homme que n'importe quelle communauté rêve de compter dans ses rangs : homme d'affaires à la réussite exceptionnelle, il avait établi d'excellentes relations avec sa main-d'œuvre, contribué à implanter une Église presbytérienne forte, participé au mouvement scout pendant des décennies et aidé le parti républicain local à survivre à une époque où il ne gagnait pas souvent les élections. Son épouse, Clara, collectait des fonds pour l'hôpital et était devenue l'ange financier du « Centre pour les Femmes battues ». Toutes les œuvres charitables de Miami le savaient : « Si vous ne pouvez pas obtenir de l'argent ailleurs, essayez les Hazlitt. »

Trois mois plus tôt, Steve s'était aperçu que les Hazlitt n'appréciaient guère la façon dont les Cubains s'imposaient à la communauté ; la secte religieuse Santeria, en particulier, les mettait mal à l'aise. L'affaire était devenue publique quand un jeune prêtre Santeria, très actif, avait acheté une maison vide à la limite du quartier où habitaient les Hazlitt et d'autres milliardaires. Il y avait organisé des services animés au cours desquels de vastes assemblées de fidèles, en majorité noirs, chantaient de beaux cantiques et priaient à la manière des catholiques, car ils se rattachaient à cette religion telle qu'on la pratiquait à Cuba. Les difficultés tenaient au fait que leurs rituels étaient aussi très fortement influencés par d'anciens rites vaudous, en particulier le sacrifice de coqs et d'autres animaux vivants de telle sorte que le sang éclabousse certains membres de la congrégation. Il ne s'agissait pas d'un simulacre de sacrifice, dans lequel un couteau symbolique traverse symboliquement le corps de l'animal : ils coupaient vraiment le cou d'un animal vivant et le sang chaud giclait partout.

Mrs. Hazlitt, membre de la Société protectrice des animaux, avait reçu un choc en apprenant qu'une église de sa commune célébrait des rituels de cette espèce. Avec le concours de femmes appartenant aux Églises épiscopalienne, baptiste et presbytérienne, elle avait esayé de mettre fin à ce que les gens bien-pensants qualifiaient de « spectacle barbare mieux approprié à la jungle qu'à une banlieue civilisée ».

Dans le débat public qui s'ensuivit, deux déclarations mal venues incitèrent les Hazlitt à s'insurger contre la communauté cubaine. Un des fidèles Santeria avait un fils frais émoulu d'une faculté de droit, et celui-ci présenta la campagne énergique des Anglos contre les sacrifices sanglants comme une attaque à la liberté de conscience. De façon très habile, il invoqua toute une série de lois pour défendre les sacrifices, et il considéra les pratiques de la secte Santeria avec autant de sérieux que par exemple une religion établie comme le catholicisme ou le mormonisme. Cela mit les femmes anglos en rage, et Mrs. Hazlitt déclara à la presse : « Mais ces religions-là sont de *vraies* religions ! » Ces propos soulevèrent bien entendu une véritable tempête : pour ses fidèles, Santeria était évidemment une vraie religion.

Les femmes essayèrent alors de faire intervenir la municipalité sur l'illégalité de l'utilisation d'une résidence particulière pour célébrer un culte, mais le jeune avocat les battit. Elles tentèrent de faire bannir les sacrifices pour des raisons de santé, mais de nouveau il s'abrita derrière la loi. Elles évoquèrent ce qu'elles appelèrent « la loi supérieure du bon sens », mais il cita à comparaître deux professeurs de religion qui démontrèrent que tous les articles du credo de Santeria, et en particulier les sacrifices sanglants, provenaient en ligne droite de l'Ancien Testament.

Mais ce fut au cours d'une interview à la radio que le jeune avocat administra le coup de grâce :

— Certains catholiques et certains protestants mangent l'hostie et boivent le vin du calice en croyant qu'il s'agit là du corps et du sang de Jésus sacrifié. Ils font exactement la même chose que nous, dans le culte Santeria, sauf que nous avons le courage de tuer réellement notre coq.

Après cela, tout débat raisonnable devint impossible, et lorsque l'Association en faveur des libertés civiques entra en lice pour défendre la nouvelle religion, les Hazlitt comprirent que leur camp ne pouvait pas gagner.

Mais une protestante acharnée — pas Mrs. Hazlitt, plus habile — tira une dernière salve, qui fit des ravages, en dépit (ou à cause) de sa mauvaise foi :

— Si les Santeria commencent leurs sacrifices par des pigeons et des poulets, ils passeront vite aux dindons et aux chèvres, et se mettront bientôt à tuer des êtres humains.

Cette attaque forcenée et gravement injustifiée fit passer un frisson dans toute la communauté, et les Hazlitt se dirent : « Le bon sens a perdu. Santeria l'emporte. »

Deux semaines plus tard, ce couple estimable apporta aux Calderon la mauvaise nouvelle :

— Nous quittons Miami. Nous n'en pouvons plus.

— Je vous en supplie ! s'était écrié Steve. Oubliez les Santeria. Ils sont à l'autre bout du quartier et ils se tiendront bien.

— Nous les avons oubliés. Mais la semaine dernière nous avons commencé à nous inquiéter pour de bon. La tentative d'incendie de l'émetteur de télévision...

— L'affaire Frei ? demanda Steve.

Il subit alors une éruption de plaintes amères, car ce Noriberto Frei, le contrôleur fiscal de la ville, avait vraiment dépassé les bornes de la raison.

C'était un jeune homme sympathique, arrivé de Cuba ni parmi les premiers émigrés ni pendant la dernière vague. Il s'était présenté comme diplômé de commerce et d'administration de Harvard (bien qu'il n'eût jamais mis les pieds en Nouvelle-Angleterre) et prétendait avoir « vu le monde » (alors qu'il n'avait jamais dépassé le nord de la Caroline du Sud), puis il avait participé à toute une série de combines. Il se justifiait toujours avec une ingéniosité sans vergogne :

« Oui, j'ai nommé neuf membres de ma famille à des emplois très bien rémunérés, mais après qu'ils eurent passé des tests démontrant qu'ils étaient plus qualifiés que les autres candidats... Oui, les promoteurs qui ont construit cet immeuble d'appartements sur un terrain réservé à des maisons privées m'autorisent à utiliser le grand appartement du douzième étage, mais je n'en suis pas le propriétaire... Et quant au " trou " de quatre-vingt-dix-sept mille dollars dont parlent les journaux, je peux l'expliquer... »

— Ce n'est pas toutes les choses honteuses qu'il a faites, dit Norman Hazlitt. C'est la façon dont votre communauté cubaine l'a défendu... et fait de lui un héros. Vous nous avez envoyé un message, et nous l'avons clairement compris.

— C'est une affaire déplorable, avoua Calderon.

Ce Noriberto Frei, par son charme et ses belles paroles, s'était construit un empire qui lui valait un pouvoir considérable. Dès qu'il s'était embarqué dans ses combines scandaleuses, une chaîne locale de télévision avait présenté un aperçu de ses fredaines et terminé par la question : QUE FERA-T-IL ENSUITE ?

— Il était bien normal de dénoncer cet escroc ! lança Hazlitt.

Steve en convint. Mais le soir où l'émission était passée à l'antenne, des centaines de partisans de Frei — tous cubains — avaient convergé vers la station de télévision en question, avaient traité les journalistes de communistes et auraient mis le feu aux bâtiments si la police n'était intervenue.

— Une manifestation inadmissible, concéda Calderon.

Mais ce n'est pas de cela que les Hazlitt étaient venus se plaindre. Ils brandirent un exemplaire du journal du jour et montrèrent une photographie typique de Miami étalée sur la première page : Frei jubilant, coupe de champagne à la main et entouré par deux douzaines de partisans enthousiastes, hispaniques pour la plupart, fêtait son triomphe sur les Anglos. La légende citait ses paroles : « Ils ont essayé de m'avoir sept fois, mais ce n'est qu'une vengeance mesquine organisée par cette maudite chaîne de télévision. J'ai prouvé que rien ne peut m'ébranler. »

— C'est un fait, reconnut Hazlitt. Il a triomphé. Et il déclare maintenant la guerre aux personnes comme moi : « Fermez vos gueules ou décampez ! »

Puis Clara posa sur le bras de Steve Calderon une main qui tremblait et lui dit :

— Nul n'est mieux placé que vous pour savoir, Steve, que Norman et moi ne sommes pas racistes.

— Bon Dieu ! Qui m'a prêté de l'argent pour lancer ma clinique ?

Il se pencha pour embrasser Clara sur la joue, mais cela ne suffit pas à apaiser son amie.

— Je déteste vraiment, quand j'entre dans un magasin que je fréquente depuis quarante ans, trouver en face de moi des vendeuses qui non seulement ne parlent pas un mot d'anglais mais m'insultent parce que j'utilise ma langue. Je ne peux plus aller chez ma coiffeuse de toujours parce que la nouvelle direction n'engage que des Cubaines ne parlant pas l'anglais. Où que j'aille, il en va de même... Vos Cubains nous ont volé notre ville, conclut-elle en se tournant vers Steve d'un air accusateur.

Il essaya de la rassurer : Miami avait plus que jamais besoin des Hazlitt ; mais elle serra les poings et répliqua :

— Ce n'est plus une question de belles paroles. Nous avons peur. Nous sommes... terrifiés. Norman, raconte-lui ce qui s'est passé il y a deux nuits.

— Clara et moi roulions sur Dixie Highway, en respectant la limite de vitesse. Un conducteur pressé, derrière nous, voulut nous dépasser, donna un coup de klaxon agacé, puis, prenant des risques, nous doubla à droite en montant sur le bas-côté et nous insulta au passage. Il se retrouva alors derrière une voiture plus lente que la nôtre et son klaxon exprima aussitôt sa rage noire. Cette fois, il n'y avait plus d'accotement où il pouvait rouler. Furieux, il lança sa voiture contre celle de devant et lui donna trois coups de pare-chocs. Puis, à un feu rouge, il se glissa à côté d'elle. Sans un mot, il prit un revolver dans sa boîte à gants et tira une balle dans la tête du chauffeur lent... À quatre mètres de nous !

— Avant que nous puissions faire quoi que ce soit, ajouta Clara, le tueur a grillé le feu rouge et disparu.

— Avez-vous signalé sa voiture à la police ?

— Non. Nous avons eu trop peur qu'il revienne nous tuer nous aussi.

— Était-ce un Hispanique ?

— Bien entendu

Avant que Steve puisse lui faire remarquer à quel point cette réponse était, au fond, scandaleuse par tout ce qu'elle impliquait, Hazlitt ajouta :

— Nous avons vendu notre maison ce matin... Et je vais me débarrasser de mes affaires dès que possible.

— Mais où irez-vous ? se désola Calderon.

— Dans un endroit sain et propre, au nord de Palm Beach. Nous construirons un mur autour de notre maison, en espérant qu'il nous protégera jusqu'à notre mort.

Steve rendit compte de cette évolution de la situation au club Dos Patrias. Plusieurs membres exprimèrent leurs regrets de perdre des concitoyens aussi estimables, mais les réalistes leur répondirent :

— Un cas classique d'*Hispanic panic*. Laissez-les donc filer.

— J'en ai jusque-là d'entendre les Anglos se plaindre de nous entendre parler espagnol, ajouta un autre. On peut passer un mois sur la Calle Ocho sans avoir besoin d'un seul mot d'anglais.

Steve répliqua :

— Dites à vos Cubains qu'ils feraient mieux de l'apprendre, sinon ils resteront à la traîne quand Miami prendra de l'expansion.

Il existait toutefois une menace plus grave pour l'ensemble du pays, et un professeur d'économie politique de l'université de Gainesville vint l'expliquer un jour à Dos Patrias :

> *J'estime que nous devons nous attendre dans un avenir assez proche à un autre exode massif de Cuba, et sans aucun doute à un énorme afflux d'Amérique centrale où le taux de natalité est en train de s'emballer. Il s'agira d'environ deux ou trois cent mille Hispaniques de plus, et ils n'auront pas le*

même niveau culturel que vous, messieurs. Ce seront des illettrés, noirs pour la plupart, et tous voudront s'installer à Miami.

Le grand risque que présenteront ces gens, c'est qu'ils introduiront dans la vie de Miami la corruption politique qui semble infecter tous les gouvernements hispaniques : fonctionnaires soudoyés, élections truquées, népotisme. Invariablement les Hispaniques font passer les intérêts des membres de leur famille avant le bien-être général. Ces traits caractéristiques font déjà surface à Miami, et avec l'afflux constant des nouveaux émigrants le problème ne peut que s'aggraver.

Il vous appartient, ainsi qu'à tous les leaders de la communauté hispanique, d'éviter cette maladie sociale. La politique de la Floride ne doit pas tomber dans l'ornière de l'Amérique latine. Les hauts dignitaires que vous élisez ne doivent pas suivre les traditions de la Colombie, où l'on assassine les juges qui vous déplaisent, ou de la Bolivie, où rien n'est à l'abri des voleurs. Ils doivent adopter les traditions de raison, d'honnêteté et de responsabilité dont s'inspirent les États-Unis depuis trois siècles.

Pendant ce beau discours, Calderon ne put s'empêcher de songer aux scandales récents de Wall Street où des Anglos d'une probité hypothétique avaient volé les petits épargnants de tout le pays comme au coin d'un bois. Il eut l'impression que le jeune professeur exagérait un peu. Mais dans la discussion passionnée qui suivit, il modifia légèrement ses opinions.

Pour le moment, Miami fait l'objet d'une publicité détestable et passe pour la capitale américaine du crime. Gangstérisme et cocaïne en sont les principaux responsables et il semble bien que cela continuera ainsi jusqu'à la fin du siècle. Mais n'oublions pas qu'à son époque, Al Capone avait fait de Chicago la capitale du crime, or la ville n'en a pas subi les conséquences plus de vingt ou trente ans. Il en sera de même pour Miami.

La turbulence s'accompagne toujours de vitalité, et Miami a de fortes chances de devenir l'une des villes les plus dynamiques de l'hémisphère occidental — le terrain de jeux du Nord, la capitale des Caraïbes, un aimant pour l'ensemble des pays d'Amérique du Sud. Avec tous les avantages d'une société multiraciale. Et n'oubliez pas les Haïtiens, qui sont durs au labeur. Miami a un avenir vraiment brillant.

L'avion de Calderon venait d'arriver au nord de Palm Beach et pendant la descente vers Miami, toutes ses pensées convergèrent vers ce qui l'attendait maintenant : une rencontre avec Fidel Castro. Il le savait, tant qu'un seul Cubain de sa génération vivrait en Floride, jamais la haine pour ce tyran détestable ne pourrait s'apaiser. Des anciens combattants de la baie des Cochons comme Máximo Quiroz entretiendraient les rancœurs. Mais Steve comprenait aussi qu'il existait un horizon plus vaste : le reste des États-Unis désirait laisser le régime de Castro suivre son cours, en le maintenant bien entendu dans l'isolement. Et après l'époque Castro, l'Amérique tenterait de se réconcilier avec Cuba.

Une pensée ironique éclaira son visage d'un sourire : « Si Castro disparaissait demain, je me demande si Máximo et ses acolytes reviendraient à La Havane. Ils ont la belle vie à Miami et ne songent guère à y renoncer. Pas plus de deux pour cent ne reviendraient. Mais j'exagère : le mal du pays est un sentiment puissant. » Et au moment où l'avion vira sur l'aile pour s'aligner avec la piste : « Disons cinq pour cent, conclut-il. Quant aux enfants nés ici et élevés dans les écoles et les universités américaines, un pour cent seulement... et encore. »

Mais lorsqu'il arriva chez lui, le problème qui se posait prit un tour entièrement nouveau. Dès qu'il franchit la porte sa femme lui apprit que plusieurs personnes refusant de donner leur nom avaient appelé au téléphone et désiraient lui parler. Au moment même où elle prononçait ces mots la sonnerie retentit. Steve décrocha, et une voix qu'il ne reconnut pas lança sur un ton rauque :

— Pas question que vous alliez à Cuba.

De toute évidence, un des membres de la réunion de Washington avait averti quelqu'un à Miami du projet d'une prise de contact avec Castro et des concessions qui risquaient d'en résulter.

— Qui a téléphoné ? demanda Kate.

Il préféra mentir.

— Une question de coefficient d'occupation des sols.

Elle changea de sujet.

— Et ta réunion à Washington ? C'était au sujet de Cuba ?

Il acquiesça et elle lui rappela la promesse qu'il lui avait faite la veille. Il répondit d'un ton léger, mais ne put éviter d'en venir au fait :

— Peut-être un voyage à La Havane, pour aller voir ta sœur.

Elle l'embrassa.

— Ça, je peux l'accepter... Si nous n'y mêlons pas la politique.

Et il répondit qu'il n'y songeait pas.

Puis le téléphone sonna de nouveau et une voix très différente mais impossible à reconnaître lança d'un ton sombre :

— Attention, Calderon. N'allez pas à Cuba !

Cette fois, quand il raccrocha, ses mains tremblaient. Il se détourna pour que sa femme ne puisse pas s'en apercevoir. Il avait peur, et non sans raison car dix ans plus tôt, en 1978, un des meilleurs médecins de sa clinique, Fermin Sanchez, avait organisé un groupe de soixante-quinze exilés qui s'étaient rendus à La Havane pour voir Castro et discuter d'une éventuelle normalisation des relations entre Cuba et les États-Unis. La nouvelle de cette rencontre avait explosé comme une bombe au sein de la communauté des réfugiés et peu après le retour du comité à Miami, deux de ses membres avaient été assassinés et tous avaient reçu des appels téléphoniques anonymes de menace : « Traître, tu mourras ! »

Un jour, Steve avait pris un coup de fil destiné au Dr Sanchez :

— Oh, Dr Calderon ! Dites au Dr Sanchez que j'aimerais continuer mon traitement, mais j'ai trop peur d'un attentat pendant que je serai avec lui.

— Qui vous a dit ça ?

— Ils ont téléphoné.

Avec le temps, la tension avait diminué mais Steve savait qu'on l'avait soupçonné parce qu'il employait Sanchez. On avait exercé des pressions considérables pour qu'il mette son confrère à la porte, mais il avait refusé et les rancœurs avaient fini par s'apaiser.

Si deux villes étaient destinées à s'unir étroitement pour devenir complémentaires, c'était bien Miami, perchée à la pointe d'un grand continent, se débattant pour conserver son caractère anglo-saxon, et La Havane au bout de son île splendide, bien décidée à protéger son patrimoine espagnol. Situées à trois cent soixante-quinze kilomètres l'une de l'autre, distance franchie en moins de quarante minutes par avion, elles auraient dû profiter d'une symbiose bénéfique à toutes deux, les habitants de Miami trouvant chez leurs amis du Sud non seulement des distractions mais une meilleure connaissance de la vie antillaise et de l'influence espagnole, et les Cubains montant en Floride pour leurs achats, les soins médicaux et les études supérieures. Mais la révolution castriste avait mis en pièces toutes ces possibilités et rendu impossible toute relation entre les deux voisines naturelles, au grand dam de chacune.

En cet été de 1988, tout voyage normal d'une ville à l'autre était interdit, mais un Américain avait cependant trois manières de se rendre à Cuba : il pouvait aller au Mexique, obtenir discrètement un visa et prendre un vol de courte durée pour La Havane ; il pouvait faire de même depuis Montréal ; ou bien, dans des circonstances difficiles et plus ou moins secrètes, aller discrètement à l'aéroport de Miami vers minuit pour prendre l'avion charter qui partait chaque soir de la semaine pour transporter passagers et marchandises que les deux pays ne pouvaient éviter d'échanger. Personne ne faisait de tapage autour de ces vols, car chaque pays en reconnaissait la nécessité.

Pour le vol du Dr Calderon et de son épouse à La Havane, le Département d'État avait opté pour le détour par le Canada, afin de mieux garder le secret. Par un heureux hasard, un important congrès médical devait se tenir à Toronto fin août, et l'on s'arrangea pour que le Dr Calderon reçoive une invitation officielle. D'autres médecins de Miami étaient d'ailleurs invités. Les Calderon feraient une apparition au début des réunions, rencontreraient le plus grand nombre possible de médecins de Floride, assisteraient aux débats des deux premiers jours puis s'esquiveraient, en principe pour une balade en voiture en Nouvelle-Écosse.

Mais avant que les Calderon ne mettent ce plan à exécution, Steve reçut la visite — pas tout à fait inattendue — d'un homme qu'il n'avait guère envie de voir : un Cubain proche de la cinquantaine, de taille moyenne mais visiblement costaud, avec des cheveux noir de jais qui lui retombaient sur le front et un air figé en une sorte de rictus. Máximo Quiroz.

C'était un des principaux adversaires du groupe Dos Patrias, organisé par Calderon pour guider la communauté cubaine de Miami dans une voie modérée. Quiroz, lui, visait la confrontation en tout ce qui concernait les Hispaniques. Il rêvait non seulement d'envahir Cuba mais d'expulser tous les Anglos de Miami : « Je serai heureux quand le dernier d'entre eux partira vers le nord et laissera la gestion de cette ville à ceux d'entre nous qui savent ce dont elle a besoin. » Les hommes comme Calderon ne pouvaient plus supporter Quiroz et le tenaient pour un agitateur irresponsable, indifférent aux conséquences néfastes de ses actes.

Steve Calderon essaya de se montrer compréhensif et patient.

— Eh bien, Máximo, mon vieux, quelles nouvelles ?

— Tout va mal. La Russie débarque des tonnes d'armes dans l'île, et tout repart directement au Nicaragua sans qu'on ouvre les caisses.

Il se plaignit de l'attitude hésitante du Congrès des États-Unis, qui laissait les contras dans l'incertitude totale — bien entendu, il soutenait les contras sans réserve.

— Qu'as-tu appris à Managua, le mois dernier ? demanda Calderon.

Il ne s'agissait pas d'une simple question de politesse, car Calderon soutenait ardemment les contras lui aussi.

— Une noble détermination à reconquérir leur pays. De la confusion en ce qui concerne l'origine des moyens nécessaires.

Si Calderon était vraiment intéressé, ajouta-t-il, il organiserait pour lui une rencontre avec les leaders contras, qui vivaient tous à Miami. Steve soutenait les contras par sympathie et en contribuant financièrement, mais ne désirait pas trop s'en mêler.

— Quel bon vent t'amène ce matin ? demanda-t-il.

Quiroz commença par une longue évocation des relations passées entre les Calderon et la branche Quiroz de la famille.

— Tu n'as pas oublié, dit-il en espagnol (car il avait refusé de perfectionner son anglais, s'attendant toujours à retourner à Cuba d'un jour à l'autre), tu n'as pas oublié que ton arrière-grand-père s'appelait Calderon y Quiroz, et que sa mère était la sœur de mon arrière-grand-père. Nous sommes parents, souviens-toi, et il n'est pas convenable que tu t'opposes à ce que j'essaie de faire.

— Qu'essaies-tu de faire ? coupa Steve, ce qui provoqua un rictus plus amer.

— Regagner Cuba, et si c'est impossible parce que les Russes nous en empêchent, même après Castro, nous assurer un sanctuaire ici, à Miami.

— Es-tu obligé d'insulter les Anglos pour y parvenir ?

— Oui ! répondit-il, plein de défi. Je ne peux pas oublier la façon dont ils nous ont insultés quand nous sommes arrivés en 1959. Leurs jours sont comptés.

Outré par ces paroles, Calderon se leva et se mit à arpenter son bureau de banquier, puis il se retourna vers Quiroz.

— Máximo, tu es libre de te battre pour un Cuba débarrassé de l'emprise soviétique, mais tu n'as pas le droit de détruire le sud de la Floride pour ceux d'entre nous qui désirent rester ici jusqu'à la fin de leurs jours.

Il s'arrêta soudain, dévisagea son cousin et lui demanda :

— À propos, as-tu sollicité la nationalité américaine ?

— Mon pays est là-bas.

— Alors, pour l'amour de Dieu, abstiens-toi d'intervenir ici. Ne sabote pas Miami pour le reste d'entre nous.

— En quoi je sabote...

— En remettant sur le tapis la question du bilinguisme.

— Ah ! Tes riches amis anglos ont intérêt à accepter le fait : Miami sera une ville espagnole. Les nouveaux venus ne sont pas seulement cubains. Tous les gens de trop en Amérique centrale arrivent ici, et ils ont le droit de mener leur vie en espagnol.

— Mais, Máximo, lança Steve d'un ton presque suppliant, ne vois-tu pas que cette campagne, une fois de plus, va rendre les Anglos...

— Je veux leur faire bouffer la poussière comme ils nous l'ont fait bouffer à tous les deux quand nous sommes arrivés dans leur ville.

— Je n'ai jamais « bouffé la poussière », répliqua Steve.

— Oh, que si ! lança Quiroz, emporté par sa rage. Pendant des années. Tu as travaillé comme portier, non ? Mais tu refuses de le reconnaître !

Steve comprit qu'avec cet homme difficile invoquer la vérité ou la logique ne servirait à rien.

— Je ne sais pas pourquoi je prête attention à tes paroles, Máximo.

Quiroz ricana, plus provocant que jamais.

— Si, tu le sais. Tu m'écoutes parce que tu sais que je suis un authentique patriote cubain... un héros... un de ceux qui nous ramèneront à Cuba.

Quiroz pouvait se permettre cette arrogance, car il savait qu'il donnait mauvaise conscience aux Cubains américanisés, honteux d'avoir adopté une nouvelle patrie en tournant le dos à l'ancienne.

Quelques mois plus tôt, le club Dos Patrias, conscient des tensions qui montaient entre Quiroz et Calderon, avait envoyé l'un de ses membres discuter avec Steve pour le raisonner :

> *Quiroz est difficile, et je suis membre de Dos Patrias parce que je n'apprécie pas ses actes extrémistes ici à Miami. Mais il ne manque pas de courage. Je le sais. Quand il est venu me voir en 1961 pour m'annoncer : « Nous allons envahir Cuba, tuer ce salopard de Castro, et libérer notre patrie », j'ai sauté sur l'occasion.*
>
> *Nous avons été les premiers sur la plage, à la baie des Cochons, et les derniers à réembarquer. Tu le sais bien : il s'est tellement attardé pour continuer de tirer sur les communistes que nous avons été faits prisonniers, jetés dans de gros camions, et envoyés à La Havane pour que les Cubains triomphants se moquent de nous.*

A ce souvenir, accablé par ce qu'il devait dire ensuite, l'ancien participant à cette opération bâclée demanda un verre d'eau.

> *Nous avons fait le voyage entassés dans un autocar fermé. Huit heures avec le soleil qui tapait sur les tôles. Très vite des hommes sont morts, suffoqués. Máximo montra alors qu'il était un héros. Il nous ordonna de gratter les côtés de l'autocar avec nos ceintures pour essayer de faire des trous pour respirer. Une heure passa sans résultats, et il cria : « Grattez plus fort, sinon vous crèverez ! » Il fut le premier à percer la tôle, et l'air frais qui est arrivé m'a sauvé la vie. Aujourd'hui Máximo ne vit que pour une seule chose : revenir à Cuba pour en finir avec Castro.*

Steve Calderon, très calme, lui avait demandé :

— Les Cubains de Miami le suivront-ils ?

Cet homme raisonnable avait répondu sans hésiter :

— Moi le premier, et dix mille comme moi...

Steve se rassit et regarda longuement Quiroz par-dessus son bureau. Il devait le reconnaître, cet homme déplaisant était un authentique héros. Mais il se doutait bien que Máximo lui avait rendu visite pour une raison précise.

— Dis-moi, maintenant, pourquoi es-tu venu me voir ?

Quiroz comprit qu'il devait abattre ses cartes.

— On m'a dit que tu allais dans l'île voir Castro.

Steve fut fortement tenté de lui demander : « Qui ? », mais ne désirant pas se lancer dans un engrenage de mensonges, il répondit en toute sincérité :

— Rencontrer Castro ? Je n'ai aucun projet de ce genre.

— Alors pourquoi vas-tu à Cuba ?

— Qui a dit que j'y allais ?

— Nous sommes au courant. Nous avons nous aussi des amis haut placés qui rêvent de libérer Cuba.

— Si j'y vais, répondit Steve, ce sera pour accompagner ma femme. Nous irons voir ton cousin Domingo Calderon. Ma femme est la sœur jumelle de la sienne, tu le sais bien.

— Oh oui ! Mais ce n'est pas une raison suffisante pour qu'un homme comme toi retourne à Cuba. Ta famille a défendu la cause des États-Unis depuis toujours. Jamais Castro ne sera assez fou pour te laisser entrer.

— Les temps changent, Máximo.

— Pas en ce qui concerne Castro. Je te préviens, Estéfano, ne va pas voir ce criminel à La Havane.

Entendre son nom espagnol évoqua en Steve de si agréables souvenirs qu'il se leva, embrassa son redoutable cousin et lui dit :

— Un de ces jours, Máximo, nous retournerons tous à La Havane pour une longue visite. Crois-moi : les temps changent.

Quiroz, désarmé par ce geste de tendresse spontanée, répondit à contrecœur :

— Pour moi, ce ne sera pas une visite. Castro sera mort et je retournerai chez moi pour de bon... en triomphe.

Mais très vite, il reprit son attitude hostile.

— Estéfano, je te mets en garde. Ne va pas à Cuba. Ne fais aucune concession à ce meurtrier.

— Je n'ai nullement l'intention...

— Mais tu as déjà pris ton billet pour Toronto. Je sais ce qui va se passer à Toronto : tu fileras à Cuba.

Stupéfait par les renseignements que possédait Máximo sur ses faits et gestes, Steve répondit :

— Si tu en sais si long, tu n'ignores pas que je participe à un congrès de médecins canadiens.

Quiroz se leva et se dirigea vers la porte.

— Estéfano, si tu vas à Cuba et si tu essaies de rencontrer Castro, tu courras un grave danger. Je te mets de nouveau en garde : ne le fais pas.

Steve écouta ses pas s'éloigner dans le couloir, se pencha en arrière dans son fauteuil et se demanda quel membre de la réunion de Washington avait pu signaler à ses amis de Miami la nouvelle stratégie du gouvernement concernant Cuba, et le rôle qu'il allait jouer personnellement dans cette affaire.

À Toronto, Steve et Kate assistèrent aux rencontres médicales, et Steve intervint à deux reprises dans les débats pour que l'on remarque bien sa présence. Le troisième jour, ils louèrent une voiture, et afin que personne ne puisse vérifier qu'ils partaient à Cuba, prirent la route de l'est vers la Nouvelle-Écosse. À Montréal, ils garèrent leur voiture à l'aéroport et prirent un vol à destination de Mexico. Un avion plus petit les conduisit de là à La Havane.

Dans l'autocar qui les conduisit de l'aéroport en ville, il y avait assez de place pour qu'ils soient assis chacun près d'une glace, Kate devant, Steve derrière elle. Les remarques qu'ils échangèrent exprimèrent leur incessante surprise.

— C'est beaucoup plus propre qu'autrefois, lança Kate.

— Beaucoup moins d'uniformes que du temps de Batista.

— Où sont les ânes que l'on voyait le long de cette route ?

— Et toutes les voitures américaines clinquantes ? répondit Steve en écho.

C'était un nouveau Cuba, et sous certains aspects manifestes, un Cuba meilleur. Mais Steve se retint d'exprimer une approbation aussi générale.

— N'oublions pas : presque toutes les villes du monde se sont améliorées depuis un quart de siècle. Ce n'est pas particulièrement dû au communisme.

Cette dernière remarque à voix très basse dans l'oreille de Kate.

Mais quand ils entrèrent dans la ville proprement dite, deux choses choquèrent le propriétaire d'immeubles extrêmement bien entretenus qu'il était : l'épouvantable dégradation de rangées entières de bâtiments qui tombaient en ruine, et l'incapacité apparente des habitants de tondre la pelouse ou de nettoyer le trottoir devant leur demeure ou leur lieu de travail.

— Cette ville est un tas d'ordures. Elle a besoin d'un million de litres de peinture.

Kate n'entendit pas ses plaintes car elle faisait ses propres observations :

— Regarde comme tout le monde est bien habillé. Et l'air détendu de tous les visages. On n'a pas l'impression d'être sous une dictature.

Steve la mit en garde.

— Attends de savoir ce qu'il y a derrière ces sourires.

L'autocar s'arrêta à la porte d'un grand hôtel et ils descendirent. Au lieu d'entrer immédiatement, ils restèrent dans la rue.

— Ces cinq valises, dit Steve au portier. Nous passerons à la réception dans un moment.

Ils respirèrent à pleins poumons l'air doux des tropiques.

— Regarde, s'écria Kate, plus de mendiants.

Steve fit observer l'absence de cohue et d'embouteillages dans les rues, et ils se félicitèrent tous les deux de voir, en cet instant du retour, qu'en dépit de leurs convictions personnelles profondes, leur pays natal ne se portait pas si mal.

Dans leur chambre, Steve approuva le papier à fleurs.

— En un sens, je suis fier de ce côté vieillot. Malgré le mauvais entretien, je m'y sens chez moi.

Kate se jeta dans ses bras et murmura :

— J'avais tort de te conseiller de ne pas venir. Revoir La Havane, même le peu que nous en avons vu jusqu'ici, est passionnant. Faisons la surprise à Plácida. Je vais lui téléphoner tout de suite pour la prévenir.

Au cours des trois quarts d'heure suivants ils apprirent beaucoup sur Cuba, parce que passer un simple coup de téléphone y est devenu un acte de haute stratégie. On ne peut se contenter de décrocher et de composer le numéro ; il faut entrer en négociation avec la standardiste, dont les lignes sont perpétuellement occupées. Au bout d'interminables délais, on finit parfois par obtenir la communication.

Les efforts de Kate aboutirent et ils attendirent dans leur chambre, sur des charbons ardents. Après un délai d'une brièveté surprenante parvint l'appel de l'intérieur de l'hôtel :

— Nous vous attendons dans le hall.

Les retrouvailles des deux jumelles furent très émouvantes. Au cours des longues années depuis 1959, elles n'avaient vu que des photos — mais elles se ressemblaient toujours autant, ce qui stupéfia leurs maris. Mêmes cheveux aux reflets roux, mêmes dents blanches étincelantes, ni trop de poids ni trop peu, et toujours la bonne humeur espiègle qu'elles avaient conservée au milieu des vicissitudes de l'existence. Mais Plácida semblait l'épouse cubaine idéale, et Kate le type même de l'Hispanique de Miami adaptée à la vie américaine.

De même que les épouses, chaque mari représentait bien son pays : Domingo important haut fonctionnaire cubain de cinquante-deux ans, à l'allure et aux vêtements dans le goût espagnol ; Estéfano, pareil à n'importe quel déraciné cubain, portoricain ou mexicain parvenu à une légitime réussite aux États-Unis dans une profession libérale. Chacun était sincèrement ravi de voir l'autre après une aussi longue absence, mais comme Domingo, dans sa fonction, devait se montrer soupçonneux à l'égard de tout Américain, il désira connaître le motif précis du voyage de son cousin à Cuba. Estéfano donna trois raisons authentiques :

— Te voir. Voir la vieille raffinerie. Mais surtout donner à Caterina l'occasion de revoir Plácida.

Ces raisons satisfirent Domingo, qui s'écria :

— Vous allez quitter cet hôtel et vous installer chez nous.

Sa femme renchérit aussitôt.

La vieille raffinerie de sucre Calderon, à l'ouest de la ville, avait cessé de fonctionner depuis longtemps. Après la révolution de 1959 tous les immenses domaines avaient été distribués aux paysans en petites parcelles. Mais Domingo, ardent partisan de la révolution, avait pu conserver quatre petites maisons de pierre reliées par une sorte de cloître à colonnes comme on en voit dans les monastères. Quelques murs bas avaient créé plusieurs petits patios, toujours garnis de fleurs, et l'effet ne manquait pas de rappeler la vieille Espagne — ce qui n'avait rien d'étonnant puisque des familles de sang espagnol avaient possédé la grande plantation pendant près de cinq siècles.

Plácida Calderon avait décoré les nombreuses petites pièces dans le style d'autrefois, et quand Steve et sa femme visitèrent cette demeure toute simple mais charmante, ils s'écrièrent :

— Hé ! Vous avez fait un palais de ces vieilles ruines.

Soudain Kate courut vers un des appentis, s'adossa au mur et s'écria :

— Plácida ! Tu te souviens ? C'est ici qu'Estéfano m'a embrassée pour la première fois. Et tu étais si contente quand je te l'ai raconté...

En ces instants enchantés, chargés de souvenirs et d'émotion, les Calderon de Miami sentirent en eux un changement étrange. La cause en était simple mais pénétrante :

— C'est tellement bon d'être appelé Estéfano comme autrefois. De pouvoir me souvenir que mon nom est Calder*ón*, avec l'accent tonique sur la dernière syllabe et le *n* en suspens. Calderón, suivi par le nom de ma mère, Arévalo. C'est presque comme si je retrouvais l'intégrité de ma personne.

Pendant le reste de son séjour dans l'île, il serait un Cubano : méfiant, curieux, toujours prêt à critiquer et profondément conscient de son patrimoine culturel. Bien entendu il prononcerait le mot à l'espagnol : Cu-*ba*-no. Et Caterina, qui partageait le même plaisir à entendre la prononciation espagnole, lui rappelait à tout instant :

— Et nous sommes à La Habana !

Ils apprirent avec intérêt et reconnaissance que dans deux des petites maisons reliées par le cloître, sept membres de la famille Calderon de Cuba avaient trouvé un refuge permanent. Les maris travaillaient pour Domingo dans les services de l'État, les femmes aidaient Plácida dans les œuvres de charité auxquelles elle se consacrait. C'était un centre familial plein de chaleur humaine, et les Calderon de Miami furent enchantés de s'y joindre. La semaine qui suivit fut illumination, confusion et joie. Illumination, à la suite des explorations qu'ils firent dans la campagne, avec le coupé Lada de Domingo, fabriqué en Pologne. Caterina le trouva plutôt laid, une vraie boîte à sardines, mais Estéfano en reconnut la robustesse. Ils se rendirent tous ensemble dans des endroits que les Calderon avaient connus des années auparavant, et à maintes reprises ceux-ci s'étonnèrent des améliorations — ou des dégradations. Il y eut plus d'un instant d'émotion touchante sur le passé irrémédiablement perdu, quand les jumelles revirent ensemble un endroit qui avait joué un grand rôle dans leur jeunesse — la maison d'une amie décédée, ou d'un oncle disparu. Main dans la main, elles se remémorèrent ainsi les jours heureux de leur enfance où elles s'efforçaient de résoudre les énigmes de l'amour, du mariage et de la destinée.

En ces temps déjà lointains elles étaient scrupuleusement catholiques, et un après-midi où tous quatre étaient assis devant leur boisson au rhum dans un coin reculé des patios où le soleil ne pouvait les atteindre, Caterina lança :

— Je m'étonne, Plácida, que tu te sois éloignée de notre religion catholique.

— Plus personne à Cuba ne se soucie beaucoup de catholicisme, à présent, répondit sa sœur. Parce que dans cette île, l'Église ne s'est jamais très bien conduite. Tu te rappelle l'horrible père Oquende, toujours en train de lécher les bottes des riches ? Eh bien, ce genre de bonhomme a disparu, et je dis : « Bon débarras ! »

— Tu sais ce qui est drôle : quand un Cubain ou une Cubaine s'installe à Miami, les Anglos leur en imposent beaucoup dans la plupart des cas, et par réaction ils deviennent plus catholiques que jamais. Estéfano et moi allons à la messe tous les dimanches, mais je crois que pour lui c'est surtout une question d'affaires. À Miami, si le bruit courait qu'il n'est pas un bon catholique, cela lui porterait tort.

— Ici, c'est le contraire. Domingo deviendrait suspect au sein du Parti s'il allait à la messe. Tu as assisté à la visite du pape à Miami ?

— Oh oui ! Une sensationnelle reconsécration de la foi catholique, et en un sens une réaffirmation des valeurs hispaniques. Estéfano et moi sommes très fiers d'avoir été choisis comme délégués de la communauté cubaine.

Plácida ne put retenir un sourire ironique et Estéfano demanda, avec un soupçon d'irritation :

— Si Castro a révoqué l'Église et le passé, en quoi croyez-vous ?

— Nous ne nous occupons pas beaucoup du passé, répondit Domingo avec fermeté. Nous regardons constamment l'avenir.

— Et comment s'annonce cet avenir? En dépendance perpétuelle de la Russie?

— Écoutez, vous deux, les Americanos : vous entretenez une porcherie à Porto Rico et vous encouragez le pauvre Haïti à pourrir dans ses blessures...

— Pendant que la Russie vous envoie des canons? Qui dit mieux?

— Tu passes à côté de la question, Estéfano, vraiment. La Russie nous envoie quelques canons, c'est vrai et nous lui en savons gré. Mais, plus important, elle nous envoie du pétrole; et plus important encore, elle nous achète du sucre à trois *cents* le kilo au-dessus du cours mondial, soit juste ce qu'il faut pour assurer notre prospérité.

Et avant que son cousin puisse répondre, Domingo ajouta :

— Si vous étiez malins, les Américains, vous achèteriez le sucre des Antilles au même prix et la région entière s'épanouirait comme elle l'a fait pendant la jeunesse de nos parents. Mais vos États betteraviers ne veulent pas de ça. Conséquence, les îles des Caraïbes, à votre porte même, sont confrontées au pire des choix : la révolution ou la ruine.

Ainsi s'amorça leurs discussions. Estéfano soulevait des questions et en réaction, Domingo défendait farouchement le castrisme, puis lançait une accusation plus violente contre les États-Unis. Bientôt leur conversation devint un dialogue entre les deux pays.

ESTÉFANO : Et les Cubains en Angola?

DOMINGO : Ils y sont pour défendre la liberté des anciens esclaves du Portugal. Et que font vos mercenaires au Nicaragua?

ESTÉFANO : Et les restrictions de biens de consommation sous le régime communiste?

DOMINGO : Tu ne verras aucun Cubain mourir de faim. Mais si ce que j'ai lu est vrai, vingt-cinq pour cent des Américains n'ont pas une alimentation suffisante à cause de la cherté des produits alimentaires.

ESTÉFANO : Et le nombre énorme de prisonniers politiques que Castro garde dans ses prisons?

DOMINGO : Les États-Unis et l'Afrique du Sud sont les seuls pays soi-disant civilisés où l'on pend encore des gens pour des délits mineurs.

ESTÉFANO : Quand j'ai quitté Cuba, il y avait une demi-douzaine de merveilleuses publications comme l'hebdomadaire *Bohemia* et le quotidien *Marina;* à présent, je ne peux trouver que des torchons de propagande communiste vulgaire comme *Granma.*

DOMINGO : On sait que la presse en Amérique est l'instrument de Wall Street, mais nous ne tolérerons rien de pareil à Cuba. Nous respectons la liberté de s'exprimer... pour défendre la révolution.

Après une vingtaine de répliques sans conclusion de ce genre, le couple de Miami se retira dans sa chambre, et Estéfano lança :

— Bon Dieu, il a vraiment avalé la ligne du Parti!

— Peut-être que dans ce pays, c'est la meilleure attitude à prendre répondit Caterina... Mais je me plais beaucoup, ajouta-t-elle.

Quelques jours plus tard, au cours d'un pique-nique sur des hauteurs dominant La Habana, les deux hommes se lancèrent dans une discussion sur le rôle joué par l'Amérique dans les affaires cubaines.

— Quand les Espagnols ont été chassés de Cuba en 1898, dit Estéfano, nos grands-pères se sont divisés. Le mien voulait que Cuba devienne un État de l'Union américaine ; le tien s'est rangé aux côtés des patriotes de l'indépendance cubaine.

— Comme toi et moi aujourd'hui, répondit Domingo.

— Plus ou moins. Je ne souhaite pas que Cuba devienne un de nos États, mais j'aimerais que La Havane participe à l'hégémonie américaine aux Antilles.

Domingo se mit à rire et Caterina demanda :

— En quoi cette idée est-elle drôle ?

— Cela m'a rappelé les paroles de votre général victorieux, Leonard Wood, quand il a été nommé gouverneur provisoire de Cuba : « Cuba pourra devenir une partie vitale des États-Unis si le pays opère les changements susceptibles d'engendrer une société stable. Il faut bannir les anciennes façons de faire espagnoles et adopter les méthodes justes de l'Amérique. »

— Ne ris pas, répliqua Estéfano. On m'a rapporté des paroles prononcées par mon grand-père en 1929 : « Regardez autour de vous dans les Caraïbes. Toutes les personnes de bon sens désirent s'associer aux États-Unis. Nous le désirons. La république Dominicaine aussi. Beaucoup de gens à la Barbade l'ont toujours souhaité, et même les Mexicains du Yucatán ont supplié les Yankees de prendre le pouvoir. » Il ne comprenait pas l'hésitation des États-Unis à assurer leur hégémonie sur la région. Et quand on lui faisait observer que les îles françaises avaient tout de même leur mot à dire, il répliquait, furibond : « Elles ne comptent pas ! »

Domingo se replia sur son patriotisme fervent.

— Cuba est libre et se tiendra toujours à l'écart des États-Unis. Nous bâtissons un monde nouveau avec des espérances nouvelles. Estéfano ! Ta vie prendrait vraiment tout son sens si tu revenais nous aider.

Les deux hommes convinrent qu'ils ne pouvaient pas être du même avis sur ce point, et ils se félicitèrent de voir leurs épouses retrouver la tendresse chaleureuse et rieuse qu'elles avaient partagée en tant que sœurs jumelles avant la fuite de Caterina.

Un matin, Plácida proposa aux deux hommes :

— Allez à vos affaires ensemble, j'emmène Caterina en ville.

Ce fut une promenade en nostalgie, le long de rues étroites qu'elles avaient arpentées quand elles étaient collégiennes. Elles léchèrent les vitrines comme autrefois, en s'arrêtant soudain devant telle ou telle boutique où elles étaient entrées ensemble un quart de siècle plus tôt. Dans plusieurs cas, elles retrouvèrent des vendeuses qui s'étaient occupées d'elles dans le passé. Ce que Caterina apprécia le plus, ce furent les odeurs uniques de La Habana : chicorée grillée, ananas, les effluves du café du coin, l'arôme du pain frais, les senteurs amicales, indescriptibles, de la petite mercerie où l'on vendait du tissu et des aiguilles... Des odeurs qui tourmentent la mémoire, avoua-t-elle à sa sœur — et elle était ravie de les retrouver.

Tandis qu'elles avançaient rapidement dans le dédale familier de la Vieille Ville où les maisons semblent se rejoindre au-dessus des têtes pour coincer les ruelles au-dessous d'elles, Caterina eut l'impression que le Cuba du passé, celui qu'elle avait bien connu et le seul qui comptait, n'avait changé sous aucun aspect important — sauf l'absence d'un coup de peinture. Elle en fut soulagée parce que cela attestait la permanence des valeurs humaines indépendamment de la structure politique dans laquelle elles peuvent s'exprimer. Mais elle commença ensuite à remarquer les changements imposés par Castro à son île : un seul journal là où il y en avait jadis une demi-douzaine d'opinions différentes; des librairies sans un seul des bons romans américains que l'on aurait dû normalement y trouver — ils étaient remplacés par des livres d'auteurs russes qui traitaient de sujets russes. L'ancienne frivolité de La Havane avait disparu — mais aussi les mendiants et les infirmes affreusement déformés qui sollicitaient la compassion du public. L'impression de détente n'existait plus, car Cuba était à présent une société intense. En fait, ce qui lui manqua le plus dans le centre de la ville, ce furent les groupes d'Américains qui l'envahissaient à l'époque où La Havane était considérée dans le monde entier comme un bordel pour touristes. Dans une rue étroite dont Caterina ne se souvenait pas, Plácida lui dit :

— Avant Castro, une succession ininterrompue de maisons de passe.

— Que sont devenues les filles ? demanda Caterina.

— Elles travaillent dans les usines ou conduisent des tracteurs.

Les escapades délibérées dans la nostalgie engendrent un risque de retour de flamme, car tôt ou tard, en un point arbitraire et inattendu, les voiles se soulèvent pour révéler la réalité actuelle. Cela se produisit pour Caterina quand sa sœur la conduisit dans Galiano. C'était le cœur de La Havane, une belle avenue animée, célèbre pour la décoration de ses trottoirs : des lignes sinueuses, vert et jaune, insérées de façon permanente dans le pavage. Sa mère protestait toujours :

— Caterina, cesse de suivre ces lignes ! Tu déranges les gens qui viennent d'en face. Reste de ton côté.

Elle découvrit, désolée, que depuis la révolution on avait couvert de ciment terne et triste ces lignes si élégantes qui rappelaient l'époque coloniale.

— Oh, Plácida ! s'écria-t-elle. La poésie a disparu.

Elle regarda autour d'elle cette rue célèbre, si pleine de gaieté autrefois avec ses vitrines alléchantes qui exposaient des produits de luxe de tous les coins du monde, et elle commença à comprendre à quel point la nouvelle Habana s'était appauvrie.

— Où sont les petites boutiques qui se serraient dans cette rue ? Ces magasins qui regorgeaient des belles choses dont nous rêvions ?

Tout avait disparu. Galiano, l'une des rues les plus somptueuses d'Amérique latine, sans équivalent même à Mexico et à Buenos Aires, était devenue sinistre et sans joie.

— Partons, Plácida, s'écria Caterina au bord des larmes. Ce vide me déchire le cœur.

Elles se hâtèrent de gagner le célèbre carrefour de Galiano et de San Rafael puis elles suivirent cette dernière avenue, d'où avaient disparu aussi les anciens magasins de luxe. La Havane n'avait que très peu de biens de consommation à offrir. Dans les boutiques le choix était extrêmement limité, et quand la rumeur se répandit soudain dans le quartier que « Sanchez a des chaussures ! » Caterina vit toutes les femmes courir vers le magasin pour se joindre à une queue déjà longue de soixante mètres sur le trottoir de San Rafael.

— Quand nous arriverons à la porte, nous découvrirons qu'ils ont reçu un seul modèle, et dans seulement quatre pointures, dit Plácida

— Que feras-tu ?

— Nous prendrons ce qui restera, et si nous ne pouvons pas les porter parce qu'elles sont trop grandes ou trop petites, nous les échangerons avec une voisine qui aura peut-être quelque chose de notre pointure.

Caterina s'arrêta devant la longue queue et s'écria :

— Tu veux dire que le seul moyen d'acheter des chaussures est de faire la queue comme ça ?

— C'est une vraie chance que Sanchez ait quelque chose. Si j'avais le temps je me joindrais à la queue pour acheter.

— En est-il de même pour tout ?

— Oui. Le rationnement est strict. On n'a le droit d'acheter qu'une paire de chaussures par an... Il y a des tickets... Il faut signer un registre.

Elle hésita, attendit que Caterina se soit écartée de la queue puis lui confia à voix basse :

— Depuis six mois, pas de papier hygiénique. Pas de dentifrice. Depuis deux ans, pas de maquillage.

— Mais tu en portes.

— On se débrouille. Des amies nous en apportent en contrebande quand elles viennent du Mexique. On fait des réserves. Et on l'apprécie !

— Mais tu as du papier hygiénique dans ta salle de bains. Comment se fait-il ?

— Quand nous avons appris votre arrivée, j'ai fait le tour de La Havane pendant une demi-journée pour voler les précieux rouleaux de mes amies.

La vitesse à laquelle survenaient ces révélations accabla tellement Caterina qu'elle prit sa sœur par le bras.

— Filons d'ici, s'écria-t-elle en entraînant Plácida de l'autre côté de la rue.

Les jumelles pénétrèrent dans le grand magasin qu'elles avaient toujours adoré : *Fin de Siglo*, fondé peu après 1880. Mais ce fut également une déplorable erreur, car la grande bâtisse, jadis garnie de comptoirs et d'étalages où voisinaient sur plusieurs étages les produits importés de New York, de Londres, de Rio de Janeiro et de Tokyo, était à présent presque vide. Sur les vingt premiers rayons devant lesquels passa Caterina, seize étaient abandonnés — sans rien à vendre — et les quatre autres n'offraient qu'un seul article, de mauvaise qualité et en petite quantité.

— Mon Dieu ! Que s'est-il passé ? lança Caterina.

— Tout est comme ça, dit Plácida.

Elles parcoururent deux autres étages, en montant à pied car ni les ascenseurs ni les escaliers mécaniques ne fonctionnaient. Elles virent la même chose qu'au magasin de chaussures : aux rares comptoirs où il y avait quelque chose à vendre, de longues queues se formaient, chaque femme avec ses tickets à la main.

Elles arrivèrent à un rayon qui exposait trois robes de couleur vive pour fillettes de dix ou onze ans, et Caterina eut envie d'en acheter une pour la fille de la servante qui travaillait chez Plácida, mais la vendeuse refusa pour deux raisons :

— Vous ne pouvez pas acheter sans tickets, et de toute façon elles ne sont pas à vendre.

— Dans ce cas pourquoi les mettez-vous à l'étalage ?

— Pour montrer ce que nous aurons quand une livraison nous parviendra.

Et à la stupéfaction de la vendeuse et de Plácida, Caterina éclata en sanglots. Elles voulurent la consoler.

— Une fillette de onze ans a droit à une jolie robe de temps en temps, balbutia-t-elle à travers ses larmes. Pour ne pas oublier qu'elle est une fille... Pour l'aider à entrer dans l'adolescence.

Elle enfouit le visage entre ses mains en songeant aux fillettes de Cuba, privées de joies essentielles. Mais Plácida sauva tout de même la situation :

— Allons voir ce qu'il y a dans le magasin où Maman achetait autrefois nos robes.

Quand les deux sœurs entrèrent dans la boutique, jadis prospère, une vieille vendeuse s'avança en s'écriant :

— Les jumelles Céspedes ! Nous ne vous avons pas vues depuis des siècles.

Elle leur présenta les quelques robes que ses couturières avaient pu réaliser avec le peu de tissu à leur disposition.

Caterina n'avait aucune intention d'acheter une robe neuve, mais la vue d'un modèle en tissu très léger de couleur fauve produisit un effet sidérant. Il lui plut tout de suite et quand la vendeuse apporta une copie identique pour Plácida, elles s'écrièrent en même temps :

— On les passe !

Elles se précipitèrent dans les cabines d'essayage comme deux gamines, se changèrent à la hâte et ressortirent : deux vraies jumelles. Les robes n'exigeaient que des retouches mineures — faisables pendant l'heure du déjeuner, leur promit la vendeuse. Elles payèrent les robes et se rendirent dans un restaurant qu'elles avaient fréquenté à l'âge de seize ans, toutes seules dans la grande ville. Des hommes leur avaient souri ce jour-là, et des hommes leur sourirent aussi maintenant : elles inclinèrent gracieusement la tête pour accepter le compliment.

Elles prirent leur déjeuner, qui rappela à Caterina le temps de sa jeunesse : un petit morceau de viande grillée bien rôtie d'un côté ; une petite portion de haricots noirs et de riz blanc ; d'épaisses tranches de banane plantain, la banane sucrée immangeable crue et délicieuse une fois cuite ; une maigre salade composée avec les rares fruits que l'on trouve à Cuba, et un flan à l'espagnole couvert d'une couche de sucre caramélisé.

— Ah ! soupira Caterina, tandis que les saveurs anciennes réjouissaient de nouveau son palais. J'aimerais pouvoir déjeuner ainsi tous les jours.

Cet aveu incita sa sœur à réfléchir.

A leur retour au magasin elles essayèrent leurs nouvelles acquisitions. Elles paraissaient plus jeunes de dix ou quinze ans, bien que chacune fût la mère de trois enfants et la grand-mère de quatre. Mais n'étaient-elles pas l'une et l'autre l'incarnation de la femme espagnole quand elle vieillit avec élégance et sens de l'humour ? De très belles femmes dans leurs robes neuves, et elles le savaient.

Elles firent empaqueter leurs achats, puis retournèrent à l'ancienne sucrerie où elles convinrent qu'à l'heure du dîner Plácida ferait son apparition la première dans sa robe neuve. Puis quand tout le monde l'aurait admirée, Caterina entrerait tout naturellement et les deux jumelles se placeraient côte à côte sous l'une des arcades du patio pour solliciter l'approbation de leurs époux. Le complot fonctionna si bien que pendant un instant, dans l'ancienne sucrerie, les jumelles Céspedes eurent de nouveau dix-neuf ans et leurs maris vingt-quatre. Ce fut un instant merveilleux, pleinement apprécié par tous et qui prépara deux conversations remarquables. Elles eurent lieu le même soir dans les chambres, et elles démontrèrent qu'un des traits de caractère hispaniques les plus persistants exerçait encore son pouvoir historique.

Dans la chambre des Calderon de Miami, Caterina s'écria, en enlevant sa robe neuve pour la suspendre soigneusement à un cintre :

— Ne serait-ce pas fantastique, si Plácida et Domingo pouvaient s'installer près de nous à Miami ?

Et elle se mit à échafauder des plans pour leur trouver une maison sans loyer à payer, un poste pour Domingo, des emplois pour leurs enfants.

— Au pire, nous pourrions tout payer jusqu'à ce que Domingo trouve quelque chose. Il est capable, cela ne lui prendra pas très longtemps.

Dans une famille américaine normale, si une femme avait proposé à son mari d'assumer la responsabilité financière du ménage de sa sœur, celui-ci se serait arraché les cheveux en poussant les hauts cris. Mais Estéfano, éduqué à l'espagnole, accepta l'idée sans broncher car il reconnaissait l'importance de l'union dans la famille : il fallait rassembler ce qui n'aurait jamais dû être séparé.

— Nous pouvons nous permettre de leur donner un coup de main pendant au moins deux ans. Mais ce serait plus facile s'il parlait anglais.

Au même moment, dans la chambre des Calderon de Cuba, Plácida disait :

— Domingo, j'ai l'impression qu'en dépit de tout son argent, Estéfano a la nostalgie de Cuba. Il aimerait revenir passer la fin de ses jours dans sa famille. Je sais que cela plairait à Caterina.

— Comment peux-tu en être sûre ?

— Une chose qu'elle m'a dite au déjeuner. L'argent et le côté clinquant de Miami ne sont pas ce qui compte le plus dans la vie, crois-moi.

— Mais que pouvons-nous offrir à Estéfano ?

— Pourquoi ne deviendrait-il pas médecin dans notre système médical ? Il a ses diplômes cubains et ses diplômes américains. Son expérience serait appréciée.

— Accepterait-il de renoncer à sa belle vie de Miami ?

— Oh oui ! Ainsi que Caterina, j'en suis certaine. Je lui manque beaucoup, ainsi que le reste de sa famille.

Au cours des discussions, ce soir-là et les soirs qui suivirent, jamais la famille de Miami n'envisagea, elle, de s'installer à Cuba, ni les Calderon de Cuba ne songèrent à partir éventuellement aux États-Unis. Mais tous estimaient que, d'une manière ou de l'autre, la famille devait se réunir.

Cela débuta par une idée amorcée par Plácida pour rappeler aux Calderon de Miami la richesse de leur patrimoine cubain, mais cela devint une journée de souvenirs obsédants et même hallucinants.

— Voyons un peu ce qu'était notre famille en réalité, dit-elle un soir.

Tous acceptèrent et Domingo décida de prendre une journée de congé. Les deux couples quitteraient La Havane le lendemain à l'aube et se rendraient dans l'ouest à la plantation de café familiale des Calderon, qui portait toujours le nom de Molino de Flores, le Moulin fleuri.

Les Calderon de Miami avaient visité l'endroit une ou deux fois avant la révolution, mais avaient oublié son côté imposant et le rôle qu'il avait joué dans l'histoire de Cuba. Les ruines du bâtiment les émerveillèrent. Quelle devait être sa splendeur vers 1840 quand les voyageurs célèbres du monde entier l'avaient visité !

— Il est assez grand pour abriter un terrain de football ! s'écria Estéfano.

La série des sept majestueuses arches de pierre, hautes de trois étages, faisait beaucoup d'effet même si certains murs voisins avaient commencé à s'écrouler. Une indéniable grandeur émanait de l'endroit.

— Parfois, quatre familles entières de Calderon vivaient ici en même temps. Peut-être quarante ou cinquante personnes dans ces murs, expliqua Plácida.

Le couple de Miami la crut volontiers.

Lorsqu'ils s'éloignèrnt de ces ruines imposantes, aux façades classiques aussi bien équilibrées que celles de n'importe quel château de France, ils descendirent vers l'une des merveilles de l'endroit : une série de six réservoirs si immenses qu'ils pouvaient fournir l'eau nécessaire à l'ensemble de la plantation de café.

— Quand j'étais enfant, mon père m'a raconté qu'une seule pluie torrentielle au cours d'un ouragan d'été pouvait emplir tous les réservoirs en un après-midi, dit Domingo.

Caterina voulut entrer dans l'une de ces citernes gigantesques.

— Attention ! Il y a des nids de chauves-souris ! l'avertit Domingo.

— Elles ne volent pas en plein jour, répliqua-t-elle.

Mais à peine entrée dans la citerne, elle battit en retraite en riant :

— Mais elles volent dans les grottes sombres !

Un vol entier de ces petits animaux sortit à sa suite.

— C'est là-bas, dit Plácida en montrant quelque chose sur une hauteur à l'ouest des réservoirs. C'est là-bas que cela s'est passé.

Ils remontèrent la pente et virent le vaste espace sinistre qui, pendant deux jours successifs, avait joué un rôle crucial dans l'histoire de Cuba.

Les quatre Calderon du xxe siècle se trouvèrent bientôt devant les restes d'une clôture de fer qui limitait jadis l'espace où, selon l'expression de Plácida, « ils avaient joué leur jeu de vie ou de mort ». Telle était la célèbre négrerie de Molino de Flores, l'enclos où des esclaves avaient habité pendant plus d'un demi-siècle après l'affranchissement de leurs semblables dans les Antilles anglaises, trente douloureuses années après l'abolition de l'esclavage aux États-Unis. Là, plus de huit cents esclaves Calderon avaient vécu en même temps, dans des conditions si horribles qu'en 1884, alors que les gouvernements espagnols de Cuba prétendaient encore que l'émancipation des esclaves aboutirait à la mort de Cuba, la négrerie décida enfin de se révolter.

— Tous les huit cents se précipitèrent vers cette unique grille qui les maintenait prisonniers, expliqua Plácida. Mais dans cette tour...

Tout le monde regarda la sinistre tour de guet qui s'élevait à côté de la grille de fer.

— Dans cette tour six de nos hommes les attendaient, armés chacun de quatre fusils, avec plusieurs esclaves fidèles pour les recharger. Dès que les rebelles se dirigèrent vers la grille, les hommes de la tour ouvrirent le feu, en visant les têtes. Un fusil après l'autre. Et en rechargeant aussitôt. Un tir continu. Plus de trois douzaines d'esclaves tombèrent à l'endroit même où nous sommes.

— Jamais je n'avais entendu cette histoire, protesta Caterina.

Mais Domingo défendit le récit de son épouse.

— Quand Castro nous a libérés, les historiens ont publié des livres. Fondés sur de vieux mémoires. En 1884, avant l'abolition de l'esclavage dans l'ensemble de Cuba, nos esclaves ont mis fin à leur servitude ici même.

— Mais Plácida a dit qu'ils avaient été repoussés par les balles tirées de la tour.

Tous regardèrent de nouveau la tour maudite, dont chaque pierre demeurait en place.

— Oui, ce soir-là ils pleurèrent leurs morts. Mais le matin venu le héros de notre famille, un jeune rêveur du nom d'Elizondo qui n'avait pris aucune part à la répression des rebelles, surprit tout le monde en quittant la demeure familiale pour venir ici. Il monta dans la tour et regarda les cadavres gisant encore dans la poussière, car les autres esclaves savaient que s'ils approchaient de la grille, ils seraient abattus à leur tour. Il regarda ainsi pendant plus d'une heure sans rien dire à personne.

— Qu'a-t-il fait ? demanda Caterina.

Sa sœur répondit, lentement et avec une fierté manifeste :

— Il est descendu de la tour et il a appelé le chef des gardes qui habitait dans cette pièce, là-bas. « Donne-moi tes clés », lui a-t-il ordonné. Puis il a ouvert la grille et a crié aux esclaves qui avaient encore peur d'avancer : « Vous n'êtes plus esclaves. Vous avez mérité votre liberté. Venez enterrer vos morts ! » Et il s'éloigna en laissant ouverte la grille de la négrerie. A partir de ce matin-là, elle ne fut jamais refermée.

— Deux ans plus tard, reprit Domingo, tout Cuba suivit son exemple, mais Elizondo paya très cher son initiative. Son geste audacieux avait fait de lui un traître à l'Espagne, et au moment des troubles, dans les années qui précédèrent la grande révolution de 1898 — celle dont se mêlèrent les *Norte-Americanos* —, des officiers espagnols mirent en doute sa loyauté et l'abattirent.

Le deuxième haut lieu de la famille où Plácida les conduisit abritait des souvenirs plus joyeux. Au début du siècle, l'endroit avait servi de retraite campagnarde aux familles riches qui trouvaient insupportable la chaleur étouffante de La Havane. Le village se nommait El Cerro, le coteau, à cause de la hauteur sur laquelle il se trouvait. Le long de sa rue principale, sur environ trois kilomètres se trouvaient les plus splendides résidences d'été de toutes les Caraïbes. Parfois une douzaine de belles demeures s'élevaient côte à côte sur le bord de la route, en face de quinze autres tout aussi somptueuses. Et toutes les vingt-sept s'ornaient de colonnades — sept, huit ou neuf des plus belles colonnes de marbre imaginables. Des voyageurs venaient de toute part admirer ce qu'un poète avait appelé « la forêt de marbre protégeant les repaires des grands ». Un visiteur d'Espagne, qui passait à cheval devant la file de ces demeures, avait dit : « Peu m'importe qui sont les propriétaires des raffineries de sucre, si je peux obtenir l'exclusivité de la vente des colonnes de leurs petits palais. »

Dans leur jeunesse, les Calderon avaient connu El Cerro sur son déclin et avaient remarqué que certaines demeures étaient menacées de décrépitude. A présent la décomposition était devenue générale.

— Mon Dieu ! s'écria Plácida. Le comte de Zaragón serait épouvanté ! Regardez les deux lions dont il était si fier.

Les lions qui proclamaient jadis la noblesse du comte gisaient décapités, les pattes cassées, couverts de cicatrices. Quant à la demeure fabuleuse qu'ils étaient censés protéger, ce n'était plus qu'une ruine.

— Oh ! La maison des Pérez Espinal ! Nous avons joué ici. Regardez ! Les murs s'écroulent.

Puis Caterina montra l'endroit où s'élevait naguère un domaine splendide, bourdonnant de voix chaque été. L'état d'abandon était tel qu'elle demanda nerveusement :

— Que verrons-nous quand nous arriverons à nos cygnes ?

Ce fut avec appréhension qu'elle s'avança vers la propriété que possédaient autrefois les Calderon. Mais Domingo, de sa position au volant de leur voiture, leur rappela :

— Regardez toutes les colonnes encore debout ! L'avenue conserve beaucoup d'allure.

C'était vrai. En roulant lentement, si l'on n'avait pas connu l'endroit dans le passé, on ne remarquait que les centaines et les centaines de nobles colonnes de marbre encore debout et en un ordre quasi militaire pour monter la garde devant les maisons dont certaines avaient disparu.

Devant une série de dix colonnes d'une beauté particulière, Domingo arrêta la voiture et expliqua :

— Même avant la révolution de 1959, les propriétaires s'étaient aperçus qu'ils n'avaient plus les moyens d'entretenir de telles baraques. Comme personne d'autre n'avait l'argent pour s'en charger, on les a laissées tomber en ruine. À l'endroit où vivait une seule famille distinguée se sont entassées dix-huit ou vingt familles pauvres. Elles n'ont payé aucun loyer et ont laissé les bâtiments se dégrader. Regardez !

Partout où des maisons demeuraient habitables, Caterina et son mari remarquèrent que de nombreux squatters s'y étaient installés et participaient activement à leur détérioration. Mais avant que Caterina en fasse l'observation, Plácida s'écria :

— Nos cygnes !

Sur le côté droit de la vieille route splendide s'élevait une des demeures les plus remarquables d'El Cerro. Les murs étaient encore bons, les colonnes intactes.

Ce qui rendait l'endroit étonnant, c'était qu'entre les colonnes et autour de la base du portique se trouvait aile contre aile une frise de quarante-huit cygnes en fer forgé, d'environ un mètre de haut, larges d'à peine une quinzaine de centimètres, mais conçus et peints de façon à créer pour l'œil une impression d'explosion. Chaque cygne se tenait très droit, ailes repliées, la tête et le long bec vers le bas près du corps. Chacun avait trois couleurs : or pour les pattes, blanc pur pour la tête et le corps, rouge vif pour le long bec.

Cela aurait suffi à rendre ces cygnes inoubliables, mais autour des pattes de chaque oiseau un serpent mortel, peint en noir, faisait trois tours complets en rampant vers le haut ; sa tête redoutable, peinte elle aussi en rouge, se trouvait à quelques centimètres au-dessous du bec du cygne.

— *Olé* pour nos cygnes ! s'écria Plácida quand les Calderon descendirent de voiture pour renouer connaissance avec leurs fidèles oiseaux.

— Pas un seul serpent ne s'est glissé dans notre maison, se vanta Domingo en caressant la tête tournée vers le bas d'un des cygnes. Ils sont fidèles jusqu'à la mort, mais ils n'ont pas pu protéger l'endroit de *ça*.

Il montra la maison, au-delà du portique. La porte pendant sur ses gonds, l'escalier d'honneur s'écroulait, derrière les portes intérieures vivait à présent un nombre inconnu de familles. L'ensemble ne tarderait pas à s'effondrer comme les demeures voisines. Plácida caressa à son tour les cygnes qu'elle avait tant aimés dans son enfance et murmura :

— Vous nous serviez tellement mieux quand nous vous servions.

Elle regagna la voiture à grands pas et s'assit, tête basse comme ses cygnes, refusant de regarder plus longtemps la ruine qui emportait son enfance.

Peut-être parce qu'il vivait depuis vingt-neuf ans sous une dictature, Domingo Calderon fut le premier à repérer que partout où il allait avec son beau-frère, ils étaient suivis à distance respectable par au moins une voiture et parfois deux. Manifestement, on les espionnait. Cela devint si agaçant qu'il vérifia sa voiture pour voir si on y avait placé des micros.

— Estéfano, demanda-t-il, es-tu venu ici avec des ordres secrets ou quelque chose de ce genre ?

— Moi ? Non ! Pourquoi cette question ?

— La première voiture, derrière nous, appartient aux services de la mission américaine. Et si je ne me trompe la voiture derrière est un véhicule de notre police.

Quand ils regagnèrent La Havane, les voitures les suivirent jusqu'à ce qu'ils se garent pour se rendre à pied au bureau de Domingo.

Sur le chemin du retour chez eux, on les suivit de nouveau, mais seulement la police. Cela se reproduisit les jours suivants, ce qui incita Estéfano à aborder les questions qui semblaient obséder tous les Cubanos de Miami.

— Dis-nous, Domingo, quelle est la situation de l'île sur le plan des libertés civiques ?

— Exactement la même qu'aux États-Unis, répliqua Domingo aussitôt, avec une conviction manifeste. Nous avons des tribunaux et de bons avocats, des journaux, un débat public. Nous sommes un pays libre.

Mais Estéfano jugea nécessaire de préciser ses impressions sincères sur Cuba et le gouvernement communiste :

— Quoi que tu puisses dire, Domingo, Castro sera toujours pour moi un monstre. Son gouvernement marque un recul des valeurs humaines. Mais je considère que la terre de Cuba et des gens comme Plácida et toi font la permanence de l'île, et j'estime donc nécessaire de promouvoir une forme ou une autre de rapprochement. J'ai envie de pouvoir, un jour pas trop lointain, venir directement et ouvertement à La Havane et que tu puisses revenir aux États-Unis avec moi.

— Comme émigrant ?

Le ton de Domingo exprimait une hostilité si nette à cette idée que son cousin battit aussitôt en retraite, jugeant le moment mal choisi.

— Oh non ! Je songe à la liberté de voyager d'un pays à l'autre.

Quand il prononça le mot magique qui fait rêver tant de gens dans le monde — voyager —, Domingo et Plácida se représentèrent tous les avantages que présenteraient les déplacements libres et faciles entre les deux belles villes jumelles, Miami et La Havane.

— Je crois vraiment, ajouta Estéfano, que si les Cubanos comme vous voyaient de leurs yeux les avantages de la démocratie telle que tous les Cubanos la vivent à Miami, vous changeriez la politique de l'île.

Domingo et sa femme éclatèrent de rire, et Plácida fit une observation politique, ce qui était vraiment fort rare de sa part :

— Nous pensons qu'un de ces jours le reste des Antilles suivra notre voie, celle d'un gouvernement socialiste fort. Nous sommes certains que Porto Rico et Saint-Domingue se joindront à nous, et probablement presque tout le reste. La Jamaïque a failli le faire il y a quelques années.

C'en fut trop pour Estéfano.

— Aucun pays dans son bon sens ne peut décider de s'aligner sur Castro, étant donné la situation de cette île.

— Qu'entends-tu par là ?

— Je vais te le dire sans mâcher mes mots. Une dictature qui assure très peu de bien-être à son peuple. Rien dans les magasins. Pas de papier hygiénique. Pas de dentifrice. Pas de robes pour les fillettes. Pas d'automobiles dignes de ce nom. Pas de peinture pour les maisons. Pas de bâtiments neufs pour remplacer ceux qui s'écroulent à El Cerro. Et pas de liberté pour les jeunes sauf un aller simple à destination de l'Angola et de la mort dans la jungle.

Plácida répondit, et elle le fit avec vigueur, en attirant l'attention d'Estéfano sur un article de *Granma* :

— Il raconte la situation d'un Cubano à Miami, qui a eu un problème mineur de santé : une attaque d'asthme. Écoute ce que font des docteurs comme toi, Estéfano, aux gens de ton pays.

Elle lut un horrible récit, illustré par des photocopies des factures authentiques de médecins, assistants, infirmières : sept mille huit cent dollars pour deux nuits dans un hôpital à cause d'une affection somme toute banale. Poussés dans leurs retranchements par les Calderon de Cuba, Estéfano en tant que médecin et Caterina en tant qu'infirmière durent reconnaître l'exactitude probable des chiffres avancés dans le journal.

— L'homme qui habite dans la maison du coin, continua Plácida, a dû subir une opération importante au cœur. Dix-neuf jours d'hôpital, soins intensifs. Coût total ? Pas un peso. Soins dentaires pour son épouse ? Pas un peso. Les meilleurs soins médicaux du monde pour ses trois enfants ? Pas un peso.

Et elle conclut d'une voix ferme :

— Nous n'avons peut-être pas la peinture blanche qui semble vous manquer tellement, mais nous avons les meilleurs soins médicaux du monde et les meilleures écoles pour nos enfants. Gratuitement. Et cela compte beaucoup.

Les quatre Calderon comprirent que leur discussion s'était avancée en terrain dangereux, et Domingo, toujours conciliant, détourna la conversation pour aborder une question qui le tracassait :

— Prends le cas d'un réfugié comme notre cousin Quiroz. Aucune compétence particulière, si je me souviens bien. Comment gagne-t-il sa vie à Miami ?

— Tu dois comprendre une chose, expliqua Estéfano. Une immense quantité d'argent cubain circule dans la ville. Une partie représente des revenus réels, par exemple l'argent que gère ma banque, le reste est l'argent de la cocaïne. Mais cet argent est là, et il est disponible.

— Mais comment un nullard comme Quiroz peut-il en recevoir une part ?

— Les gens qui détestent Castro, c'est-à-dire quatre-vingt-dix-neuf pour cent d'entre nous, assurent la survie d'hommes comme Máximo. Ils jugent qu'en maintenant Castro en perte d'équilibre, il fait leur travail à leur place.

— Participerait-il à une autre baie des Cochons ?

— Demain matin, si le gouvernement américain le laissait faire.

Cela provoqua un long silence. Puis Domingo dit, à la surprise de tous :

— Estéfano, j'aimerais que tu perdes ton habitude désinvolte d'utiliser le mot *américain* comme si tu voulais nous en dépouiller. Tu dois dire *nord-américain*, parce que nous sommes américains nous aussi, à Cuba, au Mexique, en Uruguay et ailleurs.

Jusqu'à ce moment-là — le début de leur deuxième semaine à Cuba — leur séjour avait respecté les apparences d'une aimable réunion de famille. Mais Steve était devenu nerveux — comment allait-il proposer à Domingo d'organiser une rencontre avec Castro ?

— Je ne peux pas poser carrément la question à Domingo, avoua-t-il à Caterina un soir. Tu devrais en parler à mots couverts à ta sœur : « Est-ce qu'on aura l'occasion de voir Castro ? Pour être sûrs qu'il existe vraiment ? »

— Je me sentirais bien plus tranquille si ce n'était pas le cas, répliqua-t-elle. Les nouvelles vont vite et la rumeur pourrait se répandre à Miami.

Mais Steve finit par aborder la question avec Domingo, le plus simplement du monde.

— Puisque je suis ici, j'aimerais bien rencontrer Castro.

— Je verrai ce que je peux faire, répondit son cousin. Il est très ouvert pour les visites.

Mais il ajouta que Castro avait l'habitude de laisser les gens attendre pendant des jours entiers puis, sans le moindre avertissement, d'envoyer un de ses collaborateurs les chercher à minuit pour un entretien qui se prolongerait jusqu'à l'aube. Chaque soir, Steve décida d'attendre avant de se coucher.

Cela se produisit le mardi soir. Un haut fonctionnaire des services de Castro passa à l'ancienne raffinerie pour informer Domingo que s'il conduisait son cousin à la résidence présidentielle à onze heures du soir, Fidel serait enchanté de bavarder avec lui des problèmes des

Cubains en Floride. Sans indiquer qu'il espérait une convocation de ce genre, Estéfano répondit simplement :

— Ce sera pour moi un honneur.

Ne sachant pas si l'invitation à cette heure bizarre inclurait un dîner, Estéfano informa Caterina de la rencontre imminente et prit un repas léger.

— Pour me couvrir dans les deux cas. S'il y a un dîner complet, je pourrai encore grignoter. Sinon, je ne mourrai pas de faim.

A dix heures et quart arriva une voiture avec chauffeur accompagnée par une escorte de police. Tandis qu'ils roulaient rapidement sous un beau clair de lune de septembre, Estéfano rassura son cousin :

— Ne t'en fais pas. je lui dirai la même chose qu'à toi. Je m'oppose à sa politique, mais j'aimerais beaucoup que s'établissent des échanges sans contrainte entre nos pays.

— Je suis certain que cela le satisfera.

— A nos conditions, bien entendu. Pas aux siennes.

— Depuis un quart de siècle, Estéfano, ton pays a essayé de lui dicter des conditions, et vous avez toujours échoué lamentablement. Il est peut-être temps d'essayer une autre tactique.

— Peut-être! lança Estéfano en riant. Mais ce ne sera pas à vos conditions non plus.

Ils arrivaient près du palais présidentiel et Domingo répondit :

— Entendu!

Au moment où les cousins entrèrent dans le hall d'attente, vaste et bien décoré, les cousins apprirent que le rôle de Domingo se limiterait à la présentation d'Estéfano : il se retirerait jusqu'à la fin de l'entrevue. Domingo ne s'en montra nullement surpris. Les deux hommes demeurèrent dans le hall pendant environ deux heures puis la porte des appartements de Castro s'ouvrit à la volée et le colosse barbu en tenue de combat fripée s'avança les deux mains tendues, l'une vers Estéfano, l'autre vers Domingo.

— Bienvenue aux honorables enfants du grand patriote Baltazar Calderon y Quiroz.

Sur ces mots, il prit Estéfano amicalement par le bras, l'entraîna vers son appartement et laissa Domingo dans le hall.

D'un coup de son talon droit il claqua la porte, puis il montra un fauteuil à son invité américain et se laissa tomber dans le sien. Il était plein d'une énergie impatiente, son esprit agile bondissait d'un sujet à l'autre, ses mains infatigables agitaient un gros cigare non allumé tandis qu'il parlait.

— Une tentation et une obligation, dit-il en montrant le cigare. Les docteurs m'ont dit : « Fidel, si tu continues de fumer, tu mourras dix ans trop tôt. » Et je me suis arrêté. Mais nos fabriquants de cigares m'ont rappelé : « Fidel, ton cigare est la meilleure publicité qui soit pour les cigares de Cuba, et c'est de leur vente que proviennent nos devises étrangères. Continue de fumer. » J'ai obéi aux deux groupes de conseillers de cette façon-là...

Il planta le gros cigare froid au coin de sa bouche.

Ils parlèrent pendant cinq heures, en s'interrompant à peine pour manger un potage, des sandwiches au poulet et un gâteau remarquable.

— En tant que médecin, mettez-vous vos patients en garde contre l'excès de sucre, comme font les nôtres?

A la surprise d'Estéfano, il avait posé la question — comme

plusieurs autres de temps en temps — dans un excellent anglais. Estéfano répondit donc dans la même langue. Oui, quand il exerçait encore la médecine, il déconseillait à ses malades une consommation excessive de sucre. Castro bondit dans son fauteuil, agita l'index en signe de mise en garde et s'écria en espagnol :

— Il faudra cesser ! Cuba veut que vous mangiez le plus de sucre possible, et que vous nous l'achetiez.

Dès le début de la conversation l'amplitude des connaissances de Castro sur la vie américaine surprit Steve, mais il se rendit compte que le dictateur abordait ces sujets pour se montrer aimable. Sachant qu'il s'agissait d'un simple préambule, il attendit que Castro aborde les sujets politiques. Il était donc prêt quand Fidel lança son tir de barrage : une série de questions sur l'attitude des Cubains de Miami à l'égard de la situation à Haïti, Saint-Domingue, Porto Rico et Cuba lui-même. Deux problèmes le concernaient davantage que le reste, et il poussa Estéfano presque à la limite de la politesse. « Si Manley gagne la prochaine élection à la Jamaïque, va-t-il réactiver les sentiments antiaméricains dans l'île ? » et : « Qu'avez-vous appris à Miami sur les émeutes raciales à Trinidad, parallèles à ce qui vient de se passer à Fidji ? »

Il voulut également savoir comment les Cubanos de Miami avaient réagi à l'invasion américaine de Grenade. La réponse ne l'étonna pas.

— Parmi nous, je n'ai pas entendu un seul commentaire critique, mais des milliers de vivats... La plupart d'entre nous étaient convaincus que des communistes cubains infiltrés allaient s'emparer de Grenade, ajouta-t-il.

— Quelle bêtise ! s'écria Castro irrité.

En fait, la traduction littérale du mot cubain qu'il utilisa serait impubliable. Il se pencha en arrière, fit tourner son cigare entre le pouce et l'index, appela un planton pour lui demander d'apporter à boire, puis lança :

— Dr Calderon...

Estéfano remarqua que lorsqu'il commençait l'exploration d'un nouveau sujet, il utilisait invariablement son titre de docteur.

— Expliquez-moi de façon précise, car je sais que vous êtes au courant de ces questions, ce qui signifie le mot Hispanique aux États-Unis, selon les régions.

Estéfano nota également qu'il faisait résonner haut et clair les magnifiques syllabes *los Estados-Unidos,* avec un certain respect, comme pour honorer l'importance de son grand voisin du nord — sinon sa politique.

Les deux Cubains se lancèrent alors dans une nouvelle discussion, qui se prolongea une heure, et Estéfano passe en revue ses diverses relations avec les peuples hispanophones d'Amérique.

— En tant que directeur d'une banque hispanique et président du comité pour l'élection et la réélection de Ronald Reagan, j'ai dû voyager beaucoup, dit-il en souriant. Les politiciens anglos qui organisaient la campagne ont dû se dire : « Calderon parle espagnol et il a un bon complet bleu marine, utilisons-le pour rallier les autres. » Ils m'ont envoyé à New York, en Californie et au Texas.

Castro se pencha en avant, les yeux brillants au-dessus de sa barbe brune :

— Un désastre ?

— Pis ! A New York, il n'y a que des Portoricains et ils ont leur propre programme, unique en son genre. J'ai à peine pu leur parler et ils n'avaient nul besoin de moi pour les inspirer. Ils étaient tout à fait capables de se débrouiller eux-mêmes.

— En Californie ?

— Je ne voudrais pas vous insulter, *señor presidente,* mais là-bas ces Mexicains au sang chaud savent à peine que vous êtes au pouvoir à Cuba. Et ils s'en moquent, parce qu'ils ont leurs propres problèmes avec le Mexique. Mes idées politiques et les leurs diffèrent comme le jour et la nuit. Le bide total.

— Au Texas ?

— En surface la même chose qu'en Californie, mais dès que l'on gratte un peu les différences apparaissent. Les Mexicains de Californie, surtout à Los Angeles, sont plus sophistiqués et détiennent davantage de pouvoir politique. Au Texas, c'est plutôt le genre paysan. Deux générations de retard par rapport aux Californiens, je dirais.

Ils passèrent beaucoup de temps à explorer les différences entre les quatre groupes hispaniques de base, définis par Estéfano : Cubains de Miami, Portoricains de New York, Mexicains « évolués » de Californie et solides paysans du Texas. Puis Estéfano conclut avec force :

— Les mettre tous dans le même sac pour former une minorité hispanique cohérente que pourrait exploiter la classe politique relève de l'utopie pure et simple... N'essayez pas de suivre cette voie. Elle est sans issue, ajouta-t-il en regardant fixement Castro.

— Tous farouchement catholiques ?

— Oui.

— Tous républicains ?

— Pour les Californiens et les Texans, je n'en suis pas certain mais c'est probable.

Et il précisa un facteur saillant :

— N'oubliez pas, *señor presidente,* les Cubains que vous avez chassés à Miami lors de la première vague d'émigration étaient tous des gens cultivés et aisés, appartenant à la classe moyenne. Ils se sont facilement adaptés à la vie américaine. Ce n'étaient pas des paysans illettrés.

Après un instant d'hésitation, il ajouta :

— Parfois, en Californie et au Texas, j'avais du mal à croire qu'il s'agissait d'Hispaniques. Ils ne ressemblaient nullement aux gens que j'ai connus, ici dans ma jeunesse ou plus tard en Floride.

Il était plus de trois heures du matin et Estéfano gardait sans cesse à l'esprit qu'il devait résister à la séduction de cet homme extraordinaire : « C'est lui qui a volé mon pays ; il a assassiné un grand nombre de mes amis et enfermé les autres dans des prisons innommables ; et il a fait tout son possible pour gêner les États-Unis et soutenir leur ennemi, l'Union soviétique. » Il n'éprouvait aucun amour pour Castro, même pas du respect, mais il ne pouvait s'empêcher de ressentir les effets de son charisme puissant. Et lorsque le dictateur se mit en devoir de le convaincre qu'il n'avait jamais eu d'animosité contre les États-Unis, Calderon se dit : « A présent, je sais ce que ressent un oiseau quand le cobra le tient sous son charme. Ce salopard a un pouvoir hypnotique. »

Puis, au terme d'un long discours sur la façon dont les États-Unis devraient se conduire en Amérique centrale, Castro se pencha en avant, dévisagea son invité et lui demanda de la voix la plus aimable que l'on puisse imaginer :

— Dr Calderon, pourquoi un fils de patriotes comme vous s'est-il senti contraint de quitter Cuba ?

Au bout d'une discussion à cœur ouvert sur les malentendus et les occasions perdues, vers quatre heures moins le quart, Castro demanda :

— Dans quelles conditions reviendriez-vous ?

Et l'on en vint aux affaires sérieuses. Estéfano prit la liberté de faire observer plusieurs choses, contraignantes à ses yeux :

— Avec un grand-père comme le vieux Baltazar Calderon, j'adorerai toujours Cuba. C'est dans mon sang. Le fait que je sois parti prouve que votre prise de pouvoir ne m'a pas emballé, mais vos consuls vous ont sans doute appris que je n'ai jamais été un anticastriste enragé. Je suis convaincu qu'étant donné la proximité de votre île et des États-Unis, il faut rétablir une forme de réconciliation, probablement avant la fin de ce siècle.

— D'autres que vous sont-ils du même avis ?

— Certains de mes amis les plus raisonnables de Washington... Ceux avec qui j'ai travaillé pendant les campagnes en faveur de Reagan.

Cette réplique suffit à indiquer à Castro la raison du voyage de Calderon. Il leva les yeux vers le plafond et se mit à brandir son cigare. Puis il répondit, comme s'il n'avait pas entendu ce que Steve venait de lui révéler :

— Les docteurs m'ont dit : « Si vous cessez de fumer ces trucs-là, vous pouvez vivre jusqu'à la fin du siècle. »

— Quand êtes-vous né ?

— En vingt-sept.

— Vous avez seulement cinq ans de plus que moi et j'espère bien y parvenir.

— Donc vous êtes venu ici pour le compte de quelqu'un, Dr Calderon.

— Mon épouse est venue à Cuba voir sa sœur jumelle. Des retrouvailles émouvantes, je vous assure.

— Domingo Calderon est un homme précieux pour nous. Il sait manœuvrer.

Plusieurs autres moulinets de cigare, puis :

— Vous savez, docteur, si vous voulez revenir ici et lancer une belle clinique — j'ai entendu parler de celle que vous avez dirigée à Miami — vous serez le bienvenu, et nous vous fournirons les bâtiments.

— Vous me faites honneur.

— Dites-moi, si toutes les restrictions étaient levées demain matin, je dis bien : *toutes*, quel pourcentage de vos Cubains reviendrait dans notre île ?

— De mon premier groupe d'émigrés, pour visiter les anciens endroits qu'ils aiment, quatre-vingt-dix-huit pour cent. Pour s'établir ici de façon permanente en renonçant à la belle vie qu'ils ont en Floride, deux pour cent.

— Et dans la seconde vague ?

— Un pourcentage plus important. Des hommes désireux de reprendre leur vie criminelle. Mais bien entendu, vous n'en voudriez pas.

— Et les enfants nés là-bas ?

— Pas un sur dix mille. Les écoles, la télévision, leurs bandes. C'est irrésistible pour les jeunes.

— Donc une génération perdue... pour nous, en tout cas ?
— Je crois.
— Vous ne m'avez pas vraiment répondu. Dans quel but réel êtes-vous venu avec votre femme ?
Estéfano réfléchit à la meilleure façon de répondre sans offenser personne et dit enfin :
— Quand un homme se casse un os, on a l'impression au début que ce sera irréparable. Mais on immobilise le membre entre des attelles, on le laisse se ressouder et six semaines plus tard, miracle ! L'os est plus fort qu'avant, les minuscules brisures se sont réunies. Il en va de même pour les émigrés. Les six premiers mois loin de leur pays, désolation totale. Puis la soudure se produit. Très vite, le lien avec le nouveau pays s'avère extrêmement puissant.
— Dans votre cas personnel, trop fort pour être brisé une deuxième fois ?
— Oui.
Castro posa le bras sur l'épaule d'Estéfano et le raccompagna à la porte.
— Vous direz à la personne qui vous a envoyé que si nos pays rétablissent des relations amicales, je serai heureux de vous avoir comme premier ambassadeur américain à La Havane.

Leur dernière soirée à Cuba, les Calderon de Miami se sentirent obligés de discuter avec leurs cousins de l'inévitable problème hispanique. Ce fut Caterina qui aborda le sujet.
— Vous savez, si vous avez envie de venir un jour à Miami, de fuir toutes ces tensions, Estéfano et moi sommes prêts à vous trouver un endroit où habiter, ce sera pour nous un honneur... Nous vous aiderons à vous installer, ainsi que vos enfants. Votre présence près de nous nous ferait le plus grand plaisir.
— Impossible...
Caterina ne put retenir ses larmes.
— C'était tellement merveilleux de nous retrouver ! Nous formons une seule famille, Plácida. Nous ne devrions pas vivre séparés. Je t'en prie, je t'en supplie, pense à ce que je viens de te dire. Et n'oublie pas, Estéfano pense exactement comme moi. Vous pourrez rester chez nous... deux ans... trois, jusqu'à ce que tout soit réglé... N'est-ce pas Estéfano ?
— Domingo le sait bien. Votre venue nous comblerait de joie. Et je ne pense pas seulement à vous deux. Vos enfants pourraient avoir une vie formidable en Amérique et nous les aiderions.
Plácida répondit, mais non à la proposition de sa sœur. À la place, elle posa la main sur le bras de Caterina et dit avec une émotion profonde :
— Oui, nous devons rester ensemble maintenant que nous savons à quel point c'est merveilleux... Mais *ici,* car c'est dans cette île que nous sommes tous chez nous. Domingo a tiré des plans. Nous pourrions facilement vous laisser deux de ces petites maisons, et El Lider Máximo s'est arrêté à mon bureau aujourd'hui pour confirmer ses paroles de l'autre nuit : Estéfano pourra avoir une clinique dans le centre de La Havane. Revenez, Estéfano, revenez vous joindre à la construction de votre patrie.

Quand les deux couples se séparèrent, aucun doute ne pouvait subsister : ni l'un ni l'autre ne changerait, mais chacun était convaincu qu'en invitant l'autre il agissait uniquement pour son bien. Estéfano et Caterina étaient certains que les Calderon de Cuba trouveraient vraiment la félicité à Miami. Domingo et son épouse jugeaient que tout Cubano qui se respecte construirait un bonheur durable uniquement s'il rentrait au pays pour collaborer à la révolution. Sur ces convictions ils allèrent se coucher.

Mais personne ne trouva facilement le sommeil. Comme Estéfano, pleinement éveillé, essayait d'évaluer au mieux le contenu de son extraordinaire rencontre avec Castro, il s'aperçut que Caterina sanglotait. Il s'efforça de la consoler, mais elle lui dit :

— Jamais je n'aurais dû venir ici. À Miami, je pouvais oublier à quel point elle me manquait... Ainsi que Domingo... les enfants... cette vieille raffinerie de sucre... et pourquoi le cacher ? Cuba.

Puis elle ajouta :

— Je suis une Cubana. Et j'en ai jusque-là des supermarchés et des feuilletons de télé.

Le lendemain à l'aéroport, les quatre personnes les plus tristes de Cuba se firent leurs adieux, comprenant que ce serait sans doute la dernière fois qu'elles se rencontreraient sur cette terre — ils étaient si proches dans les villes jumelles de Miami et de La Havane et pourtant si séparés par les jeux de la politique et de l'interprétation du futur. Ce furent des adieux feutrés : les deux hommes s'affairèrent pour les formalités et les deux femmes, à l'écart, versaient de chaudes larmes de regret. Soudain Estéfano s'écria :

— Bon Dieu, Domingo. Nous avons épousé de belles jumelles.

Et les deux hommes adressèrent un regard tendre à ces deux femmes vieillissantes, si bien conservées, si fières de leur allure et si semblables dans leurs attitudes envers la famille et les responsabilités sociales. C'étaient, songea Estéfano, deux des plus belles femmes de leur âge dans le monde : un honneur pour Cuba.

Les larmes aux yeux lui aussi, il embrassa Plácida, serra la main de Domingo et lui dit :

— J'espère que nous avons avancé sur la bonne voie.

Mais il n'en était pas du tout certain. Et quand l'avion s'éleva dans le ciel pour son vol de trente-huit minutes vers Miami, il frappa sa main gauche avec son poing droit crispé, puis baissa les yeux sur son île natale, si splendide mais si souvent violée par ses anciens maîtres espagnols, si souvent maltraitée par la bande de ruffians et d'assassins qui prétendaient la gouverner au cours du premier siècle de son indépendance, et si mal orientée par la révolution castriste — conséquence inévitable des abus passés.

— Cuba ! Cuba ! murmura-t-il tandis que l'île s'effaçait lentement. Tu méritais tellement mieux que ce que tu as eu.

Tandis que ces pensées le tourmentaient, Caterina demeura les yeux rivés sur la silhouette à peine visible de l'île. Puis elle soupira et se pencha pour s'accrocher au bras de son mari.

— Tu avais raison d'insister pour que nous fassions ce voyage. Quelle ville splendide ! Et comme la vieille raffinerie de sucre était belle !

Mais, après ce qui parut le temps d'un soupir, Miami apparut et elle ajouta :

— Celle-ci est mieux.

Ils savaient qu'au-dessous d'eux se trouvait maintenant le monde dont ils avaient vraiment envie.

Par son hublot, Steve admira l'allure fabuleuse de la ville avec ses gratte-ciel aux lignes hardies, blottis autour de la baie, dans les îles et le long des canaux. L'une des plus belles villes d'Amérique. Il se pencha en avant et dit à Kate :

— Je sais ce qu'Auguste a ressenti quand il s'est écrié : « À mon arrivée Rome était une ville de briques, à mon départ ce sera une ville de marbre. » Quand nous sommes arrivés de Cuba, Miami était une ville endormie de bâtiments bas et vieillots, nous avons fait d'elle une cité de tours.

Il montra fièrement les immeubles que sa banque avait aidé à financer avec l'argent gagné et épargné par ses amis cubains.

— Celui-ci. Ces deux-là. Et l'autre, là. Depuis 1959. En seulement trente ans. C'est un miracle et j'en suis fier. Moi, quitter Miami ? Jamais.

— Ni moi, murmura Kate. Mais si une ouverture se produit, ajouta-t-elle aussitôt. Et si George Bush se montre reconnaissant pour ce que tu vas faire pendant sa campagne en automne, ce serait bien, non, qu'il te nomme ambassadeur ?...

À peine avait-elle prononcé ce mot qu'elle sentit la poigne de fer de Steve sur son bras.

— Pas un mot. Ne pense même pas à une chose pareille. Si les gens savaient qu'il existe une possibilité...

Quand l'avion se posa, très discrètement dans un coin reculé de Miami International, un collaborateur du Dr Calderon, le visage livide, l'attendait pour lui faire part d'une lamentable nouvelle, qu'il transmit d'une voix tremblante :

— Votre nouvelle clinique... qui était presque terminée... On l'a dynamitée la nuit dernière. Tout a brûlé.

Et dans les embouteillages de la Calle Ocho, une voiture suspecte qui les suivait remonta à leur hauteur à un feu rouge, et l'un des hommes tira quatre balles dans la direction des Calderon. Elles manquèrent le docteur, trois atteignirent sa femme et avant que la voiture puisse gagner l'hôpital le plus proche, elle était morte.

16

La mer d'or

Mer des Caraïbes, 1989

Par un beau matin de janvier 1989, les fils de la vie de Theresa Vaval se nouèrent de surprenante façon. Elle reçut à Harvard son diplôme de docteur en anthropologie sociale; Wellesley confirma qu'elle était acceptée comme professeur, ce qui impliquait une promesse de chaire si sa réputation d'érudition se développait; son père, Hyacinthe Vaval, apprit que sa famille et lui-même avaient obtenu le statut de résidents permanents aux États-Unis, où ils étaient arrivés sept ans plus tôt après s'être réfugiés temporairement au Canada; et Dennis Krey, qui enseignait les techniques d'écriture à Yale, avait enfin réuni assez de courage pour déclarer à ses parents de Concord, New Hampshire, qu'il allait épouser Tessa — comme l'appelaient tous ses amis à l'université. Et les Swedish Lines venaient de lui proposer une série de cours à bord d'un de leurs paquebots de croisière, le *S.S. Galante* qui devait appareiller de Cap-Haïtien, à Haïti, le 30 janvier. Cent trente-sept étudiants s'étaient fait inscrire pour une session de quatorze jours, reconnue par les grandes universités, intitulée « Navigation et Cogitation au Paradis ».

— Nous ferons la navigation, vous ferez la cogitation, avait plaisanté le représentant des Swedish Lines en invitant Theresa à se joindre aux six conférenciers qui avaient déjà accepté.

Tout cela ne pouvait mieux tomber, surtout la nouvelle reçue par son père, descendant de ce général Vaval qui avait joué un rôle décisif en aidant Toussaint Louverture à libérer Haïti, dans la dernière décennie du XVIIIe siècle, car il avait été un personnage éminent à Haïti. Des générations successives de Vaval avaient défendu la liberté haïtienne, souvent en courant de grands risques, et plus d'un avait été exécuté publiquement. Jamais leur courage ne s'était démenti. Quand Papa Doc Duvalier, après avoir pris le titre de président à vie de Haïti, avait envoyé ses escouades de mort, les tontons macoutes, terroriser les journalistes dans les années 70 — il en avait torturé plus d'un à mort —, Tessa avait entendu un soir son père, rentrant à la maison, affirmer :

— Aucun espoir. La nuit dernière ils ont tué Gambrelle, le rédacteur en chef. Nous devons filer par le premier bateau.

Ils avaient quitté Port-au-Prince en trois groupes pour ne pas attirer l'attention des macoutes, puis ils s'étaient retrouvés au petit port de

Saint-Marc. Âgée de neuf ans, la petite Thérèse, comme on l'appelait alors, avait jugé complètement fou de s'embarquer dans un petit bateau à peine étanche pour s'élancer en pleine nuit sur l'Atlantique. Elle aurait aimé oublier ces journées mais savait qu'elle devait les garder dans son souvenir. Son fiancé Dennis Krey avait dû poser plus d'une fois les mêmes questions avant qu'elle puisse en parler.

— Il y avait sur le pont quatre personnes entassées dans un espace où une seule aurait à peine tenu. La nourriture et l'eau manquaient. Ceux qui mouraient tombaient par-dessus bord et on pouvait voir arriver les requins. Ma mère m'a dit : « Si tu plonges la main dans l'eau, le requin l'arrachera au prochain passage. » Chaque soir à la tombée de la nuit j'étais terrifiée, mais mon père nous disait d'une voix rassurante qui masquait sa propre terreur : « N'oubliez pas que Vavak a fui Saint-John dans un canot beaucoup plus petit que celui-ci. Et il a réussi. » Nous étions tous très accablés, désespérés, sauf mon père qui continuait de répéter calmement : « Nous survivrons. Mourir serait une lâcheté. » Et nous avons survécu. Au bout de onze jours de mer, un splendide bateau canadien nous a recueillis et conduits à Québec où tout le monde parlait français, où il y avait nourriture et espoir.

Elle se demanda si Dennis avait raconté cette histoire à ses parents et si, pour eux, cela ferait une différence. Les Krey appartenaient à la Nouvelle-Angleterre traditionnelle, et Tessa, bien entendu, était noire. Noire mais splendide comme seules peuvent l'être les Haïtiennes quand elles ont le teint clair et l'élégance naturelle des gestes. Grande et mince, elle avait un visage calme et ouvert sur lequel le moindre prétexte peignait un sourire. Jamais elle ne s'était inquiétée de ce qu'il adviendrait d'elle dans les terres glacées du Canada parce que les jeunes gens ne cessaient de l'inviter; et dès son arrivée à Boston, elle avait compté parmi les jeunes filles les plus sollicitées de Radcliffe. La demande en mariage de Krey ne l'avait pas étonnée; trois ou quatre autres jeunes blancs lui avaient demandé sa main, car sur la toile de fond de la Nouvelle-Angleterre, elle faisait vraiment sensation : grande, souple, un visage de soleil et des dents blanches éclatantes.

Mais lorsque les parents de Dennis vinrent pour la remise de son diplôme de Harvard et la petite réception de fiançailles de leur fils, Tessa sentit un antagonisme : ils avaient rêvé de mieux qu'une Haïtienne pour leur fils. Elle ne s'attendait pourtant pas à la manière subtile dont les parents de Dennis manifestèrent leur mécontentement. Le juge Adolphus Krey, sexagénaire austère, la dévisagea comme s'il pensait : « Si terrible que soit l'erreur que Dennis est en train de commettre, nous ne devons pas le désavouer car c'est malgré tout notre fils. » Pendant le reste de la journée la froideur s'aggrava, et Tessa finit par murmurer :

— Tout le lac est en train de geler.

Mrs. Krey réagit de façon quelque peu différente. La première fois qu'elle vit Tessa, elle se congela si totalement qu'elle parvint à peine à fendre ses lèvres pour un sourire. Mais quand Dennis expliqua que le père de Tessa, Hyacinthe Vaval, ne pourrait pas assister au déjeuner, elle s'enflamma soudain quand son fils en donna la raison :

— Il a été convoqué à Washington par le président Bush. La nouvelle administration croit qu'il serait idéal comme président d'Haïti si la paix revient un jour dans cette île torturée.

— Président ? s'écria la mère.

Mais Tessa calma l'enthousiasme naissant :

— Il serait fou d'accepter. On l'assassinerait sans doute comme son arrière-arrière-grand-père, qui a essayé de gouverner l'île au siècle dernier.

Mrs. Krey, qui interpréta cette remarque comme de la désinvolture coupable, lança un regard désapprobateur à sa future belle-fille et la mit en garde :

— A Concord, vous savez, les jeunes femmes de l'extérieur doivent gagner leur place, si je puis dire.

Tessa lui répliqua d'un ton presque sec :

— Mais nous ne vivrons pas à Concord. Dennis va obtenir un nouveau poste à Hartford, et moi de même à Wellesley.

— Mais vous passerez les étés à Concord, j'espère.

— Plus tard, peut-être. Au début, la plupart du temps en Europe... pour poursuivre nos études et le reste.

Et quand Dennis confirma leurs projets pour les quelques années suivantes, le juge Krey se raidit.

— Nous pensons qu'il serait plus prudent que nos amis de Concord puissent voir ta femme... pour s'habituer à elle.

Les implications de cette remarque révélatrice furent pour Tessa trop difficiles à avaler, et elle réagit avec l'humour acerbe dont elle ponctuait souvent ce genre de commentaire. Elle afficha son plus ravissant sourire et lança :

— Vraiment, vos paroles me rappellent l'histoire de l'étudiant juif de Harvard qui téléphone à sa mère à New York, pour lui dire : « Maman ! Devine ! J'épouse la jolie Japonaise que tu as rencontrée l'autre fois à Princeton. » Et après un silence, la mère répond : « Parfait, mon chéri. Quand tu l'amèneras, vous pourrez prendre ma grande chambre du premier. » Ravi de voir sa mère prendre la nouvelle si bien, le jeune homme lui dit : « Mais non, maman, inutile de te donner tout ce mal. » Et elle répond : « Elle sera vide. Parce qu'à la minute où cette roulure arrivera à notre porte, je sauterai par la fenêtre... la tête la première. »

Elle laissa le silence glacé qui suivit se prolonger pendant une dizaine de secondes, puis elle éclata de rire, parfaitement à l'aise, et posa la main sur l'avant-bras du juge Krey.

— Notre mariage ne sera pas un tremblement de terre comme on pourrait le croire à Concord. Dennis et moi vivrons dans des milieux habitués depuis longtemps à des mariages mixtes comme le nôtre. Je crois que nous représentons la vague de l'avenir... et que notre choix ne concerne personne.

Le juge Krey, froissé par la familiarité du geste de la jeune noire, s'écarta, plus raide que jamais et se réfugia derrière sa vertu de Nouvelle-Angleterre.

— Cambridge n'est pas l'ensemble du monde, Dieu merci !

Le déjeuner de fiançailles, qui aurait dû être fort joyeux pour un aussi beau couple, fut douloureusement tendu. Et quand les parents de Dennis prirent congé pour retrouver leur sécurité morale de Concord, aucun doute ne subsistait : Tessa recevrait une réception glaciale dans la ville bien-pensante de Nouvelle-Angleterre. Après leur départ, Dennis ajouta :

— Jamais tu n'aurais dû raconter cette histoire de l'étudiant juif et de sa fiancée japonaise, lui dit-il. Tu aurais dû te douter que cela gênerait mes parents.

Légèrement déçue, Tessa rangea son diplôme et se plongea dans la préparation de sa croisière aux Antilles. Les responsables suédois de la compagnie maritime dont dépendait la *Galante* l'avaient choisie à cause de ses références universitaires impressionnantes mais aussi parce qu'elle était noire :

— Vous serez le professeur noir qui expliquera les nouvelles républiques noires instaurées dans « votre » mer. Et votre accent français est merveilleux. Ne le perdez surtout pas. Ce sera un avantage de plus.

Le fait que la croisière commençait à Cap-Haïtien était providentiel. Les passagers arriveraient de trois aéroports différents et Tessa aurait l'occasion de descendre à Port-au-Prince deux semaines avant d'embarquer, pour voir les changements survenus depuis la nuit sombre de 1973 où la famille Vaval avait fui son pays pour la liberté. Elle parla de ses intentions à Dennis, et il n'en fut pas entièrement ravi :

— J'approuve vraiment l'idée de la croisière. C'est une chance unique pour toi de reprendre des contacts dans la région, mais j'espérais que nous pourrions avoir un peu de temps à nous avant le départ du bateau.

— Pour une Haïtienne, répondit-elle, savoir ce qui se passe à Haïti est extrêmement important. De toute manière, nous nous marierons fin juin comme prévu.

Le vol de Boston à Port-au-Prince ne fut pas seulement un déplacement dans l'espace. Elle partit dans la peau d'une jeune femme indépendante de vingt-cinq ans dont la carrière et le mariage semblaient acquis, mais à son arrivée elle redevint aussitôt la gamine gauche et toute en jambes qui fuyait son pays sans comprendre l'importance du rôle politique de son père et du rôle historique de sa famille. Elle avait appris plus tard qu'au milieu du XIXe siècle un de ses ancêtres avait été président pendant trois ans, et demeurait une exception de probité au milieu de la succession invraisemblable de généraux, d'assassins et de psychopathes qui avaient gouverné la république noire pendant les cent quatre-vingt-cinq années de son indépendance. Son mandat s'était achevé devant un peloton d'exécution commandé par le groupe suivant de généraux avides de pouvoir, mais son martyre continuait d'inspirer l'espoir qu'à un moment ou un autre Haïti apprendrait à se gouverner. On l'appelait « le bon président Vaval » et son petit-fils avait été « le rusé Vaval qui avait tenu les Yankees en échec » au moment de l'invasion de l'armée américaine au début du siècle. Il avait gouverné vingt ans.

Tessa en savait long sur les deux Duvalier, qui avaient assassiné tant de gens et elle se rappela que son père appelait les tontons macoutes « les nazis du Nouveau Monde, peut-être pires que les S.S. car ils tuent et mutilent leur propre peuple, pas une prétendue race étrangère ». Sa famille lui avait inculqué deux leçons :

— Si l'esclave Vavak n'avait pas eu le courage de fuir Saint-John quand il l'a fait, aucun d'entre nous ne serait en vie à l'heure actuelle, et si nous n'avions pas fui Haïti quand nous l'avons fait, nous serions morts également.

A ses yeux, Haïti n'était pas seulement une nation insulaire romantique qu'elle avait adorée pendant son enfance à cause de son pittoresque, de sa musique et de la gentillesse de sa population, mais aussi une prison révoltante dont seuls les chanceux s'évadaient. A l'inverse, elle considérait à présent le Canada comme un des pays les plus sympathiques du monde, et les États-Unis comme un bienfaiteur qui lui avait accordé presque gratuitement les diplômes capables d'assurer sa carrière. Elle se trouvait donc dans l'état d'esprit qu'il fallait pour juger son pays natal, et ce qu'elle vit la frappa de stupeur.

La révolution de 1986 qui avait chassé Bébé Doc Duvalier et son entourage de voleurs et d'assassins n'avait fait émerger aucun nouveau leader de qualité, et le chaos prolongé ne semblait pas près de cesser.

A Port-au-Prince, où la misère côtoyait l'insouciance, une seule chose lui donna un peu d'espoir : quand elle arrêtait des jeunes pour leur parler, en leur expliquant qui elle était, la plupart d'entre eux se montraient enthousiastes :

— Oh ! Thérèse, j'espère vraiment que votre père reviendra pour se présenter aux élections ! Nous avons besoin de lui et de son courage.

Mais ces signes d'espoir s'évanouirent quand des gens plus âgés et plus sages lui chuchotèrent :

— S'il parvient à s'installer aux États-Unis, Thérèse, conseillez-lui de ne jamais revenir. Rien ne peut plus sauver ce pays.

Après quelques journées décevantes, elle prit un autobus déglingué qui la conduisit vers le nord jusqu'à la région où les Vaval possédaient une ferme prospère depuis des générations. Elle se rappelait très bien cette propriété — la belle maison des maîtres, les cases de torchis des paysans... Aucune amélioration n'avait été apportée pendant son absence. A Haïti, les pauvres vivaient encore comme des bêtes, logés dans des conditions misérables, mal nourris et vêtus de haillons.

Quand elle se rendit dans la maison de maître, elle découvrit que, même à présent, l'électricité n'était pas installée ; on puisait encore l'eau avec une pompe à bras ; les pièces prévues pour une famille de sept personnes abritaient maintenant cinq familles différentes entassées comme des lapins dans un clapier trop étroit. Au désespoir, elle s'assit sur un banc improvisé en posant une planche sur des pierres, et elle parcourut des yeux les lamentables signes de vie : sur une corde effilochée, du linge qui aurait dû être jeté cinquante lessives plus tôt ; des vieux outils devenus ferrailles, des hangars prêts à s'effondrer, des femmes de trente ans prématurément vieillies par des besognes accablantes. Pauvreté et désespoir définissaient désormais un pays qui avait été riche jadis.

Puis, inévitablement, se posa la question terrible qui tournait dans sa tête avant même le début de ce voyage dans les Caraïbes : étant donné que Haïti est une république indépendante et autonome gouvernée par des noirs depuis 1804, si elle a accompli si peu de choses pour sa population, que faut-il penser des aptitudes des noirs pour gouverner ? Assise ainsi au milieu des rêves de son enfance, elle se sentit terrassée par la réalité qui l'entourait. Elle se leva, serra les poings et cria vers le ciel sans nuages :

— Pourquoi tout va-t-il de travers dans mon pays ?

Mais elle se raisonna, et, au bout de deux minutes, ses conclusions avaient changé — comme il fallait s'y attendre : « Tout aurait pu être si différent. Mon Dieu, tout aurait pu être tellement mieux ! Nous aurions pu construire un paradis ici... »

Dans les jours qui suivirent cette désolante visite à son ancien foyer, elle rencontra à Port-au-Prince plusieurs politiciens influents qui se souvenaient de son père, et ils furent ravis d'apprendre qu'elle allait enseigner à Wellesley.

— Un bon établissement, paraît-il. Avec une excellente réputation.

Elle ne leur signala pas son mariage imminent avec un blanc du New Hampshire, car ils comprendraient vite que cela impliquait certains conflits. A la place, elle les interrogea sur l'avenir de Haïti, et fut ravie de les entendre parler dans leur mélange charmant de français distingué et de créole vulgaire, si pittoresque et expressif. Leur message n'était pas réjouissant car ils conservaient peu d'espoir pour leur pays.

— Que produisons-nous dont le monde ait besoin? demanda l'un d'eux. Une seule chose. Toutes les balles de base-ball utilisées par les grands clubs américains sont cousues ici. Si les Taïwanais apprennent un jour à coudre les enveloppes des balles de base-ball, nous sommes fichus.

La situation politique était si lamentable que tout continuerait probablement sur la lancée des deux siècles précédents.

— Les dictateurs sans envergure se succèdent. Des généraux avec un peu plus de galons et un peu moins de raison que leurs prédéces seurs.

Un homme bien informé lui suggéra de louer une voiture : avec deux de ses amis fonctionnaires, il montrerait à Tessa une chose d'une importance cruciale, dans les montagnes au nord de la ville. Ils s'engagèrent donc dans ces hauteurs jadis couvertes de forêts, où l'ancêtre de la jeune femme, le général Vaval, avait manœuvré avec tant d'habileté contre les envahisseurs français de Napoléon Bonaparte, et le jeune homme lui montra la désolation qui régnait dans les campagnes haïtiennes. A perte de vue, crêtes et vallons étaient dépouillés d'arbres. Chaque mètre carré avait été nettoyé par les fabricants de charbon de bois. Absolument rien ne poussait sur les pentes vides. Pas le moindre baliveau pour remplacer la grande forêt perdue.

— Vous voyez ces gorges orientées vers la mer? A chaque pluie tropicale, des torrents entraînent la terre arable à jamais.

— Mais vous allez créer un désert! s'écria Tessa d'une voix angoissée.

— Erreur. C'est déjà fait. Et la pluie et le vent ne permettront jamais de regagner ces terres.

Elle avait prévu de rendre visite à un de ses oncles qui n'avait pas fui l'île. Elle fit ses bagages, prit un autre autocar incroyablement bondé et partit au nord de Saint-Marc — le port où le bataillon polonais de Napoléon avait massacré les restes d'un régiment noir. La situation dans le village voisin de la capitale l'avait bouleversée, mais quand elle vit comment ses cousins vivaient, elle resta sans voix. Aucun des conforts d'une ville, aucune de ces petites joies qui permettent de supporter une vie de misère. Comme beaucoup de Haïtiens, ils habitaient dans une case au sol de terre battue, avec deux matelas posés par terre, deux chaises instables, une table branlante et deux ou trois clous au mur pour accrocher les quelques vêtements de la famille. Ces descendants de généraux et de présidents qui avaient bien servi leur pays vivaient à peu près comme leur ancêtre Vavak deux siècles et demi plus tôt, lorsqu'il était esclave dans l'île danoise de Saint-John.

Voyant cette dégradation incroyable, causée par la succession interminable de dictateurs qui s'étaient enrichis en appauvrissant le peuple, Tessa ouvrit spontanément son sac, prit le portefeuille où elle gardait son argent et donna à ses cousins la somme qu'elle avait mise de côté pour l'achat de livres aux diverses escales.

— Je vous en prie. Mon père insisterait pour que vous acceptiez.

— Mais comment se fait-il que vous ayez tellement d'argent ?

— Au Canada, expliqua-t-elle, tout le monde a un emploi. C'est merveilleux.

Elle expliqua que dans la plupart des pays du monde les gouvernements s'occupaient de la population.

— Les deux premières années après ma licence, j'ai travaillé pour le Peace Corps. Dans des pays d'Afrique... Parce que j'étais noire, bien sûr. Une expérience étonnante, mais sincèrement, où que je sois allée, jamais je n'ai trouvé un pays aussi pauvre que Haïti.

Cet aveu émut tellement son oncle qu'il se dirigea vers une misérable étagère de bois clouée au mur, sur laquelle il prit un gros livre de belle allure, imprimé en France.

— Chacun de nous était obligé d'en acheter six exemplaires, à un prix très élevé.

Tessa regarda le frontispice : une grande photo de Papa Doc avec la légende : « Le vénéré chef de l'État présente le vrai visage de Haïti : la dignité, la fierté, la sagesse du penseur, la force du conquérant. » Mais ce qui lui souleva le plus le cœur, ce fut une photo de quinze beaux noirs en uniformes bleu éclatant, accompagnée de la légende : « Les vénérés tontons macoutes protègent avec bienveillance la liberté dont nous jouissons. »

Tremblant de rage, elle referma le livre honteux en s'écriant :

— Ils assassinent non seulement les gens mais la vérité. C'est une honte.

— Que pouvons-nous faire ? demanda son oncle.

Elle ne trouva qu'une seule chose à lui suggérer :

— Prenez un bateau, n'importe lequel, et filez de cet enfer. Comme votre frère.

— C'est trop tard, répondit-il.

Elle ne put retenir ses larmes, car elle savait qu'il disait vrai : pour cette famille, c'était trop tard.

Mais les Haïtiens plus jeunes avaient encore une chance, et ils comptaient bien l'exploiter. Un après-midi où elle alla à Saint-Marc acheter quelques provisions pour son oncle, elle vit dans la baie peu profonde un bateau de si petite taille qu'elle se dit : « Il est tout juste bon à la navigation sur un lac. » Mais sur le chemin du retour, au crépuscule, elle aperçut une quarantaine de noirs qui grimpait dans l'esquif pour partir sur l'Océan. Horrifiée à la pensée qu'ils allaient essayer d'atteindre les États-Unis dans une embarcation si peu sûre, elle descendit vers la grève et les interrogea. Oui, les fugitifs allaient risquer leur vie en haute mer dans un bateau surchargé et sans provisions suffisantes plutôt que de rester une journée de plus à Haïti. Elle tomba à genoux au bord de la mer des Antilles et pria :

— Dieu bien-aimé, envoie un bateau canadien à leur secours.

Dès cet instant elle cessa d'être une intellectuelle dans le vent de Cambridge, qui buvait du Perrier au déjeuner en écoutant Vivaldi. Elle redevint une noire de Haïti prête à lutter contre l'adversité pour rester en vie.

La tête encore pleine de l'image des réfugiés dans leur bateau tragique, elle déposa les provisions chez son oncle. Une nouvelle extraordinaire venait d'arriver, apportée par un homme qui avait couru depuis un village beaucoup plus petit, Du Mort, à six ou sept kilomètres plus loin dans les montagnes.

— Un zombie, mort depuis onze ans, est revenu à la vie.

Le mot zombie l'agaça, parce qu'à Québec et à Boston des amis bien intentionnés, en apprenant qu'elle venait de Haïti, l'avaient harcelée à propos des zombies comme si c'était le trait le plus caractéristique de son pays. Elle avait repoussé la plupart des questions d'un éclat de rire, mais certaines étaient vraiment sérieuses.

Aux professeurs de Harvard qui l'avaient interrogée elle avait répondu :

— J'ai entendu des contes populaires sur les zombies pendant toute mon enfance. Et ils me faisaient très peur. Un zombie, nous disait-on, est un mort rappelé à la vie et utilisé ensuite à perpétuité comme esclave.

Quand on lui demandait si elle avait entendu parler d'un cas réel, vérifié, elle était toujours tentée de répondre d'un ton ironique : « Non ! Vos enfants ont-ils jamais vu un des géants ou des elfes dont vous leur parlez ? » Mais elle évitait toujours de nier catégoriquement l'existence des zombies, parce que son oncle René, abattu plus tard par les tontons macoutes, jurait que, dans son enfance, un zombie mort depuis des jours avait été ramené à la vie pour servir d'esclave à une famille riche. Mais comme toujours, ce miracle s'était produit dans un autre village, plus reculé.

Or maintenant, le village n'était même pas à sept kilomètres et l'on était en 1989. Elle pouvait aller vérifier le récit ridicule elle-même. Elle mobilisa un des deux taxis du village, prit son carnet de notes et sa trousse de pharmacie, puis partit vers l'endroit où l'on avait vu le prétendu zombie.

Le village comprenait une trentaine de cases au sol de terre battue disposées autour d'une belle place dont un côté était occupé par un marché pittoresque où l'on vendait sur des étals improvisés de la viande et du poisson, des légumes, des fruits, quelques vêtements et des pots de terre. A côté de la pompe du village était accroupie une jeune noire d'environ vingt-huit ans. Elle avait de beaux traits calmes — mais elle était presque inanimée. Ses yeux ne semblaient rien reconnaître autour d'elle ; elle ne répondait pas aux questions et si l'on s'approchait d'elle, elle se reculait, comme saisie d'effroi. Si un être humain pouvait à juste titre être qualifié de « mort-vivant », c'était bien cette malheureuse.

Tessa se sentit aussitôt attirée par elle.

— Qui est-ce ?

Plusieurs badauds fournirent réponses et explications sans se faire prier.

— Elle s'appelle Lalique Hébert. Sa tombe est à l'entrée du village, par là-bas.

Des villageois conduisirent Tessa jusqu'au cimetière, où une pierre tombale plate en ciment qui s'écaillait montrait clairement que l'on avait enterré au-dessous la dépouille mortelle de LALIQUE HÉBERT, 1961-1978.

— Est-ce la même personne ? demanda Tessa.

— Oui, oui ! cria l'un des badauds avec force. Je connais sa sœur.

— Je connaissais ses parents, renchérit un autre.

— Mais l'un de vous a-t-il assisté à son enterrement ? demanda Tessa.

— Oui. Et cet homme-là a aidé à porter le cercueil.

Un noir d'une cinquantaine d'années s'avança.

— Vous avez porté le cercueil ?

— Oui.

— Vous avez vraiment vu le cadavre ?

— Nous l'avons tous vu.

Un groupe de femmes se rapprocha de la tombe pour confirmer qu'elles avaient bien vu la jeune Lalique Hébert dans son cercueil, chez elle, et qu'elles avaient participé à son enterrement.

— Vous êtes sûres qu'elle était morte ?

— Oh oui ! Nous l'avons vue. Le médecin a signé le papier.

Une vérification rapide des registres de l'église montra qu'en juin 1978, la jeune Lalique Hébert, âgée de dix-sept ans, fille de Jules et Marie Hébert, de la paroisse, avait été enterrée après constatation de son décès par un certain Dr Malarie, deux jours plus tôt.

— Où pourrais-je voir le Dr Malarie ? demanda Tessa.

— Il est mort il y a trois ans.

Elle revint donc sur la place où Lalique était toujours accroupie près de la pompe, dans une position qui aurait engourdi les jambes de toute personne ordinaire.

— Bonjour, Lalique.

Pas de réponse.

— Lalique, regardez-moi... Je souhaite vous aider.

Pas même un regard. Mais Tessa eut une bonne idée.

— Lalique, te souviens-tu du temps où tu étais morte, dans ton cercueil ?

Très lentement, la femme impassible souleva son beau visage placide, aussi sombre que l'ébène, pour regarder la personne qui l'interrogeait. Au début ses yeux s'emplirent de terreur, comme si Tessa lui rappelait une femme qui l'aurait maltraitée pendant les onze années de son existence de zombie. Puis elle s'aperçut à sa manière lente et vague que Tessa était beaucoup plus jeune et n'avait pas le rictus brutal de sa maîtresse. Sa terreur s'envola.

— Longtemps dans la tombe. Des hommes viennent, je me lève, dit-elle.

Elle tendit les bras vers le haut et se leva, le regard à la hauteur des yeux de Tessa. Puis, comme si elle s'écroulait, elle reprit sa position accroupie, aussi inanimée qu'avant.

Troublée, Tessa chercha des yeux quelqu'un à qui parler. Deux femmes se rapprochèrent.

— Qu'allez-vous faire d'elle ?

— Rien. Elle est morte. Elle revient. Elle vit...

Elles firent des gestes vagues de la main.

— Où a-t-elle dormi la nuit dernière ?

Tessa obtint le même genre de réponse imprécise :

— Peut-être ici. Peut-être contre le mur, là-bas.

Tessa s'étonna.

— Ce n'est pas bon d'avoir un zombie dans un village. Elle est peut-être venue se venger. Quelqu'un d'ici aura peut-être des ennuis.

— Que va-t-il se passer ?

Les deux femmes répondirent en même temps :

— Si elle essaie de rester, les gens la chasseront.

— Où ? Où ira-t-elle ?

Les femmes répondirent au nom du village entier :

— Qui sait ? Les zombies vont partout. Ils n'ont pas besoin de manger... de dormir... de penser. Missy, ils ne sont pas comme vous et moi.

Décontenancée, Tessa quitta les deux femmes pour retourner auprès de Lalique.

— Je suis votre amie, Lalique. Puis-je vous emmener quelque part ? Vous aider en quelque manière ?

Le zombie ne la regarda même pas et Tessa n'eut guère le choix : elle remonta dans son taxi. Mais juste avant d'arriver dans le village de son oncle, elle songea à sa solitude, à son impression de bannissement à son arrivée dans la ville froide et apparemment hostile de Québec.

— Chauffeur ! cria-t-elle. Reconduisez-moi là-bas !

Sur la place du marché, Lalique n'avait pas bougé de la pompe. Tessa courut vers elle comme si le zombie était sa fille, qu'elle aurait perdue. Elle se pencha, lui prit les mains, la força à se relever et l'entraîna vers le taxi.

— Nous rentrons à la maison, Lalique.

Quand elles furent dans la voiture, elle serra la femme effrayée contre elle et se mit à chanter une vieille berceuse haïtienne :

L'oiseau sur les flots, ho ho !
Toi dans ton berceau, ho ho !
L'oiseau dans la treille, ho ho !
Piqûre d'abeille, ho ho !

Pour la première fois depuis de nombreuses années, Lalique Hébert, le zombie, s'accrocha à un être humain et s'endormit.

Le lendemain matin très tôt, Tessa fut appelée au téléphone public de son village et une voix d'homme, manifestement inquiète, lui demanda :

— Est-ce vous la jeune femme de Harvard ? Oui ? Est-il vrai que vous êtes allée au village de Du Mort et que vous avez emmené chez vous une jeune femme qui passait pour un zombie ?

Tessa le lui confirma.

— Je suis le Dr Briant, de Saint-Marc. Je me suis spécialisé dans cette question des zombies à la demande du gouvernement. Il faut que je voie cette Lalique tout de suite.

— Il vous suffit de venir. Vous savez où se trouve le village.

— J'arrive. Ne laissez personne faire du mal à cette jeune femme.

— Mais pourquoi lui ferait-on du mal ?

Le Dr Briant arriva peu après. Cinquante ans, la peau sombre, il était diplômé de l'université Howard, de Washington.

— Je suis vraiment intéressé. Une femme relativement jeune qui a pu s'échapper au bout de onze ans ! Racontez-moi... Pourquoi avez-vous jugé nécessaire de lui faire quitter son village ? Peut-elle communiquer ?

— Non. Je pense qu'elle est faible d'esprit.

— Ne dites pas ça ! s'écria Briant. C'est ce qu'ils prétendent de tous ces malheureux.

Tessa le conduisit près de Lalique qui avait dormi dans un lit pour la première fois depuis des années. Il se montra doux et rassurant.

— Lalique, je suis votre ami. Voulez-vous un peu de sel ?

Pendant un bref instant, le zombie fut beaucoup plus animé qu'avec Thérèse. Briant sortit de sa poche une petite boîte de sel et en versa un peu dans sa paume. Lalique posa la tête contre la main du médecin et se mit à lécher le sel comme un chien.

— Une horrible coutume populaire. Tous ceux qui mettent la main sur un de ces malheureux... On croit qu'en les privant de sel, on prolonge leur hypnose. Davantage de sel, Lalique ?

De nouveau elle avala la substance précieuse qui lui avait été refusée pendant si longtemps

— Qui la gardait prisonnière ?

— Nous ne pourrons jamais le découvrir. Et nous ne saurons jamais qui l'a mise dans cet état et l'a enterrée vivante.

Après avoir donné à Lalique une ration soigneusement dosée de sel, il demanda :

— Vous avez vu sa tombe ?

Tessa acquiesça.

— Nous devons nous rendre là-bas sur-le-champ. Pour photographier la tombe avec le fossoyeur, si nous pouvons le trouver. Et avec tous les témoins possibles.

Les deux jeunes femmes montèrent dans la vieille voiture déglinguée du Dr. Briant, et il franchit à la hâte les sept kilomètres qui les séparaient de Du Mort, où il fit sensation avec son appareil photo et ses ordres catégoriques.

— Conduisez-moi au cimetière. Trouvez le fossoyeur. Allez me chercher les registres à l'église pour que je puisse les photographier au soleil. Et que toutes les personnes ayant connu cette jeune femme il y a onze ans s'alignent par ici. Mademoiselle Vaval, veuillez prendre leur nom dans l'ordre.

Au cours de l'heure suivante, il réunit, avec des photos en gros plan de chaque narrateur, un récit visuel et oral convaincant de la zombification en 1978 de la gamine de dix-sept ans Lalique Hébert. Connaissant de longue date les questions à poser, il dévoila toute l'histoire : Lalique était la deuxième de trois filles. Intelligente et entêtée, elle voulait quitter Du Mort pour devenir secrétaire à Port-au-Prince. Au cours d'une querelle au sujet d'un jeune homme, elle suscita la jalousie de sa sœur aînée et l'animosité de sa mère.

— C'est sans doute sa propre mère et sa sœur qui l'ont assassinée, avoua une vieille femme. J'ai participé à la toilette du cadavre avant les obsèques.

Le Dr Briant ne cilla pas.

— Je suppose qu'elles ont payé un bocor vaudou pour la tuer.

Deux femmes confirmèrent sa conjecture.

— Oui. Il n'était pas de ce village mais il possédait une magie puissante.

Ensuite, il voulut parler au fossoyeur. Il était très âgé mais il se rappelait bien l'enterrement de la jolie jeune fille :

— En juin... Peut-être en juillet. Pas de gros orages. J'ai fait la fosse là où vous voyez la pierre. Et vous pouvez lire le nom : Lalique Hébert.

Le vieil homme avait davantage à dire, parce que le retour d'un zombie dans la communauté où il avait été enterré était un sujet passionnant, mais le Dr Briant l'interrompit :

— Donc vous avez creusé une tombe peu profonde... Cinquante centimètres ?

— Oui. Comment le savez-vous ?

— Dites-moi, vous aviez déjà creusé des tombes de cinquante centimètres ?

— Une fois. Pour un homme que personne n'aimait.

— Et que s'est-il passé ?

Le fossoyeur regarda autour de lui le cimetière où il travaillait depuis si longtemps, puis il murmura :

— Vous avez l'air de le savoir.

— Oh oui ! répondit Briant. Mais je tiens à ce que vous le disiez.

Le vieil homme se tourna vers Tessa.

— Il est devenu zombie lui aussi.

Le Dr Briant s'adressa à Lalique, immobile et sans expression à côté de sa tombe, pour essayer de lui faire comprendre ce qui se passait.

— Eh bien, Lalique, regardez. C'est votre nom que je lis, lettre par lettre.

Tessa fit tourner Lalique vers la pierre tombale et la força à pencher la tête. Elle refusa de regarder. Puis, en un geste si soudain que Tessa et le Dr. Briant sursautèrent, elle sauta au cou de Tessa et cria en une plainte qui emplit le cimetière :

— Lalique, Lalique !

Sur le chemin du retour les deux femmes s'assirent à l'arrière et, comme la veille, le zombie tremblant rappelé des morts s'accrocha à Tessa et s'endormit immédiatement.

Le Dr Briant resta deux jours chez les Vaval. Ses efforts ramenèrent quelque peu le zombie à la réalité, mais ses paroles rassurantes firent peu d'effet comparées à son sel. Privée de sel depuis des années, la jeune femme en avait encore plus besoin que de nourriture, de sommeil ou d'amour.

Pendant ces deux journées, Briant fit partager à Tessa la connaissance qu'il avait accumulée sur les zombies de Haïti :

— C'est une réalité de notre pays. Lalique a été assassinée. En un sens, elle était cliniquement morte et l'on ne saurait reprocher au médecin d'avoir délivré un permis d'inhumer. Elle a été enterrée, comme vous l'avez constaté, et au cours de la deuxième nuit on l'a retirée de sa tombe et ramenée à la vie. Puis elle a été vendue, sans doute par sa mère et sa sœur, à une personne qui l'a maintenue dans l'état de zombie pour l'utiliser comme esclave. Elle est parvenue à s'enfuir et, avec un instinct très sûr, elle a retrouvé le chemin de son village natal. Si vous ne l'aviez pas secourue comme vous l'avez fait, elle serait peut-être vraiment morte, à présent. Assassinée pour la deuxième fois — et pour de bon.

— Je ne comprends vraiment pas.

— Tout ce que je vous ai dit est vrai. Vérifiable. Elle constitue le quatrième cas incontestable que j'ai rencontré. Mais c'est la première fois que j'ai d'aussi belles photos.

Tessa lui demanda comment tout cela était possible.

— Venez faire un tour sur cette route de campagne. Ce que j'ai à vous dire vous paraîtra plus plausible avec les arbres et les champs anciens autour de nous.

Il y avait toujours eu à Haïti, expliqua-t-il, des nécromanciens, prêtres ou saints hommes indigènes. Les savants les appellent chamans et les Haïtiens bocors. On en trouve dans de nombreuses sociétés primitives mais à Haïti, ils semblent posséder des pouvoirs spéciaux car de rusés vieillards ayant pratiqué cet art en Afrique leur ont légué la science de drogues et de poisons secrets et puissants qui permettent de provoquer chez certains êtres humains un état où les fonctions de la vie sont suspendues.

— Comme l'éther ou le chloroforme, mais de façon plus radicale et avec des conséquences plus étranges. De quoi se compose le mélange qu'ils utilisent ? Je travaille sur cette question depuis des années mais j'ai trouvé seulement deux bocors qui ont accepté de se confier, et je suis certain qu'ils ne m'ont pas tout révélé sur leurs manipulations.

Il trouva un arbre abattu et invita Tessa à s'asseoir près de lui sur le tronc.

— Je sais qu'ils utilisent une poudre obtenue en broyant le corps desséché du crapaud bufo. J'en ai envoyé un aux laboratoires de John Hopkins. On m'a répondu : « Nous sommes au courant de ces animaux depuis des dizaines d'années. C'est l'animal favori des empoisonneurs. Mais vos bufos de Haïti sont incroyables. Ils contiennent au moins seize poisons complexes. » Et nos bocors utilisent également un poisson de la famille de la lanterne. Vous en avez peut-être entendu parler : au Japon on le nomme *fugu*. On m'a dit, mais je n'ai jamais pu le vérifier, que les bocors connaissent aussi un concombre vénéneux, une sorte de poivre mortel de l'Orénoque, et un serpent particulier venu des jungles d'Amazonie.

— Le mélange doit être capable de tuer un cheval.

— Sans doute. Mais tel n'est pas le but. Le bocor apprend à administrer la dose exacte qui plongera sa victime dans une sorte d'arrêt momentané des fonctions vitales. Le cadavre est enterré en grande pompe et deux jours plus tard, au cœur de la nuit, le bocor l'exhume, cesse de lui donner du sel et possède un zombie.

— Le bocor offre-t-il ses services à tout le monde ?

— Je n'en sais rien. En fait, il y a beaucoup de choses que je ne sais pas. La fréquence avec laquelle cela se produit par exemple.

Puis sa voix devint plus ferme et il déclara d'un ton résolu :

— Mais cela se produit encore en 1989. Je n'ai absolument aucun doute là-dessus.

Il prit dans son portefeuille des photographies de trois zombies vivants, qui avaient été déclarés décédés, enterrés puis déterrés.

— Ils vivent auprès de moi, à Saint-Marc. Le gouvernement paie leur pension. Et il est important que la jeune Lalique vienne avec moi. Les autorités l'exigeront.

— Les faiseurs de zombie m'intéressent, lança Tessa. Comment devient-on bocor ?

— De même qu'un évêque de l'Église catholique peut se considérer l'héritier en droite ligne de Jésus-Christ, le bocor est le descendant en ligne directe d'un sorcier-médecin africain reconnu. Il doit se montrer extrêmement compétent dans ses préparations. Un peu trop de sa poudre magique et la personne meurt. Trop peu et elle ne passe pas à l'état d'arrêt momentané des fonctions vitales, se réveille trop tôt, étouffe dans sa tombe. S'il tombe juste...

Il montra Lalique, accroupie contre un arbre dans la même position que sur la place du village près de la pompe.

La nouvelle de sa découverte et de sa situation avait dû parvenir à la capitale car le Dr. Briant avait reçu à son bureau de Saint-Marc un message urgent, aussitôt transmis au village de Tessa. ASSUREZ-VOUS IMMÉDIATEMENT DE LA PERSONNE DE LALIQUE HÉBERT. MINIMUM PUBLICITÉ.

Dans l'après-midi, la jeune femme hébétée — dix-sept ans de vie normale, deux jours de mort, onze années de zombie, de nouveau normale pour le reste de ses jours — quitta la case de Tessa.

— Elle ne reviendra pas pleinement à la vie avant trois ou quatre ans, dit Briant en aidant Lalique à monter dans sa voiture. Le sel fait beaucoup. De même que les vitamines. Le contact avec les gens. Ainsi renaît une vie humaine.

La voiture disparut et Tessa Vaval resta seule avec ses pensées troublantes. À Port-au-Prince, elle avait été bouleversée par la corruption politique; dans les villages du nord, par la pauvreté et le désespoir accablants; ici, par les mystères insolubles de son pays. Haïti n'était pas une île que l'on peut comprendre de loin, ni en posant des questions à des professeurs de Harvard. Elle s'apercevait qu'en fait, même une jeune fille née dans l'île perdait son pouvoir de la comprendre intuitivement si elle partait dans un pays étranger, dans une société différente. « Bon Dieu ! Je ne connais rien de Haïti. J'ai menti aux autres et à moi-même sur cette île et mon ignorance me terrifie ! »

Ce fut alors qu'une idée folle vint se loger dans son cerveau : « Je ferais peut-être mieux de passer ma vie ici, à essayer d'améliorer la vie des autres, à tenter de percer les mystères de ces lieux. Peut-être pourrai-je écrire ensuite sur Haïti, tel que des générations de ma famille l'ont connu.

Pendant deux jours elle lutta contre des images aussi sinueuses et réelles que les plis d'un boa constrictor. Elle était tourmentée par des zombies, des montagnes dépouillées de leurs arbres et des hordes de paysans vivant plus mal que des esclaves car ils n'avaient rien à manger. Et toujours passait devant ses yeux en lettres de feu la question sans réponse : « Est-ce le destin inévitable d'une république noire après presque deux siècles d'autonomie ? » Ces images l'obsédèrent à tel point qu'elle se rendit à Saint-Marc pour voir le Dr. Briant et les trois zombies dont il s'occupait. Ravie de constater qu'au bout de seulement quelques jours Lalique revenait déjà du monde des morts-vivants, elle confia ses doutes à Briant :

— Je ressens le violent désir de tout laisser tomber... Mon poste à Wellesley, mon mariage avec mon fiancé blanc. Ma vie est ici, dans l'île de mes ancêtres... Y aurait-il une place ici ? demanda-t-elle d'une voix qui tremblait. Je pourrais travailler avec vous sur les problèmes en suspens.

Elle eut la chance d'avoir en face d'elle un des rares hommes de Haïti qualifiés pour lui expliquer la situation dans laquelle elle était plongée.

— À peu près à votre âge, répondit-il doucement, je me suis trouvé confronté aux mêmes dilemmes. Après mon doctorat en médecine, j'ai fait un bon départ aux États-Unis, puis j'ai tout bazardé parce que Haïti m'appelait. Je voulais sauver le monde. J'ai essayé d'ouvrir un cabinet de médecine spécialisée à Port-au-Prince. Duvalier ne l'a pas permis. Sa clique contrôlait la médecine à ce niveau-là et les nouvelles idées d'intrus comme moi ne pouvaient que gêner. Mais j'étais plein des beaux sentiments qui animent les jeunes de vingt-cinq ans. Et puis je savais que Haïti avait besoin de ce que j'avais à offrir, alors je suis allé de l'avant.

Il s'arrêta, rit de sa naïveté à l'époque, puis demanda brusquement :

— Dr Vaval, avez-vous jamais été interrogée par les tontons macoutes ? Avez-vous vu votre bureau réduit en miettes ? Avez-vous été laissée dans un coin de votre cabinet perdant tout votre sang avec toutes vos fiches déchirées et lancées sur vous comme des confettis ?

Il l'entraîna vers une petite place où ils prirent une boisson glacée.

— Les tontons macoutes existent toujours. Les mêmes hommes, les mêmes missions, seul le nom a changé. Ils interrogent de la même manière. Une jeune femme qui a vos idées et votre nom de famille... ne tiendra pas plus de dix minutes entre leurs mains.

— Comment avez-vous survécu ?

— Je me débrouille. J'ai ma clinique, si misérable qu'elle paraisse. Je rédige les résultats de mes recherches. Le *New England Medical Journal* va publier un de mes papiers sur les maladies tropicales.

Il regarda autour de lui.

— Et je continue de prendre des notes sur les zombies. Dans vingt ans, peut-être, quand les tontons ne se souviendront plus de moi, je les publierai. Probablement en Allemagne.

Calme comme un homme exceptionnel qui avait vu sa vie s'écouler sous ses yeux, il ajouta :

— Madame le professeur des Antilles, je vous en supplie, allez à Cap-Haïtien prendre votre bateau...

Puis sa voix se brisa, il lui adressa un regard furieux et cria sous le soleil éclatant :

— Et foutez le camp de cette île !

Les cent trente-sept étudiants qui s'étaient inscrits pour la croisière s'étaient réunis deux semaines plus tôt dans des classes de l'université de Miami, où trois jeunes maîtres de recherches de diverses universités leur avaient donné des cours intensifs sur les Caraïbes et fourni de la documentation et des cartes. Ils étaient ensuite partis à Cap-Haïtien en avion pour embarquer à bord de la *Galante*. Le premier jour était libre et Tessa en serait responsable.

Quand elle les rencontra — deux tiers de blancs, un tiers de noirs, avec six nationalités représentées — elle éprouva la sensation rassurante que connaissent les bons professeurs en septembre quand ils accueillent les jeunes à qui ils enseigneront dans l'année : ils ont l'air si intelligents, si enthousiastes...

Tessa avait prévu des jeeps pour les conduire à l'intérieur des terres, vers l'incroyable forteresse des montagnes construite par un des généraux noirs de Toussaint Louverture, compagnon d'armes de son propre ancêtre César Vaval. Le général Henri Christophe, sans formation et sans le concours d'un architecte, avait construit au début du XIXe siècle l'un des chefs-d'œuvre mondiaux de l'architecture militaire.

En arrivant sur les lieux elle sourit, car les paysans de l'endroit avaient réussi au cours des années à empêcher tous les gouvernements de construire une piste pour jeeps jusqu'à la forteresse. Pour voir le chef-d'œuvre magique de Christophe sur sa montagne, il fallait monter sur le dos de leurs ânes — et ils faisaient payer cher, comme leurs ancêtres depuis 1820.

La balade à dos d'âne était amplement récompensée, car à une altitude élevée au-dessus de la mer les étudiants sortirent de la jungle et virent au-dessus d'eux, majestueuse et menaçante, l'énorme masse de pierre d'une hauteur effrayante, hérissée de tours sur ses remparts. La montée jusqu'au sommet fut laborieuse.

— C'est probablement l'édifice le plus impressionnant qui ait été construit par un noir sans l'aide d'aucun blanc.

— Construit dans quel but ? demanda un étudiant.

La réponse qu'elle dut donner diminua de beaucoup l'impact de sa remarque précédente :

— Personne ne l'a jamais su. Ni autrefois ni maintenant.

Émue par la puissance de cet édifice de pierre brute, elle s'écarta des étudiants, marcha jusqu'au bout du chemin de ronde puis baissa les yeux vers le mystère verdoyant de cette région intacte de Haïti. Elle s'identifia parfaitement avec cette nature, et elle crut entendre les voix des Haïtiens qu'elle avait rencontrés au cours de ce séjour l'appeler par son vrai nom : Thérèse. Il se prolongeait en écho dans sa tête. Thérèse...

Elle retourna auprès des étudiants et leur dit d'une voix hésitante :

— Vous m'appelez Dr. Theresa, mais en réalité, il faut dire Thérèse. N'est-ce pas plus musical, plus féminin ?

Et c'est ainsi qu'elle fut rebaptisée en haut de la montagne, avec leur approbation.

À son retour à Cap-Haïtien, la nouvelle Thérèse allait être témoin d'une bouleversante tragédie. Un attroupement s'était formé sur les quais : une vedette des gardes-côtes des États-Unis livrait aux autorités locales trente-deux des quarante et quelques émigrés clandestins qu'elle avait vus partir de Saint-Marc. Le bateau en mauvais état n'avait navigué que quelques dizaines de milles avant de prendre eau. Quand elle passa parmi les survivants elle apprit leur épouvantable histoire.

— Trop nombreux dans le bateau... Des vagues nous ont inondés... Les requins sont venus.

— Jamais on n'aurait dû permettre au bateau de quitter le port de Saint-Marc.

— Nous serions tous morts si les Américains ne nous avaient pas sauvés.

Mais Thérèse se demanda si sauvé était vraiment le mot juste. Car ces malheureux retrouvaient l'endroit qu'ils essayaient de fuir, et une situation pire puisque la police possédait maintenant leurs noms et connaissait leur intention de quitter Haïti. Quand elle s'éloigna des quais où ils s'entassaient, elle éprouva une grande détresse qui la prépara à l'humiliation qu'elle allait subir ensuite.

Quand vint l'heure de monter à bord de la *Galante* elle découvrit que l'équipage suédois n'avait pas conduit le bateau dans le port typique de Cap-Haïtien où régnaient désordre et violence, mais dans une enclave nette et propre à quelques kilomètres à l'est, où la compagnie avait pris à bail une vaste propriété d'une grande beauté — montagnes basses, plages spacieuses de sable blanc — qu'elle avait complètement isolée par une clôture à toute épreuve de plusieurs kilomètres de long. Dans cet espace protégé ainsi de la population haïtienne, les Suédois avaient construit un centre de vacances presque sans défaut qui méritait bien son nom : Le Paradis. Plus de cent employés maintenaient la plage immaculée et les espaces de jeu libres de tout détritus. Les jardins parfaitement entretenus étaient garnis d'une profusion de fleurs antillaises et les vents alizés agitaient doucement les arbres qui offraient leurs savoureux trésors : noix de coco, jaquiers, mangues, pomelos et papayes. Pour satisfaire la manie d'acheter qu'ont tous les touristes, la direction avait installé de petites cases-boutiques aux toits de palmes tressées, sous les arbres, et dans une clairière un ensemble de sept courts de tennis recouverts de gazon artificiel invitaient les joueurs. À l'écart, un terrain de golf de neuf trous offrait aux passagers du bateau ses pelouses bordées d'arbres et ses « bunkers » de sable blanc impeccable. Pour compléter le caractère idyllique de cette retraite, un beau ruisseau d'eau claire traversait les terrains jusqu'à l'océan.

Cinq cents ans auparavant, au cours de leur premier voyage de découverte, les trois caravelles de Christophe Colomb avaient jeté l'ancre au large de cet endroit pour que l'équipage remplisse les tonneaux d'eau avant la longue traversée de retour vers l'Espagne. Les marins avaient déclaré qu'il s'agissait d' « un beau paradis doté de toute l'eau douce et des fruits dont nous avons besoin ». Il en était toujours ainsi, conclut Thérèse après avoir inspecté les lieux, mais avec un défaut rédhibitoire qu'elle signala à ses étudiants :

— C'est parfait, sauf que les blancs venant de Cleveland et de Phoenix profitent des tropiques et voient les beautés de Haïti sans jamais entrer en contact avec les noirs qui constituent l'essentiel de la population antillaise.

Elle évoqua, non sans amertume, l'habileté avec laquelle ce paradis s'isolait et isolait ses clients des réalités de Haïti, si laides qu'elles fussent.

— Est-ce ceci que recherchaient les voyageurs de naguère ? demanda-t-elle. Je songe aux esprits intrépides qui quittaient Londres, Paris et les villes allemandes pour explorer des pays inconnus et des peuples étranges. Je ne crois pas. Si ces courts de tennis et ces parcours de golf ne se distinguent en rien de Shaker Heights ou de Westchester County, pourquoi se donner le mal de venir jusqu'à...

Mais elle ne put s'empêcher de rire quand un jeune homme de Tulsa lança :

— Pas beaucoup de cocotiers à Shaker Heights.

Un peu plus tard, quand les officiers de la *Galante* apprirent les critiques formulées par Thérèse, l'un d'eux demanda la permission de s'adresser aux étudiants.

— Les observations du Dr Vaval sont exactes et justifiées. Notre compagnie aurait économisé beaucoup de temps et d'argent si nous avions continué de faire escale à Port-au-Prince. Une ville intéressante, chargée d'histoire. Une cuisine excellente et une population qui mérite d'être connue.

— Alors pourquoi avez-vous cessé ? demanda un étudiant.

— Pour une série de raisons contraignantes, et avant de juger attendez la dernière parce qu'elle est de gros calibre. Tout d'abord, la criminalité mettait en danger la vie de nos passagers. Ensuite l'économie était dans un tel état de désintégration que des hordes de mendiants traquaient toute personne qui s'aventurait à terre, en particulier les femmes. Au début c'était gênant, à la fin vraiment impossible parce que vous vous rendiez compte que votre charité ne pourrait rien régler, quel que soit le montant de vos aumônes. Troisième point, le décalage entre la richesse de nos passagers et l'incroyable misère qui régnait à terre rendait les Haïtiens envieux et carrément hostiles.

Il marqua un temps et parcourut des yeux le groupe d'étudiants avant d'offrir son argument massue :

— Depuis quelques années la publicité faite autour du sida a fait une peur bleue à nos passagers. Pour toutes ces raisons, les gens se sont montrés réticents au sujet de Haïti, et ont commencé à nous prévenir : « Si vous ne renoncez pas à votre escale de Port-au-Prince, nous ne partirons pas avec vous. » Sans grands discours, sans comité, le boycott a commencé. Nous entêter aurait été une folie.

Il expliqua aux jeunes ses conclusions sur le tourisme dans les Caraïbes, sujet qui lui tenait à cœur :

— De nombreuses îles de la mer des Antilles survivent seulement grâce aux dollars que les touristes injectent dans leur économie. Ce sont des dollars facilement gagnés et qui ne blessent pas la fierté légitime des îliens, mais ce genre de revenu demeure d'une fragilité extrême. Si nous n'avions pas construit Le Paradis ici, si nous ne l'avions pas protégé des inconvénients désastreux de Port-au-Prince, Haïti aurait vu disparaître toutes ses recettes touristiques. Plus rien. Nos bateaux continuent de déverser un flot constant de devises fortes dans cette république noire, mais nous ne pouvons le faire qu'à cause de cette clôture, condamnée à juste titre par le Dr Vaval.

Il s'arrêta, regarda Thérèse dans les yeux puis reprit :

— Jeunes gens, regardez, je vous prie, le monde tel qu'il est. Haïti a le choix : pas de clôture et pas de dollars, ou une clôture qui fait peu de mal mais rapporte des sommes considérables.

Son visage s'épanouit en un large sourire.

— La mission du Dr Vaval est de promouvoir un monde dans lequel les clôtures ne seraient pas permises, et nous lui souhaitons de réussir. Ma mission consiste à utiliser les clôtures dont nous ne pouvons pas nous passer, tout en prenant constamment des mesures pour les éliminer. Au Paradis, c'est ce que nous faisons.

Mais après son départ, Thérèse dit aux jeunes :

— Cette clôture est un scandale, car elle empêche les riches de voir les problèmes des pauvres. Croyez-moi, chaque fois que cette situation se produit, où que ce soit dans le monde, des troubles menacent.

Quand le groupe monta à bord de la *Galante* — 18 000 tonnes, 165 mètres de long, 765 passagers ordinaires, 137 étudiants, 318 hommes d'équipage (tous les officiers : Suédois ; cuisines et salle à manger : Italiens ; matelots de pont : Indonésiens ; entretien et lingerie : Chinois) — Thérèse découvrit que son séminaire ne jouait qu'un rôle secondaire dans la croisière. Son groupe représentait seulement quinze pour cent des passagers mais ajoutait du pittoresque, surtout quand il se réunissait autour de la piscine. Des touristes âgés lui assurèrent :

— C'est une chance pour nous d'avoir tous ces jeunes à bord.

Et elle se dit que les deux semaines de la traversée lui feraient sans doute beaucoup de bien.

Ce soir-là dans sa cabine, comme elle essayait d'oublier son chagrin d'appartenir à un pays noir que les voyageurs avaient peur de visiter, plusieurs étudiants frappèrent à sa porte :

— Groupe de discussion à l'arrière. A ne pas manquer. Les grandes idées vont fuser.

Désireuse d'échapper à ses méditations sombres, elle se laissa entraîner. En fait il s'agissait d'un concert de musique antillaise, et jusqu'à minuit Thérèse se laissa emporter par le rythme des îles. De retour dans sa cabine avec les images et les sons du concert tourbillonnant dans sa tête ainsi qu'un hurricane, elle décida d'écrire à Dennis pour lui faire partager ses expériences haïtiennes, mais sa tête était pleine d'images obsédantes qu'elle ne parvenait pas à exorciser : Lalique revenue des morts, Henri Christophe en train de construire sa forteresse démente au lieu de routes et d'écoles, le portrait méprisable de Papa Doc avec son ricanement paternaliste, le regard de son oncle résigné à ne plus s'évader de la prison de sa misère.

Quand elle avait pris l'avion à Boston, elle s'attendait à traverser Haïti d'un coup d'aile, en saluant la famille et les amis, en laissant un petit cadeau ici et là avant de repartir, la même personne qu'à son arrivée. Elle n'avait pas prévu que Haïti était un endroit qui vous déchire l'âme, surtout l'âme d'une femme noire cultivée. Elle se leva de sa couchette, essaya encore d'écrire à Dennis Krey. En vain. Deux semaines dans les brumes sombres de Haïti avaient fait d'elle une femme entièrement différente, et l'expliquer en une lettre d'une ou deux pages était impossible.

Le matin où la *Galante* arriva au large de San Juan, la capitale de Porto Rico, Thérèse et ses étudiants entendirent des *Borinqueños* (comme on appelle les natifs de l'île) lancer d'une voix excitée :

— Là, sur le promontoire, regardez ! La forteresse El Morro avec sa tour ronde dans les murailles. Quel spectacle splendide ! C'est le retour au pays.

Plusieurs petites tours s'élevaient aux angles vulnérables, et Thérèse les regardait encore, dorées par le soleil levant, quand un bateau du port accosta la *Galante* pour déposer à son bord un jeune homme de l'administration vêtu d'un complet tropical de toile bleue impeccable, avec une cravate d'un rouge discret sous le genre de col amidonné en faveur parmi les diplomates. Les étudiants essayèrent de deviner sa mission.

— Sans doute une question de drogue. Les hommes d'équipage doivent trafiquer.

— Mais non, il invite le capitaine à prendre le thé au palais du gouverneur.

— C'est un neurochirurgien. Opération d'urgence. Il est venu chercher le malade.

La vérité les surprit davantage, car l'inconnu demanda à voir le Dr Vaval et se présenta :

— John Swayling, attaché auprès de la Commission du Cinquième Centenaire de Colomb. Nous vous attendons impatiemment, Dr Vaval. Nous avons besoin de votre aide... de toute urgence.

— Que se passe-t-il, doc ? lança un étudiant impertinent.

Thérèse sourit.

— La police fédérale est à mes trousses.

Le représentant du Département d'État l'entraîna, ils descendirent dans la vedette de la capitainerie du port et s'éloignèrent vers ce que les guides appellent la Vieille Ville.

Pendant la brève traversée, Mr. Swayling mit Thérèse au courant :

— Des représentants de quarante pays se réunissent ici pour préparer le cinq centième anniversaire de Christophe. Je l'appelle ainsi parce que tout le monde prétend avoir des droits sur le vieux Colomb et veut imposer ses vues sur la façon de lui rendre hommage.

— Il va y avoir des histoires, lança Thérèse. L'Espagne, l'Italie, le Portugal, les États-Unis...

— Continuez donc ! Le Mexique, le Pérou, le Venezuela, sans parler d'Hispaniola, de la Jamaïque et de Porto Rico.

— Une belle bagarre en perspective.

— Elle a déjà commencé.

— A propos de Porto Rico... Quel est le sentiment politique dans l'île ? Au sujet de son statut dans l'avenir ?

— Nous avons eu un autre référendum... Le dernier d'une longue série... Rien de concluant, comme toujours. Pour le *statu quo*, quarante-six pour cent. Pour le rattachement aux États-Unis en tant que cinquante et unième État de l'Union, quarante-quatre pour cent. Pour l'indépendance immédiate, six pour cent.

— Et les quatre autres pour cent ?

— Qui s'en soucie ?

Une voiture avec chauffeur attendait sur le quai et ils s'enfoncèrent aussitôt dans la ville en train de s'éveiller.

— Un endroit merveilleux ! lança Swayling. J'aimerais y faire toute ma carrière.

— Je connais assez bien le reste des Antilles. Qu'y a-t-il de si formidable à Porto Rico ?

— Le passé espagnol. Les vieux bâtiments magnifiques. Et les femmes.

Il y eut un instant de silence. Il s'attendait manifestement à ce que Thérèse parle, mais comme elle n'en fit rien, il reprit :

— J'en ai bien vu deux douzaines que j'aimerais connaître mieux.

— Des jeunes femmes de couleur, peut-être ?

— De toutes les couleurs imaginables. Pourquoi cette question ?

— Parce que je suis fiancée à un jeune homme de votre âge, un blanc comme vous. Je sais que cela pose des problèmes.

— Je suis fiancé à une blanche, et cela pose aussi des problèmes... Mais il faut que je vous parle de cette conférence.

Au même instant, la voiture s'engagea sur un beau boulevard bordé d'édifices anciens, datant du XVe et du XVIe siècle, lorsque l'Espagne comptait sur les murailles incroyablement solides d'El Morro pour défendre ses galions prêts à faire voile sur Séville avec les trésors du Pérou et du Mexique.

— Hawkins et Drake ont tous les deux essayé de forcer l'entrée de ce port et ont échoué. Je sais que Hawkins a perdu la vie dans l'entreprise et je crois que Drake y a reçu les blessures dont il est mort peu après. C'était une noix difficile à casser.

— Tout a l'air tellement espagnol. Vraiment extraordinaire.

— Vous venez de toucher du doigt le dilemme de l'île. Vous vous apercevrez vite qu'on essaie d'effacer tous les signes de l'intervention américaine. Il y avait une caserne de l'armée des États-Unis, là-bas. Et un autre immeuble américain à ce croisement. On les a abattus, comme pour extirper tout souvenir de l'influence américaine... Seul compte ce qui est espagnol. Mais qu'est-ce que j'essayais de prouver ?

— Que Porto Rico se veut espagnol de cœur, mais américain pour le porte-monnaie.

— Exactement.

La reconversion de ce quartier de San Juan en ville espagnole les émerveilla tous les deux, et ils en vinrent à la mission importante que le gouvernement américain désirait confier à Thérèse.

— Nous espérons, Dr Vaval, qu'avec vos références universitaires vous pourrez nous représenter aujourd'hui en face des leaders noirs qui vont élever la voix.

— A quel sujet ?

— En fait un contretemps risible... Si ce n'était pas si important.

Mais avant qu'il puisse lui expliquer, ils arrivaient à l'entrée de la Casa Blanca, la demeure ravissante longtemps occupée par les descendants de Ponce de León, image même de la société et de l'influence espagnoles. Elle se trouvait sur une hauteur qui donnait sur la belle baie d'El Morro et les principaux édifices de l'époque coloniale. En 1898, quand les Américains avaient pris le pouvoir dans l'île, ils avaient choisi Casa Blanca comme résidence des commandants militaires, mais depuis 1967 toute trace de leur présence dans l'île avait été masquée, et Casa Blanca était redevenue une maison espagnole.

C'était un bâtiment étonnant avec des murs blancs épais, des patios frais, des fenêtres gardées par des balcons de bois ouvragés et des sols de carreaux rouge sang aux formes diverses. Une maison noble, qui exprimait bien les valeurs hispaniques, mais Thérèse n'eut pas le temps de s'en pénétrer, car malgré l'heure matinale, quatre membres de la délégation des États-Unis l'attendaient pour la mettre au courant de l'ordre du jour.

— Ce serait amusant si ce n'était pas si lamentable, commença le président. L'Espagne et les États-Unis vont fournir l'essentiel des fonds pour les fêtes du Cinquième Centenaire, qui doivent être splendides...

— Ces deux pays n'ont aucune raison de se disputer, fit observer Thérèse.

Les délégués éclatèrent de rire.

— Vous êtes d'une naïveté touchante. L'Espagne et les États-Unis sont à couteaux tirés. L'Espagne veut souligner la participation espagnole dans la construction du Nouveau Monde.

— Je ne vois rien de mal à ça.

— Mais le Congrès, qui a nommé les membres de notre délégation...

— Je croyais que vous étiez les membres de notre délégation.

— Non. Nous sommes les fonctionnaires qui assurent les travaux de recherche et de coordination. Les membres sont repartis en claquant la porte.

— Pourquoi ?

— La représentation d'origine italienne au Congrès, qui est très puissante, a envoyé une délégation composée d'Italiens à cent pour cent. Des gens de New York, de Boston, de Chicago, de San Francisco. Des leaders. Tous déterminés à exploiter le Cinquième Centenaire pour démontrer que l'Italie a découvert le Nouveau Monde et donné l'élan de la nouvelle civilisation. A entendre leur projet, on pouvait croire qu'il n'y avait pas un seul Espagnol à bord des trois premiers bateaux.

— Que s'est-il passé ?

— Les autres pays n'ont pas permis aux Italiens d'Amérique de siéger.

— Et alors ?

— Eh bien, notre délégation est repartie, avec probablement les fonds que le Congrès était prêt à voter, mais les pays hispanophones ont dit : « Bon débarras, il n'est pas question de trahir l'Histoire pour faire plaisir au Congrès des États-Unis. »

— Donc, victoire espagnole.

— Pas tout à fait. Parce que quand ils ont commencé à faire de ce Centenaire une vaste fiesta espagnole pour célébrer l'initiative de la reine Isabelle...

Un conseiller de la mission, éminent professeur de Stanford, prit le relais :

— Les vrais ennuis ont commencé pour un mot malheureux : *découverte.* Les pays d'Amérique centrale et du Sud, notamment le Mexique et le Pérou, ont envoyé des délégués indiens. « Personne n'a *découvert* quoi que ce soit, ont-ils tempêté. Ni les Italiens ni les Espagnols. Nous étions déjà là et nous nous serions bien passés d'eux. Colomb, italien ou espagnol, nous a *rendu visite* mais ne nous a pas *découverts.* Une visite importante, célébrons-la comme telle. »

— L'argument n'est pas sans mérite, observa Thérèse.

— C'est là que vous intervenez, continua le président. Parce qu'après les récriminations des Italiens, des Espagnols et des Indiens, les représentants noirs des Antilles ont fait observer, non sans fondement à mon sens, que dans la mer des Caraïbes en général, et depuis trois siècles, ce sont les noirs qui ont vraiment compté. Ils ont fait pousser la canne, extrait le sucre, distillé le rhum, cultivé le tabac et le coton. Ils estiment que le Centenaire devrait mettre en valeur la participation des noirs dans les îles que Colomb a trouvées. Comme nous n'avions aucun noir dans notre groupe, ils ont refusé de nous écouter.

Il était presque huit heures trente, la séance plénière allait commencer, Thérèse reçut ses dernières instructions et répondit aux questions :

— Oui, mes ancêtres étaient esclaves à Saint-John puis ont participé aux combats de Haïti pour son indépendance. Si j'avais assisté aux séances précédentes, j'aurais sans doute soutenu les représentants noirs.

— Excellent. Représentez-nous du mieux que vous pourrez.

— Des instructions particulières ?

— Fraternisez, écoutez, encouragez. Par-dessus tout, faites-leur comprendre que l'Amérique est leur amie. Nous espérons que vous pourrez nous aider à sauver quelque chose dans la débandade.

Au cours de cette journée passée dans une demeure où tout rappelait l'Espagne et rien l'appartenance de Porto Rico aux États-Unis, Thérèse eut l'impression d'être peu efficace pour son gouvernement, car les délégués des îles antillaises parlaient si souvent et avec tant de force qu'elle ne pouvait guère intervenir. Mais les membres de l'équipe américaine la rassurèrent :

— Votre présence vaut deux bataillons. Ils en parlent. Le fait que nous ayons fait appel à vous démontre que nous leur accordons de l'importance et ils l'ont compris. Allez déjeuner avec eux et communiquez-leur vos impressions.

Elle le fit. Elle conversa avec des hommes et des femmes intelligents de la Barbade, d'Antigua, de la Jamaïque et de la Guadeloupe, et elle sentit une affinité d'intérêts et de points de vue qui se situait à un niveau profond de leur conscience et de la sienne. Plusieurs fois elle s'écria :

— Je sais ce que vous voulez dire !

Et son enthousiasme était si sincère qu'ils commencèrent à lui demander ce qu'elle faisait aux États-Unis. Elle leur parla de sa nomination à Wellesley.

— Est-ce une faculté importante ? demanda un noir de Trinidad.

— Une des meilleures universités, répliqua une jeune femme de Saint-Kitts. A bien des égards, l'égale de Yale.

Elle leur parla aussi de son prochain mariage avec un blanc, et un délégué de Sainte-Lucie agressif lui demanda :

— Cela n'implique-t-il pas que vous renonciez à votre héritage noir ?

— Le cours que je vais donner s'appellera : « Les sociétés noires des Antilles », répondit-elle sèchement. Cela me rapprochera encore plus de vous.

En fin d'après-midi, à l'insistance du président de son groupe, elle demanda la parole.

— Les États-Unis considéreront favorablement toute forme d'exposition ou d'événement qui mettra en valeur la participation considérable des esclaves africains et de leurs descendants, dont je fais partie, à la culture, à l'économie et à la politique des Antilles.

Le groupe se consacra ensuite au problème délicat des démarches à accomplir pour inciter la délégation des Italiens d'Amérique à siéger de nouveau à la conférence sans pour autant leur céder sur le fond. Mais Thérèse dut regagner la *Galante* avant qu'elle ne fasse voile vers les îles Vierges américaines, et elle ne sut pas si la tentative de réconciliation avait abouti.

Ce soir-là, avant le début du film, le capitaine suédois annonça :

— Nous avons à bord avec nous un groupe extraordinaire de quatre professeurs, et s'ils veulent bien s'avancer jusqu'à moi, j'aimerais vous les présenter... Le professeur Vaval n'est pas seulement charmante, comme vous le constatez tous, c'est une Haïtienne éminente. Un de ses ancêtres, le général Vaval, a contribué à la défaite de Napoléon ; un autre a été président de son pays ; un troisième, leader politique très estimé.

Il présenta ensuite le Dr Carlos Ledesma.

— Ce professeur érudit, l'un des hommes les plus brillants de Colombie, descend en ligne directe d'un grand gouverneur espagnol qui a affronté pendant quarante ans et plus le redoutable Francis Drake, et gagné plus souvent qu'il n'a perdu. D'autres Ledesma ont gouverné Carthagène, où s'achèvera notre croisière, et l'un d'eux a été le héros de la bataille contre Old Grog Vernon, dont vous entendrez parler.

Il fit avancer ensuite le sénateur Maxime Lanzerac, de la Guadeloupe :

— Dans les jours qui viennent, cet homme politique respecté vous parlera d'un homme au cœur tendre venu de France avec une petite machine très au point qui coupait les têtes des gens. Et l'une des premières têtes qui tomba sous son couperet était celle d'un royaliste du nom de Lanzerac, ancêtre de notre conférencier — qui lutte à présent pour que ce genre de chose ne se reproduise jamais... Non seulement nous traversons les Antilles, conclut-il en souriant, mais nous les emmenons à bord avec nous.

Thérèse n'était pas au courant de la présence à bord du quatrième conférencier : un blanc âgé d'une soixantaine d'années, légèrement voûté, avec le visage doux et détendu d'un homme qui n'a jamais cherché à se battre dans le monde des affaires ou de l'université.

— Michael Carmody est un éminent professeur du Queen's Own College de Trinidad, dit le capitaine, et il fera une série de six conférences sur son île unique dans les Antilles, à moitié noire et à moitié indienne.

Thérèse s'avança vers Carmody pour se présenter, et quand elle entendit sa voix chantante elle lui dit :

— Vous devez être irlandais.

— Il y a très longtemps...

— J'espère que vous m'autoriserez à suivre vos conférences. J'enseigne l'histoire des Antilles, mais ma connaissance de Trinidad est insuffisante.

— En fait, ce ne sont pas des conférences. Des réflexions, des pensées que j'ai ruminées.

— C'est le début de la sagesse. Je connais déjà les données statistiques sur l'île : j'ai surtout besoin des « ruminations ».

Ils passèrent la soirée de façon très agréable à discuter autour d'un punch.

Le lendemain mercredi 1er février fut extrêmement désagréable pour Thérèse. Dès qu'elle descendit du bateau à Charlotte-Amélie, capitale des îles Vierges américaines, une bande de voyous à bicyclette fonça sur elle. L'un des jeunes lui fit perdre l'équilibre avec sa roue avant pendant qu'un autre lui arrachait son sac à main et filait avec. Il contenait son argent et tous ses papiers sauf son passeport.

Les passagers qui avaient assisté à l'agression et au vol confirmèrent ses dires à un agent de police. Celui-ci haussa les épaules.

— Cela se produit tout le temps. Nous n'avons aucun moyen de l'empêcher... Le gouvernement a supplié les jeunes voyous de ne pas saboter notre tourisme et cela n'a pas été sans effet. Il y a de grandes chances pour que les gamins qui vous ont volée gardent l'argent et jettent le sac et vos papiers à un endroit où nous pourrons les trouver. Dans ce cas, nous vous les rapporterons avant votre départ.

Ce premier contact peu engageant avec les îles Vierges obligea Thérèse à emprunter de l'argent à un passager qui faisait partie du groupe qu'elle conduisait à l'île voisine de Saint-John. Ils traversèrent en taxi l'île principale, Saint-Thomas, jusqu'à l'embarcadère du bac pour l'île plus petite.

Un autre taxi les conduisit dans le nord de l'île où le gouvernement avait, à grand prix, restauré une douzaine des grands bâtiments de l'ancienne plantation danoise de canne à sucre sur laquelle Vavak l'esclave avait travaillé. Elle s'appelait autrefois Lunaberg et quand Thérèse conduisit son groupe à travers les ruines, elle se rappela les récits émouvants du passé, les exécutions barbares des esclaves, la fuite à Haïti.

Sur le plateau où étaient regroupés autrefois les bâtiments principaux, elle eut l'impression de connaître chaque hangar, chaque cave, chaque grange. Elle expliqua la production du sucre, la plantation de la canne, sa récolte, la façon dont on recueillait la sève riche des cannes broyées, la succession des opérations jusqu'aux deux produits de base : le *muscovado* qui donnerait le sucre, la mélasse que l'on transformerait en rhum.

Thérèse évoqua ensuite les immenses fortunes amassées par les planteurs qui vivaient à Paris, Londres et Copenhague, et les épreuves subies par les esclaves pour que ces fortunes se maintiennent. Elle aborda alors le problème clé des Antilles.

— Le sucre est la seule production pour laquelle nous sommes vraiment qualifiés et concurrentiels. (Et par ce *nous* elle s'identifiait personnellement, sans même s'en rendre compte, avec les îles.) Partout, à Cuba, à Haïti, à la Jamaïque, ailleurs... sucre, sucre, sucre. Que s'est-il passé ? Pourquoi ne pouvons-nous plus vendre notre sucre ? Pourquoi nos champs restent-ils incultes ?

Les touristes lancèrent une demi-douzaine d'explications plausibles, mais aucune n'approchait de la vérité.

— Ce sont les chimistes allemands qui ont tué notre industrie sucrière, expliqua-t-elle. Il y a deux cents ans, ils ont découvert qu'on pouvait également fabriquer du sucre, avec beaucoup moins de tracas, à partir de la pulpe de certaines betteraves. Notre production de base a perdu son attrait et nous n'avons rien trouvé pour la remplacer.

Certains membres du groupe suggérèrent le développement d'au moins une demi-douzaine d'autres activités mais Thérèse leur répondit qu'elles avaient été essayées sans succès et proposa sa solution personnelle :

— Les pays industrialisés du monde, et surtout les États-Unis parce que nos pays se trouvent à leur porte, devraient s'associer pour décider d'acheter notre sucre légèrement au-dessus du cours mondial. Quelques *cents* de plus par kilo permettraient à toutes les îles que vous verrez de redevenir prospères. Et cela leur épargnerait une révolution ou pis.

— Cette proposition a-t-elle été déjà appliquée ? demanda un homme.

— La Russie achète le sucre de Cuba un peu plus cher que le cours mondial, et la France fait de même pour la Martinique et la Guadeloupe. Mais les États-Unis refusent. Les intérêts des betteraviers du Colorado passent avant l'avenir de notre région.

Elle hésita un instant, avant d'ajouter :

— Nous allons au désastre. Nul ne sait quand il se produira mais il semble inévitable. Nous sommes un magnifique archipel à la dérive sous le soleil.

Lorsque le groupe de Thérèse s'entassa dans les taxis pour revenir à l'embarcadère du bac de Saint-Thomas, il découvrit que la beauté du décor n'effaçait pas toutes les laideurs. Il se trouva pris dans une de ces manœuvres insupportables qui exaspèrent les voyageurs familiers des Antilles et rebutent à jamais les nouveaux venus. Au départ, les chauffeurs de taxi avaient fixé un prix, excessivement élevé de l'avis de Thérèse, et tout le monde avait cru qu'il s'agissait de l'aller et retour.

Mais les chauffeurs déposèrent les touristes à une station de taxis très éloignée du bac.

— Tout le monde descend !

— Mais nous voulons prendre le bac ! protesta Thérèse.

— L'excursion s'achève toujours ici.

— Comment allons-nous au bac ?

— Ce taxi-là vous y conduira.

Il montra un comparse qui, bien entendu, accepta de déposer tout le monde à l'embarcadère en trois voyages. Pour vingt-sept dollars. Avant que Thérèse puisse protester contre cette escroquerie, les trois taxis de l'excursion avaient filé. Les touristes durent payer s'ils voulaient arriver à Charlotte-Amélie avant le départ de la *Galante*.

Quand les passagers, furieux, signalèrent aux officiers du bateau la façon dont on les avait traités, un jeune Suédois les prit à part et leur dit :

— Vous rencontrerez ce genre de combine un peu partout aux Antilles. Ils veulent les dollars du tourisme, mais traitent les touristes comme de la crotte. A propos, miss Vaval, la police a retrouvé votre sac et vos papiers.

Elle était tellement soulagée d'avoir retrouvé ses cartes de crédit, son permis de conduire et le reste qu'elle éprouvait presque de la gratitude envers les voleurs.

— Vraiment correct de renvoyer les papiers.

Mais l'officier lui fit observer :

— Nous avons de bonnes raisons de croire que le voleur était le frère de l'agent de police. Un petit type noiraud avec une moustache.

— Oui, je l'ai très bien vu.

L'officier sourit.

— Quand c'est lui qui fait le coup, nous retrouvons toujours les papiers. Par l'entremise de son frère. Mais méfiez-vous. Dans les autres îles, ça se passe moins bien.

Parmi les livres dont Thérèse conseilla la lecture à ses étudiants se trouvait une publication récente de l'université de Yale, *Perspectives antillaises,* par un spécialiste antillais de l'université des Indes occidentales, Ranjit Banarjee. Quand Michael Carmody l'apprit, il fut ravi que l'œuvre de l'un de ses anciens étudiants soit reconnue ainsi. Il chercha Thérèse, qui prenait un bain de soleil sur le pont. Il indiqua une chaise longue près d'elle :

— Vous permettez ?

Elle acquiesça.

— Comment avez-vous découvert l'étude de Ranjit Banarjee ?

— L'université de Yale l'a beaucoup fait connaître parmi les professeurs spécialisés dans les études antillaises. Et elle a bien fait. C'est un ouvrage excellent, et je cherchais un auteur jamaïcain.

— Il est de Trinidad.

— Mais il était question d'université des Indes occidentales dans la présentation, j'en suis certaine.

— Il aurait fallu préciser études supérieures à l'université de Miami, secondaires à Trinidad.

— Cela explique sans doute la largeur de ses vues.

— Absolument. Pendant l'escale de Trinidad, pour le Carnaval, vous devriez le rencontrer.
— Où enseigne-t-il ?
Elle remarqua qu'à cette question Carmody se rembrunit soudain.
— C'est incompréhensible, mais il n'a aucun poste universitaire.
— Mais où enseigne-t-il ?
— Nulle part. Comme beaucoup de docteurs en philosophie indiens, surtout en Inde, il possède des compétences fabuleuses mais est incapable de se créer des ouvertures.
Thérèse s'aperçut qu'il voulait en dire davantage, et elle crut l'Irlandais responsable en quelque manière de l'incapacité de Banarjee à trouver un poste. Mais Carmody préféra se taire et elle mit fin à la conversation :
— En tout cas, il a écrit le meilleur livre sur lequel je sois tombée depuis des années.
Carmody se leva.
— J'aimerais entendre la version française de l'histoire, dit-il.
Il invita Thérèse à l'accompagner à la première conférence du sénateur Lanzerac, de la Guadeloupe.

> *La première chose à savoir sur mon île, dit-il dans un anglais impeccable mais avec un accent français dont il tirait tous les effets, c'est qu'elle est française depuis des temps et des temps. En fait, il s'agit de deux îles séparées par un bras de mer que l'on pourrait presque sauter à pieds joints. Après trois siècles de statut colonial, elle a été intégrée à la France métropolitaine et forme un département français, qui élit deux sénateurs et quatre députés siégeant à Paris au sein des deux assemblées législatives. Rien de commun donc avec la Barbade, Trinidad ou la Jamaïque, liées à la Grande-Bretagne sur le plan affectif mais sans en faire partie. Rien de commun avec Porto Rico, qui demeure essentiellement une colonie des États-Unis. Ni avec Cuba, pays libre et indépendant. Notre situation est unique.*
>
> *Quand je dis « notre », je songe bien entendu aux deux îles sœurs de la Guadeloupe et de la Martinique. Les Martiniquais forment l'aristocratie, nous sommes les hommes d'affaires : une équipe imbattable.*

Un homme féru de géographie posa la question qui était sur toutes les lèvres :
— Puisque vous êtes si près de la Martinique et si étroitement liés avec elle, pourquoi avez-vous permis à la Dominique, l'île du milieu, de rester aux mains des Anglais ?
Lanzerac ne put s'empêcher de rire.
— Ah ah ! Vous posez la méchante question. Je vais vous donner la méchante réponse, s'écria-t-il. Nous avons essayé plus d'une fois de nous emparer de la Dominique, mais nous n'y sommes pas parvenus. Savez-vous pourquoi ? Les armes anglaises n'étaient pas meilleures que les nôtres, mais les Indiens Caraïbes, ces cannibales sauvages, ont mangé nos hommes à chaque tentative de débarquement.
— Comment les Anglais ont-ils réussi ? insista l'homme.
— Parce que les Caraïbes avaient du bon sens, comme les gens d'aujourd'hui. Ils aimaient la cuisine française, pas l'anglaise.

Un professeur de Chicago en vacances demanda :

— J'ai lu des récits passionnants sur Victor Hugues, qui a gouverné votre île à la fin du XVIIIe siècle. Allez-vous nous parler de lui ?

— Absolument. Demain à l'aurore, quand nous accosterons à Pointe-à-Pitre, la capitale de l'île orientale, je ferai une brève causerie sur l'infâme Hugues, qui a coupé la tête de mon ancêtre Paul Lanzerac. Dans ma famille nous n'avons aucune estime pour Hugues, mais son histoire est intéressante et vous la trouverez sans doute instructive.

Plus tard, Thérèse dîna à sa table et lui demanda :

— Ce Hugues n'a-t-il pas libéré les esclaves de la Guadeloupe ?

— Mais oui, s'écria Lanzerac avec enthousiasme. Ce furent des fêtes incroyables. Le début d'une nouvelle époque dans l'histoire du monde : « Je tuerai tous les blancs. Je libérerai tous les esclaves. »

— De mon point de vue, dit Thérèse avec une pointe d'humour, il ne pouvait pas être si mauvais que vous le dites.

Lanzerac en convint volontiers.

— Un type formidable, sur le papier. Bien entendu, quand Napoléon a décidé de rétablir l'esclavage, qui a été son partisan le plus résolu ?

Il braqua vers Thérèse un index ironique et répondit à sa propre question :

— Votre brave Hugues. Si je puis me permettre, en toute franchise... un vrai salopard.

Ils passèrent deux jours à Grande-Terre. Lanzerac conduisit son groupe sur la merveilleuse place de Pointe-à-Pitre, que bordent les belles maisons anciennes où ses ancêtres avaient vécu, et il fit revivre l'époque tourmentée de Victor Hugues.

— Il a installé sa guillotine à cet endroit précis. Il a fait sortir mon ancêtre de cette maison-là... Et c'est de cette autre maison que mon grand-père a été expulsé quand il a épousé une jeune femme de couleur.

Plus tard, un étudiant avoua à Thérèse :

— Une matinée sur la place principale de Pointe-à-Pitre vaut un séminaire à la bibliothèque de Duke.

Le deuxième soir, Thérèse proposa au sénateur Lanzerac un colloque à terre pour les étudiants et les habitants de la ville qui désireraient y assister. Elle parlait français couramment et pour Lanzerac ce serait un atout pour la future campagne électorale. La salle paroissiale était donc pleine à craquer et un étudiant bilingue traduisait à voix basse pour ses camarades.

Le colloque permit à Lanzerac de glorifier la politique menée à la Guadeloupe :

— Si vous prenez en considération tous les systèmes politiques appliqués dans la mer des Antilles, sans exclure le Venezuela, la Colombie, les pays instables de l'Amérique centrale et Cuba, ce sont les îles françaises qui me paraissent les mieux gouvernées. Depuis 1946, elles font partie intégrante de la France métropolitaine comme si nous étions sur le bord de la Loire, et cela nous a aidés à surmonter des problèmes économiques difficiles. Nous avons également mis au point des solutions pragmatiques pour les problèmes de race, et nous jouissons d'une liberté sans entrave.

— Les jeunes peuvent-ils suivre de bonnes études ? demanda un étudiant.

Lanzerac fit la même réponse que ses ancêtres depuis deux cents ans :

— Nous envoyons nos jeunes les plus brillants en métropole. Mes enfants sont dans une belle petite ville de montagne près de la frontière italienne, Barcelonnette.

— Pour quelle raison ?

— Parce que cela nous lie à la France.

— Mais... Vous vous considérez comme français ou comme guadeloupéen ?

— Français, répondit-il. Je suis citoyen français.

Et il ajouta, avec un sourire désarmant :

— Bien entendu, si mon grand-père n'avait pas épousé une adorable métisse à la peau couleur d'or, je n'aurais pas pu être élu au Sénat.

Sous le feu des questions, il défendit brillamment sa thèse : tout bien considéré, les îles antillaises les mieux gouvernées étaient les départements français.

— Nous avons une manière d'être et de faire qui convient à ces îles... Un amour inné de la liberté mais aussi le désir de progresser. Nous sommes des gens pragmatiques. Nous avons traité la question raciale mieux que les Anglais ou les Américains.

— Et que les Espagnols ? lança une voix.

Il sourit, et fit une réponse ironique mais vraie :

— Ces chers Espagnols... Ils ne règlent jamais rien, la question raciale comme le reste. Ils roulent sur le chemin de la civilisation comme une auto au pare-chocs cassé. Mais Dieu seul sait comment, ils semblent atteindre leur destination à peu près en même temps que nous ou les Anglais.

Il estimait lui aussi que les Antilles auraient connu une plus grande prospérité si toutes les îles étaient restées sous la domination d'un seul pays européen au lieu d'être séparées, mais les faiblesses de l'administration espagnole avaient rendu la dispersion inéluctable.

Avant que cette généralisation facile devienne trop séduisante pour les étudiants, Thérèse posa une question délicate :

— Est-ce qu'une seule religion pour la région aurait aidé ?

— Oui, répondit-il. Aux Antilles, en Europe, dans le monde.

— La religion catholique, sans doute ?

— Particulièrement la religion catholique. Dans l'ensemble, c'est la religion la plus accommodante pour un État-nation.

— Songez-vous aux merveilleuses réalisations de Haïti ? Haïti est catholique, non ? lança Thérèse non sans ironie.

Lanzerac répondit seulement d'un haussement d'épaules.

Le dernier matin, le groupe loua des chevaux et Lanzerac conduisit les étudiants et Thérèse vers l'est, le long de pistes suivies par Paul Lanzerac et Solange Vauclain en 1793, avant la Terreur. La terre, le ciel, les souvenirs, tout était si français !... Thérèse put presque croire que, malgré les erreurs commises par la France à Haïti, et dont l'île ne s'était pas encore relevée, les Antilles auraient eu tout à gagner si les Haïtiens avaient été intégrés à la mère patrie. Mais le soir venu, à leur retour sur la *Galante,* elle demanda à Lanzerac :

— Avez-vous entendu parler de la terrible dette internationale que la France a accrochée au cou de Haïti quand elle lui a accordé l'indépendance en 1804 ?

— Jamais.

— Un historien haïtien a pu écrire : « Nous avons dépensé le meilleur de notre énergie pendant tout le XIXe siècle à rembourser la dette à la France ; et notre pays a pris alors un tel retard que nous n'avons jamais pu le rattraper. »

— Dès mon retour à Paris, dit Lanzerac, je demanderai un rapport à ce sujet.

Aucun des étudiants qui avaient passé ces deux journées dans la ville de Pointe-à-Pitre ne pourrait plus, désormais, se représenter la mer des Antilles comme un lac espagnol on un lac anglais.

Dès que la *Galante* quitta la Guadeloupe, un groupe d'étudiantes aborda Thérèse avec une récrimination justifiée :

— Partout où nous nous arrêtons, on ne nous parle que d'hommes. Votre ancêtre Vavak, Hugues le sanguinaire. N'y a-t-il donc pas de femmes dans ces îles ?

Thérèse trouva étrange que la question tombe précisément au moment où s'élevaient vers l'ouest, couronnés par le soleil couchant, les pics majestueux de l'autre île française, la Martinique.

— Allez chercher les autres, dit-elle. Je vous parlerai de deux jeunes filles un peu plus jeunes que vous, qui sont allées visiter une grotte de cette île vers 1780.

Des jeunes gens se joignirent au groupe et quand la nuit tomba, la majorité de ses étudiants étaient assis jambes croisées sur le pont autour de Thérèse.

— Il y a deux siècles vivait sur cette île une jeune fille de noble lignée, au tempérament rêveur, dont le nom ressemblait à un poème : Marie-Josèphe-Rose Tascher de La Pagerie. Elle avait comme amie intime une jeune fille encore plus rêveuse qu'elle : Aimée Dubec de Rivery. Un après-midi, faisant appel à tout leur courage, elles grimpèrent sur une hauteur non loin de chez elles pour rendre visite à une sorcière qui vivait dans une grotte. Ce fut sans doute une aventure fort mystérieuse, avec incantations et rituels calculés pour faire effet sur des gamines, mais soudain, la sorcière s'arrêta au milieu d'un geste, leur lança un regard de stupéfaction et s'écria d'une voix rauque, différente de sa voix habituelle : « Vous deviendrez reines toutes les deux ! Vous vivrez dans des palais, entourées par des cours magnifiques. Vous régnerez sur des nations entières et des hommes s'inclineront devant vous parce que vous aurez le pouvoir et la majesté. » La voix étrange se tut et la sorcière se remit à parler comme auparavant. Les jeunes filles demandèrent ce que signifiait cette interruption, mais la sorcière affirma qu'elle ne savait rien de ce qu'elle avait dit. Elle leur assura : « Quoi que ce fût, c'était la vérité, car ce n'est pas moi qui ai parlé. Les Anciens ont parlé par ma bouche et vous pouvez les croire. » Quand les jeunes filles rentrèrent chez elles, elles ne purent s'empêcher d'éclater de rire : « Toi, une reine ! Des palais et des fêtes somptueuses ! Allons donc... » L'idée était si ridicule qu'elles ne parlèrent à personne de leur aventure. Mais, des années plus tard, séparées par des milliers de kilomètres, elles réfléchirent sans doute souvent à cette étrange séance dans la grotte.

— Que leur est-il arrivé ?

— La jeune Tascher épousa un beau jeune noble de passage à la Martinique répondant au nom d'Alexandre de Beauharnais... Ce nom ne vous met-il pas sur la voie ? Il ramena Marie-Josèphe en France, mais fut guillotiné pendant la Révolution et laissa sa veuve dans une situation difficile.

— Nous savons la suite, dit une étudiante en histoire. Elle se fit appeler Joséphine, fréquenta les salons de Paris, fut jetée en prison, échappa de justesse à la guillotine puis attira les regards d'un jeune officier au brillant avenir.

— Napoléon Bonaparte, lança une voix.

— Il tomba amoureux fou d'elle et l'épousa. Elle devint impératrice comme la sorcière l'avait prédit.

— Et l'autre jeune fille ? demanda un étudiant.

— Aimée Dubec ? répondit Thérèse. Elle se trouvait à bord d'un bateau français en Méditerranée. Des pirates algériens capturèrent le bateau, la conduisirent à Constantinople et la vendirent comme esclave. Un des eunuques du sultan, chargé du harem royal, l'acheta pour son maître. Elle était si séduisante, si sage et pleine d'esprit que le sultan en fit son esclave de cœur, l'équivalent de sa reine.

Plusieurs jeunes étudiantes restaient ébahies et Thérèse lança :

— Tant de choses romantiques peuvent survenir dans les îles... surtout les îles françaises.

Une jeune fille, sans doute aussi rêveuse que Marie-Josèphe et Aimée, s'écria :

— Ce que vous venez de nous dire est-il possible ?

— Je suis comme la vieille sorcière dans la grotte, répliqua Thérèse. Tout ce que je dis est vrai.

Comme si les organisateurs de la croisière voulaient montrer à leurs passagers la plus belle île anglaise juste après la plus belle île française, la *Galante* dériva vers l'île douce et calme de la Barbade, particulièrement appréciée par les Canadiens qui envoient chaque jour à Bridgetown deux ou trois gros avions pleins de touristes impatients d'échapper aux rigueurs du climat de Montréal, Ottawa et Toronto. Un des représentants de la ligne maritime fit observer à Thérèse :

— Si l'on fermait les aéroports canadiens pendant une semaine, la Barbade mourrait.

Un conférencier spécial se joignit à eux pour les trois journées suivantes de la croisière : le major Reginald Oldmixon, descendant d'une famille célèbre qui avait organisé un soulèvement mineur en faveur du droit divin des rois après la décapitation de Charles Ier en 1649. Au cours de sa première causerie, il s'excusa auprès des passagers :

— La Barbade a un gouverneur général noir, un excellent Premier ministre noir, un commissaire général de police noir, et des noirs à la tête de la plupart des ministères et des services publics. Je serais probablement plus représentatif si j'étais noir, mais j'aime bien parler, et ma famille est arrivée dans l'île avant même le début de la colonisation des États-Unis, donc j'en sais long sur ce petit coin du monde.

Il éclata de rire et ajouta :

— Pour que tout soit bien clair entre nous, mon supérieur immédiat est un noir qui me bat régulièrement au tennis.

Il eut beaucoup de succès auprès des passagers et des étudiants du groupe de Thérèse car il avait énormément d'esprit, le don de rire de lui-même, et un programme qu'il avait l'intention de remplir.

— Mon but, c'est de vous intéresser à la Barbade, et de vous la faire aimer. On l'appelle depuis toujours la Petite Angleterre, et nous sommes fiers de mériter ce nom. Quand la racaille de la métropole a tranché la tête de notre roi, nous avons dit, à la Barbade : « Vous n'en avez pas le droit », et nous avons déclaré la guerre à l'ensemble du royaume. Nous pensons encore de même. Quand la situation s'affole en Angleterre, la Barbade demeure un refuge. Population : deux cent soixante mille habitants, comme une petite ville des États-Unis. Superficie : quatre cent vingt-cinq kilomètres carrés, comme un de vos comtés. Qualité de la vie : parmi les meilleurs pays du monde.

Quand la *Galante* accosta à Bridgetown, port charmant de la côte occidentale, tout le monde à bord était prêt à adorer la Barbade. Personne ne fut déçu. La transition de la monoculture sucrière à la polyculture s'était produite sans heurt. La Barbade n'avait jamais eu de terres en trop, et au moment de l'émancipation des esclaves, il n'existait aucune forêt vierge où auraient pu s'enfuir des desperados, comme dans les autres îles. Les noirs avaient dû rester sur place et résoudre les problèmes avec leurs anciens maîtres. Il y avait eu des soulèvements comme partout, certains sanglants, mais ils ne s'étaient jamais prolongés et n'avaient jamais détruit le tissu social. En fin de compte, la Barbade pouvait se flatter d'avoir les meilleures relations interraciales des Caraïbes.

— Le secret, dit un chauffeur d'autobus noir à ses voyageurs ébahis par le spectacle de cette île paisible au travail, c'est que chacun d'entre nous a l'intention ferme de faire fortune pour partir en Angleterre mener une vie de pacha.

Le major Oldmixon expliqua longuement toutes les tentatives avortées de fonder dans la mer des Caraïbes une vaste confédération réunissant les anciennes possessions anglaises, mais jamais les sages de la Barbade n'avaient pu maintenir un équilibre viable entre les rivalités des deux grandes îles, la Jamaïque et Trinidad.

— Ensuite, les hommes de bonne volonté ont essayé d'établir une Fédération des Neuf, sans la Jamaïque et Trinidad. Mais sans la puissance des grandes îles, aucune solution n'était possible. La géographie était contre nous. Si Dieu avait placé cette maudite Jamaïque mille kilomètres plus à l'est, elle se trouverait au centre de toute fédération. Mais elle est plus loin de la Barbade que de Miami. Les conditions géographiques d'une fédération n'ont jamais été présentes.

Quand Thérèse souhaita bonne nuit à ses étudiants au départ de la Barbade, elle les prévint :

— Demain, nous nous retrouverons une demi-heure avant le lever du jour.

Certains protestèrent et elle s'impatienta :

— Mes jeunes amis, rien ne peut surpasser l'arrivée sur une île tropicale dans un petit bateau juste avant l'aurore. Tout est encore noir. Soudain une lueur dans le lointain, l'air semble palpiter, puis comme l'on est sous les tropiques où le soleil se lève et se couche très vite au lieu de se faire prier, apparaît le grand orbe dans toute sa splendeur. De la lumière partout à la fois ! Enfin, au loin, la silhouette d'une île sur le vaste océan. Bientôt les palmes, les collines, la certitude que des gens vivent là. Ne manquez pas cette expérience Vous ne la connaîtrez peut-être qu'une seule fois dans votre vie.

— Est-ce aussi passionnant que cela ? demanda une jeune fille.

— Il ne s'agit pas d'une île ordinaire, répondit Thérèse, mais d'All Saints. Aucun port des Caraïbes ne peut se comparer à celui que vous découvrirez demain.

Le lendemain, quand un soleil de bronze bondit dans le ciel avec une soudaineté brutale, les étudiants ensommeillés admirèrent bouche bée les deux pointes qui gardaient la baie, puis les mornes au loin, les plages blanches et enfin les toits rouges et les clochers de Bristol Town. Jamais ils n'oublieraient cette aurore de rêve.

Le grand moment de la matinée survint par hasard, car au moment où les étudiants descendaient à terre, une jeune fille de l'université d'Indiana vit une haute silhouette voûtée qu'elle reconnut d'après les descriptions lues au cours de la croisière.

— Hé, les enfants ! s'écria-t-elle. Un rasta !

Tous se précipitèrent pour parler à ce noir dégingandé, dans sa tenue insolite trop ample couronnée par un béret rouge, jaune et vert duquel tombaient de longues mèches de cheveux qui recouvraient son dos et ses épaules.

— Les *dreadlocks !* s'écria la jeune fille.

Ils entourèrent l'inconnu venu sur les quais justement pour accomplir son œuvre missionnaire auprès des touristes.

Il s'appelait, dit-il, Ras-Négus Grimble, et il était venu de la Jamaïque à All Saints quelques années plus tôt.

— La première fois, le Gommint m'a jeté dehors. Mais j'aime bien All Saints, c'est beaucoup mieux que la Jamaïque. Alors je suis revenu, j'ai promis de me tenir à carreau. Le Gommint, ici, est devenu plus adulte, il a appris à me tolérer.

Il parlait avec un accent doux et charmant, en lançant de temps à autre un mot rasta que personne ne comprenait. Quand les étudiants virent Thérèse descendre de la passerelle, ils appelèrent :

— Professeur ! Venez donc...

Elle s'avança et leur dit, de façon que l'homme l'entende :

— Je suis enchantée que vous ayez rencontré un rastafarian. Ils exercent une influence importante à la Jamaïque et j'avais peur que vous passiez à côté sans les voir.

Comme il était tôt dans la matinée, elle invita le rasta à prendre un café.

— Tous les touristes vont au *Waterloo,* dit-il.

Il les conduisit au bar des Wrentham.

— Wrentham ! s'écria Thérèse. J'ai une lettre d'introduction pour sir Lincoln Wrentham.

Elle demanda au barman, un jeune noir de belle allure, où elle pourrait trouver sir Lincoln.

— Donnez-moi la lettre, je vais envoyer un gamin la porter à Government House.

— Si je lui donne un dollar, risqua Thérèse, pourra-t-il déposer ces deux autres lettres à leur adresse ?

— Cela ne fera qu'un seul voyage, et pas question de dollar, répondit le jeune homme en prenant les lettres adressées à Millard

McKay, écrivain réputé pour sa connaissance intime des Caraïbes, et Harry Keeler, Anglais installé depuis longtemps à All Saints.

Entre-temps le rasta, à l'aise avec les jeunes, avait envoyé quelqu'un chercher son luth et il se mit à jouer des chansons de Bob Marley. Deux étudiants lui demandèrent de chanter *Four Hundred Years*, la chanson des esclaves venus d'Afrique dans les Antilles. Plusieurs noirs qui traînaient dans le bar se joignirent au concert spontané, mais Thérèse voulait que les étudiants ne réduisent pas le mouvement rastafari à sa musique, et elle coupa court au bout d'un moment.

— Mr. Grimble, voudriez-vous nous expliquer un peu votre religion ?

— Sœur, demanda-t-il, ne sais-tu rien sur nous ?

— J'ai étudié, mais ce serait plus intéressant si cela venait de vous, dit-elle en souriant. Tout ce que je sais, je l'ai pris dans des livres, et c'est peut-être faux.

Il lui rendit son sourire... Son histoire fascina les Américains : Marcus Garvey et sa vision d'un retour en Afrique, l'empereur Haïlé Sélassié, nouvelle incarnation de Dieu sur terre, les rituels, les coutumes, le langage secret, le concept d'hégémonie noire aux Antilles, la musique... Quand il en arriva à la musique, il reprit son instrument improvisé et chanta l'une de ses chansons contestataires. Puis il demanda à la plus jolie des étudiantes de Thérèse de s'asseoir à côté de lui et il passa aux chants d'amour, qu'il chanta pour elle seule.

Bientôt un blanc de soixante-dix ans passés, très digne de port, entra dans le café et demanda le professeur Vaval. Thérèse s'avança à sa rencontre.

— Millard McKay.

Elle le conduisit à un siège au milieu des étudiants, et leur dit :

— Voici l'Américain dont vous avez lu les livres. La première fois qu'il est venu ici, il était journaliste.

— Oui. Mon journal de Detroit m'a envoyé ici écrire une série d'articles en 1938. Un éditeur de New York en vacances ici les a lus et m'a invité à les réunir en un livre. Le livre a si bien marché que je me suis installé ici, j'ai épousé une jeune fille de l'île et j'ai passé le reste de ma vie à écrire sur les Caraïbes.

Dans l'après-midi, Millard invita Thérèse à prendre le thé chez lui, et quand elle arriva à la jolie petite maison parmi les fleurs, avec vue sur la baie, elle ne s'étonna pas de découvrir qu'il avait une épouse de couleur, plus claire qu'elle et beaucoup plus âgée mais pleine de charme. A l'intérieur se trouvait l'autre homme qu'elle désirait voir, l'Anglais Harry Keeler, qui travaillait pour le gouvernement de l'île, avec son épouse Sally, elle aussi de couleur.

— J'ai appris que vous aviez déjeuné avec mon frère Lincoln, dit Mrs. Keeler. Depuis qu'on l'a nommé G-G il adore le tralala.

Après une conversation à bâtons rompus sur la situation économique des diverses îles — sujet numéro un partout où on allait — Thérèse aborda une question brûlante pour elle.

— D'après votre expérience, demanda-t-elle aux deux couples, un mariage mixte est-il difficile ?... Je suis fiancée à un blanc, se hâta-t-elle d'ajouter. Un jeune homme libéré de tout préjugé, mais j'aimerais votre avis...

Tous les quatre voulurent parler à la fois.

— Pour dire la vérité, commença Mrs. McKay en riant, mon

Américain, là, est d'abord tombé amoureux de l'île. Quand mon tour est venu, je ne l'ai pas laissé passer.

— Mon Anglais est un prudent, dit Mrs. Keeler. Il a ruminé la question dans tous les sens et s'est torturé pendant des mois : « Serais-je heureux avec une noire ? » Alors un soir je l'ai carrément poussé : « Saute donc, l'eau est claire. »

— Quand nous nous sommes mariés, Millard et moi, c'était trop tôt, avoua Mrs. McKay. Nous avons été exclus. Ensuite son livre a eu du succès, la réputation et l'argent sont venus et tout le monde s'est hâté de nous accepter. Après cela, vent arrière...

— Je pense que cela nous a été plus facile ici, à All Saints, que ce ne sera pour vous aux États-Unis, dit Sally Keeler. Nous sommes en avance sur vous, avec mon frère G-G et tout son ministère noir.

— Pourquoi posez-vous ces questions ? demanda alors McKay. Auriez-vous des doutes ?

Thérèse répondit « Non » si vite que tous comprirent qu'en fait elle en avait ; ils lui assurèrent que si Dennis et elle avaient déjà de bons postes et prévoyaient de vivre dans le nord des États-Unis, leurs chances de succès étaient bonnes.

— D'ailleurs, expliqua Mrs. Keeler, je ne connais pas dans l'île un seul exemple de mariage mixte qui ait capoté pour une question de race. Ça ne se produit pas.

— Sans doute, mais vous avez défini les relations interraciales. Aux États-Unis nous n'en sommes pas encore là.

Tous en convinrent. Au moment de repartir à son bateau, elle remercia ses hôtes de leurs conseils.

— Pour ces questions, lui dit Harry Keeler, il n'existe qu'une seule règle : faites ce que vous brûlez d'envie de faire et au diable le reste du monde.

Quand les rires s'apaisèrent, McKay prit Thérèse à part.

— Vous avez beaucoup de chance d'être à bord d'un bateau qui fait escale à Trinidad. La plupart ne le font pas et les voyageurs y perdent beaucoup.

— La seule raison de notre arrêt, c'est que la ligne vend beaucoup de billets aux étudiants en leur promettant qu'ils verront le Carnaval. Fantastique, il paraît.

— Oh ! Trinidad ne se réduit pas à son Carnaval, il s'en faut !

A soixante-dix ans, il aimait exprimer la sagesse qu'il avait acquise à toute personne qui faisait preuve d'un intérêt sincère pour la région du monde qu'il avait adoptée. Il força presque Thérèse à se rasseoir.

— Ma vie adulte a débuté à Trinidad. Je suis arrivé à All Saints, blanc-bec de Detroit, j'ai étudié l'île, j'ai adoré son côté anglais, et j'ai conclu que je connaissais les Caraïbes. Ensuite je suis descendu à Trinidad, par pur hasard en fait, et l'île m'a bouleversé. Sa couleur, ses hindous, la magnifique poésie de ses jeunes femmes. J'ai écrit une série d'articles sur Trinidad et mon patron m'a câblé : « Vous êtes enfin tombé amoureux. Comment s'appelle-t-elle ? » Il avait raison. C'était une de ces Trinidadiennes à la peau d'or, qui marchent comme un poème, dont les yeux pétillants n'ont pas peur de dévisager les hommes... Trois journées héroïques. J'ai eu envie de quitter mon travail, de rester à Trinidad pour toujours, d'épouser cette jeune femme céleste.

Il soupira. Thérèse, qui s'intéressait évidemment beaucoup aux questions de mariage, tourna la tête vers Mrs. McKay.

— Dieu merci ! s'écria-t-il en riant de lui-même. J'ai découvert qu'elle travaillait dans une sorte de salon de massage. Elle y rencontrait des hommes et menait ses petites affaires lucratives parallèlement. J'en fus accablé. Je me suis enfui à la Barbade, où je suis tombé au beau milieu d'une révolution. Si j'étais resté ici, à All Saints, je serais devenu un vieil idiot sentimental, une sorte de vieille fille anglaise.

— Une dure leçon, mais elle vous a servi. Vos livres sur les Antilles sont remarquables.

— Il y a à Trinidad bien meilleur que moi. Je suis le XIXe siècle, il est le XXIe.

— Qui est ce génie ?

— Un nommé Banarjee.

Thérèse ne dissimula pas sa joie.

— Je me sers de son livre publié par Yale comme d'un manuel pour mon cours à bord de la *Galante.*

Il lui prit les mains, visiblement ému.

— Si j'avais quarante ans de moins, j'aimerais enseigner dans une université comme vous. Faire avancer les connaissances... Quant à votre problème de mariage mixte, n'y pensez plus. Vous l'avez déjà résolu...

Dès que la *Galante* mit le cap sur Trinidad et sur son Carnaval, Thérèse rechercha Michael Carmody.

— Ce Banarjee que vous connaissez. Tout le monde m'en dit du bien. Pourrais-je le rencontrer ?

— C'est la chose la plus simple du monde. Il a été mon étudiant. Et il n'habite pas loin du port.

Le bateau accosta. Sur les quais une horde de jeunes îliens, garçons et filles, tous vêtus de la même manière en uniformes de fête bleu et or, d'une coupe vraiment insolite, s'étaient réunis avant de défiler dans les rues. Arrivèrent bientôt seize gigantesques personnages multicolores, de carton, animés par des mécanismes. La confusion se transforma en chaos. Un orchestre de seize hommes se forma et se mit à jouer une musique étonnante sur des tambours fabriqués avec des bidons d'essence. Puis, soudain, le Carnaval de Trinidad explosa.

D'une voix hésitante qui trahissait ses craintes de ne pas voir l'érudit, Thérèse demanda :

— Ne va-t-il pas être mêlé à tout ce tapage ?

— Un homme comme lui ? Il ne s'en apercevra même pas.

Dès qu'ils descendirent dans le maelström, ils se trouvèrent au milieu de deux groupes de jeunes, l'un composé de souris, l'autre d'astronautes.

— Qui paie ces costumes ? demanda Thérèse.

— Les parents. C'est Carnaval... Une fois par an.

Au milieu du tintamarre des *steelbands,* Thérèse eut du mal à entendre la suite :

— Le Dr Banarjee habite dans une vieille maison célèbre. Elle appartient à sa famille depuis plus de cent ans.

— Il vit avec sa famille ?

— On s'occupe de lui. Les uns et les autres. Il n'est pas marié.

Le ton de l'Irlandais surprit Thérèse. Elle s'arrêta au milieu de la cohue et saisit Carmody par le bras.

— Vous me cachez quelque chose à son sujet. Est-il « spécial » comme disent les jeunes étudiantes ? Ai-je quelque chose à craindre de lui ?

Carmody parut stupéfait.

— C'est l'un des meilleurs hommes des Caraïbes, l'un des plus doux. Presque un génie.

— S'il n'enseigne pas, comment gagne-t-il sa vie ?

— Voici sa maison. Tout le monde l'appelle la maison du Sirdar, lui dit Carmody enchanté d'esquiver la dernière question de Thérèse... Beaucoup d'Indiens ont vu le jour entre ces murs.

Il monta les trois marches qui conduisaient à la porte de la vieille demeure.

Banarjee apparut. Un homme qui semblait fixé à un sillon qu'il suivrait pendant le reste de sa vie. Agé de trente-cinq ans à peine, il se tenait moins droit que dans son enfance; il paraissait légèrement penché en avant, comme s'il cherchait un objet perdu. Les flammes de l'enthousiasme juvénile s'étaient définitivement éteintes. Ses cheveux, d'un noir de jais, n'avaient pas encore commencé à grisonner, et quand il souriait ses dents demeuraient aussi blanches. En le voyant, Thérèse songea aux comptables indiens pleins de déférence que l'on rencontre dans les romans anglais qui se passent aux Indes. Et cela lui plut.

— Ranjit, dit Carmody, je te présente une jeune femme très intelligente, le Dr Thérèse Vaval, qui va enseigner à Wellesley. Elle se sert de ton essai comme ouvrage de référence.

Avant que Banarjee puisse répondre, elle se hâta d'expliquer :

— Vous avez magnifiquement traité les matières que je vais enseigner. L'histoire des Caraïbes, la pensée antillaise. Je suis haïtienne, vous savez.

Sans la moindre envie, Banarjee s'écria :

— Comme vous avez de la chance ! J'ai souhaité enseigner ces sujets toute ma vie. Je n'en ai jamais eu l'occasion.

Sa réaction était si sincère que Thérèse s'écria :

— Mais, Dr Banarjee, vous êtes notre maître à tous !

Enchanté de voir sa valeur reconnue par un de ses pairs, Ranjit se libéra aussitôt des réticences dans lesquelles il s'enfermait souvent. Avec la flamme dont font preuve souvent les Indiens de tout âge, il lança :

— Mr. Carmody, Dr Vaval, nous allons faire une petite fête, le jour semble propice.

Il alla chercher un pichet de limonade et une soucoupe pleine de pistaches. Carmody refusa de se servir.

— J'ai promis de passer la journée à mon bureau. Des paperasses. Il faut m'excuser.

— Je vous retrouverai sur le bateau? lui demanda Thérèse qui appréciait beaucoup cet homme de bon sens.

— Bien entendu. Je dois faire encore deux conférences et noter les rapports des étudiants... Je vous laisse en de bonnes mains, ajouta-t-il en prenant congé.

— Expliquez-moi, je vous prie, comment vous avez pu passer de Haïti à Cambridge, Massachusetts, demanda Banarjee à Thérèse quand ils furent seuls. Tout d'abord, comment avez-vous échappé aux tontons macoutes ?

La réponse de la jeune femme résonna dans l'air chaud de Trinidad comme les échos de cloches de cristal, résumant trois siècles d'histoire des Caraïbes :

— Nous nous sommes enfuis en risquant notre peau, dans un petit bateau, sans assez de vivres. Des Canadiens nous ont recueillis et débarqués à Québec. J'avais neuf ans.

— Votre père était Hyacinthe Vaval ?

— Oui... Mais seulement l'ombre de lui-même.

Ranjit inclina la tête avec respect, puis demanda :

— Donc une gamine haïtienne noire de neuf ans à Québec. De là à Cambridge ?

— Je parlais déjà français. Et les Canadiens ont des cœurs d'or sous des dehors froids. Ils m'ont adoptée. Mes professeurs... Chacun mériterait une médaille.

— J'ai eu des professeurs comme ça.

— Les miens tenaient absolument à ce que je réussisse. J'étais leur seule élève noire à avoir une chance. Ils ont écrit à Radcliffe.

— J'ai bénéficié du même genre d'aide. Ici à Trinidad. Puis à l'université des îles, à la Jamaïque.

Au début, les deux professeurs se lancèrent dans un échange d'idées passionné et évoquèrent bien entendu l'avenir de leurs îles et les chances de survie des pays du Tiers Monde. Thérèse lui posa mille questions sur Trinidad et Banarjee la fit parler de Haïti.

Elle lui parla de sa rencontre avec Lalique, le zombie, et il n'exprima aucune surprise. Puis ils passèrent à l'évolution politique récente de la Jamaïque et de Trinidad.

— Haïti va-t-il s'amender un jour ? demanda-t-il.

— Mon père a envie d'y repartir pour une dernière tentative de sauvetage.

— Et vous ?

— Je viens de passer deux semaines dans l'île, et je lui ai conseillé de ne pas y revenir. On ne peut qu'y survivre, c'est pourquoi un si grand nombre tente de s'enfuir dans des mauvais bateaux, sans provisions.

— Les macoutes sont toujours actifs ?

— Il y en a dans tous les pays, sous des formes diverses.

— Dr Vaval, vous tournez le dos à Haïti pour vous réfugier aux États-Unis, mais que ressentez-vous sur le plan spirituel ?

Elle se leva et fit quelques pas sous la véranda de cette maison très agréable, puis elle avoua :

— J'ai vécu des moments difficiles pendant cette croisière... Mes îles, ma culture... Mon peuple pris au piège dans des impasses tragiques. À mon départ de Miami j'étais une Américaine parfaitement assimilée, avec un emploi formidable, un avenir sans limites et...

Elle s'arrêta au milieu de sa phrase, car elle ne voulait pas confier à cet inconnu : « Et un fiancé charmant. »

— Mais deux semaines à Haïti, mon peuple, la misère sans nom...

De nouveau elle s'interrompit, la gorge nouée :

— Professeur Banarjee, vous connaissez les Antilles. Comment les nouveaux esclaves de Trinidad et de Haïti ont-ils le courage de rester en vie ? Ou les anciens Indiens ?

— Les Arawaks ont refusé, dit-il très doucement. En face des Espagnols, ils sont morts. Simplement, ils sont morts.

— Je ne pense pas que les jeunes de votre île ou de la mienne puissent accepter cette solution. Mon Dieu ! Quand on est haïtien, il faut un tel courage pour vivre, simplement vivre ! Un courage incroyable.

Banarjee ne répondit pas, car les paroles brûlantes de Thérèse le déchiraient jusqu'au fond de son être. Plusieurs fois aux États-Unis il avait cessé de vouloir vivre, mais il avait continué. Il avait cependant beaucoup de mal à oublier que pendant des années il lui avait fallu ravaler son orgueil et parcourir les rues de Port of Spain, sa ville natale, en saluant des gens qui connaissaient tous ses échecs.

En cet instant de silence, de communication silencieuse parfaite, ils eurent tous les deux envie de lancer : « Dînons ensemble et allons jeter un coup d'œil à ce Carnaval en folie. » Mais Thérèse se retint, car dans les îles, les femmes ne font pas ce genre de suggestion, surtout dans un pays étranger et dans un milieu aussi différent. Quant à Ranjit Banarjee, il se tut également mais pour une raison douloureuse : il n'avait pas d'argent. Puis, réunissant tout son courage, il avoua :

— Dr Vaval, j'aurais aimé vous inviter à dîner en ce jour de fête, mais j'ai...

— Pas de problème. Vos essais m'ont apporté de la lumière. Montrez-moi, je vous prie, la splendeur de ce que notre guide a appelé : « L'une des plus sensationnelles fêtes du monde entier. »

Il acquiesça. Ils se mêlèrent bientôt à la foule en délire puis s'installèrent à la terrasse d'un restaurant où ils dînèrent en regardant passer les masques et les costumes d'une richesse époustouflante. Quand les orchestres passèrent, Ranjit expliqua que la douce musicalité des bidons d'essence n'avait été découverte que récemment, pendant la Seconde Guerre mondiale.

Un des orchestres accompagnait un célèbre chanteur de calypso, Lord of All Creation, dont les chansons contenaient d'impitoyables critiques de Ronald Reagan, Margaret Thatcher, Mikhaïl Gorbatchev, outre plusieurs personnalités locales que Thérèse ne connaissait pas. Une voix familière cria par-dessus le brouhaha :

— Ranjit ! Thérèse ! J'espérais bien vous trouver ici.

C'était Michael Carmody. Ses prédictions sur le Carnaval ne furent pas démenties. Des milliers de participants en costumes insensés défilèrent dans un bruit assourdissant. Les calypsos étaient osés et drôles ; les orchestres invitaient à se joindre à la danse ; à la nourriture épicée répondaient des flots de boissons au rhum. Même Ranjit, qui ne consommait jamais d'alcool, laissa ses amis lui offrir deux grands jus de fruits, relevés par une tombée de rhum brun Trevelyan.

À quatre heures du matin, quand les orchestres trouvèrent leur second souffle, Carmody proposa :

— Allons à bord du bateau clore la fête par un petit déjeuner très matinal, sur le pont supérieur.

Ils dégustèrent leurs œufs accompagnés par les accents de la folle musique. À neuf heures du matin, ils se séparèrent. Thérèse raccompagna Banarjee jusqu'à l'échelle de coupée.

— Je vais dormir jusqu'à une ou deux heures, puis je viendrai vous chercher et nous passerons une deuxième soirée de Carnaval.

Il accepta avec joie. L'après-midi s'écoula sous la véranda en discussions profondes et intenses, autour du pichet de limonade. Ils évoquèrent les différences de comportement des pays colonisateurs des Antilles, le rôle actuel de Cuba et de sa forme de marxisme, les réticences des États-Unis à adopter une attitude hégémonique dans la région, les séquelles de l'esclavage sur les noirs d'aujourd'hui.

— Comment se fait-il que vous ayez deux doctorats ? lui demanda Thérèse. Je l'ai vu dans la notice biographique d'un de vos essais.

Il évita de répondre, craignant qu'elle désapprouve ses manœuvres pour éviter d'obtenir son diplôme trop tôt. Il détourna la conversation sur une des questions qui ne manquent jamais de se poser dès que l'on discute sérieusement de l'avenir des Caraïbes : Que peuvent faire ces îles magnifiques pour gagner leur subsistance ?

Thérèse fit observer que la Jamaïque avait perdu son industrie de la bauxite et que ses agriculteurs n'avaient plus de marché en Europe pour leurs bananes :

— Le tourisme assurera la survie d'une partie limitée de la population, conclut-elle, mais le surplus devra émigrer en Angleterre ou aux États-Unis.

— Ils ne nous laisseront pas entrer pendant longtemps, répliqua-t-il, et la conversation s'acheva sur cette note pessimiste.

À la tombée de la nuit elle l'invita à dîner, et le Carnaval prit un sens particulier car leur échange de vues tendu de l'après-midi les avait rapprochés ; elle essaya d'éviter les passagers de la *Galante* et fut soulagée de ne pas croiser Carmody. À un moment, ils s'associèrent à un groupe bruyant de noirs habillés de façon insensée, et Thérèse laissa les hommes la lancer en l'air et l'embrasser quand ils la déposaient à terre. À un carrefour, un groupe d'étudiants costumés en conquistadores espagnols la prit par le bras et s'enfuit avec elle. Ranjit la regarda disparaître dans la foule. Le visage haïtien très clair de la jeune femme semblait radieux et il se dit : « Qui aurait pu prédire que je passerais cette soirée en ville avec la plus belle femme du Carnaval ? » Les étudiants la ramenèrent et il fut ravi qu'elle lui prenne les mains comme si elle rentrait chez elle.

C'était le Carnaval, mélange de rites africains anciens, de mystères associés dans l'Église catholique à la période du Carême, et de processions à la manière de la vieille Angleterre. Musique sauvage et chansons douces, palpitation des *steelbands* et plainte tendue des *Four Hundred Years* de Bob Marley, ripailles, danses, bamboches. Les prêtres de noir vêtus observaient le déchaînement d'un œil bienveillant, et les équipages des trois bateaux de croisière dans le port faisaient la foire et embrassaient les filles complaisantes. Carnaval à Trinidad !

— À côté de ça, s'écria un marin, Mardi Gras à La Nouvelle-Orléans ou à Nice ressemble à une kermesse de patronage !

La *Galante* devait appareiller à huit heures du matin et quand la sirène appela les passagers attardés, Thérèse dit à Ranjit :

— Il faut que je m'en aille.

Puis elle poussa le cri du cœur :

— Mon Dieu ! Je n'ai vraiment pas envie de quitter cette île !

Ranjit n'avait jamais paru aussi rayonnant depuis l'assassinat de Molly Hudak. Il essaya de prolonger les adieux. Il n'était plus voûté, il ne s'excusait plus à tout propos. Très droit, il écouta Thérèse lui avouer, sur l'échelle de coupée :

— Oh ! Ranjit, ces deux journées ont été merveilleuses ! Un séminaire sur le sens profond de nos Caraïbes.

— Et sur le sens profond de nos deux vies, ajouta-t-il avec une hardiesse qui le surprit lui-même.

Puis la sirène enrouée de la *Galante* retentit pour la dernière fois et ils se séparèrent.

La compagnie de navigation avait prévu plusieurs journées de mer après l'escale de Trinidad pour permettre aux professeurs de donner une série de cours intensifs avant la dernière escale : Carthagène.

La veille de l'arrivée de la *Galante* dans le port historique, le professeur Ledesma donna l'une des conférences les plus intéressantes de la croisière. En s'aidant de diapositives, il évoqua l'époque où sa ville natale était la reine de la mer des Antilles : les bateaux chargés d'or et d'argent s'abritaient dans son vaste port pour préparer la dangereuse traversée vers La Havane et Séville. Il parla des grands corsaires qui avaient attaqué le port, Drake, Morgan, les farouches pirates français et sir John Hawkins, sans doute le meilleur marin de tous.

— Mais j'aimerais surtout vous faire connaître un petit Espagnol coriace qui a aidé l'un de mes ancêtres à défendre Carthagène contre une énorme flotte anglaise. Imaginez ces deux hommes : mon ancêtre le gouverneur Ledesma devait avoir mon allure, tout à fait banale, oublions-le. Mais il avait à ses côtés un homme que personne ne devrait oublier, Blas de Lezo... Vingt-trois grandes batailles navales, toujours dans le feu de l'action. Dans un engagement près de Gibraltar, il avait perdu sa jambe gauche. À Tolosa, son œil gauche et pour défendre Barcelone, il avait donné son bras droit !

— A-t-il gagné ? demanda un étudiant.

— Avec une poignée d'hommes il a tenu en échec l'ensemble de la flotte anglaise. Il a obligé leurs bateaux à rester à l'ancre et n'a pas laissé les soldats anglais entrer dans sa ville. Au cours des combats, il reçut deux autres blessures graves, et à peine nos cloches avaient-elles fini de sonner notre victoire qu'elles durent annoncer sa mort.

Après la conférence les discussions se prolongèrent jusqu'à minuit passé, mais Ledesma prit cependant le petit déjeuner à l'aurore pour s'assurer que la journée serait parfaitement réussie : le trafic de cocaïne signalé dans les villes intérieures de Colombie portait tort au tourisme et l'administration avait fait un effort particulier pour que les passagers de la *Galante* conservent de Carthagène un souvenir parfait. Des petits bateaux et des hélicoptères militaires furent mis à leur disposition pour la visite de ce port incomparable ; et Ledesma dirigea une visite commentée des remparts où son ancêtre s'était promené avec sir Francis Drake.

Après une promenade en hélicoptère qui lui permit de découvrir le site unique de Carthagène et de son port à deux entrées, Boca Grande et Boca Chica, sur une véritable île protégée au nord et à l'est par des marécages, au sud et à l'ouest par la mer des Antilles, Thérèse, libérée de toute responsabilité ce jour-là, se promena dans les ruelles de la vieille ville entre les maisons anciennes dont les façades se rejoignaient presque au-dessus de sa tête. Elle tomba soudain sur une adorable petite place. Deux larges chaussées qui se croisaient au milieu divisaient la place en quatre parties égales, chacune ornée d'une fontaine. Au centre, au croisement des chaussées, s'élevait une belle statue de Bolivar. De chaque côté du carré, de beaux bâtiments de couleur différente : l'effet général était celui d'un tableau plus que d'un ouvrage d'architecture. Dès qu'elle se trouva au cœur de cet espace parfait entouré de murs, elle songea : « Quelle rigueur, comparée à la vaste place de Pointe-à-Pitre ! Tout ici est tellement espagnol ; là-bas, tellement français. »

Puis, sur le côté ombragé de la place elle remarqua un édifice majestueux qui semblait se cacher comme un acteur renommé désireux de « faire une entrée ». Aussi haut et imposant qu'une église, il avait une façade décorée de statues et il émanait de lui une impression de mystère et de puissance. Quand Thérèse traversa la place pour le visiter, elle découvrit qu'il s'agissait des bureaux depuis lesquels la Sainte Inquisition avait imposé à la ville son orthodoxie religieuse et ses règles morales pendant les longues années de 1610 à 1811. Elle frissonna à la pensée des souffrances dont ces murs avaient été témoins.

C'était désormais un musée, et en le visitant Thérèse apprit qu'à Carthagène l'Inquisition s'était montrée bienveillante : pas plus de cinq sentences de mort — miracle de clémence à l'époque — et seulement deux autodafés : deux prêtres rénégats.

À son retour à bord de la *Galante*, elle se rendit directement dans sa cabine, posa le sous-main sur ses genoux et se mit à écrire à Dennis Krey, de Concord, la lettre qu'elle aurait dû lui envoyer depuis très longtemps. Elle s'y reprit à deux fois mais les émotions de ces journées l'avaient tellement agitée qu'elle ne parvenait pas à se concentrer. Elle froissa les deux feuilles et monta sur le pont à la recherche du professeur Ledesma.

— Pourrions-nous faire quelques pas avant le dîner ? lui demanda-t-elle. Des décisions difficiles.

— Je m'attendais à une invitation de ce genre depuis que je suis monté à bord, dit-il.

Ils partirent se promener le long des remparts et dans les rues étroites, où elle chercha le chemin de la petite place qui l'avait tellement marquée. Ils s'assirent sur un banc public en face du bâtiment de l'Inquisition, et Ledesma parla des valeurs impérissables qui alimentent une société et la maintiennent en vie. Il expliqua à la jeune femme que l' « hispanité » était l'un des systèmes permanents du monde, comme l'islam, le christianisme, le judaïsme.

— Pourquoi la culture espagnole n'a-t-elle pas été capable d'engendrer en Amérique des gouvernements stables ? demanda-t-elle.

— On accorde trop d'importance à la stabilité, répliqua-t-il. La vitalité, le mouvement, le plaisir de profiter de chaque jour qui passe, voilà ce qui compte vraiment.

— Professeur Ledesma ! protesta Thérèse. Le cartel de la cocaïne de Medellin a assassiné des juges dans cette ville, des hommes politiques à Bogota et fait un nombre incroyable de victimes à la suite d'attentats aveugles et meurtriers. Est-ce ce que vous appelez l'épanouissement de la culture espagnole ?

— L'un des juges était mon cousin, murmura Ledesma, confus. Je reconnais que nous vivons une période terrible. Mais les États-Unis ne connaissent-ils pas les mêmes problèmes ?

Désirant placer la conversation sur des bases solides, elle prit dans son sac un petit livre qui traitait de ces matières.

— Comme il a été écrit par un professeur français sans préjugés en faveur des Anglais ou des Espagnols, nous pouvons le considérer comme d'une parfaite impartialité.

Elle lut, en traduisant du français au fur et à mesure :

> *Si sir Francis Drake, en 1586, ou l'amiral Vernon, en 1741, avaient profité de leurs victoires à Carthagène pour prendre possession de cette ville clé de façon permanente, l'histoire des Antilles, de l'Amérique centrale, de l'Amérique du Sud et peut-être du monde entier aurait été radicalement modifiée. Si le grand port de Carthagène était resté aux mains des Anglais, la flotte espagnole de l'argent venant du Pérou n'aurait jamais osé transporter ses trésors à Porto Bello. Une fois le cordon ombilical tranché, le lien entre le Mexique et La Havane serait devenu intenable. Aucun galion d'or et d'argent n'aurait traversé l'Atlantique vers Séville, et l'Empire espagnol dans le Nouveau Monde, chaotique et mal soudé, se serait effondré. À sa place se serait édifiée une colonisation organisée à l'anglaise et de grands pays comme le Chili, l'Argentine et le Brésil auraient acquis la même stabilité que l'Australie, le Canada et la Nouvelle-Zélande, sans doute pour le plus grand bien du monde.*

Elle referma le livre d'un geste précis, comme si elle présidait à l'un de ses séminaires, et demanda à Ledesma :

— Qu'avons-nous à répondre à cela, vous et moi, en bons catholiques que nous sommes ?

— L'ordre à l'anglaise n'est pas la meilleure chose existant au monde, lança-t-il avec vigueur, en choisissant sans doute les paroles mêmes qu'aurait prononcées son ancêtre, le premier Ledesma de Carthagène. Voir sa famille s'épanouir et tous ses membres prospérer ; avoir une religion qui vous apporte le soulagement ; sentir son esprit libre de planer ; nourrir un idéalisme poétique..., voilà des vertus durables.

Il s'arrêta, dévisagea Thérèse puis reprit :

— Les gens de Gary, Indiana, ont-ils la vie aussi belle que nous ici, à Carthagène ?

— Vous êtes très convaincant à propos de l'élégance de la tradition espagnole, répondit Thérèse, mais pas sur le gouvernement à l'espagnole.

— Les jeunes comme vous ont été contaminés par une interprétation anglo-saxonne de l'Histoire, répliqua-t-il. Mais n'oubliez pas une chose : les Espagnols ont été les maîtres du Nouveau Monde de 1492 à 1898, date à laquelle vous nous avez volé Cuba et Porto Rico, quatre siècles de réalisations étonnantes. L'Angleterre a conservé son empire seulement du premier tiers du XVIIe siècle au milieu du XXe. Quant à vous, les Américains, vous avez toujours eu peur de prendre les responsabilités dont nous nous sommes déchargés. Vous êtes donc mal placés pour me faire la morale. C'est nous qui avons eu les plus grands succès. Et nous en aurons d'autres dans les années qui viennent, vous pouvez en être certaine.

Ne voulant pas émettre des critiques susceptibles de blesser davantage le vieil aristocrate, elle parcourut des yeux la belle place et se sentit assaillie par la tristesse qui accompagne la perte de valeurs anciennes. Elle baissa la tête, et Ledesma le remarqua sur-le-champ.

— Qu'y a-t-il, Dr Vaval ? Qu'est-ce qui a pu vous désorienter ?
— Cette croisière, dit-elle. Cette intimité avec la mer et les îles où mes ancêtres ont été esclaves puis ont triomphé avant de connaître un nouveau désespoir. Cela a eu sur moi un effet violent.
— Vous êtes troublée ?
— Oui. Très.
— C'est la raison pour laquelle nous faisons des voyages. Vous tirerez tout au clair.
Il regarda les réseaux de lumière que créait le soleil couchant sur la façade de l'édifice de l'Inquisition, puis demanda :
— Un problème personnel ?... Votre fiancé, je suppose.
— Oui. Je suis sur le point d'épouser un jeune homme qui a passé toute sa vie en Nouvelle-Angleterre, à Concord. Mais je ressens de plus en plus de doutes... Je n'arrive même plus à lui écrire.
Il se pencha, ramassa quelques cailloux et les fit sauter dans sa main droite.
— Ma famille vit en ce lieu depuis quatre siècles et demi, et jamais aucun d'entre nous n'a été coupable d'hérésie ou de mariage avec une Indienne ou une noire. J'ai été élevé dans ce credo, et soyez-en assurée, si j'avais un fils en âge de se marier et que vous arriviez dans les parages, je l'enverrais aussitôt faire des études à Salamanque pour qu'il épouse une Espagnole. Nous sommes ainsi.
— Ma famille pense de même pour les Africains, mais ma peau claire démontre qu'une trahison des principes a eu lieu à un moment ou un autre.
Elle rit de la situation ridicule dans laquelle elle se trouvait et Ledesma lui proposa :
— Allons tout au bout, où se tenaient les sentinelles.
Quand ils furent arrivés, il dit à la jeune femme :
— C'est ici que nous avons joué notre rôle, mademoiselle Vaval. Dans l'ombre. Nous avons observé la mer, à l'affût des ennemis, des pirates ou des tempêtes destructrices. Jamais nous avons pu nous reposer en sécurité pendant trois ans de suite. Tel est encore le devoir des hommes et des femmes de bonne volonté : rester dans la tour de guet, attendre l'ennemi et lancer l'alarme. Telle est aussi la mission d'un professeur.
Il prit congé d'elle au pied de la passerelle, car il ne serait pas à bord le lendemain quand le bateau repartirait à l'aurore. Il porta la main de Thérèse à ses lèvres.
— Notre grand Ledesma prétendait que la mer des Antilles était un lac espagnol. De nombreux noirs y sont venus depuis mais elle n'a pas changé de couleur : c'est toujours une mer d'or.
— Professeur, s'écria-t-elle au moment où il allait s'éloigner, restez un instant je vous prie. J'aimerais que vous postiez pour moi une lettre.
Elle s'élança vers sa cabine, prit une feuille et griffonna :
« Très cher Dennis, notre mariage serait pour vous une infraction aux convenances, et pour moi une erreur pure et simple. Je viens de découvrir le monde auquel j'appartiens. Adieu. Je vous aime et je vous regrette... Thérèse. »

Pendant la rapide traversée de retour à Miami, Thérèse était si nerveuse et troublée qu'elle resta à l'écart et évita même ses étudiants.

Elle demeurait parfois accoudée au bastingage pendant de longs moments à regarder la mer qu'elle venait de découvrir — sa mer des Caraïbes — comme si elle ne devait jamais revoir ses vagues. Se souvenant des questions qu'elle se posait avant son arrivée à Trinidad, elle pensa : « Ce voyage marque un grand tournant dans ma vie : il m'a montré Haïti telle qu'elle est aujourd'hui et m'a donné le courage d'écrire ma lettre de rupture avec Dennis Krey. Et maintenant je vais commencer une nouvelle vie à Wellesley. Je suis sur la ligne de partage des eaux et tout ce que j'ai fait est bien fait... » Mais cette certitude ne dura guère et son angoisse réapparut, tel un reflet sur les vagues que la *Galante* fendait : le reflet du visage grave de Ranjit Banarjee entouré des scènes violentes du Carnaval. Elle murmura :

— Le trouver fut pour moi une anse d'eau calme après la traversée de vagues tourbillonnantes.

Elle explosa soudain et écarta les bras comme pour embrasser les Antilles entières.

— Vous êtes à moi. Je fais partie de vos peuples.

Une voix d'homme la fit sursauter.

— Vous parlez toute seule ?

C'était Michael Carmody. Comme elle ne répondait pas, il l'invita.

— Prenons ces chaises longues. Il faut que nous bavardions. Vous êtes désemparée, Dr Vaval, cela saute aux yeux depuis le début de cette traversée.

— Qu'est-ce qui vous permet de croire ?... commença-t-elle sèchement.

Mais elle comprit aussitôt qu'elle se fourvoyait et elle baissa la voix.

— Excusez-moi. Pour vous, cette croisière a été un épisode de vacances studieuses. Pour moi, une plongée dans un maelström.

— Inutile de vous justifier. D'après ce que j'ai vu à Haïti, votre voyage a dû commencer par un choc.

— Absolument.

— Vous avez raison, répliqua-t-il, c'est présomptueux de ma part. Mais vous apprendrez que les professeurs ont ce genre de réaction quand ils s'aperçoivent que le temps manque.

— Que voulez-vous dire ?

— Je suis venu à Trinidad quand j'avais à peu près votre âge, sans le sou comme à votre arrivée au Canada. J'ai passé toute ma vie, j'ai vécu tous mes rêves à Trinidad en espérant toujours trouver un jeune garçon dont le succès justifierait mes sacrifices...

— Enseigner n'est jamais un sacrifice.

— Professeur Vaval, vous savez que des gens comme vous et moi pourrions gagner des sommes infiniment plus importantes si nous consacrions nos énergies aux affaires ou au droit.

— Mais nous ne nous intéressons pas seulement à l'argent.

— Exactement, et cela me fait plaisir de l'entendre dans votre bouche, parce que cela va me faciliter la tâche.

Il porta l'index à ses lèvres et hésita un instant avant de poursuivre :

— Nous cherchons sans fin à découvrir une intelligence unique. Les années passent et on a l'impression que l'on n'y parviendra jamais. Le désespoir survient...

Il eut du mal à continuer, mais après un silence les mots jaillirent tout à coup.

— Pour moi, Ranjit Banarjee a été cette exception-là. Des sonnets au rythme céleste, des essais vraiment brillants. Il avait le monde devant lui.

— S'il était sur la bonne voie, comme vous le dites, pourquoi a-t-il déraillé ?

— Dans le développement de ce cerveau aux capacités fantastiques, rien n'a déraillé. Il s'est amélioré au fil des années. Mais dans sa vie privée...

— Expliquez-moi.

Il réfléchit un instant.

— Non..., répondit-il. Mais je vais vous dire une chose. Dès l'instant où je vous ai entendue parler à bord de la *Galante* et que j'ai appris que vous n'étiez pas mariée, j'ai failli crier : « La voici ! C'est la seule qui pourra réussir. »

Thérèse sourit, puis raconta :

— Mr. Carmody, à l'université, nous discutions souvent entre jeunes filles, et nous nous racontions d'horribles histoires de mariages manqués. La conclusion était toujours la même : « Il ne faut jamais épouser un garçon à problèmes. Cela exige un peu plus d'effort de recherche mais rien ne remplace un homme équilibré. »

— Croyez-moi, Dr Vaval, Ranjit n'est pas un homme à problèmes. Il a simplement besoin que l'on libère son âme. Quelqu'un doit l'aider à devenir l'homme qu'il pourrait être.

— Je suppose que l'on pourrait dire cela de la plupart des gens...

— Il est différent. Il vaut la peine qu'on le fasse.

Tandis qu'elle réfléchissait à ces paroles, il ajouta soudain, non sans audace :

— La deuxième nuit du Carnaval, quand je vous ai vue assise à côté de Ranjit, vous aviez l'air, vous aussi, complètement libérée de vos doutes et de vos angoisses.

— La deuxième nuit ? Vous n'êtes pas venu avec nous.

— Vous désiriez manifestement rester seuls ensemble. Et maintenant, il est clair à mes yeux que vous aimeriez être encore à Trinidad.

Thérèse détourna son regard vers les cimes blanches des vagues qui semblaient tourbillonner de joie. En fait elle éprouvait seulement une indicible tristesse à la perspective de quitter cette mer splendide et ses populations diverses — surtout l'homme de Trinidad qui connaissait tout cela mieux qu'elle. Puis elle entendit la voix du professeur irlandais, aussi calme que s'il parlait à un étudiant en proie à des difficultés en algèbre sauf que dans ce cas la difficulté se trouvait dans le cœur de l'étudiante :

— Dr Vaval, comme vous êtes originaire de Haïti je suppose que vous êtes catholique, et il est certainement hindou. Je suis moi-même catholique et plongé dans l'atmosphère de Trinidad, je dois donc vous mettre en garde en toute honnêteté : des différences aussi radicales sont presque irréconciliables. Mais je pense néanmoins qu'entre Ranjit et vous les similitudes sont beaucoup plus grandes que les différences. Est-ce que je me trompe ?

Elle balbutia :

— Non.

Il lui prit la main.

— Vous n'êtes plus toute jeune vous non plus, ma chère. La vie ne s'arrête pas à vingt-cinq ans, et trente-cinq ans sème la panique en chacun de nous, notamment chez les femmes. Je l'ai souvent remarqué. En fait deux vies sont en jeu, la sienne et la vôtre. Et j'ai l'impression que vous courez tous les deux presque le même risque.

Elle ne répondit pas mais ne retira pas sa main.

— Au collège, j'ai affaire à deux genres d'étudiants : ceux qu'il faut aiguillonner doucement pour leur permettre de découvrir par eux-mêmes les vérités fondamentales; et ceux à qui il faut parler carrément, parfois même en termes brutaux : « François-Xavier, change de conduite, sinon je te mets à la porte. »

— Et vous croyez que j'appartiens à la deuxième catégorie ?

— J'en suis certain. Et je vous donne donc un ordre. Quand la *Galante* accostera à Miami demain, nous prendrons un taxi ensemble, nous filerons tout droit à l'aéroport et nous prendrons le premier avion à destination de Trinidad. On a besoin de vous là-bas.

Alarmée par la brutalité de la décision qu'elle allait prendre, elle demanda, la gorge nouée :

— Mais n'est-ce pas complètement insensé ? Revenir là-bas... Je ne l'ai connu que deux jours.

— L'amour est une forme de révélation. Il survient parfois en un instant aveuglant, parfois après un long éveil de onze années. Dieu n'a pas d'horaires.

Et le lendemain les deux professeurs prirent congé de leurs étudiants et sautèrent dans un taxi qui les conduisit à Miami International...

Thérèse Vaval monta les marches de la maison du Sirdar et frappa à la porte. Elle aborda Ranjit Banarjee avec quelques mots simples, qui venaient du fond de son cœur :

— J'ai été attirée par mille aimants, Ranjit. Vos idées, tout ce que vous portez en vous, et surtout le fait que vous avez besoin de moi pour ouvrir des portes bloquées.

Comme il ne répondait pas, elle parla de ses propres inhibitions, de ses fiançailles avec Dennis Krey et de sa confusion à Haïti. Au sourire paisible qu'il lui adressa, elle comprit qu'il devinait la vérité : ce n'étaient là que des raisons accessoires. Elle lui raconta alors sa conversation avec Carmody : il avait insisté pour qu'elle retourne à Trinidad sur-le-champ parce que le reste de sa vie était compromis. Alors seulement il comprit qu'elle avait été blessée par la vie autant que lui.

— Et maintenant, ajouta-t-elle, dites-moi ce qui vous est arrivé.

Après un silence douloureux de deux années, il était prêt à parler. Il rassembla tout son courage, passa la langue sur ses lèvres sèches et dit :

— Quand vous êtes repartie à la fin du Carnaval, j'ai appris ce que signifie le mot tourment. J'ai traîné sur les quais jusqu'à ce que votre bateau disparaisse, en me répétant : « Elle est partie. La seule lumière en ce monde. » Et quand je me suis vraiment rendu compte que je ne vous reverrais jamais, je suis devenu inconsolable... Je ne pouvais plus travailler... Les livres me semblaient ennuyeux. J'avais découvert l'amour.

— Au moment où le bateau est parti, j'ai ressenti la même chose, Ranjit. Mais mes questions demeurent : Qui êtes-vous ? Pourquoi êtes-vous ici et seul ?

La crainte le paralysa. Que devait-il lui dire et que fallait-il lui cacher pour ne pas lui faire peur et la chasser sans espoir de retour ? Mais il n'avait guère le choix, ce serait tout ou rien.

— Je désirais plus que tout obtenir une chaire aux États-Unis, mais mon permis de séjour allait expirer. Un type qui traficotait en aidant les étudiants étrangers me proposa un mariage blanc avec sa sœur, une belle fille qui paraissait dix-neuf ans mais en avait trente-neuf. Elle avait déjà à son actif un authentique mari, et trois faux mariages comme le mien. Sans divorces. Une combine honteuse et j'y ai été mêlé.

Thérèse frissonna, se demandant ce qu'elle allait apprendre ensuite. L'explosion de l'aveu secoua la pièce calme comme les bourrasques d'un hurricane.

— Un lit de camp dans une cave... Les coups de poing du frère... Le couteau du mari sous ma gorge... L'enquête des services de l'Immigration... L'expulsion...

Voyant Thérèse comme paralysée, il s'arrêta, fouilla dans ses classeurs de notes et lui montra la première page du journal de Miami, le jour de son départ...

Elle ne posa qu'une seule question :

— Vous êtes banni des États-Unis à vie ?

— Je crois, balbutia-t-il.

— Moi, je n'en crois rien. Et je vais trouver un moyen de vous faire rentrer aux États-Unis de façon permanente.

Puis, comme si une digue s'effondrait soudain, elle enfouit son visage entre ses mains, et au tremblement de ses épaules Ranjit comprit qu'elle sanglotait sans bruit. Elle baissa enfin les mains et le regarda dans les yeux.

— Nous ne nous sommes jamais embrassés... Et me voici en train de vous demander de m'épouser !

Il ne se précipita pas pour l'embrasser et la consoler comme l'aurait fait n'importe quel homme ordinaire. La crainte le figeait et il dit à voix basse :

— J'ai été marié à Molly Hudak pendant de longs mois et elle ne m'a permis de l'embrasser qu'une seule fois, le jour de notre mariage quand le fonctionnaire de service a dit d'un ton presque menaçant : « Maintenant, vous pouvez l'embrasser. » Apparemment je ne suis pas de ceux qui embrassent...

Et cela brisa la glace, car Thérèse s'avança vers lui en tendant les bras. Mais il s'écarta et demanda de sa voix la plus douce :

— Thérèse, je vous prie de bien vouloir m'accorder votre main.

Annexes : Les Caraïbes

Près de 2 500 000 km², dont les terres n'occupent qu'une faible proportion.

Île	Superficie (en km²)	Population	Densité (nbre d'habitants au km²)
Anguilla (G.B.)	438	82 400	188
Antigua (G.B.)	87	7 000	80
Aruba (P.B.)	192	62 000	323
Barbade (G.B.)	425	254 000	598
Bonaire (P.B.)	284	8 753	31
Caïmans (G.B.)	302	18 000	60
Cuba	111 000	10 290 000	94
Curaçao (P.B.)	438	147 388	336
Rép. Dominicaine	48 000	6 708 000	140
Dominique (G.B.)	750	87 000	117
Grenade (G.B.)	340	104 000	305
Guadeloupe et ses dépendances (F.) :	1 760	335 000	190
– la Désirade (27 km²)			
– Marie-Galante (157 km²)			
– Saint-Barthélemy (25 km²)			
– Saint-Martin (53 km²)			
– les Saintes (15 km²)			
Haïti	27 750	5 532 000	202
Jamaïque (G.B.)	11 000	2 365 000	218
Martinique (F.)	1 100	329 000	302
Montserrat (G.B.)	100	13 000	130
Porto Rico (U.S.A.)	8 800	3 300 000	375
Saint-Eustache (P.B.)	28	1 358	48
Saint-Kitts-Nevis (G.B.)	266	46 500	175
Saint-Vincent et les Grenadines (G.B.)	390	112 000	292
Sainte-Lucie (G.B.)	620	138 000	222
Sint Maartens (P.B.)	33	13 156	399
Trinidad et Tobago (G.B.)	5 100	1 221 000	242
Vierges, îles (G.B.)	151	12 000	79
Vierges, îles (U.S.A.)	340	112 000	329
Total	219 694	31 298 555	

Table

Achevé d'imprimer au Canada
Imprimerie Gagné Ltée Louiseville